Cyflwyniad i
FFISEG UWCH

Cyflwyniad i FFISEG UWCH

DAVID BRODIE

Cyhoeddwyd dan nawdd
Cynllun Cyhoeddiadau Cyd-bwyllgor Addysg Cymru

JOHN MURRAY

Y fersiwn Saesneg gwreiddiol:
Introduction to Advanced Physics
Cyhoeddwyd gan John Murray (Publishers) Ltd
50 Albemarle Street
Llundain W1S 4BD

Arluniwyd gan:
Oxford Illustrators Ltd

Gosodwyd gan:
Eric Drewery

Cysodwyd gan:
Wearset, Boldon, Tyne a Wear
Argraffwyd a rhwymwyd ym Mhrydain gan Butler & Tanner, Frome a Llundain

Cyhoeddwyd yn gyntaf yn Saesneg yn y flwyddyn 2000
© David Brodie

Y fersiwn Cymraeg hwn:
ⓑ ACCAC (Awdurdod Cymwysterau, Cwricwlwm ac Asesu Cymru), 2005 ©
Cyhoeddwyd gan y Ganolfan Astudiaethau Addysg (CAA), Prifysgol Cymru Aberystwyth, Yr Hen
Goleg, Aberystwyth, SY23 2AX (http://www.caa.aber.ac.uk), gyda chymorth ariannol ACCAC.

Cyhoeddwyd dan nawdd Cynllun Cyhoeddiadau Cyd-bwyllgor Addysg Cymru.

Cyfieithydd a golygydd: Janice Williams
Ymgynghorydd: Gwenno Watkin
Dylunydd: Owain Hammonds
Argraffwyr: Gwasg Gomer

Diolch i John Evans a Chris James am eu cymorth wrth brawfddarllen.
Diolch yn fawr hefyd i Huw Roberts am ei gymorth a'i arweiniad gwerthfawr.

ISBN 1 85644 886 X

Ymchwil hawlfraint lluniau: Zooid Pictures Limited

Llun y clawr gan Wellcome Trust

Cynnwys

Rhagarweiniad

Mae mynd ymlaen i astudio ffiseg ar ôl gwneud TGAU yn gam mawr; yn wir mae'r trawsnewid mor fawr mae llawer o fyfyrwyr yn ei chael hi'n anodd am y misoedd cyntaf ac mae rhai hyd yn oed yn rhoi'r gorau i'r pwnc. Bwriad y llyfr hwn yw eich helpu i wneud y cam cyntaf hwnnw. Yn Rhan A, *Yr Hanfodion* (Penodau 1-22), caiff y myfyrwyr eu tywys o'r pynciau mwy cyfarwydd i faes newydd y cwrs Safon Uwch. Bydd y pwyslais ar y sgiliau a'r themâu yn ogystal â chynnwys y manylebau ar y lefel gychwynnol a bydd hyn yn sylfaen gadarn i adeiladu arni. Yn Rhan B, *Anelu'n Uwch* (Penodau 23-37), lle mae'r penodau'n fwy cynhwysfawr, ceir y cyfan sydd ei angen er mwyn astudio hyd at Safon Uwch Gyfrannol. Yn gryno, felly, pwrpas y llyfr yw tywys y myfyrwyr drwy flwyddyn gyntaf eu cwrs ôl-16 ac ymlaen i'w hail, a hynny ar ddwy lefel wahanol.

Tra bydd mantais i bob myfyriwr, beth bynnag eu gallu, ddechrau gyda'r penodau yn Rhan A gallwch, wedi hynny, ddewis y dull o weithio a fydd yn gweddu orau i chi. I rai athrawon a disgyblion, mae'n siwr y bydd yn well ganddynt weithio drwy'r penodau yn Rhan A mewn dilyniant cyn mynd ymlaen i Ran B. Mantais hyn yw y bydd y myfyrwyr wedi gosod y sylfeini cyn mynd ymlaen i lefel uwch pan fydd eu sgiliau wedi'u datblygu (Ffigur 1). Bydd yn well gan eraill fynd drwy'r gyfrol fesul pwnc (Ffigur 2) fel y byddant yn astudio, dyweder, syniadau elfennol mecaneg i ddechrau – *Newidynnau mudiant* (Pennod 10), *Grym Newton* (Pennod 11), *Gweithio gyda fectorau* (Pennod 12) ac ati ac yna'n mynd yn syth yn eu blaen i'r lefel uwch sef *Grymoedd mewn cydbwysedd* (Pennod 30) a *Mudiant mewn llinell syth* (Pennod 31).

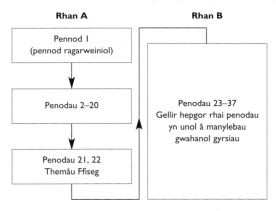

Ffigur 1 Wrth fynd drwy'r penodau mewn dilyniant bydd myfyrwyr yn gweithio drwy Ran A ar ei hyd ar y lefel ragarweiniol cyn mynd ymlaen i'r lefel uwch yn Rhan B

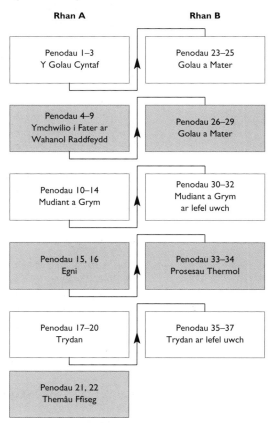

Ffigur 2 Wrth fynd drwy'r penodau fesul pwnc bydd myfyrwyr yn gweithio ar thema arbennig ar lefel ragarweiniol yn Rhan A ac yna'n mynd syth yn eu blaen i astudio'r un pwnc ar lefel uwch yn Rhan B. Awgrymir y dylid astudio Penodau 21 a 22 yn weddol gynnar yn ystod y cwrs. Dylai pob myfyriwr astudio'r penodau sydd yn Rhan A er y bydd rhai yn debygol o fynd drwy'r gwaith yn gynt na'i gilydd.

Mae'r llyfr hwn yn cwmpasu'r cyfan sydd ei angen i ateb gofynion pob manyleb ar gyfer y cwrs Uwch Gyfrannol. Bydd y manylebau yn gwahaniaethu gryn dipyn o ran eu cynnwys, felly ni fydd angen i bawb astudio pob pennod yn Rhan B. Mae'r *matrics manylebau* sy'n dilyn yn dangos pa benodau sy'n ofynnol ar gyfer gwahanol fanylebau'r cwrs Uwch Gyfrannol. Bydd y rhan fwyaf o fyfyrwyr yn cwblhau penodau Rhan B yn ystod ail flwyddyn eu cwrs. Ceir yn yr ail lyfr, *Ffiseg Safon Uwch*, yr holl ddeunydd ychwanegol sydd ei angen yn ystod ail flwyddyn y cwrs, gan gynnwys penodau 'synoptig' a fydd yn cynnig mwy o her a chymorth ar gyfer y rhan newydd hon o'r rhaglen asesu.

Nod y llyfr yw cynnig esboniad clir ar gyfer gwahanol gysyniadau. Mae hefyd yn canolbwyntio ar themâu a sgiliau, gan gynnwys sgiliau ieithyddol a mathemateg. Bydd Penodau 21 a 22 yn ymdrin â sgiliau sylfaenol a chyffredinol ffiseg ond cyfeirir atynt mewn penodau eraill hefyd. Fe welwch hefyd *Eirfa allweddol* ar ddechrau pob pennod ac anogir myfyrwyr i'w defnyddio fel sylfaen i ddatblygu eu dealltwriaeth o'r pwnc. Nid oes disgwyl i'r myfyrwyr ateb y *Cwestiynau mawr* sy'n agor pob pennod; eu pwrpas yw pwysleisio mai ymchwilio ac ymholi yw hanfod ffiseg. Yn olaf, nodir *Cefndir* y pwnc dan sylw er mwyn ei roi yn ei gyd-destun hanesyddol neu gymdeithasol.

Bwriad y cwestiynau niferus ac amrywiol drwy'r gyfrol yw rhoi cyfle i'r myfyrwyr ymarfer a datblygu syniadau a sgiliau a'u hannog i fynd i'r afael â gwahanol bynciau ar lefel ddeallusol. Ymhlith y cwesiynau hyn ceir:

- *Cwestiynau sylfaenol* ym mhob pennod sy'n rhoi cyfle i ymarfer neu'n ysgogi'r meddwl (neu'r ddau lle bo modd) ac yn annog i'r llyfr gael ei ddefnyddio'n annibynnol a chynnal thrafodaeth;
- Ymarferion *deall a chymhwyso* ar ddiwedd llawer o'r penodau sy'n rhoi cyfle i'r myfyrwyr fynd i'r afael â'r hyn a ddysgwyd yn y bennod, defnyddio eu sgiliau newydd ac ystyried ffiseg mewn nifer o wahanol gyd-destunau;
- *Tasgau sgiliau ychwanegol* sy'n ategu'r gweithgareddau a ddarparwyd eisoes i feithrin sgiliau allweddol drwy gwestiynau eraill ac yn sicrhau bod digon o gyfle i ddatblygu sgiliau allweddol Cyfathrebu, Technoleg Gwybodaeth a Chymhwyso Rhif.

Ni roddwyd hen gwestiynau arholiad ar ddiwedd penodau Rhan A gan mai afresymol fyddai disgwyl i fyfyrwyr fedru ymdopi â'r rhain yn ystod wythnosau neu fisoedd cyntaf eu cwrs. Mae digon ohonynt fodd bynnag ar ddiwedd pob pennod yn Rhan B ac maent yn cyfateb â chynnwys y penodau yn Rhan A a Rhan B fel ei gilydd.

Fe welwch yr atebion i'r cwestiynau rhifiadol ac atebion byr eraill ar ddiwedd y llyfr. Dylid nodi na chafwyd yr atebion i'r cwestiynau arholidau gan y byrddau arholi.

Gobeithiaf y llwyddais, gydag arweiniad, cefnogaeth ac anogaeth golygyddion John Murray Publishers, i greu math newydd o adnodd a fydd yn fodd i ddatrys hen broblem ym maes addysg ffiseg – sut i hwyluso'r broses o bontio'r bwlch rhwng cwrs TGAU a chwrs ôl-16 drwy ganolbwyntio ar y syniadau a'r sgiliau sylfaenol ac yna eu datblygu ar lefel yn uwch. Os bydd myfyrwyr yn cael mwy o foddhad o astudio ffiseg Safon Uwch Gyfrannol a Safon Uwch o ganlyniad i hyn, naill ai er ei mwyn ei hun neu fel cam i gwrs astudiaeth pellach, yna bydd rhyw fudd i'r flwyddyn a hanner hynod ddwys a dreuliais yn gweithio ar y gyfrol.

Hoffwn ddiolch i'r canlynol yn arbennig:

Katie Mackenzie Stuart, am gael y syniad gwreiddiol ar gyfer y gyfres ac am ei chefnogaeth drwy'r adeg;
Jane Roth a Julie Jones, am eu gwaith manwl a diwyd ac am eu hamynedd di-ben-draw;
Marilyn Rawlings, am ei gwaith diflino i ddod o hyd i'r lluniau gwych;
Claire, am oddef yr holl oriau anghymdeithasol o weithio ac am ei hanogaeth y tu hwnt i bob disgwyl;
Tom, Eleanor a'm rhieni am eu diddordeb a'u cefnogaeth;
Eliza, am feiddio ag awgrymu nad ffiseg yw hoff bwnc pawb, ond am ei hanwyldeb er gwaethaf hynny.

David Brodie

Matrics manylebau

Bwrdd	AQA (NEAB)					AQA (AEB)				Edexcel						OCR				CBAC			
Modiwl*	1	2	3	4	5	1	2	4	5	1	2	3C	4	5	6	A	B	C1	D	PH1	PH2	PH4	PH5
Pennod 1							✓																
Pennod 2				✓			✓						✓					✓		✓			
Pennod 3							✓						✓				✓				✓		
Pennod 4			✓							✓						✓							
Pennod 5			✓					✓		✓						✓							
Pennod 6											✓					✓			✓				✓
Pennod 7	✓						✓			✓									✓				✓
Pennod 8				✓			✓			✓									✓				✓
Pennod 9	✓			✓			✓			✓		✓							✓		✓		✓
Pennod 10		✓								✓						✓				✓			
Pennod 11		✓				✓				✓						✓				✓			
Pennod 12		✓				✓										✓							
Pennod 13		✓				✓				✓						✓				✓			
Pennod 14		✓						✓		✓									✓			✓	
Pennod 15		✓				✓		✓		✓						✓			✓	✓		✓	
Pennod 16		✓				✓		✓		✓						✓			✓	✓		✓	
Pennod 17																	✓				✓		
Pennod 18			✓			✓					✓						✓				✓		
Pennod 19			✓			✓					✓						✓				✓		
Pennod 20			✓			✓					✓						✓				✓		
Pennod 21																							
Pennod 22																							
Pennod 23	✓																	✓		✓			
Pennod 24																							
Pennod 25			✓			✓							✓					✓		✓			
Pennod 26	✓						✓	✓					✓				✓			✓			✓
Pennod 27	✓						✓	✓					✓									✓	
Pennod 28	✓			✓			✓			✓		✓							✓	✓			✓
Pennod 29	✓						✓					✓											
Pennod 30		✓				✓				✓						✓				✓			
Pennod 31		✓				✓				✓						✓				✓			
Pennod 32		✓														✓							
Pennod 33		✓						✓			✓								✓			✓	
Pennod 34		✓						✓			✓								✓			✓	
Pennod 35			✓			✓					✓						✓					✓	
Pennod 36			✓			✓					✓						✓					✓	
Pennod 37			✓			✓	✓										✓						

* Y modylau yn y colofnau melyn yw'r rhai sydd yn rhan A2 o'r cwrs

Cydnabyddiaeth

Hoffai'r awdur a'r cyhoeddwyr ddiolch i'r canlynol am eu cyfraniadau a'u cyngor:

John Gregson
Martin Hampshire
Malcolm Parry
Nicky Thomas
Neil Calder, CERN
Kitsou Dubois
Jane Croucher, Coleg King's, Llundain

Atgynhyrchwyd y cwestiynau arholiad â chaniatâd y byrddau arholi canlynol:

Assessment and Qualifications Alliance (AQA): The Associated Examining Board (AEB) a'r Northern Examinations and Assessment Board (NEAB)
Edexcel Foundation (London Examinations)
Sefydliad y Fagloriaeth Ryngwladol
OCR

Nid y byrddau arholi a fu'n gyfrifol am ddarparu'r atebion ar gyfer y cwestiynau yn y llyfr hwn ac ni chawsant eu cymeradwyo ganddynt ychwaith. Yr awdur ei hun sy'n gyfrifol am eu llunio ac am eu cywirdeb.

Diolch hefyd i'r canlynol am eu caniatâd i atgynhyrchu'r ffotograffau a'r lluniau â hawlfraint:

Clawr The Wellcome Department of Cognitive Neurology, Functional Imaging Laboratory; **t.2** Ffigur 1.1 C. N. R. I./Science Photo Library; **t.3** Ffigur 1.3 J. Townson/Creation; **t.4** Ffigur 1.4 A. Lambert; **t.7** Ffigur 1.10 O. Andrews/Science Photo Library; **t.8** Ffigur 1.15 Benelux Press/Ace Photo Agency; **t.9** Ffigur 1.19 Yr Oriel Genedlaethol, Llundain; **t.10** Ffigur 1.21 Ronald Grant Archive; **t.11** Ffigur 2.1 A. Ronan/Image Select, Ffigur 2.2 Science Photo Library; **t.12** Ffigur 2.4 J. Birdsall; **t.13** Ffigur 2.6a A. Lambert; **t.19** Ffigur 3.1 Science Photo Library; **t.20** Ffigur 3.3 y ddau A. Lambert; **t.22** Ffigur 3.7 P. Adams/Ace Photo Agency; **t.25** Ffigur 3.10 F. Sauze/Science Photo Library; **t.30** Ffigur 4.1 Image Bank; **t.31** Ffigur 4.2 S. Allen/Image Bank; **t.35** Ffigur 4.6 H. Reinhard/B. & C. Alexander; **t.37** Ffigur 5.1 Ancient Art & Architecture Collection, Ffigur 5.2 R. Moreton/ Powerstock Zefa; **t.38** Ffigur 5.4 J. Birdsall; **t.46** Ffigurau 5.15, 5.16 a 5.17 J. Birdsall; **t.47** Ffigur 6.1 C. Freeman/Royal Institution/Science Photo Library, Ffigur 6.2 J. Townson/Creation; **t.48** Ffigur 6.3 Rosenfeld Images/Science Photo Library; **t.51** Ffigur 6.9 A. Lambert; **t.52** Ffigur 6.11 P. Gould; **t.53** Ffigurau 6.12a, 6.12b, 6.12c, 6.13a a 6.13b A. Lambert, Ffigur 6.13c P. Gould; **t.55** Ffigur 6.17 G. Tompkinson/Science Photo Library; **t.56** Ffigur 7.1 N. Birch/Image Select; **t.57** Ffigurau 7.2 a 7.3 A. Lambert; **t.58** Ffigur 7.4 A. Lambert; **t.63** Ffigur 8.1 Ronald Grant Archive, Ffigur 8.2 Macmillan Cancer Relief; **t.64** Ffigur 8.5 P. Gould; **t.68** Ffigur 8.8 C. Powell, P. Fowler, D. Perkins/Science Photo Library; **t.69** Ffigur 8.11 Particle Physics & Astronomy Research Council; **t.72** Ffigur 9.1 J. Birdsall; **t.75** Ffigur 9.5 Lawrence Berkeley Laboratory/Science Photo Library; **t.82** Ffigur 10.1 J. Birdsall; **t.83** Ffigur 10.2 Image Bank; **t.85** Ffigur 10.6 A. Lambert; **t.88** Ffigur 10.11b Mortimore/ Allsport UK; **t.89** Ffigur 11.1 D. Santbech, *Problematum Astronomicorum*, Basel 1561; **t.92** Ffigur 11.4 Daniels/Ardea London; **t.93** Ffigur 11.5 NASA/Science Photo Library, Ffigur 11.6 Powerstock Zefa; **t.106** Ffigur 13.1 A. Ronan/Image Select, Ffigur 13.2 *bch, bdd* a *gch* Science Photo Library, *gdd* A. Ronan/ Image Select, Ffigur 13.3 Derby Museums & Art Gallery; **t.112** Ffigur 13.12 A. Lambert;

t.114 Ffigur 13.14 Arts Catalyst; **t.115** Ffigur 14.1 Lady Blackett; **t.116** Ffigur 14.2 Space Telescope Science Institute/ NASA/Science Photo Library, Ffigur 14.3 A. Lambert; **t.124** Ffigur 15.1 Stableford/Image Bank; **t.134** Ffigur 15.16 Dr. J. Burgess/Science Photo Library; **t.141** Ffigur 16.5 JPL Photo/NASA; **t.144** Ffigur 17.1 Science Photo Library; **t.145** Ffigur 17.2 Lawrence Berkeley Laboratory/Science Photo Library; **t.148** Ffigur 17.12 *l caniatâd gan Sefydliad Brenhinol Prydain Fawr;* **t.160** Ffigur 19.2 A. Lambert; **t.171** Ffigur 20.1 D. Davis/Tropix Photo Library; **t.174** Ffigur 20.3**b** A. Lambert; **t.176** Ffigur 20.7 Sutherland/Science Photo Library; **t.177** Ffigur 20.10 A. Lambert; **t.186** Ffigur 21.1 *l* Mary Evans Picture Library, *dd* Science Photo Library; **t.188** Ffigur 21.3 Steel Photography/Ace Photo Agency; **t.189** Ffigur 21.5 Plailly/Science Photo Library; **t.201** Ffigur 22.13 Colorsport; **t.204** Ffigur 23.1 A. Lambert; **t.212** Ffigur 23.16**a** A. Lambert, Ffigur 23.16**b** Pasieka/Science Photo Library; **t.219** Ffigur 23.30 A. Lambert; **t.223** Ffigur 24.1 Lick Observatory/Science Photo Library; **t.227** Ffigur 24.11 J. Townson/Creation; **t.230** Ffigur 24.14 *y ddau* A. Lambert; **t.234** Ffigur 24.20 D. Brodie; **t.240** Ffigur 25.1 Bousfield/Science & Society Photo Library; **t.244** Ffigur 25.7 Aprahamian/ Sharples Stress Engineers/Science Photo Library; **t.250** Ffigur 25.20 A. Lambert; **t.252** Ffigur 25.23 A. Lambert; **t.253** Ffigur 25.24 Last Resort; **t.255** Ffigur 25.27 Adran Ffiseg, Prifysgol Surrey, Ffigur 25.28 Dr. J. Burgess/Science Photo Library; **t.261** Ffigur 26.3 Science Photo Library; **t.271** Ffigur 26.20 Dr. J. Burgess/Science Photo Library; **t.273** Ffigur 27.1 Science Photo Library; **t.276** Ffigur 27.6 *l* Adran Ffiseg, Coleg Imperial/Science Photo Library, Ffigur 27.7 A. Ronan/Image Select, Ffigur 27.8 *y ddau* Adran Ffiseg, Coleg Imperial/Science Photo Library; **t.282** Ffigur 27.18 Adran Ffiseg, Coleg Imperial/Science Photo Library, Ffigur 27.19 Science Photo Library; **t.283** Ffigur 27.22 B.Williams/Quadrant Picture Library; **t.288** Ffigur 28.1 Edmaler/Science Photo Library; **t.292** Ffigur 28.7 Science Photo Library, Ffigur 28.8 Lawrence Berkeley Laboratory/Science Photo Library; **t.301** Ffigur 28.17 Geoscience Features; **t.303** Ffigur 28.18 British Geological Survey; **t.304** Ffigur 28.20 Science Photo Library; **t.311** Ffigur 29.3 C. Anderson/Science Photo Library; **t.312** Ffigur 29.4 T. Beddow/Science Photo Library; **t.314** Ffigur 29.6 CERN/Science Photo Library, Ffigur 29.7 P. Loiez/CERN/Science Photo Library; **t.320** Ffigur 29.14 Lawrence Berkeley Laboratory/Science Photo Library; **t.321** Ffigur 29.15 Science Photo Library; **t.323** Ffigur 29.17 CERN, Ffigur 29.18 D. Parker & J. Baum/Science Photo Library; **t.326** Ffigur 30.1 Leslie Garland Picture Library; **t.327** Ffigur 30.2 D. Bolduc/Colorsport; **t.338** Ffigur 31.1 Fox Photos/Hulton Getty; **t.352** Ffigur 32.3 Z. V. M./Powerstock Zefa; **t.364** Ffigur 33.1 Space Telescope Institute/Science Photo Library; **t.366** Ffigur 33.4 Leslie Garland Picture Library; **t.376** Ffigur 33.20 G. & M. Moss/Still Pictures; **t.381** Ffigur 33.27 A. Ronan/Image Select; **t.400** Ffigur 34.17**a** Powerstock Zefa, Ffigur 34.17**b** MRP Photography; **t.406** Ffigur 35.1 J. Birdsall; **t.421** Ffigur 36.1 Science Photo Library; **t.427** Ffigur 36.11 Unilab; **t.436** Ffigur 37.1 J. Townson/Creation, Ffigur 37.2 Montreal Neurological Institute, McGill University/C. N. R. I./Science Photo Library, Ffigur 37.3 Image Select; **t.447** Ffigur 37.24 Bridgeman Art Library, *The Betrayal of Images: Ceci n'est pas une pipe,* 1929, Los Angeles County Museum of Art, © D.A.C.S.; **t.448** Ffigur 37.25 British Geological Society; **t.451** Ffigur 37.29 Space Telescope Institute/NASA/Science Photo Library, Ffigur 37.30 Science Photo Library; **t.452** Ffigur 37.31 Schlumberger Oilfield Communications, Ffigur 37.32 H. Turvey/Science Photo Library, Ffigur 37.33 Deep Light Productions/Science Photo Library; **t.453** Ffigur 37.34 Ouellette & Theroux/Publifoto Diffusion/Science Photo Library; **t.454** Ffigur 37.36 D. Brodie.

ch = chwith, *dd* = dde, *b* = brig, *g* = gwaelod, *c* = canol

Gwnaeth y cyhoeddwyr bob ymdrech i gysylltu â'r sawl sydd â'r hawlfraint am yr uchod. Os hepgorwyd unrhyw rai drwy amryfusedd bydd y cyhoeddwyr yn fwy na pharod i wneud y trefniadau priodol cyn gynted ag y bo modd.

RHAN A
YR HANFODION

I
Y GOLAU CYNTAF

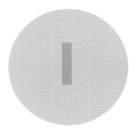

Meddwl am olau

Y CWESTIYNAU MAWR

- Ym mha ffyrdd gwahanol yr effeithir ar daith golau wrth iddo ryngweithio â mater?
- Sut y mae'r rhyngweithiadau hyn yn dylanwadu ar yr hyn rydym ni'n ei weld?
- Pa fodelau y gallwn ni eu defnyddio i'n helpu i ddeall sut y mae golau yn cyrraedd ein llygaid?

GEIRFA ALLWEDDOL

adlewyrchiad   adlewyrchiad tryledol   amsugno   arddwysedd   brasamcan   deddf   deddf adlewyrchiad   delfrydol   dyblygu   gwasgariad   model   normal   paladr paralel   pelydriad   pelydryn   persbectif   retina   trawsyriant

Y CEFNDIR

Mae golau a fu'n teithio am gannoedd o flynyddoedd o seren bellennig neu o'r teledu o ben pellaf yr ystafell yn dod i ben ei daith pan fydd yn cyrraedd eich llygaid. Mae ei egni yn cael ei ddwyn oddi arno ac mae'n darfod fel golau. Mae'n cael ei *amsugno*. Y patrymau a geir yn y golau hwn fydd yn llywio sut y mae eich ymennydd yn ymateb i'r byd o'i gwmpas. Mae holl syniadau ffiseg wedi'u hadeiladu ar y canfyddiad hwn.

Bellach, drwy ein gwybodaeth am ffiseg a chan weithio gyda syniadau ynghylch natur mater a golau, rydym wedi dysgu sut i greu lluniau o'n hymennydd actif. Trwy gyfrwng sgan fMRI (*functional magnetic resonance images* sef delweddau cyseiniant magnetig gweithredol) gallwn weld pa rannau o'n hymennydd sydd fwyaf actif wrth i ni gyflawni tasgau gwahanol (Ffigur 1.1). Gallant ddangos, er enghraifft, pa rannau sy'n gweithio galetaf wrth i'n golwg gael ei ysgogi.

Ffigur 1.1
Mae sgan fMRI yn gofnod o'r ymennydd dynol ar waith. Mae'r ffotograff hwn yn dangos toriad llorweddol drwy ymennydd normal.

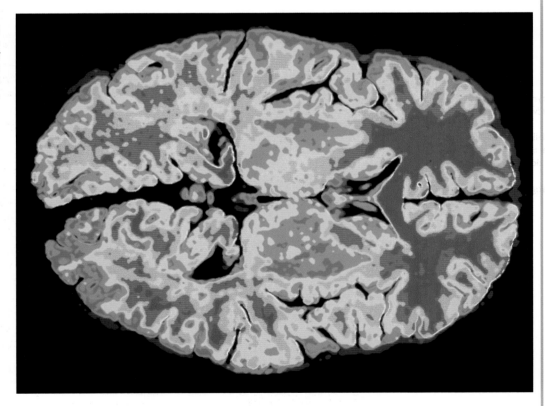

Mae delweddau fMRI yn cael eu llunio wrth i hyrddiau o egni lifo o'r cyfarpar sganio i atomau'r ymennydd ac yna canfod ymateb penodol gwahanol fathau o atomau. Er na allwn weld y tonnau radio sy'n dod o'r pen gallwn ddefnyddio canfodyddion, ynghyd â chyfrifiaduron, i lunio lluniau sy'n weladwy.

Y retina

Mae golau yn mynd drwy gannwyll eich llygaid ac mae'r system lens yn taflunio delweddau o'r byd y tu allan ar eich **retina**, sef yr arwyneb y tu mewn i belen y llygad (Ffigur 1.2).

Mae haen o gelloedd goleusensitif yn y retina lle mae dyfodiad golau yn achosi newidiadau cemegol sydd, yn eu tro, yn creu ysgogiadau electrocemegol. Mae'r rhain yn teithio ar hyd y nerfau i'r ymennydd. Mae'r newid cemegol yn cael ei wrthdroi yn sydyn fel y bo'r celloedd yn barod i drawsyrru ysgogiadau newydd neu i 'danio' unwaith eto. (Mae fflach sydyn o olau yn eich dallu am rai eiliadau – mae hyn yn digwydd pan fydd y celloedd wedi'u tanio i gyd ac ni fyddant yn gallu tanio eto hyd nes y caiff yr adwaith ei wrthdroi.)

Ffigur 1.2
Y tu mewn i'ch llygad.

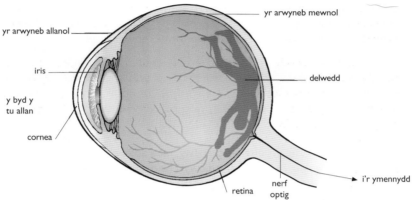

yr arwyneb allanol

yr arwyneb mewnol

iris

delwedd

y byd y tu allan

cornea

retina

nerf optig

i'r ymennydd

Taith golau i'r retina

Mae'r newidiadau y mae golau yn eu hysgogi yn y retina, ac felly yr hyn yr ydych chi'n ei weld, yn dibynnu ar natur y golau a'i batrymau mewn gofod ac amser. Mae'r patrymau hyn, yn eu tro, yn dibynnu ar natur ffynhonnell y golau – yr Haul, fflam, lamp neu sgrin deledu. Mae'r ffaith a yw'r ffynhonnell yn symud ai peidio ac a yw'n ddi-dor neu'n fflachio yn ffactorau a fydd yn effeithio arnynt. Yn ogystal â hynny mae'r rhyngweithiadau a ddigwyddodd rhwng y golau a mater wrth i'r golau deithio o'i ffynhonnell i'ch llygaid yn effeithio arnynt (Ffigur 1.3).

Dyweder bod golau'n dechrau o ffilament mewn lamp; cyn iddo gyrraedd eich llygaid mae'n bosibl ei fod wedi rhyngweithio â'r gwydr o gwmpas y lamp, aer, bwrdd pren, llyfr, wal a hefyd eich croen. Mae llawer o'r rhyngweithiadau hyn yn **adlewyrchiadau**, lle mae golau yn taro arwyneb ond, yn hytrach na mynd drwyddo, yn mynd tuag yn ôl. Ni fydd y golau a fydd yn taro arwyneb yn cael ei adlewyrchu i gyd; mae rhywfaint ohono yn cael ei amsugno neu ei drawsyrru gan y defnydd. Pan gaiff ei **amsugno** mae'r golau'n darfod, yn peidio â bod, ac mae'r egni'n cael ei drosglwyddo i'r defnydd a fydd yn ei amsugno.

Ffigur 1.3
O'r golau a fydd yn cyrraedd ein llygaid gallwn ddweud o ble y daeth a lle y bu yn ystod ei daith. Efallai bod y golau sy'n cael ei adlewyrchu gan wydraid o ddiod cola wedi cychwyn yn yr Haul ond mae ei ryngweithiad â'r hylif tywyll wedi dylanwadu arno.

Pam y mae'r ewyn yn ymddangos yn olau a'r hylif yn dywyll? Mae syniadau am adlewyrchu ac amsugno yn eich helpu i ddod o hyd i'r ateb. Mae'r hylif ei hun yn amsugno golau'n dda felly mae arddwysedd y golau yn lleihau'n weddol sydyn wrth iddo fynd drwy'r hylif. Cyn i'r golau gael ei amsugno, mae ychydig ohono'n cael ei adlewyrchu ar yr arwyneb. Mae arwynebedd arwyneb mawr i'r swigod ac ni fydd llawer o drwch i'r hylif lle gall y golau gael ei amsugno. Adlewyrchu yw'r broses amlycaf fan yma felly ac mae'r ewyn yn adlewyrchu llawer o'r golau a fydd yn ei daro.

Ffigur 1.4
Mae'r retina yn arwyneb sy'n amsugno a hefyd yn adlewyrchu. Mae rhywfaint o'r golau o fflach o olau llachar yn dychwelyd i'r camera er mwyn creu 'llygaid coch' mewn ffotograff.

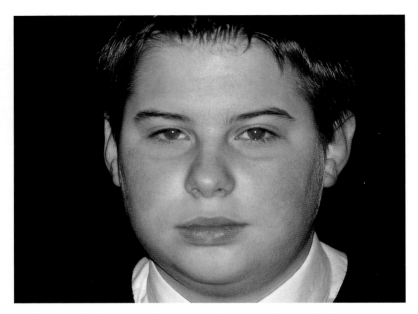

Os yw golau lamp yn disgleirio ar fwg, mae adlewyrchiadau o'r gronynnau mwg i bob cyfeiriad. **Gwasgariad** golau yw'r enw ar adlewyrchiad o'r fath i nifer o wahanol gyfeiriadau. Nid yw drych nac arwyneb llyfn dŵr yn gwasgaru golau ond yn hytrach yn ei adlewyrchu i gyfeiriad y gellir ei ragfynegi. Mae llawer o arwynebau eraill yn taflu'r golau i gyfeiriadau na ellir, yn ymarferol, eu rhagfynegi; maent yn gwasgaru'r golau.

Mae llawer o arwynebau yn dethol p'un ai i adlewyrchu neu amsugno golau (Ffigur 1.4), felly mae'r golau a fydd yn gadael yr arwyneb yn ymddangos yn wahanol i'n golwg ni o'i gymharu â'r golau a ddaeth o'r lamp. Gallwn weld lliwiau a chyfeirio at fws coch neu flodyn glas. Mae arwynebau yn amsugno ac yn adlewyrchu gwahanol fathau o olau (gweler Pennod 3 hefyd).

Dim ond ychydig o olau o ffilament y lamp y mae'r aer a'r gwydr yn ei amsugno. Mae'n bosibl hefyd y bydd ychydig o olau'n cael ei adlewyrchu ar y ffin rhwng yr aer a'r gwydr ond, fel arall, mae'r aer a'r gwydr yn caniatáu i'r golau deithio drwyddynt, h.y. maent yn trawsyrru'r golau. Nid yw ein cyrff ni ein hunain yn dda am drawsyrru golau. Dyma'r rheswm y mae cysgodion yn ffurfio pryd bynnag y byddwn yn mynd allan yng ngolau'r Haul (Ffigur 1.5).

Ffigur 1.5
Golau haul a'i ryngweithiad â mater: golau'n cael ei **drawsyrru**, ei amsugno a'i adlewyrchu.

Mae golau'n rhyngweithio â mater ac mae ei **arddwysedd** o ganlyniad i hynny yn dibynnu ar gyfuniad o adlewyrchiad, amsugniad a thrawsyriant. Mae arddwysedd golau yn arwydd o'i ddisgleirdeb; dyma bŵer (neu drosglwyddiad egni yr eiliad) y golau fesul uned o'r arwynebedd.

Cynrychioli arddwysedd golau mewn graffiau

Gall lluniau fod yn ddefnyddiol iawn i ddangos gwybodaeth yn gyflym. Gallwn hyd yn oed ddangos meintiau gwahanol mewn lluniau, ar ffurf graff er enghraifft. Ar gyfer paladr o olau nad yw'n lledaenu – sy'n cael ei alw'n **baladr paralel** o olau – gallwn ddangos ar ffurf graff sut y mae ei arddwysedd yn amrywio wrth iddo ryngweithio â mater (Ffigur 1.6).

Ffigur 1.6
Graff yn dangos paladr trawol o olau yn cael ei adlewyrchu, ei amsugno a'i drawsyrru.

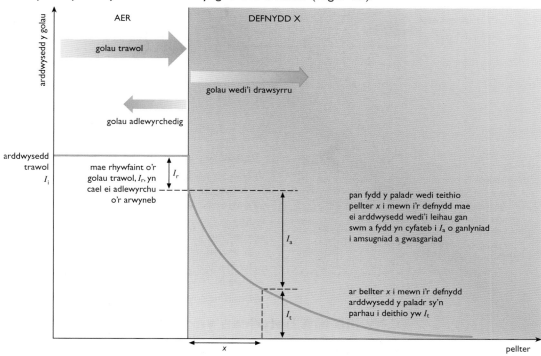

Ar gyfer unrhyw bwynt y tu mewn i ddefnydd X ar bellter x o'r arwyneb, mae arddwysedd y golau sydd wedi'i drawsyrru fel a ganlyn:

cyfanswm arddwysedd golau trawol	=	arddwysedd y golau adlewyrchedig	+	arddwysedd y golau sydd wedi'i amsugno/wasgaru	+	arddwysedd y golau sydd wedi'i drawsyrru

$$I_i = I_r + I_a + I_t$$

1 Pa mor berthnasol yw amsugniad i
  a ymddangosiad hylif tywyll
  b y ffordd y mae'r retina yn gweithio
  c y ffordd y mae ffilm yn gweithio mewn camera?

2 Sut y gwyddom fod arwynebau mewnol y llygad yn adlewyrchu golau yn ogystal â'i amsugno?

3 Lluniwch ddau fraslun o Ffigur 1.3, yr un cyntaf yn dangos effaith diod cola cyffredin ar arddwysedd paladr o olau a'r ail, ar yr un raddfa, yn dangos beth sy'n digwydd pan fo dŵr yn cael ei ychwanegu at y cola.

4 TRAFODWCH
Edrychwch ar y sgan fMRI (Ffigur 1.1), y ffotograff o'r wyneb (Ffigur 1.4), y llun yn dangos rhyngweithiad golau haul (Ffigur 1.5) a'r graff yn dangos yr amrywiaeth yn arddwysedd paladr o olau (Ffigur 1.6). Trafodwch pa un o'r rhain sydd fwyaf realistig wrth geisio cynrychioli realiti a pha un yw'r un lleiaf realistig. Pa un sy'n rhoi'r wybodaeth fwyaf cynhwysfawr i chi a pha un sy'n rhoi'r wybodaeth leiaf cynhwysfawr?

Mae ffisegwyr yn defnyddio eu llygaid a hefyd ddulliau gweledol megis y graff uchod o hyd. Mae'n dangos beth sy'n digwydd i gyfanswn arddwysedd paladr o olau sy'n cyrraedd arwyneb defnydd. Nodwch fod y golau yn cael ei adlewyrchu'n gryf gan yr arwyneb. Mae golau hefyd yn cael ei drawsyrru, ei wasgaru a'i amsugno o fewn y defnydd.

Pelydrau a diagramau pelydrol – modelau realiti

Trwy ffiseg, cawn y wybodaeth a'r sgiliau i'n galluogi ni i ragfynegi sut y mae pethau'n ymddwyn yn y byd o'n cwmpas. Er mwyn gwneud hyn caiff y byd ei gynrychioli mewn nifer o ffyrdd gwahanol – drwy iaith, mathemateg a delweddau. Mae ffiseg yn creu **modelau**. Mae model, boed ar ffurf geiriau, rhifau neu luniau, yn cynrychioli rhan benodol o'r byd real. Mae'n ffordd ddefnyddiol i'n helpu ni i feddwl a rhagfynegi. Gallwn ddefnyddio modelau hollol wahanol i'w gilydd i'n helpu ni i feddwl mewn ffyrdd gwahanol am un agwedd ar y byd ffisegol. Er enghraifft, gall ymlediad golau o ffynhonnell arbennig gael ei gynrychioli mewn nifer o wahanol ffyrdd (Ffigur 1.7). Does yr un o'r dulliau hyn yn real – modelau ydynt i gyd.

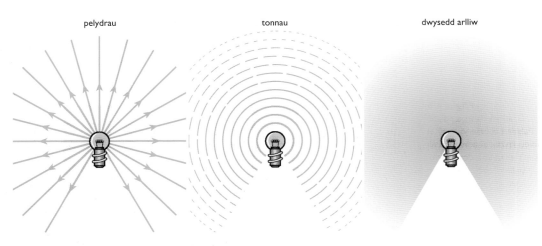

Ffigur 1.7
Modelau gwahanol yn cynrychioli'r un realiti ffisegol: golau'n pelydru o'i ffynhonnell. Cynrychioliad o realiti yw'r pelydrau er mwyn ei ddangos mewn ffordd syml.

pelydrau   tonnau   dwysedd arlliw

Ffigur 1.8
Mae golau'n taro drych o bob cyfeiriad. Er mwyn symleiddio'r gwaith o astudio adlewyrchiad, yr hyn a wnawn yw edrych ar y golau sy'n dod o un cyfeiriad yn unig ar ffurf diagram pelydrol.

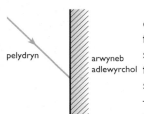

pelydryn   arwyneb adlewyrchol

Llinell gul sy'n dangos llwybr golau yw **pelydryn**. Nid oes unrhyw drwch yn perthyn i belydryn **delfrydol**. Gall rhywbeth sy'n ddelfrydol fodoli yn ein meddyliau ond nid mewn realiti. Er hynny, mae diagram sy'n dangos pelydrau golau yn fodel defnyddiol o'r realiti hwnnw. Ni fydd y golau yn cael ei ddangos i gyd, fodd bynnag. Y bwriad yw ei symleiddio gan roi digon o wybodaeth i'n helpu ni i feddwl a rhagfynegi – er mwyn ei gwneud hi'n bosibl i ni ddadansoddi'r sefyllfa. Gall pelydryn fod yn gynrychioliad defnyddiol o adlewyrchiad golau, er enghraifft (Ffigur 1.8). Haws o lawer yw meddwl am un pelydryn yn hytrach na'r holl olau a fydd yn taro arwyneb.

Chwilio am belydrau yn y byd real

Mae creu 'pelydryn' cul iawn o olau go iawn yn anodd ond os caiff cerdyn â hollt ynddo ei roi o flaen lamp, gallwn greu paladr sy'n weddol gul (Ffigur 1.9a). Mae paladr o'r fath yn debyg i baladr delfrydol. Mae'n **frasamcan** ymarferol defnyddiol o'r pelydryn. Gallwn wedyn weld beth fydd yn digwydd i'r paladr pan fydd yn rhyngweithio ag arwyneb adlewyrchol fel, er enghraifft, drych.

Ffordd arall fyddai gwthio cyfres o binnau i fwrdd pren. Pan edrychwn ar hyd y llinell byddwn yn edrych ar hyd pelydryn dychmygol (Ffigur 1.9b).

Ffigur 1.9
Ni allwn, yn ymarferol, greu pelydrau delfrydol o ffynhonnell o olau ond gallwn ddefnyddio'r cysyniad o belydrau er mwyn cynnal ymchwiliadau gwerth chweil.

a

b

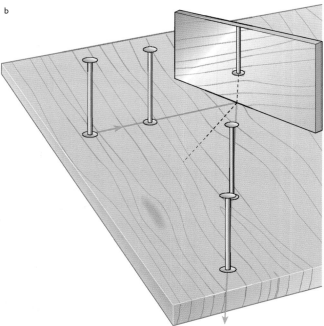

Pelydrau ac adlewyrchiad

Gan ddefnyddio paladr cul (Ffigur 1.10) neu linell o binnau fel yn Ffigur 1.9, gallwn weld sut y mae adlewyrchiad gan ddrych yn ymddwyn yn y byd real. Gallwn gofnodi ein harsylwadau ar ffurf 'diagramau pelydrol'. Yr hyn a geir yw'r un patrwm syml o ymddygiad yn cael ei weld dro ar ôl tro gan wahanol bobl yn arsylwi – gall casgliadau'r arbrawf hwn gael eu **dyblygu** yn hawdd.

Ffigur 1.10
Paladr cul iawn nad yw'n lledu fawr ddim yw paladr laser. Y mae rhywfaint o led i'r paladr ond mae'n agos iawn at belydryn tenau perffaith.

Pan fyddwn yn llunio'r **normal**, sef llinell sy'n berpendicwlar i'r arwyneb adlewyrchol (yr arwyneb sy'n adlewyrchu), mae'r ongl rhwng y normal a'r pelydryn sy'n dod i mewn neu'r pelydryn trawol yn hafal i'r ongl rhwng y normal a'r pelydryn adlewyrchedig (y pelydryn sy'n cael ei adlewyrchu). Mae patrwm tebyg o ymddygiad sy'n digwydd dro ar ôl tro yn cael ei alw'n **ddeddf**. Yr enw ar y patrwm hwn yw **deddf adlewyrchiad**. Yn gryno, mae'r ddeddf adlewyrchiad yn dweud bod yr ongl adlewyrchiad yn hafal i'r ongl drawiad (Ffigur 1.11).

Ffigur 1.11
Deddf adlewyrchiad: mae'r model pelydryn golau yn dangos patrwm ymddygiad sydd i'w weld yn gyffredin – patrwm sy'n cael ei ddyblygu bob tro.

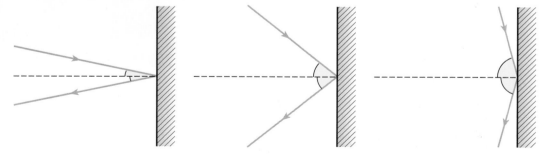

Drychddelweddau – y model pelydrol

Gallwn ddatblygu model o'r ddelwedd a gaiff ei ffurfio gan ddrych drwy lunio nifer o belydrau yn lledaenu o bwynt penodol.

Mae pelydrau golau yn lledaenu allan, neu'n pelydru, o'u ffynhonnell. (Defnyddir y gair **pelydriad** i ddisgrifio'r broses hon o ledaenu ond caiff ei ddefnyddio hefyd weithiau i ddisgrifio beth sy'n lledaenu.)

Tybiwch fod pelydrau sy'n lledaenu yn taro arwyneb adlewyrchol a'u bod yn ufuddhau i ddeddf adlewyrchiad. Mae'r pelydrau adlewyrchedig yn parhau i belydru ond mae'r pwynt y mae'n *ymddangos* eu bod yn lledaenu ohono bellach y tu ôl i'r arwyneb adlewyrchol (Ffigur 1.12). Yn wir, awgryma'r diagram fod y pwynt mor bell y tu ôl i'r arwyneb adlewyrchol ag yw'r ffynhonnell (y gwrthrych gwreiddiol) o'i flaen. Mae'r model pelydrol yn rhagfynegi ffynhonnell ymddangosiadol y golau – safle'r ddelwedd.

Ffigur 1.12
Diagram pelydrol yn rhagfynegi safle delwedd.

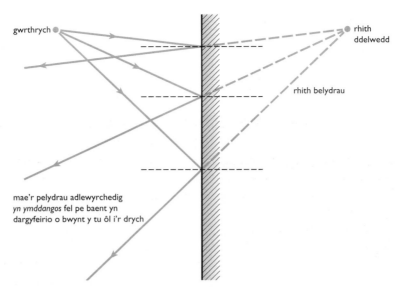

gwrthrych

rhith ddelwedd

rhith belydrau

mae'r pelydrau adlewyrchedig *yn ymddangos* fel pe baent yn dargyfeirio o bwynt y tu ôl i'r drych

Ffigur 1.13
Mae golau'n cael ei adlewyrchu gan y ddau arwyneb felly mae'r drych yn cynhyrchu delwedd ddwbl, ond mae un yn 'gryfach' na'r llall.

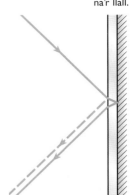

Mae dau arwyneb adlewyrchol i ddrych gwydr. Mae'r prif adlewyrchiad, sy'n creu'r ddelwedd ddisglair rydym ni'n ei gweld, yn digwydd ar yr arwyneb yng nghefn y drych ac nid ar y tu blaen (Ffigur 1.13). Er mwyn cadw pethau'n syml, rydym fel arfer yn dangos drych fel un arwyneb adlewyrchol.

5 a Copiwch Ffigur 1.14 ac ychwanegwch y pelydrau a'r normalau er mwyn darganfod a all y ferch weld ei chorun a bysedd ei thraed.

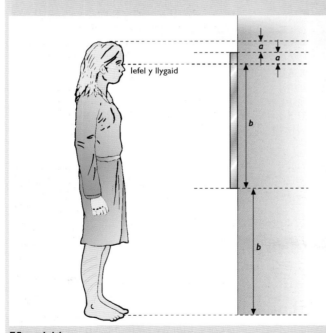

lefel y llygaid

Ffigur 1.14

b Beth sy'n digwydd i'r hyn y mae'r ferch yn ei weld ohoni'i hun wrth iddi nesáu at y drych? (Efallai y bydd angen i chi lunio braslun arall i'ch helpu. Byddwch wedyn yn defnyddio'r model pelydrol i wneud rhagfynegiad am y byd. Ceisiwch wneud prawf ymarferol, h.y. arbrawf, o'ch rhagfynegiad.)

6 Mae ysgrifennu esboniadau yn sgil anodd ond hynod o bwysig. Ysgrifennwch esboniad a fydd yn egluro pam y mae glôb drych, tebyg i'r rhai sydd yn Ffigur 1.15 isod, yn disgleirio wrth iddo droi. Cofiwch gyfeirio at y ddeddf adlewyrchiad wrth ateb.

Ffigur 1.15

7 Pa ragfynegiad a geir yn y model pelydrol yn y sefyllfa ganlynol? Mae pelydryn yn taro drych ag ongl drawiad o 10° felly yr ongl adlewyrchiad yw 10°. Yna, caiff y drych ei droi fel y bo'r ongl drawiad yn 20°. Drwy ba ongl y mae'r pelydryn adlewyrchedig yn troi?

8 Mae dau ddrych plân paralel yn cynhyrchu nifer o ddelweddau o wrthrych X (Ffigur 1.16).
   a Copiwch y diagram gan roi digon o le 'y tu ôl' i'r drychau a brasluniwch safleoedd y delweddau cyntaf a gaiff eu creu gan bob drych.
   b Mae'r holl ddelweddau eraill yn 'ddelweddau o'r delweddau' yn hytrach nag yn ddelweddau uniongyrchol o X. Brasluniwch safleoedd yr ail set o ddelweddau a gaiff eu creu gan bob drych.

X

Ffigur 1.16

Pelydrau a phersbectif

Tua 150 OC, defnyddiodd gŵr o'r Aifft, Ptolemi, gysyniad y pelydryn er mwyn dadansoddi adlewyrchiad. Flynyddoedd yn ddiweddarach, tua 1000 OC, aeth ysgolhaig Arabaidd, Alhazen (neu Al-Haytham) â syniadau Ptolemi gam ymhellach drwy wneud dadansoddiad geometregol manwl. Yn yr Eidal, 400 o flynyddoedd yn ddiweddarach, defnyddiodd arlunwyr syniadau Alhazen i beintio â **phersbectif**. Golygai hyn beintio gwrthrychau a oedd yn agos gryn dipyn yn fwy o faint na rhai oedd yn bell i ffwrdd. Am y tro cyntaf, gallai peintiadau daflunio'r un patrymau geometrig ar retina'r llygad â'r golygfeydd yr oeddent yn ceisio eu cyfleu.

Ffigur 1.17
Trwy ddadansoddi'r pelydrau, gwelwn fod gwrthrychau pell ac agos yn creu onglau gwahanol ar ein llygaid. Pa fwyaf yw'r ongl a gaiff ei chreu, y mwyaf yw'r rhan o'r retina a gaiff ei gorchuddio gan y ddelwedd a'r mwyaf y bydd y gwrthrych yn ymddangos.

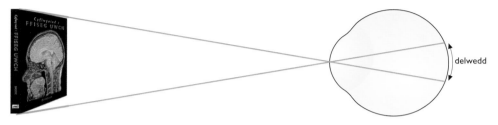

delwedd

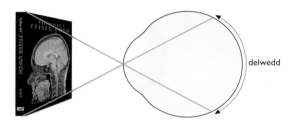

delwedd

Gallwch feddwl am belydryn a fydd yn teithio drwy ganol system lens y llygad fel petai'n teithio mewn llinell syth – gweler Pennod 24 am fwy o fanylion am lensiau.

Ffigur 1.18
Pa un o'r rhain sy'n edrych debycaf i blanc go iawn?

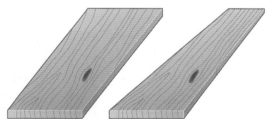

Mae dimensiynau hyd a lled y planc heb bersbectif yr un fath yn union ar y ddau ben, yn union fel planc go iawn. Gyda'r planc a luniwyd â phersbectif, ar yr ochr dde, mae dimensiynau'r pen pellaf yn llai na'r pen sydd agosaf atom ac mae'r llinellau a welir yn cynhyrchu delweddau ar y retina sy'n gyfrannol â'r hyn a gâi ei gynhyrchu gan blanc go iawn yn gorwedd ar y llawr. Ar ryw olwg, felly, mae'r planc â phersbectif yn llai tebyg i blanc go iawn ond mae'n *edrych* yn fwy realistig. Geometreg Alhazen a'i gwnaeth hi'n bosibl i arlunwyr luniadu mewn persbectif.

Ffigur 1.19
Brwydr San Romano gan Paolo Uccello c. 1440.

9 Beth sy'n digwydd i faint bws wrth iddo agosáu atoch? Beth fydd yn digwydd i faint delweddau'r bws ar eich retina? Tynnwch lun y pelydrau wrth ateb.

10 TRAFODWCH

a Wrth i chi dwtio eich gwallt a chithau'n aros am fws, fe welwch wedi'i adlewyrchu yn eich drych plân, y bws yn dod. Sut y mae buanedd y 'rhith fws' yn eich drych yn cymharu â buanedd y bws real?

b Wrth i chi eistedd ar y bws sydd bellach yn symud a chithau'n dal i dwtio eich gwallt, fe welwch adlewyrchiad car yn mynd heibio i'r bws. Sut y mae'r golwg a gewch ar fuanedd y ddelwedd o'r car yn cymharu ag union fuanedd y car?

Cafodd Paolo Uccello ei swyno gan bŵer lluniadu mewn persbectif. Mae peintiadau o'r fath yn cynhyrchu'r un patrymau geometrig ar retina'r llygad â'r golygfeydd go iawn ac felly mae'r dyfnder a'r pellter a gaiff eu cynrychioli yn creu llun sy'n argyhoeddi. Ni wyddai Uccello, fodd bynnag, fod yna ffactorau eraill sy'n ein helpu i fesur pellter. O ganlyniad i amsugniad a gwasgariad golau gan yr aer o gwmpas, mae gwrthrychau pell yn ymddangos yn llai eglur. Mae'r cymeriadau yn nghefn llun Uccello dipyn yn fwy eglur nag y byddent i'w gweld go iawn.

● **Deall a chymhwyso**

Y sgrin arian

Mae'r golau a welwch yn cael ei adlewyrchu o sgrin sinema yn tarddu o lamp bwerus yn y taflunydd. Mae'n teithio drwy'r aer, drwy'r ffilm, drwy system lens y taflunydd ac yn cyrraedd y sgrin lle caiff y ddelwedd ei ffurfio. Mae'r sgrin o liw arian golau er mwyn cael yr adlewyrchiad mwyaf. Ond nid yw'r sgrin yn gweithio fel drych. Mae pob rhan fach o'r sgrin yn gwasgaru'r golau sy'n ei daro, gyda'r llwybrau trawol ychydig yn wahanol i'w gilydd, i wahanol gyfeiriadau. Ar gyfer pob pelydryn unigol, caiff y ddeddf adlewyrchiad ei hufuddhau, ond mae arwyneb y sgrin braidd yn arw ac mae'r normalau yn mynd i bob cyfeiriad. Gelwir y gwasgariad a geir yn **adlewyrchiad tryledol** (Ffigur 1.20).

Ffigur 1.20
Adlewyrchiad tryledol.

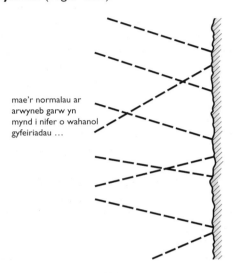

mae'r normalau ar arwyneb garw yn mynd i nifer o wahanol gyfeiriadau …

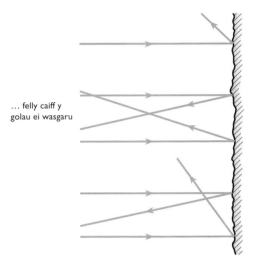

… felly caiff y golau ei wasgaru

11 Disgrifiwch effaith y ffilm ar y golau o safbwynt amsugniad a thrawsyriant.

12 **a** Er lles iechyd pobl, caiff ysmygu ei wahardd mewn sinemâu. Sut y byddai mwg trwchus sigaréts mewn sinema yn effeithio ar lwybr y golau?

b Os nad yw paladr yn lledaenu allan (nac yn cydgyfeirio) wrth iddo deithio yna mae'r pelydrau'n baralel i'w gilydd. Lluniwch graffiau sy'n dangos arddwysedd golau a drawsyrrir gan olrhain taith paladr o'r fath mewn sinema sydd heb fwg a sinema sy'n llawn mwg.

13 Pam y mae'n bwysig i'r sgrin fod yn lân?

14 **a** Defnyddiwch y model pelydrol i ddisgrifio'r gwahaniaethau pwysig yn y modd y mae sgrin sinema a drych yn ymddwyn.

b Beth fyddech chi'n disgwyl ei weld petai drych mawr yn cael ei osod yn lle'r sgrin sinema?

Ffigur 1.21
Caiff ffrâm ffilm ei ffurfio o haen o ddefnyddiau lliw ar gefndir plastig. Mae'r rhannau lliw yn gweithredu fel hidlyddion gan amsugno a thrawsyrru golau. Er mwyn cael delwedd sy'n glir, rhaid i system lens y taflunydd sicrhau bod golau o ran fach iawn o'r ffilm ond yn teithio i ran fach o'r sgrin.

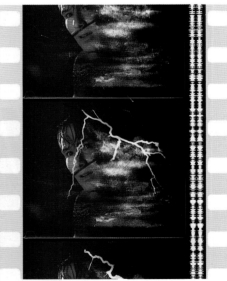

● **Tasg sgiliau ychwanegol**

Cyfathrebu a Thechnoleg Gwybodaeth

Paratowch boster a fydd yn addas ar gyfer eich cyd-fyfyrwyr gan egluro sut y gall golau gael ei adlewyrchu oddi ar arwynebau gwahanol a'r effeithiau gwahanol a welir. Gallwch gynnwys diagramau pelydrol a fydd yn dangos yr adlewyrchiad o arwynebau crwm ac arwynebau plân.

Dylai eich cyflwyniad gynnwys diagramau wedi'u labelu'n briodol a'u cynhyrchu ar gyfrifiadur yn ogystal â thestun wedi'i eirbrosesu. Gallwch ddefnyddio eich gwerslyfrau neu CD ROMau am wybodaeth. Dylai eich poster fod yn eglur, yn ddiddorol ac yn llawn gwybodaeth.

2 Modelau tonnau o olau a sain

- Beth oedd y prif arsylwadau a newidiodd ein syniadau am olau?
- Beth yw'r newidynnau a gysylltir â golau a sain yn teithio?
- Sut y gallwn ddefnyddio'r syniadau am donnau i'n helpu i ddeall sain?

GEIRFA ALLWEDDOL

amledd   antinod   arosodiad   atgyfnerthu tonnau   canslo tonnau   cyfrwng   cywasgiad
dadleoliad   diffreithiant   dimensiynau (mesur)   damcaniaeth   damcaniaeth gorffilaidd
damcaniaeth tonnau   ether (gair pwysig yn hanes ffiseg)   hertz   mesur sylfaenol
modd sylfaenol   nod   osgled   patrwm ymyriant   perthynas wrthdro   plygiant
rhagdybiaeth   system SI (*Système International d'Unités*)   teithio'n ardraws   teithio'n hydredol
teneuad   tonfedd   ton unfan   uned ddeilliadol   uned sylfaenol   uwchdon   ymyriant

Y CEFNDIR

Beth *yw* golau? Cafwyd atebion gwahanol i'r cwestiwn hwn mewn cyfnodau gwahanol ac mewn gwledydd gwahanol. Awgrymodd Aristotlys, o gwmpas 350CC, er enghraifft, ein bod yn medru gweld am fod 'golau' yn lledaenu o'n llygaid i'r hyn sydd o fewn cwmpas ein golwg. Tua 150OC, dywedodd Ptolemi mai'r gwrthwyneb oedd yn wir; bod golau'n teithio o'r gwrthrych i'r sawl a oedd yn edrych ar y gwrthrych.

Tua 2000 o flynyddoedd ar ôl Aristotlys, yn 1637, roedd René Descartes yn dal i ddyfalu. Ei awgrym ef oedd y gallai golau fod yn 'wasgedd' a oedd *naill ai'n* bodoli yn y gwactod o gwmpas gwrthrychau gweladwy ac nad oedd yn cymryd dim amser i deithio o'r naill le i'r llall, *neu'n* cael ei gludo o ffynonellau golau gan ronynnau symudol.

Yn ddiweddarach yn yr un ganrif, roedd Isaac Newton (Ffigur 2.1) o blaid y ddamcaniaeth gronynnau neu'r **ddamcaniaeth gorffilaidd**, tra dadleuai gŵr o'r Iseldiroedd, Christiaan Huygens (Ffigur 2.2), y teithiai golau fel cyfres o ysgogiadau neu ymyriannau symudol. Roedd syniadau Newton a Huygens yn gwbl groes i'w gilydd. Oherwydd enw da Newton ar sail ei waith mewn nifer o feysydd gwyddonol, derbyniwyd am ganrif a mwy mai'r ddamcaniaeth gorffilaidd oedd yn cynnig yr esboniad gorau i egluro natur golau. Ond nid dyna oedd y diwedd ar ein hymdrechion i ddeall golau.

Ffigur 2.1 (ochr chwith) Dadleuai Isaac Newton o blaid y ddamcaniaeth gronynnau neu gorffilaidd i egluro mudiant golau.

Ffigur 2.2 (ochr dde) Datblygodd Christiaan Huygens y syniad bod golau'n debyg i ymyriannau symudol a oedd yn debyg i donnau ar arwyneb dŵr.

Young, Fresnel a'r ddamcaniaeth newydd am donnau

'Esboniad' yw disgrifiad o'r prosesau sy'n arwain at ein gallu i weld rhywbeth. **Damcaniaeth** yw ffynhonnell o esboniadau ar gyfer ein harsylwadau o'r byd o'n cwmpas. Gall damcaniaeth dda gynnig esboniad ar gyfer yr holl arsylwadau sy'n perthyn i'w gilydd. Hefyd ni fydd unrhyw un o'r arsylwadau yn mynd yn groes i'r ddamcaniaeth.

Cynigiai damcaniaeth gorffilaidd golau esboniad ar gyfer adlewyrchiad a phlygiant. Serch hynny, newidiwyd y ddamcaniaeth am natur golau yn sylweddol ar ôl 1800. Profodd Thomas Young y syniad arall, sef bod golau'n teithio mewn ffordd sy'n debyg i ddirgryniadau, neu donnau, yn symud ar arwyneb dŵr.

Mae tonnau dŵr yn fecanyddol – maent yn seiliedig ar ddefnydd y gallwn ei weld a'i deimlo ac y mae grymoedd yn dylanwadu arno. Mae tonnau dŵr yn dangos gwahanol fathau o ymddygiad:

- adlewyrchiad (yn ufuddhau i ddeddf onglau hafal)
- **plygiant** – mae buanedd tonnau'n amrywio mewn dŵr o wahanol ddyfnderoedd a gall y newid yn y buanedd arwain at newid yn y cyfeiriad y byddant yn teithio
- **diffreithiant** – mae tonnau'n lledaenu ar ôl mynd heibio i wrthrych neu fynd drwy fwlch
- **arosodiad**, yn arwain at **ymyriant** – mae tonnau o ddwy ffynhonnell wahanol (neu ragor) yn uno i greu patrymau lle caiff tonnau eu hatgyfnerthu a'u canslo
- amsugniad – mae tonnau'n colli eu hegni wrth iddynt deithio, er bod tonnau dŵr yn colli eu hegni yn araf.

Mae priodweddau mesuradwy megis buanedd ac **osgled** (ac amledd a thonfedd – gweler tudalen 14) yn perthyn i donnau hefyd. Osgled ton dŵr yw dadleoliad mwyaf arwyneb y dŵr o'i safle gorffwys (Ffigur 2.3).

osgled

dadleoliad

Ffigur 2.4
Tonnau dŵr ar waith. Gall prosesau adlewyrchu ac arosod greu patrymau cymhleth yn y tonnau.

Gall tonnau'n teithio ar draws arwyneb y dŵr:
- gael eu hadlewyrchu gan rwystrau
- gael eu plygu pan fydd eu buanedd yn newid (fel sy'n digwydd pan fo dyfnder y dŵr yn newid)
- gael eu diffreithio, pan ânt heibio i rwystrau sefydlog neu drwy fylchau
- gael eu harosod, gan greu patrymau atgyfnerthu a chanslo.

Ffigur 2.5
Mae tonnau'n cael eu diffreithio wrth y bylchau mewn bariau ac o gwmpas rhwystrau a gall hyn arwain at batrymau ymyriant.

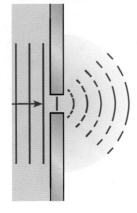

Mae tonnau dŵr yn lledaenu o fwlch mewn bariau, megis bylchau ym muriau harbwr. Gelwir y lledaenu hwn yn ddiffreithiant (Ffigur 2.5). Gall dwy set o donnau diffreithiedig groesi ei gilydd ac uno er mwyn cynhyrchu **patrwm ymyriant**. Os digwydd yr ymyriant o ganlyniad i ddwy ffynhonnell ddigyfnewid o donnau yna mae patrwm rheolaidd a sefydlog o **atgyfnerthu** a **chanslo** yn cael ei gynhyrchu bob yn ail. Mewn rhai achosion, lle mae brig un don yn cyfarfod â brig ton arall, mae'r tonnau'n uno i greu aflonyddiad mwy dwys o lawer, sef atgyfnerthiad. Lle mae brig un don yn cyfarfod â chafn ton arall, ac os oes iddynt yr un osgled, maent yn canslo ei gilydd ac nid oes unrhyw aflonyddiad yn cael ei achosi o gwbl. Gall cyfresi o atgyfnerthu a chanslo bob yn ail greu patrwm ymyriant. (Cewch wybod mwy am hyn ym Mhennod 25.)

Gwnaeth Young y **rhagdybiaeth** *petai* golau'n teithio fel tonnau yna dylai hefyd brofi diffreithiant a dylai fod yn bosibl creu patrymau ymyriant. Lluniodd arbrawf i brofi'r rhagdybiaeth gan ddefnyddio dau dwll yn agos at ei gilydd. Teithiodd golau drwy'r tyllau a gwelwyd patrymau ymyriant yn cael eu creu ar ffurf smotiau disglair a thywyll.

Ar sail ei arsylwadau, roedd Young yn argyhoeddedig bod golau'n teithio mewn ffordd a oedd yn debyg i donnau. Ond mae pobl yn gyndyn iawn o roi'r gorau i hen syniadau ac roedd llawer yn dal i gefnogi'r ddamcaniaeth gorffilaidd. Aeth y dadlau yn ei flaen am flynyddoedd lawer.

Ugain mlynedd yn ddiweddarach, datblygodd Augustin Fresnel syniadau Young yn ddisgrifiad mathemategol ar gyfer mudiant tonnau. Y rhagfynegiad annisgwyl a wnaeth oedd y dylai effeithiau diffreithiant ac ymyriant arwain at smotyn disglair yng nghanol cysgod gwrthrych crwn bach iawn. Credai llawer fod hyn braidd yn wirion hyd nes y canfuwyd mai dyna'n union sy'n digwydd (Ffigur 2.6).

Ffigur 2.6
Mae'r patrwm ymyriant o gwmpas gwrthrych bach yn cyfateb i ragdybiaeth Young a'r rhagfynegiadau a wnaed gan gyfrifiadau Fresnel ynglŷn â thonnau. Mae'n rhoi mwy o rym i'r syniad bod golau'n teithio fel tonnau.

a
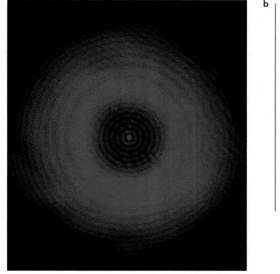

b
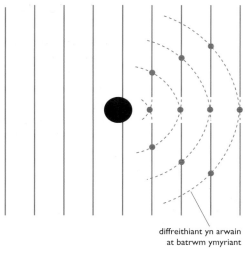

diffreithiant yn arwain
at batrwm ymyriant

1 Mae dyn yn nofio i lawr cafn dŵr i ganol pwll o ddŵr ac yn creu tonnau siâp cylch. O dan ba amgylchiadau y byddech chi'n disgwyl gweld:
   a adlewyrchiad
   b plygiant
   c diffreithiant?
2 Os oes dau gafn dŵr yn arwain at bwll ochr wrth ochr ei gilydd ac os yw dau nofiwr yn taro'r dŵr ar yr un adeg yn union â'i gilydd, pa batrymau y gallech chi eu gweld yn ffurfio o ganlyniad i arosodiad y ddwy set o donnau?
3 Beth oedd rhagdybiaeth Young?
4 Beth oedd rhagdybiaeth Fresnel?
5 Mae damcaniaeth gorffilaidd golau yn ceisio esbonio sut y gall golau gael ei adlewyrchu. Pam y mae arsylwi ar ddiffreithiant y golau yn ein gorfodi i roi'r gorau i'r ddamcaniaeth gorffilaidd?

Defnyddiodd Young syniadau am donnau i wneud y rhagfynegiad y gallai golau ddangos effeithiau diffreithiant ac ymyriant a datblygodd Fresnel y syniadau i ragfynegi y byddai smotyn llachar yn ymddangos yng nghanol cysgod gwrthrych. Cadarnhawyd y ddau ragfynegiad mewn canlyniadau arbrofion gan gryfhau'r ddadl dros esboniadau tonnau i egluro sut oedd golau'n teithio. Felly, disodlwyd y ddamcaniaeth gorffilaidd gydnabyddedig ynglŷn â golau gan y **ddamcaniaeth tonnau**. (Datblygodd eto ymhen can mlynedd arall – gweler Pennod 26.)

Cyfrwng ar gyfer y tonnau

Nid oedd modd gwadu arsylwadau Young a Fresnel a ddangosai fod golau'n ymddwyn yn yr un modd â thonnau dŵr, hynny yw y syniad bod golau'n teithio fel ton. Ond roedd yna broblem o hyd. Gyda thonnau dŵr, roedd hi'n amlwg mai'r dŵr ei hun oedd yn dirgrynu wrth i don deithio ar hyd arwyneb y dŵr. Arwyneb y dŵr yw'r **cyfrwng** ar gyfer y tonnau. Ni wyddai neb beth allai fod yn dirgrynu er mwyn caniatáu i donnau golau deithio. Un awgrym oedd bod rhywbeth yn y gwactod a oedd yn gweithredu fel cyfrwng a oedd yn caniatáu i olau gael ei drawsyrru. Yr enw a roddwyd ar y cyfrwng hwn oedd **ether** gwactod. Ysgrifennodd James Clerk Maxwell (gweler tudalen 19) fel a ganlyn yn yr *Encyclopaedia Britannica* yng nghanol y bedwaredd ganrif ar bymtheg:

> 'Ether, a material substance of a more subtle kind than visible bodies, supposed to exist in those parts of space which are apparently empty.'

Sylwch fel yr oedd Maxwell yn ofalus iawn â'i eiriau. Gwyddai nad oedd neb erioed wedi gweld ether yn uniongyrchol ac, yn hytrach na dweud *bod* ether yn bodoli, yr hyn a ddwedodd oedd bod pobl yn *tybio* ei fod yn bodoli. Tua 30 o flynyddoedd ar ôl i Maxwell farw aeth Einstein ati i ddangos, ar sail gwaith Maxwell, na ddylid cefnogi'r syniad ynglŷn â bodolaeth ether mwyach.

Buanedd, amledd a thonfedd

Mae buanedd mesuradwy i donnau ar ddŵr. Mae iddynt **donfedd** hefyd, sef hyd un gylchred gyfan, ac **amledd**, sef nifer y tonnau cyflawn a gynhyrchir gan y ffynhonnell bob eiliad, neu nifer y tonnau cyflawn a fydd yn mynd heibio i bwynt sefydlog bob eiliad.

Mae tonfedd yn bellter a fesurir mewn metrau. Amledd yw nifer y digwyddiadau mewn un eiliad wedi'i fesur mewn cylchredau yr eiliad ac y gellir ei ysgrifennu fel cps neu s⁻¹ (sy'n golygu, yn syml, 'yr eiliad'). Gan fod amledd yn fesur sy'n cael ei ddefnyddio'n aml, fodd bynnag, gelwir s⁻¹ yn **hertz**, Hz.

Mae eiliadau, metrau a hertz oll yn aelodau o'r un system ryngwladol o unedau a elwir yn **system SI**. Mae diffiniad manwl i bob uned yn y system hon. **Unedau sylfaenol** yw eiliad a metr a chânt eu defnyddio ar gyfer mesurau sylfaenol – i fesur amser a phellter. **Uned ddeilliadol** yw'r hertz ac mae ei ddiffiniad yn seiliedig ar yr unedau sylfaenol.

Y berthynas rhwng tonfedd ac amledd

Dychmygwch ddau drên, y naill â cherbydau hir a'r llall â thryciau byr. Os yw'r trenau'n teithio ar yr un buanedd, yna mae mwy o'r tryciau byr yn mynd heibio i bwynt sefydlog ym mhob cyfnod cyson o amser. Hynny yw, mae'r amledd y mae'r tryciau'n mynd heibio i'r pwynt sefydlog yn uwch nag amledd y cerbydau. Mae **perthynas wrthdro** rhwng hyd y cerbyd neu'r tryc a'r amledd – wrth i'r hyd gynyddu mae'r amledd yn lleihau.

Nesaf, dychmygwch ddwy don ac iddynt wahanol donfeddi a'r un buanedd. Mae mwy o'r tonnau byrraf yn mynd heibio i bwynt sefydlog mewn un eiliad. Hynny yw, mae tonfedd fer yn cyfateb i amledd uwch. Mae perthynas wrthdro rhwng tonfedd ac amledd (Ffigur 2.7).

Ffigur 2.7
Y berthynas wrthdro rhwng tonfedd ac amledd.

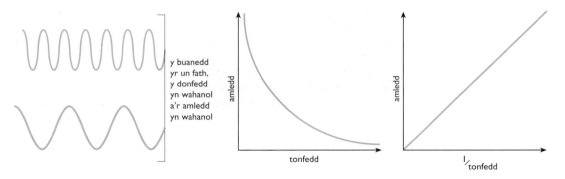

y buanedd yr un fath, y donfedd yn wahanol a'r amledd yn wahanol

Ar gyfer pob math o don,

buanedd = amledd × tonfedd
$$v = f\lambda$$

Mae uned ar gyfer pob mesur. Uned SI buanedd yw'r metr yr eiliad, m s⁻¹. Uned SI amledd yw'r hertz, Hz, ac uned SI tonfedd yw'r metr.

Dimensiynau mesurau

Gallwn ysgrifennu pob un o'r mesurau uchod yn nhermau **dimensiynau**. Mae dimensiynau unrhyw fesur yn ei ddangos yn nhermau'r **mesurau sylfaenol**, megis màs, hyd ac amser. (Mesurau sylfaenol eraill y system SI yw cerrynt trydanol, tymheredd thermodynamig, faint o sylwedd ac arddwysedd goleuol.)

Gan ddefnyddio [M] i ddynodi màs, [L] am hyd a [T] am amser, rhoddir dimensiynau'r mesurau uchod yn Nhabl 2.1.

Tabl 2.1	Mesur	Uned SI	Dimensiynau
	buanedd	m s⁻¹	$[L][T]^{-1}$
	amledd	Hz	$[T]^{-1}$
	tonfedd	m	$[L]$

Yn y berthynas $v = f\lambda$, nodwch fod y dimensiynau ar yr ochr chwith fel a ganlyn:

$$[L][T]^{-1}$$

a bod y dimensiynau ar yr ochr dde fel a ganlyn:

$$[L] \times [T]^{-1} \quad \text{neu'n syml} \quad [L][T]^{-1}$$

Felly, yr un dimensiynau sydd i'r ddwy ochr o'r fformiwla. Mae hyn yn wir am bob fformiwla.

Y berthynas ar gyfer tonnau golau

Os yw golau'n teithio fel tonnau yna dylem ddisgwyl i sampl penodol o olau fod ag amledd a thonfedd yn ogystal â buanedd. Dylai'r berthynas rhwng y tri newidyn hyn fod yr un fath ag ar gyfer tonnau eraill. Cafwyd bod hyn yn wir.

Mae'r symbol c yn cael ei ddefnyddio'n aml ar gyfer buanedd golau a'r symbol ν ar gyfer ei amledd. Ar gyfer golau felly,

$$c = \nu\lambda$$

Mae ν, yn debyg i λ, yn llythyren o'r iaith Roeg a chaiff ei ynganu fel 'niw'.

6 Mae injan cwch yn dirgrynu ar 60 Hz fel y bo crychdonnau â thonfedd o 0.005 m yn lledaenu ar draws y dŵr. Beth yw eu buanedd?

7 Mae rhaff hir yn cael ei siglo ar amledd cyson ac mae tonnau yn teithio ar ei hyd ar 3.2 m s^{-1}, â thonfedd o 1.6 m. Beth yw'r amledd?

8 Beth yw unedau a dimensiynau **a** arwynebedd, **b** cyfaint?

9 Yn fras, beth yw amledd golau gweladwy os 3×10^8 m s^{-1} yw ei fuanedd ac os yw ei donfedd tua 5×10^{-7} m?

Cymharu tonnau dŵr, tonnau golau a seindonnau

Rydym wedi cymharu tonnau golau a thonnau ar ddŵr. Gwahaniaeth amlwg yw bod tonnau dŵr yn lledaenu ar draws arwyneb dau-ddimensiwn tra bo golau'n lledaenu o'r ffynhonnell i ofod tri-dimensiwn. Mae tebygrwydd amlwg rhyngddynt hefyd – mae tonnau golau a thonnau dŵr ill dau yn cael eu hadlewyrchu, eu plygu a'u diffreithio ac mae'r ddau yn dangos effeithiau arosodiad megis ymyriant. Mae seindonnau hefyd yn ymddwyn yn yr un modd.

Mae sain yn teithio tua miliwn gwaith yn arafach na golau drwy'r aer. Hynny yw, mae buanedd sain mewn aer ffactor o 10^6 yn arafach na buanedd golau. Gwyddom hefyd fod angen cyfrwng ffisegol ar sain er mwyn teithio drwyddo, tra gall golau deithio drwy wactod. Mae hyn yn ein harwain at y syniad mai dirgryniadau mecanyddol defnydd yw seindonnau. Caiff seindonnau eu creu gan ddirgryniad ffynhonnell ffisegol – gan arwain at **gywasgiadau** a **theneuadau** yn yr aer o gwmpas neu gyfrwng arall. Mae'r dirgryniad yn gwthio gronynnau'r cyfrwng yn nes at ei gilydd er mwyn eu cywasgu, ac yna ymhellach oddi wrth ei gilydd er mwyn eu teneuo. O ganlyniad i'r rhyngweithiad rhwng gronynnau'r cyfrwng, mae'r cywasgiadau a'r teneuadau bob yn ail hyn yn lledaenu. Mae nwyon yn wael am gludo sain neu'n ddarglwyddion gwael, oherwydd y rhyngweithiad gwan rhwng gronynnau, o'u cymharu â hylifau a solidau. Mae clyw morfilod a dolffiniaid yn fwy soffistigedig na'n clyw ni am eu bod yn byw mewn amgylchedd lle mae sain yn teithio'n fwy cyflym a thros mwy o bellter.

Ffigur 2.8
Seindonnau a thonnau dŵr yn teithio.

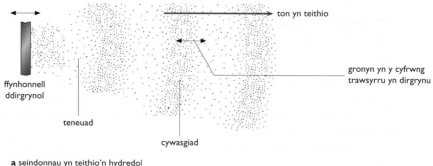

ffynhonnell ddirgrynol

teneuad

cywasgiad

ton yn teithio

gronyn yn y cyfrwng trawsyrru yn dirgrynu

a seindonnau yn teithio'n hydredol

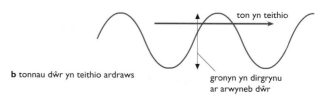

ton yn teithio

b tonnau dŵr yn teithio ardraws

gronyn yn dirgrynu ar arwyneb dŵr

Mae'r ffordd y mae cywasgiadau a theneuadau seindon yn teithio yn wahanol i'r ffordd y mae tonnau dŵr yn teithio ar draws arwyneb (Ffigur 2.8). Mewn seindon, mae dirgryniad gronynnau'r cyfrwng yn baralel i gyfeiriad teithio'r don. Dyma **deithio hydredol**. Mae gronynnau'r dŵr yn dirgrynu i gyfeiriad a fydd yn berpendicwlar i'r cyfeiriad y mae'r tonnau'n symud – mae'r gronynnau ar yr arwyneb yn symud i fyny ac i lawr (yn fras) wrth i'r don deithio yn ei blaen yn llorweddol. Dyma **deithio ardraws**.

Cynhyrchu seindonnau drwy donnau unfan mewn llinynnau

Ffigur 2.9
Ton unfan yn cael ei chreu: mae **a** yn dangos sut y mae un curiad yn cyfuno â'i adlewyrchiad ei hun, ac mae **b** yn dangos sut y mae cyfres ddi-dor o donnau yn cyfuno â'i hadlewyrchiad ei hun.

Mae'r rhan fwyaf o offerynnau cerdd yn cynhyrchu sain drwy ddirgryniad llinynnau, neu aer mewn pibau. Caiff llinyn ei ddadleoli drwy roi plwc iddo neu ei ddaro. Mae hyn yn cynhyrchu ton a fydd yn teithio'n gyflym ar hyd y llinyn ei hun. Ton ardraws fydd hon – mae dirgryniad gronynnau'r llinyn yn berpendicwlar i gyfeiriad y teithio, sef ar hyd y llinyn. Mae dau ben y llinyn yn sefydlog a dim ond yn araf iawn y gall egni fynd o'r llinyn i'r pwyntiau sefydlog hyn. Yn lle hynny, mae'r egni yn aros yn y llinyn a chaiff y don ei hadlewyrchu gyda'i hamledd yn ddigyfnewid. Canlyniad yr adlewyrchiadau o'r naill ben a'r llall o'r llinyn yw bod tonnau ar linyn yn adio at ei gilydd – h.y. yn arosod ei gilydd. Hyn sy'n creu **ton unfan**. Gellir dangos sut y mae tonnau â'r un amledd yn creu ton unfan o ganlyniad i adlewyrchiad ar ffurf graff (Ffigur 2.9).

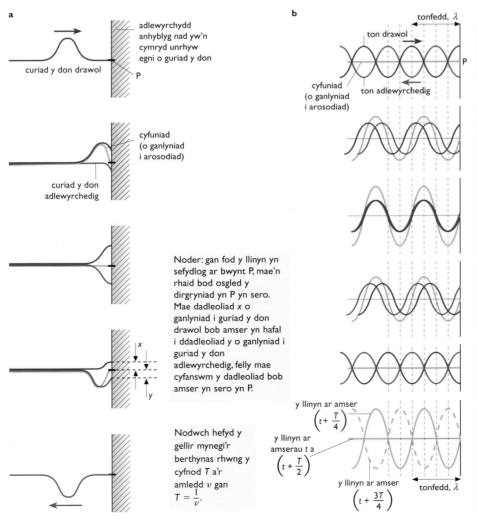

a

adlewyrchydd anhyblyg nad yw'n cymryd unrhyw egni o guriad y don

curiad y don drawol

P

cyfuniad (o ganlyniad i arosodiad)

curiad y don adlewyrchedig

Noder: gan fod y llinyn yn sefydlog ar bwynt P, mae'n rhaid bod osgled y dirgryniad yn P yn sero. Mae dadleoliad x o ganlyniad i guriad y don drawol bob amser yn hafal i ddadleoliad y o ganlyniad i guriad y don adlewyrchedig, felly mae cyfanswm y dadleoliad bob amser yn sero yn P.

Nodwch hefyd y gellir mynegi'r berthynas rhwng y cyfnod T a'r amledd ν gan $T = \frac{1}{\nu}$.

b

tonfedd, λ

ton drawol

P

cyfuniad (o ganlyniad i arosodiad)

ton adlewyrchedig

Ar amser t, mae'r tonnau trawol ac adlewyrchedig yn arwain at ganslo (dadleoliad sero) wrth yr adlewyrchiad ac ar bob pwynt ar hyd y llinyn.

Mae'r don drawol wedi symud pellter sy'n hafal i $\frac{1}{8}$ o'i thonfedd. Yr amser bellach yw $(t + \frac{T}{8})$ lle saif T am gyfnod y don. Mae arosodiad y tonnau yn arwain at eu canslo ar gyfyngau yn unig ar hyd y llinyn.

Ar amser $(t + \frac{T}{4})$ mae'r don drawol wedi symud pellter sy'n hafal i $\frac{1}{4}$ o'i thonfedd. Mae arosodiad y tonnau yn awr yn cynhyrchu dadleoliadau mawr mewn rhai mannau, ond mae'r dadleoliad yn dal i fod yn sero ar yr un cyfyngau ar hyd y llinyn.

Mae'r don drawol wedi symud pellter sy'n hafal i $\frac{3}{8}$ o'i thonfedd ers amser t. Yr amser yw $(t + \frac{3T}{8})$. Nodwch nad yw'r pwyntiau lle bo dadleoliad sero a dadleoliad macsimwm wedi symud – maent wedi aros yn eu hunfan.

Ar amser $(t + \frac{T}{2})$ – hanner cyfnod o'r dechrau – mae'r tonnau trawol ac adlewyrchedig yn cyfuno i gynhyrchu dadleoliad sero ar bob pwynt.

y llinyn ar amser $\left(t + \frac{T}{4}\right)$

y llinyn ar amserau t a $\left(t + \frac{T}{2}\right)$

y llinyn ar amser $\left(t + \frac{3T}{4}\right)$

tonfedd, λ

Yr effaith yn gyflawn: mae'r llinyn yn symud o ddadleoliad sero ar amser t a $(t + \frac{T}{2})$ i ddadleoliad macsimwm ar amser $(t + \frac{T}{4})$. Rydym wedi olrhain y digwyddiadau drwy hanner cyfnod. Yn ystod yr hanner cyfnod nesaf, mae'r llinyn yn symud i'r safle a ddangosir gan y llinell doredig ar amser $(t + \frac{3T}{4})$ ac yna yn ôl i ddadleoliad sero.

Nodwch fod y pwyntiau lle mae'r arosodiad yn arwain at 'ganslo' neu osgled sero i'r dirgryniad yn cael eu galw'n **nodau**. Gelwir y pwyntiau lle mae osgled macsimwm yn **antinodau** (Ffigur 2.10).

Ffigur 2.10
Nodau ac antinodau.

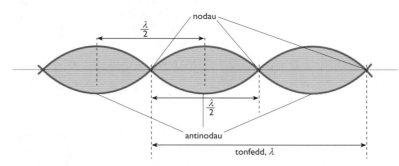

Noder: y pellter rhwng nodau cyfagos yw $\frac{\lambda}{2}$. Hefyd, y pellter rhwng unrhyw bâr cyfagos o antinodau yw $\frac{\lambda}{2}$.

Amledd sylfaenol ac uwchdonau

Mae'n rhaid bod gan linyn sy'n dirgrynu nodau ar ei ddau ben sefydlog. Serch hynny, gall nifer y nodau a'r antinodau ar hyd y llinyn amrywio. Un antinod yn unig sydd gan y modd symlaf o ddirgrynu rhwng y ddau ben. Dyma **fodd sylfaenol** y dirgryniad. Ond mae hefyd yn bosibl i linyn ddirgrynu gyda nod ar ei ganol a chyda dau antinod – dyma'r **uwchdon** gyntaf. Mae gan yr ail uwchdon ddau nod yn ogystal â'r nodau ar y ddau ben ac mae iddo dri antinod, fel y gwelir yn Ffigur 2.11.

Ffigur 2.11
Y modd sylfaenol, yr uwchdon gyntaf, yr ail uwchdon a'r drydedd.

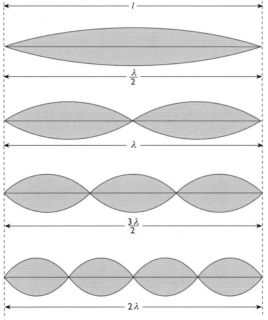

sylfaenol, $l = \frac{\lambda}{2}$ (a elwir weithiau'n harmonig cyntaf)

yr uwchdon gyntaf, $l = \lambda$ (a elwir weithiau yr ail harmonig)

yr ail uwchdon, $l = \frac{3\lambda}{2}$ (a elwir weithiau y trydydd harmonig)

y drydedd uwchdon, $l = 2\lambda$ (a elwir weithiau y pedwerydd harmonig)

Ar gyfer y dirgryniad sylfaenol, mae'r berthynas rhwng hyd y llinyn a thonfedd y don yn cael ei dynodi'n syml gan:

$$l = \frac{\lambda}{2}$$

Yna rhoddir amledd y dirgryniad, ac amledd y sain a gynhyrchir, gan:

$$f = \frac{c}{\lambda} = \frac{c}{2l}$$

lle saif c am fuanedd y tonnau sy'n teithio ar hyd y llinyn ac sy'n cael eu hadlewyrchu i greu'r don unfan.
Mynegir y berthynas rhwng buanedd y don a phriodweddau'r llinyn gan:

$$c = \sqrt{\frac{T}{\mu}}$$

lle saif T am y tensiwn yn y llinyn a μ am ei fàs fesul uned hyd.
Felly rhoddir yr amledd sylfaenol gan:

$$f = \frac{\sqrt{\frac{T}{\mu}}}{2l} = \frac{1}{2l}\sqrt{\frac{T}{\mu}}$$

Mwy o donnau unfan

Ffigur 2.12
Tonnau unfan mewn pibau.

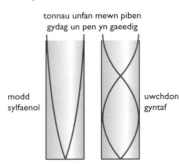

tonnau unfan mewn piben gydag un pen yn gaeedig

modd sylfaenol   uwchdon gyntaf

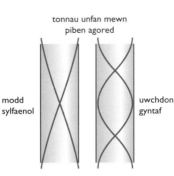

tonnau unfan mewn piben agored

modd sylfaenol   uwchdon gyntaf

Sylwch mai tonnau hydredol yw'r tonnau unfan yn yr aer yn y biben ond cânt eu cynrychioli yma drwy eu cymharu â'r tonnau ardraws sydd ar linynnau

10 a Disgrifiwch y gwahaniaeth rhwng ton yn teithio ar hyd llinyn ac ar hyd colofn o aer mewn piben.
b Esboniwch rôl adlewyrchu ac arosod wrth i donnau unfan ffurfio ar linyn. Defnyddiwch frasluniau i'ch helpu i lunio esboniad llawn.

11 a Rhestrwch y berthynas rhwng hyd llinyn a thonfedd ar gyfer y modd sylfaenol, yr uwchdon gyntaf, yr ail uwchdon a'r drydedd uwchdon.
b O wybod bod $v = f\lambda$ rhestrwch y berthynas gyfatebol rhwng amledd a hyd llinyn.
c Mae buanedd tonnau ar hyd y llinyn yr un fath ar gyfer pob modd o ddirgrynu. Rhowch y gymhareb ar gyfer:

amledd yr uwchdon/amledd sylfaenol

ar gyfer yr uwchdon gyntaf, yr ail uwchdon a'r drydedd uwchdon.
12 O wneud arbrawf ar y berthynas rhwng amledd sylfaenol a hyd llinyn, pa fesurau a ddylai gael eu plotio er mwyn cynhyrchu graff llinell syth?

Fe all tonnau unfan fodoli mewn pibau ond mae nod bob amser wrth unrhyw ben caeedig piben ac antinod wrth unrhyw ben agored.

Nid mewn sain yn unig y gall tonnau unfan gael eu cynhyrchu. Mae trawsyrrydd microdon sy'n wynebu arwyneb adlewyrchol yn cynhyrchu patrymau nodau ac antinodau. Mae tonfeddi o ychydig gentimetrau gan ficrodonnau felly maent yn addas i'w defnyddio i astudio ymddygiad tonnau. Mae microdonnau yn perthyn i sbectrwm tonnau golau. Caiff hyn ei drafod yn y bennod nesaf.

● **Tasg sgiliau ychwanegol** ## Cyfathrebu

Dychmygwch, ar ôl addasu ychydig ar eich cyfesurynnau amser, eich bod yn cerdded i mewn i ystafell lle mae Isaac Newton a Christiaan Huygens yn trafod ai corffilod (gronynnau) neu donnau sy'n cynnig yr esboniad mwyaf cynhwysfawr o ymddygiad golau. Gan wneud eich gorau glas i anwybyddu'r chwain yn eu wigiau, ewch atynt a rhoi copi o Ffigur 2.6 ar y bwrdd o'u blaen. Pa effaith fyddai hyn yn debygol o gael ar:

a eu sgwrs
b hanes gwyddoniaeth (am y tro, tybiwch mai 'gwyddoniaeth' yw'r ymgais i ddeall, trwy gynnal arbrofion, natur sylfaenol yr arsylwadau a wnawn)
c hanes technoleg (am y tro, tybiwch mai 'technoleg' yw defnyddio'r ymennydd a'r dwylo er mwyn dyfeisio pethau materol sydd o fudd i ni. Mae darlledu radio a ffibrau optig yn dechnolegau cyfathrebu)
d hanes ei hun (cyfoeth unigolion, symudiadau cymdeithasol, materion rhyngwladol, rhyfeloedd, gwleidyddiaeth ac ati)?

Trafodwch eich syniadau gydag un neu ddau arall ac yna, mewn grŵp, trafodwch y pwyntiau a restrwyd. Dylech ystyried hefyd faterion mwy cyffredinol megis y berthynas rhwng gwybodaeth wyddonol a thechnoleg, effaith ffiseg ar ein ffordd o feddwl a'n ffordd o fyw. Mae angen dewis cadeirydd ar gyfer y drafodaeth felly dewiswch un o'r myfyrwyr neu gofynnwch i athro gadeirio. Dylai pawb gael cyfle i gyfrannu syniadau.

Y sbectrwm electromagnetig a lliw

- Faint o olau sy'n weladwy i ni a faint ohono sy'n anweladwy?
- Sut y mae'n ein synnwyr o liw yn perthyn i ymddygiad arsylwadwy a mesuradwy golau?

GEIRFA ALLWEDDOL — adio lliwiau   analog   blaendon   did   digidol   gwasgariad   hidlydd   isgoch   lled band   lliwiau cynradd   modyliad amledd, *FM (frequency modulation)*   modyliad osgled, *AM (amplitude modulation)*   pelydr X   pigment   sbectrwm electromagnetig   tonnau radio   tynnu lliwiau   uwchfioled

Y CEFNDIR

Mae'n bosibl mai'r gwyddonydd a wnaeth y cyfraniad mwyaf i'n helpu ni i ddeall mwy am olau oedd y ffisegydd o'r Alban, James Clerk Maxwell (Ffigur 3.1). Datblygodd syniadau yn seiliedig ar ragfynegiad mai rhan fach iawn o **sbectrwm electromagnetig** eang iawn yw'r golau a welwn ni a bod buanedd golau drwy ofod yn gyson.

Ffigur 3.1
James Clerk Maxwell, 1831–1879.

● Y sbectrwm gweladwy a'i donfeddi

Mae gan batrwm ymyriant a gynhyrchir gan ddwy ffynhonnell unfath o donnau fandiau, neu eddïau, sy'n atgyfnerthu ac yn diddymu bob yn ail. Mae diagram ton syml yn dangos bod tonnau sydd â thonfeddi gwahanol yn cynhyrchu patrymau ymyriant sydd â lled neu eddïau gwahanol (Ffigurau 3.2 a 3.3). Po leiaf yw'r donfedd, y lleiaf yw'r gofod rhwng yr eddïau ymyriant.

Ffigur 3.2
Mae tonnau sydd â thonfeddi gwahanol yn cynhyrchu patrymau ymyriant gwahanol.

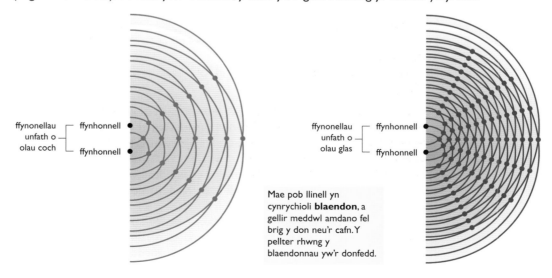

ffynonellau unfath o olau coch — ffynhonnell / ffynhonnell

ffynonellau unfath o olau glas — ffynhonnell / ffynhonnell

Mae pob llinell yn cynrychioli **blaendon**, a gellir meddwl amdano fel brig y don neu'r cafn. Y pellter rhwng y blaendonnau yw'r donfedd.

Mae'r patrwm a gynhyrchir gan olau fioled yn wahanol i'r patrwm a gynhyrchir gan olau coch, sy'n dangos bod gan olau fioled donfedd fyrrach na golau coch. Mae'r donfedd yn lleihau wrth fynd o'r coch drwy liwiau eraill y sbectrwm – oren, melyn, gwyrdd, glas, indigo, fioled.

Ffigur 3.3
Eddïau ymyriant yn cael eu cynhyrchu gan effaith dau hollt agos at ei gilydd ar olau o wahanol liwiau. Po leiaf yw tonfedd y golau, y lleiaf yw'r gwahaniad rhwng yr eddïau.

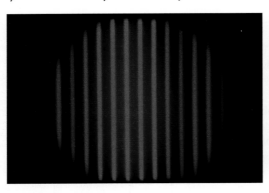 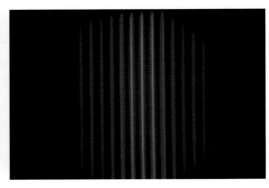

Mae **gwasgariad** golau gwyn gan brism neu ddiferyn o law (Ffigur 3.4) yn dangos y gall golau gwyn gael ei wahanu'n fandiau ac iddynt wahanol liwiau i'n golwg ni. Mae'r sbectrwm di-dor a welwch mewn enfys neu pan fo prism yn gwasgaru golau, yn ganlyniad i amrywiad di-dor y donfedd. Mae maint y diffreithiant a ddigwydd ar arwyneb y diferion glaw a'r prismau yn ddibynnol ar y donfedd.

I a Yn fras, beth yw amrediad tonfeddi golau gweladwy?
b Defnyddiwch $c = v\lambda$ i gyfrifo'n fras amleddau uchaf ac isaf golau gweladwy.
($c = 3 \times 10^8$ m s^{-1})
2 Gan ddefnyddio'r un cyfarpar ymyriant, pa un fydd yn cynhyrchu'r eddïau culaf, golau melyn neu olau glas?
3 Pa olau fydd yn profi'r diffreithiant mwyaf wrth fynd o aer i ddŵr, golau coch neu olau fioled?

Ffigur 3.4
Mae prism neu ddiferyn o law yn gwasgaru golau gwyn yn lliwiau'r sbectrwm. Mae golau gwyn wedi'i ffurfio o gymysgedd o donfeddi sy'n amrywio'n *gyson* o bwynt isel o ryw 4×10^{-7} m i bwynt uchel tua 7×10^{-7} m.

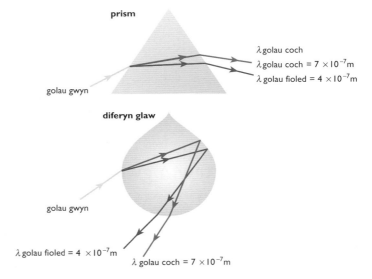

prism

golau gwyn

λ golau coch
λ golau coch = 7×10^{-7}m
λ golau fioled = 4×10^{-7}m

diferyn glaw

golau gwyn

λ golau fioled = 4×10^{-7}m

λ golau coch = 7×10^{-7}m

Pelydriadau anweledig

Sylwodd dau seryddwr o'r ddeunawfed ganrif, William a Caroline Herschel, y gallent deimlo gwres y tu hwnt i ben coch y sbectrwm. Yna, gyda datblygiad technoleg ffotograffig ryw hanner canrif yn ddiweddarach, canfuwyd yr effeithiwyd ar gemegion ffotosensitif gan belydriad a oedd yn anweledig, y tu hwnt i ben fioled y sbectrwm. Erbyn heddiw fe elwir y ddau belydriad 'newydd' hyn yn **isgoch** ac **uwchfioled**.

Fodd bynnag, daeth y newid mwyaf yn ein dealltwriaeth am donnau golau ar ôl 1872, pan ddatblygodd James Clerk Maxwell ddisgrifiad mathemategol ar gyfer meysydd trydanol a magnetig a sut y maent yn teithio drwy ofod.

Yn ôl cyfrifiadau mathemategol Maxwell, roedd perthynas agos rhwng trydan a magneteg. Rhagfynegai ei hafaliadau fuanedd lledaenu eu heffaith 'electromagnetig' mewn gofod, ac roedd hyn eto yn agos iawn at werth mesuradwy buanedd golau. Roedd hi'n ymddangos bod golau'n teithio o ganlyniad i newidiadau mewn meysydd trydanol a magnetig (gweler Ffigur 3.5).

Ffigur 3.5
Yn y gofod o amgylch gronynnau wedi'u gwefru neu fagnetau mae yna feysydd trydanol a magnetig lle gall gwrthrychau eraill brofi grym. Caiff y meysydd eu cynrychioli gan linellau maes sy'n dangos cyfeiriadau'r grym all weithredu ar bwyntiau gwahanol.

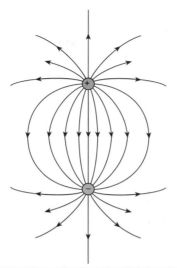

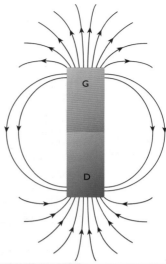

Os bydd ffynhonnell y maes, h.y. y gronynnau wedi'u gwefru neu'r magnet, yn symud yna ni fydd y patrwm cyfan ar gyfer y maes yn symud i'w ganlyn yn union. Cymer amser i effaith y symudiad ledaenu drwy'r gofod. Cyfrifodd Maxwell ragfynegiad ynglŷn â buaneddled laeniad effeithiau meysydd trydanol a magnetig. Roedd y gwerth a gafodd yn agos iawn at y gwerth a gafwyd mewn arbrofion ar gyfer buanedd golau.

Rhagfynegodd damcaniaeth Maxwell hefyd y gallai amrediad tonfeddi ac amleddau'r meysydd trydanol a magnetig osgiliadol fod yn anferth; lawer yn fwy nag amrediad tonfeddi ac amleddau golau gweladwy. Roedd y rhagfynegiad hwn yn cyd-fynd â'r arsylwadau a wnaed eisoes ar belydriadau isgoch ac uwchfioled. Ond cafodd Maxwell fwy o gefnogaeth i'w syniadau ar ôl 1888 pan lwyddodd Heinrich Hertz i anfon signalau electromagnetig o un ochr o'r labordy i'r llall a dangos hefyd y gallai'r signalau hyn gael eu hadlewyrchu, eu plygu a'u diffreithio. Roedd Hertz wedi darganfod **tonnau radio** – pelydriadau tonfedd hir, fel y rhagfynegwyd gan Maxwell.

Yn 1895, darganfuwyd **pelydrau X** a bu cryn dipyn o gyffro ymhlith y cyhoedd ar ôl deall eu bod yn gallu teithio drwy'r cnawd dynol. Gallai pelydrau X gael eu cynhyrchu drwy danio paladr o 'belydrau catod' at darged metel mewn tiwb gwydr wedi'i wacáu. Erbyn 1898, câi pelydrau X eu defnyddio fel atyniad mewn ffeiriau a chan lawfeddygon yn y fyddin i ddod o hyd i fwledi yng nghyrff milwyr a gafodd eu hanafu. Gan na wyddent am beryglon pelydrau X gwelwyd nifer o bobl, gweithwyr meddygol a ffeiriau yn arbennig, yn datblygu canser. Fodd bynnag, cydnabuwyd mai pelydriadau electromagnetig oedd pelydrau X gyda'r un buanedd â thonnau radio, pelydriad isgoch, golau gweladwy ac uwchfioled ond ag amledd yn uwch.

Mae pelydriad gama ynddo'i hun yr un fath â phelydriad X amledd uchel. Yr unig wahaniaeth yw bod pelydriad gama yn dod o ddefnydd ymbelydrol.

4 Gan ddefnyddio'r data sydd yn Ffigur 3.6, cyfrifwch gymhareb:

a amledd pelydrau X nodweddiadol i amledd golau gweladwy

b amledd golau gweladwy i amledd tonnau radio 'tonfedd hir' nodweddiadol

c amledd pelydrau X nodweddiadol i amledd tonnau radio 'tonfedd hir' nodweddiadol

d tonfedd pelydrau X nodweddiadol i donfedd tonnau radio 'tonfedd hir' nodweddiadol.

Ffigur 3.6
Y sbectrwm electromagnetig cyfan.

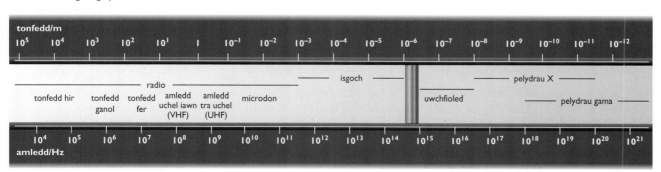

Tonfedd a gwasgariad golau

Caiff golau o'r Haul ei adlewyrchu gan ronynnau unigol yn yr atmosffer a chan fod yr adlewyrchiad hwn yn digwydd i bob cyfeiriad, mae'r golau'n cael ei wasgaru. Mae'r gwasgaru hwn ar ronynnau yn digwydd i raddau mwy gyda golau ym mhen glas y sbectrwm. Mae cyfran uwch o'r golau glas yn cyrraedd eich llygaid o'i gymharu â'r golau coch ar ôl cael ei wasgaru o bob cyfeiriad o'r awyr, felly mae'r awyr yn ymddangos yn las (Ffigur 3.7).

Gyda'r hwyr, mae'r Haul yn isel ac mae'n rhaid i'r golau dywynnu drwy bellter mawr yn yr atmosffer cyn cyrraedd eich llygaid. Mae llawer o'r golau glas yn cael ei wasgaru o baladr uniongyrchol golau haul (Ffigur 3.8). Nid oes gan y golau sy'n dal i fod yn y paladr gymysgedd cyson o donfeddi; nid yw'n ymddangos yn ddim byd tebyg i wyn bellach. Y golau sy'n cael ei wasgaru leiaf, y golau coch, sydd gryfaf yn y paladr bellach ac yna, oren a melyn.

Ffigur 3.7
Pam y mae'r awyr yn las ond yn troi'n felyn, oren neu goch pan fydd yr Haul yn machlud?

Ffigur 3.8
Gwasgariad atmosfferig: caiff golau coch ei wasgaru lai na golau lliwiau eraill. Golau glas, indigo a fioled sy'n cael eu gwasgaru fwyaf.

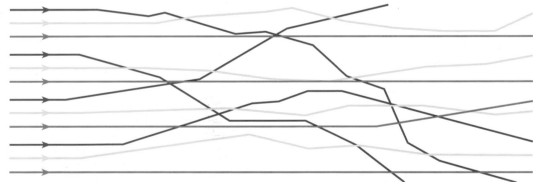

Gweld lliwiau

Mae gweld mewn lliw yn brofiad neu'n deimlad a fydd yn digwydd yn eich meddwl. Pan oeddech chi'n blentyn, cawsoch eich dysgu i fynegi'r profiadau hyn mewn geiriau. Mae'n siŵr y bu llawer o bobl wahanol yn eich dysgu ond yr un enwau a roddwyd ar y profiad a oedd yn cyfateb i'r un realiti ar y tu allan. Mae'n amhosibl i ni wybod beth yn union y bydd rhywun arall yn ei brofi pan fydd yn edrych ar arwynebedd glas, dyweder, ond bydd bron pawb yn gytûn ar yr enw i'w roi ar y lliw. (Yr hyn sy'n ddiddorol yw nad yw pobl sy'n perthyn i ddiwylliant gwahanol yn rhestru'r lliwiau yn yr un modd bob tro. Nid oes gan rai diwylliannau, er enghraifft, air sy'n cyfateb yn union i'n gair ni am wyrdd ond, yn yr un modd, nid oes gennym ni yn Gymraeg eiriau sy'n cyfateb i eiriau eraill sy'n perthyn i'w diwylliant nhw.)

Gall disg du a gwyn edrych fel disg lliw os caiff ei droi'n gyflym. Bydd eich ymennydd yn creu profiadau lliw o'r patrwm du a gwyn o ganlyniad i fudiant y disg. Mae ein canfyddiad ni o liw yn gymhleth felly. Fodd bynnag, mae'r prif ddull y bydd eich ymennydd yn ei ddefnyddio i greu synnwyr o liw yn seiliedig ar y signalau y bydd yn eu derbyn o wahanol fathau o gelloedd yn y retina.

Ffigur 3.9
Sensitifeddau sbectrol cymharol **a** y celloedd rhodenni a **b** y tri math gwahanol o gelloedd conau.

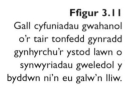

5 Pam y mae ein gallu i weld lliw yn gwaethygu cymaint mewn golau pŵl?

6 Mae dallineb i liwiau coch-gwyrdd yn eithaf cyffredin. Mae pobl sy'n dioddef o hyn yn ei chael hi'n anodd gwahaniaethu rhwng golau coch a golau gwyrdd. Awgrymwch, o safbwynt y system weledol, beth allai fod wedi achosi hyn.

Mae dau siâp gwahanol i gelloedd ffotosensitif yn y retina – rhodenni a chonau. Mae'r rhodenni i gyd yr un fath; maent yn fwy sensitif na'r conau i lefelau golau isel er mwyn gweithio'n dda yn y nos ond nid ydynt yn ymateb yn wahanol i donfeddi gwahanol (Ffigur 3.9a). Nid ydynt yn trosglwyddo gwybodaeth i'r ymennydd er mwyn cynhyrchu'r synwyriadau sy'n ddibynnol ar donfeddi y byddwn ni'n eu galw'n lliw.

Nid yw conau mor sensitif â rhodenni; mae angen golau mwy llachar arnynt i weithio. Ond mae tri math gwahanol o gonau ac mae pob math yn ymateb i amrediad gwahanol o donfeddi golau (Ffigur 3.9b) ac yn anfon signal i'r ymennydd fel y bo'r ymennydd yn ymateb yn wahanol i wahanol donfeddi. Fel hyn felly y mae'r ymennydd yn creu ymwybyddiaeth o liw.

Cymysgu lliwiau drwy adio

Ffigur 3.10
Tri math o ddotiau sydd ar sgrin teledu – coch, gwyrdd, glas, sy'n cyfateb i'r tri math o gelloedd conau tonfeddsensitif sydd yn ein llygaid. Mae pob lliw arall a welwn ar sgrin teledu wedi'i greu o gyfuniadau o'r golau coch, gwyrdd a glas.

Ffynhonnell o olau yw sgrin teledu, nid arwyneb adlewyrchol. Mae'n cynhyrchu golau o dri lliw gwahanol – coch, gwyrdd a glas. Bydd disgleirdeb cymharol y tri math o ddotiau lliw yn amrywio. Bydd eich llygaid a'ch ymennydd yn adio'r tri hyn gyda'i gilydd i gynhyrchu ystod gyfan o liwiau (gweler Ffigur 3.10). Caiff y lliw y byddwch chi'n ei weld ei gynhyrchu drwy adio at ei gilydd y golau o'r tri lliw. Gelwir hyn yn gymysgu lliw drwy **adio**.

Gallwn hefyd adio golau lliw o dair ffynhonnell wahanol. Gall golau o lamp goch, lamp las a lamp werdd gael eu hadio gyda'i gilydd ar sgrin wen (Ffigur 3.11). **Lliwiau cynradd** yw coch, glas a gwyrdd ac maent yn cyfateb i'r tri math o gôn sydd yn eich llygaid. Lle bydd parau o olau yn gorgyffwrdd, byddant yn cynhyrchu lliwiau eilaidd – melyn, cyan (gwyrddlas) a magenta. Lle bydd y tri golau lliw yn gorgyffwrdd byddant yn adio gyda'i gilydd ac yn ymddangos fel golau gwyn.

Ffigur 3.11
Gall cyfuniadau gwahanol o'r tair tonfedd gynradd gynhyrchu'r ystod lawn o synwyriadau gweledol y byddwn ni'n eu galw'n lliw.

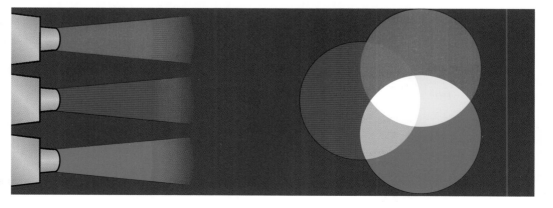

Golau haul a golau lamp

Mae golau sy'n cael ei allyrru gan yr Haul wedi'i wneud o amrediad ehangach o donfeddi na'r sbectrwm gweladwy, ond caiff y rhan fwyaf o'r pelydriad anweladwy ei amsugno gan yr atmosffer. Mae'r golau haul a fydd yn tywynnu ar arwyneb y Ddaear, at ei gilydd, yn gymysgedd cyson o'r amrediad llawn o donfeddi gweladwy – mae'n olau gwyn.

Ffigur 3.12
Cymharu sbectrwm golau haul a golau lamp.

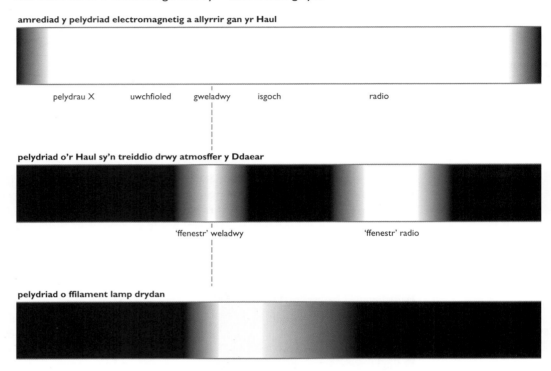

amrediad y pelydriad electromagnetig a allyrrir gan yr Haul

pelydrau X   uwchfioled   gweladwy   isgoch   radio

pelydriad o'r Haul sy'n treiddio drwy atmosffer y Ddaear

'ffenestr' weladwy   'ffenestr' radio

pelydriad o ffilament lamp drydan

Mae'r ffilament mewn lamp drydan yn ffynhonnell o olau hefyd, ond nid yw mor boeth â'r Haul o bell ffordd. Nid yw'r golau'n cyrraedd mor bell â phen tonfedd fer, amledd uchel y sbectrwm electromagnetig gweladwy. O'i gymharu â golau haul, mae gan olau lamp gyfran uwch o olau coch, oren a melyn na golau glas, indigo neu fioled (Ffigur 3.12). Mae gwrthrych yn edrych yn fwy oren yng ngolau lamp nag ydyw yng ngolau haul. Wrth geisio cydweddu lliwiau dillad neu baent, mae'n bwysig cael ffynhonnell dda o olau gwyn.

Tynnu lliwiau – hidlyddion

Pan fo **hidlydd** yn cael ei oleuo gan olau gwyn mae'n amsugno rhai tonfeddi ac yn trawsyrru rhai eraill. Caiff y tonfeddi sydd wedi'u hamsugno eu **tynnu** o'r paladr golau.

Mae hidlydd coch yn trawsyrru golau coch ac yn amsugno lliwiau eraill (Ffigur 3.13). Os yw'r golau a drawsyrrwyd yn taro ar sgrin wen, gwelwn y golau coch wedi'i adlewyrchu. Mae sgrin sinema bob amser yn wyn. Patrwm o hidlyddion yw ffrâm ffilm sy'n cynhyrchu patrymau o liwiau adlewyrchedig pan edrychwn ar y sgrin wen.

Ffigur 3.13
Effaith hidlydd coch ar olau gwyn.

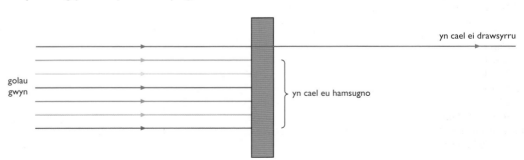

golau gwyn

yn cael ei drawsyrru

yn cael eu hamsugno

Tynnu lliw – pigmentau

Mae **pigmentau**, megis paent neu lifynnau, yn amsugno rhai tonfeddi golau ac yn adlewyrchu rhai eraill. Caiff y tonfeddi a amsugnwyd eu tynnu o'r golau a fydd yn disgleirio ar yr arwyneb pigmentedig. Y cyfan a welwn yw'r lliw adlewyrchedig.

Mae pigment coch yn adlewyrchu golau coch ac yn amsugno'r lliwiau eraill (Ffigur 3.14). Os yw golau gwyn yn disgleirio ar yr arwyneb, y cyfan a welwn yw'r lliw coch. Os yw golau glas (neu wyrdd) yn disgleirio ar yr arwyneb ni welwn unrhyw olau adlewyrchedig (os yw'r amsugniad yn gyflawn). Mae'r cloroffyl mewn planhigion yn gweithredu fel pigment gwyrdd (Ffigur 3.15).

Ffigur 3.14
Effaith pigment coch.

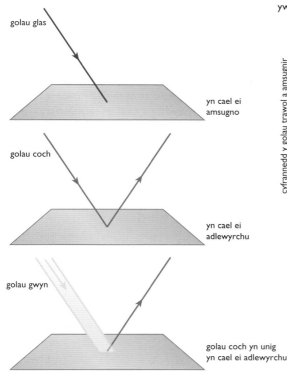

golau glas

yn cael ei amsugno

golau coch

yn cael ei adlewyrchu

golau gwyn

golau coch yn unig yn cael ei adlewyrchu

Ffigur 3.15
Golau'n cael ei amsugno gan gloroffyl, y pigment gwyrdd mewn planhigion. Mae'r golau nad yw'n cael ei amsugno gan y ddeilen yn cael ei adlewyrchu.

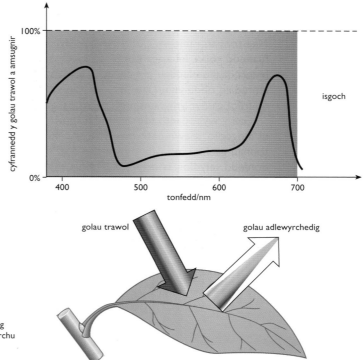

isgoch

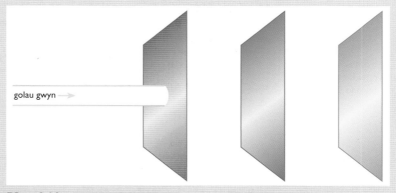

golau trawol

golau adlewyrchedig

7 Sut y bydd arwyneb glas yn edrych
  a yn y nos pan fydd hi'n rhy dywyll i'ch conau weithio
  b pan gaiff ei oleuo gan olau glas
  c pan gaiff ei oleuo gan olau coch
  d pan gaiff ei oleuo gan lamp ffilament (o'i gymharu â'i ymddangosiad yng ngolau haul)?
8 Dychmygwch eich bod wrthi yn prynu paent a bod angen i chi edrych i weld pa mor debyg yw dau liw gwyrdd. Sut y byddech yn mynd ati i wneud hyn?
9 Mae tri hidlydd, un coch, un gwyrdd ac un glas, wedi'u gosod mewn rhes ac mae paladr o olau gwyn yn cael ei dywynnu arnynt, gan gyrraedd yr un coch gyntaf (Ffigur 3.16). Pa olau fydd yn cyrraedd
  a yr hidlydd gwyrdd
  b yr hidlydd glas?
10 Pa dystiolaeth sydd i ddangos bod gan y cemegion a ddefnyddir mewn ffotograffiaeth sensitifedd i olau sy'n wahanol i'r llygad dynol?
11 Brasluniwch graff yn dangos cyfrannedd y golau trawol sy'n cael ei *adlewyrchu* gan gloroffyl, yn erbyn tonfedd.

golau gwyn →

Ffigur 3.16

Tonnau radio – cyflwyniad i ddarlledu analog a digidol

Ffigur 3.17
Amleddau radio.

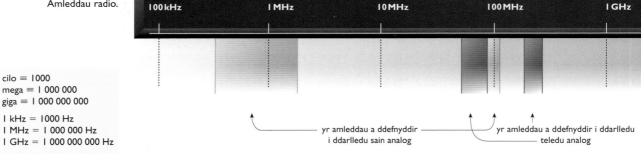

cilo ≡ 1000
mega ≡ 1 000 000
giga ≡ 1 000 000 000

1 kHz = 1000 Hz
1 MHz = 1 000 000 Hz
1 GHz = 1 000 000 000 Hz

yr amleddau a ddefnyddir i ddarlledu sain analog

yr amleddau a ddefnyddir i ddarlledu teledu analog

Mae tonnau radio yn cludo gwybodaeth. Caiff y wybodaeth ei lledaenu, neu ei darlledu, ar fuanedd golau, fel arfer i bob cyfeiriad o'r orsaf ddarlledu. Rhaid i bob gorsaf ddarlledu gael ei hamrediad amleddau ei hun. Petai signalau gwahanol yn cael eu darlledu ar amleddau mewn amrediad oedd yr un fath neu yn gorgyffwrdd yna byddai'r derbynnydd yn cael ei effeithio'n ddifrifol gan yr ymyriant a gâi ei achosi gan arosodiad y tonnau.

Gall y wybodaeth fod ar ffurf **ddigidol** – mewn patrymau 'cynnau' a 'diffodd'. Fel arall, gall gael ei 'amgodio' mewn patrymau yn y tonnau; gelwir y patrymau **analog** hyn yn fodyliadau. Gall y tonnau gael eu modylu mewn dwy ffordd – naill ai drwy batrymau yn osgled y don radio ar donfedd sefydlog, **modyliad osgled, AM** (*amplitude modulation*), neu drwy batrymau yn amledd y don osgled sefydlog, **modyliad amledd, FM** (*frequency modulation*) (Ffigur 3.18).

Ffigur 3.18
Modyliad ton radio, neu batrwm y signal digidol, sy'n cyfleu'r wybodaeth.

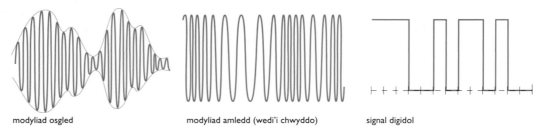

modyliad osgled   modyliad amledd (wedi'i chwyddo)   signal digidol

Mae radio AM ac FM ill dau yn ddulliau analog sy'n amgodio gwybodaeth ar ffurf patrymau sy'n amrywio'n barhaus yn y tonnau. Mae ffonau symudol a darlledu digidol yn defnyddio trosglwyddiadau digidol gan anfon gwybodaeth ar ffurf patrwm o hyrddiau cynnau-diffodd neu **ddidau**. Bydd y patrwm hwn o ddidau yn cludo gwybodaeth mewn cod deuaidd (Ffigur 3.19).

Ffigur 3.19
Hyrddiau o donnau yn cynhyrchu didau sy'n cludo cod deuaidd signal digidol.

Gall cod deuaidd gael ei drosi'n donnau radio. Er enghraifft y cod 0101 fydd:

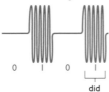

0   1   0   1

did

Mae pob did yn para am sawl cyfnod neu gylchred o'r don radio. Er mwyn ei symleiddio, dim ond ychydig o gyfnodau a ddangosir yma. Er enghraifft, gallai pob did bara am oddeutu 15µs, tra bo gan y don radio amledd o 1 MHz.

Bydd angen amrediad o amleddau ar signal sydd â modyliad amledd, neu FM, er mwyn i'r amleddau amrywio oddi mewn iddo. Po fwyaf yw'r amrediad neu'r band hwn o amleddau, mwyaf cymhleth y gall y modyliad fod. Caiff gallu system i gario gwybodaeth gymhleth ei fesur yn nhermau **lled band**. Er mwyn trosglwyddo sain o ansawdd da, rhaid i'r lled band fod tua 18 kHz o leiaf. Mae angen lled band mwy o lawer, fel rheol 8 MHz, i drosglwyddo teledu sy'n cynnwys sain a lluniau cymhleth sy'n newid yn gyflym (Ffigur 3.20).

Ffigur 3.20
Rhan o sbectrwm radio amledd tra uchel yn dangos y lled band 8 MHz, o 604 i 612 MHz, gorsaf ddarlledu teledu nodweddiadol, neu 'sianel'.

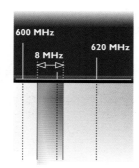

Gan fod angen lled band sylweddol, dim ond tonnau amledd tra uchel all gael eu defnyddio i drosglwyddo teledu analog. Fyddai tonnau amledd canolig o 1 MHz, er enghraifft, yn dda i ddim petai'n rhaid i'r amledd amrywio 8 MHz er mwyn cludo ei signal.

Gyda darlledu digidol, gellir anfon gwybodaeth gymhleth heb ddefnyddio band llydan o amleddau. Mae hyn yn golygu y gellir cael mwy o orsafoedd heb i ymyriant ddigwydd ac mae hyn, yn ei dro, yn golygu mwy o orsafoedd i'r gwylwyr a'r gwrandawyr.

12 Bydd yr amleddau a ddefnyddir i ddarlledu yn amrywio o oddeutu 100 kHz i 1 GHz. Beth yw'r amrediad cyfatebol o donfeddi?

13 Os yw gorsaf yn darlledu 108 MHz ac yn defnyddio lled band o 18 kHz, yn ôl pa gyfrannedd y mae amledd y signal yn amrywio?

14 Defnyddiwch ddiagram i ddangos pam na fyddai'n syniad da i geisio defnyddio tonnau 1 MHz i drosglwyddo signalau teledu analog.

15 Pam y mae angen lled band mwy llydan ar orsafoedd teledu na gorsafoedd radio?

16 Pam na fyddwn ni'n defnyddio pelydrau X i ddarlledu? Petaem yn gallu eu defnyddio, beth fyddai manteision system ddarlledu yn seiliedig ar belydrau X?

17 Sut y gall gorsaf ddigidol drosglwyddo gwybodaeth yn gyflym heb ddefnyddio amrediad mawr o amleddau?

Tasg sgiliau ychwanegol

Cyfathrebu a Thechnoleg Gwybodaeth

Defnyddiwch y we i ddod o hyd i wybodaeth am ddarlledu digidol. Gan ddefnyddio cymhorthion gweledol megis taflunydd a sleidiau paratowch gyflwyniad llafar 5-10 munud o hyd a fydd yn addas i'ch cyd-fyfyrwyr. Esboniwch y gwahaniaeth rhwng darlledu analog a digidol. Er mwyn gwneud hyn yn drylwyr bydd angen ateb nifer o gwestiynau. Er enghraifft, pam na ellir defnyddio hen setiau teledu analog i ddarlledu rhaglenni digidol? A fydd yn gwella'r derbyniad drwy'r wlad ac, os bydd, sut? Sut y bu datblygiadau technolegol diweddar yn fodd i ddatblygu darlledu digidol?

II
YMCHWILIO I FATER AR WAHANOL RADDFEYDD

4 Dwysedd – priodwedd defnydd

● Sut y mae disgrifio a chymharu defnyddiau yn y ffordd fwyaf defnyddiol i beirianwyr a dylunwyr?

GEIRFA ALLWEDDOL   anffurfio   ansoddol   breuder   caledwch   cymhareb   dwysedd ehangiad afreolaidd dŵr   ffigur ystyrlon   gwydnwch   meintiol   priodwedd ffisegol solid elastig   solid plastig

Y CEFNDIR

Ffigur 4.1
Aelodau o'r gymdeithas lle mae gennym gyfoeth o nwyddau materol.

Rydych chi, yn union fel y merched hyn yn y siop gerdd, yn rhan o gymdeithas lle mae gennym gyfoeth o nwyddau materol. Dyma'r byd y byddwch chi'n dewis bod yn rhan ohono bob tro y byddwch chi'n prynu CD neu ddillad, yn teithio, yn agor pecyn o fwyd, yn defnyddio'r cyfrifiadur neu'r teledu neu'n mynd allan am hwyl.

Pan fydd beic neu fysellfwrdd cyfrifiadur newydd, er enghraifft, yn cael ei ddylunio, mae'n bwysig i'r dylunydd wybod sut y bydd y defnyddiau gwahanol a fydd, o bosibl, yn cael eu defnyddio i'w gynhyrchu, yn ymddwyn. Gallwn ddefnyddio geiriau i ddisgrifio defnyddiau o ran eu hansawdd neu gallwn ddefnyddio rhifau. Mae 'teimlad' **ansoddol** defnydd yn ddefnyddiol, ond y berthynas fathemategol neu **feintiol** a fydd yn gwneud y rhagfynegiadau trachywir y bydd eu hangen i gynhyrchu a defnyddio'r cynnyrch.

Bydd gwyddonwyr a pheirianwyr yn defnyddio perthynas fathemategol i ddiffinio **priodweddau ffisegol** defnyddiau. Mae gan briodweddau ffisegol werthoedd cyson ar gyfer defnyddiau penodol, cyn belled nad yw amodau megis y tymheredd yn newid.

● Disgrifio solidau

Mae'r rhan fwyaf o'r nwyddau y byddwn yn eu prynu yn solidau. Mae geiriau fel 'breuder' a 'chaledwch' yn ddefnyddiol i ddisgrifio sut y mae solidau yn ymddwyn:

- **breuder** – fawr ddim gallu i wrthsefyll ei **anffurfio** (newid ei siâp o ganlyniad i rym a roddwyd arno) a thuedd i dorri'n sydyn

- **gwydnwch** – y gallu i wrthsefyll ei anffurfio dros dro heb dorri (y gwrthwyneb i freuder)

- **caledwch** – y gallu i wrthsefyll crafu neu sgraffinio. Mae defnydd caled yn gallu crafu defnydd mwy meddal ond nid yw'r gwrthwyneb yn wir. Oherwydd hyn, gellir rhestru solidau yn nhrefn eu caledwch, o'r defnydd caletaf i'r defnydd mwyaf meddal

- **elastig** a **phlastig** – mae ystyron gwrthgyferbyniol i'r geiriau hyn. Bydd solid elastig yn dychwelyd i'w siâp gwreiddiol ar ôl i'r grym a roddwyd arno i'w anffurfio ddarfod; mae solid plastig yn cadw ei siâp newydd ar ôl i'r grym ddarfod.

Mae gwydr yn frau, er enghraifft, lle mae rwber yn wydn. Mae gwydr yn fwy caled na rwber. Mae gwydr a rwber ill dau yn elastig ar dymheredd ystafell, er bod elastigedd gwydr yn anodd ei brofi oherwydd ei freuder. Bydd y ddau ddefnydd yn mynd yn fwy plastig wrth iddynt gael eu gwresogi.

Mae'n bosibl gwneud mesuriadau sy'n dynodi gwydnwch, breuder a chaledwch, ond mae'r cysyniadau hyn hefyd yn ddefnyddiol fel disgrifiadau ansoddol (anrhifiadol).

Nodwch mai ystyr cyffredin y gair 'plastig' yw defnydd synthetig a all, ar ryw adeg yn ystod y prosesau gweithgynhyrchu, gael ei siapio gan rymoedd. Gallant, er enghraifft, gael eu hymestyn yn ffibrau neu gael eu gwasgu i mewn i fowldiau. Yn ystod y broses o gymryd arnynt y siâp newydd gellir dweud eu bod yn blastig. Unwaith iddynt gael eu siapio, fodd bynnag, ni fydd y defnyddiau hyn yn blastig iawn – nid ydynt yn newid eu siâp yn hawdd. Mewn gwirionedd, mae'r rhan fwyaf yn solidau eitha elastig, y gwrthwyneb i blastig. Erbyn hyn, fodd bynnag, mae'r gair 'plastig' yn rhan o'n hiaith bob dydd.

Ychwanegu meintioli at ddisgrifiadau o ddefnyddiau materol

Mae'n ddefnyddiol yn aml iawn i feintioli – h.y. mynegi ymddygiad mewn rhifau ac unedau. Er enghraifft, gallwn fesur màs gwrthrych neu wrthiant gwifren. Mae màs a gwrthiant penodol yn perthyn i ddarn penodol o wifren gopr. Mae'n debyg y byddai gan sampl arall o gopr fàs a gwrthiant gwahanol.

Gallwn hefyd fesur meintiau nad ydynt yn gymwys i un sampl penodol ond yn hytrach i'r *holl* samplau o'r defnydd. Mae dwysedd yn enghraifft o fesur o'r fath. Mae i bob darn o gopr pur, beth bynnag y bo ei faint neu ei siâp, yr un dwysedd ar unrhyw dymheredd penodol. Priodweddau'r wifren yw ei màs a'i gwrthiant ond priodwedd ffisegol y defnydd yw ei ddwysedd.

Mae priodweddau ffisegol defnyddiau yn disgrifio pob math o ymddygiad, megis ymddygiad mecanyddol, optegol, trydanol a thermol. Mae priodweddau mecanyddol yn cynnwys dwysedd a modwlws Young; mae priodweddau eraill yn cynnwys indecs plygiant, gwrthedd trydanol, dargludedd thermol, ymlediad thermol a chynhwysedd gwres sbesiffig. Diffinnir y mesurau hyn yn y penodau priodol yn ddiweddarach yn y llyfr. Y cyfan sydd angen ei wneud fan yma yw nodi bod

Ffigur 4.2
Ceir digonedd o alwminiwm yng nghramen y Ddaear ond mae echdynnu'r metel o'r mwyn yn broses gostus ag angen llawer o adnoddau egni. Mae'r broses yn un broffidiol yn fasnachol, fodd bynnag, am fod priodweddau ffisegol a chemegol defnyddiol yn perthyn i alwminiwm. Mae'n dargludo trydan yn dda, mae'n gallu gwrthsefyll cyrydiad, mae'n ffurfio aloiau cryf gyda metelau eraill ac mae iddo ddwysedd isel.

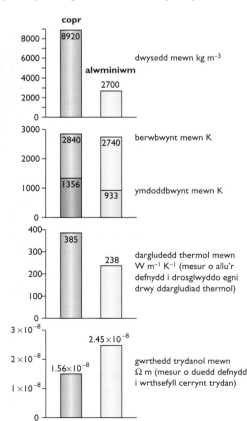

Ffigur 4.3
Mae gan bob defnydd ei set nodweddiadol ei hun o briodweddau ffisegol.

priodweddau ffisegol defnyddiau yn ffordd hwylus o'u cymharu. Mae gan bob defnydd ei gasgliad ei hun o werthoedd sy'n creu llun neu broffil unigryw o'i hun (Ffigurau 4.2 a 4.3).

Dwysedd

Mae gan sampl mawr o alwminiwm fàs mawr a chyfaint mawr. Bydd màs a chyfaint llai gan ddarn bach o'r alwminiwm a dorrwyd o'r blocyn mawr. Bydd **cymhareb** màs i gyfaint y ddau sampl yr un fath cyn belled ag y bydd eu tymheredd yn aros yr un fath. Hynny yw, bydd rhannu'r màs â'r cyfaint yn rhoi'r un ateb ar gyfer y ddau sampl. Beth bynnag eu maint, bydd ganddynt yr un **dwysedd** pan fydd eu tymheredd yr un fath.

Diffinnir dwysedd defnydd fel cymhareb màs i gyfaint unrhyw sampl o'r defnydd. Nodwch, gan y bydd y dwysedd yn newid yn ôl y tymheredd, bydd y gwerth a welwch mewn tabl o ddwyseddau defnyddiau yn gymwys ar dymheredd penodol arbennig.

Gallwn ysgrifennu diffiniad dwysedd mewn nodiant mathemategol talfyredig:

$$\text{dwysedd defnydd ar dymheredd penodol} = \frac{\text{màs unrhyw sampl o'r defnydd}}{\text{cyfaint y sampl}}$$

O'i dalfyrru ymhellach, gallwn ddefnyddio m am fàs a V am gyfaint (*volume*). (Mae'n arferiad i ysgrifennu'r V fel prif lythyren er mwyn osgoi dryswch â v am gyflymder (*velocity*)). Ni chaiff y llythyren d ei defnyddio ar gyfer dwysedd oherwydd y defnydd a wneir ohoni mewn calcwlws. Yr arferiad yw defnyddio'r llythyren Roeg rho, ρ. Gall yr hafaliad gael ei ysgrifennu felly fel a ganlyn:

$$\rho = \frac{m}{V}$$

Nodwch, gan mai uned SI màs yw'r cilogram, kg, ac mai uned cyfaint yw'r metr ciwbig, m^3, uned dwysedd yw'r cilogram y metr ciwbig, kg m^{-3}. Dangosir yr unedau a'r dimensiynau yn Nhabl 4.1.

Tabl 4.1

Mesur	Uned SI	Dimensiwn
màs	kg	[M]
cyfaint	m^3	[L]^3
dwysedd	kg m^{-3}	[M] [L]$^{-3}$

Mae Tabl 4.2 yn dangos dwysedd rhai defnyddiau, pob un ohonynt ar dymheredd o 20 °C.

Tabl 4.2
Rhai dwyseddau ar 20 °C.

Enw'r sylwedd	Dwysedd/kg m^{-3}
aer	1.29 ar wasgedd atmosfferig
carbon deuocsid	1.98 ar wasgedd atmosfferig
copr	8920
ethanol	790
glyserol	1260
aur	19 300
hydrogen	0.0899 ar wasgedd atmosfferig
mercwri	13 600
pren derw	720 ar leithder o 18%
ocsigen	1.43 ar wasgedd atmosfferig
dŵr	998

Mae mwy o wybodaeth yn y tabl nag sydd i'w gweld ar yr olwg gyntaf. Mae gan fetelau duedd i fod â dwysedd uchel er enghraifft. Mae gan solidau a hylifau amrediad eang o ddwyseddau. Dwysedd isel sydd i nwyon. Hefyd, yn achos nwyon, rhaid nodi'r gwasgedd yn ogystal â'r tymheredd gan fod dwysedd nwy yn ddibynnol iawn ar wasgedd. Ni all solidau a hylifau gael eu cywasgu'n hawdd i gyfeintiau llai fodd bynnag – gan fod effaith gwasgedd ar eu dwysedd mor bitw, prin bod angen ei ystyried o gwbl o safbwynt ymarferol.

1 Rhannwch y canlynol yn briodweddau defnyddiau a phriodweddau samplau arbennig:
   - dwysedd
   - breuder
   - màs
   - gwrthiant
   - cyfaint
   - gwrthedd
2 Pam nad oes angen dynodi'r gwasgedd ar gyfer solidau a hylifau wrth nodi gwerthoedd eu dwysedd?
3 Pa un sy'n debygol o fod ddwysaf: derw wedi'i drin a'i sychu'n araf neu dderw heb ei drin? Eglurwch eich ateb.
4 Pa un o'r rhifau isod sydd ddim yn dangos tri ffigur ystyrlon?
   501   501.5   1.43   0.0436
5 Yn y fformiwla $\rho = m/V$, beth yw'r dimensiynau ar naill ochr yr arwydd = a'r llall?

Mae Tabl 4.2 yn dangos dwysedd i dri **ffigur ystyrlon**. Ffigurau ystyrlon yw'r digidau mewn rhif, gyda phob un wedi'i gyfiawnhau gan y mesuriad gwreiddiol. Rhoddir dwysedd dŵr, er enghraifft, fel 998 kg m^{-3} ac wrth wneud hynny mae'r tabl yn dweud ei bod hi'n hysbys nad 997 na 999 kg m^{-3} yw'r dwysedd. Ar gyfer aur, dywed y tabl nad 19 200 na 19 400 kg m^{-3} yw'r dwysedd; yn hytrach, mae ei werth rhwng 19 250 a 19 349 kg m^{-3}. Awgryma'r tabl nad yw trachywirdeb y mesuriad yn ddigon trachywir i ddweud mai dwysedd aur yw, dyweder 19 290 neu 19 310 kg m^{-3}, sef mesuriadau i bedwar ffigur ystyrlon.

Rhai dwyseddau eithriadol

Gellid dweud bod i gasgliad o ddefnyddiau mewn amgylchedd penodol ddwysedd cyfartalog. Mae Tabl 4.3 yn cymharu rhai dwyseddau cyfartalog gwahanol iawn.

Tabl 4.3
Gwerthoedd bras rhai dwyseddau cyfartalog.

	Dwysedd cyfartalog /kg m^{-3}
y Bydysawd	10^{-27}
person	10^{3}
seren niwtron	10^{17}

6 O ba ffactor y mae seren niwtron yn fwy dwys na'r Bydysawd yn gyffredinol?
7 **a** O ba ffactor, yn fras, y mae copr yn fwy dwys na dŵr? (Gweler Tabl 4.2).
   b Amcangyfrifwch o ba ffactor y mae wasier gopr yn fwy dwys na'r Bydysawd.

Nodwch eich bod 10^{30} gwaith yn fwy dwys na'r Bydysawd cyfan. Ond mae seren niwtron ryw 10^{14} gwaith yn fwy dwys na chi. Hynny yw, os gallech wasgu eich hun i'r un dwysedd â seren niwtron, byddai eich cyfaint yn llai na 10^{-15} m^{3} yn hytrach na'ch cyfaint presennol sydd ychydig yn llai na 0.1 m^{3}. Mae hynny'n llai na 10^{-6} mm^{3} — smotyn o oddeutu un canfed rhan o filimetr ar draws.

⬤ Trawsnewid unedau

Ffigur 4.4
Sawl cm^{3} sydd mewn 1 m^{3}?

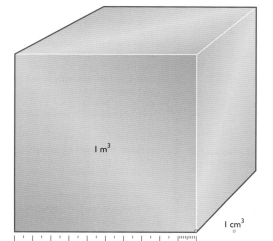

1 m^{3}

1 cm^{3}

Mae can centimetr mewn un metr ond mae *miliwn* centimetr ciwbig mewn un metr ciwbig (Ffigur 4.4). Mae'n bosibl y bydd hyn yn syndod oherwydd mae'r ffigur cant yn rhif y gellir ymdopi ag ef yn hawdd ond mae miliwn yn rhif sydd y tu hwnt i'n dirnadaeth. Er hynny, mae'r cyfrifiad yn dangos:

$$100 \times 100 \times 100 = 1\,000\,000$$

neu

$$10^{2} \times 10^{2} \times 10^{2} = 10^{6}$$

Felly

$$10^{6} \text{ cm}^{3} = 1 \text{ m}^{3}$$

Golyga hyn fod

$$\text{cyfaint mewn cm}^{3} = \text{cyfaint mewn m}^{3} \times 10^{6}$$

Ar gyfer llawer o'n nwyddau arferol, mae'r metr ciwbig yn uned rhy fawr i'w defnyddio a byddwn yn aml yn mesur cyfaint mewn centimetrau ciwbig. Byddwn felly, fel rheol, yn mesur màs y gwrthrych dan sylw mewn gramau.

Mae mil gram mewn un cilogram.

$$1000 \text{ g} = 10^{3} \text{ g} = 1 \text{ kg}$$

Felly

$$\text{màs mewn g} = \text{màs mewn kg} \times 10^{3}$$

Pan fydd mesuriadau'n cael eu gwneud mewn centimetrau ciwbig a gramau, yna uned y dwysedd fydd y gram y centimetr ciwbig, g cm^{-3}.

$$\text{Dwysedd mewn g cm}^{-3} = \frac{\text{màs mewn g}}{\text{cyfaint mewn cm}^3} = \frac{\text{màs mewn kg} \times 10^3}{\text{cyfaint mewn m}^3 \times 10^6} = \frac{\text{màs mewn kg}}{\text{cyfaint mewn m}^3} \times 10^{-3}$$

Felly, er mwyn trawsnewid dwysedd mewn kg m^{-3} i ddwysedd mewn g cm^{-3}, byddwn yn ei rannu â mil. Dwysedd dŵr ar dymheredd o 20 °C yw 998 kg m^{-3} neu 0.998 g cm^{-3}.

Nid yw'r ffaith bod dwysedd dŵr mor agos at 1 g cm^{-3} yn ddamweiniol. Pan ddyfeisiwyd y system fetrig yn Ffrainc ryw 200 o flynyddoedd yn ôl, y gram oedd uned sylfaenol màs. Fe'i diffiniwyd fel màs 1 cm^3 o ddŵr ar dymheredd o 4 °C; rhoddai hyn ddwysedd o 1.00 g cm^{-3} i ddŵr. (Rhoddir y gwerth hwn i dri ffigur ystyrlon – mae'r seroau yn ystyrlon am eu bod yn rhoi trachywirdeb y gwerth i ni. Nid 0.99 na 1.01 mohono ond 1.00 g cm^{-3}.) Ers hynny, newidiwyd y diffiniadau ffurfiol ar gyfer unedau màs a hyd a rhoddir dwysedd dŵr bellach ar dymheredd o 20 °C yn hytrach na 4 °C. Dwysedd dŵr yw 0.998 g cm^{-3} ar dymheredd o 20 °C.

Litr a mililitr

Mae diffiniadau hanesyddol centimetr ciwbig a mililitr yn wahanol, ond mae eu maint yr un fath. Mewn ffiseg, byddwn yn mesur cyfaint mewn metrau ciwbig neu gentimetrau ciwbig. Fodd bynnag, defnyddir litr (1 litr yw un milfed rhan o fetr ciwbig) a mililitr yn rhan o'n bywyd bob dydd.

8 Mae 10^3 mm mewn 1 m. Sawl milimetr ciwbig sydd mewn metr ciwbig? Rhowch eich ateb mewn pwerau o ddeg.
9 Beth yw hyd ochr ciwb ac iddo gyfaint
   a 10^6 m^3
   b 10^{-6} m^3
   c 10^6 mm^3
   d 10^{-6} mm^3?
10 Beth yw dwysedd alwminiwm mewn g cm^{-3}? (Edrychwch ar Ffigur 4.3, t.31)
11 Beth yw dwysedd cyfartalog y Bydysawd mewn g cm^{-3}? (Edrychwch ar Dabl 4.3, t.33.)
12 A thybio bod gennych ddwysedd cyfartalog fel y rhoddwyd yn Nhabl 4.3, amcangyfrifwch fàs
   a 1 cm^3 o'ch cnawd
   b clust
   c eich pen.

Dwysedd a thymheredd

Mae bron pob sylwedd yn ehangu wrth i'w dymheredd godi. Hynny yw, ar gyfer sampl o bron unrhyw ddefnydd, bydd ei gyfaint yn cynyddu ond bydd ei fàs yn aros yr un fath. Rhaid i'r gymhareb màs i gyfaint, y dwysedd, leihau felly – bydd ehangiad thermol yn lleihau dwysedd. Er mwyn cymharu dwysedd defnyddiau gwahanol mewn ffordd sy'n ddibynadwy felly rhaid defnyddio'r gwerthoedd a fydd yn gymwys ar yr un tymheredd.

Mae patrwm anarferol iawn yr amrywiad rhwng dwysedd a thymheredd mewn dŵr (Ffigur 4.5) – sef **ehangiad afreolaidd dŵr** – yn golygu bod dŵr hylif yn fwy dwys nag iâ.

Ffigur 4.5 Amrywiad dwysedd alwminiwm a dŵr â thymheredd.

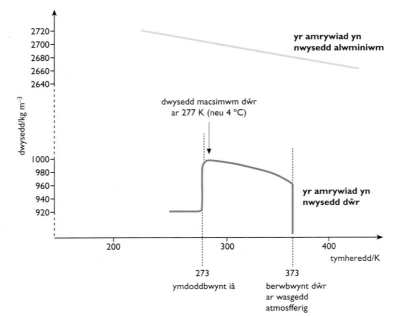

Gwelir o'r graffiau y gwahaniaeth rhwng ymddygiad dŵr ac alwminiwm. Mae dwysedd alwminiwm lawer yn uwch na dwysedd dŵr, felly defnyddia'r graff echelin doredig i'r dwysedd ar gyfer amrediad o lai na 1000 kg m^{-3} i fwy na 2700 kg m^{-3}. Mae'r llinell ar gyfer alwminiwm bron â bod yn llinell syth, er nad yw'n hollol syth, ac mae'n dangos gostyngiad gweddol gyson yn y dwysedd wrth i'r tymheredd godi. Mae dŵr yn ymddwyn mewn ffordd sydd nid yn unig yn gymhleth ond hefyd yn anarferol. Mae'r hylif yn fwy dwys na'r solid felly mae iâ yn arnofio ar wyneb y dŵr ac mae dŵr yn rhewi o'r top i lawr (mae hylifau eraill yn rhewi o'r gwaelod i fyny). Yn rhyfeddach fyth, mae gan ddŵr ddwysedd macsimwm ar dymheredd o 4 °C. Mae dŵr ar dymheredd o 4 °C yn suddo yn is na dŵr sy'n gynhesach a dŵr sy'n oerach, ac mewn dŵr dwfn mae wedi'i ynysu'n dda.

13 Pam y mae pibau'n byrstio os yw dŵr yn rhewi y tu mewn iddynt? Pryd y cewch wybod bod piben wedi byrstio?
14 Pa un sydd â'r cyfaint lleiaf, 1 g o ddŵr ar 4 °C neu 1 g o ddŵr ar 40 °C?

Ffigur 4.6
Bydd wyneb y môr yn rhewi ond gall bywyd barhau oddi tano oherwydd ymddygiad afreolaidd dŵr.

● **Deall a chymhwyso**

Tanwydd, cludiant a diogelwch

Mae olew wedi'i wneud o gymysgedd o ddefnyddiau sydd ag adeileddau sy'n seiliedig ar gadwyni o atomau carbon. Bydd hyd y cadwyni yn amrywio a gall fod iddynt ganghennau. Yn y diwydiant olew, gelwir cydrannau gwahanol yr olew yn ffracsiynau. Maent i gyd yn gallu bod yn danwyddau ac mae rhai ffracsiynau yn ddefnyddiau crai i amrywiaeth o gynnyrch o blastigion i gynnyrch fferyllol. Prif dasg purfa olew yw gwahanu'r olew yn wahanol ffracsiynau. Gwna hynny drwy ddefnyddio techneg sy'n seiliedig ar fanteisio ar y berwbwyntiau gwahanol.

Mae ffracsiynau sydd ag adeiledd syml neu ddim ond ychydig o atomau carbon yn nwyon ar 298 K (sy'n 25 °C) a gwasgedd atmosfferig. Mae dwysedd is i'r ffracsiynau hyn na ffracsiynau â chadwyni carbon sy'n hirach ac yn fwy cymhleth. Mewn cronfeydd olew crai naturiol o dan y ddaear, gall y ffracsiynau dwysedd isel hyn gasglu yn y graig uwchlaw'r olew, neu mae'n bosibl y byddant wedi diferu trwodd. Lle bo'r olew o dan wasgedd uchel gall rhai o'r ffracsiynau llai dwys hyn aros yn hylif er bod y tymheredd uwchlaw eu berwbwynt.

Bydd cyfaint hylif lawer yn llai na'r un màs o'r un defnydd yn y cyflwr nwyol, felly mae'n fwy synhwyrol i gludo'r defnydd ar ffurf hylif nag ar ffurf nwy. Mae propan a bwtan yn ddau ffracsiwn olew nwyol, sydd hefyd yn cael ei alw'n nwy petroliwm, all gael eu trawsnewid yn hylif o dan wasgedd ar dymereddau bob dydd. Gall yr hylifau gael eu cludo mewn cistiau gwasgeddedig yn ffynhonnell hwylus o danwydd. Defnyddir bwtan, er enghraifft, ar gyfer stof a lamp gwersylla.

Tabl 4.4
Priodweddau rhai ffracsiynau olew

Enw'r ffracsiwn	Berwbwynt/K	Dwysedd yr hylif/ kg m^{-3}	Dwysedd y nwy ar 298 K ac o dan wasgedd atmosfferig/ kg m^{-3}
methan	109.1	466	0.72
ethan	184.5	572	1.36
propan	231.0	585	1.99
bwtan	272.6	601	2.62
pentan	309.2	626	–
hecsan	342.1	660	–
heptan	371.5	684	–
octan	398.8	703	–
aer	–	–	1.26

15 Esboniwch pam y mae bylchau yn Nhabl 4.4.

16 **a** Cyfrifwch gyfaint y tanceri y bydd eu hangen i gludo 10 tunnell fetrig (10 000 kg) o'r canlynol:
 i propan (ar ffurf hylif)
 ii octan.
 b Brasluniwch graffiau màs (echelin *y*) yn erbyn cyfaint (echelin *x*) ar gyfer propan (hylif) ac octan. Beth yw arwyddocâd graddiannau'r graffiau hyn?
 c Cyfrifwch gyfaint 10 tunnell fetrig o nwy methan.

17 Caiff methan ei ddefnyddio fel tanwydd domestig; yr enw cyffredin arno yw 'nwy naturiol' neu yn syml 'nwy'. Pam y mae'n rhaid ei gludo mewn pibau yn hytrach nag mewn tancer ar y ffordd?

18 Dychmygwch fod methan a bwtan yn gollwng i'r awyr agored ar ddiwrnod llonydd heb wynt. Disgrifiwch y ffyrdd gwahanol y byddech yn disgwyl i'r ddau nwy ledaenu drwy'r aer.

19 Digwyddodd nifer o ddamweiniau mewn pyllau glo wrth i'r methan ollwng o'r gwythiennau glo i'r ffas lle'r oedd y glowyr yn gweithio. Gallai'r methan ffrwydro neu fe allai, yn syml iawn, ddadleoli'r aer nes bod y gweithwyr yn mygu. Arferai'r glowyr fynd â chaneri mewn cawell gyda nhw o dan ddaear. Petai'r caneri yn dangos arwyddion ei fod yn mygu (petai'n stopio canu, er enghraifft), yna byddai hynny'n rhybudd iddynt. Ble fyddai'r lle gorau iddynt hongian y cawell?

● **Tasg sgiliau ychwanegol**   ## Cymhwyso Rhif

1 Gan gymryd mai dwysedd dŵr yw 998 kg m^{-3}, mynegwch ddwysedd pob un o'r hylifau yn Nhabl 4.4 fel canran o ddwysedd dŵr. Rhowch eich atebion yn gywir i dri ffigur ystyrlon.

2 **a** Beth yw dwysedd nwy methan (ar wasgedd atmosfferig a 298 K) fel canran o ddwysedd hylif methan?
 b Beth yw cyfaint 1 dunnell fetrig o hylif methan fel canran o 1 dunnell fetrig o'r nwy (ar wasgedd atmosfferig a 298 K)?

5 Mater a grym

Y CWESTIYNAU MAWR

- Sut y mae dadansoddi ymddygiad samplau gwahanol o ddefnydd, megis gwifrau copr gwahanol, pan roddir grym arnynt a fydd yn eu hanffurfio?
- Sut y mae dadansoddi ymddygiad defnyddiau gwahanol, megis copr a dur, pan roddir grym arnynt a fydd yn eu hanffurfio?

GEIRFA ALLWEDDOL

anffurfiad   cyfrannedd   cyfrannedd gwrthdro   cysonyn cyfrannedd   cysonyn sbring cywasgiad   Deddf Hooke   diriant   diriant torri   estyniad   graddfa Vernier   graddiant hydwyth   mesur diddimensiwn   modwlws Young   newidyn allbwn (neu ddibynnol) newidyn mewnbwn (neu annibynnol)   straen   terfan cyfrannedd   tyniant

Y CEFNDIR

Mae'r draphont ddŵr Rufeinig hon (Ffigur 5.1), sy'n croesi afon Gard yn Ffrainc, yn adeiladwaith trawiadol iawn oherwydd bod yr afon yn llydan yn y man hwn. Mae hyd yn oed yn fwy o ryfeddod am iddi gael ei chodi oddeutu 2000 o flynyddoedd yn ôl. Cyn adeiladu pont o'r fath mae'n rhaid bod y bobl yn byw mewn cymdeithas sefydlog yn debyg i ni. Defnyddiwyd cerrig i adeiladu'r bont a rhaid i ni dybio iddynt ddysgu sut i adeiladu adeiladweithiau o'r fath drwy fynd ati a rhoi cynnig arni. Mae hynny'n iawn ynddo'i hun ond po fwyaf y gallwn ni gynllunio ymlaen y mwyaf y gallwn ni ei gyflawni.

Yn ein hoes ni, cyn y bydd pont yn cael ei hadeiladu, bydd tîm o beirianwyr yn gweithio, gyda help modelau cyfrifiadurol, i weld sut y bydd y defnyddiau y bwriedir eu defnyddio yn y bont newydd a'r amgylchedd yn rhyngweithio â'i gilydd. Mae gennym ddewis ehangach o ddefnyddiau i'w defnyddio o'u cymharu â pheirianwyr ddwy fil o flynyddoedd yn ôl. Gallwn adeiladu pontydd mwy o faint dros afonydd sy'n lletach ac mewn mannau lle mae'r gwynt a'r llanw yn gryfach. O wybod am y gwaith peirianyddol manwl sy'n sylfaen i'n pontydd gallwn eu croesi gan wybod eu bod yn ddiogel.

Erbyn hyn, bydd rhai miloedd o bobl yn croesi Ail Bont Hafren (Ffigur 5.2) rhwng Cymru a Lloegr bob dydd. Tybed a fydd olion y bont hon yn cael eu darganfod gan archaeolegwyr ymhen 2000 o flynyddoedd? Dyna gwestiwn sy'n amhosibl i ni ei ateb!

Ffigur 5.1 Olion traphont Rufeinig yn Ffrainc.

Ffigur 5.2 Ail Bont Hafren yn cael ei hadeiladu.

Bu'n rhaid gwneud ymchwiliadau peirianyddol manwl iawn cyn adeiladu'r bont hon. Bu'n rhaid rhagfynegi effaith grymoedd y gwynt a'r llanw a grymoedd tyniant yn y ceblau, gan ddefnyddio gwybodaeth am rymoedd a defnyddiau.

Ymateb solidau, hylifau a nwyon i rymoedd allanol

Mae grymoedd **cywasgiad** yn tueddu i wasgu defnyddiau tra bo grymoedd **tyniant** yn tueddu i'w hestyn (Ffigur 5.3). Gelwir y newid yng nghyfaint neu siâp y defnydd yn **anffurfiad**. Mae cywasgiad a thyniant yn rymoedd anffurfio. Wrth gwrs, mae defnyddiau gwahanol yn ymddwyn yn wahanol a'r ffordd fwyaf amlwg o ddosbarthu defnyddiau yw eu rhannu'n dri chyflwr mater – solid, hylif a nwy – sy'n ymateb yn wahanol i rymoedd anffurfio (gweler Ffigur 5.4).

Gwelir bron dim newid yng nghyfaint solidau a hylifau pan weithredir grymoedd anffurfio arnynt. Bydd hylifau, fodd bynnag, yn cynnig fawr ddim gwrthiant i'r grymoedd hyn pan fyddant yn newid eu siâp. Byddant yn newid eu siâp, heb newid eu cyfaint, yn hawdd iawn. Dyna'r prif wahaniaeth rhwng hylif a solid. Gall cyfaint nwyon newid yn sylweddol pan fydd grymoedd anffurfio yn gweithredu arnynt. O'u cymharu â solidau a hylifau, gall nwyon gael eu cywasgu a'u hehangu'n hawdd.

Ffigur 5.3
Grymoedd tyniant a chywasgiad. Nodwch fod y grymoedd mewn parau.

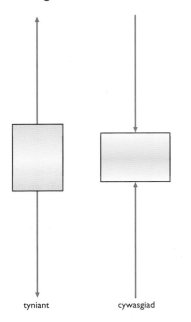

tyniant · cywasgiad

Ffigur 5.4
Mae disgyrchiant yn effeitho ar solid, hylif a nwy, ill tri. Mae'r solid yn anhyblyg tra bo siâp hylif yn cael ei ddylanwadu gan ddisgyrchiant hyd nes y bo solid yn ei atal. Pan fydd swigen yn byrstio ar yr arwyneb bydd y nwy yn lledaenu drwy'r aer.

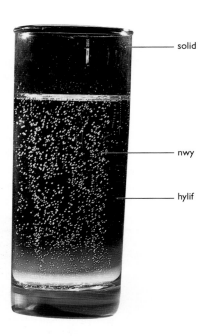

solid

nwy

hylif

Tyniant ac estyniad

I Ar gyfer rhaff sy'n angori llong, rhagfynegwch yr effaith ar Δl os defnyddir:
a rhaff fwy trwchus (gydag arwynebedd trawstoriadol mwy)
b rhaff hirach.

Bydd effaith grymoedd tyniant i'w gweld fwyaf amlwg pan fyddant yn tynnu ar wifrau neu linyn; gwrthrychau yw'r rhain sydd ag arwynebedd trawstoriadol bach o'i gymharu â'u hyd. O dan dyniant, bydd grym yn gweithredu o bob pen o wifren neu linyn. Mae'r grymoedd hyn yn hafal i'w gilydd. (Mae'n rhaid iddynt fod yn hafal er mwyn cydbwyso; byddai grymoedd anghytbwys yn arwain at gyflymiad.) Maint y naill rym neu'r llall yw'r tyniant sy'n gweithredu (Ffigur 5.5).

Mae'r tyniant yn cynhyrchu **estyniad**, neu gynnydd yn yr hyd. Gallwn ddefnyddio nodiant mathemategol safonol fan yma i gynrychioli newid drwy ddefnyddio'r llythyren Roeg Δ (delta). Os hyd gwreiddiol gwifren yw l, yna unrhyw newid yn ei hyd, neu ei hestyniad, yw Δl.

Ffigur 5.5
Mae'r grymoedd yn hafal. Mae'r tyniant sy'n gweithredu ar y rhaff yn hafal i'r naill rym neu'r llall.

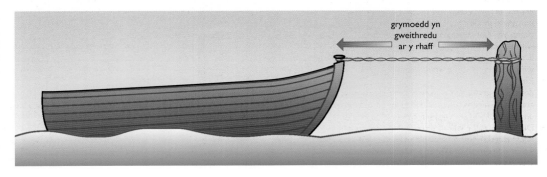

grymoedd yn gweithredu ar y rhaff

Tyniant, estyniad a chyfrannedd

Rydym yn barod i chwilio am berthynas feintiol rhwng grym anffurfio (tyniant) ac ymateb y defnydd (estyniad). Y ffordd hawsaf o brofi hyn yw defnyddio defnydd sy'n cynhyrchu estyniad mawr mewn ymateb i dyniant bach, e.e. rwber. Grym disgyrchiant (wedi'i gydbwyso gan gynhaliad cadarn) sy'n darparu'r tyniant. Caiff y grym yma ei weithredu a'i fesur drwy ddefnyddio masau safonol (gan gofio bod pob màs o 100 g yn gweithredu grym o ryw 1 newton). Gellir mesur yr estyniad yn hawdd gyda riwl wedi'i chlampio wrth ochr y rwber. Gallwch ddefnyddio band rwber syml ar gyfer eich arbrawf (Ffigur 5.6a).

Bydd y mesuriadau ar gyfer y rwber yn cynhyrchu cromlin estyniad-tyniant, nid llinell syth (Ffigur 5.6b). Hefyd, nid yw'r graff ymhlith y rhai mwyaf defnyddiol – mae ymddygiad *metelau* o dan dyniant lawer yn fwy diddorol oherwydd eu harwyddocâd peirianyddol. Rhaid cymryd mwy o ofal, fodd bynnag, wrth blotio graffiau estyniad-tyniant ar gyfer metelau (Ffigur 5.7).

Ffigur 5.6
Y trefniant arbrofol a'r canlyniad ar ffurf graff estyniad-tyniant ar gyfer rwber.

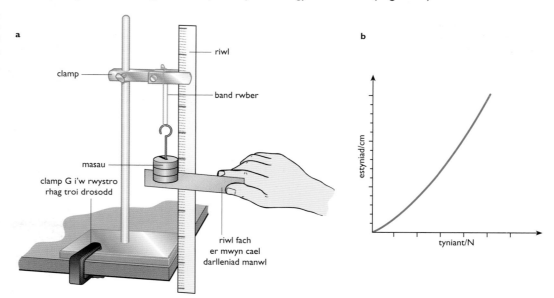

Ffigur 5.7
Y trefniant arbrofol a'r rhagofalon sy'n angenrheidiol i brofi gwifren fetel o dan dyniant.

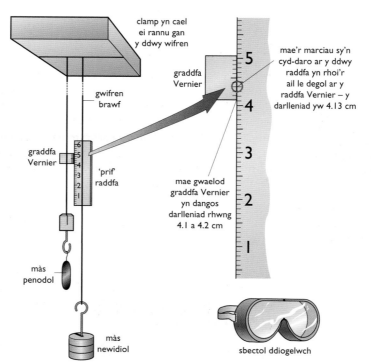

- Mae'n rhaid i ni wneud yn siŵr bod y newid yn hyd y wifren yn cael ei achosi gan y tyniant sy'n cael ei roi gennym ni yn hytrach nag unrhyw newid yn y tymheredd. Yr ateb yw hongian dwy wifren unfath wrth ochr ei gilydd o'r un clamp. Yna, dylai un wifren brofi tyniant newidiol cyn mynd ati i fesur ei hestyniad gan ddefnyddio'r graddfeydd sydd wedi'u hongian wrth y ddwy wifren. Bydd newidiadau yn yr hyd o ganlyniad i dymheredd yn cael eu canslo yn awtomatig.
- Gan fod y grymoedd yn fawr a'r estyniad yn fach, mae'n rhaid sicrhau mai'r hyn sy'n cael ei fesur fel estyniad y wifren fetel yw'r estyniad mewn gwirionedd, ac nid unrhyw symudiad yn y clamp sy'n dal y gwifrau, neu'r clamp yn 'rhoi'. Dyma reswm arall dros ddefnyddio dwy wifren, gyda'r ddwy yn cael eu dal gan yr un clamp. Os bydd y clamp yn 'rhoi' felly, bydd yn effeithio ar y ddwy wifren yr un fath â'i gilydd.
- Rhaid i ni wybod sut i fesur estyniadau bach. Bydd defnyddio **graddfa Vernier** o help yn hyn o beth. Mae graddfa Vernier yn caniatáu i fesuriadau gael eu gwneud i un lle degol yn fwy nag yw'n bosibl gyda graddfa syml.
- Diogelwch: gall y wifren dorri gan chwipio'n beryglus. *Rhaid diogelu'r llygaid* i leihau'r risg o'u niweidio. Hefyd, gall y màs ddisgyn ar y llawr ac ar y sawl sy'n gwneud yr arbrawf os nad yw'n ddigon ymwybodol o'r perygl.

Gyda metel, bydd cael set ddibynadwy o fesuriadau ar gyfer tyniant ac estyniad yn dangos perthynas syml. Pan gânt eu plotio ar graff, maent yn ffurfio llinell syth (er mae'n bosibl y bydd y patrwm yn dechrau crymu pan fydd y tyniant a'r estyniad yn mynd yn fawr – caiff hyn ei drafod ymhellach yn y bennod hon). Mae'n dda gweld llinellau syth, yn arbennig pan maent yn mynd drwy darddbwynt y graff, yn rhan o'r canlyniadau i'r ymchwiliadau ar berthynas. Mae'n hawdd gweld llinell syth am yr hyn ydyw ac mae'n caniatáu i ni weld, yn syth, natur y berthynas. Mae llinell syth sy'n mynd drwy'r tarddbwynt (y pwynt sy'n cyfateb i'r cyfesurynnau (0,0)), yn arbennig o ddefnyddiol. Mae'n dangos bod y **newidyn allbwn (neu ddibynnol)** (yr estyniad yn yr achos hwn) mewn cyfranedd union â'r **newidyn mewnbwn (neu annibynnol)** (y tyniant). Beth bynnag yw'r newid yn y tyniant, mae'r estyniad yn newid mewn cyfranedd â hynny (cyn belled ag y bo'r llinell yn aros yn syth). Mae llinell syth drwy'r tarddbwynt yn dangos **cyfranedd union**: mae'r estyniad mewn cyfranedd union â'r tyniant.

Graddiant graff llinell syth

Ffigur 5.8
Cyfrifo graddiant graff llinell syth.

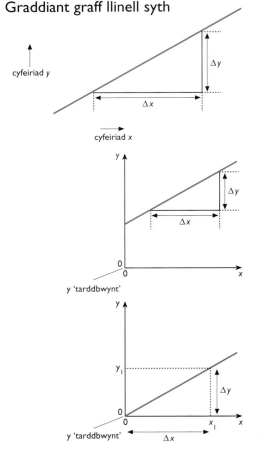

Mae graddiant llinell syth ar graff yn cael ei benderfynu gan driongl. Yn gyffredinol, gorau oll po fwyaf fydd maint y triongl fel y gellir cael mesuriadau da ar gyfer yr uchder a'r sail (gyda'r cyfeiliornad canrannol (%) lleiaf).

uchder = Δy (newid yn y)
sail = Δx (newid yn x)

$$\text{graddiant} = \frac{\text{uchder}}{\text{sail}} = \frac{\Delta y}{\Delta x}$$

Yn yr enghraifft hon, nid yw'r llinell syth yn mynd drwy'r tarddbwynt felly nid yw mewn cyfranedd union ag x. Hynny yw, nid yw newid yn x yn cynhyrchu newid cyfrannol yn y. Er hynny, gallwn ddweud o hyd bod

$$\text{graddiant} = \frac{\text{uchder}}{\text{sail}} = \frac{\Delta y}{\Delta x}$$

Mae llinell syth yn mynd drwy'r tarddbwynt (0,0) yn achos arbennig: mae y mewn cyfranedd â x. Hynny yw, mae newid yn x yn arwain at newid yn y mewn cyfranedd union. Gellir llunio'r triongl gydag un o'i bwyntiau yn y tarddbwynt. Yna mae

$$\text{graddiant} = \frac{\text{uchder}}{\text{sail}} = \frac{\Delta y}{\Delta x} = \frac{y_1 - 0}{x_1 - 0} = \frac{y_1}{x_1}$$

Ar gyfer llinell syth drwy'r tarddbwynt, mae'r graddiant yn hafal i gymhareb unrhyw bâr cyfatebol o werthoedd x ac y.

Yr un **graddiant** sydd i'r graffiau yn Ffigur 5.8. Fe'i cyfrifir drwy rannu unrhyw newid yn y gan y newid cyfatebol yn x:

$$\text{graddiant} = \frac{\text{newid yn } y}{\text{newid yn } x} = \frac{\Delta y}{\Delta x}$$

Gallwn ddarganfod Δy a Δx drwy lunio triongl: Δy yw uchder y triongl a Δx yw'r sail.

Nodwch y gallwn ddweud mwy pan fo'r graff yn mynd drwy'r tarddbwynt. Gallwn lunio triongl gydag un pwynt wrth y tarddbwynt. Yna Δy a Δx yw gwerthoedd cyfatebol y ac x:

$$\Delta y = y \quad \text{a} \quad \Delta x = x$$

Felly, ar gyfer llinell syth yn mynd drwy'r tarddbwynt, mae

$$\text{graddiant} = \frac{\text{newid yn } y}{\text{newid yn } x} = \frac{\Delta y}{\Delta x} = \frac{y}{x}$$

Gallwn ad-drefnu hyn fel a ganlyn:

$$y = \text{graddiant} \times x$$

Cofiwch, dim ond pan fo'r graff yn dangos llinell syth yn mynd drwy darddbwynt y mae hyn yn gymwys. Hynny yw, mae'n gymwys pan fo y mewn cyfrannedd union ag x. Felly, gallwn ddweud:

$$\text{ar gyfer cyfrannedd, } y = \text{graddiant} \times x$$

Nid yw graddiant llinell syth byth yn newid. Mae'n aros yn gyson bob amser. Gelwir graddiant graff â llinell syth yn mynd drwy'r tarddbwynt yn **gysonyn cyfrannedd**.

Tyniant, estyniad a graddiant

Mesur all gyfleu gwybodaeth ddefnyddiol yw graddiant graff. Mae graff estyniad wedi'i blotio yn erbyn tyniant ar gyfer gwifren fetel yn llinell syth drwy'r tarddbwynt (cyn belled nad yw'r wifren wedi'i hestyn yn rhy bell). Felly gallwn ddweud nid yn unig bod y graddiant = $\Delta y/\Delta x$ ond bod y graddiant = y/x. Yn awr, y yw'r estyniad, a gaiff ei alw'n Δl, ac x yw'r tyniant neu'r grym a weithredir, F. Felly,

$$\text{graddiant} = \frac{y}{x} = \frac{\text{estyniad}}{\text{tyniant}} = \frac{\Delta l}{F}$$

neu

$$\Delta l = \text{graddiant} \times F$$

Os galwn y graddiant yn c, am 'cysonyn', yna

$$\Delta l = cF$$

felly,

$$c = \frac{\Delta l}{F}$$

Gan mai uned SI estyniad, Δl, yw'r metr a chan mai uned SI tyniant yw'r newton, uned SI y graddiant, c, yw'r metr y newton. Gallwn ei ysgrifennu fel m N^{-1}.

Mae gwifrau gwahanol yn cynhyrchu graffiau â graddiannau gwahanol. Felly mae graddiannau'r graffiau yn ffordd o gymharu gwifrau. Nodwch, fodd bynnag, *nad* priodwedd defnydd yw'r graddiant, oherwydd mae'n gymwys i wifren benodol.

Terfan cyfrannedd

Pan fo tyniant mawr yn gweithredu ar wifren fetel, mae graddiant y graff estyniad-tyniant yn peidio â bod yn gyson. Mae'r graff yn dechrau crymu. Nid yw'r estyniad mewn cyfrannedd â'r tyniant mwyach. Gelwir y pwynt ar y graff lle bydd y crymedd hwn yn dechrau yn **derfan cyfrannedd** (Ffigur 5.9).

2 Brasluniwch graff â graddiant cyson yn dangos cyfrannedd.

3 Nid yw rhai graffiau llinell syth yn dangos cyfrannedd union. Brasluniwch graff o'r fath.

4 a Tynnwch linell syth drwy'r tarddbwynt lle bo $\Delta y/\Delta x = 0.75$.

b Beth yw gwerth y lle bo $x = 3.2$?

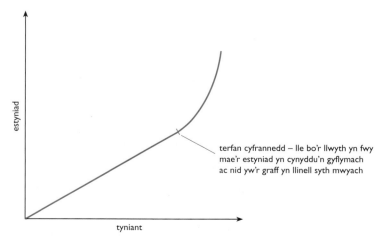

Ffigur 5.9
Y tu hwnt i'r terfan cyfrannedd, nid yw'r estyniad mewn cyfrannedd â'r tyniant mwyach.

estyniad

tyniant

terfan cyfrannedd – lle bo'r llwyth yn fwy mae'r estyniad yn cynyddu'n gyflymach ac nid yw'r graff yn llinell syth mwyach

Newid y newidynnau

Wrth hongian masau o wifren ac yna mesur yr estyniad canlynol rydym yn creu newidyn mewnbwn o'r tyniant. Yr estyniad yw'r newidyn allbwn. Y confensiwn yw plotio'r newidyn mewnbwn ar yr echelin *x* a'r newidyn allbwn ar yr echelin *y*.

Fodd bynnag, byddai'n bosibl gwyrdroi'r arbrawf. Hynny yw, gallem benderfynu ymlaen llaw pa estyniadau i'w mesur ac yna mynd ati i ddarganfod pa dyniannau oedd eu hangen i gynhyrchu'r estyniadau a ddewiswyd gennym eisoes. Yr estyniad yw'r newidyn mewnbwn yn awr a'r tyniant yw'r newidyn allbwn.

Unwaith eto, gallem blotio graff i 'weld' y berthynas. Byddai llinell syth yn ffurfio drwy'r tarddbwynt. Mae'n ymddangos fod yna gyfrannedd pa ffordd bynnag y caiff yr arbrawf ei wneud.

Yn awr, gallwn ddweud:

mae'r tyniant mewn cyfrannedd union â'r estyniad

$$F = \text{graddiant} \times \Delta l$$

Os *k* yw'r graddiant hwn, yna

$$F = k\,\Delta l$$

ac felly,

$$k = \frac{F}{\Delta l}$$

Ond ni fydd y graddiant newydd hwn, *k*, yr un fath â graddiant, *c*, y graff a gafwyd cyn hyn. Gan gymryd yr hafaliad ar y dudalen flaenorol,

$$c = \frac{\Delta l}{F}$$

gwelwn fod y naill raddiant yn wrthdro i'r llall, hynny yw,

$$k = \frac{1}{c}$$

Mae perthynas wrthdro bob amser i raddiannau graffiau ac iddynt berthynas sydd mewn cyfrannedd â'i gilydd lle mae'r echelinau wedi'u cyfnewid (Ffigur 5.10). Nodwch mai uned SI graddiant *c* yw'r metr y newton, m N^{-1}, ac uned SI graddiant *k* yw'r newton y metr, N m^{-1}.

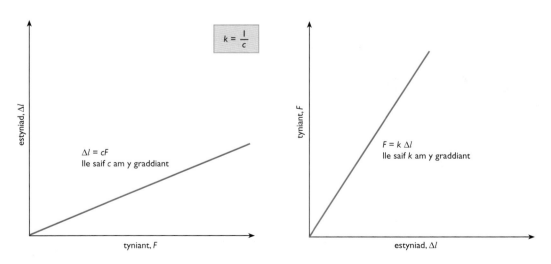

Ffigur 5.10
Mae newid y newidynnau yn rhoi graddiant gwrthdro.

Y cysonyn sbring

5 Ad-drefnwch hafaliad y cysonyn sbring fel mai Δl yw'r testun.

6 Mae sbring yn estyn 0.02 m am bob newton o dyniant a roddir arno. Beth yw ei gysonyn sbring?

7 Beth yw cysonyn sbring gwifren sy'n ymestyn 2×10^{-4} m am bob newton o rym?

8 Uned estyniad yw'r metr. Beth yw ei ddimensiwn o ran ei fàs [M], hyd [L], amser [T] a/neu gyfuniadau o'r rhain? (Gallwch ddarllen mwy am ddimensiynau ar dudalen 14 ac ym Mhennod 22.)

9 Tybiwch fod $\Delta l = 0.4$ mm a bod $F = 24$ N, ac nad yw y tu hwnt i'r terfan cyfrannedd. Beth yw gwerth y cysonyn sbring **a** mewn N mm^{-1}, **b** mewn N m^{-1}?

Pa ffordd bynnag yr awn ati i fesur y tyniant a'r estyniad ac i blotio'r graff, gwelwn raddiant sy'n gyson. Mae hyn yn wir am wifrau neu sbringiau. Gan ddefnyddio'r hafaliad

$$F = k \times \Delta l$$

gelwir y graddiant k weithiau yn **gysonyn sbring**. Mae i bob sbring a phob gwifren ei chysonyn sbring ei hun. Nodwch pan fyddwn yn ad-drefnu'r hafaliad er mwyn rhoi k fel y testun:

$$k = \frac{F}{\Delta l}$$

Mae gan y cysonyn sbring unedau N m^{-1}.

Estyniad a newidynnau eraill

Gwyddom eisoes, cyn belled nad yw'n mynd y tu hwnt i'r terfan cyfrannedd, fod estyniad gwifren mewn cyfrannedd union â'r tyniant a roddwyd arni. Ond nid yw maint yr estyniad yn dibynnu ar y tyniant a roddwyd arni yn unig. Mae tri newidyn arall yn rhan o'r broses.

- *Po hiraf yw'r wifren*, y mwyaf y mae'n ymestyn ar gyfer grym penodol, ac mewn gwirionedd:

    mae'r estyniad mewn cyfrannedd union â'r hyd gwreiddiol (heb ei estyn) (ar gyfer grym ac arwynebedd trawstoriadol a roddwyd)

    mae Δl mewn cyfrannedd â l

- *Po fwyaf trwchus yw'r wifren* (hynny yw, po fwyaf yw ei harwynebedd trawstoriadol), y lleiaf y bydd yn ymestyn ar gyfer y grym a roddwyd. Mae'r mesuriadau yn dangos y berthynas:

    mae'r estyniad mewn **cyfrannedd gwrthdro** â'r arwynebedd trawstoriadol (ar gyfer grym a hyd penodol)

Petaech am wneud arbrawf lle'r oedd yr holl newidynnau eraill yn sefydlog, fe welech y byddai'r estyniad Δl yn lleihau wrth i arwynebedd trawstoriadol A gynyddu. Byddai graff o Δl yn erbyn A yn dangos cromlin. Ond, petaech yn plotio'r estyniad yn erbyn *gwrthdro'r* arwynebedd trawstoriadol, Δl, yn erbyn $1/A$, yna byddai'r graff yn llinell syth yn mynd drwy'r tarddbwynt (Ffigur 5.11).

    mae Δl mewn cyfrannedd gwrthdro ag A

ac, o'r graff llinell syth,

    mae Δl mewn cyfrannedd gwrthdro ag $\frac{1}{A}$

Ffigur 5.11
Mae cyfrannedd gwrthdro yn cynhyrchu cromlin pan fo'r ddau fesur wedi'u plotio. Os cymerwn wrthdro un o'r mesurau, fodd bynnag, cawn linell syth drwy'r tarddbwynt.

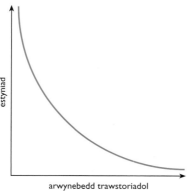
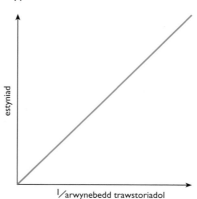

10 Esboniwch pam nad yw'r cysonyn sbring yn briodwedd ffisegol defnydd.

- *Mae defnydd y wifren* yn ddylanwad mawr. Gallwn feintioli'r dylanwad hwn drwy ddiffinio priodwedd ffisegol mesuradwy'r defnydd. Gelwir y cysonyn ffisegol hwn yn **fodwlws Young**, *E*, ac awn ati i'w ddiffinio yn ddiweddarach.

Diriant, straen a chysonyn ffisegol

Gelwir cymhareb grym i arwynebedd trawstoriadol yn **ddiriant**:

$$\text{diriant} = \frac{F}{A}$$

Uned diriant yw'r newton y metr sgwâr, N m^{-2}.

Ffigur 5.12
Mae'r diriant ar gebl yn dibynnu ar y grym sy'n gweithredu ar arwynebedd trawstoriadol y cebl.

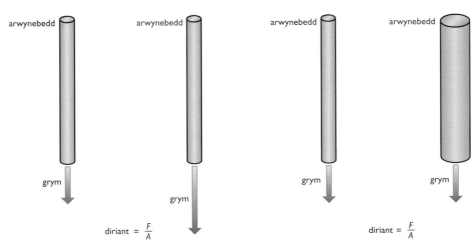

mae diriant yn cynyddu pan fo grym yn cynyddu
(pan fo'r arwynebedd trawstoriadol yn gyson)

mae diriant yn lleihau pan fo'r arwynebedd trawstoriadol yn cynyddu
(pan fo grym yn gyson)

Straen yw'r enw a roddir ar y gymhareb estyniad i'r hyd gwreiddiol:

$$\text{straen} = \frac{\Delta l}{l}$$

Straen yw cymhareb dau hyd, gyda'r ddau yn cael eu mesur mewn metrau. Nid oes ganddo felly ei unedau ei hun. Hefyd ei ddimensiynau yw [L][L]$^{-1}$. Mewn geiriau eraill, nid oes ganddo ddimensiynau o gwbl. **Mesur diddimensiwn** ydyw.

Ffigur 5.13
Mae'r straen ar wifren yn dibynnu ar hyd gwreiddiol y wifren.

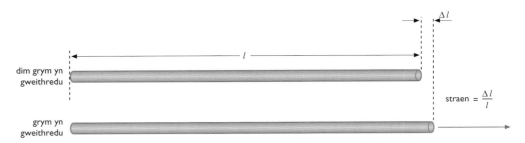

Noder:

$$\frac{\text{diriant}}{\text{straen}} = \frac{F/A}{\Delta l/l} = \frac{F \times l}{A \times \Delta l}$$

Mae'r mesuriadau yn dangos bod y gymhareb hon, diriant/straen, yr un fath ar gyfer holl wifrau'r un metel, cyn belled nad ydynt yn cael eu gorestyn (y tu hwnt i'r terfan cyfrannedd). Hynny yw, ar gyfer holl wifrau metel penodol, mae graff straen yn erbyn diriant yn dangos llinell syth hyd nes y cyrhaeddir y terfan cyfrannedd. Mae'r gymhareb yn gysonyn ffisegol y metel dan sylw.

Y cysonyn ffisegol hwn sy'n perthyn i raddiant y graff straen-diriant (Ffigur 5.14) yw modwlws Young y metel:

$$\text{modwlws Young} = \frac{\text{diriant}}{\text{straen}}$$

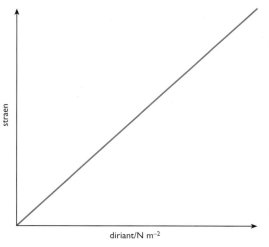

Ffigur 5.14
Mae graff straen yn erbyn diriant yn dangos llinell syth drwy'r tarddbwynt (o fewn terfan cyfrannedd); mae modwlws Young y defnydd yn hafal i wrthdro'r graddiant.

Gan fod diriant = F/A a chan fod straen = $\Delta l/l$, yna ar gyfer gwifren o hyd cychwynnol penodol l ac arwynebedd trawstoriadol cyson A, mae siâp graff straen yn erbyn diriant yr un fath â siâp graff estyniad yn erbyn grym tyniant (er y bydd y graddiant yn wahanol).

Ar gyfer y graff hwn,

$$\text{graddiant} = \frac{\text{y newid mewn straen}}{\text{y newid mewn diriant}}$$

a chan fod y graff yn llinell syth drwy'r tarddbwynt,

$$\text{graddiant} = \frac{\text{unrhyw werth straen}}{\text{gwerth cyfatebol diriant}}$$

$$= \frac{\text{straen}}{\text{diriant}}$$

$$= \frac{l}{\text{modwlws Young}}$$

Mae uned modwlws Young yr un fath â'r uned ar gyfer diriant, gan fod straen yn fesur diddimensiwn heb unrhyw unedau. Hynny yw, uned modwlws Young yw'r N m^{-2}. Rhoddir rhai gwerthoedd nodweddiadol modwlws Young yn Nhabl 5.1.

Tabl 5.1
Gwerthoedd modwlws Young ar gyfer tri metel.

Metel	Modwlws Young/N m^{-2}
alwminiwm	7.0×10^{10}
copr	1.3×10^{10}
dur	2.1×10^{11}

11 a Petaech yn plotio estyniad Δl yn erbyn tyniant F ar gyfer dwy wifren wahanol o'r un defnydd, a fyddai gan eich graffiau yr un graddiant?
b Petaech yn plotio straen yn erbyn diriant ar gyfer dwy wifren wahanol o'r un defnydd, a fyddai gan eich graffiau yr un graddiant?
12 Mae gwifren 1.5m o hyd yn ymestyn 1.5 mm pan fo tyniant o 30 N yn gweithredu arni. Modwlws Young y metel yw 2×10^{11} N m^{-2}. Beth yw arwynebedd trawstoriad y wifren mewn
a metrau sgwâr
b milimetrau sgwâr?
13 Brasluniwch graffiau, ar yr un echelinau, yn dangos *diriant* (echelin y) yn erbyn *straen* (echelin x) ar gyfer alwminiwm, copr a dur. (Edrychwch ar Dabl 5.1).
14 a Beth yw cymhareb modwli Young ar gyfer copr ac alwminiwm?
b Pa un fydd yn ymestyn fwyaf, gwifren gopr neu wifren alwminiwm o'r un maint ac yn profi'r un tyniant?
c Beth fydd cymhareb yr estyniadau?

Diriant torri (a elwir weithiau'n gryfder tynnol eithaf) yw'r diriant sydd ei angen i dorri defnydd o dan dyniant. Mae samplau gwahanol o ddefnydd yn torri o ganlyniad i wahanol rymoedd, ond diriant yw'r grym sy'n gweithredu'n normal am bob uned o arwynebedd trawstoriadol. Mae diriant torri yn gysonyn ar gyfer defnydd pur ar dymheredd cyson, ond mae'n ddibynnol iawn ar dymheredd ac ar bresenoldeb amhureddau.

Deddf Hooke

Gelwir yr arsylwad y gallwn ei wneud o'r graff llinell syth yn dangos straen yn erbyn diriant, sef:

bod y straen mewn cyfrannedd â diriant (cyn belled nad yw'n mynd dros y terfan cyfrannedd)

yn **Ddeddf Hooke**.

Anufuddhau i Ddeddf Hooke

Mae copr yn ddefnydd **hydwyth**. Dim ond pan fo'r diriant a roddir arno yn fach y mae'n bodloni Deddf Hooke ac, wrth i'r diriant gynyddu, mae'n colli ei gyfrannedd yn gyflym ac yn peidio â bod yn elastig yn fuan wedyn. Bydd siâp y copr wedi'i newid yn barhaol wedi hynny a bydd yn ymddwyn fel plastig. Gan ei bod hi'n hawdd tynnu, plygu neu droi copr yn siapiau gwahanol, mae'n addas i'w ddefnyddio fel defnydd i wneud gemwaith mewn ffyrdd na fyddai'n bosibl gyda defnyddiau llai hydwyth, megis dur (Ffigurau 5.15 a 5.16).

Ffigur 5.15
Gemwaith copr. Mae copr yn troi'n blastig o dan ddiriant gweddol isel.

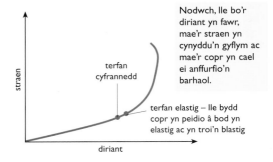

Nodwch, lle bo'r diriant yn fawr, mae'r straen yn cynyddu'n gyflym ac mae'r copr yn cael ei anffurfio'n barhaol.

Ffigur 5.16
Graff straen-diriant ar gyfer copr, defnydd hydwyth.

Mae cerameg yn ddefnydd a wneir drwy newid adeiledd creigiau, tywod a chlai drwy eu gwresogi. Nid yw defnyddiau ceramig yn hydwyth ac ni fyddant yn troi'n blastig o dan ddiriant mawr. Y maent, fodd bynnag, yn frau. Gall diriant torri rhai darnau ceramig fod yn uchel, er hynny eu hymateb i ddiriant mawr yw torri yn hytrach nag ildio i'r diriant drwy newid siâp (Ffigur 5.17 a 5.18).

Ffigur 5.17
Effaith diriant ar ddefnydd ceramig yw torri yn hytrach na newid siâp.

defnydd yn torri

Ffigur 5.8
Graff straen-diriant ar gyfer defnydd ceramig, sy'n frau.

Mae rwber yn sylwedd polymerig naturiol, yn wahanol i neilon a pholythen sy'n bolymerau synthetig. Mae defnyddiau naturiol a synthetig wedi'u gwneud o foleciwlau cadwyn hir a gall y cadwyni hir hyn newid siâp ac weithiau lithro heibio ei gilydd pan fo diriant anffurfio yn gweithredu ar y defnydd. Yn eu hanfod, maent yn elastig ond maent yn ymddwyn mewn ffordd sy'n fwy cymhleth na metelau er enghraifft, sydd ag adeileddau symlach, ac ni fydd y polymerau yn bodloni ond ychydig iawn ar Ddeddf Hooke (Ffigurau 5.19 a 5.20).

Ffigur 5.19
Haen o foleciwlau amlapio, all newid eu siâp bob un, sy'n caniatáu i siwt ddŵr gael ei gwneud o ddarn di-dor sy'n dal i fod yn hyblyg.

Ffigur 5.20
Graff straen-diriant rwber.

15 Beth yw'r gwahaniaeth rhwng effaith grym sy'n gweithredu ar ddefnydd hydwyth ac effaith grym sy'n gweithredu ar ddefnydd brau?

16 Esboniwch pam nad yw'n bosibl plotio graffiau straen-diriant ar gyfer copr a gwydr ar yr un echelinau.

17 Mae terfan cyfrannedd copr yn digwydd o dan ddiriant o 1.8×10^8 N m^{-2} a modwlws Young copr yw 1.3×10^{11} N m^{-2}. Beth fydd estyniad unrhyw ddarn o gebl copr 2 m o hyd pan fo'n cyrraedd ei derfan cyfrannedd?

● **Tasg sgiliau ychwanegol**

Technoleg Gwybodaeth a Chymhwyso Rhif

Gwnewch arbrawf i brofi Deddf Hooke ar gyfer sbring copr gan amrywio diamedr a hyd y wifren a ddefnyddir. Fel gyda phob gwaith ymarferol, ystyriwch yn gyntaf y peryglon posibl a chymerwch unrhyw gamau i leihau'r risg o gael niwed. Defnyddiwch raglen daenlen i gyfrifo'r cysonyn sbring ar gyfer pob sbring, lle bo gwerthoedd y diriant yn isel. Proseswch y data ymhellach gan ddefnyddio'r rhaglen daenlen i gynhyrchu graffiau sy'n dangos y tueddiadau a welsoch yn eich arbrawf, ar gyfer y sbringiau unigol ac ar gyfer y set o sbringiau. Gwnewch sylwadau gan nodi a yw'r sbringiau yn bodloni Deddf Hooke a hefyd ar y berthynas rhwng y cysonyn sbring a natur y sbringiau.

6 Damcaniaeth gronynnau mater

Y CWESTIYNAU MAWR
- Pa dystiolaeth sydd bod mater yn ronynnog ei natur ac nad yw'n ddi-dor?
- Pa agweddau ar ymddygiad defnyddiau all gael eu hegluro a'u rhagfynegi gan ddefnyddio damcaniaeth gronynnau?

GEIRFA ALLWEDDOL
bondiau   diffreithiant pelydr X   gwasgedd   gwasgedd atmosfferig   gwrthbrofi
monomer   mudiant Brown   peli byci   polymer   polymer thermoplastig
polymer thermosodol   solid amorffaidd   tryledu

Y CEFNDIR

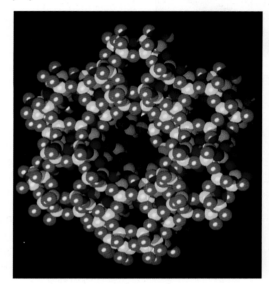

Ffigur 6.1
Dyma fodel cyfrifiadurol o seolit – moleciwl mawr a ddefnyddir gan nanotechnolegwyr. Model sydd yma wrth gwrs. Mae'n amhosibl gweld y peth go iawn yn y manylder hwn, h.y. mae'n anweladwy.

Ni allwn weld gronynnau pan fyddwn yn edrych ar fwrdd pren, menyn, dŵr neu aer. Mae'r hyn a welwn ac a deimlwn yn ymddangos yn ddi-dor. Eto, pan edrychwn ar ymddygiad defnydd cawn ein gorfodi i feddwl mwy am ei natur. Cawn ein gorfodi i ddychmygu ei fod wedi'i wneud o ronynnau anweladwy. Mae damcaniaeth gronynnau yn ffynhonnell dda i esbonio a rhagfynegi ymddygiad mater.

Gall cemegwyr, metelegwyr a thechnolegwyr defnyddiau gymhwyso syniadau am natur gronynnau nid yn unig i esbonio ymddygiad mater ond hefyd i drin defnyddiau. Bydd cwmnïau yn buddsoddi mewn technolegau newydd, megis nanotechnoleg, fel y gallant greu cynnyrch newydd er mwyn gwneud arian a goroesi. Gyda nanotechnoleg (technoleg ar raddfa o 10^{-9} metr), maes sydd bellach yn tyfu'n gyflym, mae'n bosibl gwneud i foleciwlau ryngweithio'n ffisegol ac yn gemegol i'r fath raddau y gellir adeiladu rhai mathau o foleciwlau newydd i gynllun arbennig.

Damcaniaeth sydd eto i'w gwrthbrofi

Mae defnynnau bach mewn chwistrell neu niwlen yn anweddu. Bydd y defnydd yn troi'n anweledig ond gallwn ei ganfod o hyd gyda'n trwynau wrth iddo ledaenu drwy'r aer (Ffigur 6.2). Yn ôl y ddamcaniaeth gronynnau, mae'n bosibl i'r defnyddiau hyn, megis aer a diaroglydd, gymysgu neu **dryledu** oherwydd mae gronynnau'r ddau ddefnydd yn symud yn gyson ac mae gwactod rhyngddynt.

Ffigur 6.2
Ar ôl ei chwistrellu, bydd y defnydd yn tryledu i'r aer.

Ffigur 6.3
Caiff microsglodion cyfrifiadurol eu gwneud drwy ganiatáu i amhureddau dryledu i flociau bach o silicon y tu mewn i adweithyddion tebyg i'r rhain.

Ffigur 6.4
Mae'r gronyn mewn gwrthdrawiad cyson â moleciwlau eraill a hyn sy'n llywio patrwm ei fudiant.

1 TRAFODWCH
A allwch chi ddychmygu arsylwad a fyddai'n profi bod y ddamcaniaeth gronynnau yn anghywir? (Meddyliwch am bob opsiwn posibl! Os gallwch chi feddwl am arsylwad a fyddai'n gwrthbrofi'r ddamcaniaeth yna gallwch anghofio am weddill eich cwrs a mynd yn eich blaen yn syth i gasglu'r Wobr Nobel – bydd eich enw wedi'i anfarwoli am genedlaethau i ddod!)

2 TRAFODWCH
A yw mudiant Brown neu drylediad yn brawf sicr mai natur ronynnog sydd i fater?

Pan edrychwn ar fater yn ei faint llawn yn y byd go iawn (neu facrosgopig) mae'n ymddangos yn ddi-dor ac nid yn ronynnog. Mae'n anodd dychmygu sut y gallai defnyddiau sy'n ddi-dor eu natur gymysgu gyda'i gilydd ond mae'n hawdd dychmygu sut y gallai dau gasgliad o ronynnau gymysgu. Mae trylediad un defnydd i un arall (Ffigur 6.3) yn cefnogi'n gryf y ddamcaniaeth fod mater, ar y raddfa isweladwy, wedi'i rannu'n ronynnau ac nad yw'n ddi-dor.

Mudiant Brown yw mudiant neu symudiad gronynnau bach sy'n weladwy o dan y microsgop (Ffigur 6.4), tebyg i ronynnau mwg neu baill mân, sy'n newid cyfeiriad ar hap yn aml. Fe'i cofnodwyd yn gyntaf oll ar ddechrau'r 1880au gan Robert Brown. Tua chanrif yn ddiweddarach, aeth Albert Einstein ati i wneud y fathemateg a ddangosai fod arsylwadau mudiant Brown yn cyfateb â'r ddamcaniaeth bod y newid cyfeiriad yn cael ei achosi gan y gwrthdrawiad â gronynnau bach anweladwy ond egnïol o'r defnydd sy'n amgylchynu'r gronynnau. Ystyrir arsylwadau Robert Brown ar y cyd â'r ddamcaniaeth gronynnau yn dystiolaeth gref dros dderbyn y ddamcaniaeth.

Ffynhonnell o esboniadau a rhagfynegiadau yw damcaniaeth. Mae damcaniaeth dda yn ffynhonnell gyfoethog ac mae bob amser yn gyson â'r holl arsylwadau a wneir. Wrth gwrs, mae'n bosibl y gall arsylwadau newydd brofi bod damcaniaeth yn anghyson â'r byd o gwmpas. Byddai'r ddamcaniaeth wedyn yn cael ei hystyried wedi'i **gwrthbrofi**. Mae llawer o waith wedi'i wneud yn archwilio mater a hyd yma nid oes yr un arsylwad wedi dangos bod y ddamcaniaeth gronynnau yn anghywir. Fe'i derbynnir yn ddamcaniaeth gref.

Esbonio cyflyrau mater yn unol â damcaniaeth gronynnau

Mae dŵr ar gael yn y tri chyflwr mater. Mae'r solid yn anodd ei gywasgu ac yn anhyblyg ei siâp. Mae'r hylif yn anodd ei gywasgu ond mae'n hyblyg ei siâp. Mae'r nwy yn hawdd ei gywasgu ac eto yn hyblyg ei siâp. Gall y ddamcaniaeth gronynnau esbonio'r gwahaniaethau hyn os dywedwn hefyd fod gronynnau'n rhyngweithio â'i gilydd ac os ystyriwn y rhyngweithiad hwn yn nhermau grymoedd ac egni.

Gallwn feddwl am y tri chyflwr mater hyn fel tri chyflwr gwahanol ar egni'r gronynnau. Er mwyn troi solid yn hylif gwyddom, hyd yn oed heb godi ei dymheredd, e.e. pan fydd iâ ar dymheredd o 0 °C yn troi'n ddŵr ar dymheredd o 0 °C, y bydd hynny'n gofyn am egni. Mae angen egni unwaith eto i'w droi'n nwy, eto heb newid ei dymheredd, e.e. pan fo dŵr ar dymheredd o 100 °C yn troi'n ager ar dymheredd o 100 °C (Ffigur 6.5). Mewn solidau, mae'r egni cyfartalog sydd ym mhob gronyn yn gymharol fach, mae ychydig mwy o egni yn y gronynnau pan fo'r defnydd yn hylif a mwy eto pan fo'n nwy. Mae'r gwahanol gyflyrau egni hyn yn perthyn i'r grymoedd all weithredu.

Ffigur 6.5
Mae'r tri chyflwr mater yn ddibynnol ar egni.

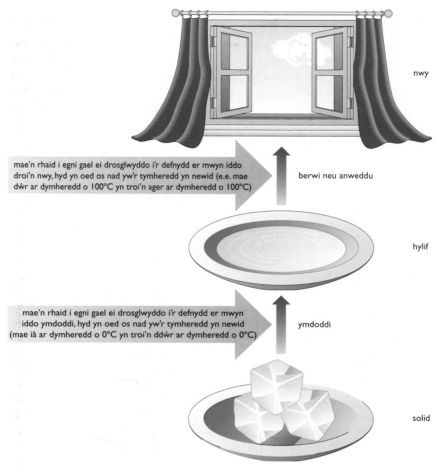

nwy

mae'n rhaid i egni gael ei drosglwyddo i'r defnydd er mwyn iddo droi'n nwy, hyd yn oed os nad yw'r tymheredd yn newid (e.e. mae dŵr ar dymheredd o 100°C yn troi'n ager ar dymheredd o 100°C)

berwi neu anweddu

hylif

mae'n rhaid i egni gael ei drosglwyddo i'r defnydd er mwyn iddo ymdoddi, hyd yn oed os nad yw'r tymheredd yn newid (mae iâ ar dymheredd o 0°C yn troi'n ddŵr ar dymheredd o 0°C)

ymdoddi

solid

Bondiau yw'r enw a roddir ar rymoedd atynnol sy'n dal gronynnau yn eu lle mewn defnydd. Mewn solidau, mae'r grymoedd yn atynnol hyd nes y bo'r gronynnau yn dod yn agos iawn at ei gilydd. Yna mae'r grym yn troi i fod yn rym gwrthyrru (Ffigur 6.6). Gallwn dybio bod hyn yn wir oherwydd os bydd y gronynnau yn parhau i atynnu ei gilydd wrth iddynt agosáu at ei gilydd yna byddant yn uno a bydd dwysedd y defnydd yn cynyddu hyd anfeidredd. Pryd bynnag y byddwch yn 'cyffwrdd' gwrthrych, bydd rhai gronynnau yn eich croen yn mynd mor agos at rai gronynnau ar arwyneb y gwrthrych, bydd grymoedd gwrthyrru yn gweithredu.

Ffigur 6.6
Heb rymoedd atynnol y gronynnau ni fyddai yna solidau (na hylifau). Heb y grymoedd gwrthyrru bydd y gronynnau yn symud yn nes ac yn nes at ei gilydd ac yn uno yn bwynt bach iawn ac iddo ddwysedd uchel.

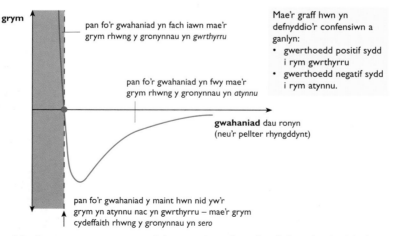

grym

pan fo'r gwahaniad yn fach iawn mae'r grym rhwng y gronynnau yn *gwrthyrru*

pan fo'r gwahaniad yn fwy mae'r grym rhwng y gronynnau yn *atynnu*

Mae'r graff hwn yn defnyddio'r confensiwn a ganlyn:
• gwerthoedd positif sydd i rym gwrthyrru
• gwerthoedd negatif sydd i rym atynnu.

gwahaniad dau ronyn (neu'r pellter rhyngddynt)

pan fo'r gwahaniad y maint hwn nid yw'r grym yn atynnu nac yn gwrthyrru – mae'r grym cydeffaith rhwng y gronynnau yn *sero*

Ni all gronynnau mewn solid ag egni cymharol isel dorri'n rhydd o'u cydatyniadau ar bellter canolig ond cânt eu dal ar wahân hefyd gan eu cydwrthyriadau ar bellter agos. Mae pob un yn cael ei ddal mewn lleoliad cyffredinol sefydlog a'r cyfan all ei wneud yw dirgrynu.

3 Mae rhai pobl yn glynu wrth y syniad bod gronynnau mewn hylif gryn dipyn ymhellach oddi wrth ei gilydd na gronynnau solid. Sut y gallech ddefnyddio cynhwysydd ciwbiau iâ i ddangos nad yw hyn yn wir?

4 Pam y mae ager ar dymheredd o 100 °C o big tegell yn trosglwyddo mwy o egni i'ch llaw (os byddwch mor ffôl â rhoi eich llaw dros y pig) na'r un màs o ddŵr ar dymheredd o 100 °C?

5 Pam y credwn fod grymoedd rhwng gronynnau yn gwrthyrru ar bellter bychan ond yn atynnu ar bellter hirach?

6 Pan fyddwch yn pwyso ar arwyneb fel bwrdd, beth sy'n atal eich bysedd rhag mynd yn un â'r bwrdd?

7 Dychmygwch y gallech greu siambr lle nad oes grymoedd atynnu rhwng gronynnau, dim ond gronynnau gwrthyrru. Yn gyntaf, mae gwactod yn y siambr, yna rhowch wrthrych solet bach ynddo. Sut y byddai'n ymddwyn yn y siambr?

Beth ddigwyddai petaech yn adeiladu eich siambr fel mai grymoedd atynnu yn unig oedd yno heb unrhyw rymoedd gwrthyrru?

Mae hylif yn gyflwr mwy cymhleth ac mae'n gymharol anghyffredin; ychydig iawn o elfennau cemegol sy'n hylif ar dymheredd ystafell. Mae gan y gronynnau mewn hylif ddigon o egni i dorri'n rhydd o'r grymoedd un-i-un gyda'u cymdogion, ond cânt eu hatynnu at ronynnau newydd yn fuan wedyn. Yn union fel solidau, mae grymoedd gwrthyrru yn gweithredu pan fo grym allanol yn ceisio gwthio'r gronynnau'n agos at ei gilydd. Felly dim ond ychydig o newid sydd yng nghyfaint hylif pan fo o dan wasgedd.

Mae'r pellter rhwng un gronyn a'r llall yn debyg mewn hylifau ac mewn solidau – ffaith sydd yn gyson â'r arsylwad mai newid cymharol fach sy'n digwydd i'r cyfaint pan fo'r defnydd yn ymdoddi neu'n rhewi. Fodd bynnag, mae'r torri a'r ffurfio parhaus ar fondiau rhwng gronynnau hylif yn ei gwneud hi'n amhosibl iddynt fod yn anhyblyg.

Dim ond grymoedd gwan iawn sydd rhwng gronynnau nwy ac mae gronyn (bron â bod) yn rhydd i fynd ei ffordd ei hun. Mae nwyon yn lledaenu i lenwi'r holl ofod sydd ar gael. Gallant gael eu cywasgu'n hawdd hefyd. Caiff y gronynnau eu gwahanu gan bellteroedd cymharol fawr ac maent lawer yn rhy bell oddi wrth ei gilydd i rymoedd gwrthyrru weithredu ac eithrio pan fyddant mewn gwrthdrawiad uniongyrchol â'i gilydd. Dim ond gwactod sydd rhyngddynt. Nid oes dim i'w hatal rhag mynd yn nes at ei gilydd ond eu mudiant egnïol eu hunain.

Y gwasgedd a roddir gan nwy

Er bod nwy yn hyblyg, fe all roi **gwasgedd** ar arwynebau. Gall gwasgedd nwy chwyddo balŵn neu deiar, neu wasgu cynhwysydd sydd wedi'i wacáu.

Eto, gellir esbonio hyn yn nhermau gronynnau. Pan fo gronyn sy'n symud yn gyflym yn gwrthdaro ag arwyneb mae'r gronyn a'r arwyneb yn profi grym. Bydd y gronyn bach yn adlamu i ffwrdd o'r arwyneb. Mae'n bosibl mai ychydig o effaith a gaiff un gronyn yn taro ar arwyneb ond bydd arwyneb sy'n cael ei beledu gan nifer o ronynnau yn profi grym sylweddol. Cyfanswm y grym sy'n gweithredu am bob uned arwynebedd arwyneb yw gwasgedd:

$$\text{gwasgedd} = \frac{\text{grym}}{\text{arwynebedd}} = \frac{F}{A}$$

Nodwch, gan mai uned grym yw'r newton, N, a chan mai uned arwynebedd yw'r metr sgwâr, m², uned gwasgedd yw'r newton y metr sgwâr, N m⁻². Yn y system SI, mae iddo ei enw ei hun, y pascal, sy'n cael ei dalfyrru'n Pa.

Mae dwy ochr i falwnau, teiars a chynwysyddion eraill, ac mae nwy ar y ddwy ochr. Ar gyfer cynhwysydd fel potel agored, y nwy sydd ar y ddwy ochr yw aer ac mae'r gwasgedd y mae'n ei roi ar yr arwyneb y tu mewn a'r tu allan yn hafal. Ar gyfer balŵn neu deiar chwyddedig, mae'r gwasgedd ar yr arwyneb mewnol yn fwy na'r gwasgedd ar yr arwyneb allanol (Ffigur 6.7). Mae anhafaledd y grymoedd ar uned o arwynebedd yn cydadfer am y tyniant yn y wal ei hun.

Ffigur 6.7
Rhaid i'r gwasgedd y tu mewn i'r teiar fod yn fwy nag ar y tu allan.

for an open bottle, equal areas of the inner and outer surfaces experience the same rate of collisions (at the same temperature)

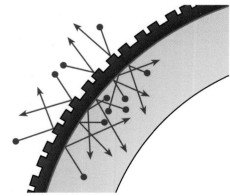

for a tyre, the inner surface experiences a greater rate of collisions (at the same temperature)

Mae'r datganiad y gall nwyon gael eu cywasgu yn hawdd yn sicr yn wir pan gânt eu cymharu â solidau a hylifau. Er hynny, pan fyddwch yn pwmpio teiar beic mae'n bosibl na fydd yn ymddangos mor wir. Rhaid i rym gael ei weithredu. Y rheswm am hyn yw bod dwy ochr i'r piston neu'r plymiwr ar y pwmp ac nid yw'r gwasgedd mae'n ei brofi o bob ochr yn hafal. Ar y tu allan, mae'r gwasgedd yn cael ei roi gan yr aer sydd yn yr atmosffer – **gwasgedd atmosfferig**. Ar y tu mewn mae'r gwasgedd yn cael ei roi gan yr aer yn y teiar sydd eisoes wedi'i gywasgu ac ar wasgedd uwch na'r gwasgedd atmosfferig (Ffigur 6.8). Ar yr un tymheredd, mae gan y gronynnau y tu mewn i'r teiar yr un amrediad o fuaneddau â'r gronynnau y tu allan ond maent yn nes at ei gilydd. Mae mwy o wrthdrawiadau yn digwydd ar wyneb mewnol y plymiwr, ac felly mae'n profi mwy o rym na'r wyneb allanol. Mae arwynebedd ochrau mewnol ac allanol y plymiwr yr un fath, felly mae'r ochr y tu mewn yn profi mwy o wasgedd. Mae angen grym i bwmpio'r teiar i gydadfer am hyn.

8 Os nad grym gwrthyrru sy'n eich gorfodi i weithio i gywasgu nwy a gwthio ei ronynnau yn nes at ei gilydd, yna pa rym ydyw?

9 Mae gwasgedd atmosfferig tua 1×10^5 Pa.

  a Amcangyfrifwch gyfanswm y grym sy'n gweithedu ar eich croen.

  b Pam nad ydych chi'n cael eich gwasgu?

  c Beth fyddai'n digwydd petai'r gwasgedd atmosfferig yn cael ei dynnu o'ch croen (er enghraifft, petaech yn camu allan o long ofod heb siwt ofod)?

Ffigur 6.8
Mae'r gwasgedd ar ochr fewnol plymiwr pwmp beic yn fwy na'r gwasgedd atmosfferig.

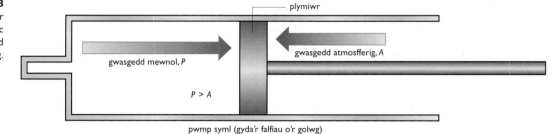

plymiwr

gwasgedd mewnol, *P*

gwasgedd atmosfferig, *A*

P > A

pwmp syml (gyda'r falfiau o'r golwg)

Ymchwilio i fater â phelydrau X

Mae tonnau golau gweladwy yn cael eu diffreithio pan fyddant yn pelydru heibio i ronynnau bach iawn neu drwy fylchau bach iawn sydd â maint tebyg i donfedd golau, tua 5×10^{-7} m (Ffigur 6.9). Mae tonnau golau a gaiff eu diffreithio gan nifer o ronynnau bach neu fylchau o'r fath yn adio gyda'i gilydd drwy arosodiad ac yn cynhyrchu effeithiau ymyriant (gweler Penodau 2 a 3). Os caiff y gronynnau neu'r bylchau eu hapdrefnu yna bydd yr arosodiad yn dinistrio unrhyw batrwm clir. Os yw'r gronynnau neu'r bylchau yn rhan o arae reolaidd yna bydd yr arosodiad yn atgyfnerthu'r tonnau diffreithiedig i rai cyfeiriadau gan greu patrwm clir. Ond ni fydd tonnau golau gweladwy yn cynhyrchu patrymau clir pan gânt eu diffreithio gan atomau, a'r bylchau rhyngddynt, mewn grisial. Mae'r atomau a'r bylchau yn rhy fach o'u cymharu â thonfedd y golau.

Ffigur 6.9
Edrychwch ar olau unlliw (neu un donfedd) lamp stryd sodiwm drwy rwyll ambarél neilon ac fe welwch effeithiau diffreithiant. Mae'r patrwm rheolaidd yn y ffabrig yn cynhyrchu patrymau rheolaidd yn y golau.

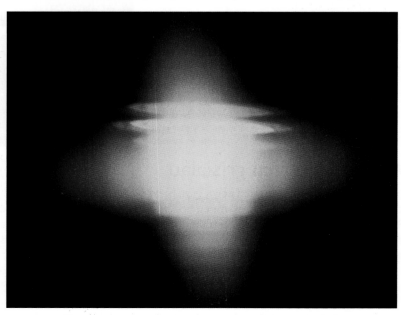

Mae tonfedd pelydrau X lawer yn llai na golau gweladwy – llai nag oddeutu 10^{-8} m (gweler Ffigur 3.6) – ond cânt eu diffreithio hefyd gan ronynnau a bylchau sydd o faint cymharol â'u tonfedd. Maent yn cynhyrchu patrymau diffreithiant clir, y gellir tynnu llun ffotograff ohonynt, pan fydd paladr cul o un donfedd yn mynd drwy risial bach (gweler Ffigurau 6.10 a 6.11). Yr unig wahaniaeth rhwng y **diffreithiant pelydrau X** a'r diffreithiant golau gweladwy fydd tonfedd y tonnau, ac felly faint y rhwystrau a'r bylchau sy'n cynhyrchu patrymau diffreithiant clir.

Mae grisialau yn cynnwys nifer o ronynnau a nifer o fylchau. Mae tonnau a ddiffreithiwyd ym mhob un o'r bylchau hyn yn adio at ei gilydd, fel y disgrifiwyd gan yr egwyddor arosod, er mwyn cynhyrchu patrwm. Mae natur patrwm y diffreithiant yn dibynnu ar nifer o ffactorau, megis cyfeiriadaeth y gronynnau ac unrhyw amrywiadau yn y pellteroedd rhyngddynt. Er ei fod yn gymhleth, gellir dadansoddi'r patrwm diffreithiant er mwyn cyfrifo trefniant y gronynnau yn y grisial – adeiledd y grisial.

10 Pam nad yw grisialau yn cynhyrchu patrymau diffreithiant gyda golau gweladwy?

11 Beth yw nodwedd pelydrau X sy'n eu gwneud yn ddelfrydol i astudio grisialau?

Ffigur 6.10
Trefniant ymarferol diffreithiant pelydrau X gan risial.

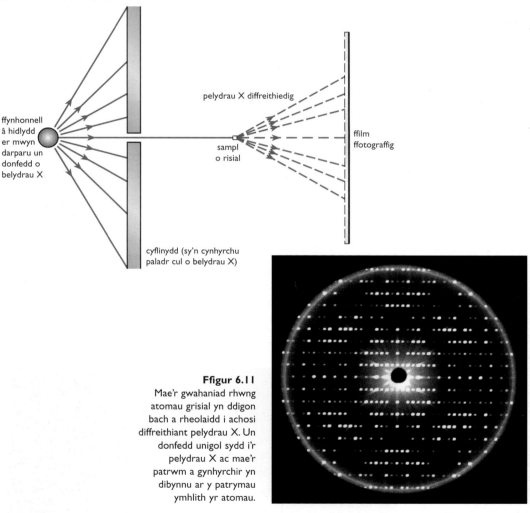

ffynhonnell â hidlydd er mwyn darparu un donfedd o belydrau X

cyflinydd (sy'n cynhyrchu paladr cul o belydrau X)

pelydrau X diffreithiedig

sampl o risial

ffilm ffotograffig

Ffigur 6.11
Mae'r gwahaniad rhwng atomau grisial yn ddigon bach a rheolaidd i achosi diffreithiant pelydrau X. Un donfedd unigol sydd i'r pelydrau X ac mae'r patrwm a gynhyrchir yn dibynnu ar y patrymau ymhlith yr atomau.

Adeileddau rhai grisialau

Mae grisialau diemwnt yn galed ac yn gryf. Fodd bynnag, nid cryfder y bondiau sy'n dal yr atomau carbon at ei gilydd yw'r unig reswm eu bod yn galed ac yn gryf o'u cymharu â grisialau eraill. Rheswm arall hefyd yw adeiledd tetrahedrol yr atomau a'r ffaith mai un grisial yn unig yw diemwnt – arae ddi-dor o atomau heb ffiniau na diffygion lle gallai craciau dyfu petai grymoedd tyniant neu gywasgiad yn gweithredu ar y grisial.

Petai modd adeiladu car o un grisial o fetel byddai'n gryf iawn. Yn anffodus, mae grisialau metelau yn fach iawn fel arfer, ac mae iddynt ddiffygion hefyd yn aml. Mae Ffigurau 6.12 a 6.13 yn fodelau sy'n dangos nifer o wahanol risialau.

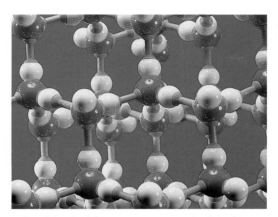

a Grisial iâ – dau fath o atom mewn arae sy'n ailadrodd.

b Gall grisialau diemwnt fod yn fawr ac ym mhob grisial cysylltir pob atom â phedwar cymydog. Bydd yr un patrwm yn cael ei ailadrodd dro ar ôl tro drwy'r grisial.

c Mae craig igneaidd dawdd yn lledu drwy'r craciau yn y graig yn ddwfn o dan ddaear ac yn ymsolido'n araf. Mae arafwch y broses yn caniatáu i bob atom setlo lle bydd y grymoedd atynnu â'u cymdogion mewn cydbwysedd. Y canlyniad yw arae risial o gwarts.

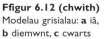

Ffigur 6.12 (chwith)
Modelau grisialau: **a** iâ,
b diemwnt, **c** cwarts

Ffigur 6.13 (dde)
Edrych ar risialau metel.

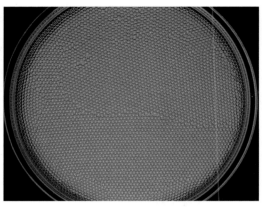

a Drwy yrru swigod yn gyson drwy chwistrell wydr i mewn i ddŵr â sebon, gellir creu haen o swigod o'r un maint mewn dysgl. Mae'r swigod a'u trefniant yn creu model da o adeiledd grisialog (hyd yn oed os model dau-ddimensiwn yn unig ydyw). Gellir gweld ffiniau'r grisialau a'r diffygion.

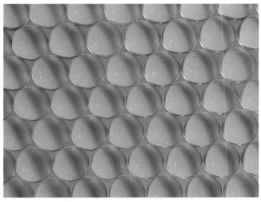

b Mae atomau metel yn bondio gyda'i gilydd i greu grisialau ond anaml y bydd y grisialau'n fawr.

c Weithiau, mae grisialau metel yn weladwy. Yn yr haen denau iawn o sinc ar arwyneb galfanedig bydd pob grisial sinc yn adlewyrchu'r golau yn wahanol a gellir eu gweld yn hawdd.

Solidau anrisialog

Yn gemegol, mae gwydr a chwarts yr un fath – silicon ac ocsigen wedi'u bondio gyda'i gilydd. Yn eu hadeiledd y mae'r gwahaniaeth rhyngddynt. Mae cwarts yn ddefnydd cyffredin, craig igneaidd. Mae'r cwarts a welwn mewn bandiau gwyn mewn creigiau wedi ymsolido'n araf fel rheol o dan ddaear. Bron un ac un, mae'r gronynnau'n disgyn i'r safleoedd hynny lle mae'r grymoedd sy'n gweithredu arnynt mewn cydbwysedd. Disgynnant i'w lle yn arae daclus (Ffigur 6.12c). Os yw cwarts yn ymdoddi ac yna'n oeri'n gyflym, mae'r gronynnau'n colli eu hegni cyn y cânt amser i drefnu eu hunain yn araeau grisialog trefnus. Y canlyniad yw gwydr sy'n cael ei alw'n solid **amorffaidd** (sy'n golygu 'di-siâp') (Ffigur 6.14). Yn wahanol i risial sy'n unffurf, mae gan wydr rannau sy'n fwy ac yn llai cryf na'i gilydd. Pan fydd croesrymoedd, bydd craciau'n lledaenu'n fuan drwy'r rhannau gwannaf a bydd y defnydd yn torri – mae gwydr yn frau iawn.

12 Beth sy'n penderfynu a yw atomau silicon ac ocsigen yn ffurfio yn arae risial neu'n adeiledd amorffaidd?

Ffigur 6.14
O'r tu allan mae darn o wydr yn edrych fel grisial di-dor, ond mewn gwirionedd mae iddo adeiledd afreolaidd anrisialog sy'n ei wneud yn frau. Mae'r diagram hwn yn dangos adeiledd gwydr wedi'i symleiddio'n ddau ddimensiwn ac mae'r llinellau yn cynrychioli'r bondiau rhyngatomig.

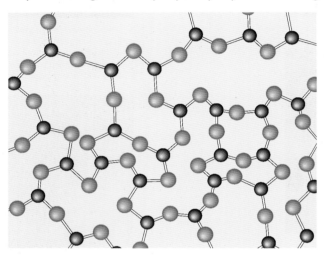

Polymerau

Ffigur 6.15
Mae tar a pholythen yn gadwynau o atomau carbon sydd wedi'u bondio wrth atomau hydrogen, fel y dangosir yma. Hyd y cadwynau sy'n gyfrifol am y gwahaniaeth yn eu hymddygiad. Mae gan dar gadwynau sy'n cynnwys rhai degau o atomau carbon. Mae'r cadwynau hirach mewn polythen wedi mynd yn glymau i gyd.

Mae gan **bolymerau** foleciwlau cadwyn hir; **monomer** yw'r enw ar bob 'dolen' yn y gadwyn. Mae tar yn ddefnydd ac iddo gadwynau cymharol fyr (rhai degau o atomau carbon gydag atomau hydrogen ynghlwm wrthynt) all lithro heibio i'w gilydd (gweler Ffigur 6.15). Mae'n bosibl y bydd cadwynau hirach, fel sydd mewn polythen, wedi mynd yn ddigon o glymau i wneud y defnydd yn solid er bod y grymoedd rhwng y cadwynau yn fach. **Polymer thermoplastig** yw polythen a fydd yn mynd yn feddal ac yn hawdd ei fowldio (h.y. 'plastig') pan gaiff ei ailwresogi. Mewn **polymerau thermosod** fel polywrethan mae'r grymoedd yn gryfach rhwng y cadwynau ac mae'r defnydd yn anhyblyg ac yn aros yn anhyblyg gan gaiff ei ailwresogi.

● **Deall a chymhwyso**

Peli byci

Mae carbon yn ddefnydd lle gall atomau, pob un ohonynt yn gemegol unfath, ffurfio trefniannau gwahanol. Mewn diemwnt, maent yn ffurfio adeiledd tetrahedrol cryf – nifer mawr o atomau mewn araeau taclus. Er bod natur yr adeiledd yn gryf ac yn galed, carbon yw'r defnydd o hyd. Pan gaiff ei wresogi ddigon, mewn aer, mae'n llosgi.

Mae adeiledd grisialog yn perthyn i graffit hefyd ond mae'r atomau carbon wedi'u casglu ynghyd yn risialau llai o faint a mwy gwastad all lithro dros ei gilydd yn hawdd (Ffigur 6.16a), sy'n ei gwneud hi'n hawdd i adael ôl graffit dros wyneb papur drwy dynnu darn o graffit (pensil) dros y papur.

Bob tro y byddwch yn llosgi cannwyll rydych yn creu pob math o adeileddau carbon. Mae'n bosibl y bydd yna rai atomau carbon unigol, rhai grisialau graffit ac efallai rhai adeileddau diemwnt tetrahedrol mân iawn. Ceir '**peli byci**' hefyd. Dim ond yn y 1980au y cawsant eu darganfod. Llwyddodd Syr Harry Kroto (Ffigur 6.17) a gwyddonwyr eraill i anweddu carbon â laser; adlewyrchwyd tonnau radio ohono a gwnaethant rai profion cemegol – a darganfod bod y defnydd a oedd fel huddygl yn glystyrau o atomau carbon a oedd yn cynnwys 60 neu ragor o atomau. Y cam nesaf oedd meddwl sut fath o gyfeiriadaeth oedd gan yr araeau hyn o atomau a sylweddolwyd bod y clystyrau carbon newydd yn gewyll mawr gwag o atomau carbon. Roedd yr adeiledd yn eu hatgoffa o wahanol rannau pêl-droed a'r cromenni mawr a adeiladwyd gan y pensaer Richard Buckminster Fuller. Yr enw a roddwyd ar yr adeileddau carbon anferth hyn oedd **buckminsterfullerene** (Ffigur 6.16b), ac erbyn hyn cyfeirir at y clystyrau fel rheol fel peli byci. Ar ôl darganfod math newydd o ddefnydd rhaid gofyn y cwestiwn – a yw'n ddefnyddiol? Mae defnydd y peli byci yn iraid da, oherwydd bod y peli'n rholio. Mae'n ddefnyddiol hefyd fel catalydd cemegol, uwchddargludydd ac wrth weithgynhyrchu cyffuriau.

Ffigur 6.16
Adeileddau **a** graffit a **b** buckminsterfullerene, C_{60}.

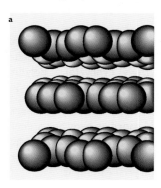
a

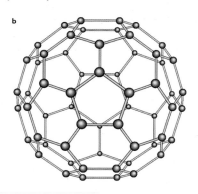
b

Ffigur 6.17
Syr Harry Kroto.

13 Esboniwch y gwahaniaeth ym mhriodweddau ffisegol:
  a gwydr a chwarts
  b graffit a diemwnt.
14 Yn y modelau a luniwyd gan y gwyddonwyr ar gyfer adeileddau posibl y ffurf anhysbys ar garbon beth, yn eich barn chi, a gafodd ei gynrychioli gan y canlynol:
  a y jelly babies (edrychwch ar y testun i'r dde)
  b y pigyn glanhau dannedd?
15 Pam y mae gwaith Syr Harry Kroto yn cael ei ystyried mor bwysig y cafodd ei urddo'n farchog?
16 TRAFODWCH
  Pa un o'r datganiadau canlynol y byddech chi'n cytuno ag ef ynglŷn â'r ddamcaniaeth gronynnau:
  a dyma'r ddamcaniaeth sy'n datgan y gwirionedd yn gyfan gwbl
  b dyma'r ddamcaniaeth orau sydd gennym a'r 'gwirionedd' hyd y gwyddom ni ac at ddibenion ymarferol
  c dyma'r ddamcaniaeth fwyaf defnyddiol – p'un ai a ydyw'n 'wir' ai peidio
  d nid oes digon o dystiolaeth i'n harwain ni i'w derbyn fel ffynhonnell o esboniadau dibynadwy
  e nid oes unrhyw wirionedd i'r ddamcaniaeth?
  Rhaid i chi gyfiawnhau eich safiad wrth ateb.

Yn y 1980au talodd gwyddonydd o'r enw Harry Kroto am ei docyn awyren ei hun i fynd i Texas i ddefnyddio laser i anweddu carbon. Ffurfiai ryw fath o garbon ac iddo briodweddau ffisegol gwahanol iawn i graffit neu ddiemwnt, yn debycach yn hytrach i huddygl. Gyda'i gyd-weithwyr aeth ati i geisio darganfod eu hadeiledd. Ymhlith y technegau soffistigedig a ddefnyddient oedd jelly babies a phigau glanhau dannedd i adeiladu modelau o adeileddau posib. Erbyn hyn, mae peli byci yn cael eu defnyddio at nifer o wahanol ddibenion ac mae Harry Kroto bellach yn Syr Harry Kroto.

● **Tasg sgiliau ychwanegol**

Technoleg Gwybodaeth a Chyfathrebu

Mae carbon yn bodoli ar sawl ffurf, gan gynnwys diemwnt, graffit a pheli byci. Defnyddiwch gyfrifiadur (e.e. y we, CD ROMau), erthyglau gwyddonol mewn cylchgronau neu lyfrau a ffynonellau eraill i ymchwilio i un o'r ffurfiau hyn ar garbon.

Dylech chwilio'n fanwl ar eich cyfrifiadur gan ddefnyddio'r cyfarpar priodol fel chwilotwyr y Rhyngrwyd a thechnegau ymchwilio i gronfeydd data. Mae'n bosibl y gallwch ddefnyddio hefyd y mynegeion CD ROM a ddarperir gan nifer o gylchgronau er mwyn dod o hyd i erthyglau addas mewn cylchgronau gwyddonol.

Defnyddiwch y wybodaeth i baratoi adroddiad ymchwil i'w gyflwyno gerbron eich grŵp. Canolbwyntiwch ar un neu ddwy agwedd o'r defnydd a ddewiswyd gennych, megis manylion am yr adeiledd a phriodweddau ffisegol eraill, dibenion masnachol cysylltiedig, manylion hanesyddol am y gwaith a wnaed yn ei ddarganfod ac yn ei ddatblygu, ac ati. Dylech gysylltu rhai o briodweddau ffisegol a dibenion y defnydd â'i adeiledd.

Dylech wneud defnydd da o'r delweddau a gawsoch wrth wneud eich gwaith ymchwil. Cofiwch gynnwys llyfryddiaeth hefyd er mwyn cydnabod awduron y deunydd a gasglwyd gennych.

7 Archwiliadau cyntaf adeiledd atomig

● Pa dystiolaeth sydd yn y byd macrosgopig (maint llawn) nad atomau yw'r gronynnau sylfaenol ond adeiledd o ronynnau sydd hyd yn oed yn llai?

● Beth yw prif gydrannau atomau?

GEIRFA ALLWEDDOL

allyriant thermionig   anod   catod   effaith ffotodrydanol   electrolysis   electron   fflwroleuo   gwefr   maes magnetig   maes trydanol   model niwclear neu blanedol   model 'pwdin plwm'   niwclews   niwtral   (nwy) cynhyrfol   pelydrau catod   pelydriad alffa   tiwb gwactod

Y CEFNDIR

Daeth ein syniadau am y byd ar lefel atomau i fod drwy ddwyn ynghyd arsylwadau a syniadau o wahanol feysydd ffiseg a chemeg yn y bedwaredd ganrif ar bymtheg a dechrau'r ugeinfed ganrif. Bu modd gwneud hyn, yn bennaf oll, o ganlyniad i dechnoleg newydd gwactod a ddatblygwyd ganol y bedwaredd ganrif ar bymtheg. Drwy ddefnyddio'r dechnoleg hon roedd hi'n bosibl astudio nwyon ar wasgedd isel a'r golau a gâi ei allyrru ganddynt.

Technoleg gwactod a arweiniodd at ddarganfod yr electron. Wedi hynny, cyfunwyd y dechnoleg hon â'r wybodaeth newydd am yr electron er mwyn creu falfiau electronig sef cydrannau allweddol setiau radio a'r cyfrifiaduron cyntaf (Ffigur 7.1). Mae tiwb teledu modern yn dal i daflu electronau ar sgrin o un pen tiwb gwactod gwydr i'r llall.

Yr ugeinfed ganrif oedd y 'ganrif electronig'. O'r falfiau cyntaf ar gyfer y radio, drwodd i'r teledu, i ficrosgopau electron, telathrebu a chyfrifiaduron – dylanwadwyd ar fywydau pawb ohonom o ganlyniad i wybodaeth am yr electron a'r defnydd a wnaed o'r wybodaeth honno.

Ffigur 7.1
Dyma 'falf triod' a wnaed yn 1919: tiwb gwydr â gwactod y tu mewn iddo i ganiatáu i electronau lifo. Heddiw, caiff transistor ei ddefnyddio at yr un dibenion.

Nwyon cynhyrfol

Nwy poeth yw fflam. Mae hefyd yn ffynhonnell o olau a gall ei liw amrywio, yn ddibynnol ar yr atomau sydd yn y nwy. Mae cemegwyr yn defnyddio hyn mewn 'profion fflamau' (Ffigur 7.2) i ddarganfod pa elfennau sydd mewn defnydd anhysbys. Mae sodiwm yn cynhyrchu lliw melyn cryf, mae copr mewn fflam yn cynhyrchu lliw gwyrdd llachar ac mae fflam sy'n cynnwys potasiwm yn cynhyrchu lliw leilac a chymryd na fydd wedi'i guddio gan liwiau a gynhyrchir gan elfennau eraill.

Ffigur 7.2
Mae lliw fflam yn dibynnu ar yr elfennau sydd yn y nwy poeth. Mae'r fflamau gyferbyn yn cynnwys **a** sodiwm a **b** potasiwm. Sylwch mai'r un lliw sydd i'r fflam sy'n cynnwys atomau sodiwm â lliw nifer o oleuadau stryd.

Gall yr un defnyddiau fodoli fel nwyon ar wasgedd isel (lawer yn llai na gwasgedd atmosfferig) y tu mewn i diwbiau gwydr. **Tiwbiau gwactod** yw'r enw a roddir arnynt oherwydd y gwasgedd isel iawn. Gellir trosglwyddo egni i'r nwyon, neu eu **cynhyrfu**, nid yn thermol ond yn drydanol drwy roi foltedd uchel iddynt. Yna bydd y nwyon yn allyrru'r un lliwiau ag a welir yn y fflamau. Dyma'r egwyddor a ddefnyddir gyda goleuadau stryd sodiwm (Ffigur 7.3).

Ffigur 7.3
Tiwb sy'n cynnwys nwy sodiwm ar wasgedd isel iawn yw'r golau stryd hwn. Caiff y nwy yn y tiwb ei gynhyrfu – caiff cyflenwad ychwanegol o egni ei roi iddo – trwy roi foltedd iddo, er mwyn allyrru golau.

1 Petai goleuadau stryd yn cynnwys copr yn hytrach na sodiwm, pa liw y byddent?
2 Sut y caiff egni ei roi i atomau sodiwm
  a mewn fflam
  b mewn golau stryd?

Mae'n ymddangos fod gan bob elfen ei pherthynas unigryw ei hun â golau. Gwnaed nifer o arsylwadau ac arbrofion ar y ffenomen hon yng nghanol y bedwaredd ganrif ar bymtheg. Ar y pryd, fodd bynnag, ni wyddai neb ddim oll am adeiledd atomig ac, yn wir, roedd yna ddadlau ymhlith gwyddonwyr o wahanol wledydd ynglŷn â bodolaeth atomau hyd yn oed. Bu'n rhaid aros rhai blynyddoedd cyn i ddamcaniaeth gyson gael ei datblygu a fyddai'n esbonio beth yn union a ddigwyddai mewn atomau unigol wrth iddynt allyrru ac amsugno pelydriad electromagnetig. Mae'r bennod hon yn dechrau olrhain hanes datblygu'r ddamcaniaeth honno.

Pelydrau catod

Ffigur 7.4
Mae hanes datblygu ein dealltwriaeth am fater ar y raddfa atomig a'r raddfa isatomig yn dechrau gyda phelydrau catod. Sylwyd arnynt yn gyntaf yn y tiwbiau gwactod gwydr a ddefnyddiai gwyddonwyr yn y bedwaredd ganrif ar bymtheg. Dyma hefyd ddechreuad technoleg radio, teledu a chyfrifiaduron.

Wrth ymchwilio i nwyon mewn tiwbiau gwactod, darganfuwyd ffenomen newydd arall. Cafwyd bod pelydriad anweladwy yn lledaenu o'r plât metel a wefriwyd yn negatif, y **catod**, yn y tiwbiau gwydr. Gallai'r **pelydrau catod** wneud i'r waliau gwydr dywynnu neu belydru a gallai wneud i rai defnyddiau dywynnu'n llachar neu **fflwroleuo** (Ffigur 7.4). Roedd yr arwynebau y byddai'r pelydrau catod yn eu taro hefyd yn cronni gwefr drydanol.

Bu llawer o ddadlau ynghylch natur y pelydrau catod hyn. Credai rhai eu bod yn rhyw fath o belydriad electromagnetig, neu rywbeth tebyg, nad oedd eto wedi'i ddarganfod. Credai rhai eraill mai llif o ronynnau oedd y pelydrau. Cafodd y pelydrau catod eu hastudio o dan nifer o wahanol amodau, gan gynnwys o dan ddylanwad **meysydd trydanol** a **meysydd magnetig**.

Meysydd trydanol yw ardaloedd lle bydd gronynnau wedi'u gwefru yn profi grym trydanol. Mae pob gwrthrych sydd wedi'i wefru, o ronyn unigol i gwmwl taranau, yn cynhyrchu maes trydanol yn y gofod o'i gwmpas. Meysydd magnetig yw ardaloedd lle mae gronynnau wedi'u gwefru sy'n symud (gan gynnwys yr electronau sy'n llifo mewn gwifren mewn cylched) yn profi grym magnetig. Mae pob magnet a phob gwifren lle mae cerrynt yn llifo yn cynhyrchu maes magnetig yn y gwactod o'u hamgylch.

Daeth rhywfaint o gefnogaeth i'r syniad mai llif o ronynnau yw pelydrau catod o'r arsylwadau y gallai llwybrau'r pelydrau gael eu plygu gan faes magnetig, fel y disgwylid i ronynnau sy'n symud ac yn cario **gwefr** drydanol. (Gwefr drydanol yw gallu gwrthrych i weithredu a phrofi grym trydanol ac, wrth symud, rym magnetig.) Wrth bwynt mewn maes trydanol neu faes magnetig, mae rhai gwrthrychau yn profi grym i un cyfeiriad ac mae rhai gwrthrychau yn profi grym i'r cyfeiriad dirgroes. Mae hyn yn ein harwain at y syniad y gall gwrthrychau gael dau fath gwahanol o wefr. Yr enwau a roddir am y rhain yw gwefr bositif a gwefr negatif.

Rhagdybiaeth gronynnau

Roedd ffisegydd o'r Iwerddon, G Johnstone Stoney, wedi datblygu rhagdybiaeth ynghylch **electrolysis**. (Electrolysis yw llif cerrynt drwy hydoddiannau ac, o ganlyniad, waddodiad rhai defnyddiau ohonynt.) Seiliwyd rhagdybiaeth Stoney ar y syniad bod gronynnau wedi'u gwefru'n negatif yn bodoli mewn mater. Aeth mor bell ag enwi'r gronynnau hyn oedd wedi'u gwefru – **electronau**. Hyd hynny roedd electrolysis a phelydrau catod yn feysydd ffiseg oedd heb eu cysylltu. Ar yr adeg honno, nid oedd llawer o dystiolaeth i gefnogi'r syniad mai'r un peth oedd pelydrau catod ac electronau Stoney. Fodd bynnag, aed ati i brofi'r syniad ynglŷn â'r gronynnau.

Torri'r ddadl ynglŷn â phelydrau catod

3 Pam rydym ni'n credu bod dau fath o wefr drydanol?

4 Beth yw effeithiau pelydrau catod ar ddefnydd y maent yn ei daro?

5 Dychmygwch eich hun yn wyddonydd yn byw yn y bedwaredd ganrif ar bymtheg. Rydych yn saethu pelydrau catod at arwyneb ac yn sylwi bod gwefr negatif i'r arwyneb. Sawl rheswm posibl y gallech chi feddwl amdano i esbonio hyn?

Roedd rhai gwyddonwyr yn dal i awgrymu, yn arbennig ar ôl darganfod pelydrau X yn 1895, bod pelydrau catod yn debyg i belydriad electromagnetig. Cefnogai eraill y rhagdybiaeth mai llif o ronynnau oeddent. Ysgrifennodd Joseph John Thomson, gwyddonydd a weithiai yng Nghaergrawnt, y rhagarweiniad canlynol i'w ddisgrifiad o'i arbrofion ar belydrau catod yn 1897:

'The experiments discussed in this paper were undertaken in the hope of gaining some information as to the nature of cathode rays. According to the almost unanimous opinion of German physicists they are due to some process in the ether. Another view is that they are in fact wholly material, and that they mark the paths of particles of matter charged with negative electricity. The following experiments were carried out to test some of the consequences of the electrified particle theory.'

(London, Edinburgh and Dublin Philosophical Magazine and Journal of Science, Hydref 1897)

Rhagfynegai'r rhagdybiaeth mai llif o ronynnau oedd pelydrau catod ac y byddent yn bodloni deddfau mecaneg. Byddent yn profi grymoedd a chyflymiad cyfatebol yn yr un modd â gwrthrychau eraill. Saethodd Thomson belydr o belydrau catod drwy feysydd trydanol, meysydd magnetig a chyfuniadau o'r rhain, a mesurodd sut y câi'r paladr ei allwyro. (Gweler tudalen 260 am fwy o fanylion am arbrawf Thomson.) Gellid yn sicr esbonio allwyro'r paladr drwy dybio bod y paladr yn llif o ronynnau.

Llwyddodd Thomson i gyfrifo beth ddylai cymhareb y wefr i fàs y gronynnau hyn fod. Yn fwy na hynny, gan ddefnyddio brasamcan Stoney ar gyfer maint y wefr, gallai ddod o hyd i werth ar gyfer y màs. Roedd y màs a gyfrifwyd yn fach iawn – gryn dipyn yn llai na màs atom. Roedd y ffaith y gallai Thomson gyfrifo'r màs yn ddigon i berswadio'r rhan fwyaf o'r ffisegwyr y gellid meddwl yn ystyrlon am belydrau catod fel llif o ronynnau mân iawn. Yn ogystal â hynny, mae enw Stoney ar eu cyfer – electronau – wedi'i dderbyn hefyd.

Y ddamcaniaeth electron fel ffynhonnell esboniadau pellach

O fewn ychydig flynyddoedd, roedd Thomson ac eraill wedi dangos y gellid esbonio nifer o ffenomenau yn nhermau electronau, gan gynnwys:

- **Allyriant thermionig** – llif gwefr negatif i'r gofod o amgylch arwyneb metel sydd wedi'i wresogi ac sydd wedi'i wefru'n negatif. Gellid dweud yn awr bod y wefr negatif yn cael ei chludo gan electronau. Mewn gwirionedd allyriant thermionig oedd ffynhonnell yr electronau mewn tiwbiau pelydrau catod (gweler isod).
- Yr **effaith ffotodrydanol** – unwaith eto, llif gwefr negatif i'r gofod o amgylch arwyneb metel. Y gwahaniaeth rhyngddo ac allyriant thermionig yw bod allyriant ffotodrydanol yn cael ei achosi gan belydriad electromagnetig yn cyflenwi egni i'r metel. (Mae arwyddocâd arbennig i'r effaith ffotodrydanol yn natblygiad syniadau cwantwm – gweler Pennod 26.)

Tiwbiau gwactod ac allyriant thermionig electronau

Mae pelydrau catod mewn tiwb gwactod yn golygu symud llawer o electronau sydd wedi dianc i'r gwactod o arwynebau metel yr electrodau (Ffigur 7.5). Gelwir dihangfa o'r fath yn allyriant thermionig oherwydd bod yr effaith yn cynyddu yn ôl y tymheredd. Gellir meddwl am allyriant thermionig fel proses o ryddhau electronau o'r metel yn union fel y gellid meddwl am anweddiad fel proses o ryddhau moleciwlau o hylif.

Oherwydd eu gwefr negatif, bydd unrhyw electronau sy'n dianc o'r electrod negatif, y catod, yn cyflymu tuag at yr electrod positif, yr **anod**. Yn yr osgilosgop pelydrau catod, tiwb y teledu a'r microsgop electron, caiff y catod ei wresogi gan ffilament gwresogi ac felly mae nifer mawr o electronau yn dianc. Gellir cael llif cyson o electronau o'r catod i'r anod.

Ffigur 7.5
Tiwb gwactod yw tiwb gwydr wedi'i wacáu gydag electrodau positif a negatif – yr anod a'r catod yn y drefn honno. Cânt eu cysylltu â chyflenwad o bŵer drwy gyfrwng y gwifrau sy'n mynd drwy'r gwydr. Nid yw'r gwactod yn hanfodol ar gyfer allyriant thermionig ond mae ei angen er mwyn i'r electronau allyredig allu symud yn rhydd heb wrthdaro â moleciwlau nwy.

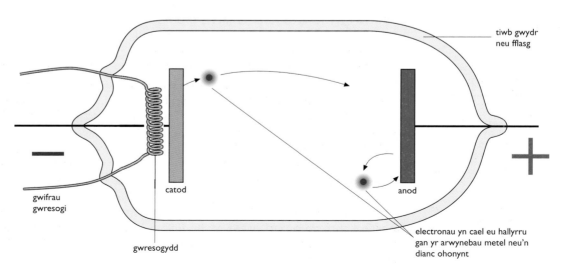

tiwb gwydr neu fflasg

catod

gwifrau gwresogi

gwresogydd

anod

electronau yn cael eu hallyrru gan yr arwynebau metel neu'n dianc ohonynt

Model newydd o atomau

Erbyn diwedd y bedwaredd ganrif ar bymtheg roedd rhai yn dal i wrthod y syniad ynglŷn â bodolaeth atomau, ond gan fod atomau yn cynnig ffynhonnell gyson o esboniadau ar gyfer ystod eang o ffenomenau ym meysydd cemeg a ffiseg roedd y rhan fwyaf o wyddonwyr yn hapus i ystyried y syniad yn dybiaeth dda i weithio arni.

Os derbynnir bod mater wedi'i wneud o atomau yna mae'n dilyn bod yn rhaid bod yr electronau a allyrrir mewn allyriant thermionig a'r effaith ffotodrydanol yn dod o'r atomau hyn. O'r dystiolaeth a oedd ar gael, gallai'r gwyddonwyr adeiladu model syml ar gyfer atomau. Mae atomau, yn gyffredinol, yn **niwtral** yn drydanol, h.y. nid oes iddynt wefr bositif net na gwefr negatif net. Os ydynt yn cynnwys rhai gronynnau wedi'u gwefru yna rhaid iddynt gael eu cydbwyso gan bresenoldeb gronynnau o'r wefr ddirgroes. Gan fod electronau'n cludo gwefr negatif, rhaid i weddill yr atom – y rhan sydd wedi'i gadael ar ôl yn ystod allyriant thermionig a'r effaith ffotodrydanol – fod yn bositif. Ac os yw'r electronau yn fach iawn gyda màs bach iawn – lawer, lawer yn llai na màs atom – rhaid bod y rhan fwyaf o fàs atom wedi'i wneud o'r rhan bositif. Gwelai'r gwyddonwyr yr electronau felly wedi'u mewnosod yn y rhan sydd wedi'i gwefru'n bositif. A thybio bod dwysedd y gydran hon sydd wedi'i gwefru'n bositif yr un fath â dwysedd yr atom cyfan, a'r defnydd cyfan, gwelsent yr atomau ar y ffurf a ddangosir yn Ffigur 7.6.

Defnyddiwyd y model gweledol hwn, a elwir weithiau yn **fodel pwdin plwm** (y ffrwythau oedd yr electronau a'r defnydd sbwng o gwmpas y ffrwythau oedd y gydran bositif o'r atomau), am ryw ddeuddeng mlynedd cyn y dangoswyd nad oedd fawr o werth iddo.

Ffigur 7.6
Atomau 'pwdin plwm' – electronau wedi'u mewnosod mewn 'sbwng' wedi'i wefru'n bositif. Mae dwysedd pob atom yn debyg i ddwysedd y defnydd.

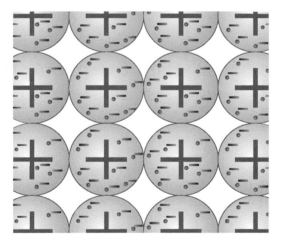

Gwasgariad alffa a model Rutherford

Yn 1909, saethodd Hans Geiger ac Ernest Marsden, a weithiai gydag Ernest Rutherford ym Mhrifysgol Manceinion, **belydriad alffa** at ffoil aur. Gwyddent fod pelydriad alffa yn belydriad egnïol iawn a gâi ei allyrru gan ddefnydd ymbelydrol. Gwyddent hefyd fod y pelydriad yn teithio mewn unedau unigol neu becynnau sy'n cael eu galw'n ronynnau alffa (gweler Pennod 8). Defnyddiodd Geiger a Marsden sgrin a oedd yn fflachennu – h.y. sgrin a roddai wreichionen o olau – pan fyddai'n cael ei tharo gan ronyn alffa. Roedd y sgrin ynghlwm wrth ficrosgop a allai symud mewn arc o gwmpas y ffoil aur. Roedd hi'n anodd gweld y fflachiadau ysgafn a bu'n rhaid i Geiger a Marsden eistedd yn y tywyllwch cyn chwilio amdanynt er mwyn i'w llygaid addasu i arddwysedd isel y golau.

Roedd hi'n hysbys bod y gronynnau alffa yn egnïol ac nid oedd Rutherford a'i dîm yn disgwyl i'r atomau aur eu gwrthsefyll. Roeddent yn disgwyl i'r gronynnau alffa saethu'n syth drwy'r ffoil aur. A dyna a ddigwyddodd i'r rhan fwyaf o'r gronynnau alffa; ond cafodd rhai ohonynt eu hallwyro a llai fyth eu hallwyro drwy ongl yn fwy na 90° (Ffigur 7.7). Aeth Geiger a Marsden ati i gyfrif y fflachennau ar wahanol onglau. Er bod allwyriad sylweddol yn gymharol brin, gwyddai Rutherford na ellid ei esbonio gan y model 'pwdin plwm' ar gyfer yr atom.

8 Mae'n ymddangos mai cyfran fechan o fàs yr atom cyfan yw màs yr electronau. Sut y mae'r wefr sy'n cael ei chludo gan yr electronau mewn atom yn cymharu â'r wefr sy'n cael ei chludo gan weddill yr atom?

9 Ym mha ffyrdd yr oedd arsylwadau Geiger a Marsden yn anghyson â'r atom 'pwdin plwm'?

Ffigur 7.7
Cyfarpar Geiger a
Marsden.

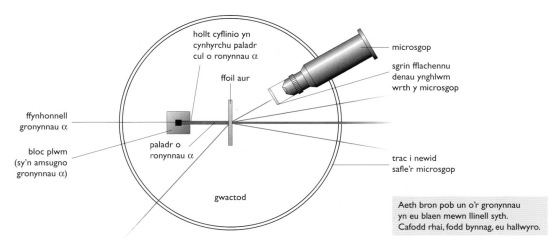

microsgop

sgrin fflachennu
denau ynghlwm
wrth y microsgop

hollt cyflinio yn
cynhyrchu paladr
cul o ronynnau α

ffoil aur

ffynhonnell
gronynnau α

paladr o
ronynnau α

bloc plwm
(sy'n amsugno
gronynnau α)

trac i newid
safle'r microsgop

gwactod

Aeth bron pob un o'r gronynnau
yn eu blaen mewn llinell syth.
Cafodd rhai, fodd bynnag, eu hallwyro.

Model niwclear Rutherford

Edrychodd Rutherford a'i dîm ar ddosbarthiad y fflachennau o gwmpas y cylch a amgylchynai'r ffoil aur a gwnaethant rai cyfrifiadau gofalus. Erbyn 1911 dangoswyd ganddynt fod gwasgariad rhai o'r gronynnau alffa drwy onglau mawr yn awgrymu bod gwefr bositif i'r aur (er mwyn gwrthyrru'r gronynnau alffa positif) o honno wedi ei chywasgu i gyfaint bach (fel ei bod yn ddigon dwys i roi grym arwyddocaol). Roeddent yn sylweddoli nad oedd gwefr bositif atom wedi ei lledaenu drwy'r atom cyfan, felly roedd yn rhaid ei chywasgu yn gyfaint bach iawn, a bod gweddill yr atom yn wag i bob pwrpas. Yr hyn yr oeddent yn ei ddweud oedd bod y wefr bositif, a'r rhan fwyaf o'r màs atomig, wedi'u cynnwys i gyd mewn **niwclews**.

Beth felly am yr electronau? Doedd Rutherford ddim yn siŵr. Awgrymodd eu bod mewn orbit o gwmpas y niwclews, yn llanw gweddill yr atom. (Ffigur 7.8). Roedd yn sicr nad oedd fawr o werth i'r model gweledol blaenorol o'r atom, y model 'pwdin plwm', ac fe'i disodlodd â'r **model niwclear neu blanedol** newydd.

Ffigur 7.8
Model niwclear neu
'blanedol' syml o atomau.
Gwyddai Rutherford fod y
niwclews yn fach o'i gymharu
â maint yr atom cyfan.

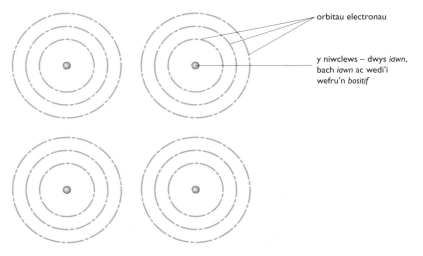

orbitau electronau

y niwclews – dwys *iawn*,
bach *iawn* ac wedi'i
wefru'n *bositif*

10 Beth oedd ateb Rutherford i'r anghysondeb rhwng y model 'pwdin plwm' ynglŷn â'r atom a'r arsylwadau a wnaed gan Geiger a Marsden?

11 Gwyddai Rutherford na fyddai ei fodel newydd o'r atom yn cynnig yr atebion i gyd. Sut y gwyddai hyn?

12 **TRAFODWCH**
Dychmygwch mai chi oedd Rutherford. A fyddech chi wedi dweud wrth y byd a'r betws am eich syniadau gan wybod na allent gynnig y darlun cyfan?

Gwyddai Rutherford a'r gwyddonwyr eraill, fodd bynnag, na allai'r model newydd hwn gynnig damcaniaeth gyflawn ar gyfer y atom oherwydd nid oedd yn bodloni deddfau eraill. Gwyddent fod gronynnau wedi'u gwefru sy'n cyflymu yn allyrru pelydriad. Dyna oedd egwyddor creu tonnau radio – ffenomen a fyddai cyn hir yn gyfrwng cyfathrebu newydd a fyddai'n newid y byd. Mae electronau mewn orbit, fel unrhyw beth sy'n symud mewn cylch, yn cyflymu. Mewn atomau, disgwylid i'r electronau mewn orbit allyrru pelydriad yn gyson. Wrth wneud hynny dylent golli eu hegni a throelli i mewn i'r niwclews. Ni ddigwyddodd hynny, mae'n amlwg, oherwydd petai'n gwneud hynny yna ni fyddai'r un atom yn para'n hir iawn. Nid oedd y syniad newydd am yr atom yn ateb holl ddisgwyliadau'r ffisegwyr ond dyna, ar y pryd, oedd y syniad gorau.

● **Tasg sgiliau ychwanegol**

Cymhwyso Rhif a Thechnoleg Gwybodaeth

Data Geiger a Marsden

Gwyddai Rutherford fod patrwm gwasgariad y gronynnau alffa gan y ffoil aur yn awgrymu bod gwefr bositif yr atom wedi'i chanolbwyntio mewn cyfaint bach iawn, wedi'i amgylchynu gan gyfaint mwy o faint â gwefr negatif. Yn ôl ei gyfrifiadau, petai ei syniad ynghylch atom niwclear yn gywir, yna byddai patrwm gwasgariad y gronynnau alffa yn bodloni'r berthynas ganlynol:

$$N = K\frac{1}{\sin^4(\phi/2)}$$

lle saif N am nifer y gronynnau alffa sy'n cynhyrchu'r fflachennau ar ongl ϕ mewn cyfnod o amser a ddewiswyd, a lle saif K am gysonyn. Y berthynas hon a roddwyd ar brawf gan Geiger a Marsden. Dangosir rhai o'u canlyniadau yn Nhabl 7.1.

Tabl 7.1
Ychydig o ddata Geiger a Marsden ar gyfer y ffoil aur.

Ongl ϕ	$1/\sin^4(\phi/2)$	N
45°	46.6	1435
75°	7.25	211
120°	1.79	51.9
150°	1.15	33.1

Mae graff sy'n dilyn y patrwm cyffredinol y = mx yn llinell syth yn mynd drwy'r tarddbwynt, gyda graddiant m. Plotiwch graff N (echelin y) yn erbyn $1/\sin^4(\phi/2)$ (echelin x).

A yw hyn yn cefnogi neu'n gwrthbrofi perthynas Rutherford? Ai graff o'r ffurf y=mx yw hwn? Beth yw gwerth K?

Cynlluniwyd arbrawf mwy manwl gan Geiger a Marsden er mwyn ymchwilio i'r ffordd y câi'r gronynnau eu gwasgaru yn ôl màs atomig y ffoil y cawsant eu saethu ato. Dangosir rhai o'u canlyniadau yn Nhabl 7.2.

Tabl 7.2
Ychydig o ddata Geiger a Marsden ar gyfer metelau eraill.

Sylwedd	Màs atomig A /unedau màs atomig	Nifer y fflachennau N ar ongl benodol mewn cyfnod o amser a ddewiswyd
aur	197	581
tun	119	270
arian	107.9	198
copr	63.6	115
alwminiwm	27.1	34.6

Cynigiwyd bod perthynas rhwng y mesurau hyn: $N^x A^y = c$, lle gall fod i x ac y, yn ogystal ag c, unrhyw werth, gan gynnwys gwerthoedd nad ydynt yn gyfanrifol (rhif nad yw'n rhif cyfan) a gwerthoedd negatif. Noder bod $N^x = c/A^y$.

Rhowch gynnig ar wahanol werthoedd ar gyfer x ac y hyd nes y cewch graff llinell syth, sy'n cysylltu N ac A, lle bo'i raddiant yn hafal i'r cysonyn. Rhowch werthoedd x ac y. Defnyddiwch gyfrifiadur fel y bo'n briodol.

8

Pelydriadau ïoneiddio

Y CWESTIYNAU MAWR
- Sut mae canfod allyriannau ymbelydrol?
- Sut y gallwn ddweud bod gwahanol fathau o allyriannau ymbelydrol?

GEIRFA ALLWEDDOL
amsugniad anwedd dirlawn arddwysedd (pelydriad) arwahanol canfodydd gwreichion deddf gwrthdro sgwâr electrod emwlsiwn ffotograffig ffynonellau pelydriadau ïon ïon-bâr ïoneiddiad effaith eirlithrad pelydriad beta llestr niwl olinydd meddygol pelydriad alffa pelydriad gama siambr gwreichion siambr ïoneiddio tiwb G-M treiddio

Y CEFNDIR
Mae canfodyddion mwg ac **olinyddion meddygol** (defnyddiau a gaiff eu chwistrellu i'n cyrff i greu delweddau o'r tu mewn) yn defnyddio gallu pelydriadau ïoneiddio i dreiddio drwy fater. Fodd bynnag, fel yr awgryma'r enw, nid yw pelydriadau ïoneiddio yn treiddio yn unig, maent hefyd yn effeithio'n sylweddol ar y mater. Mae arbelydriad bwyd yn enghraifft o'r defnydd y gellir ei wneud ohono i ladd bacteria. Hefyd, gall rhoi ffynhonnell o ymbelydredd wrth ymyl tyfiant, neu yn ei ganol, ladd y celloedd canser.

Nid yw'r pelydriadau yn poeni rhyw lawer am yr hil ddynol fodd bynnag; gall wneud niwed i ni (Ffigur 8.1) a gall wneud daioni (Ffigur 8.2). Ni sydd i ddewis sut y byddwn yn eu defnyddio.

Ffigur 8.1 (ochr chwith) Bu John Wayne farw o ganser ar yr ysgyfaint. Mae'n bosibl mai ysmygu sigaréts achosodd y canser, neu mae'n bosibl mai dod i gysylltiad â phelydriadau ïoneiddio wrth ffilmio *western* ar hen safle profi bomiau niwclear oedd yr achos.

Ffigur 8.2 (ochr dde) Defnyddiwyd pelydriadau ïoneiddio'n rhan o driniaeth y fam hon yn erbyn canser.

● Effeithiau ïoneiddio allyriannau ymbelydrol

Mae'r rhan fwyaf o'r gwrthrychau sydd o'n cwmpas ychydig bach yn ymbelydrol, ond mae rhai yn gryfach na'i gilydd. Mae rhai gwrthrychau'n cynnwys defnyddiau sy'n **ffynonellau ymbelydrol**. Nid yw'r ymbelydredd egni uchel sy'n dod ohonynt yn gwahaniaethu rhwng mater byw ac unrhyw fater arall. Mae'r egni y maent yn ei gludo yn cael ei drosglwyddo i atomau'r defnydd y bydd yn mynd drwyddo ac yn eu hïoneiddio. Hynny yw, mae rhai o'r atomau yn y defnydd yn cael egni o'r pelydriad ac mae'r egni yn caniatáu i electronau ddianc ohonynt. Gydag electronau ar goll, mae gan yr atomau hyn wefr sy'n fwy positif na negatif. Aethant yn **ïonau** positif (Ffigur 8.3).

Gall **ïoneiddiad** newid ymddygiad cemegol atomau. O fewn moleciwlau cymhleth ein cyrff, gall newidiadau o'r fath fod yn niweidiol. Gall ïoneiddiad achosi mwtaniadau, drwy newidiadau i'r DNA, a gall achosi newidiadau a all arwain, flynyddoedd yn ddiweddarach fel rheol, at ganser.

Ffigur 8.3 Ïoneiddiad: mae pelydriad ïoneiddio yn rhoi egni sy'n caniatáu i electron ddianc o'r atom. Yna mae anghydbwysedd yn yr atom rhwng gwefr bositif a negatif – mae wedi troi'n ïon.

Ïoneiddiad a chanfod – y llestr niwl

Mae'n bosibl llenwi gofod gydag **anwedd dirlawn** o ddŵr neu alcohol. Bydd anwedd dirlawn yn dechrau cyddwyso pan gaiff ei oeri. Fodd bynnag, dim ond defnynnau anweladwy bach iawn a gaiff eu ffurfio wrth i'r anwedd gyddwyso a bydd hyn yn sefydlog oni bai fod yr anwedd yn parhau i oeri neu y bydd presenoldeb llwch neu ïonau yn annog i'r anwedd gyddwyso'n ddefnynnau mwy o faint. Canlyniad anfon gronyn alffa sy'n ïoneiddio'n gryf drwy anwedd a fydd wedi'i oeri yw ffurfio llwybr o ddefnynnau sy'n ddigon mawr i greu llwybr gweladwy. Dyma egwyddor y **llestr niwl**.

Mae Ffigur 8.4 yn dangos dau fath o lestr niwl a gafodd eu cynllunio i edrych ar lwybrau gronynnau sy'n ïoneiddio.

Ffigur 8.4
Toriadau drwy **a** llestr niwl tryledu, a **b** llestr niwl ehangu.

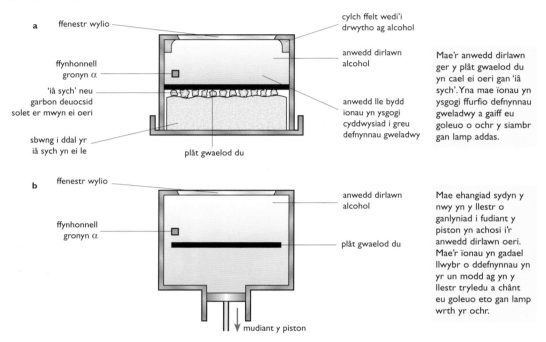

Ffigur 8.5
Llwybrau'r llestr niwl yn dangos bod pelydriadau ïoneiddio yn cynnwys gronynnau unigol.

Dywed yr hyn a welwn yn y llestri niwl (Ffigur 8.5) wrthym fod pelydriadau ïoneiddio yn teithio mewn pecynnau **arwahanol**. Hynny yw, nid yw'r pelydriad yn ddi-dor fel crychdonnau yn lledaenu ar bwll, yn hytrach mae'n ymddwyn fel petai'n ronynnau unigol. Byddwn yn dychwelyd at y pwynt hwn yn ddiweddarach.

Y gallu i ïoneiddio ar dair lefel

Mae llestri niwl yn un ffordd o gymharu nerth ïoneiddio pelydriadau gwahanol. Gall ymbelydredd a allyrrir gan wahanol ddefnyddiau ymbelydrol gael eu cymharu a'u dosbarthu'n dri grŵp yn ôl eu gallu ïoneiddio (Tabl 8.1).

Tabl 8.1
Dosbarthu yn ôl gallu ïoneiddio.

Gallu ïoneiddio	Enw'r pelydriad
ïoneiddio'n gryf iawn – yn creu trywydd dwys o ïonau ar hyd ei lwybrau	pelydriad alffa
ïoneiddio'n gymharol wan – gwelir trywydd gweddol wan o ïonau	pelydriad beta
ïoneiddio'n wan – ni welir ond olion gwasgaredig o ïoneiddio	pelydriad gama

Canfod y pelydriadau

Ar ôl darganfod bod tri math o belydriadau ïoneiddio yn bennaf, gallwn gymryd ffynonellau gwahanol o belydriadau a gwneud rhagor o arsylwadau. Gwelwn fod y pelydriadau yn ymateb yn wahanol i feysydd trydanol a magnetig.

Gwelwn na chaiff **pelydriadau gama** eu heffeithio gan feysydd trydanol na magnetig ond y caiff llwybrau **pelydriadau alffa** a **beta** eu hallwyro (Tabl 8.2). Mae hyn yn ein harwain at y syniad mai llif o ronynnau wedi'u gwefru ydynt.

Tabl 8.2
Effeithiau meysydd trydanol a magnetig ar y tri math o belydriad.

Y math o belydriad	Effaith maes trydanol	Effaith maes magnetig
alffa	llwybrau'n cael eu hallwyro tuag at yr electrodau negatif ac i ffwrdd o'r electrodau positif	llwybrau'n cael eu hallwyro i gyfeiriad sy'n ddirgroes i wifren sy'n cludo llif o electronau
beta	llwybrau'n cael eu hallwyro tuag at yr electrodau positif ac i ffwrdd o'r electrodau negatif	llwybrau'n cael eu hallwyro i'r un cyfeiriad â gwifren sy'n cludo llif o electronau
gama	dim effaith	dim effaith

O'r allwyriadau hyn, fe welwn fod y pelydriadau alffa a beta yn cludo gwefr drydanol (ag arwydd dirgroes), ond nid yw pelydriadau gama yn cludo gwefr drydanol. Mae'r pelydriadau alffa a beta yn ymddwyn fel pelydr o ronynnau wedi'u gwefru, yn bositif ac yn negatif, yn y drefn honno.

Po fwyaf yw màs gronyn ar fuanedd arbennig, y lleiaf y caiff ei lwybr ei allwyro gan feysydd trydanol neu fagnetig o gryfder penodol. Gallwn ddefnyddio'r allwyriadau i gymharu masau'r gronynnau. Mae gronynnau alffa lawer yn fwy masfawr na gronynnau beta. Nid oes gan belydriadau gama fàs ac nid oes iddynt wefr. Mae Tabl 8.3 yn crynhoi ein gwybodaeth am belydriadau hyd yma.

Tabl 8.3	**pelydriad alffa**	llif o ronynnau ac iddynt fàs cymharol fawr a gwefr bositif
Natur y tri math o belydriad.	**pelydriad beta**	llif o ronynnau ac iddynt fàs cymharol fach a gwefr negatif
	pelydriad gama	dim màs na gwefr (ffotonau*)

* Gallwch feddwl am ffotonau fel cludwyr egni pelydriad electromagnetig – mae pelydrau gama yn rhyw fath o belydriad electromagnetig, yn debyg i belydrau X. Cewch fwy o wybodaeth am ffotonau ym Mhennod 26.

Y gallu i dreiddio ar dair lefel

1. Pa ymddygiad nodweddiadol o belydriad gama sy'n dweud wrthym nad oes iddo wefr?

2. Pelydriad gama sy'n treiddio fwyaf. Beth mae hyn yn ei ddweud wrthych am y gyfradd y mae pelydriad gama yn trosglwyddo egni i'r cyfrwng y mae'n teithio drwyddo o'i gymharu â phelydriad alffa a phelydriad beta?

3. Dangoswch holl nodweddion pelydriadau alffa, beta a gama mewn un tabl sy'n crynhoi'r cyfan.

4. Mae pelydriad alffa yn creu llwybrau syth cryf ar wahân mewn llestr niwl, yn hytrach nag achosi niwl yn gyffredinol. Beth mae hyn yn ei ddweud wrthym am natur pelydriad alffa?

Pan fydd egni gronynnau alffa a beta yn dod i ben byddant yn stopio symud. Pan fydd egni pelydrau gama yn dod i ben byddant yn peidio â bod. Dyma'r broses sy'n cael ei galw'n **amsugniad**. Mae'r tri math o belydriad yn rhyngweithio â gronynnau'r cyfrwng maent yn teithio drwyddo ac mae ïoneiddio'n digwydd yn ystod llawer o'r rhyngweithiadau hyn. Po fwyaf y bydd y pelydriadau'n ïoneiddio wrth iddynt deithio, y cyflymaf y byddant yn trosglwyddo eu hegni i'r defnydd y byddant yn teithio drwyddo. Y gronynnau alffa, y rhai sy'n ïoneiddio gryfaf, sy'n trosglwyddo eu hegni gyflymaf. Dim ond ychydig bach y bydd pelydriadau alffa yn **treiddio** i mewn i'r defnydd. Paladr o belydriad gama sydd fwyaf araf yn trosglwyddo ei egni ac yn treiddio bellaf. Felly mae cydberthyniad gwrthdro rhwng y galluoedd ïoneiddio a threiddio – bydd un yn cynyddu wrth i'r llall leihau.

Arddwysedd y pelydriad a'r pellter o'r ffynhonnell

Arddwysedd y pelydriad yw'r gyfradd y mae'n trosglwyddo egni drwy bob uned o arwynebedd sy'n normal i'r cyfeiriad y mae'n teithio iddo. Fe'i diffinnir gan y fformiwla:

$$\text{arddwysedd y pelydriad} = \frac{\text{cyfradd trosglwyddo egni}}{\text{arwynebedd normal y bydd yr egni yn trosglwyddo drwyddo}}$$

Uned SI cyfradd trosglwyddo egni yw'r wat, W (sydd gywerth ag 1 joule yr eiliad), ac uned yr arwynebedd yw'r metr sgwâr. Felly mesurir arddwysedd mewn watiau y metr sgwâr, W m^{-2}.

Mae arddwysedd unrhyw belydriad sy'n teithio i'r gofod o gwmpas ei ffynhonnell yn lleihau wrth i'r pellter gynyddu. Mewn achosion cymharol syml, y rheswm am hyn yw bod yr egni yn cael ei ledaenu ar draws arwynebedd sy'n cynyddu'n gyson. Mae hyn yn gymwys i olau yn lledaenu o seren, ac i belydriad gama yn lledaenu o ffynhonnell. Yn y ddau achos, ni chaiff yr arddwysedd ei amsugno'n sylweddol wrth iddo deithio.

Mae ymddygiad arddwysedd pelydriadau alffa a beta wrth iddynt deithio o'u ffynhonnell yn fwy cymhleth (Ffigur 8.6). Nid yn unig mae eu harddwysedd yn lleihau wrth i'w hegni ledaenu ond, oni bai eu bod yn teithio drwy wactod, cânt eu hamsugno gan y cyfrwng y maent yn teithio drwyddo. Ar gyfer pelydriad alffa, mae'r arddwysedd mewn aer yn disgyn yn sydyn i sero, tra bo arddwysedd pelydriad beta yn lleihau'n fwy graddol. Ar gyfer pelydriad gama (fel ar gyfer golau o seren) gallwn ystyried sector tri dimensiwn o ofod o gwmpas y ffynhonnell gyda thrawstoriad sgwâr. Gallwn feddwl am egni yn trosglwyddo drwy'r arwynebedd trawstoriadol yma, a chyfeiriad y trosglwyddiad fydd y normal (ar 90°) i'r arwynebedd.

Tybiwch, ar bellter x o'r ffynhonnell, mai arwynebedd y trawstoriad sgwâr yw A, ac y yw hyd ochrau'r sgwâr.

Nid oes amsugniad yn digwydd felly mae'r egni yn teithio drwy unrhyw arwynebedd trawstoriadol ar hyd ein sector tri dimensiwn ar yr un gyfradd, pa mor bell neu agos bynnag yw'r arwynebedd at y ffynhonnell. Felly, yn y berthynas,

$$\text{arddwysedd} = \frac{\text{cyfradd trosglwyddo egni}}{\text{arwynebedd}}$$

gellir ystyried bod y gyfradd trosglwyddo egni yn gyson.

$$\text{arddwysedd} = \frac{\text{cysonyn}}{\text{arwynebedd}} = \frac{c}{A}$$

Ffigur 8.6
Amrywiad arddwysedd pelydriad mewn aer ar gyfer ffynonellau
a pelydriad alffa,
b pelydriad beta a
c pelydriad gama.

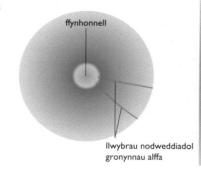

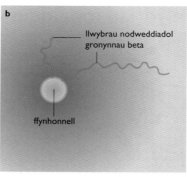

Caiff y gronynnau alffa eu stopio a chaiff y pelydriad alffa ei amsugno gan ychydig gentimetrau o aer. Mae arddwysedd y pelydriad yn disgyn yn sydyn i sero.

Mae aer hefyd yn amsugno gronynnau beta ond mae'r rhan fwyaf o ronynnau beta yn teithio ymhellach na gronynnau alffa. Mae'r pelydriad yn colli ei arddwysedd yn fwy graddol na phelydriad alffa.

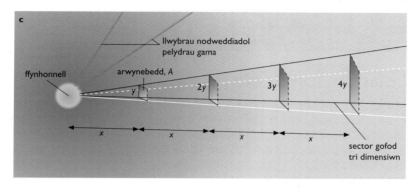

Ychydig o belydriad gama a gaiff ei amsugno gan yr aer ond mae'r arddwysedd yn lleihau yn unol â'r pellter o'r ffynhonnell, wrth i belydriad egni 'ledaenu' dros arwynebedd sy'n cynyddu o hyd.

Gallwn ddweud bod yr arddwysedd mewn cyfrannedd gwrthdro â'r arwynebedd. Nodwch, fodd bynnag, fod perthynas rhwng yr arwynebedd, A, a hyd ochr y sgwâr, y.

$$A = y^2$$

Nodwch hefyd, pan fo x yn cynyddu ac yn mynd yn $2x$, mae ochrau'r sgwâr yn cynyddu o y i $2y$. Yn gyffredinol, mae hyd yr ochr, y, mewn cyfrannedd â'r pellter o'r ffynhonnell. Felly,

$$y = kx \quad \text{lle saif } k \text{ am y cysonyn cyfrannedd}$$
$$A = [kx]^2 = k^2x^2$$

sy'n golygu bod

$$\text{arddwysedd} = c/k^2x^2$$

gan fod c a k ill dau'n gysonion, mae'r mesur c/k^2 hefyd yn gysonyn. Gallwn roi C am hyn. Felly,

$$\text{arddwysedd} = C/x^2$$

Mae'r arddwysedd mewn cyfrannedd gwrthdro â sgwâr y pellter o'r ffynhonnell. Mae'r darganfyddiad hwn yn cael ei alw'n **ddeddf gwrthdro sgwâr** (Ffigur 8.7) ac ae pelydriad gama mewn aer, a golau mewn gofod, hefyd yn ufuddhau i'r ddeddf.

5 Esboniwch pam nad yw pelydriadau alffa a beta yn ufuddhau i'r ddeddf gwrthdro sgwâr.

6 Mae plwm lawer yn well am amsugno pelydriad gama nag aer. A fyddai pelydriad gama sy'n teithio o ffynhonnell wedi'i gosod mewn bloc mawr o blwm yn ufuddhau i'r ddeddf gwrthdro sgwâr?

Ffigur 8.7
Dau graff gwahanol yn darlunio'r un realiti – ymddygiad deddf gwrthdro sgwâr.

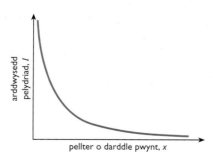

Mae graff I yn erbyn x yn dangos bod yr arddwysedd yn disgyn yn eithaf sydyn yn unol ag x, o ganlyniad i ledaeniad y pelydriad drwy ofod.

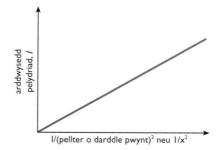

Mae graff I yn erbyn $1/x^2$ yn dangos y cyfrannedd.

Pelydriad ïoneiddio ac emwlsiwn ffotograffig

Ffigur 8.8
Gall emwlsiwn ffotograffig ddatgelu trywydd ïoneiddiad.

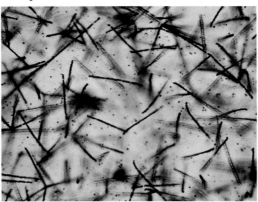

Mae ffurf syml ar **emwlsiwn ffotograffig** wedi'i wneud o ronynnau o arian bromid wedi'u mewnosod mewn gelatin (Ffigur 8.8). Mae rhannau o'r emwlsiwn a fu mewn golau wedi troi'n ddu. Yr un effaith sydd i belydriad ïoneiddio â golau. Y gwahaniaeth yw bod gan un gronyn unigol o belydriad alffa neu belydriad beta neu ffoton paladr gama ddigon o egni i adael trywydd o newidiadau cemegol ar ei ôl, tra bo'n rhaid i emwlsiwn fod mewn golau cyffredin am rywfaint o amser cyn bydd y newid a fydd yn digwydd yn ddigon i greu delwedd ystyrlon.

Y siambr ïoneiddio

Siambr ïoneiddio yw gofod wedi'i amgáu sy'n cynnwys aer, gyda dau **electrod**, sef gwrthrychau metel lle caiff gwahaniaeth potensial neu foltedd (gweler Pennod 18) ei weithredu rhyngddynt. Ffordd syml o roi'r gwahaniaeth potensial yw gwneud corff y siambr o fetel fel y gall weithredu fel un electrod ei hun a defnyddio rhoden yng nghanol y siambr fel yr electrod arall (Ffigur 8.9a).

Mae pob ïoneiddiad o fewn y siambr yn creu electron rhydd ac ïon positif; fe'u gelwir yn **ïon-bâr**. Maent yn profi grym trydanol o ganlyniad i'r gwahaniaeth potensial a weithredir. Mae'r electron yn cyflymu tuag at electrod positif y siambr ac mae'r ïon yn cyflymu tuag at yr electrod negatif. Pan fo'r gronynnau yn cyrraedd yr electrodau maent yn peri i'r electronau symud o fewn y metel. (Er enghraifft, mae electron o fewn yr electrod negatif yn uno ag ïon positif sy'n cyrraedd ac yn ei niwtraleiddio.) Os oes digon o ïoneiddio yn digwydd yn y siambr yna gall y llif hwn o ronynnau wedi'u gwefru greu cerrynt cyson mewn cylched allanol sydd bron â bod yn ddigon mawr i'w fesur – fel rheol tua 10^{-9} A. Nid yw'r siambr ïoneiddio yn cyfrif digwyddiadau ïoneiddio unigol, yn hytrach mae'n rhoi mesur ar gyfer *lefel yr ïoneiddio* sy'n digwydd oddi mewn iddi.

Ffigur 8.9
Siambr ïoneiddio. Mae pelydriad yn achosi ïoneiddiad yn yr aer yn y siambr, gan greu ïon-barau sy'n cael eu cyflymu gan y foltedd. Gall cerrynt gael ei ganfod gan fesurydd sensitif mewn cylched allanol.

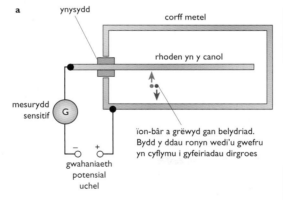

Fel rheol, mae ffynonellau o belydriad yn cael eu cyflwyno i'r siambr a'r pelydriad yn achosi ïoneiddio. Mae maint y cerrynt yn dibynnu ar gyfradd creu gronynnau rhydd wedi'u gwefru yn y siambr.

Lle bo'r gwahaniaeth potensial yn isel, mae'r ïon-barau'n profi cyflymiad isel ac mae llawer yn ailgyfuno fel nad ydynt yn cyfrannu at y cerrynt yn y gylched.

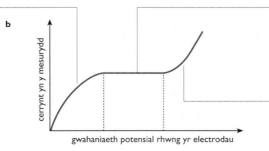

Mae'r gwahaniaeth potensial yn yr amrediad hwn yn ddigon mawr i atal ailgyfuno. Ni fydd cynnydd bychan pellach yn y gwahaniaeth potensial o fewn yr amrediad hwn yn golygu cynnydd yn nifer y gronynnau rhydd wedi'u gwefru ac felly ni chânt fawr ddim effaith ar y cerrynt.

Er mwyn i'r siambr ïoneiddio weithio, rhaid i'r gwahaniaeth potensial fod o fewn y darn gwastad ar y graff, lle nad yw'r newid yn y gwahaniaeth potensial yn newid fawr ddim ar y cerrynt.

Lle bo'r gwahaniaeth potensial yn sylweddol mae'r ïon-barau yn cael eu cyflymu gymaint maent yn ïoneiddio atomau eraill. Mae'r ïon-barau hyn yn cael eu cyflymu hefyd a gallant ïoneiddio. Mae'r cynnydd sydyn yn nifer y gronynnau rhydd sydd wedi'u gwefru fel 'effaith eirlithrad'.

7 Tynnwch fraslun i ddangos 'effaith eirlithrad' ïon-bâr.

8 a Esboniwch sut y gallai gronyn alffa unigol mewn siambr ïoneiddio fod yn gyfrifol am symudiad niferoedd mawr o electronau mewn cylched allanol.

b Pam y dylai'r gwahaniaeth potensial fod o fewn amrediad y darn gwastad ar y graff?

9 Pam nad yw'r siambr ïoneiddio yn dangos fawr ddim ymateb i belydriad gama?

Mae maint y gwahaniaeth potensial rhwng yr electrodau yn bwysig. Os yw'n rhy fach yna nid yw'r electron na'r ïon yn cyflymu rhyw lawer, ac wrth iddynt symud yn araf tuag at yr electrodau maent yn debygol o gwrdd â gronynnau sydd â gwefr ddirgroes ac ailgyfuno (cael eu niwtraleiddio). Lle bo'r gwahaniaeth potensial yn addas o uchel mae'r electronau a'r ïonau yn symud yn rhy gyflym i hyn ddigwydd, felly mae bron pob ïon-bâr sy'n cael ei greu yn y siambr yn cyfrannu at y cerrynt yn y gylched. Fodd bynnag, os yw'r gronynnau'n cyflymu'n ormodol mae'n bosibl y bydd ynddynt ddigon o egni i achosi ïoneiddio eu hunain pan fyddant yn gwrthdaro â moleciwlau aer. Mae hyn yn cynhyrchu mwy a mwy o ïon-barau a gall y cerrynt yn y gylched allanol fynd yn fawr. Gan fod un ïon-bâr yn creu mwy o barau a fydd, yn eu tro, yn creu mwy eto gelwir hyn yn **effaith eirlithrad** (Ffigur 8.9b).

Rhoddir ffynhonnell y pelydriad ïoneiddio y tu mewn i'r siambr (er y gellir canfod peth pelydriad hefyd o ffynonellau y tu allan). Ar gyfer ffynonellau alffa, bydd y rhan fwyaf o egni gronynnau alffa yn cael ei amsugno yn ystod digwyddiadau ïoneiddio o fewn y siambr. Gyda ffynhonnell beta, fodd bynnag, bydd llawer o'r pelydriad beta yn cyrraedd waliau'r llestr cyn colli ei egni i gyd. Bydd bron y cyfan o'r pelydriad gama yn dianc o'r llestr cyn achosi digon o ïoneiddiad i'w fesur. Mae siambr ïoneiddio felly yn addas iawn i fesur actifedd alffa.

Y canfodydd gwreichion a chanfodyddion gronynnau modern

Mae **canfodydd gwreichion** yn cymryd mantais ar yr effaith eirlithrad a ddisgrifir uchod. Mae'n defnyddio gwahaniaeth potensial uchel rhwng electrodau sy'n agos at ei gilydd.

Mewn canfodydd gwreichion syml (Ffigur 8.10a) gwifren denau fydd un electrod (nid plât metel gan na all gronynnau alffa dreiddio drwy'r metel i'r gofod rhwng yr electrodau). Mae **siambr**

Ffigur 8.10
a Canfodydd gwreichion syml a **b** egwyddor siambr gwreichion.

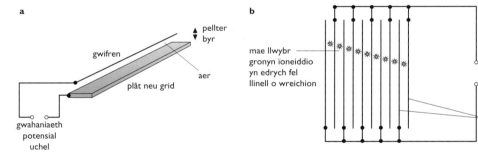

Ffigur 8.11
Canfodydd amlhaenog modern yw ALEPH yn CERN yng Ngenefa. Defnyddia nifer o dechnegau i dracio gronynnau a mesur eu hegnïon. Mae'r rhan fwyaf o'r ïoneiddio sy'n caniatáu i hyn ddigwydd yn digwydd o fewn defnydd solet, nid aer.

10 Rhestrwch dri pheth sy'n debyg rhwng siambrau ïoneiddio a chanfodyddion gwreichion ac yna dri pheth sy'n wahanol.

gwreichion yn defnyddio'r un egwyddor ond yn fwy cymhleth – defnyddia gridiau haenedig fel electrodau er mwyn olrhain llwybr y gronyn ïoneiddio (Ffigur 8.10b).

Mae gronyn alffa unigol sy'n symud rhwng yr electrodau yn cynhyrchu llwybr dwys o ïon-barau. Maent yn cyflymu gan achosi ïoneiddiad pellach i greu gwreichionen weladwy a chlywadwy. Gall yr hyrddiau cysylltiedig o gerrynt gael eu canfod yn drydanol, neu gellir tynnu ffotograff o'r gwreichion.

Defnyddir canfodyddion modern (Ffigur 8.11) i dracio gronynnau egnïol iawn a gallant gael eu seilio ar ïoneiddiad a fydd yn digwydd mewn defnydd solet.

Y tiwb Geiger–Müller

Ni all pelydriad alffa dreiddio drwy waliau metel siambr ïoneiddio gyffredin felly dim ond pan fydd y ffynhonnell alffa y tu mewn iddi y bydd siambr ïoneiddio yn ddefnyddiol. Gall tiwb Geiger-Müller neu **diwb G-M** ganfod pelydriad alffa o ffynhonnell yn yr amgylchedd y tu allan iddo'i hun (Ffigur 8.12).

Mae rhywfaint o debygrwydd rhwng adeiledd tiwb G-M a siambr ïoneiddio; mae'r tiwb dargludo yn gweithio fel un electrod ac mae'r rhoden neu'r wifren ganol yn gweithredu fel y llall, ond mae gan y tiwb G-M ffenestr denau yn un pen er mwyn i'r pelydriad fynd i mewn o'r tu allan. Rhaid i'r ffenestr fod mor denau â phosibl neu, fel arall, ni fyddai gronynnau ïoneiddio – gronynnau alffa yn arbennig – yn gallu treiddio i mewn i'r tiwb.

Mae'r tiwb G-M yn defnyddio'r effaith eirlithrad i fwyhau canlyniadau un digwyddiad ïoneiddio. Mae ynddo ddigon o nwy i sicrhau bod digon o wrthdrawiadau yn digwydd i greu 'eirlithrad' mawr. Mae potensial o 1 i 2 kV yn rhoi digon o gyflymiad. Mae pob eirlithrad yn cynhyrchu pwls bychan o gerrynt sy'n ddigon mawr i ysgogi cyfrif yn y gylched allanol.

Mae tiwb G-M yn dda am gyfrif y gronynnau beta sy'n mynd i mewn drwy'r ffenestr ac am gyfrif y gronynnau alffa cyn belled ag y bo'r ffenestr yn denau iawn ac nad yw'n amsugno'r gronynnau cyn iddynt fynd i mewn i'r tiwb. Ychydig o'r nwy a gaiff ei ïoneiddio yn y tiwb gan ffotonau'r pelydrau gama ond caiff digon ohono ei ïoneiddio i greu pwls weithiau. Dim ond cyfran fach o'r ffotonau gama sy'n mynd drwyddo y mae'r tiwb a'i gylched cyfrif yn ei gofnodi.

Ffigur 8.12
Mae'r tiwb Geiger-Müller a'i gylched yn canfod hyrddiau o gerrynt o ganlyniad i ddigwyddiadau ïoneiddio ac eirlithradau yr ïon-barau a ffurfir.

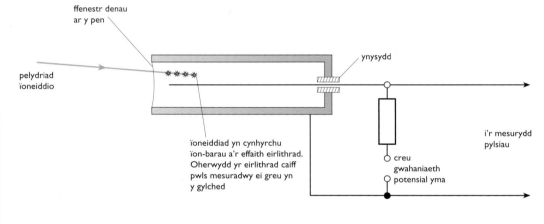

11 Pam na all siambr ïoneiddio syml ganfod pelydriad alffa allanol?

12 Pam y mae effaith eirlithrad yn fanteisiol mewn tiwb G-M a pham nad yw o fantais mewn siambr ïoneiddio?

● **Tasg sgiliau ychwanegol**

Cyfathrebu a Thechnoleg Gwybodaeth

Mae pelydriad niwtron yn bwysig yn y diwydiant niwclear. Ewch ati i ddarganfod priodweddau'r math hwn o belydriad, a manylion am ei ddefnyddio a'r ffordd o'i ganfod. Cyflwynwch y wybodaeth hon ar ffurf poster, gan gynnwys diagramau, a defnyddiwch eich sgiliau prosesu geiriau a chyhoeddi pen bwrdd lle bo'n briodol.

9 Niwclysau

Y CWESTIYNAU MAWR

● Gellir canfod prosesau dadfeiliad ymbelydrol yn ôl y newid a fydd yn digwydd i samplau o sylweddau a'r pelydriad ïoneiddio a gaiff ei allyrru. Beth, fodd bynnag, yw'r newidiadau cyfatebol sy'n digwydd y tu mewn i niwclysau atomau?

● Sut y mae mesur y newidiadau sy'n digwydd mewn samplau o ddefnydd ymbelydrol?

GEIRFA ALLWEDDOL

actifedd   becquerel   cadwyn dadfeilio   cyfradd cyfrif   cyfradd cyfrif cefndirol   cysonyn   dadfeiliad ymbelydrol   dadfeilio   defnydd ymbelydrol   epil niwclews   isotop   rhif atomig   rheol cadwraeth   niwcleon   niwclews gwreiddiol   niwtron   poblogaeth   proton   radioisotop   rhif niwcleon   rhif proton   sbectromedr màs   ymbelydredd naturiol

Y CEFNDIR

Defnydd ymbelydrol yw defnydd sy'n allyrru pelydriad sydd â digon o egni i ïoneiddio'r defnydd y bydd yn mynd drwyddo. O ganlyniad i ddarganfyddiad ymbelydredd ac yna, wedi hynny, darganfyddiad y niwclews bu modd i ni ystyried mater ar raddfa newydd – ar ffurf gwrthrychau sydd ond rhyw 10^{-15} metr ar eu traws.

Mae byd lle caiff popeth ei fesur mewn lluosrifau o 10^{-15} metr yn fyd rhyfedd i ni. Mae hefyd yn anodd dychmygu effaith ymbelydredd a ddaw o fyd mor fach ar ein byd maint llawn ni. Mae llawer o bobl yn amheus o'r pelydriad ïoneiddio hwn. Er enghraifft, er y byddai'r rhan fwyaf o wyddonwyr yn dweud nad yw arbelydriad bwyd yn gwneud unrhyw niwed i ni, mae llawer yn dal i fod yn anhapus ynglŷn â thechnolegau sy'n defnyddio ffenomenau ymbelydrol.

Niwclysau'n newid

Elfen a geir yng nghreigiau'r Ddaear yw wraniwm. Elfen yw defnydd sydd â phriodweddau cemegol nodweddiadol na all gael ei newid yn gemegol yn ddefnydd symlach. Mewn mannau lle mae yna lawer o wraniwm yn y ddaear, mae nwy a elwir yn radon, sef elfen arall, yn treiddio i fyny o'r creigiau i mewn i adeiladau. Os gwneir archwiliad o'r creigiau, gwelir eu bod yn cynnwys rhywfaint o radon, ond dim digon i egluro'r llif di-baid o nwy ar i fyny. Mae'n ymddangos bod y radon yn cael ei gynhyrchu'n ddi-baid gan yr wraniwm. Mewn gwirionedd, caiff ei gynhyrchu'n anuniongyrchol mewn rhyng-gyflyrau. Fesul atom, mae wraniwm yn newid ac yn y pen draw, mae atomau wraniwm yn troi'n atomau radon. Mae atomau radon hefyd yn newid, ac yn troi'n atomau elfennau eraill. Gallwn fynegi'r newidiadau yn y ffurf syml:

$$\text{wraniwm} \rightarrow \begin{array}{c}\text{elfennau eraill}\\ \text{mewn rhyng-gyflyrau}\end{array} \rightarrow \text{radon} \rightarrow \text{elfennau eraill}$$

Yr unig ffordd y gall un elfen newid yn elfen arall yw drwy newidiadau i'r niwclysau atomig.

Niwclysau sefydlog ac ansefydlog

Mae'r rhan fwyaf o'r niwclysau yn y defnyddiau sydd o'ch cwmpas yn sefydlog. Cafodd y rhan fwyaf ohonynt eu hadeiladu o niwclysau llai. Digwyddodd hynny mewn sêr a fu'n tywynnu ac yn corddi ac a fu farw cyn daeth yr Haul a'i blanedau i fodolaeth. Bu'r niwclysau mewn bodolaeth ers amser maith. Mae'n ymddangos eu bod yn sefydlog.

Fodd bynnag, nid yw cyfran fach o'r niwclysau sydd o'ch cwmpas (ac yn eich corff) mor sefydlog. Gallant newid eu hadeiledd mewnol ac allyrru pelydriad ïoneiddio egnïol yn y broses. **Dadfeiliad ymbelydrol** yw'r enw ar y broses. Gall unrhyw un o'r niwclysau ansefydlog hyn ddadfeilio heddiw. Neu efallai na fydd yn dadfeilio. Ni ellir rhagfynegi'r union foment y bydd dadfeiliad ymbelydrol niwclews arbennig yn digwydd – ar hap y bydd dadfeilio'n digwydd.

1 'Ar hap y bydd dadfeilio'n digwydd.' Esboniwch ystyr y geiriau *dadfeilio* ac *ar hap*.

Mae digon o enghreifftiau o ddadfeilio ymbelydrol. Mae rhai niwclysau carbon yn ymbelydrol a gall niwclews o'r fath newid neu ddadfeilio'n niwclews nitrogen. Gallwn ysgrifennu'r newid hwn, yn ei ffurf symlaf, fel a ganlyn:

carbon → nitrogen

Yna caiff y niwclews carbon ei ddisgrifio fel y **niwclews gwreiddiol**, a'r niwclews nitrogen fel yr **epil niwclews**. Rhaid pwysleisio mai dim ond gyda niwclysau carbon sydd ag adeiledd arbennig y mae hyn yn digwydd (gweler tudalen 289).

Unwaith yn unig y mae'r newid hwn yn digwydd gyda phob niwclews carbon a gall ddigwydd ar ôl cyfnod cymharol fyr neu ar ôl miliynau o flynyddoedd neu fwy. Bydd yr adeiledd niwclear yn ailaddasu'n sydyn a bydd yr ymbelydredd yn cael ei yrru allan i'r byd y tu allan. Bydd y niwclews yn treulio gweddill ei amser hyd tragwyddoldeb fel niwclews nitrogen sefydlog.

Yn achos rhai niwclysau gwreiddiol, bydd y niwclews newydd sy'n cael ei ffurfio – yr epil niwclews – yn ansefydlog hefyd. Yn yr achos hwn, gall niwclews arbennig fynd drwy gyfres neu gadwyn o newidiadau cyn dod yn niwclews sefydlog. Dyma'r **gadwyn ddadfeilio**. (Gallwch ddarllen mwy am gadwynau dadfeilio ymbelydrol ym Mhennod 28.)

Nid yw niwclysau sy'n hynod o ansefydlog yn debygol o bara'n hir cyn dadfeilio. Am y rheswm hwnnw, mae niwclysau ansefydlog iawn yn gymharol anghyffredin yn ein hamgylchedd naturiol.

Ymbelydredd naturiol a chyfradd cyfrif cefndirol

Ffigur 9.1
Mae cyrff pawb yn cynnwys mater â niwclysau sy'n ansefydlog – rydym i gyd yn ymbelydrol.

Mae digon o ddefnydd ymbelydrol yn eich corff i nifer sylweddol o niwclysau ddadfeilio yn eich corff bob eiliad. Rydych chi'n allyrru ymbelydredd ac mae'r hyn sydd o'ch amgylch (y llawr a'r waliau, y byrddau a'r peniau, bwyd a diod, a hyd yn oed yr aer) yn allyrru ymbelydredd i mewn i chi. Nid yw hyn yn newydd. Bu niwclysau ymbelydrol yn allyrru ymbelydredd ers i niwclysau fod mewn bodolaeth. Dyma **ymbelydredd naturiol**. Gall tiwb Geiger-Müller ynghyd â mesurydd gofnodi ymbelydredd o'r fath. Yr enw ar yr hyn a gofnodir yw'r **gyfradd cyfrif cefndirol**.

Os rhowch ffynhonnell o ymbelydredd uwch (megis cneuen Brasil, mantell lamp nwy neu sampl o ddefnydd a gafodd ei arunigo'n arbennig) o flaen tiwb G-M yna bydd y gyfradd cyfrif yn cynyddu uwchlaw'r lefel gefndirol. Y **gyfradd cyfrif** yw nifer y digwyddiadau a gaiff eu cofnodi ar y cyfarpar bob eiliad:

cyfradd cyfrif = nifer y digwyddiadau a gaiff eu cyfrif bob eiliad

Mae i'r mesur hwn unedau 'yr eiliad' neu s^{-1}. Yng nghyd-destun ymbelydredd, **becquerel** yw'r enw a ddefnyddir ar yr s^{-1}, neu Bq.

2 Beth yw'r gwahaniaeth, yn nhermau unedau sylfaenol y system SI, rhwng un becquerel ac un hertz?

3 Beth yw dimensiwn y gyfradd cyfrif?

Mesur actifedd

Defnyddir y becquerel fel uned nid ar gyfer y cyfrifiadau a wneir gan system y tiwb G-M, ond hefyd er mwyn cyfrif unrhyw gyfradd o ddigwyddiadau ymbelydrol. Gellir ei ddefnyddio, er enghraifft, i fesur cyfanswm y dadfeiliadau yr eiliad sy'n digwydd yng nghorff defnydd, megis eich corff chi neu mewn metr ciwbig o aer. Dyma'r hyn a elwir yn **actifedd** y defnydd.

Cyfanswm actifedd yr aer mewn tŷ nodweddiadol yw 2500 Bq. Golyga hyn ddadfeiliad 2500 o niwclysau yn yr aer yn y tŷ bob eiliad. Gall fod yn fwy defnyddiol, fodd bynnag, i fesur actifedd fesul uned cyfaint. Gallai actifedd fesul uned cyfaint yr aer o'ch amgylch fod mor isel â 20 Bq m^{-3}. Golyga hyn fod 20 niwclews yn mynd drwy broses dadfeiliad ymbelydrol bob eiliad ym mhob metr ciwbig. Os byddwch yng Nghernyw, gallai'r actifedd fesul uned cyfaint o'r aer fod yn 200 Bq m^{-3} neu fwy oherwydd y nwy ymbelydrol radon sy'n treiddio i fyny o'r creigiau gwenithfaen yn y ddaear. Gall y radon gael ei ddal y tu mewn i adeiladau, felly bydd system awyru dda, gyda ffaniau arbennig yn aml, yn lleihau peryglon radon.

4 Rhowch esboniad mor llawn ag sy'n bosibl i egluro pam y mae'r gyfradd cyfrif cefndirol yn uwch na'r cyffredin mewn adeilad sydd heb ei awyru yng Nghernyw.

Actifedd poblogaeth o niwclysau

Dychmygwch sampl o atomau unfath. Tybiwch mai nifer yr atomau (ac felly nifer y niwclysau) yn y sampl yw 10^{18} – dyma'r **boblogaeth**, N.

$$N = 10^{18}$$

(Mae'n bosibl y bydd 10^{18} yn ymddangos yn rhif mawr iawn, ond dim ond tua 0.1 mg yw màs 10^{18} atomau 'canolig eu maint' nodweddiadol. Smotyn bach iawn o ddefnydd ydyw.)

Os yw'r niwclysau yn ansefydlog, yna mae'r defnydd yn ymbelydrol. Bob eiliad, mae rhai niwclysau yn dadfeilio. Yna, maent yn troi'n niwclysau ac iddynt adeiledd gwahanol – niwclysau elfen newydd. Tybiwch, er symlrwydd, fod yr epil niwclysau hyn yn sefydlog.

Mae poblogaeth, N, y defnydd gwreiddiol yn gostwng. Mae N yn newid wrth i amser t newid. Gallwn ysgrifennu'r newidiadau mewn meintiau drwy ychwanegu'r llythyren Roeg delta, Δ. Os ΔN yw'r newid yn y boblogaeth ac os Δt yw'r amser a gymerwyd i'r newid ddigwydd, yna:

$$\text{cyfradd gyfartalog y newid yn y boblogaeth wreiddiol yn ystod } \Delta t = \frac{\Delta N}{\Delta t}$$

Mae'r newid ym mhoblogaeth y niwclysau gwreiddiol yn y sampl, ΔN, a'r cyfradd newid ill dau'n fesurau negatif gan fod y boblogaeth yn gostwng (Ffigur 9.2).

Ffigur 9.2
Mae'r newid yn y boblogaeth wreiddiol gydag amser yn rhoi cromlin dadfeiliad.

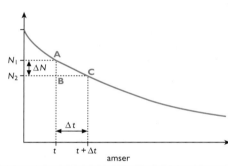

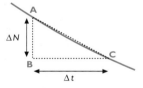

Ar amser t, mae'r boblogaeth = N_1
Ar amser $t + \Delta t$, mae'r boblogaeth = N_2
Yn ystod amser Δt:
mae'r newid yn y boblogaeth = $\Delta N = N_2 - N_1$
mae cyfradd gyfartalog y newid yn y boblogaeth = $\frac{\Delta N}{\Delta t}$

Noder bod ΔN a $\frac{\Delta N}{\Delta t}$ yn negatif, gan fod N_2 yn llai nag N_1

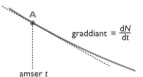

Cyfradd gyfartalog y newid yn y boblogaeth yn ystod amser Δt, $\Delta N/\Delta t$, yw graddiant cyfartalog y gromlin yn ystod yr amser Δt. Gellir ei gyfrifo o'r triongl ABC.

Y graddiant ym mhwynt A, fodd bynnag, yw'r graddiant ar ennyd benodol o amser a alwyd gennym yn t. Nid graddiant cyfartalog mohono ond graddiant *enydaidd* – mae'n hafal i gyfradd y newid yn y boblogaeth ar yr amser t. Gwerth enydaidd ydyw sy'n cynrychioli'r gyfradd newid yn y boblogaeth. Gellir ei ysgrifennu fel a ganlyn:

$$\text{cyfradd enydaidd y newid yn y boblogaeth} = \frac{dN}{dt}$$

Nodwch fod y graddiant a chyfradd y newid yn y boblogaeth yn negatif.

Mae cwestiynau 5-7 yn ymwneud â dadfeiliad defnydd gwreiddiol ymbelydrol yn epil ddefnydd nad yw'n ymbelydrol.

5 a Yn ystod dadfeiliad ymbelydrol sampl, os yw epil niwclysau yn sefydlog, beth sy'n digwydd i boblogaeth **i** y niwclews gwreiddiol a **ii** yr epil niwclysau?
b Beth yw'r berthynas rhwng cyfradd y newid yn y boblogaeth wreiddiol a chyfradd y newid ym mhoblogaeth yr epil niwclysau?

6 Beth yw'r berthynas rhwng actifedd sampl a chyfradd y newid ym mhoblogaeth yr epil niwclysau?

7 Os N_p yw poblogaeth y defnydd gwreiddiol ac os N_d yw poblogaeth yr epil ddefnydd, beth allwch chi ei ddweud sy'n wir bob amser am $N_p + N_d$?

Cofiwch fod y boblogaeth yn newid oherwydd dadfeiliadau ymbelydrol. Cyfanswm actifedd defnydd yw cyfanswm cyfradd y dadfeiliadau oddi mewn iddo. Bydd dadfeiliad pob niwclews yn gostwng poblogaeth y niwclysau gwreiddiol fesul un. Felly bydd cyfradd y newid yn y boblogaeth yr un fath ag actifedd y sampl:

$$\text{actifedd y sampl} = -\text{ cyfradd y newid yn y boblogaeth}$$

Mae angen defnyddio'r arwydd minws yn awr oherwydd, er bod cyfradd y newid yn y boblogaeth yn negatif, mae actifedd y sampl bob amser yn bositif.

$$\text{actifedd sampl ar unrhyw ennyd} = -\frac{dN}{dt}$$

Y berthynas rhwng poblogaeth ac actifedd

Mae dadfeiliad niwclysau mewn sampl yn digwydd ar hap. Ond, os yw'r niwclysau yn unfath, yna mae'r un lefel o ansefydlogrwydd yn perthyn iddynt i gyd. Mae iddynt i gyd yr un *tebygolrwydd* o ddadfeilio mewn cyfnod penodol o amser. Gan fod cymaint o niwclysau gallwn ddisgwyl iddynt ddilyn rheolau tebygolrwydd (yn union fel y gallech ddisgwyl gweld 'pen' bob tro petaech yn taflu ceiniog ddwywaith neu dair ond, petaech yn ei thaflu 10^{18} gwaith, y byddech yn disgwyl gweld bron yr un nifer o bennau a chynffonau).

Felly, po fwyaf o niwclysau sydd gennym, y mwyaf o ddadfeiliadau y dylem eu disgwyl bob eiliad. Petaem yn dyblu poblogaeth y niwclysau, er enghraifft, byddem yn disgwyl i actifedd y sampl ddyblu. Mewn gwirionedd, byddem bob amser yn disgwyl i'r actifedd newid mewn cyfrannedd union â maint y boblogaeth. Mae'r actifedd mewn cyfrannedd â'r boblogaeth. Gallwn dalfyrru hyn fel a ganlyn:

actifedd $\propto N$

Gwyddom fod cyfrannedd union yn golygu y bydd graff o'r mesurau dan sylw yn llinell syth yn mynd drwy'r tarddbwynt. Mae graff actifedd yn erbyn poblogaeth felly yn graff llinell syth a bydd yn mynd drwy'r tarddbwynt (Ffigur 9.3). Mae ganddo raddiant cyson a byddwn yn ei ysgrifennu fel λ.

actifedd $= \lambda N$

Gelwir λ yn **gysonyn dadfeilio**.

Ffigur 9.3
Mae actifedd yn gyfrannol â phoblogaeth.

8 Os yw gwerth λ un defnydd yn fwy na gwerth λ defnydd arall, pa wahaniaeth a welech yn eu hymddygiad?

[Graff: actifedd, $-\dfrac{dN}{dt}$ (echelin fertigol) yn erbyn poblogaeth, N (echelin lorweddol), llinell syth drwy'r tarddbwynt, graddiant $= \lambda$]

Mae actifedd yn rhifiadol hafal i gyfradd y newid yn y boblogaeth ond y mae'n fesur positif, lle bo cyfradd y newid yn y boblogaeth yn negatif:

actifedd $= -\dfrac{dN}{dt}$

Dywed y graff wrthym fod actifedd $= \lambda N$

ac felly $-\dfrac{dN}{dt} = \lambda N$

neu $\dfrac{dN}{dt} = -\lambda N$

Cawn wybod mwy am y berthynas rhwng N a dN/dt ym Mhennod 28. Am y tro, digon yw nodi mai cyfrannedd yw'r berthynas.

Adeiledd niwclear

Y proton

Atomau hydrogen yw'r atomau ysgafnaf o'r holl atomau i gyd. Maent hefyd yn gymharol hawdd i'w hïoneiddio'n gyfan gwbl (cael gwared â'r holl wefr negatif a gadael dim ond y niwclews). Mae gwefr atom hydrogen yn cynnwys un uned o wefr negatif, sy'n cael ei chludo gan ei helectron, ac un uned o wefr bositif, sy'n cael ei chludo gan ei niwclews. Mae'n colli ei gwefr negatif i gyd pan fo'n colli dim ond un electron, ac wrth wneud hynny mae'n troi'n ïon hydrogen positif. Nid oes yr un atom sy'n llai nag atom hydrogen, nid oes gan yr un atom lai o electronau na niwclysau symlach. Mae niwclews hydrogen yn cludo uned sylfaenol o wefr bositif, fel y gwna **proton** (Ffigur 9.4). Dyna beth yw proton – niwclews atom hydrogen.

Ffigur 9.4
Cynrychioliadau proton.

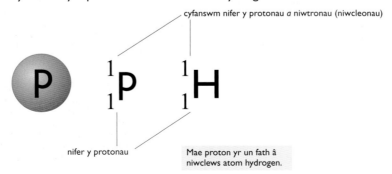

cyfanswm nifer y protonau *a* niwtronau (niwcleonau)

$^{1}_{1}P$ $^{1}_{1}H$

nifer y protonau

Mae proton yr un fath â niwclews atom hydrogen.

Nid yw'n rhy anodd canfod protonau. Gallant gael eu cyflymu gan feysydd trydanol, gall eu llwybrau gael eu hallwyro gan feysydd magnetig, a phan fyddant yn gwrthdaro yn erbyn defnyddiau, byddant yn achosi effeithiau ïoneiddio cryf (Ffigur 9.5).

Ffigur 9.5
Mae protonau sy'n symud yn gyflym yn achosi effeithiau ïoneiddio cryf; yn union fel gronynnau alffa, gadawant ddigon o dystiolaeth ar eu hôl. Gwelir llwybrau'n cael eu creu gan brotonau mewn siambr swigod. Fel mewn llestr niwl, mae ïoneiddio'n ysgogi newid mewn cyflwr yn lleol – ond yn y siambr swigod, y newid cyflwr sy'n digwydd yw o hylif i nwy, gan ffurfio trywydd o swigod mân yn llwybr y gronyn ïoneiddio.

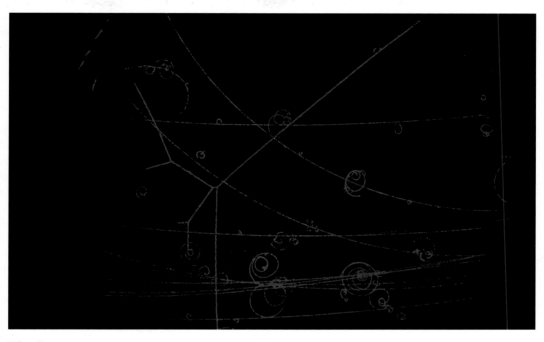

Y niwtron

Mae niwclews pob atom, ar wahân i hydrogen, yn cynnwys **niwtronau** yn ogystal â phrotonau. Nid oes gwefr drydanol gan niwtronau. Nid ydynt yn rhoi grym trydanol ar ronynnau eraill felly ychydig o effaith ïoneiddio a gânt. Ychydig o dystiolaeth uniongyrchol y mae niwtron symudol yn ei gadael ar ei ôl. Hefyd, ni all niwtronau gael eu cyflymu gan feysydd trydanol neu fagnetig. Felly, ni chawsant eu canfod tan 1932, dros 20 mlynedd ar ôl i Rutherford awgrymu bod arbrofion gwasgaru gronynnau alffa yn dystiolaeth o fodolaeth niwclysau mewn atomau. Cafodd niwtronau eu darganfod yn y pen draw o ganlyniad i'r sgil effaith a gânt (pan fyddant yn teithio'n ddigon cyflym) ar brotonau.

Aeth James Chadwick ati i beledu niwclysau beryliwm â gronynnau alffa. Effaith hyn oedd cynhyrchu pelydriad nad oedd ei hun yn ïoneiddio ond gallai gael ei ganfod oherwydd y gallai wthio protonau egni-uchel allan o haen denau o gwyr paraffin (Ffigur 9.6). Roedd gan brotonau y gallu i ïoneiddio a gellid eu canfod ar ganfodydd Chadwick. Roedd y pelydriad anhysbys yn ymddangos fel llif o ronynnau heb unrhyw wefr ond â màs tebyg i fàs protonau; fe'u galwyd yn niwtronau.

Ffigur 9.6
Egwyddor arbrawf Chadwick a arweiniodd at ddarganfod y niwtron.

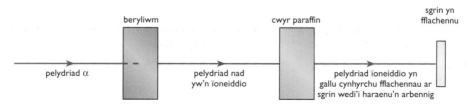

beryliwm

cwyr paraffin

sgrin yn fflachennu

pelydriad α

pelydriad nad yw'n ïoneiddio

pelydriad ïoneiddio yn gallu cynhyrchu fflachennau ar sgrin wedi'i haraenu'n arbennig

9 Pam y mae niwtronau sy'n symud yn gyflym yn achosi cryn dipyn yn llai o ïoneiddio na phrotonau sy'n symud yn gyflym?

Roedd y pelydriad ïoneiddio a gafodd ei ganfod yn uniongyrchol yn cynnwys protonau egni-uchel a gafodd eu rhyddhau o'r cwyr paraffin o ganlyniad i beledu pelydriad nad yw'n ïoneiddio. O ystyried cadwraeth egni a chadwraeth momentwm, awgrymodd Chadwick mai llif o ronynnau'n symud yn gyflym heb unrhyw wefr ond â màs tebyg iawn i fàs protonau oedd y pelydriad nad yw'n ïoneiddio.

Cerbydau a niwcleonau

Mae gan rai pobl gar i fynd â nhw o le i le, bydd rhai eraill yn teithio mewn fan. Cerbydau yw ceir a faniau. Nid yw'r gair 'cerbyd' mor fanwl ond yn aml, mae'n fwy cyfleus i'w ddefnyddio na 'char' neu 'fan'. Yn yr un modd, mae'n fwy cyfleus i ddefnyddio'r gair **niwcleonau** i ddisgrifio protonau neu niwtronau neu'r ddau. Gall cerbyd fod yn gar neu'n fan. Niwcleon yw proton neu niwtron.

Isotopau

Mae pob atom pob elfen yn niwtral pan fydd yn cynnwys niferoedd hafal o electronau a phrotonau. Penderfynir ar ymddygiad cemegol atom gan y modd y mae ei adeiledd electronol yn newid – sut y mae'n colli ac yn adennill ei niwtraliaeth, sy'n dibynnu ar faint o brotonau sydd ganddo. **Rhif proton**, Z, elfen felly fydd yn penderfynu ei hymddygiad cemegol.

Mae atom sydd ag wyth proton yn ei niwclews yn ymddwyn mewn ffordd arbennig. Mae atom sydd â naw proton yn ymddwyn yn hollol wahanol. Mae nifer y protonau yn hollol sylfaenol wrth benderfynu ar hunaniaeth gemegol elfen a chaiff ei alw hefyd, yn syml, yn **rhif atomig**.

Mae gan bob elfen sawl **isotop** posibl, pob un ohonynt â'r un ymddygiad cemegol a phob un ohonynt â'r un nifer o brotonau yn eu niwclysau. Y gwahaniaeth rhwng isotopau o'r un elfen yw nifer y niwtronau. Mae gan bob un o isotopau elfen yr un nifer o brotonau ond cyfansymiau gwahanol o brotonau a niwtronau. Mae ganddynt gyfanswm **rhif niwcleon**, A, gwahanol. Ar gyfer y rhan fwyaf o elfennau, mae rhai isotopau yn sefydlog tra bo eraill yn ymbelydrol.

Yn Ffigur 9.7 fe welwch y ffordd safonol o gynrychioli adeiledd niwclear.

10 **a** Beth yw rhifau niwcleon a phroton yr isotopau wraniwm hyn?

$$^{235}_{92}U \quad ^{238}_{92}U \quad ^{239}_{92}U$$

b Beth yw nifer y niwtronau ym mhob un o'r isotopau wraniwm?

11 Mae Tabl 9.1 yn rhestru manylion isotopau ocsigen. Defnyddiwch lyfr data i wneud tabl tebyg ar gyfer carbon.

12 Ychwanegwch golofn at eich tabl yn dangos nifer y niwtronau yn niwclysau pob isotop carbon.

Ffigur 9.7
Dau isotop heliwm gydag adeileddau niwclear gwahanol.

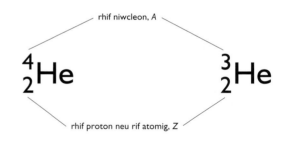

Mae Tabl 9.1 yn rhestru isotopau ocsigen ac yn dangos y math o belydriad sy'n cael ei allyrru os ydynt yn ansefydlog.

Tabl 9.1
Isotopau ocsigen.

Isotop	Rhif proton, Z	Rhif niwcleon, A	Os yw'n ansefydlog, y math o belydriad a allyrrir	Nodiant safonol
ocsigen-13	8	13	beta$^+$ *	$^{13}_8O$
ocsigen-14	8	14	beta$^+$ a gama	$^{14}_8O$
ocsigen-15	8	15	beta$^+$	$^{15}_8O$
ocsigen-16	8	16	sefydlog	$^{16}_8O$
ocsigen-17	8	17	sefydlog	$^{17}_8O$
ocsigen-18	8	18	sefydlog	$^{18}_8O$
ocsigen-19	8	19	beta$^-$ a gama	$^{19}_8O$
ocsigen-20	8	20	beta$^-$ a gama	$^{20}_8O$

*Am fwy o wybodaeth am belydriad beta$^+$ trowch at Bennod 28.

Cymharu masau atomau

Gall pob ïon (a gronynnau eraill wedi'u gwefru) gael eu cyflymu gan feysydd trydanol a'u hallwyro gan feysydd magnetig. Mae maint y cyflymiad a'r allwyriad yn dibynnu ar fàs a gwefr yr ïonau. Mae **sbectromedr màs**, Ffigur 9.8, yn defnyddio hyn i gymharu a mesur y masau.

Ffigur 9.8
Egwyddor sbectromedr màs.

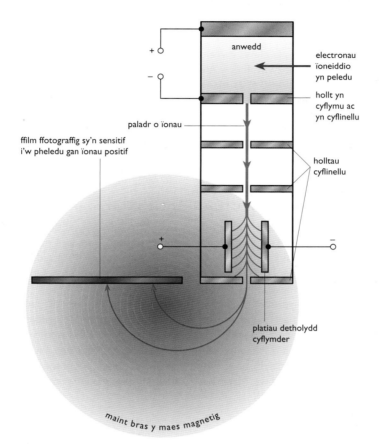

anwedd

electronau ïoneiddio yn peledu

hollt yn cyflymu ac yn cyflinellu

paladr o ïonau

ffilm ffotograffig sy'n sensitif i'w pheledu gan ïonau positif

holltau cyflinellu

platiau detholydd cyflymder

maint bras y maes magnetig

Paladr o electronau egnïol yn ïoneiddio atomau anwedd. Mae'r ïonau positif yn cael eu cyflymu gan faes trydanol. Yn ystod y broses hon, cânt eu cyflinellu – eu ffocysu'n baladr cul.

Mae rhywfaint o amrywiaeth ym muanedd yr ïonau. Maent i gyd yn mynd drwy ddetholydd cyflymder, lle mae meysydd trydanol a magnetig yn tueddu i allwyro eu llwybrau i gyfeiriadau dirgroes fel mai ïonau â buanedd penodol yn unig a fydd yn dod trwodd ac yn mynd drwy hollt fechan i'r siambr allwyro lle maent yn profi'r maes magentig yn unig.

Mae'r ïonau yn taro plât ffotograffig lle gellir mesur radiysau eu llwybrau. Gellir cyfrifo masau'r ïonau gan ddefnyddio gwerthoedd y meysydd trydanol a magnetig a ddefnyddiwyd.

Mae'r maes magnetig yn allwyro'r ïonau – sydd â'r un buanedd i gyd erbyn hyn – fel eu bod yn symud mewn cylchoedd. Mae radiws eu llwybr mewn cyfrannedd â'u màs.

Adnabod gronynnau alffa

Erbyn 1908, 12 mlynedd ar ôl i Henri Becquerel sylwi gyntaf ar effeithiau pelydriad ïoneiddio, roedd hi'n hysbys fod gan y tri phrif fath o allyriad wahanol briodweddau ïoneiddio a threiddio a'u bod yn ymddwyn yn wahanol mewn meysydd trydanol a magnetig. Roedd Ernest Rutherford a Hans Geiger wedi darganfod bod y wefr ar ronyn alffa ddwywaith mor fawr â'r wefr ar electron ac mai'r arwydd dirgroes oedd yn perthyn iddi. Gwyddent hefyd y màs a oedd yn debyg iawn i fàs atom heliwm. Er mwyn gwirio'r berthynas rhwng pelydriad alffa a heliwm, yr hyn a wnaeth Rutherford a chyd-weithiwr iddo o'r enw Royds oedd amgáu ffynhonnell pelydriad alffa mewn tiwb gwydr ac, ar ôl 6 diwrnod, rhoi gwahaniaeth potensial ar yr electrodau yn y tiwb. Yr hyn yr oeddent yn disgwyl ei weld, os oedd heliwm wedi casglu yn y tiwb, oedd y byddai'r gwahaniaethau potensial yn cynhyrfu'r nwy ac y byddent yn medru canfod lliwiau nodweddiadol (sbectrwm allyrru) yr atomau heliwm wedi'u cynhyrfu. Dyna'n union a welsant.

Pan ddarganfu Rutherford yn ddiweddarach fodolaeth niwclysau, sylweddolwyd mai niwclysau heliwm yw gronynnau alffa. Golyga hyn fod pob gronyn alffa yn glwstwr o bedwar niwcleon – dau broton a dau niwtron. Gallwn ddefnyddio'r nodiant safonol hwn i gynrychioli eu hadeiledd:

$$^4_2\alpha$$

Nodwch fod hyn yn union yr un fath ag adeiledd niwclews heliwm:

$$^4_2\text{He}$$

Ysgrifennu newidiadau niwclear

13 a Mae wraniwm-234 yn isotop arall o wraniwm. Mae'n dadfeilio o ganlyniad i ddadfeiliad alffa i ffurfio thoriwm-230. Ysgrifennwch y broses fel newid niwclear, fel yn yr enghraifft wraniwm-238.
b Rhowch y rhif niwcleon, y rhif proton a'r rhif niwtron ar gyfer dau isotop thoriwm.

Mae dadfeiliad ymbelydrol yn golygu newid yn adeiledd y niwclysau ac allyriant ymbelydredd. Gallwn ddefnyddio dadfeiliad wraniwm-238 fel enghraifft. Wraniwm-238 yw'r isotop mwyaf cyffredin o wraniwm a geir yng nghreigiau'r Ddaear. Bydd yn dadfeilio drwy allyrru gronyn alffa. Gallwn ei ysgrifennu fel newid niwclear:

$$^{238}_{92}U \rightarrow \,^{234}_{90}Th + \,^{4}_{2}\alpha$$

Wraniwm-238 yw'r niwclews gwreiddiol a thoriwm-234 yw'r epil niwclews.

Nodwch fod cyfanswm nifer y niwcleonau a chyfanswm nifer y protonau yn aros yr un fath (238 = 234 + 4 a 92 = 90 + 2). Mae'r rhif niwcleon a'r rhif proton yn cael eu cadw. Gan fod y patrymau ymddygiad hyn yn rhai a welwn ym *mhob* newid niwclear, gallwn eu galw'n rheolau neu'n ddeddfau: mae'r rhif niwcleon yn bodloni'r **rheol cadwraeth**. Mae'r rhif proton hefyd yn bodloni'r rheol cadwraeth.

Newidiadau niwclear artiffisial

Mae llawfeddygaeth gonfensiynol yn broses lafurus sy'n golygu defnyddio offer miniog iawn i dorri drwy'r cnawd i wneud archwiliad neu dynnu rhywbeth oddi yno neu newid rhywbeth sy'n achosi problem. Mae'n broses gostus sy'n cymryd llawer o amser pobl sydd wedi'u hyfforddi i lefel uchel iawn. Gall fod yna risg i'r claf hefyd. Mae defnyddio isotopau ymbelydrol yn ffordd ratach a mwy diogel o drin pobl mewn sawl achos.

Mae gallu ymbelydredd ïoneiddio i dreiddio a'r ffaith y gellir ei ganfod yn hawdd yn golygu y gall gael ei ddefnyddio i archwilio y tu mewn i'r corff heb orfod defnyddio cyllell llawfeddyg neu sgalpel. Mae ei alluoedd ïoneiddio yn golygu y gall gael ei ddefnyddio i ddinistrio meinwe afiach. Mae angen cyflenwad o isotopau ymbelydrol ar ysbytai. Mae gan rai ysbytai eu peiriannau cyflymu gronynnau, neu gylchotron, eu hunain i gynhyrchu pelydr o brotonau egnïol i beledu eu targed a newid adeiledd y niwclews. Mae'r newidiadau yn darparu yr isotopau angenrheidiol. Dyma enghraifft o broses o'r fath:

$$^{1}_{1}P \quad + \quad ^{27}_{13}Al \quad \rightarrow \quad ^{27}_{14}Si + \,^{1}_{0}n$$

proton   niwclews   niwtron a
peledu   targed   allyrrir

Gall proses arall gynhyrchu isotopau eraill. Gall targed gael ei beledu gan niwtronau yn hytrach na phrotonau. Gall y niwtronau gael eu cynhyrchu'n anuniongyrchol drwy gyflymu ïonau deuteriwm ($^{2}_{1}H$), isotop hydrogen, i darged beryliwm ($^{9}_{4}Be$). Gall y niwtronau egnïol yn eu tro beledu ail darged, megis sampl o sodiwm. Byddant yn mynd i mewn i niwclysau sodiwm, gan greu niwclysau isotop sodiwm newydd:

$$^{2}_{1}H + \,^{9}_{4}Be \rightarrow \,^{1}_{0}n + \,^{10}_{5}B$$

$$^{1}_{0}n + \,^{23}_{11}Na \rightarrow \,^{24}_{11}Na + gama$$

14 Beth sy'n digwydd i gyfanswm nifer y niwcleonau ym mhob un o'r prosesau yn yr adran hon?

Mae'r niwclews newydd sodiwm yn ansefydlog. Niwclews isotop ymbelydrol neu **radioisotop** ydyw sy'n allyrru pelydriadau beta a gama.

Fel arall, gall adweithydd niwclear ddarparu ffynhonnell o niwtronau. Bydd sampl o sodiwm cyffredin sy'n cael ei adael y tu mewn i darian amddiffyn adweithydd yn amsugno niwtronau wrth iddynt ddod allan o'r adweithydd.

● **Deall a chymhwyso**

Cyfri'r gost wedi trychineb Chernobyl

Yn 1986 gadawyd i'r adweithydd yng ngorsaf bŵer Chernobyl orboethi ac fe ffrwydrodd. Ffrwydrad cemegol ydoedd o ganlyniad yn bennaf i adwaith hydrogen ag ocsigen. Ond roedd yr adweithydd yn cynnwys tanwydd niwclear a gwastraff (isgynhyrchion diwerth) ymbelydrol. Rhyddhawyd tua 6 thunnell fetrig o ddefnydd ymbelydrol i'r atmosffer ac fe'i cludwyd ar draws miliynau o gilometrau sgwâr ledled Ewrop (Ffigur 9.9). Cyfanswm actifedd y defnydd oedd 2.6×10^{18} Bq.

Yn Sweden, credai gweithwyr mewn gorsaf bŵer niwclear fod trychineb wedi digwydd yno wrth i nifer y digwyddiadau ymbelydrol ar eu cyfapar gynyddu. Ar ucheldir Prydain, roedd y defaid yn dal i bori. Yn Saudi Arabia, cafodd llond llong o gig dafad o Brydain ei gondemnio'n anaddas i'w fwyta. Roedd ymbelydredd yn y borfa o ganlyniad i'r llwch o'r ffrwydrad gannoedd o filltiroedd i ffwrdd. Sut y gallai cyn lleied o ymbelydredd, wedi'i ledaenu dros ardal mor eang, fod wedi cael cymaint o effaith? Mae'n werth edrych ar y rhifau – edrychwch ar y cwestiynau gyferbyn.

15 Beth fyddai actifedd
   a 1 dunnell fetrig
   b 1 kg
   o'r defnydd ymbelydrol (1 dunnell fetrig = 1000kg)
16 Edrychwch ar y map ac amcangyfrifwch gyfanswm arwynebedd y cwmwl ymbelydrol ar 3 Mai 1986.
17 Er mwyn symleiddio'r sefyllfa, tybiwch fod y defnydd ymbelydrol wedi lledaenu'n wastad dros yr ardal hon.
   a Beth yw màs y defnydd ymbelydrol, mewn cilogramau, uwchben pob cilometr sgwâr o dir?
   b Beth yw actifedd y defnydd hwn, mewn becquerel, gan dybio na wnaeth cyfanswm actifedd y defnydd a ryddhawyd newid yn ystod ei daith am wythnos drwy'r aer? (Mae'r dybiaeth hon yn symleiddio'r sefyllfa hefyd, ond bydd yn cynnig darlun mwy ystyrlon o'r hyn a ddigwyddodd.)
   c Amcangyfrifwch fàs ac actifedd y defnydd a ddyddodwyd ar un metr sgwâr o dir pori ar ucheldir Gogledd Cymru.
   d A fyddech chi'n disgwyl i hyn gael effaith sylweddol ar actifedd corff dafad yn pori? Eglurwch eich ateb.
18 Roedd rhai niwclysau ansefydlog iawn yn y defnydd ymbelydrol. Pam y byddai actifedd y defnydd yn lleihau'n sylweddol yn ystod yr wythnos?
19 Disgrifiwch y gwahaniaethau rhwng newidiadau cemegol i ddefnyddiau a newidiadau niwclear.

Ffigur 9.9
Amcangyfrif o faint y cwmwl ymbelydrol ar 3 Mai 1986, wythnos wedi'r ffrwydrad yn Chernobyl. Ar y diwrnod hwnnw, roedd hi'n bwrw glaw yng ngorllewin Prydain ac fe dreiddiodd y defnydd ymbelydrol i'r pridd gyda'r glaw.

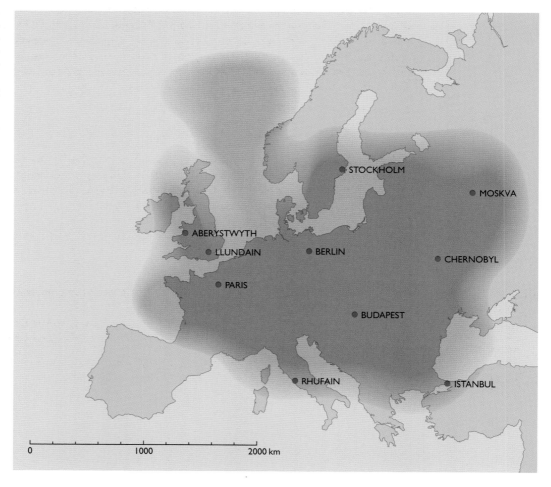

Tasg sgiliau ychwanegol

Cyfathrebu a Thechnoleg Gwybodaeth

Rydym yn agored i beryglon bob dydd o'n hoes. Bydd unigolion a sefydliadau yn gwneud penderfyniadau yn rheolaidd ynglŷn â pha risg sy'n dderbyniol a pha risg sy'n annerbyniol. Mae'r penderfyniadau hyn yn rhai cymhleth a byddant yn amrywio yn ôl y blaenoriaethau ar y pryd. Er enghraifft, mae'r cyfleustra o deithio mewn car yn gorbwyso'r risg cymharol uchel o gael damwain car. Bydd rhai pobl yn credu bod y risg o deithio mewn awyren yn annerbyniol o uchel oherwydd y sylw a roddir i ddamweiniau awyrennau er bod teithio mewn awyren, o ran yr ystadegau, gryn dipyn yn fwy diogel na theithio mewn car. O ganlyniad i drychineb Chernobyl, rhoddwyd ystyriaeth ddwys i ddiogelwch pŵer niwclear, o ran y peryglon canfyddadwy a'r gwir beryglon.

Gwnewch ymchwil trwyadl ar risg gan ddefnyddio nifer o wahanol ffynonellau, gan gynnwys y Rhyngrwyd, i gael hyd i ffeithiau a ffigurau manwl gywir. Gallech ystyried y risg sy'n gysylltiedig â gorsafoedd pŵer niwclear, teithio mewn awyren ac ar ffyrdd, gwrthdrawiadau asteroidau, bwyta pysgod cregyn neu fwydydd sydd wedi'u rhag-goginio, ysmygu a thasgau o gwmpas y cartref fel torri'r lawnt.

Ystyriwch a ydych chi'n credu bod y risg yn dderbyniol ai peidio. Rhannwch yn grwpiau i drafod hyn. Dylech gyfrannu at y drafodaeth gan wneud pwyntiau clir a pherthnasol yn ogystal â gwrando ar y myfyrwyr eraill ac ymateb i'w sylwadau nhw.

III
MUDIANT
A GRYM

10 Newidynnau mudiant

Y CWESTIWN MAWR

● Pa dechnegau y gallwn ni eu defnyddio i ddadansoddi a rhagfynegi mudiant?

GEIRFA ALLWEDDOL

brasamcan   buanedd   buanedd cyfartalog   buanedd enydaidd   calcwlws   cyflymder
cyfrwng gwrthiannol   cynrychioliad fector   dadleoliad   delfrydiad   ffrithiant   gorfychan
mesur fector   mesur sgalar

Y CEFNDIR

Gellir gwneud rhagfynegiadau hynod o ddibynadwy ar gyfer mudiant reid mewn parc antur, dyweder, neu daith llong ofod i blaned Sadwrn ar sail cyfrifiadau. Mae hyn wedi creu argraff fawr ar bobl ar hyd y canrifoedd ac mae wedi dangos pa mor bwerus yw ffiseg a pha mor ystyrlon y mae wrth egluro'r byd o'n cwmpas.

Ffigur 10.1
Gall mudiant gael ei ragfynegi drwy gyfrwng ffiseg.

● Mudiant yn y byd delfrydol

Dychmygwch fyd delfrydol heb y cymhlethdodau sydd yn ein byd real ni. Caiff popeth ei symleiddio yn y byd delfrydol. Mae pob mudiant fel mudiant yn y gofod pell – mudiant diffrithiant mewn llinell syth. Yn y byd delfrydol mae marblis yn rholio yn eu blaen heb unrhyw wrthiant; mae car yn mynd yn ei flaen yn ddiymdrech ar hyd y draffordd heb i'r injan orfod gwneud unrhyw waith. Mae ffiseg yn sicr yn symlach yn y byd delfrydol.

● Mudiant yn y byd real

Mae'n bosibl symud drwy aer a dŵr, ond rhaid symud defnyddiau i'r naill ochr yn ddi-baid er mwyn i hynny ddigwydd. Bydd y mudiant yn dod wyneb yn wyneb â gwrthiant. Mae aer a dŵr yn **gyfryngau gwrthiannol**.

Mae mudiant un arwyneb ar draws un arall hefyd yn profi gwrthiant. Nid yw arwynebau real yn hollol wastad; mae'r arwynebau yn rhyngweithio â'i gilydd ac yn gwrthsefyll y mudiant. Mae **ffrithiant** o'r fath rhwng arwynebau yn brofiad cyffredin i ni ar y Ddaear.

Os caiff marblen go iawn ei rholio dros fwrdd go iawn bydd gwrthiant i'r mudiant. Mae ffrithiant rhwng arwynebau'r farblen a'r bwrdd. Mae'r aer yn cael ei ddadleoli hefyd. Mae'r farblen yn arafu. Fodd bynnag, mae'r mudiant rholio yn golygu mai ychydig o ffrithiant sydd rhwng yr arwynebau. Os yw buanedd y farblen yn isel hefyd yna ni fydd gan wrthiant aer ran fawr i'w chwarae wrth effeithio ar ei buanedd. Mae'r farblen yn ymddwyn, yn fras, yn debyg i farblen yn teithio drwy'r gofod. Gall gyrraedd pen y bwrdd cyn y bydd wedi arafu ryw lawer.

Mae delio â mudiant mewn byd delfrydol cymaint yn haws na delio â mudiant yng nghyd-destun gwrthiant. Syniad da yn aml felly yw trin mudiant y byd real fel mudiant y byd delfrydol, neu fudiant diwrthiant. Yr hyn a wnawn yw symleiddio'r sefyllfa, neu ei **delfrydu** (Ffigur 10.2). Drwy wneud hyn cawn atebion sydd fwy neu lai'n wir, neu **frasamcanion**. Yna, rhaid penderfynu a yw'r brasamcan yn ddigon da i ddisgrifio a rhagfynegi ymddygiad yn y byd real. Ond mae hynny fel arfer yn dibynnu ar y sefyllfa, wrth gwrs.

Ffigur 10.2
Gyda sglefriwr, ychydig o wrthiant sydd i'r mudiant; gall y mudiant gael ei ddelfrydu yn hawdd.

I Pa un o'r canlynol, yn fras, sydd fwyaf agos a lleiaf agos at y mudiant delfrydol:
a llong danfor yn symud o dan y dŵr
b lloeren mewn orbit o gwmpas y Ddaear
c person yn sgio?

Pellter a dadleoliad – sgalar a fector

Rydym yn mesur pellter ar hyd llinellau. Gall y llinellau fod yn syth neu'n grwm. Gallwn fesur y pellter yn syth ar draws cylch – y diamedr – a gallwn fesur y pellter o gwmpas y cylch – y cylchedd.

Mae **dadleoliad** yn wahanol i bellter. Mae dadleoliad yn mesur y newid mewn safle i gyfeiriad penodol.

Ffigur 10.3
Mae'r pellter a deithiwyd a'r dadleoliad yn wahanol i'w gilydd.

Pan fydd person wedi sglefrio rhan o'r ffordd mewn cylch bydd ei ôl yn yr iâ yn dangos y pellter mae wedi'i deithio. Bydd dadleoliad y sglefriwr yn gymhariaeth syml rhwng ei safle newydd a'i safle cychwynnol – sef y llinell syth sy'n cael ei dangos gan y saeth rhwng y ddau bwynt yn Ffigur 10.3. Gelwir y saeth hon yn **gynrychioliad fector** o'r dadleoliad.

Mesur sgalar yw pellter, fodd bynnag. Maint yn unig sydd iddo; nid oes iddo gyfeiriad arbennig. Ni chaiff saeth ei defnyddio i gynrychioli mesur sgalar. **Mesur fector** yw dadleoliad. Mae iddo gyfeiriad a maint. Er bod un yn fesur sgalar tra bo'r llall yn fesur fector, yr uned a ddefnyddir i gynrychioli pellter a dadleoliad yw'r metr.

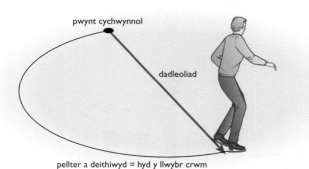

pwynt cychwynnol
dadleoliad
pellter a deithiwyd = hyd y llwybr crwm

● Buanedd

Buanedd yw cyfradd newid pellter. Gall hyn gael ei ysgrifennu'n syml fel hyn:

$$\text{buanedd} = \frac{\text{y pellter a deithiwyd}}{\text{yr amser a gymerwyd}}$$

Mae buanedd, fel pellter, yn fesur sgalar. Ei uned yw'r metr yr eiliad, m s^{-1}.

Buanedd cyfartalog ac enydaidd

Os yw car yn cymryd 3 awr i deithio 180 km yna gallwn amnewid y gwerthoedd hyn yn y fformiwla buanedd syml er mwyn rhoi buanedd = x/t = 180/3 = 60 km awr^{-1}. Dyma'r **buanedd cyfartalog** ar gyfer y daith. Anaml, fodd bynnag, y bydd sbidomedr car yn dangos 60 km awr^{-1}. Mae'n amrywio bob ennyd; bydd yn dangos y **buanedd enydaidd**.

Gall y buanedd cyfartalog a'r buanedd enydaidd fod yr un fath ond, yn aml iawn, maent yn wahanol. Os byddwch yn mynd ar eich beic i'r siop yna bydd eich buanedd yn amrywio drwy gydol y daith. Bydd gennych nifer o wahanol fuaneddau enydaidd a all amrywio o sero pan fyddwch yn stopio wrth gyffordd i gymaint â 20 m s^{-1} o bosibl. Dim ond un buanedd cyfartalog fydd gennych ar gyfer y daith gyfan, fodd bynnag sef cyfanswm y pellter, x, wedi'i rannu â chyfanswm yr amser, t:

$$\text{buanedd cyfartalog ar gyfer y daith gyfan} = \frac{x}{t}$$

Ar gyfer rhan o'r daith lle bo'r *newid* yn y pellter yn Δx a'r *newid* yn yr amser yn Δt, gallwn ddweud:

$$\text{buanedd cyfartalog ar gyfer rhan o'r daith} = \frac{\Delta x}{\Delta t}$$

> **2** Petai car yn cychwyn ei daith ac yn gorffen ei daith mewn trefi ond yn teithio am ran o'r daith rhwng y ddwy dref ar draffordd, beth fyddai'r buaneddau enydaidd macsimwm a minimwm nodweddiadol os y buanedd cyfartalog oedd 60 km awr^{-1}?
>
> **3 a** Beth yw'r buanedd cyfartalog os yw taith 135 km yn cymryd 2 awr? Rhowch eich ateb mewn m s^{-1}. (1 km = 1000 m; 1 awr = 3600 s)
> **b** Awgrymwch a allai'r daith fod wedi'i gwneud ar gefn beic.

● Cyflymder a buanedd

Mae gan gyflymder gwrthrych gyfeiriad. Wrth chwarae â phêl, mewn gêm o dennis er enghraifft, mae cyfeiriad yn holl bwysig. Gellir cynrychioli cyflymder pêl dennis gan saeth a fydd yn dangos ei maint (wrth raddfa) a'i chyfeiriad. Mae cyflymder yn enghraifft o fesur fector.

Diffinnir **cyflymder** fel a ganlyn: cyflymder yw cyfradd newid dadleoliad gwrthrych. Gan ddefnyddio s am ddadleoliad,

$$\text{cyflymder cyfartalog taith neu ran o daith} = \frac{\Delta s}{\Delta t}$$

lle saif Δs a Δt am y newidiadau cyfatebol mewn dadleoliad ac amser.

Yr un uned, sef metr yr eiliad neu m s^{-1}, sydd i gyflymder a buanedd. Yr unig wahaniaeth rhyngddynt yw bod cyflymder yn fector a bod buanedd yn sgalar. Edrychwch ar y sglefriwr unwaith eto i weld y gwahaniaeth. Gall y sglefriwr symud mewn cylch o gwmpas yr iâ ar fuanedd cyson. Rhaid i'r cyflymder newid, fodd bynnag, oherwydd bod yn rhaid i'r cyfeiriad newid (Ffigur 10.4).

Ar gyfer mudiant llinell syth syml, nid yw'r gwahaniaeth rhwng cyflymder a buanedd mor bwysig.

> **4** Mae'r sglefriwr yn Ffigur 10.4 yn teithio ar fuanedd cyson ond ar gyflymder newidiol. A yw'n bosibl cael cyflymder cyson ond buanedd newidiol?
> **5** Ysgrifennwch ddiffiniadau buanedd a chyflymder gan dynnu sylw at y gwahaniaeth rhyngddynt.
> **6** A oes i loeren sy'n teithio mewn orbit cylchol o gwmpas y Ddaear fuanedd cyson, cyflymder cyson, y ddau, neu'r naill na'r llall?

Ffigur 10.4
Gall sglefriwr deithio ar fuanedd cyson ond, os yw'n newid cyfeiriad, mae ei gyflymder hefyd yn newid.

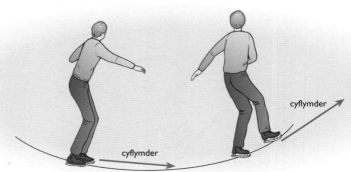

Lluniau byw

Rydym yn hoffi cael gwybodaeth ar ffurf weledol. Gallwn drosi gwybodaeth feintiol megis tablau o ddata yn graffiau sy'n cyfleu'r wybodaeth i ni yn ystyrlon ar yr olwg gyntaf. Mae gan graffiau stori i'w hadrodd.

Gellir defnyddio graffiau i gynrychioli mudiant. Gall graff ddangos, er enghraifft, sut y mae dadleoliad yn amrywio gydag amser (Ffigur 10.5a). Amser, fel rheol, yw'r mewnbwn neu'r newidyn

Ffigur 10.5
Graffiau dadleoliad-amser.

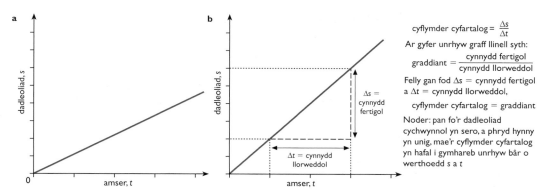

$$\text{cyflymder cyfartalog} = \frac{\Delta s}{\Delta t}$$

Ar gyfer unrhyw graff llinell syth:

$$\text{graddiant} = \frac{\text{cynnydd fertigol}}{\text{cynnydd llorweddol}}$$

Felly gan fod Δs = cynnydd fertigol a Δt = cynnydd llorweddol,

$$\text{cyflymder cyfartalog} = \text{graddiant}$$

Noder: pan fo'r dadleoliad cychwynnol yn sero, a phryd hynny yn unig, mae'r cyflymder cyfartalog yn hafal i gymhareb unrhyw bâr o werthoedd s a t

Mae gan graff stori i'w hadrodd. Ceir yn y graff uchod wybodaeth am daith benodol. Nid oes gan wrthrych ddadleoliad ar amser 0 (sero). O amser 0, mae'r dadleoliad yn cynyddu feintiau hafal mewn cyfnodau hafal o amser.

Mae gan y graff hwn stori wahanol i'w hadrodd. Yn y daith hon, mae'r dadleoliad cychwynnol yn sero unwaith eto, ond mae'r dadleoliad yn cynyddu'n fwy cyflym. Mae cyflymder uwch i'r daith hon.

---

7 Ar yr un echelinau sydd wedi'u rhifo'n briodol, brasluniwch graffiau dadleoliad-amser ar gyfer gwrthrychau sy'n symud 2 m s⁻¹ a 5 m s⁻¹.

8 Mae graff dadleoliad-amser penodol yn cynrychioli 1 s o amser â 10 mm ac 1 m o ddadleoliad â 5 mm.
  a Brasluniwch yr echelinau.
  b Dangosir gwerthoedd cyfatebol y cynnydd fertigol (amser) a'r cynnydd llorweddol (dadleoliad) ar 20 mm a 25 mm. Beth yw gwerthoedd cyfatebol amser a dadleoliad?
  c Os yw'r graff yn llinell syth ac os yw'r dadleoliad yn sero pan yw'r amser yn sero, beth yw'r cyflymder?

annibynnol a chaiff ei fesur ar hyd yr echelin *x*. Y dadleoliad yw'r newidyn allbwn neu'r newidyn dibynnol a chaiff ei ddangos ar hyd yr echelin *y*.

Mae graddiant cyson i graff llinell syth. Gallwn gyfrifo'r graddiant o'r cynnydd fertigol a'r cynnydd llorweddol mewn unrhyw driongl ongl sgwâr gyda llinell y graff fel ei hypotenws (Ffigur 10.5b). Unedau'r cynnydd fertigol yw'r unedau ar yr echelin *y*. Unedau'r cynnydd llorweddol yw'r unedau ar yr echelin *x*.

Mae gwrthrych sy'n symud yn gyflymach yn cynhyrchu graff dadleoliad-amser mwy serth. Mewn gwirionedd, mae gwerth y graddiant yn hafal i faint y cyflymder. Ar gyfer graff llinell syth, mae'r cyflymder yn gyson; mae'r cyflymder cyfartalog yr un fath â'r cyflymder enydaidd bob amser.

Cyflymder yn y labordy

Mae trac aer yn rhoi brasamcan da ar gyfer mudiant diwrthiant. Mae chwa o aer yn dal y cerbyd i ffwrdd o'r trac, felly nid oes unrhyw ffrithiant i bob pwrpas. Gellir canfod taith y cerbyd ar hyd y trac a'i chofnodi drwy ddefnyddio pelydr golau sydd, pan ymyrrir â nhw, yn ysgogi dyfeisiau

Ffigur 10.6
Gall gatiau amseru gofnodi'r amser a gymerwyd ac mae'r pren mesur ar y trac yn dangos y pellter. Gallwn ddefnyddio'r mesurau hyn i gyfrifo'r cyflymder cyfartalog ar gyfer y daith rhwng y gatiau.

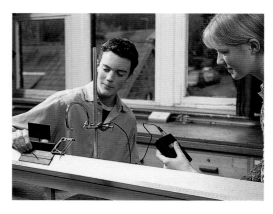

amseru cyfrifiadurol i gychwyn a stopio (Ffigur 10.6). Ceir gwybodaeth am y newid yn nadleoliad y cerbyd yn ystod cyfwng cofnodedig o amser. Hynny yw, ceir gwerthoedd Δs a Δt ar gyfer y rhan o'r daith sydd rhwng y ddwy ddyfais ysgogi. Mae'n ein galluogi ni i gyfrifo'r cyflymder cyfartalog ar gyfer y rhan honno o'r daith. Fodd bynnag, ni all roi cofnod parhaus o fuaneddau enydaidd drwy gydol mudiant y cerbyd. Y gorau y gallwn ei wneud yw defnyddio cyfres o belydr golau ac amseryddion er mwyn cyfrifo'r buaneddau cyfartalog ar gyfer pob rhan fach o daith y cerbyd ar hyd y trac.

Gwerthoedd cyfartalog ac enydaidd ar graffiau dadleoliad-amser

Gallem ddefnyddio system trac aer i blotio graff dadleoliad yn erbyn amser. (Nodwch, gan fod mudiant ar y trac aer mewn llinell syth, mae'r dadleoliad a'r pellter yn rhifiadol hafal, felly mae buanedd a chyflymder yn rhifiadol hafal hefyd.) Byddem yn gwybod yr amser ar gyfer y daith rhwng y ddau ganfodydd a byddem yn gwybod cyfanswm y newid yn y dadleoliad. Tybiwch, ar gyfer newid mewn dadleoliad (y pellter rhwng y canfodyddion) o 1.2 m, mai'r amser a gymerwyd yw 0.8 s. Rhoddir y cyflymder cyfartalog gan:

$$\frac{\Delta s}{\Delta t} = \frac{1.2}{0.8} = 1.5 \text{ m s}^{-1}$$

Mae gennym ddigon o wybodaeth i blotio graff â dau bwynt, Ffigur 10.7.

Ffigur 10.7
Gallwn blotio pwyntiau (0,0) a (0.8, 1.2).

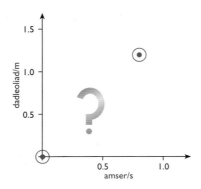

Nid oes gan y cyfarpar canfod ddim i'w ddweud wrthym am fuaneddau enydaidd y cerbyd rhwng y ddau amser. Gallem dybio bod gan y cerbyd gyflymder cyson, gan deithio pellterau hafal ym mhob uned o amser. Byddai'r dybiaeth honno yn caniatáu i ni uno'r pwyntiau ar y graff, Ffigur 10.8a. Fel arall, gallem ddyfalu bod y cerbyd wedi arafu. Golyga hynny iddo deithio ymhellach ym mhob uned o amser ar y dechrau. Byddai hyn yn cynhyrchu graff gwahanol, Ffigur 10.8b.

Ffigur 10.8
Mae tybiaethau gwahanol am y cyflymderau enydaidd rhwng dau bwynt hysbys yn cynhyrchu graffiau â siâp gwahanol.

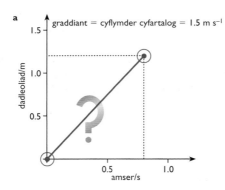

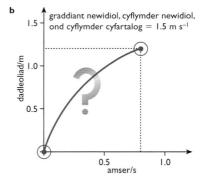

Mae gan y llinell rhwng y ddau bwynt raddiant o 1.5 m s⁻¹. Mae hyn yn cynrychioli'r cyflymder cyfartalog. Ni wyddom ddim am y buaneddau enydaidd rhwng y ddau bwynt.

Mae'r graff yn seiliedig ar y dybiaeth bod y cerbyd yn arafu, felly mae ganddo raddiant sy'n lleihau. Mae'r cyflymder cyfartalog ar gyfer y daith 1.2 m yn dal i fod yn 1.5 m s⁻¹.

Yn Ffigur 10.8b nid yw'r cyflymder yn gyson felly nid yw'r graddiant yn gyson. Fodd bynnag, yr unig wybodaeth sydd gennym sy'n gwbl ddibynadwy yw cyflymder cyfartalog y cerbyd. Ynglŷn â chyflymderau enydaidd, gallwn ond gwneud tybiaethau.

Os defnyddiwn fwy o belydr golau a dyfeisiau amseru ar hyd y trac, gallem gasglu mwy o wybodaeth a phlotio graff gyda nifer o bwyntiau, Ffigur 10.9.

Ffigur 10.9
Nawr, gallwn blotio mwy o bwyntiau ac mae siâp cyffredinol y gromlin yn fwy dibynadwy.

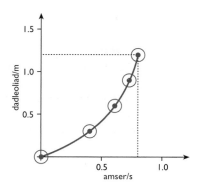

Trwy gynyddu nifer y safleoedd (dadleoliadau) lle byddwn yn mesur yr amser a gymerwyd i deithio, cawn wybodaeth fwy cyflawn am y daith. Mae'r cyflymder cyfartalog yn dal i fod yn 1.5 m s^{-1} ar gyfer y daith gyfan 1.2 m, ond gallwn weld yn awr fod y cyflymderau enydaidd yn cynyddu. (Rydym yn dal i wneud tybiaethau, fodd bynnag, fod y cyflymder yn newid yn llyfn rhwng ein mesurau.)

Rydym ychydig yn nes felly at wybod cyflymderau enydaidd y cerbyd. Gallwn fesur y cyflymder ar amser penodol drwy edrych ar y graff ar yr amser hwnnw ac yna llunio tangiad (Ffigur 10.10a). Mae graddiant y gromlin ar bwynt penodol yn hafal i raddiant y tangiad i'r gromlin ar y pwynt hwnnw, ac fe'i cyfrifir drwy fesur y cynnydd fertigol a'r cynnydd llorweddol, Δs a Δt, fel cynt.

Ffigur 10.10
Gallwn ddarganfod graddiant y gromlin ar unrhyw bwynt er mwyn darganfod gwerth y cyflymder enydaidd ar yr amser hwnnw.

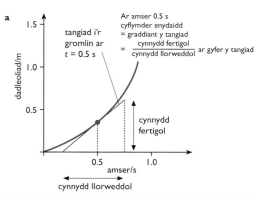

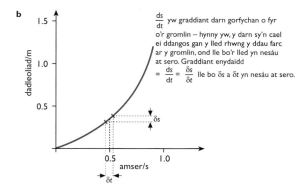

Tangiad yw llinell syth sy'n cyffwrdd cromlin ar bwynt a ddewiswyd heb groestorri'r gromlin.

Mae'r pwynt unigol ar y gromlin yn cynrychioli ennyd o amser a'r newid cyfatebol mewn dadleoliad. 'Ennyd' yw amser **gorfychan** – amser sydd mor fyr ei fod yn nesáu at sero o ran ei hyd.

Gall hyd *byr* o amser Δt gael ei ysgrifennu fel δt. Dadleoliad bach cyfatebol fyddai δs. Cyflymder cyfartalog cerbyd dros amser δt felly yw δs / δt. Os yw δs a δt mor fach eu bod yn *orfychan* yna caiff y gymhareb ei hysgrifennu fel ds/dt (Ffigur 10.10b). Dyma'r cyflymder *enydaidd* – y cyflymder ar amser penodol neu ennyd benodol.

$$\text{cyflymder cyfartalog ar gyfer rhan o'r daith} = \frac{\Delta s}{\Delta t}$$

$$\text{cyflymder cyfartalog dros amser byr iawn} = \frac{\delta s}{\delta t}$$

$$\text{cyflymder enydaidd} = \frac{ds}{dt} \text{ sef gwerth } \frac{\delta s}{\delta t} \text{ pan fo } \delta s \text{ a } \delta t \text{ yn orfychan}$$
$$= \text{graddiant y tangiad sy'n cyffwrdd y gromlin ar yr ennyd a ddewiswyd}$$

Mae mathemateg mesurau gorfychan yn caniatáu i ni ddelio â newid mewn ffordd sy'n gwbl amhosibl gyda ffurfiau arferol mathemateg sef adio, tynnu, lluosi a rhannu. Dyfeisiwyd y fathemateg hon dros 300 mlynedd yn ôl ac roedd yn gwbl allweddol i ddatblygiad gwyddoniaeth feintiol. **Calcwlws** yw'r enw arni.

Mae Ffigur 10.11 yn crynhoi'r adran hon ar gyflymderau cyfartalog ac enydaidd.

Ffigur 10.11

Mewn ras 100 m, mae gan y rhedwr un cyflymder cyfartalog a nifer anfeidraidd o gyflymderau enydaidd. Y cyflymder cyfartalog yw graddiant y graff llinell syth. Gallwn gyfrifo unrhyw gyflymder enydaidd drwy fesur y graddiant ar un pwynt o'r gromlin. Er mwyn mesur hyn, lluniwn dangiad ar y pwynt a ddewiswyd.

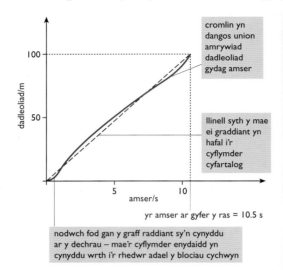

cromlin yn dangos union amrywiad dadleoliad gydag amser

llinell syth y mae ei graddiant yn hafal i'r cyflymder cyfartalog

yr amser ar gyfer y ras = 10.5 s

nodwch fod gan y graff raddiant sy'n cynyddu ar y dechrau – mae'r cyflymder enydaidd yn cynyddu wrth i'r rhedwr adael y blociau cychwyn

9 Beth yw ystyr *gorfychan*?

10 Sut y gallwch chi fesur y graddiant ar bwynt a ddewiswyd ar y gromlin?

11 Brasluniwch graff dadleoliad-amser ar gyfer taith llinell syth o'ch soffa i'r teledu. Defnyddiwch y graff i ddangos y gwahaniaeth rhwng y cyflymderau cyfartalog ac enydaidd, fel yr un yn Ffigur 10.11.

● **Tasg sgiliau ychwanegol**

Cymhwyso Rhif a Thechnoleg Gwybodaeth

Defnyddiwch system cofnodi data gyfrifiadurol i gasglu gwybodaeth dadleoliad-amser yn ystod arbrawf ar fudiant. Gallech ddefnyddio gwrthrych sy'n syrthio neu droli sy'n cyflymu ar hyd trac aer llinol.

Nawr, defnyddiwch y pecyn meddalwedd priodol neu daenlen i ddadansoddi'r data a chynhyrchu graff dadleoliad-amser. Gellir defnyddio graddiant y graff hwn i gael gwerth ar gyfer cyflymder enydaidd ar unrhyw amser penodol.

Pa mor ddibynadwy yw'r gwerth hwn i ddangos *gwir* gyflymder enydaidd?

Grym Newton

Y CWESTIWN MAWR

● Beth yw grym?

GEIRFA ALLWEDDOL

arafiad   cyflymiad   cyflymiad unffurf   Deddf Gyntaf Newton   grym adwaith   grym anghytbwys   grymoedd cytbwys   newton   Trydedd Ddeddf Newton

Y CEFNDIR

Tua 600 mlynedd yn ôl y dysgodd pobl Ewrop am ffrwydron, technoleg a oedd wedi ei defnyddio i wneud bomiau a grenadau yn China ers cryn amser. Dysgodd tirfeddianwyr pwerus na allent amddiffyn eu cestyll yn erbyn y peli magnel. Newidiodd y dulliau rhyfela a bu'n rhaid i'r bobl bwerus a'u cymunedau ddarganfod ffyrdd eraill o ddelio â'u gelynion yn hytrach na ffoi i'w cestyll a'u cadarnleoedd. O ganlyniad i hyn, gwelwyd masnach yn tyfu.

Tyfodd diddordeb y bobl bwerus hyn ym mudiant y peli magnel (Ffigur 11.1). Gwelwyd gwyddoniaeth mudiant, sef balisteg, yn datblygu. Defnyddiwyd mathemateg i wneud rhagfynegiadau dibynadwy o ymddygiad taflegrau megis peli magnel a siot. Datblygodd mathemateg technoleg filitaraidd, masnach a gwyddoniaeth ar y cyd â'i gilydd.

Ffigur 11.1
Cyn Galileo, roedd Newton ac eraill wedi datblygu'r cysyniad mai grym a achosai newid mewn mudiant (cyflymiad), roedd y rhagfynegiadau a wnaed o fudiant taflegrau yn annibynadwy. Dyma ddarlun o lwybr pêl fagnel gan Daniel Santbech, 1561.

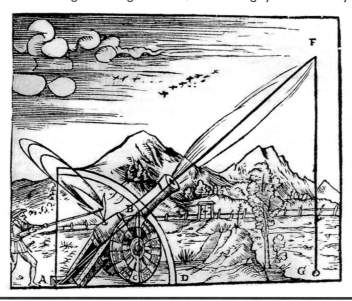

Grym cyn Newton

Mewn ysgrifau Groeg hynafol, yn dyddio'n ôl 2000 o flynyddoedd a mwy, mynegwyd y syniad mai cyflwr naturiol gwrthrych oedd disymudedd. Ar ôl diflaniad yr Ymerodraeth Rufeinig a'r chwalfa a'r tlodi a ddaeth yn sgil hynny ar draws Ewrop, tua 400 OC, gwelwyd syniadau tebyg i hyn yn cael eu derbyn gan ysgolheigion Arabaidd. Gydag amser, daeth y syniadau hyn i sylw'r Eglwys Gatholig yn Ewrop ac ymgorfforwyd hwy yn rhan o'i diwinyddiaeth. Golygai herio'r hen syniadau hyn felly herio awdurdod yr Eglwys. Gan ei bod hi'n arfer gan yr Eglwys i arteithio a hyd yn oed dienyddio pobl a dynnai'n groes i'w chredoau, nid oedd yn syniad da i herio awdurdod yr Eglwys.

Syniad allweddol arall yn y llyfrau hynafol hyn oedd mai'r Ddaear oedd canol y Bydysawd. Ond, yn y 16eg ganrif, awgrymodd Copernicus fod yna ffordd arall o egluro pam yr oedd yr Haul, y Lleuad, y planedau a'r sêr yn ymddangos fel petaent yn symud ar draws yr awyr. Rhoddodd Copernicus yr Haul yng nghanol system y planedau gyda'r sêr y tu allan i'r system. Arhosodd Coperincus, yn ddoeth o bosibl, tan ddiwedd ei oes, ac yntau'n marw, cyn cyhoeddi ei syniad cwbl newydd ynghylch cylchdro'r Ddaear a'r planedau.

Gan fod Galileo Galilei (1564–1642) yn credu mor gryf yn y syniadau newydd ac, oherwydd hynny, yn poeni am ei ddiogelwch, rhoddai'r argraff i rai pobl ei fod braidd yn fawreddog. Ond, gyda'r arsylwadau newydd a oedd yn bosibl gyda'r telesgop a wnaeth ei hun, dadleuai o blaid system Copernicus a roddai'r Haul yn y canol. Roedd hefyd yn ddigon haerllug i herio athroniaethau pwysig eraill. Rhai ohonynt oedd y syniadau am fudiant sy'n cael eu disgrifio yn y paragraffau nesaf. Oherwydd y sefyllfa wleidyddol ar y pryd, bu'n rhaid iddo dalu'n ddrud am hyn a bu farw ar ôl cael ei arestio a'i gadw'n gaeth yn ei dŷ.

Honnai'r llyfrau hynafol mai cyflwr naturiol gwrthrych oedd disymudedd ac mai'r drefn naturiol oedd i wrthrychau wrthsefyll mudiant. Sylwodd pobl fod gwrthrychau sy'n symud – o beli magnel i geffylau gwedd – bob amser yn dychwelyd i ddisymudedd. Ond edrychodd Galileo ar bendil yn siglo'n ddi-baid. Meddyliodd wedyn am fudiant planedau a lleuadau yn y gofod. Daeth i'r casgliad nad disymudedd oedd yn normal ond, yn hytrach, mudiant cyson. Nid oedd 'disymudedd' yn ddim ond enghraifft benodol o fudiant cyson – mudiant cyson ac iddo werth penodol, sef sero.

Roedd cred Galileo mai mudiant cyson oedd cyflwr naturiol gwrthychau yn groes i'r synnwyr cyffredin a berthynai i beli magnel a cheffylau gwedd ond nid oedd yn groes i'r synnwyr cyffredin a berthynai i bendil a phlanedau. Tra dywedai'r llyfrau hynafol mai cyflymder oedd yn anghyffredin, nid disymudedd, honnai Galileo mai *cyflymiad* oedd yn anghyffredin ac nid cyflymder cyson. Roedd hwn yn gam mawr i'w gymryd a bu'n rhaid aros tan y genhedlaeth nesaf i'r syniad gael ei ysgrifennu i lawr yn ffurfiol gan Newton fel a ganlyn:

Mae pob gwrthrych yn parhau'n ddisymud neu'n parhau i symud â mudiant unffurf ar linell syth oni bai y bo grym allanol yn gweithredu arno.

Roedd cysyniad grym ynghlwm wrth hyn hefyd. **Grym anghytbwys** sy'n achosi i fudiant newid – hyn sy'n achosi cyflymiad (gweler yr adran nesaf). Y cysyniad hwn yw conglfaen ffiseg Newton ac fe'i gelwir yn **Ddeddf Gyntaf Newton**.

Mae **grymoedd cytbwys** yn canslo'i gilydd felly ni chânt unrhyw effaith net.

---

1 Mae pêl fagnel yn cael ei saethu ar hyd baril ac yn hedfan drwy'r aer hyd nes y bydd yn taro wal castell. Disgrifiwch y grymoedd sy'n gweithredu arni yn ystod gwahanol gamau ei mudiant.

2 Esboniwch pam y mae'r llun ar ddechrau'r bennod hon yn rhoi darlun anghywir o lwybr y bêl fagnel.

3 O ddarllen y testun yn y bennod hon, beth oedd prif gyfraniad Galileo i ddatblygu'r syniadau am fudiant?

4 Mae pêl fowlio yn rholio ar hyd y llawr ac yn stopio. Gallai synnwyr cyffredin eich arwain at y casgliad mai cyflwr naturiol peli bowlio yw disymudedd. Byddai hyn yn golygu na fyddent yn ufuddhau i Ddeddf Gyntaf Newton.

a Sut y byddai pêl fowlio yn ymddwyn petai'n cael ei thaflu yn yr un modd yn y gofod?

b Beth sy'n achosi'r gamargraff nad yw'r bêl fowlio yn ufuddhau i Ddeddf Gyntaf Newton?

● Cyflymiad

Mudiant ar gyflymder cyson yw cyflwr naturiol gwrthrych a dim ond os yw grym allanol yn gweithredu arno y gellir ei newid. Dyna oedd honiad Galileo a Newton. Gwyddom, bellach, fod llong ofod yn teithio ar gyflymder cyson – hynny yw, â'i buanedd yn gyson a'i chyfeiriad yn gyson – oni bai y bo'n profi grym oherwydd tanio'r rocedi, tynfa disgyrchiant seren, planed neu leuad, neu wrthdrawiad. Dywedir bod unrhyw wrthrych sy'n profi newid yn ei gyflymder – o ran maint neu gyfeiriad, neu'r ddau – yn cyflymu.

Dyma ddiffiniad **cyflymiad**: cyflymiad yw cyfradd newid cyflymder. Gellir ei ysgrifennu yn y ffurf symlaf fel a ganlyn:

$$\text{cyflymiad} = \frac{\text{newid mewn cyflymder}}{\text{newid cyfatebol mewn amser}}$$

Caiff newid mewn cyflymder ei fesur mewn metrau yr eiliad, $m\ s^{-1}$, a chaiff newid mewn amser ei fesur mewn eiliadau, s. Felly uned cyflymiad yw $m\ s^{-2}$. Fe welwch grynodeb o'r mesurau a ddefnyddiwn i ddisgrifio mudiant yn Nhabl 11.1.

Tabl 11.1

Mesur	Uned	Dimensiwn
amser	s	[T]
dadleoliad	m	[L]
cyflymder	$m\ s^{-1}$	$[L][T]^{-1}$
cyflymiad	$m\ s^{-2}$	$[L][T]^{-2}$

Mae cyflymiad, fel cyflymder, yn fesur fector.

Cyflymiad enydaidd, cyfartalog ac unffurf

Nodwch y gallwn ddefnyddio'r gair cyflymiad gydag unrhyw fath o fudiant sy'n golygu newid cyflymder. Mae hynny'n cynnwys mudiant lle bo'r cyflymder yn arafu yn ogystal â mudiant lle bo'r cyflymder yn cynyddu. (Mae hefyd yn cynnwys mudiant lle mae'r cyfeiriad yn newid ond, yn y bennod hon, byddwn yn edrych ar fudiant mewn llinell syth yn unig.) Newid cyflymder yw'r gwahaniaeth rhwng dau gyflymder – y cyflymder terfynol a'r cyflymder cychwynnol.

Er mwyn gwybod beth yw'r cyflymiad ar *un* ennyd benodol, mae'n rhaid mai'r cyflymderau ar ddechrau ac ar ddiwedd yr ennyd honno yw'r cyflymderau terfynol a chychwynnol. Caiff y ddau gyflymder eu gwahanu gan ennyd orfychan. Mae'n rhaid felly bod y newid cyflymder yn orfychan hefyd:

cyflymiad ar ennyd = cyflymiad enydaidd

$$\approx \frac{\delta v}{\delta t} \text{ lle bo } \delta v \text{ a } \delta t \text{ yn newidiadau bychan iawn mewn cyflymder ac amser}$$

$$= \frac{dv}{dt} \text{ pan fo } \delta v \text{ a } \delta t \text{ yn orfychanion}$$

(Cymharwch hyn â syniadau am gyflymder enydaidd ar dudalen 87.)

Gallwn gyfrifo hefyd y cyflymiad *cyfartalog* dros gyfnod estynedig o amser, Δt:

$$\text{cyflymiad cyfartalog dros amser } \Delta t = \frac{\Delta v}{\Delta t} = \frac{\text{cyflymder terfynol} - \text{cyflymder cychwynnol}}{\Delta t}$$

Nodwch fod y symbolau canlynol yn cael eu defnyddio yn yr un ffordd drwy'r llyfr: Δ i ddynodi newid yn gyffredinol, δ i ddynodi newidiadau bychan, a nodiant calcwlws sy'n defnyddio d ar gyfer newidiadau gorfychan.

Mae'n arferol hefyd i ddefnyddio v a u ar gyfer cyflymderau terfynol a chychwynnol, yn y drefn honno. (Mae cyflymiad cychwynnol yn digwydd cyn cyflymiad terfynol, a daw u o flaen v yn yr wyddor Saesneg.) Gallwn ysgrifennu cyfanswm yr amser ar gyfer y newid cyflymder fel t. Yna, gallwn ddweud:

$$\text{cyflymiad cyfartalog} = \frac{v - u}{t}$$

Noder: os yw v yn fwy na u, mae'r cyflymder wedi cynyddu ac mae'r newid cyflymder yn bositif. Ond os yw'r cyflymder wedi lleihau yna mae v yn llai nag u ac mae'r newid cyflymder yn negatif. Yn yr achos hwn, rhaid i'r cyflymiad fod yn negatif. Gellir galw cyflymiad negatif yn **arafiad**.

Gall cyflymiad fod yn **unffurf** (nid yw'n newid). Gan anwybyddu effeithiau gwrthiant aer, mae hyn yn wir am wrthrych sy'n disgyn. Mae'r cyflymiad cyfartalog ar gyfer cwymp cyflawn yr un fath â'r cyflymiad ar unrhyw adeg yn ystod y cwymp. Hynny yw, ar gyfer cyflymiad unffurf, mae'r gwerthoedd cyfartalog ac enydaidd yr un fath:

$$a = \frac{dv}{dt} = \frac{\Delta v}{\Delta t} = \frac{v - u}{t} \text{ ar gyfer cyflymiad unffurf}$$

5 a Beth yw'r gwahaniaeth rhwng cyflymiad cyfartalog a chyflymiad enydaidd?
b O dan ba amgylchiadau y maent yr un fath?

6 a Mae gwrthrych yn cyflymu'n unffurf o ddisymudedd ($u = 0$) i 10 m s^{-1} mewn 4 s. Beth yw ei gyflymiad?
b Beth yw ei gyflymiad yn ystod y 4 s nesaf os yw'r cyflymder yn lleihau yn unffurf o 10 m s^{-1} i 2 m s^{-1}?

● Grym a chyflymiad

Ar sail Deddf Gyntaf Newton sy'n cynnwys y syniad nad yw gwrthrych yn cyflymu oni bai y bo grym anghytbwys yn gweithredu arno, gallwn fynd yn ein blaen i ddweud:

Mae gwrthrych *bob amser* yn cyflymu pan fo grym anghytbwys yn gweithredu arno.

Os yw'r cysylltiad rhwng grym a chyflymiad mor gryf yna mae'n bwysig cael perthynas fathemategol rhyngddynt. Mae'n siŵr y gwyddai Newton (Ffigur 11.2) pa mor ddefnyddiol fyddai perthynas fathemategol o'r fath. Y ffurf a ddefnyddiwn yn awr yw:

$F = ma$

lle saif F am y grym, m am y màs (mesur sgalar) ac a am y cyflymiad. Mae grym a chyflymiad yn fesurau ac iddynt gyfeiriad – maent yn fesurau fector. Un **newton** (1 N) yw'r grym sy'n rhoi cyflymiad o 1 m s^{-2} i fàs o 1 kg.

Daw'r ffurf $F = ma$ o Ail Ddeddf Newton (gweler Pennod 14, tudalen 120).

7 Yn y fformiwla *F* = *ma*, nodwch pa rai yw'r mesurau fector a pha rai yw'r mesurau sgalar.

8 a Gall y berthynas *F* = *ma* fod yn un gyfrannol sy'n cysylltu grym â chyflymiad cyn belled ag y bo màs y gwrthrych yn gyson. A yw'r màs yn gyson ar gyfer:

i roced yn cael ei lansio ac yn bwrw allan yn gyflym iawn o foduron ei rocedi danwydd sy'n llosgi

ii saeth yn cael ei gyrru ymlaen gan fwa?

b i Brasluniwch siâp graff yn dangos y berthynas rhwng grym a chyflymiad ar gyfer y saeth.

ii Sut y byddai'r graff yn edrych ar gyfer saeth sy'n fwy masfawr?

9 Mae gan gyflymiad ddimensiynau [L] [T]$^{-2}$, ac ae gan fàs ddimensiwn [M]. Beth yw dimensiynau grym?

10 Pa rym sydd ei angen i roi cyflymiad o 3 m s^{-2} i fàs o 80 kg?

11 Beth fydd cyflymiad gwrthrych â màs o 4.5 kg pan fydd grym o 27 N yn gweithredu arno?

Ffigur 11.2
Isaac Newton a wnaeth y cyswllt rhwng grym a chyflymiad.

Nid oedd llawer o synnwyr cyffredin yn perthyn i Isaac Newton. Byddai'n aml yn anghofio bwyta prydau bwyd hyd yn oed. Arferai ysgrifennu llythyron cas at ei ffrindiau. O ran chwilfrydedd, mae'n debyg iddo wthio ei fys rhwng pelen ei lygad a'r asgwrn o'i hamgylch (gallai fod wedi'i ddallu ei hun yn hawdd!). Efallai bod ei ddiffyg synnwyr cyffredin wedi ei helpu i weithio gyda syniadau newydd ac i lunio'r rheolau sy'n cael eu defnyddio hyd heddiw i ragfynegi mudiant yn drachywir. Newton a ddarganfu'r cyswllt absoliwt rhwng grym a chyflymiad, sy'n cael ei ddisgrifio yn yr hafaliad *F* = *ma*, sy'n ymddangos o hyd fel petai'n herio 'synnwyr cyffredin'.

● Grym mewnol ac allanol

Ffigur 11.3
Mae grym allanol yn achosi cyflymiad.

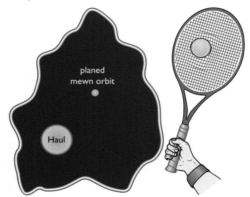

planed mewn orbit

Haul

Mae'r bêl dennis a'r blaned yn cyflymu oherwydd y grymoedd allanol anghytbwys sy'n gweithredu arnynt. Ond nodwch nad y grymoedd sy'n gweithredu ar y bêl a'r blaned yw'r unig rymoedd sy'n gweithredu ym mhob system. Mae'r raced yn rhoi grym ar y bêl ond mae'r bêl hithau yn rhoi grym ar y raced. Mae'r ddau rym hyn yn hafal o ran eu maint. Yn yr un modd, mae tynfa disgyrchiant yr Haul ar y blaned yn union yr un faint â thynfa'r blaned ar yr Haul. Yn y ddau achos, y gwrthrych â'r màs lleiaf sy'n cyflymu fwyaf.

Mae Deddf Gyntaf Newton yn cyfeirio at rym 'allanol'. Ni allech byth â chodi eich hun i fyny wrth gareiau eich esgidiau mewn gwirionedd. Byddai'n rhaid i un rhan o'r gwrthrych roi grym ar ran arall i hynny ddigwydd. Byddai'r grym yn fewnol ac ni fyddai'n achosi i'ch corff cyfan gyflymu. Dim ond grym sy'n gweithredu rhyngoch chi a'r byd y tu allan i'ch corff – grym allanol – all achosi i'ch corff cyfan gyflymu.

Mae angen grym allanol i achosi cyflymiad. Ystyriwch rai gwrthrychau gwahanol iawn i'w gilydd yn cyflymu, Ffigurau 11.3 a 11.4.

Dywedodd Newton:

Os yw gwrthrych A yn rhoi grym ar wrthrych B, yna mae gwrthrych B yn rhoi grym sy'n hafal ac yn ddirgroes ar A. Fe'i gelwir yn **rym adwaith**.

Dyma **Drydedd Ddeddf Newton**.

12 Pan fyddwch yn dechrau cerdded, pa rym fydd yn achosi i chi gyflymu tuag ymlaen?

13 a Esboniwch pam y byddai'n annoeth i chi gerdded yn y ffordd arferol wrth gamu oddi ar gwch bach sydd heb ei angori i'r lanfa.

b Pam nad oes cymaint o broblem os yw'r cwch yn fawr? (Cofiwch, mae *F* = *ma*.)

Ffigur 11.4
Daw'r grym allanol sydd ei angen ar y gath i neidio o adwaith y bwrn gwellt.

Mae'r gath hon yn cyflymu yn ei blaen. Mae hynny'n golygu ei bod yn profi grym ymlaen. Mae'r gath yn rhoi grym yn ôl ar y bwrn gwellt. Mae'r bwrn yn rhoi grym sy'n hafal ac yn ddirgroes ar y gath. Y grym hwn ymlaen sy'n cael ei ddarparu gan y bwrn, y grym adwaith, yw'r grym allanol sydd ei angen i gynhyrchu'r cyflymiad. Mae cyflymiad y bwrn yn fach iawn gan fod ei fàs gymaint yn fwy na màs y gath.

Arwaith ac adwaith

Mae Trydedd Ddeddf Newton yn rhagfynegi bod grymoedd bob amser yn digwydd mewn parau. Mae roced yn profi grym ar i fyny wrth iddi gyflymu o'i safle lansio; mae'r grym hwn yn cyfateb yn union i'r grym ar i lawr a brofir gan y nwyon yn llosgi sy'n cyflymu tuag i lawr o fodur y roced. Gellir galw'r ddau rym yn 'arwaith' ac 'adwaith'; maent yn hafal o ran eu maint ac yn ddigroes o ran cyfeiriad (Ffigur 11.5).

Ffigur 11.5
Arwaith ac adwaith.

grym ar y roced

grym ar y nwyon

Ffigur 11.6
Profi adwaith.

Mae partneriaid dawnsio yn rhoi grym ar ei gilydd (Ffigur 11.6). Os yw'r ferch yn tynnu'r dyn ati wrth ei fraich, mae'r dyn yn profi grym. Mae'r ferch yn profi grym sy'n hafal ac yn ddirgroes. Fel y dywed Trydedd Ddeddf Newton, mae'n amhosibl rhoi grym heb brofi grym sy'n hafal ac yn ddirgroes.

Pan fo un dawnsiwr yn gwthio neu'n tynnu'r llall, bydd ef neu hi yn profi grym hafal a dirgroes. Fodd bynnag, er bod y grymoedd o'r un maint, dim ond os bydd eu màs yn hafal y bydd eu cyflymiad yn hafal. Os yw'r grym yr un fath, y dawnsiwr lleiaf fydd yn profi'r cyflymiad mwyaf, fel y rhagfynegwyd gan $a = F/m$. Bydd dawnswyr profiadol yn manteisio ar yr anghyfartaledd hwn mewn cyflymiad er mwyn gwella eu symudiadau dawnsio.

14 Mae dau sglefriwr yn sefyll yn stond, yn wynebu ei gilydd. Mae'r naill yn gwthio'r llall ond nid oes yr un ohonynt yn syrthio. Esboniwch beth sy'n digwydd
a os oes gan y sglefrwyr yr un màs
b os yw màs un sglefriwr gryn dipyn yn fwy na'r llall.

● Deall a chymhwyso

Ar goll yn y gofod

Mudiant llong ofod yn y gofod pell, ymhell oddi wrth wrthrychau a allai roi grym disgyrchiant arni, yw'r math symlaf o fudiant i'w ddadansoddi. Nid oes unrhyw wrthiant i'r mudiant. Yr unig rymoedd allanol sydd yna yw'r rhai a gynhyrchir gan rocedi'r llong ofod.

Tybiwch fod y llong ofod yn cludo pobl a bod moduron y rocedi wedi torri i lawr. Bydd angen i'r gofodwyr newid ei mudiant. Gallant wthio mor galed ag y mynnant ar y waliau y tu mewn i'r llong ofod, ond ni fydd hyn yn achosi cyflymiad. Mae'r grymoedd hyn yn fewnol gan fod y gofodwyr, i bob pwrpas, yn rhan o'r gwrthrych y maent yn ceisio dylanwadu arno. Gallai'r gofodwyr wisgo eu siwtiau gofod a mynd allan o'r llong ofod. Gallent ddal gafael yn y llong ofod ag un llaw a gwthio â'r llall. Unwaith eto, ychydig iawn o effaith a gâi hynny – mae'r grymoedd sy'n cael eu gweithredu yn dal i fod yn rhan o'r gwrthrych sy'n gwthio ar ran arall o'r gwrthrych. Maent yn dal i fod yn rymoedd mewnol.

Fodd bynnag, petai un gofodwr yn barod i wneud yr aberth eithaf yna gallai ef neu hi wthio'r llong ofod a gollwng ei afael arni. Byddai'r grym yn peidio â gweithredu, wrth reswm, unwaith y byddai'r cyswllt yn peidio â bod. Tra bo cyswllt, fodd bynnag, mae'r llong ofod a'r gofodwr yn profi grymoedd sy'n hafal ac yn ddirgroes[a]. Mae'r ddau yn profi cyflymiad a chyflymiad y gofodwr fydd fwyaf [b]. Unwaith y bydd y cyswllt yn peidio â bod, bydd y cyflymiad yn darfod a bydd y ddau wrthrych yn parhau i symud oddi wrth ei gilydd â'r cyflymder cyson yr oeddent wedi'i gyrraedd[c]. Gall y gofodwyr sydd wedi aros gyda'r llong ofod ddiolch ond ffarwelio â'u cyd-ofodwr, yn anffodus! [a, b, c – gweler cwestiwn 16.]

Efallai mai'r cynllun gorau fyddai trwsio moduron y rocedi. Yn hytrach na gadael un gofodwr ar ôl y llall ar ôl, gallai'r llong ofod danio hyrddiau bach o nwy i'r cyfeiriad dirgroes i'r cyflymiad sy'n ofynnol. Mae'r grym a brofir gan y nwy disbydd hwn yn cyfateb yn union i'r grym a brofir gan y llong ofod ei hun. Mae grymoedd hafal a dirgroes yn gweithredu yma felly. Mae màs y nwy yn gymharol fach o'i gymharu â màs y llong ofod, felly i wneud iawn am hyn rhaid iddo gael ei gyflymu gymaint ag sy'n bosibl. Mewn roced, achosir y cyflymiad uchel hwn yn y nwy gan adwaith cemegol rhwng, dyweder, hydrogen ac osigen yn nhanwydd y roced.

Petai'r gofodwyr yn penderfynu ymweld â phlaned ddiatmosffer Sorg, yna byddai'n rhaid i'r llong ofod gael digon o danwydd. Wrth iddi ostwng ei hun ar yr wyneb, bydd angen iddi ddefnyddio ei rocedi i roi grym ar i fyny a fydd yn cyfateb yn fras i'w phwysau Sorgaidd er mwyn osgoi damwain wrth lanio. Wrth godi bydd angen iddi roi grym i fyny sy'n fwy na'i phwysau ei hun er mwyn i'r grym nid yn unig gynnal pwysau'r llong ofod ond hefyd achosi cyflymiad tuag i fyny.

15 a Esboniwch sut y mae'n bosibl i long ofod deithio ar fuanedd uchel heb ddefnyddio tanwydd.
b Pryd y mae'n rhaid iddi ddefnyddio tanwydd?

16 Pa un o Ddeddfau Mudiant Newton sydd fwyaf perthnasol i bob un o'r brawddegau a nodwyd *a, b* ac *c*?

17 Tybiwch fod y gofodwyr yn meddwl am gynllun cyfrwys. Bydd un ohonynt yn gwthio ar y llong ofod ar y tu allan ac yna'n gollwng ei afael gan achosi cyflymiad. Ond mae'r gofodwr wedi'i glymu wrth linyn wrth y llong ofod fel na chaiff ei adael ar ôl. Pam na fyddai'r cynllun hwn yn gweithio?

18 Esboniwch pam y mae'n rhaid i'r nwyon disbydd o rocedi'r llong ofod gyrraedd cyflymder uchel mewn perthynas â'r llong ofod. (Cyfeiriwch at Drydedd Ddeddf Newton ac at $F = ma$ i egluro hyn.)

19 a Wrth nesáu at wyneb planed Sorg mae'r llong ofod yn defnyddio ei moduron i lanio'n esmwyth. Wrth lanio, mae cyflymiad y llong ofod yn sero. Beth y mae hyn yn ei ddweud am y grym cydeffaith sy'n gweithredu?
b Ar ba adeg arall yn ystod ei thaith drwy'r gofod y mae'r llong ofod yn profi cyflymiad sero?

20 a Yn ystod camau cychwynnol yr esgyniad fertigol oddi ar blaned Sorg, mae màs y llong ofod a'i thanwydd yn 6 thunnell fetrig (1 dunnell fetrig = 1000 kg). Ar yr un pryd mae'r grym a ddarperir gan foduron y rocedi 10 kN yn fwy na'r pwysau (1 kN = 1000 N). Gan gofio y dylech weithio mewn unedau SI, beth yw'r cyflymiad tuag i fyny?
b Esboniwch pam, yn y sefyllfa arbennig hon (defnyddio tanwydd), y mae'r cyflymiad yn cynyddu hyd yn oed os yw'r grym yn aros yn gyson.

● Tasg sgiliau ychwanegol

Technoleg Gwybodaeth a Chymhwyso Rhif

Defnyddiwch daenlen i archwilio'r fformiwla $F = ma$. Defnyddiwch werthoedd nodweddiadol a allai fod yn ddilys i long ofod yn esgyn oddi ar wyneb planed er mwyn llunio a phrintio graffiau gwasgariad (graffiau pwyntiau) ar gyfer:

a grym cyson, cyflymiad (echelin *y*) yn erbyn màs (echelin *x*)
b màs cyson, cyflymiad (echelin *y*) yn erbyn grym (echelin *x*)
c cyflymiad cyson, grym (echelin *y*) yn erbyn màs (echelin *x*).

Tynnwch linellau i ffitio patrymau'r pwyntiau.
Pa graffiau sy'n dangos cyfrannedd a pha graffiau sy'n dangos cyfrannedd gwrthdro?
Pam y mae cyflymiad yn cael ei blotio fel arfer fel y newidyn allbwn?

12 Gweithio gyda fectorau

Y CWESTIYNAU MAWR	● Sut y mae adio mesurau sydd â chyfeiriad yn ogystal â maint? ● Sut y mae adio cyflymderau a achosir mewn ffyrdd gwahanol? ● Sut y mae darganfod effaith dau rym yn gweithredu ar wrthrych?
GEIRFA ALLWEDDOL	adwaith normal codiant confensiwn Cartesaidd cydeffaith cydraniad cydrannau cydberpendicwlar fectorau cydlinol gwthiad llusgiad
Y CEFNDIR	Gallwn weld tri dimensiwn gofod yn y byd o'n cwmpas ac mae rhai o'r mesurau y byddwn yn eu mesur yn gweithredu i gyfeiriadau penodol yn y gofod hwn. Dyma'r mesurau fector. Nid oes gan fesurau eraill, sgalar, gyfeiriad penodol. Mae faint o arian sydd gennych yn eich poced yn fesur sgalar. Gallwch adio eich arian yn hawdd. Mae adio dau fesur sgalar yn swm hawdd, er enghraifft £0.20 + £1.30 = £1.50. Ond gyda mesurau fector, gall fod iddynt gyfeiriadau gwahanol a rhaid cymryd hyn i ystyriaeth wrth eu hadio. Golyga hynny ddefnyddio mathemateg â rheolau arbennig. Caiff hyn ei egluro yn y bennod hon.

● Fectorau mudiant a grym

Cyflymder a chyflymiad

1 Pa rai o'r isod sy'n fector a pha rai sy'n sgalar?
- buanedd
- swm o arian
- cyflymder
- cyflymiad

Gall rhedwr sy'n rhedeg o gwmpas trac redeg ar fuanedd cyson ond i gyfeiriad sy'n newid, h.y. cyfeiriad newidiol, felly mae iddo gyflymder newidiol. Gallwn ddefnyddio fectorau i gynrychioli'r cyflymder cyn newid ac ar ôl newid a gallwn hefyd ddefnyddio fector i gynrychioli'r newid (Ffigur 12.1).

Cyflymiad yw cyfradd newid cyflymder. Mae gan wrthrych sydd yn newid cyfeiriad gyflymder newidiol, felly mae'n rhaid ei fod yn cyflymu hyd yn oed os yw ei fuanedd yn gyson. Mae cyfeiriad y newid cyflymder yr un fath â chyfeiriad y cyflymiad wedi'i gyfartaleddu dros yr un cyfnod o amser.

Ffigur 12.1 Fectorau cyflymder rhedwr.

2 Mae lloeren sydd mewn orbit o gwmpas y Ddaear yn teithio ar fuanedd cyson. Y mae, fodd bynnag, yn cyflymu.
a Eglurwch sut y gall gwrthrych deithio ar fuanedd cyson a chyflymu ar yr un pryd. (Meddyliwch am y gwahaniaeth rhwng buanedd a chyflymder.)
b Gwnewch fraslun i ddangos ei chyflymiad ar ddau bwynt yn ei horbit.

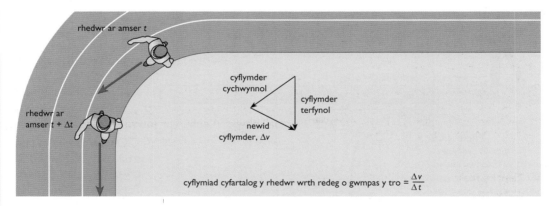

rhedwr ar amser *t*

rhedwr ar amser *t* + Δ*t*

cyflymder cychwynnol

cyflymder terfynol

newid cyflymder, Δ*v*

$$\text{cyflymiad cyfartalog y rhedwr wrth redeg o gwmpas y tro} = \frac{\Delta v}{\Delta t}$$

Grym

Mae grym allanol anghytbwys sy'n gweithredu ar wrthrych yn newid ei gyflymder, ac mae cyflymder yn fesur fector. Mae grym hefyd yn fesur fector. Mae cyfeiriad y grym, yn union fel cyfeiriad cyflymder, yn bwysig (Ffigur 12.2).

Ffigur 12.2 Mae cyfeiriad grym yn bwysig.

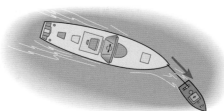

Fectorau grym, cyflymiad a chyflymder

Mae gan fector sy'n cynrychioli cyflymiad yr un cyfeiriad â'r fector sy'n cynrychioli'r *newid* cysylltiedig mewn cyflymder. Nid oes iddo yr un cyfeiriad, o reidrwydd, ar ennyd benodol, â'r fector cyflymder ei hun.

Mae'r berthynas rhwng grym a chyflymiad yn cael ei chynrychioli gan yr hafaliad syml $F = ma$. Os yw'r màs yn aros yn gyson yna, beth bynnag y bydd y grym yn ei wneud, bydd y cyflymiad yn newid mewn cyfrannedd sy'n unfath. Hefyd, mae'r grym net neu'r grym cydeffaith sy'n gweithredu ar wrthrych a'i gyflymiad bob amser i'r un cyfeiriad (Ffigur 12.3).

Ffigur 12.3
Gellir canfod cyfeiriad y grym net sy'n gweithredu ar wrthrych o gyfeiriad cyflymiad y gwrthrych.

3 Ystyriwch fudiant gwrthrych megis pêl dennis. Yn ystod gêm, a yw fectorau cyflymder y bêl a'r grym net sy'n gweithredu arni i'r un cyfeiriad: **a** byth, **b** weithiau, **c** bob amser? Eglurwch.

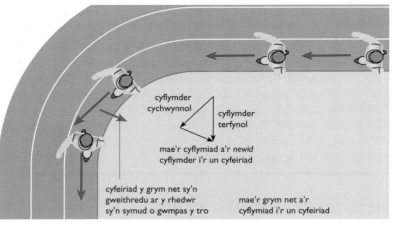

Pan fo gwrthrych yn symud ac yn parhau mewn llinell syth, bydd ei gyflymder a'i gyflymiad (os oes cyflymiad) i'r un cyfeiriad. Fodd bynnag, gyda gwrthrych sy'n newid cyfeiriad, nid yw ei gyflymiad a'i gyflymder i'r un cyfeiriad.

cyflymder cychwynnol

cyflymder terfynol

mae'r cyflymiad a'r *newid* cyflymder i'r un cyfeiriad

cyfeiriad y grym net sy'n gweithredu ar y rhedwr sy'n symud o gwmpas y tro

mae'r grym net a'r cyflymiad i'r un cyfeiriad

Adio fectorau cydlinol

Ffigur 12.4
Adio cyflymderau cydlinol.

Mae'r un rheolau adio yn berthnasol i bob fector, gan gynnwys fectorau cyflymder, cyflymiad a grym. Gall fectorau ar hyd yr un llinell syth – **fectorau cydlinol** – gael eu hadio a'u tynnu yn debyg iawn i fesurau sgalar.

Er enghraifft, tybiwch eich bod ar droedffordd sy'n symud 1 m s⁻¹, a'ch bod chithau hefyd yn cerdded i'r un cyfeiriad 1 m s⁻¹. Yna, bydd cyfanswm eich cyflymder yn 2 m s⁻¹ (Ffigur 12.4). Os byddwch, am ryw reswm, yn penderfynu cerdded i'r cyfeiriad dirgroes yna bydd cyfanswm eich cyflymder yn sero.

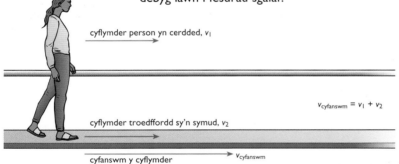

cyflymder person yn cerdded, v_1

cyflymder troedffordd sy'n symud, v_2

$v_{\text{cyfanswm}} = v_1 + v_2$

cyfanswm y cyflymder v_{cyfanswm}

Ffigur 12.5
Grymoedd cydlinol ar roced yn ystod ei lansiad. Mae'r cyflymiad yn digwydd i'r un cyfeiriad â'r grym net.

4 Mae myfyriwr ffiseg yn rhedeg 3 m s⁻¹ i fyny grisiau symudol sy'n cario pobl i lawr 2 m s⁻¹. Gan dybio na fydd y bobl yma yn ymyrryd â mudiant y myfyriwr, beth yw ei gyflymder/ei chyflymder? (Rhowch y cyfeiriad yn ogystal â'r maint.)

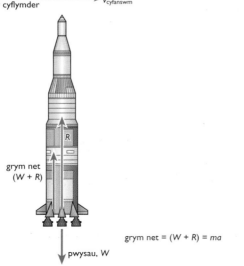

R

grym net $(W + R)$

grym net = $(W + R) = ma$

pwysau, W

Oherwydd llosgi tanwydd, mae roced yn profi grym ar i fyny, R. Rhaid iddo fod yn fwy na'i phwysau W os yw'r grym net i fod ar i fyny (Ffigur 12.5). Mae'r ddau rym sy'n gweithredu ar y roced sy'n cael ei lansio yn gweithredu ar yr un llinell syth – maent yn gydlinol – ond maent yn anghytbwys, h.y. nid ydynt mewn cydbwysedd. Gwelir felly gyflymiad tuag i fyny.

Sylwch fod $(W + R) < R$ oherwydd mae gwerth negatif i W. (Ystyr yr arwydd $<$ yw 'llai na'.)

Lle bo grymoedd yn gweithredu ar hyd un llinell syth yna gellir darganfod y grym net neu'r grym **cydeffaith** drwy wneud swm adio hawdd. Gall hyn gael ei wneud drwy lunio wrth raddfa neu drwy gyfrifo. Ar gyfer y roced,

$$W \neq -R$$
grym cydeffaith $= W + R \neq 0$

Rhoddir cyflymiad y roced, o $F = ma$, gan

$$\text{cyflymiad} = \frac{F}{m} = \frac{(W + R)}{m}$$

Sylwch ein bod yn rhoi gwerth positif i rym i un cyfeiriad a gwerth negatif i rym i'r cyfeiriad dirgroes. Rydym yn rhydd i benderfynu pa un yw p'un ond, ar ôl gwneud y penderfyniad, rhaid cadw ato. Ar gyfer grymoedd yn gweithredu'n fertigol, mae'n arferol i ddweud bod y grym ar i fyny yn bositif a bod y grym ar i lawr yn negatif. Ar gyfer grymoedd llorweddol mae'n arferol i ddweud bod y grymoedd i'r dde yn bositif a bod y grymoedd i'r chwith yn negatif (Ffigur 12.6). Nid oes unrhyw reswm ffisegol dros wneud y dewis hwn, ond mae'n syniad da cael system sy'n cael ei defnyddio gan bawb – confensiwn. Gelwir yr arfer o ddweud bod grymoedd ar i fyny ac i'r dde yn bositif yn **gonfensiwn Cartesaidd** (ar ôl yr athronydd/mathemategydd o'r 17eg ganrif o Ffrainc – René Descartes). Defnyddiwn gonfensiwn Cartesaidd wrth blotio graffiau.

Ffigur 12.6
Grymoedd cydlinol mewn cyfuniad **a** sy'n gwrthwynebu ei gilydd a **b** sy'n adeiladol.

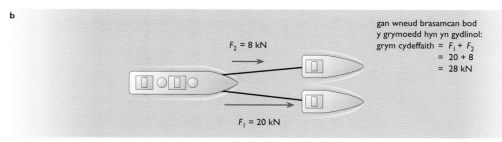

a

$F_2 = -8$ kN
$F_1 = 20$ kN

grym net $= F_1 + F_2$
$= 20 - 8$
$= 12$ kN

Os yw grymoedd cydlinol yn gweithredu i gyfeiriadau dirgroes yna byddant yn gweithredu yn erbyn ei gilydd. Gellir dod o hyd i'r grym net neu gydeffaith drwy adio, ond bydd gwerth negatif i un o'r grymoedd.

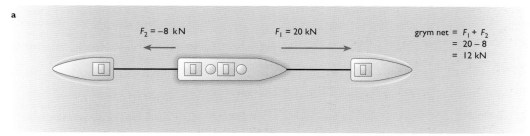

b

$F_2 = 8$ kN

$F_1 = 20$ kN

gan wneud brasamcan bod y grymoedd hyn yn gydlinol:
grym cydeffaith $= F_1 + F_2$
$= 20 + 8$
$= 28$ kN

Mae cydeffaith grymoedd cydlinol yn gweithio gyda'i gilydd, i'r un cyfeiriad, yn swm adio syml.

5 Beth yw grym cydeffaith grym 10 N a grym 8 N pan fyddant yn gweithredu
  a i'r un cyfeiriad
  b i gyfeiriadau dirgroes?
6 Beth yw cydeffaith pob cyfuniad o fectorau yn Ffigur 12.7?

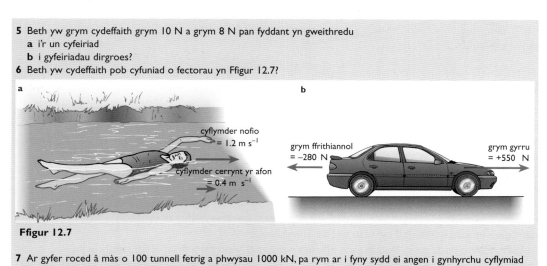

a

cyflymder nofio
$= 1.2$ m s^{-1}

cyflymder cerrynt yr afon
$= 0.4$ m s^{-1}

b

grym ffrithiannol
$= -280$ N

grym gyrru
$= +550$ N

Ffigur 12.7

7 Ar gyfer roced â màs o 100 tunnell fetrig a phwysau 1000 kN, pa rym ar i fyny sydd ei angen i gynhyrchu cyflymiad tuag i fyny o 20 m s^{-2}? (1 dunnell fetrig = 1000 kg)

Adio fectorau perpendicwlar

Dychmygwch lygoden fawr yn nofio ar draws afon. Mae dau achos annibynnol neu wahanol i fudiant y llygoden fawr – ymdrechion y llygoden fawr ei hun a cherrynt y dŵr. Os yw ymdrechion y llygoden fawr wedi'u hanelu ar draws yr afon tra bo cerrynt yr afon yn ei chario i lawr yr afon, yna byddant yn gweithredu ar ongl sgwâr i'w gilydd. Mae'r ddau gyflymder yn **gydrannau cydberpendicwlar** o'r gwir gyflymder.

Os yw maint dwy gydran cyflymder y llygoden fawr yn hysbys, yna mae'n bosibl cyfrifo maint a chyfeiriad y cyfuniad neu'r cydeffaith, naill ai drwy wneud lluniad wrth raddfa neu drwy gyfrifo. Drwy ddefnyddio'r naill ddull neu'r llall, caiff y fectorau eu hadio at ei gilydd i ddarganfod y gwir gyflymder.

Gyda sgalarau a fectorau cydlinol lle bo un dimensiwn yn unig yn bwysig y bydd adio 'arferol' yn gweithio. Mae nifer yr wyau sydd mewn basged yn fesur sgalar; mae un wy adio un wy yr un fath â dau wy. Mewn un dimensiwn, mae un metr adio un metr yn hafal i ddau fetr. Adio mewn dau ddimensiwn yw cyfrifo cydeffaith dau fector cydberpendicwlar. Mae cyfrifo mewn dau ddimensiwn gryn dipyn yn fwy cymhleth, fel y byddech yn ei ddisgwyl (Ffigur 12.8).

Ffigur 12.8
Canfod cydeffaith dau gyflymder cydberpendicwlar.

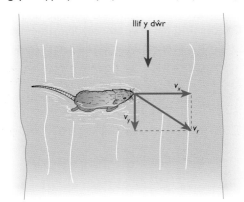

v_x = cyflymder nofio'r llygoden fawr

v_y = cyflymder y llygoden fawr oherwydd y cerrynt

v_r = cyflymder cydeffaith

$$v_r^2 = v_x^2 + v_y^2$$

$$v_r = \sqrt{(v_x^2 + v_y^2)}$$

Gellir meddwl am gydeffaith dau gyflymder cydberpendicwlar fel petaent yn ffurfio croeslin y petryal neu hypotenws y triongl ongl sgwâr y bydd y cyflymderau yn ei lunio. Golyga hyn y gallwn ddefnyddio theorem Pythagoras i ganfod maint y cydeffaith:

$$v_r^2 = v_x^2 + v_y^2$$

lle saif v_x a v_y am y ddau gyflymder cydberpendicwlar a lle saif v_r am eu cydeffaith.

Yn yr un modd gallwn ganfod cydeffaith unrhyw ddau rym cydberpendicwlar, naill ai drwy wneud lluniad wrth raddfa neu drwy gyfrifo (Ffigur 12.9).

Ffigur 12.9
Canfod cydeffaith dau rym cydberpendicwlar.

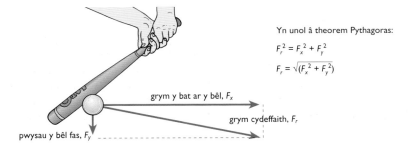

Yn unol â theorem Pythagoras:

$$F_r^2 = F_x^2 + F_y^2$$

$$F_r = \sqrt{(F_x^2 + F_y^2)}$$

grym y bat ar y bêl, F_x

grym cydeffaith, F_r

pwysau y bêl fas, F_y

Adio adwaith normal a grym ffrithiannol

Gall wal effeithio ar gnap (*puck*) hoci iâ yn adlamu oherwydd dwy broses neu fecanwaith gwahanol. Mae grym ar y cnap sy'n berpendicwlar i'r wal, oherwydd y gwrthyriad rhwng gronynnau'r wal a gronynnau'r cnap. Gelwir hyn yn rym **adwaith normal**, a gallwch deimlo grym tebyg drwy guro bwrdd â'ch dwrn neu drwy orffwys eich llaw ar y bwrdd. Gyda'r enghraifft olaf, mae'r adwaith normal yn cydbwyso pwysau eich llaw. Wrth eistedd ar gadair, neu sefyll ar y llawr, rydych yn profi adwaith normal sy'n cydbwyso pwysau eich corff.

Gall y wal hefyd roi grym ffrithiannol ar y cnap, yn union fel y gall y gadair neu'r llawr roi grym ffrithiannol arnoch chi. Grym ffrithiannol yw grym sy'n gwrthwynebu arwynebau'n llithro, ac mae'n gweithredu i gyfeiriad sy'n baralel â'r arwynebau.

Mae'r ddau rym ar gnap hoci iâ sy'n adlamu – adwaith normal a grym ffrithiannol – yn gweithredu ar yr un pwynt ond i gyfeiriadau sy'n berpendicwlar i'w gilydd. Er mwyn canfod y grym net neu gydeffaith, rhaid adio'r fectorau (Ffigur 12.10).

Ffigur 12.10
Adio adwaith normal a grym ffrithiannol.

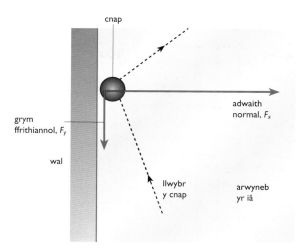

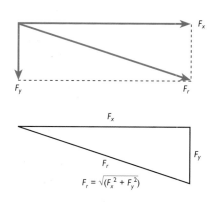

$$F_r = \sqrt{(F_x^2 + F_y^2)}$$

8 Gyferbyn, beth a wnaed i drawsnewid yr hafaliad cyntaf i'r ail hafaliad?

9 Mae rhywun yn cerdded ar draws dec llong o un ochr i'r llall ar gyflymder o 2 m s⁻¹, tra bo gan y llong gyflymder o 10 m s⁻¹. Dangoswch ar ddiagram fector faint a chyfeiriad cyflymder cydeffaith y person sy'n cerdded.

10 Beth yw cydeffaith grym ffrithiannol 3 N a grym adwaith normal 4 N sy'n gweithredu ar ongl sgwâr ar gnap hoci iâ?

11 O dan ba amgylchiadau y gallwch chi adio fectorau fel petaent yn fesurau sgalar?

Mae defnyddio ffurfiau talfyredig wrth gyfeirio at y ddau gyfeiriad yn ddefnyddiol. Gallem ddweud bod un grym yn gweithredu (yr adwaith normal, dyweder) i'r cyfeiriad *x* a'r llall (y grym ffrithiannol) i'r cyfeiriad *y*. Gallem alw'r grymoedd yn F_x ac F_y. Dangosir effaith gyfunol y ddau rym – eu cydeffaith – gan hypotenws y triongl ongl sgwâr a ffurfiant. Gallwn alw'r cydeffaith yn F_r a defnyddio theorem Pythagoras i'w gyfrifo:

$$F_r^2 = F_x^2 + F_y^2$$

neu

$$F_r = \sqrt{F_x^2 + F_y^2}$$

Cydrannu fectorau

Mae gan y llygoden fawr sy'n nofio ar draws yr afon (Ffigur 12.8) gydran flaen a chydran ochrol i'w mudiant. Drwy edrych ar ei hunion fudiant mewn perthynas â'r dirwedd o'i chwmpas, ac o wybod faint a chyfeiriad y gwir gyflymder net, gellir cyfrifo'r ddwy gydran gydberpendicwlar hyn o'r cyflymder (Ffigur 12.11). Gallwch feddwl am hyn fel y gwrthwyneb i adio fectorau cydberpendicwlar a chaiff ei alw'n **gydraniad** y cyflymder. Yn union fel y gwneir gydag adio fectorau, gellir cydrannu fector drwy luniadu wrth raddfa neu drwy gyfrifo.

Ffigur 12.11
Cydraniad cyflymder i ddau gyfeiriad cydberpendicwlar. Cydrannau cydberpendicwlar fector yw pâr o fectorau ar ongl sgwâr i'w gilydd sydd â'r un effaith â'r fector.

Mae pob un o'r parau hyn yn ddadansoddiad teg o'r fector cyflymder. Mae'n debyg mai'r cyntaf ohonynt, lle mae'r cydrannau yn y cyfeiriadau *x* ac *y*, yw'r un mwyaf tebygol o fod yn ddefnyddiol.

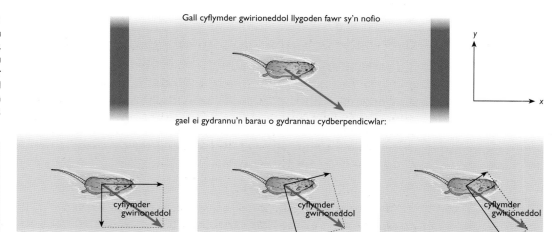

Ffigur 12.12
Gallwn gydrannu fector i *unrhyw* ddau gyfeiriad cydberpendicwlar, e.e. i'r gogledd neu i'r dwyrain.

cydran ogleddol

cyflymder gwirioneddol

cydran ddwyreiniol

Ar gyfer gwrthrych sy'n symud, gallwn gydrannu'r cyflymder gwirioneddol, os gwyddom beth yw ei faint a'i gyfeiriad, i unrhyw ddau gyfeiriad cydberpendicwlar. Gallem ddewis canfod cydran ogleddol mudiant llong a'i chydran ddwyreiniol, er enghraifft (Ffigur 12.12).

Yn union fel y gallwn gydrannu fectorau cyflymder, gallwn hefyd gydrannu fector grym i ddau gyfeiriad cydberpendicwlar. Meddyliwch am hofrennydd, er enghraifft. Gall y grym oherwydd ei rotorau ddarparu'r codiant (i gydbwyso disgyrchiant neu hyd yn oed i'w gyflymu ar i fyny) a'r gwthiad ymlaen (i oresgyn y grymoedd llusgiad ac weithiau i'w gyflymu ymlaen). Gwneir hyn drwy ogwyddo plân y rotorau fel y bo cydrannau fertigol a llorweddol i'r grym net ar yr hofrennydd. O ongl y gogwydd, gallwn weld cyfeiriad y grym gwirioneddol sy'n gweithredu (Ffigur 12.13). Mae gogwyddiadau gwahanol yn cynhyrchu cyfuniadau gwahanol o rym ymlaen ac ar i fyny. Er mwyn cyfrifo gwerthoedd cymharol y cydrannau hyn, cydrannwn y grym yn fertigol ac yn llorweddol.

Ffigur 12.13
Gellir cydrannu grym sy'n gweithredu ar hofrennydd yn gydrannau fertigol a llorweddol.

cydran fertigol

grym ar yr hofrennydd oherwydd y rotorau

cydran lorweddol

Rheol gyflym wrth gyfrifo'r cydrannau

Defnyddiwn reolau trigonometreg i gyfrifo gwerthoedd cydrannau cydberpendicwlar. Fe welwch rai enghreifftiau yn Ffigur 12.14.

Nodwch fod y gydran berpendicwlar sydd 'agosaf at' ongl a enwyd (neu'n gyfagos iddi) bob amser yn hafal i $F \cos \theta$. Mae'r gydran sydd 'gyferbyn' â'r ongl a enwyd bob amser yn $F \sin \theta$.

Ffigur 12.14
Cyfrifo gwerthoedd cydrannau perpendicwlar grym.

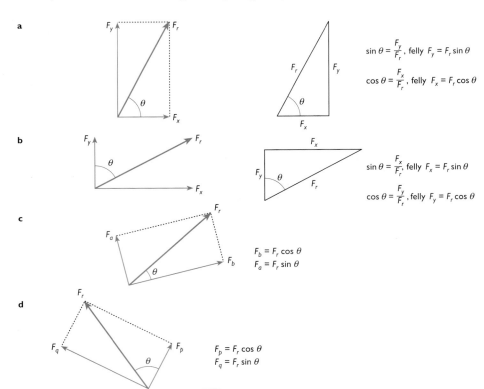

a

$\sin \theta = \dfrac{F_y}{F_r}$, felly $F_y = F_r \sin \theta$

$\cos \theta = \dfrac{F_x}{F_r}$, felly $F_x = F_r \cos \theta$

b

$\sin \theta = \dfrac{F_x}{F_r}$, felly $F_x = F_r \sin \theta$

$\cos \theta = \dfrac{F_y}{F_r}$, felly $F_y = F_r \cos \theta$

c

$F_b = F_r \cos \theta$
$F_a = F_r \sin \theta$

d

$F_p = F_r \cos \theta$
$F_q = F_r \sin \theta$

12 Nid yw awyren mewn gwynt o'r ochr yn teithio i'r cyfeiriad y mae'n pwyntio ato. Mae i'w chyflymder gydrannau tuag ymlaen ac i'r ochr. Beth yw maint y cydrannau hyn yn y sefyllfa a ddangosir yn Ffigur 12.15?

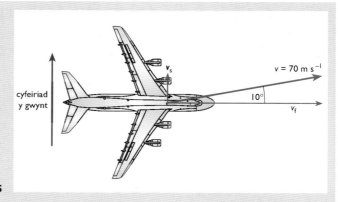

Ffigur 12.15

13 Beth yw cydrannau llorweddol a fertigol y grym a ddangosir yn Ffigur 12.16?

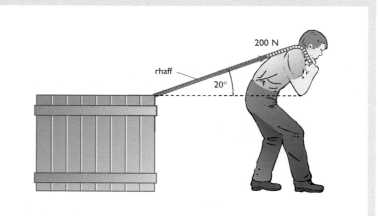

Ffigur 12.16

14 Beth yw cydrannau cyflymder y cnap hoci iâ yn Ffigur 12.17a cyn iddo daro wal, i gyfeiriadau sy'n baralel ac yn berpendicwlar i'r wal?

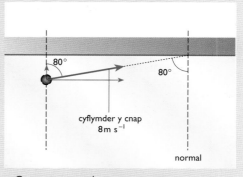

a Cnap cyn taro wal.

15 Beth yw cydrannau'r grym adwaith normal sy'n gweithredu ar y cnap hoci iâ yn Ffigur 12.17b,
 a yn baralel i fudiant cychwynnol y cnap
 b yn berpendicwlar i fudiant cychwynnol y cnap?

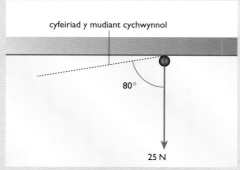

b Y cnap a'r adwaith normal wrth daro'r wal.

Ffigur 12.17

● Adio fectorau amherpendicwlar

Mae cydeffaith unrhyw bâr o rymoedd yn hafal i groeslin y paralelogram a ffurfiant (Ffigur 12.18). (Mae hyn yn wir am rymoedd cydberpendicwlar lle mae'r paralelogram yn digwydd bod yn betryal.)

Ffigur 12.18
Adio dau rym amherpendicwlar.

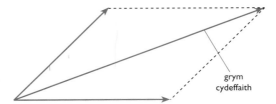

grym cydeffaith

Mae'n bosibl y bydd gyrrwr y cwch fferi sy'n croesi afon yn ôl ac ymlaen yn gweld y byddai'n well petai'r glanfeydd yn union gyferbyn â'i gilydd. Ond, os yw'n defnyddio ei injan i geisio symud yn berpendicwlar i'r lan gyferbyn, yna bydd yr afon yn ei sgubo i lawr yr afon. Gyda phob croesiad felly, bydd y fferi yn mynd yn nes at y môr. Felly mae'r fferi yn defnyddio ei phŵer i symud tuag at bwynt i fyny'r afon o'r lanfa (Ffigur 12.19a). Gallwn adio at ei gilydd ddau gyflymder annibynnol y fferi drwy gwblhau paralelogram. Dangosir y cydeffaith gan groeslin y paralelogram a gallwn ddarganfod ei werth drwy naill ai luniadu wrth raddfa neu gyfrifo. Wrth luniadu wrth raddfa, rhaid cymryd gofal i sicrhau bod yr onglau, yn ogystal â hyd y saethau, yn y lluniad o'r maint cywir.

Ffigur 12.19
Cydrannau cyflymder fferi'n croesi afon.

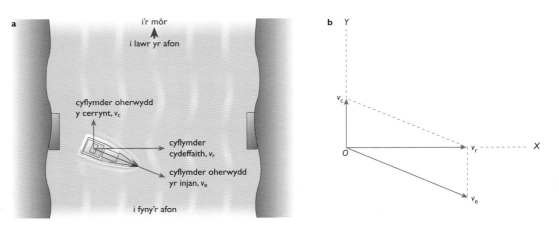

Er mwyn cyfrifo'r cydeffaith, rhaid gweithio fesul cam. Y cam cyntaf yw creu'r ddwy echelin a gaiff eu galw'n *OX* ac *OY*. (Maent yr un fath â chyfeiriadau'r echelinau *x* ac *y* ar graff, gan ddefnyddio'r confensiwn Cartesaidd.) Er mwyn cadw hyn mor syml ag sy'n bosibl, gall un o'r echelinau bwyntio i'r un cyfeiriad ag un o'r cyflymderau (Ffigur 12.19b). Mae angen talfyrru'r enwau hefyd felly cânt eu galw'n v_c, sef y cyflymder oherwydd y cerrynt, a v_e sef y cyflymder oherwydd yr injan.

Nid yw v_e yn gweithredu ar hyd *OX* nac *OY* ond, yn hytrach, yn rhannol i'r ddau gyfeiriad. Gallwn gyfrifo'r cyfraniad y mae v_e yn ei wneud i bob cyfeiriad. Hynny yw, cydrannwn v_e ar hyd *OX* ac *OY* er mwyn darganfod ei ddwy gydran gydberpendicwlar (Ffigur 12.20).

Ffigur 12.20
v_e wedi'i gydrannu i gyfeiriadau *OX* ac *OY*.

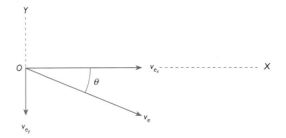

mae gan v_e gydrannau i gyfeiriadau *OX* ac *OY*:

$v_{e_x} = v_e \cos \theta$
$v_{e_y} = v_e \sin \theta$

lle saif θ am yr ongl rhwng y cyflymder oherwydd yr injan a'r cyfeiriad *OX*.

Gallwn yn awr adio'r cydrannau hyn o v_c:

cyflymder net yn gweithredu i gyfeiriad $OX = v_{e_x} = v_e \cos \theta$

cyflymder net yn gweithredu i gyfeiriad $OY = v_c - v_{e_y} = v_c - v_e \sin \theta$

Er mwyn cyrraedd y lanfa ar draws yr afon, bydd angen cyflymder cydeffaith i gyfeiriad OX ar y fferi. Gall gyflawni hyn drwy ddewis yr ongl θ er mwyn i'r cyflymder net i'r cyfeiriad OY fod yn sero (Ffigur 12.21).

Ffigur 12.21
Y cydrannau cyflymder ar hyd OX ac OY.

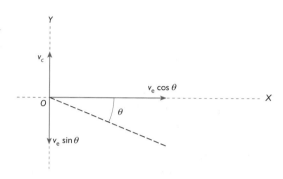

Mae'r cyflymder net i gyfeiriad OY yn sero os yw $v_c - v_e \sin \theta = 0$.
Gellir cysylltu v_e a θ er mwyn sicrhau bod $v_e \sin \theta = v_c$. Mae'r ddwy gydran cyflymder i'r cyfeiriad OY wedi hynny yn hafal ac yn ddirgroes. Yna mae'r cyflymder cydeffaith $= v_e \cos \theta$ i'r cyfeiriad OX.

16 Mae cwch hwylio yn defnyddio ei hwyliau ac injan ar yr un pryd i gyfrannu at ei gyflymder, fel y dangosir yn Ffigur 12.22. Beth yw'r cyflymder cydeffaith?

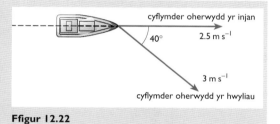

Ffigur 12.22

Fectorau hedfan

Er mwyn i aderyn neu awyren deithio ar gyflymder cyson, rhaid i'r grymoedd sy'n gweithredu arnynt fod yn sero. Wrth ddadansoddi hyn, byddai'n ddefnyddiol i ni feddwl am y grymoedd llorweddol a fertigol ar wahân.

Y grymoedd llorweddol yw'r grymoedd gwrthiant oherwydd yr aer, a elwir yn rymoedd **llusgiad**, a'r **gwthiad** ymlaen a grëwyd gan ymdrechion adenydd yr aderyn neu injan yr awyren. Er mwyn cael cyflymder llorweddol cyson, rhaid i'r grymoedd hyn fod yn hafal a dirgroes. Rhaid i'r grym llorweddol net fod yn sero.

Y grymoedd fertigol yw'r grym disgyrchiant, neu'r pwysau, a'r **codiant** a grëwyd gan lif yr aer ar draws yr adenydd. Er mwyn cael cyflymder fertigol cyson, rhaid i'r pwysau a'r codiant fod mewn cydbwysedd. Rhaid i'r grym fertigol net fod yn sero.

Ffigur 12.23
Y grymoedd ar aderyn sy'n hedfan.

17 Beth fydd yn dechrau digwydd i aderyn lle bo'r
a codiant > pwysau, gwthiad = llusgiad
b codiant > pwysau, gwthiad < llusgiad?

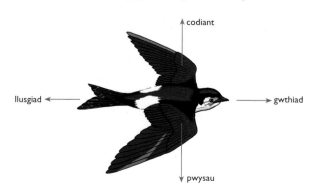

Hofrennydd yn hedfan

Mae hofrennydd yn enghraifft dda o Drydedd Ddeddf Newton ar waith. Mae aer yn profi grym ac mae hefyd yn rhoi grym. Mae'r hofrennydd yn gyfrifol am y grym a roddir ar yr aer, ac mae'r aer yn ei dro yn rhoi grym hafal a dirgroes. Mae'r hofrennydd a'r aer yn bartneriaid hafal.

Ar gyfer hofrennydd ag un set o lafnau rotor mawr, y rhain fydd yn rhoi'r grym codi a'r grym gwthio. Y codiant yw'r grym ar i fyny y mae'r hofrennydd yn ei brofi er mwyn cydbwyso ac weithiau i oresgyn grym disgyrchiant. Y gwthiad yw'r grym sy'n caniatáu iddo gydbwyso neu oresgyn y grymoedd gwrthiant sy'n gwrthwynebu ei fudiant ymlaen.

Mae pob llafn rotor yn gweithredu fel adain sy'n rhoi grym ar yr aer sy'n llifo dros ei arwynebau. Fel gydag unrhyw adain, yr effaith net fydd rhoi grym ar yr aer sydd i gyfeiriad dirgroes i'r grym sydd ei angen ar yr hofrennydd. Dim ond pan fo llif yr aer ar draws arwyneb yr adain yn ddigon cyflym y bydd hyn yn digwydd. Yn achos awyren, jet cludo teithwyr er enghraifft, rhaid iddi symud ei holl gorff er mwyn cyrraedd y buaneddau hyn, felly ni all greu digon o godiant i godi i'r awyr hyd nes y bo'n symud ar fuanedd uchel. Dyma'r rheswm bod angen rhedfa hir ar awyrennau jet. Mae hofrennydd, ar y llaw arall, yn gallu creu llif aer ar y buanedd angenrheidiol drwy symud ei 'adenydd' neu ei lafnau rotor. Mae'r llafnau'n troelli hyd at 300 cylchdro y funud.

Mae unrhyw bwynt a ddewiswch ar rotor yn symud mewn cylch. Oherwydd y mudiant hwn mewn cylch, mae un pen o'r rotor yn symud ymlaen ac mae'r pen arall yn symud yn ôl mewn perthynas â chorff yr hofrennydd. Gelwir dwy ochr y rotor, neu'r llafnau, yn llafn cilio a llafn ymlaen (Ffigur 12.24). Mae mudiant pennau'r ddau lafn hyn yn ôl ac ymlaen yn digwydd p'un ai y bo'r hofrennydd ar y ddaear neu'n symud ymlaen ar fuanedd macsimwm. Mae'r llafn sy'n symud

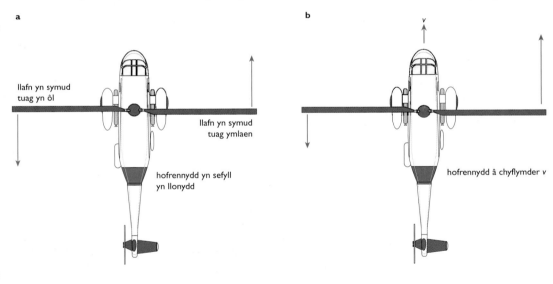

Ffigur 12.24
Fectorau cyflymder ar gyfer **a** hofrennydd yn sefyll yn llonydd a **b** hofrennydd yn symud yn ei flaen.

Ffigur 12.25
Grymoedd fector ar gyfer hofrennydd **a** yn hofran, **b** yn cyflymu ymlaen a **c** yn troi i'r chwith.

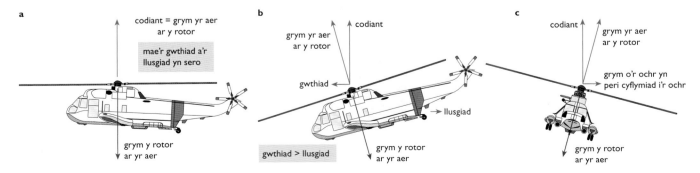

tuag ymlaen yn symud drwy'r aer yn gyflymach na'r llafn sy'n symud tuag yn ôl, felly mae'n profi mwy o godiant. Byddai hyn yn achosi i'r hofrennydd droi drosodd pan fyddai'n hedfan pe na bai gogwydd y llafnau yn cael ei amrywio er mwyn lleihau'r grym codi ar y llafn sy'n symud tuag ymlaen a chynyddu'r grym codi ar y llafn sy'n symud tuag yn ôl.

Mewn gwirionedd, drwy ogwyddo'r llafnau y bydd peilot yr hofrennydd yn ei reoli. Er mwyn cael y gwthiad, mae'r llafnau yn cael eu gogwyddo i gynyddu'r grym codi wrth iddynt deithio drwy hanner cylch ôl eu mudiant, ac yna cânt eu gogwyddo er mwyn lleihau'r grym codi wrth i'r llafnau ddod i'r tu blaen. Bydd hyn yn goleddu'r hofrennydd cyfan, gan gynnwys plân y rotorau, ymlaen, gan roi cydran lorweddol i'r grym arno (Ffigur 12.25b).

Er mwyn troi i'r chwith, caiff y llafnau eu gogwyddo i leihau'r grym codi ar y chwith a'i gynyddu ar y dde. Bydd hyn unwaith eto yn gogwyddo'r hofrennydd cyfan ac yn rhoi cydran lorweddol i'r grym ond, mae'r grym yn awr yn berpendicwlar i'r cyfeiriad y mae'n teithio ac nid yn baralel iddo (Ffigur 12.25c).

Yn olaf, mae yna broblem sbinio. Mae'r rotorau a chorff yr hofrennydd wedi'u cysylltu gan yr injan. Mae gan y rotorau fàs sy'n sylweddol lai, felly maent yn sbinio ar fuanedd uchel. Mae corff yr hofrennydd, fodd bynnag, mewn amgylchedd lle mae'r ffrithiant yn isel ac nid yw'n wrthrych sefydlog. Mae tuedd felly i'r injan wneud i'r corff cyfan sbinio i gyfeiriad dirgroes i'r rotorau. Bydd rotor wrth ei gynffon yn fodd i greu effaith troi sy'n ei gydbwyso.

Mae'r gwaith peirianyddol sydd ei angen i sicrhau bod hofrennydd yn hedfan yn esmwyth yn gymhleth iawn ond mae'r manteision o gael 'adenydd' sy'n symud yn gyflym, o ran eu gallu a'u dull o symud, yn sylweddol.

18 Pam y mae awyrennau ag 'adenydd sefydlog', fel awyren jet, yn codi i mewn i'r gwynt pan fydd hyn yn bosibl?

19 Tynnwch frasluniau i ddangos y grymoedd codiant, gwthiad *a'r grymoedd dirgroes* sy'n gweithredu ar hofrennydd mewn aer heb wynt
  a pan fydd yn teithio ar uchder sefydlog ac ymlaen yn llorweddol ar gyflymder cyson
  b pan fydd yn codi ar gyflymder cyson (cofiwch $F = ma$) ac yn teithio ymlaen yn llorweddol ar gyflymder cyson
  c pan fydd yn cyflymu ar i fyny ac yn teithio ymlaen yn llorweddol ar gyflymder cyson.

20 Rhoddir y buanedd ar ben pellaf llafn rotor mewn perthynas â chorff yr hofrennydd gan

$$\text{buanedd} = \frac{\text{pellter}}{\text{amser}} = \frac{2\pi r}{t}$$

lle saif r am hyd pob llafn rotor a t am yr amser ar gyfer pob cylchdro.
Cyfrifwch
  a yr amser, t, mewn eiliadau, a gymer un cylchdro ar gyfradd o 300 cylchdro y funud
  b buanedd pen llafn y rotor sy'n symud tuag yn ôl mewn perthynas â chorff yr hofrennydd os 4.5 m yw hyd llafn y rotor
  c buanedd pen llafn y rotor sy'n symud tuag yn ôl mewn perthynas â'r llawr pan fo'r hofrennydd yn symud 360 km awr^{-1}
  d buanedd pen llafn y rotor sy'n symud tuag ymlaen mewn perthynas â'r llawr pan fo'r hofrennydd yn symud 360 km awr^{-1}.

21 Esboniwch yn llawn, yn eich geiriau eich hun, gyda help diagram(au), sut y mae'r hofrennydd yn cael y gwthiad.

22 Cyfrifwch y gwthiad sy'n gweithredu ar hofrennydd sydd â phwysau o 25 kN pan fo plân y rotorau wedi'i ogwyddo ymlaen ar ongl o 5° i'r llorwedd. (Noder: 25 kN yw cydran fertigol y grym cyflawn a roddir gan y rhyngweithiad rhwng yr hofrennydd a'r aer. Bydd braslunio diagram yn sicr o'ch helpu!)

● Tasg sgiliau ychwanegol

Technoleg Gwybodaeth

Defnyddiwch becyn taenlen i gynhyrchu model mathemategol all ragfynegi mudiant hofrennydd ar gyfer gwerthoedd gwahanol o rymoedd gwrthiant aer, gwthiad, disgyrchiant a chodiant.

Cymerwch 25 N fel engraifft o bwysau nodweddiadol a 0–2 kN fel amrediad gwrthiant aer nodweddiadol ar gyfer hofrennydd sy'n teithio ar fuanedd hyd at 360 km awr^{-1}. Dylai eich model ar y daenlen adio'r grymoedd fertigol, ac yna'r grymoedd llorweddol, mewn colofnau ar wahân.

Yna bydd angen i chi ddefnyddio'r fformiwla ar gyfer y fectorau cydeffaith er mwyn gwneud rhagfynegiadau ynglŷn â'r grym net ac felly cyfeiriad cyflymiad yr hofrennydd.

Dylai eich taenlen ganiatáu i'r defnyddiwr ychwanegu gwerthoedd mewn celloedd penodol, gan osod terfynau ar y gwerthoedd hyn a ychwanegir.

13 Grym a mudiant mewn meysydd disgyrchiant

Y CWESTIYNAU MAWR

- Rydym wedi ein dal ym maes disgyrchiant gwrthrych mawr, felly sut y mae deall y rheolau cyffredinol sy'n gymwys p'un ai a fydd gwrthrych mewn maes disgyrchiant ai peidio?
- Rydym wedi ein dal mewn cyfrwng gwrthiannol (aer), felly sut y mae deall y rheolau cyffredinol sy'n gymwys p'un ai a fydd gwrthrych mewn cyfrwng gwrthiannol ai peidio?

GEIRFA ALLWEDDOL

balisteg   cryfder maes disgyrchiant   cyflymder terfynol   cyflymiad oherwydd disgyrchiant   disgyn yn rhydd   llinellau maes (neu linellau grym)   màs disgyrchol   màs inertiol   pwysau

Y CEFNDIR

Ffigur 13.1
Sfferau o fewn sfferau – cyn Copernicus credai'r Ewropeaid mai'r Ddaear oedd canolbwynt y Bydysawd.

Cyn y chwyldro gwyddonol a ddechreuodd gyda Copernicus, credai'r Ewropeaid fod y Ddaear yn sefydlog ond ei bod yn llawn diffygion a bod cyrff wybrennol perffaith yn cylchdroi o gwmpas y Ddaear (Ffigur 13.1). Credai pobl fod gwrthrychau ar y Ddaear yn ymddwyn yn wahanol i wrthrychau yn yr awyr a'u bod yn ufuddhau i reolau gwahanol. Dros y canrifoedd, mae gwyddoniaeth wedi newid ein ffordd o edrych ar y byd o'n cwmpas (Ffigur 13.2, 13.3).

Ffigur 13.2
Rhai o'r athronwyr a'r gwyddonwyr a newidiodd ein ffordd o feddwl am y byd.

Nicholas Copernicus (1473–1543) Mynach o wlad Pwyl a awgrymodd y gallai mudiant ymddangosiadol y planedau yn yr awyr gael ei egluro gan y syniad bod y planedau a'r Ddaear i gyd mewn orbit o gwmpas yr Haul.

Giordano Bruno (1548–1600) Offeiriad a gefnogai syniadau Copernicus am y planedau'n cylchdroi ond a gafodd ei losgi i farwolaeth oherwydd hynny.

Galileo Galilei (1564–1642) Trwy ddefnyddio telesgop, dyfais newydd, darganfu nad oedd y Lleuad yn sffêr perffaith ond, yn hytrach, bod mynyddoedd arni, yn debyg i'r Ddaear. Darganfu nad oedd Iau yn sffêr ar ei phen ei hun ond bod iddi leuadau. Bob nos, byddai'n tracio safleoedd y lleuadau a gallai weld eu bod mewn orbit o gwmpas Iau. Roedd hi'n ymddangos felly nad oedd popeth yn yr awyr yn cylchdroi o gwmpas y Ddaear wedi'r cyfan.

Johannes Kepler (1571–1630) Defnyddiodd ddata am symudiad y planedau ar draws yr awyr i lunio deddfau a ddisgrifiai eu horbit, ac orbit y Ddaear, o gwmpas yr Haul. Yn sgil y syniadau gwyddonol newydd, roedd statws y Ddaear wedi'i ostwng o fod yng nghanol y Bydysawd i fod yn ddim ond un mewn teulu o blanedau.

Ffigur 13.3
'Athronydd yn darlithio wrth yr oreri', gan Joseph Wright, Derby.

Mae'r peintiad hwn a wnaed mwy na 100 mlynedd wedi marwolaeth Kepler a Galileo a 50 mlynedd wedi marwolaeth Newton, yn dangos rhai o ddinasyddion mwyaf cefnog Derby yn cael eu hudo gan ddarlithydd teithiol a ddefnyddiai fodel mecanyddol o gysawd yr Haul, sef 'oreri', i ddisgrifio mudiant y planedau yn nghanol ehangder y gofod. Gallai'r bobl hyn ddarllen yr awyr yn hawdd – nid oedd ganddynt olau nwy na thrydan felly gallent weld yr awyr yn ei holl ogoniant ar nosweithiau clir digwmwl.

Newton, yr afal a'r planedau

Meddai Isaac Newton un tro, yn wylaidd:

'If I have seen further it is by standing on the shoulders of giants.'

Roedd Copernicus, Bruno, Galileo a Kepler ymhlith rhai o'r cewri hynny.

Newton oedd yn gyfrifol am greu'r cysyniad ynglŷn â grym fel y gwyddom ni amdano, sef yr hyn sy'n achosi cyflymiad. Caiff y berthynas grym-cyflymiad hon ei chyfleu gan yr hafaliad syml, $F = ma$. Mae'r syniadau hyn wedi'u cynnwys yn Neddf Gyntaf Newton ac Ail Ddeddf Newton (gweler tudalennau 90 a 120). Mae'r Drydedd Ddeddf (tudalen 92) yn mynd ymlaen o'r fan hon gan ddweud bod grymoedd bob amser yn digwydd ar y cyd â'i gilydd – h.y. os yw gwrthrych A yn rhoi grym ar wrthrych B yna bydd gwrthrych B yn rhoi yr union rym dirgroes ar wrthrych A.

Ond nid creu cysyniad grym oedd yr unig beth a gyflawnodd Newton. Newton a sylweddolodd fod grym disgyrchiant – rhan o'n profiad ni bob dydd ar y Ddaear – yr un fath â'r grym sy'n dal y lleuadau a'r planedau yn eu horbit. Mae'n bosibl, yn ôl yr hanes, mai'r afal a syrthiodd o'r goeden yn Swydd Gaerhirfryn a achosodd i Newton ailfeddwl am syniadau Copernicus, Galileo a Kepler. Wrth ddangos bod afalau a phlanedau yn ufuddhau i'r un deddfau, parhaodd Newton â'r gwaith a ddechreuwyd ganddynt hwy. Yr hyn a wnaeth Newton oedd uno disgyrchiant ar y Ddaear a symudiadau wybrennol. Fu pethau byth yr un fath ers hynny!

Dau ddiffiniad màs

Gwelsom eisoes y gall màs gael ei ddiffinio fel mesur o faint mae corff yn gwrthsefyll cyflymiad, fel y disgrifiwyd yn y fformiwla $m = F/a$. Dyma **fàs inertiol** y gwrthrych.

Ond mae màs yn gwneud mwy na phenderfynu ar wrthiant y corff i gyflymiad yn unig. Mae unrhyw ddau wrthrych lle bo eu màs yn rhyngweithio yn rhoi grym disgyrchiant ar ei gilydd. Màs gwrthrych sy'n penderfynu i ba raddau y mae'n rhoi ac yn profi grym disgyrchiant. Mae'n ymddangos felly bod angen diffiniad penodol arall arnom ar gyfer màs. Mae **màs disgyrchol** yn mesur ymddygiad disgyrchol gwrthrych – i ba raddau y mae'n rhoi ac yn profi grym disgyrchiant.

Mae'r ddau fàs hyn, er bod iddynt ddiffiniadau gwahanol, yn rhifiadol unfath. Nid oes gan ffiseg Newton esboniad ar gyfer y 'cywerthedd' hwn, nid yw'n ddim ond cyd-ddigwyddiad. Mae hyn yn wendid sylfaenol yn ffiseg Newton ond cafodd ei ddatrys gan Ddamcaniaeth Perthnasedd Gyffredinol Einstein.

Mae màs gwrthrych, boed yn inertiol neu'n ddisgyrchol, yn newid pan fo defnydd yn cael ei ychwanegu neu ei golli. Mae màs gofodwr neu forthwyl yr un fath ar y Lleuad ag yw ar y Ddaear, cyn belled nad ychwanegwyd neu na chollwyd unrhyw ddefnydd. Nid yw màs (neu fàs disymudedd, a bod yn fanwl gywir) yn amrywio o fan i fan.

Mae'r Haul yn wrthrych ac iddo fàs. Mae iddo lawer (iawn!) o ddefnydd. Mae'n gwbl ddiystyr i sôn am gyfeiriad y mesur hwn. Ni allwn dynnu saethau i ddangos i ba gyfeiriad y mae màs yr Haul yn pwyntio. Mae màs yn fesur sgalar.

1 Disgrifiwch sut y gallai ymweld â'r deintydd arwain at fân newidiadau yn eich màs personol.
2 Pa effaith y gallai cynnydd yn eich màs personol ei chael ar y canlynol:
   a pa mor hawdd yw hi i gychwyn a stopio ar feic
   b faint o gywasgu y byddwch yn ei wneud ar yr aer yn y teiars pan fyddwch yn eistedd ar y beic?
3 TRAFODWCH
   a Dychmygwch Fydysawd â dim ond un gwrthrych ar ei ben ei hun. A fyddai gan y gwrthrych
   i fàs inertiol
   ii màs disgyrchol?
   b Dychmygwch Fydysawd mwy soffistigedig â dau wrthrych unfath sy'n ddisymud ar y dechrau ychydig oddi wrth ei gilydd. Beth sy'n digwydd nesaf? Disgrifiwch rôl màs disgyrchol a màs inertiol y gwrthrychau yn yr hyn sy'n digwydd.

Disgyrchiant a màs

Mae pob gwrthrych ac iddo fàs yn rhoi grym ar wrthrych arall; ymddengys fod hyn yn wir drwy'r Bydysawd. Mae'r rhan fwyaf o leoedd yn y Bydysawd ymhell oddi wrth unrhyw seren neu blaned fawr, felly mewn lleoedd o'r fath ni fyddem yn disgwyl i wrthrychau sy'n debyg i fodau dynol brofi fawr ddim grym disgyrchiant. Ond rydym yn byw ar arwyneb gwrthrych sy'n ddigon mawr i ddal ein cyrff ein hunain wrtho. Ychydig ohonom fydd yn disgwyl dianc oddi wrth dynfa disgyrchiant y Ddaear. Rydym mor gyfarwydd â'r tynfa hwn y gallwn anghofio weithiau mai yn lleol yn unig y mae teimlo ei effaith.

Pwysau yw'r enw a roddwn ar y grym disgyrchiant sy'n gweithredu ar wrthrych arbennig. Mae pwysau yn amrywio o fan i fan – mae'n fesur sy'n amrywio o fan i fan yn hytrach nag yn sefydlog yn gyffredinol.

Caiff màs gwrthrych ei fesur mewn cilogramau a'i bwysau mewn newtonau. Gellir gwneud ymchwiliad syml i benderfynu ar y berthynas rhwng màs y gwrthrych a'r grym disgyrchiant y mae'n ei brofi a'i roi pan fo mewn lle arbennig. Gellir defnyddio newtonmedr i fesur pwysau masau sy'n hysbys. Y lle hawsaf i gynnal yr ymchwiliad yw ar arwyneb y Ddaear. Dengys y canlyniadau gyfrannedd syml, sy'n golygu bod graddiant graff pwysau yn erbyn màs yn gyson a gallwn ysgrifennu:

pwysau = graddiant × màs

Petai'n bosibl i ni ailadrodd yr ymchwiliad ar wahanol uchderau uwchlaw arwyneb y Ddaear, byddem yn gweld bod graddiant y graff yn lleihau wrth i ni symud ymhellach tuag allan (Ffigur 13.4).

Mae'r graddiant yn rhoi mesur ar gyfer cymhareb grym disgyrchiant i fàs y gwrthrych. Fe'i gelwir yn **gryfder maes disgyrchiant**.

$$\text{cryfder maes disgyrchiant} = \frac{\text{pwysau}}{\text{màs}}$$

$$g = \frac{W}{m}$$

neu

$$W = mg$$

N kg⁻¹ yw uned cryfder maes disgyrchiant. Ar arwyneb y Ddaear ei werth yw 9.81 N kg⁻¹, er bod yna fân amrywiadau o fan i fan. Mae cryfder maes disgyrchiant, fel grym ei hun, yn fesur fector. Ar arwyneb y Ddaear, gweithreda ar i lawr, tuag at ganol y Ddaear.

Ffigur 13.4
Mewn lle penodol, mae pwysau mewn cyfrannedd union â'r màs. Graddiant y llinell yw cryfder maes disgyrchiant y lle hwnnw. Mae graddiannau gwahanol i graffiau sy'n cael eu plotio ar uchderau gwahanol uwchlaw arwyneb y Ddaear.

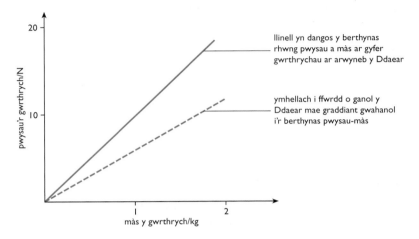

llinell yn dangos y berthynas rhwng pwysau a màs ar gyfer gwrthrychau ar arwyneb y Ddaear

ymhellach i ffwrdd o ganol y Ddaear mae graddiant gwahanol i'r berthynas pwysau-màs

4 Wrth i chi dyfu, beth sy'n digwydd i'r canlynol:
   a eich màs
   b eich pwysau?
5 Sut y gallech newid eich pwysau heb newid eich màs?
6 A yw'n bosibl newid eich màs heb newid eich pwysau? Sut?

Maes disgyrchiant

Dywedir bod maes disgyrchiant yn bodoli mewn gofod lle mae disgyrchiant yn gweithredu ar unrhyw fàs. Rydych chi, y Ddaear a'r Haul i gyd yn gyfrifol am y maes disgyrchiant yn y gofod o'ch cwmpas (er bod eich maes chi yn gymharol wan). Bydd màs a roddir yn y gofod hwn yn profi grym. Mae cael ffordd o ddarlunio'r maes haniaethol hwn yn ein helpu.

Cynrychioliad gweledol maes disgyrchiant

Gan ddechrau gyda chysyniad grym, gallwn sôn am y grym a *fyddai'n* gweithredu ar wrthrych *petai* gwrthrych mewn lle penodol o fewn y maes. Nid oes raid manylu ar yr hyn a fyddai'n digwydd i'r gwrthrych penodol, dim ond nodi maint a chyfeiriad y grym a fyddai'n gweithredu ar bob cilogram – y grym a fyddai'n gweithredu am bob uned o fàs. Dyma gryfder y maes disgyrchiant yn y pwynt hwnnw.

Un ffordd o ddarlunio maes disgyrchiant o gwmpas gwrthrych megis y Ddaear fyddai dangos saethau di-ri, gyda phob saeth yn gweithredu fel cynrychioliad fector o gryfder y maes mewn lle gwahanol (Ffigur 13.5).

Ffigur 13.5
Mae gan bob pwynt mewn maes disgyrchiant gryfder maes. Nid oes angen gwrthrych yn y pwynt hwnnw – priodwedd pwynt yn y maes yw cryfder maes disgyrchiant yn hytrach na phriodwedd gwrthrych penodol.

7 Brasluniwch batrwm y llinellau maes o gwmpas y Ddaear.

8 Ai mesur fector neu fesur sgalar yw cryfder maes disgyrchiant?

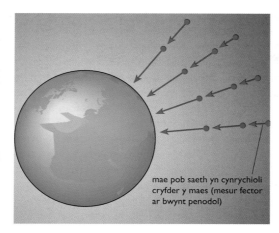

mae pob saeth yn cynrychioli cryfder y maes (mesur fector ar bwynt penodol)

Gall y diagram â'r saethau di-ri gael ei dacluso drwy dynnu llinellau di-dor gyda saethau ar bob un ohonynt. Bydd pob llinell yn dangos cyfeiriad cryfder y maes ar bob pwynt ar ei hyd. Dyma'r **llinellau grym** neu **linellau maes**. Nid hyd y saethau fydd yn dangos cryfder y maes mwyach; agosatrwydd y llinellau fydd yn dynodi'r cryfder.

Y modelau gweledol mwyaf defnyddiol yw'r rhai syml. Gwell fyddai tynnu patrwm maes mewn dau ddimensiwn felly. Mae llinellau maes yn ddefnyddiol wrth feddwl am feysydd disgyrchiant cymhleth, fel system y Ddaear-y Lleuad.

Cyflymiad oherwydd disgyrchiant

Gwelsom sut y mae perthynas rhwng pwysau gwrthrych mewn pwynt arbennig yn y gofod a'i fàs, lle bo gwerth lleol cryfder y maes disgyrchiant yn gysonyn cyfrannedd:

$$W = mg$$

Gwyddom hefyd fod yna berthynas rhwng grym a màs:

$$F = ma$$

lle bo a = cyflymiad y màs m oherwydd grym F. Grym yw pwysau. Felly gallwn ysgrifennu:

$$W = ma$$

Golyga hyn y gellir cydgyfnewid g ac a. Mae cryfder y maes disgyrchiant a **chyflymiad gwrthrych oherwydd disgyrchiant** mewn pwynt penodol yn y gofod yn rhifiadol unfath. Ar arwyneb y Ddaear mae:

cryfder maes disgyrchiant $g = 9.81$ N kg^{-1}
cyflymiad oherwydd disgyrchiant $a = 9.81$ m s^{-2}

9 Nodwch y dimensiynau sy'n cyfateb i'r unedau canlynol:
a kg   **e** m s^{-2}
b m   **f** N
c s   **g** N kg^{-1}
d m s^{-1}

10 Beth yw gwerth cryfder y maes disgyrchiant, mewn N kg^{-1}, ar arwyneb y Lleuad? (Gweler y testun gyferbyn.)

11 Petai Galileo a thŵr Pisa ar y Lleuad, ym mha ffordd y byddai canlyniad arbrawf Galileo wedi bod yn wahanol?

Dengys dadansoddiad dimensiynol fod unedau N kg^{-1} ac m s^{-2} yn ddimensiynol unfath. Felly defnyddir y talfyriad g yn aml ar gyfer cyflymiad oherwydd disgyrchiant, yn ogystal â chryfder y maes disgyrchiant.

Mae cryfder maes disgyrchiant yn briodwedd pwynt yn y gofod yn hytrach na phriodwedd gwrthrych penodol. Felly mae cyflymiad oherwydd disgyrchiant hefyd yn briodwedd pwynt yn y gofod yn hytrach nag yn briodwedd gwrthrych penodol.

Dangosodd Galileo, er syndod i bawb arall ar y pryd, nad oedd cyflymiad gwrthrych oherwydd disgyrchiant y Ddaear yn briodwedd gwrthrych penodol â màs penodol. Gollyngodd wrthrychau ac iddynt fàs anhafal (o dŵr Pisa, yn ôl yr hanes) a disgynnodd y ddau gyda'i gilydd, â chyflymiad unfath (o 9.81 m s^{-2}). Gwnaeth y gofodwr Buzz Aldrin yr un arbrawf ar arwyneb y Lleuad, gyda morthwyl a phluen. Syrthiodd y ddau â chyflymiad hafal (o 1.6 m s^{-2}, gyda gwerth g yn llai ar arwyneb y Lleuad gan fod y Lleuad yn llai masfawr na'r Ddaear). Drwy wneud yr arbrawf hwn, dangosodd Buzz Aldrin hefyd fudiant heb wrthiant aer; rhywbeth na allai Galileo ond ei ddychmygu.

Disgyn gyda grym gwrthiannol a hebddo

Dychmygwch blaned sydd o'r un maint (o ran cyfaint a màs) yn union â'r Ddaear, mewn orbit o gwmpas seren bell. Mae gan y blaned hon, planed X, gryfder maes disgyrchiant o ryw 10 N kg^{-1} yn agos at yr arwyneb, ond nid oes iddi atmosffer. Dychmygwch hefyd eich bod yn gweithio i Asiantaeth y Gofod Galactig a'ch gwaith chi yw cynllunio i lanio capsiwl ar arwyneb planed X. Caiff y capsiwl ei ryddhau o long ofod fwy o faint a fydd yn hofran uwchlaw'r blaned.

Gallwch ddiystyru'r posibilrwydd o ddefnyddio parasiwt yn syth. Dibynna ar gyfrwng gwrthiannol, megis aer, i weithio. Ar yr ochr bositif, mae'r mudiant yn gymharol syml. Bydd eich mathemateg yn haws nag a fyddai ar y Ddaear. Lle bo'r grym yn gyson, mae'r capsiwl yn profi cyflymiad cyson (o ryw 10 m s^{-2}). Ar gyfer gwrthrych sy'n disgyn yn rhydd, mae'r cyflymder yn cynyddu'n unffurf hyd at foment yr ardrawiad (Ffigur 13.6).

Ffigur 13.6
Disgyn heb rym gwrthiannol.

Yn agos at arwyneb planed X mae cyflymiad y capsiwl yn gyson (cyflymiad oherwydd disgyrchiant) felly mae'r cyflymder yn cynyddu'n unffurf.

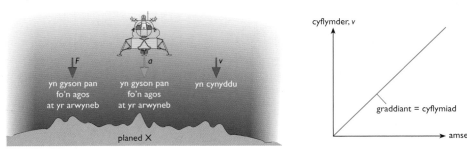

Ar y Ddaear mae presenoldeb yr atmosffer yn gwneud gwahaniaeth mawr i'r hyn sy'n digwydd. Mae gwrthrych sydd wedi'i ryddhau i'r atmosffer o long sy'n hofran (neu'r llong ei hun os yw'n diffodd y moduron) yn ymddwyn yn union fel y byddai ar blaned X ond ar ddechrau ei gwymp. Ar amser sero (moment ei ryddhau) nid oes ganddo eto unrhyw gyflymder, felly nid oes unrhyw wrthiant i'w fudiant. Am yr ennyd honno, nid oes gan yr atmosffer unrhyw effaith wrthiannol eto. Felly, ar amser sero, yr unig rym sy'n gweithredu arno yw grym disgyrchiant. Mae gan y gwrthrych gyflymiad sy'n cyfateb (tua 10 m s^{-2}), ac mae ei gyflymder yn cynyddu uwchlaw sero. Unwaith y bo gan y gwrthrych gyflymder, fodd bynnag, mae'n dechrau profi gwrthiant oherwydd yr aer. Hynny yw, mae grym yn datblygu a fydd yn gweithredu i gyfeiriad dirgroes i'r cyflymder. Mae'r grym gwrthiannol hwn yn gwrthwynebu grym disgyrchiant ac yn lleihau'r grym cyflawn neu net sy'n gweithredu:

grym net = swm y grymoedd sy'n gweithredu

= grym disgyrchiant + grym gwrthiannol

$$F_t = F_g + F_r$$

neu $\quad F_t = W + F_r$

Mae'r cyfeiriad yn bwysig, ac os dywedwn fod gwerth positif i'r grym W ar i lawr, yna mae'n rhaid bod gwerth negatif i'r grym gwrthiannol F_r ar i fyny. Mae'r grym net F_t yn llai na'r grym disgyrchiant yn unig. Ond mae'r grym net yn dal i fod ar i lawr, felly mae'r gwrthrych yn dal i gyflymu ar i lawr. Mae'r cyflymder yn dal i gynyddu.

Mae'r grym gwrthiannol yn tyfu hyd nes y bo'n hafal i'r grym disgyrchiant ar i lawr. Pan gaiff hynny ei gyflawni, y grym net yw sero. Rhaid i'r cyflymiad hefyd gyrraedd sero. Mae'r gwrthrych yn parhau i ddisgyn heb ddim grym net, â dim cyflymiad, ac â chyflymder cyson (Ffigur 13.7). Gelwir y cyflymder cyson hwn yn **gyflymder terfynol**.

Ffigur 13.7
Disgyn â grym gwrthiannol.

Mae'r grym gwrthiannol yn cynyddu yn unol â'r cyflymder. Pan fo pwysau'r capsiwl a'r grym gwrthiannol yn gytbwys, mae'r cyflymiad yn sero ac mae'r capsiwl yn disgyn â chyflymder cyson.

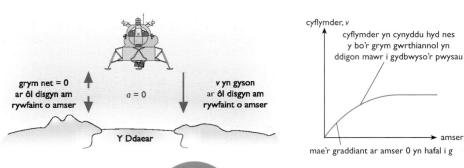

Disgyn yn rhydd

Mae'r capsiwl a gafodd ei ryddhau uwchlaw planed X yn **disgyn yn rhydd**. Mynegir y berthynas rhwng ei gyflymiad, drwy ei gwymp, â'i bwysau gan y fformiwla syml $W = ma$, heb unrhyw ymyrraeth gan unrhyw rym gwrthiannol. Petaech mor ddwl â bod y tu mewn i'r capsiwl, byddech chi hefyd yn disgyn yn rhydd. Byddech chi a'r capsiwl yn disgyn gyda'ch gilydd. Ni fyddai waliau'r capsiwl yn rhoi unrhyw rymoedd arnoch chi oni bai eich bod yn taflu eich hun atynt neu'n gwthio eich hun oddi arnynt. Ni fyddai'r llawr yn dal eich pwysau. Tybiwch nad oedd yr un ffenestr i'r capsiwl. Ni allech wybod – na gwneud unrhyw arbrawf – i ddarganfod a oeddech yn symud ai peidio neu'n arnofio yn y gofod gwag. Nid oes modd dweud y gwahaniaeth rhwng disgyn yn rhydd a bod yn ddibwysau (hyd nes y byddwch yn taro arwyneb y blaned!).

12 a Esboniwch pam, yn atmosffer y Ddaear, y mae'r grym net ar wrthrych sy'n disgyn a ollyngwyd â chyflymder sero yn lleihau hyd nes y bo'n sero.
b Disgrifiwch y cyflymiad sy'n gyfatebol.
c Disgrifiwch y cyflymder sy'n gyfatebol.
13 a Disgrifiwch fudiant gwrthrych sy'n disgyn gan brofi grym net sero.
b Brasluniwch graff cyflymder-amser ar gyfer ei fudiant.

Fectorau reid ffair

Lle bo gwrthrych yn disgyn yn fertigol, mae cyflymiad, grym a chyflymder oll yn gweithredu neu'n digwydd ar hyd llinell syth y cwymp. Mae'r mesurau fector yn gydlinol. Nid yw hyn yn digwydd bob amser, fodd bynnag. Meddyliwch am reid yn y ffair, Ffigur 13.8.

Mae gan gar ar drac crwm gyflymder sy'n baralel i'r trac. Ond nid yw llawer o'i *newidiadau* mewn cyflymder yn ystod y reid yn baralel i'r trac am nad yw'r grym net sy'n achosi'r cyflymiad yn baralel i'r trac.

Ffigur 13.8
Mae grym net a chyflymiad bob amser yn gydlinol, ond nid oes raid i gyflymder fod; mae *newid* mewn cyflymder yn gydlinol â chyflymiad.

grym net
cyflymiad
cyflymder

Defnyddir saethau o'r un hyd ym mhob safle er mwyn cadw'r diagram yn syml ond ni fydd y grym net, y cyflymiad na'r cyflymder yr un fath ym mhob achos.

brecio

14 Pa ffactor sy'n pennu meintiau cymharol grym a chyflymder ar y reid ffair?

Balisteg

Balisteg yw'r enw a roddir ar yr astudiaeth o fudiant taflegrau megis peli magnel. Roedd arwyddocâd milwrol a gwleidyddol arbennig i'r astudiaethau yn yr 17eg ganrif. Cyn hynny, y ddamcaniaeth oedd bod peli magnel yn hedfan mewn llinellau syth hyd nes y byddent yn rhedeg allan o 'rym', ac yna'n disgyn yn syth i'r ddaear (gweler Ffigur 11.1). O ganlyniad i ddulliau newydd Galileo o wneud dadansoddiadau mathemategol roedd plotio llwybr mwy cywir ar gyfer pêl fagnel lawer yn haws.

Daeth lwc i Galileo pan sylweddolodd y gallai hediad pêl fagnel gael ei ddadansoddi drwy ystyried ei fudiant llorweddol a fertigol ar wahân. Y gamp oedd rhannu'r mudiant yn gydrannau llorweddol a fertigol (mae Ffigur 13.9a yn dadansoddi'r rhain) ac yna eu rhoi yn ôl at ei gilydd eto. Mae'n haws gwneud hyn drwy dybio yn gyntaf oll nad oes gan wrthiant aer fawr ddim rhan i'w chwarae yn yr hyn sy'n digwydd.

Ffigur 13.9
O wneud dadansoddiad annibynnol o gydrannau llorweddol a fertigol mudiant cawn ragfynegiadau mwy dibynadwy o lwybr pêl fagnel. Golygai gwell mathemateg fwy o fantais mewn brwydr!

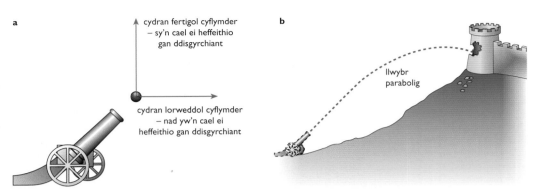

a

cydran fertigol cyflymder – sy'n cael ei heffeithio gan ddisgyrchiant

cydran lorweddol cyflymder – nad yw'n cael ei heffeithio gan ddisgyrchiant

b

llwybr parabolig

15 Beth yw'r gwahaniaeth rhwng llwybr real a llwybr delfrydol pêl fagnel?

Canlyniad y fathemateg felly yw y bydd y bêl fagnel yn dilyn llwybr parabolig (Ffigur 13.9b). Gellir gwneud rhagor o ragfynegiadau, er enghraifft y ceir y pellter mwyaf dros dir gwastad drwy danio'r fagnel ar ongl o 45° i'r llorwedd. Wrth gwrs, bydd gwrthiant aer yn effeithio'n sylweddol ar hediad y bêl fagnel, gan ein hatgoffa bod cyfrifiadau syml yn ddefnyddiol ond na allant, er hynny, roi'r darlun cyfan i ni.

Mudiant taflegryn sy'n llorweddol ar y dechrau

Gallwn ddefnyddio'r dechneg o ddadansoddi mudiant llorweddol a fertigol ar wahân er mwyn rhagfynegi beth fydd yn digwydd petai pêl fagnel, neu unrhyw wrthrych arall, yn cael ei thaflu'n llorweddol, er enghraifft o ochr llong.

Gan anwybyddu gwrthiant aer, mae cyflymder llorweddol y gwrthrych yn gyson. Mae'r cyflymder fertigol yn cynyddu oherwydd disgyrchiant. Mae'r cyflymder cydeffaith yn achosi i'r taflegryn deithio mewn llwybr parabolig (Ffigur 13.10).

Ffigur 13.10
Mae gan gyflymder y gwrthrych sy'n cael ei hyrddio gydran lorweddol gyson a chydran fertigol sy'n cynyddu.

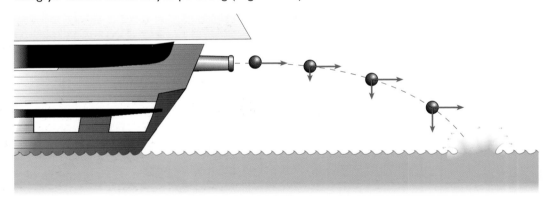

Ffigur 13.11
Gwylio mudiant taflegryn gan ddefnyddio ffotograffiaeth strob â nifer o fflachiadau.

16 Mae saeth yn cael ei thanio'n llorweddol ar draws cae gwastad mawr. Mae saeth arall yn cael ei gollwng o'r un uchder ar yr un ennyd. Pa un y byddech yn disgwyl ei gweld yn taro'r llawr yn gyntaf, neu a fyddech yn disgwyl iddynt lanio ar yr un pryd? Esboniwch.

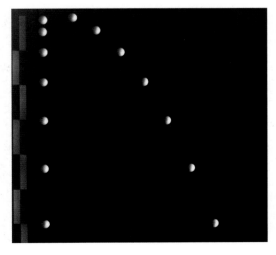

Mae arsylwadau a wnaed gan ddefnyddio strob (Ffigur 13.11) yn cadarnhau'r rhagfynegiad a wnaed drwy ddadansoddi fectorau sef y gall mudiant llorweddol a mudiant fertigol taflegrau gael eu hystyried ar wahân.

Cafodd y ddau wrthrych hyn eu rhyddhau ar yr un amser, y naill yn cael ei ollwng a'r llall yn cael ei daflu'n llorweddol. Mae'r llun yn dangos yn glir bod y ddau wrthrych ar yr un uchder ar yr un ennyd – nid oes gan gydran lorweddol y mudiant unrhyw effaith ar y mudiant fertigol.

Orbit cylchol

Dychmygwch eich bod yn glanhau ffenestri adeilad tala'r byd. Heb boeni dim am ddyfodol eich swydd na diogelwch y bobl oddi tanoch, dyma chi'n penderfynu gwneud arbrawf. Dyma chi'n taflu eich bwced yn llorweddol i ffwrdd o'r adeilad. Mae'r bwced yn symud allan ac i ffwrdd oddi wrthych ac, ar yr un pryd, yn cyflymu ar i lawr.

Tybiwch fod yr adeilad mor dal nes ei fod yn gwthio drwy'r atmosffer fel nad oes gwrthiant aer na gwynt i effeithio ar yr arbrawf. Hyd yn oed ym mhen uchaf atmosffer y Ddaear, nid yw cryfder y maes disgyrchiant lawer yn llai nag ydyw ar yr arwyneb. Pa mor galed bynnag y taflwch y bwced, mae'n cyflymu 10 m s^{-2} ar i lawr tuag at ganol y Ddaear. Po galetaf y taflwch y bwced yn llorweddol, y cyflymaf y bydd yn teithio oddi wrthych (Ffigur 13.12). Byddai'n bosibl, petaech chi'n gallu taflu'n ddigon caled, i chi lansio'r bwced i'r gofod fel y bo'n symud oddi wrth y Ddaear am byth. Bydd disgyrchiant y Ddaear yn crymu llwybr y bwced, ond bydd y crymedd yn lleihau wrth i'r Ddaear bellhau fwyfwy ac wrth i ddylanwad disgyrchiant edwino.

Ffigur 13.12
Llwybrau'r bwcedi!

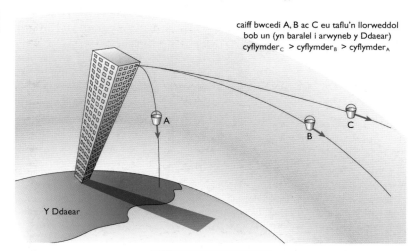

caiff bwcedi A, B ac C eu taflu'n llorweddol bob un (yn baralel i arwyneb y Ddaear)
cyflymder$_C$ > cyflymder$_B$ > cyflymder$_A$

A

B

C

Y Ddaear

Mae gan fwced C fuanedd llorweddol mawr iawn ar y dechrau. Er bod ei lwybr yn cael ei grymu oherwydd effaith disgyrchiant y Ddaear, mae'n symud i ffwrdd o'r Ddaear.

Mae gan fwced B y buanedd llorweddol cychwynnol iawn er mwyn i grymedd ei lwybr gyd-fynd â chrymedd y Ddaear. Mae'n aros ar yr un pellter o'r Ddaear – mewn orbit.

Mae bwced A yn dilyn llwybr parabolig i'r ddaear.

17 Mae afal yn disgyn i'r Ddaear. Pam nad yw'r un peth yn digwydd i'r Lleuad?

18 a Ar gyfer gwrthrych sydd mewn orbit, pa fector sydd mewn cyfeiriad gwahanol i'r ddau arall – cyflymder, cyflymiad neu rym?

b Disgrifiwch gyfeiriad yr un sy'n wahanol mewn perthynas â chyfeiriad y ddau arall.

Os caiff y bwced ei daflu ar y buanedd iawn, mae'n bosibl rhoi'r bwced mewn orbit yn barhaol. Bydd felly yn cyflymu 'tuag at' y Ddaear am byth ond, am ei fod yn teithio ar fuanedd mor gyflym ac am fod y Ddaear yn grwn yn hytrach nag yn wastad, ni fydd byth yn nesáu at arwyneb y Ddaear. Mae buanedd yn gysonyn ond mae cyflymder yn newid oherwydd tyniad y Ddaear. Mae'n newid yn y fath fodd fel y bo'n baralel bob amser i arwyneb y Ddaear.

● **Deall a chymhwyso**

Dawnsio yn yr awyr

Mae Kitsou Dubois (Ffigur 13.13) yn ddawnswraig ag uchelgais arbennig iawn. Roedd am wybod sut deimlad fyddai dawnsio yn y gofod – dawnsio a hithau'n ddibwysau. Er na lwyddodd i berswadio neb i fynd â hi i'r gofod (eto!) cafodd berswâd ar lu awyr Ffrainc i fynd â hi ar sesiwn hyfforddi i ofodwyr.

Mae'r awyren yn codi ac yn disgyn. Mae'n defnyddio ei hinjan i gyrraedd buanedd uchel ac yn dechrau codi, yna mae'n troi gwthiad yr injan i ffwrdd er mwyn disgyn yn sydyn. Mae ei mudiant felly yn barabolig – hynny yw, mae'n dilyn yr un siâp â llwybr pêl fagnel. Wrth ddilyn llwybr parabolig, mae'r awyren a'i chynnwys yn ymddwyn yn debyg iawn i beli magnel. Ar lwybr o'r fath, mae pêl fagnel, awyren a Kitsou oll yn profi grym disgyrchiant a chyflymiad cyfatebol ar i lawr. Mae hyn (gan anwybyddu effeithiau gwrthiannol nad ydynt yn bod yn achos Kitsou y tu mewn i'r awyren oherwydd bod yr aer a phopeth arall yn y caban yn symud gyda hi) yn hafal i 9.81 m s^{-2}. Mae ganddynt hefyd, wrth gwrs, gyflymder oherwydd eu mudiant ar ddechrau'r parabola.

Ffigur 13.13
Kitsou Dubois yn dawnsio yn ddibwysau i bob pwrpas, diolch i lu awyr Ffrainc.

Pan fydd Kitsou yn gweithredu fel pêl fagnel ddynol nid oes grym yn gweithredu arni heblaw am rym disgyrchiant. Nid yw llawr na waliau'r awyren yn rhoi grym arni ac mae hyn, yn ei dro, yn caniatáu i ddisgyrchiant ddylanwadu'n llawn arni a pheri iddi gyflymu ar i lawr. Ond, gan nad yw'r llawr na'r waliau yn rhoi grym arni, oni bai ei bod yn taro yn eu herbyn, bydd yn arnofio'n rhydd yn y caban. Mae'n teimlo fel petai'n ddibwysau.

Pan ddaw'r awyren allan o ran olaf y parabola – hynny yw, pan ddaw allan o'i phlymiad – yna bydd llawr y caban yn rhoi grym arni unwaith eto. Rhaid i'r grym hwn ar i fyny fod yn fwy na'i phwysau er mwyn ei harafu. Rhaid cymryd gofal nad yw'r grym yn rhy fawr neu fe allai gael ei hanafu.

Felly, wrth i'r awyren hedfan drwy'r naill lwybr parabolig ar ôl y llall, bydd Kitsou yn newid o deimlo fel petai'n ddibwysau ac yn cyflymu ar i lawr i deimlo fel petai grym mawr yn ei chyflymu ar i fyny. Rhaid cael stumog gref i ddawnsio yn yr awyr.

19 Mae'n bosibl y bydd Kitsou yn teimlo'n ddibwysau, ond a yw hi'n ddibwysau? Eglurwch.

20 Lluniwch lwybr parabolig Kitsou a marciwch chwe phwynt ar hyd y llwybr. Lluniwch fectorau i ddangos cyflymder Kitsou, ei chyflymiad a'r grym a brofir ar bob un o'r chwe phwynt hyn. Dangoswch gydrannau llorweddol a fertigol y cyflymder.

21 Er lles cynulleidfa ddychmygol nad yw'n deall llawer am ffiseg, disgrifiwch enghreifftiau o sefyllfaoedd lle bo cyflymiad a chyflymder yn digwydd
   a i'r un cyfeiriad
   b i gyfeiriadau dirgroes
   c lle nad ydynt i'r un cyfeiriadau nac i gyfeiriadau dirgroes.
   Defnyddiwch fudiant Kitsou fel enghraifft lle bo'n briodol.

22 Nid oedd ffenestri yng nghaban Kitsou. A fyddai wedi bod yn bosibl iddi synhwyro unrhyw wahaniaeth rhwng ei phrofiad hi, yn ystod hediad parabolig, a'r profiad y byddai wedi'i gael
   a petai wedi bod mewn caban tebyg a oedd yn teithio i'r gofod pell ac allan o faes disgyrchiant y Ddaear
   b petai wedi bod mewn caban tebyg a oedd yn disgyn yn fertigol tuag at y Ddaear
   c petai wedi bod mewn caban tebyg a oedd mewn orbit?

23 a Tynnwch un braslun i ddangos
   i pwysau Kitsou (fel fector)
   ii grym ar i fyny sy'n fwy na'i phwysau yn cael ei roi gan lawr yr awyren ar Kitsou
   iii y grym net.
   b Pam y mae'n rhaid i'r grym ar i fyny fod yn fwy na'i phwysau ar ddiwedd hediad parabolig?

● **Tasg sgiliau ychwanegol**

Cyfathrebu a Thechnoleg Gwybodaeth

Mae llawer o longau gofod wedi'u hanfon i orbit neu ar lwybrau a fydd yn eu cludo ymhell i'r gofod pell. Un broblem fawr i'w goresgyn yw tynfa disgyrchiant yr Haul.

Enw'r prob gofod a anfonwyd yn ddiweddar i ymchwilio i Sadwrn yw Cassini (taith ofod Cassini-Huygens). Defnyddiwyd egni cinetig Gwener, y Ddaear, Sadwrn ac Iau i hyrddio'r llong ofod yn ei blaen er mwyn cadw'r lefelau tanwydd a'i chyflymu'n gyflym tuag at ei chyrchfan derfynol.

Defnyddiwch gynifer o ffynonellau ag y medrwch i ddarganfod sut y mae cynllunwyr y project hwn, ynghyd â phrojectau eraill, wedi llwyddo i gyflymu cerbydau gofod gan ddefnyddio mudiant y planedau a'u meysydd disgyrchiant er mwyn eu helpu i gyflawni eu hamcanion. Gallwch ddefnyddio ffynonellau fel y Rhyngrwyd, CD ROMs, llyfrgelloedd a chylchgronau gwyddonol. Dylech lunio adroddiad ysgrifenedig tua phedair ochr a fydd yn cynnwys diagramau a delweddau eraill, ac a fydd yn disgrifio'n glir y ffiseg y tu ôl i'r campweithiau hyn. Er mwyn gwneud eich adroddiad yn fwy darllenadwy, defnyddiwch benawdau, is-benawdau ac unrhyw ddull arall i dynnu sylw at y pwyntiau pwysig.

14 Màs, mudiant a momentwm

Y CWESTIWN MAWR
● Mae gwrthrychau i gyd, o barau o ronynnau i alaethau cyfan, yn rhyngweithio â'i gilydd. Sut mae dadansoddi effeithiau'r rhyngweithiau hyn ar fudiant gwrthrychau?

GEIRFA ALLWEDDOL
Ail Ddeddf Newton   egwyddor cadwraeth momentwm   ergyd   ffrwydrad   gwrthdrawiadau anelastig   gwrthdrawiadau elastig   (mesurau) cadwrol   momentwm

Y CEFNDIR

Ffigur 14.1 Gwrthdrawiad syml rhwng gronynnau.

Mae Ffigur 14.1 yn dangos effeithiau gwrthdrawiad mewn byd o ronynnau sy'n llai na'r atom. Mae'r gwrthdrawiad, mewn gwirionedd, rhwng gronyn alffa a niwclews hydrogen. Er mae'n bosibl na fydd y gronynnau'n cyffwrdd â'i gilydd yn uniongyrchol mewn proses o'r fath, byddant yn dod yn ddigon agos at ei gilydd i wrthyrru a newid eu mudiant. Bydd gwrthdrawiadau yn digwydd ar yr holl raddfeydd eraill – rhwng moleciwlau nwy, rhwng dau yn dawnsio, rhwng galaethau.

Màs

Mae màs, fel amser, yn un o'r ychydig dermau mewn ffiseg sy'n anodd eu diffinio. Mewn ffiseg Newton mae dau ddiffiniad ar gyfer màs: màs inertiol a màs disgyrchol (gweler Pennod 13). Yn y bennod hon, gan y byddwn yn delio â mudiant, màs inertiol fydd yn berthnasol. Mae màs inertiol yn fesur o wrthiant gwrthrych i newid yn ei fudiant (gwrthiant i gyflymiad).

Dau fath o wrthdrawiad

Mae gwrthdrawiadau rhwng gronynnau isatomig rhydd, megis gronyn alffa a niwclews, yn weddol syml fel rheol. Bydd y ddau ronyn yn nesáu at ei gilydd, yn rhoi grym trydanol ar ei gilydd, a bydd eu mudiant yn cael ei newid. Mae gan y ddau wedi hynny gyflymderau newydd. Ni fydd dim arall yn newid – ni chlywir y brêc yn sgrechian, na metel yn crafu, ni welir dim yn newid ei siâp, ni fydd defnydd yn poethi. Egni cinetig sydd i'r ddau ronyn (gweler Pennod 15) cyn y gwrthdrawiad ac, er y bydd un o bosibl yn ennill cyflymder a'r llall yn ei golli, mae eu hegni cinetig cyfun neu gyfanswm ar ôl y gwrthdrawiad yr un fath ag ydoedd cyn hynny.

Caiff gwrthdrawiad pan gaiff cyfanswm yr egni cinetig ei **gadw** (heb ei newid gan y broses sydd ar waith) ei alw'n **wrthdrawiad elastig**.

Mae gwrthdrawiad rhwng dau gar yn wahanol iawn. Yn ystod gwrthdrawiad o'r fath mae siâp pethau yn newid – mae'r metel yn cael ei anffurfio. Pan ddaw hyn i ben, bydd tymheredd y defnyddiau (gan gynnwys defnyddiau sydd o gwmpas, megis yr aer a'r tar ar y ffordd) wedi codi ychydig. Bydd yr egni wedi'i drosglwyddo o egni cinetig y ceir i egni mewnol (gweler Pennod 15) y defnyddiau y cawsant eu gwneud ohono. Mae cyfanswm egni cinetig y ddau gar ar ôl y gwrthdrawiad yn llai na chyfanswm eu hegni cinetig cyn y gwrthdrawiad.

Gelwir gwrthdrawiadau lle bo cyfanswm yr egni cinetig yn newid yn **wrthdrawiadau anelastig**. Mae gwrthdrawiadau anelastig yn fwy anodd eu rhagfynegi oherwydd mae mwy o bethau'n digwydd ar y pryd. Mae mwy o newidynnau, megis faint o egni mewnol a enillir gan y defnyddiau sy'n gwrthdaro, a bydd hyn yn dylanwadu ar y canlyniad. Mae gwrthdrawiadau yn y byd maint llawn, rhwng gwrthrychau mwy o faint na gronynnau, bob amser yn anelastig (Ffigur 14.2).

Er hynny mae rhai gwrthdrawiadau maint llawn yn ddigon tebyg i brosesau elastig syml iddi fod yn werth tybio eu bod yn elastig (Ffigur 14.3). Bydd gwrthdrawiad rhwng dau fob pendil nad ydynt yn anffurfio hefyd yn debyg i wrthdrawiad elastig.

1 Beth fyddech chi'n disgwyl ei ganfod petaech chi'n taro dau fob pendil yn erbyn ei gilydd sawl gwaith ac yna'n mesur eu tymheredd?

2 Mae dau chwaraewr hoci iâ yn gwrthdaro. Ai gwrthdrawiad elastig neu anelastig ydyw?

Ffigur 14.2
Gwrthdrawiad anelastig ar raddfa fawr.

Yma, mae dwy alaeth sbiral yn gwrthdaro yng nghytser Corvus.

Nid gwrthrych syml un gronyn mo galaeth. Mae iddi strwythur mewnol a wnaed o filiynau o sêr. Mae egni cinetig y gwrthdrawiad hwn wedi arwain at greu dros 1000 o glystyrau o sêr ifanc, disglair (gwyn/glas).

Caiff cyfanswm egni cinetig y pâr o aelaethau a fu mewn gwrthdrawiad â'i gilydd ei newid gan y gwrthdrawiad. Mae gwrthdrawiadau o'r fath yn anelastig.

Ffigur 14.3
Gwrthdrawiad sydd bron yn elastig yn y byd maint llawn.

Mae gwrthdrawiadau gronynnau elastig yn gymharol syml. Mae gwrthdrawiadau rhwng peli snwcer yn agos at fod felly, ond bydd chwaraewyr snwcer yn cymhlethu pethau drwy gyflwyno mwy o newidynnau, megis sbin y peli a rhyngweithiad y peli ag arwyneb y bwrdd wrth deithio. Techneg gyffredinol ddefnyddiol mewn ffiseg yw ystyried beth sy'n digwydd mewn enghraifft syml neu 'ddelfrydol', megis gwrthdrawiad elastig, ac yna ystyried pam a sut na fyddai'r ymddygiad gwirioneddol yn cydweddu â'r ymddygiad delfrydol.

● Momentwm a'i gadwraeth

Mae defnyddioldeb y newidynnau cyflymder a màs wrth ddadansoddi gwrthdrawiadau mor gryf mae'n werth eu cyfuno'n un mesur a rhoi enw ar y mesur newydd yma a grëwyd. Gelwir lluoswm màs a chyflymder (hynny yw, màs wedi'i luosi â chyflymder) yn **fomentwm**. O'i fynegi fel hafaliad mae:

momentwm, p = màs × cyflymder

Gyda'r màs yn cael ei fesur mewn cilogramau a chyflymder yn cael ei fesur mewn metrau yr eiliad, uned momentwm yw cilogram metrau yr eiliad, neu kg m s^{-1}. Er bod momentwm yn fesur defnyddiol, ni roddwyd enw arbennig ar kg m s^{-1} erioed.

Canfyddiad empirig (a arsylwyd) sy'n gyfrifol am ddefnyddioldeb arbennig momentwm wrth ddadansoddi gwrthdrawiadau:

Ym *mhob* gwrthdrawiad, mae cyfanswm momentwm y gwrthrychau cyn y gwrthdrawiad yr un fath ag ydyw ar ôl y gwrthdrawiad.

Dyma **egwyddor cadwraeth momentwm**. Mae'n caniatáu i ddadansoddiad meintiol gael ei wneud o wrthdrawiadau. Gallwn ei ysgrifennu ar ffurf hafaliad:

cyfanswm y momentwm cyn y rhyngweithiad = cyfanswm y momentwm ar ôl y rhyngweithiad

neu

$$p_1 = p_2$$

3 Beth mae'r gair *cadwraeth* yn ei olygu?
4 Pam na chaiff *m* ei ddefnyddio fel talfyriad ar gyfer momentwm?

Cadwraeth momentwm mewn gwrthdrawiadau anelastig ac elastig

Mae cadwraeth momentwm ym mhob gwrthdrawiad. Dim ond mewn gwrthdrawiadau elastig y mae cadwraeth egni cinetig. Ar gyfer gwrthdrawiadau *anelastig*, y cyfan a wyddom yw bod:

cyfanswm y momentwm cyn y gwrthdrawiad = cyfanswm y momentwm ar ôl y gwrthdrawiad

Ar gyfer gwrthdrawiadau *elastig*, mae'r ddwy ddeddf cadwraeth yn rhoi i ni ddau hafaliad sy'n ddefnyddiol i ragfynegi canlyniad y gwrthdrawiadau:

cyfanswm y momentwm cyn y gwrthdrawiad = cyfanswm y momentwm ar ôl y gwrthdrawiad

cyfanswm egni cinetig cyn y gwrthdrawiad = cyfanswm egni cinetig ar ôl y gwrthdrawiad

Ffigur 14.4
Dadansoddi gwrthdrawiadau **a** anelastig a **b** gwrthdrawiadau sydd bron â bod yn elastig.

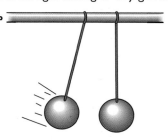

Mae gwrthdrawiadau yn y byd maint llawn yn anelastig. Mae'r momentwm yn cael ei gadw ond mae cyfanswm yr egni cinetig yn lleihau tra bo cyfanswm yr egni mewnol (y gwrthrychau sy'n gwrthdaro ac yna'r defnyddiau o'u hamgylch) yn cynyddu.

cyfanswm y momentwm cyn = cyfanswm y momentwm ar ôl
cyfanswm egni cinetig cyn > cyfanswm egni cinetig ar ôl
cyfanswm egni mewnol cyn < cyfanswm egni mewnol ar ôl

Mae gwrthdrawiad rhwng peli metel yng 'nghrud Newton' *bron â bod* yn elastig.

cyfanswm y momentwm cyn = cyfanswm y momentwm ar ôl
cyfanswm egni cinetig cyn ≈ cyfanswm egni cinetig ar ôl
cyfanswm egni mewnol cyn ≈ cyfanswm egni mewnol ar ôl

Gwrthdrawiadau anelastig rhwng gwrthrychau sy'n uno â'i gilydd ar ôl gwrthdrawiad

Dim ond un hafaliad y gallwn ei ysgrifennu ar gyfer gwrthdrawiadau anelastig – yr hafaliad sy'n seiliedig ar gadwraeth momentwm. Fodd bynnag, os bydd y gwrthrychau yn uno â'i gilydd ar ôl gwrthdaro yn erbyn ei gilydd yna bydd iddynt yr un cyflymder. Mae hyn yn symleiddio'r fathemateg, fel y dangosir yn yr enghraifft ganlynol.

Enghraifft 1   Mae dau gerbyd yn teithio i'r un cyfeiriad ar hyd trac mewn reid mewn parc antur. Mae gan un gyflymder o 8 m s^{-1} ac mae gan y llall, sydd â dwywaith y màs, gyflymder o 6 m s^{-1}. Maent yn gwrthdaro ac yn uno â'i gilydd. Beth yw eu cyflymder newydd?

$$\text{momentwm cychwynnol y cerbyd cyntaf} = mv_1 = m \times 8 = 8m$$
$$\text{momentwm cychwynnol yr ail gerbyd} = 2mv_2 = 2m \times 6 = 12m$$

(Nid ydym yn gwybod beth yw'r masau, ond gwyddom fod un ddwywaith mor fawr â'r llall. Am y tro, felly, gallwn roi *m* a 2*m* am y masau.)

$$\text{momentwm terfynol y cerbydau wedi'u huno} = (m + 2m) \times v = 3mv$$

Mae'r cerbydau yn awr yn gweithredu fel un cerbyd â màs (*m* + 2*m*) a chyflymder newydd, *v*.

$$\text{cyfanswm y momentwm cyn} = \text{cyfanswm y momentwm ar ôl}$$
$$8m + 12m = 3mv$$

Mae'r màs, *m*, yn ymddangos ym mhob un o'r tri therm yn yr hafaliad, felly gallant gael eu 'canslo'. (Mae'r gair canslo yn cael ei ddefnyddio fan hyn fel llaw fer am rannu'r ddwy ochr o'r hafaliad ag *m*.)

$$8 + 12 = 3v$$
$$v = \frac{8 + 12}{3}$$
$$= 6.7 \text{ m s}^{-1}$$

5 Beth fydd cyflymder terfynol y cerbydau wedi'u cysylltu â'i gilydd yn Enghraifft 1 os oes gan y cerbyd cyflymaf fàs o 90 kg a'r cerbyd arafaf fàs o 50 kg?

6 Mae'r gwrthdrawiad rhwng y cerbydau sy'n uno â'i gilydd yn Enghraifft 1 yn anelastig. Beth allwch chi ei ddweud am gyfanswm yr egni cinetig cyn y gwrthdrawiad ac ar ôl y gwrthdrawiad?

7 Mae'r gwrthdrawiad rhwng dau broton fel arfer yn elastig.
a Ysgrifennwch ddau hafaliad i ddangos cadwraeth y mesurau mewn gwrthdrawiad elastig rhwng dau broton.
b Eglurwch pam na all gwrthdrawiad rhwng gwrthrychau mawr, megis peli tennis, byth â bod yn berffaith elastig.

8 Eglurwch effaith y pastai cwstard ar y sawl sy'n ei daflu o safbwynt Trydedd Ddeddf Newton (gweler Pennod 11).

Nodwch ei bod hi'n dderbyniol i beidio â chynnwys unedau'r mesurau yn y camau canol wrth gyfrifo ond *rhaid* defnyddio'r unedau priodol yn yr ateb oni bai bod y mesur yn un heb ddimensiwn (gweler tudalen 14) a heb uned.

Cadwraeth momentwm mewn gwrthdrawiadau rhwng gwrthrychau â masau gwahanol iawn

Mae pastai cwstard yn enghraifft dda o wrthrych a allai fod â momentwm sylweddol ond sy'n cynhyrchu gwrthdrawiadau anelastig. Wrth gael ei daflu at darged, bydd y pastai yn colli ei siâp a bydd hynny, hefyd, o bosibl, yn digwydd i'w darged. Bydd y tymheredd yn codi. Ni chaiff egni cinetig ei gadw.

Os cewch eich taro gan bastai cwstard mae'r pastai yn colli momentwm, ond nid yw'n ymddangos eich bod chi yn ei ennill i wneud iawn am hyn. Gall ymddangos bod cyfanswm y momentwm ar ôl y gwrthdrawiad yn llai na chynt. Fodd bynnag, petaech yn gorffwys ar arwyneb diffrithiant pan fyddai'r pastai yn eich taro, fe welech eich bod yn ennill momentwm amlwg — byddai ardrawiad y pastai cwstard yn achosi i chi lithro. Gan amlaf, fodd bynnag, rydych wedi eich cysylltu â'r ddaear gan rym ffrithiant sy'n eich atal rhag llithro. Oni bai eich bod yn llithro, dim ond os bydd y ddaear yn symud y byddwch chithau hefyd yn symud. Mae eich màs effeithiol yn cynnwys mwy na'ch màs personol chi eich hun; mae hefyd yn cynnwys màs y ddaear rydych chi'n sefyll arno. Mae'r màs yn anferth o'i gymharu â màs y pastai cwstard felly mae unrhyw ennill o ran cyflymder y system sy'n eich cwmpasu chi/y ddaear yn fach iawn.

Mae gan fomentwm gyfeiriad

Mae momentwm yn fesur fector. Ni ddylai hyn fod yn syndod oherwydd cynnyrch sgalar, màs, a fector, cyflymder, ydyw.

Meddyliwch am ddau wrthrych unfath — gallent fod yn alaethau, ceir, sglefrwyr, peli magnel neu brotonau — yn symud tuag at ei gilydd ar hyd llinell syth nes y byddant yn gwrthdaro 'benben' â'i gilydd. Ym mhob achos, mae gwerth cyfanswm y momentwm cyn y gwrthdrawiad yn dibynnu ar gyfeiriadau momenta y ddau wrthrych. Mae arwyddion dirgroes i'w gilydd i fomenta'r ddau wrthrych (Ffigur 14.5).

Ffigur 14.5
Mae gan fomentwm gyfeiriad.

cyfanswm y momentwm cyn y gwrthdrawiad = $p_1 + p_2$. Os dywedwn mai'r mesur positif yw p_1 yna mae'n rhaid mai'r mesur negatif yw p_2. Os yw p_1 a p_2 o'r un maint yna mae cyfanswm y momentwm cyn y gwrthdrawiad = 0

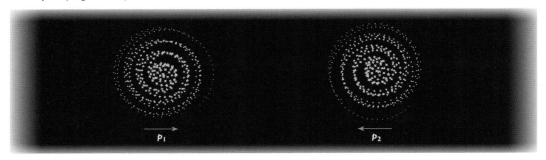

Enghraifft 2 Mae'r ddau gerbyd yn y parc antur yn Enghraifft 1, sydd â màs m a $2m$ o hyd, yn awr yn symud at ei gilydd â chyflymder o 8 m s^{-1} a 6 m s^{-1} ac maent yn uno â'i gilydd eto wedi'r gwrthdrawiad. Beth yw'r cyflymder newydd?

$$\text{momentwm cychwynnol y cerbyd cyntaf} = mv_1 = m \times 8 = 8m$$
$$\text{momentwm cychwynnol yr ail gerbyd} = 2mv_2 = 2m \times (-6) = -12m$$
$$\text{momentwm terfynol y cerbydau wedi'u huno} = 3m \times v$$

(Mae'r cerbydau yn awr yn gweithredu fel un cerbyd â màs $3m$ a chyflymder, v.)

9 a Lluniwch fraslun gan ddefnyddio saethau i ddangos yr amryw gyflymderau cyn y gwrthdrawiad hwn ac ar ôl y gwrthdrawiad.
b Eglurwch pam y mae'r cyflymder terfynol yn cael ei ddangos yn negatif.
c Lluniwch fraslun gan ddefnyddio saethau i ddangos yr amryw fomenta cyn y gwrthdrawiad ac wedi'r gwrthdrawiad.
d Petai gan y cerbyd cyflymaf fàs o 90 kg a'r cerbyd arafaf fàs o 50 kg, beth fyddai'r cyflymder terfynol?

$$\text{cyfanswm y momentwm cyn} = \text{cyfanswm y momentwm ar ôl}$$
$$8m + (-12m) = 3mv$$

Mae'r màs, m, yn ymddangos yn y tri therm yn yr hafaliad, felly gall gael ei 'ganslo':

$$8 - 12 = 3v$$
$$v = \frac{8 - 12}{3} = \frac{-4}{3}$$
$$= -1.3 \text{ m s}^{-1}$$

Ffrwydradau

Dychmygwch ddau sglefriwr iâ yn sefyll yn llonydd ac yn agos at ei gilydd i ddechrau, ac yna'n gwthio ar ei gilydd ac yn pellhau oddi wrth ei gilydd ar yr iâ. Ni fyddem yn dweud yn arferol eu bod wedi ffrwydro. Er hynny, mae'n rhaid i ni gael gair i ddisgrifio'r math hwn o ryngweithio a fydd yn golygu, fel y gwelir gyda gwrthdrawiadau, bod momentwm yn cyfnewid rhwng gwrthrychau. Mewn ffiseg, gelwir proses o'r fath a fydd yn digwydd gyda gwrthrychau sydd, i ddechrau, yn ddisymud mewn perthynas â'i gilydd, yn **ffrwydrad**. Rhaid i gyfanswm y momentwm a enillir o ganlyniad i ffrwydrad fod yn sero oherwydd bod cadwraeth momentwm ym mhob proses.

Defnyddiwn yr un gair, ffrwydrad, i ddisgrifio'r hyn sy'n digwydd pan fo nifer o ronynnau sydd, i ddechrau, yn ddisymud mewn perthynas â'i gilydd, yn symud oddi wrth ei gilydd o ganlyniad i drosglwyddiad sydyn o egni, o egni potensial y bondiau cemegol efallai. Fodd bynnag, mae ffrwydrad cemegol o'r fath yn gymhleth iawn gan fod yno nifer o ronynnau o wahanol faint a'u bod yn gwasgaru yn dri dimensiwn. Mae mudiant y ddau sglefriwr mewn llinell syth – un dimensiwn sydd iddo, felly mae'n haws ei ddeall.

Er mwyn astudio ffrwydradau un dimensiwn, rhoddir plymwyr (*plungers*) â sbring yn eu canol ar drolïau dynameg (Ffigur 14.6). Bydd rhyddhau'r plymiwr yn gwthio'r pâr o drolïau ar wahân.

Ffigur 14.6
Sut mae troli dynameg â sbring yn gweithio.

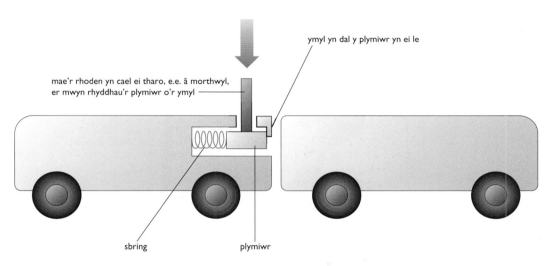

ymyl yn dal y plymiwr yn ei le

mae'r rhoden yn cael ei tharo, e.e. â morthwyl, er mwyn rhyddhau'r plymiwr o'r ymyl

sbring

plymiwr

10 a Pe bai gan y sglefrwyr yn Ffigur 14.7 yr un màs, beth allech chi ei ddweud am eu cyflymder wedi'r ffrwydrad?
b Pe bai un sglefriwr yn fawr a'r llall yn fach, beth allech chi ei ddweud am eu cyflymder newydd? Eglurwch yn llawn.

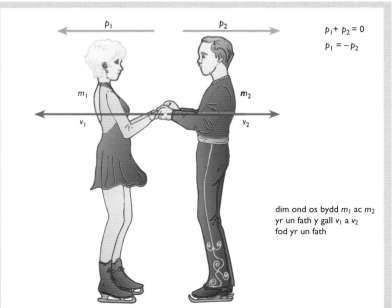

$p_1 + p_2 = 0$
$p_1 = -p_2$

m_1

m_2

v_1

v_2

dim ond os bydd m_1 ac m_2 yr un fath y gall v_1 a v_2 fod yr un fath

Ffigur 14.7
Cyfanswm y momentwm cyn y ffrwydrad yw sero, felly cyfanswm y momentwm wedi'r ffrwydrad yw sero. Rhaid i fomenta newydd y ddau sglefriwr fod yn hafal ac yn ddirgroes.

Momentwm: taflu a derbyn

Mae clown sy'n taflu pastai cwstard yn rhoi momentwm iddo. Mae'n annhebygol y bydd yn sefyll ar arwyneb diffrithiant i wneud hynny. Ond petai'n sefyll ar iâ, dyweder, yna byddai'r gadwraeth momentwm yn amlwg wrth ei weld yn llithro i gyfeiriad sy'n ddirgroes i'r cyfeiriad y taflodd y pastai. Mae tuedd i'r sawl sy'n taflu symud i gyfeiriad sy'n ddirgroes i'r cyfeiriad y bydd y sawl sy'n cael ei daro gan y pastai yn symud (Ffigur 14.8).

Ffigur 14.8
Taflu a derbyn, **a** gyda ffrithiant a **b** heb ffrithiant.

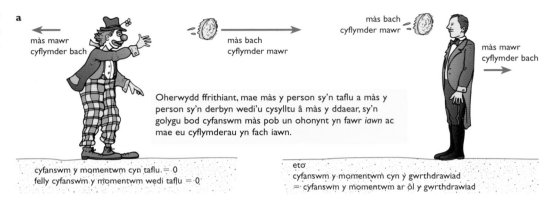

a

màs mawr cyflymder bach

màs bach cyflymder mawr

màs bach cyflymder mawr

màs mawr cyflymder bach

Oherwydd ffrithiant, mae màs y person sy'n taflu a màs y person sy'n derbyn wedi'u cysylltu â màs y ddaear, sy'n golygu bod cyfanswm màs pob un ohonynt yn fawr *iawn* ac mae eu cyflymderau yn fach iawn.

cyfanswm y momentwm cyn taflu = 0
felly cyfanswm y momentwm wedi taflu = 0

eto
cyfanswm y momentwm cyn y gwrthdrawiad
= cyfanswm y momentwm ar ôl y gwrthdrawiad

b

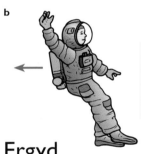

Mae'r stori'n hollol wahanol lle nad oes ffrithiant. Mae'r cyflymder y mae'r ddau ofodwr sy'n symud yn rhydd yn y gofod yn ei gael wrth daflu a derbyn gwrthrych maint pastai cwstard yn fach ond nid yn fach iawn. Effaith net taflu'r gwrthrych o'r naill i'r llall yw bod y ddau ofodwr yn symud ymhellach oddi wrth ei gilydd.

Ergyd

Yr **ergyd** y bydd gwrthrych yn ei brofi wrth ryngweithio â gwrthrych arall yw'r newid yn ei fomentwm.

$$\text{ergyd} = \Delta p = \Delta(mv) = \text{momentwm terfynol} - \text{momentwm cychwynnol}$$

Mae gan bêl o fàs m sy'n hedfan at fur ar 90° i'w arwyneb ar gyflymder v fomentwm cychwynnol mv. Tybiwch fod y gwrthdrawiad yn wrthdrawiad elastig a bod y bêl yn adlamu oddi ar y wal â'r un buanedd, ond bellach â chyflymder $-v$. Y momentwm terfynol yw $-mv$.

$$\text{ergyd} = \text{momentwm terfynol} - \text{momentwm cychwynnol} = -mv - mv = -2mv$$

11 Os oes gan garreg gyflymder cychwynnol o 20 m s⁻¹ a màs o 0.02 kg, beth yw'r ergyd wrth daro yn erbyn wal ac yna adlamu i ffwrdd â chyflymder o 2 m s⁻¹?

Momentwm ac Ail Ddeddf Newton

Yn ei Ddeddf Mudiant Gyntaf, dywedodd Newton (gweler tudalen 90), yn gwbl glir bod angen grym er mwyn newid mudiant. I bob pwrpas, roedd yn diffinio grym fel yr hyn a achosai i fudiant gael ei newid.

Yn ei Ail Ddeddf Mudiant, gwnaeth Newton gysylltiad uniongyrchol rhwng grym a mesurau eraill. Yn ein hiaith ni heddiw, caiff **Ail Ddeddf Newton** ei mynegi fel a ganlyn:

mae grym mewn cyfrannedd union â chyfradd newid momentwm

Gan ddefnyddio symbolau mathemategol, gellir ei hysgrifennu yn y ffurf:

$$F \propto \frac{\mathrm{d}(mv)}{\mathrm{d}t}$$

Nodwch fod grym *cyfartalog* $\propto \dfrac{\Delta(mv)}{\Delta t}$, ond nid yw'r berthynas, grym $\propto \dfrac{\mathrm{d}(mv)}{\mathrm{d}t}$, yn berthnasol i rym cyfartalog yn unig, mae'n berthnasol i unrhyw rym ar unrhyw ennyd.

Ar gyfer gwrthrych ac iddo fàs cyson, mae'r newid momentwm yn digwydd yn gyfan gwbl oherwydd y newid mewn cyflymder, felly gallwn ysgrifennu d(*mv*) fel *m* d*v*. Felly,

$$F \propto m \frac{dv}{dt}$$

Gall unrhyw berthynas cyfrannedd union gael ei hysgrifennu fel hafaliad drwy gyflwyno cysonyn cyfrannedd:

$$F = km \frac{dv}{dt} \quad \text{lle saif } k \text{ am y cysonyn cyfrannedd}$$

Mae'n gwneud synnwyr i ddiffinio uned grym mewn modd a fydd yn gwneud y berthynas fathemategol mor syml â phosibl. Gallwn hefyd ddefnyddio unrhyw air i enwi'r uned, dim ond i ni gytuno ar yr un gair. Yr enw y cytunwyd arno yn rhyngwladol yw'r newton, N, a diffinnir y newton fel bo $k = 1$. Mae hyn yn rhoi:

$$F = m \frac{dv}{dt} \quad \text{lle caiff grym ei fesur mewn newtonau a mesurau eraill yn ôl eu hunedau SI arferol.}$$

Fel y gwelsom, d*v*/d*t* = cyflymiad, *a*, felly

$$F = ma$$

Mae'r hafaliad hwn yn un pwysig iawn mewn ffiseg. Fe'i gwelsom yn cael ei ddefnyddio eisoes ym Mhenodau 11 a 13. Yn y bennod hon gwelsom sut y deilliodd o Ail Ddeddf Newton.

12 Esboniwch pam y mae Δ(*mv*) = *m*Δ*v* yn wir am garafán sy'n cael ei thynnu o ddisymudedd gan gar a pham nad yw'n (hollol) wir am y car a'i lwyth (gan gynnwys yr hyn sydd yn y tanc tanwydd).

● **Deall a chymhwyso**

Bygythiad asteroid

Mae'r rhan fwyaf o wyddonwyr (ond nid pob un) yn credu erbyn hyn y bu gan wrthdrawiad rhwng asteroid a'r Ddaear ran fawr i'w chwarae yn y newidiadau i'r hinsawdd a'r newidiadau eraill a arweiniodd at ddiflaniad y deinosoriaid. Mae tystiolaeth i hyn ddigwydd yn yr haenau o lwch yn strata creigiau o gwmpas y byd. Aeth defnydd yr asteroid yn rhan o'r Ddaear.

Digwyddodd hynny 64 miliwn o flynyddoedd yn ôl a bron 64 miliwn o flynyddoedd cyn ymddangosiad dyn.

Mae'r rhan fwyaf o'r asteroidau mewn orbit o gwmpas yr Haul, gan greu haen o greigiau rhwng orbitau Mawrth ac Iau. Mae'n ymddangos bod y rhan fwyaf ohonynt yn ymddwyn yn debyg i unrhyw wrthrych arall sydd mewn orbit, fel y planedau eu hunain, a bydd eu horbit yn aros yn gyson. Gallwn weld rhai asteroidau, yn ddiogel yn y belt asteroidau y tu hwnt i orbit Mawrth, o'r Ddaear fel gwrthrychau ar wahân a rhoddwyd enwau arnynt. *Ceres* yw'r un mwyaf sy'n mesur tua 1000 km ar draws. Ond mae'n ymddangos bod rhai ohonynt wedi'u taflu oddi ar y llwybr hwn gan ryw ddigwyddiad cataclysmig amser maith yn ôl, a'u bod yn dilyn llwybrau mwy anarferol. Mae rhai ohonynt yn croesi llwybr orbit y Ddaear.

Ym mis Tachwedd 1937, aeth yr asteroid *Hermes* heibio i'r Ddaear ar bellter o 800 000 km. Bu gwrthdrawiadau uniongyrchol hefyd yn ddiweddar – yn 1911 cafodd rhan o goedwig yn Siberia ei dinistrio.

13 Esboniwch pam y mae gwrthdrawiad rhwng y Ddaear a meteor neu asteroid yn anelastig.

14 Mae cylchedd orbit y Ddaear o gwmpas yr Haul tua 10^{12} m. Mae'n cymryd blwyddyn i'w chyflawni. Mae màs y Ddaear tua 6×10^{24} kg. Gall radiws asteroid mawr fod yn 5 km.
  a Rhowch y pellter y bydd y Ddaear wedi'i deithio mewn 6 mis. Beth fydd ei dadleoliad? Lluniwch fraslun i ddangos y gwahaniaeth rhwng pellter a dadleoliad.
  b Beth yw buanedd orbitol y Ddaear, mewn m s^{-1}? Pam y mae'n wir dweud bod y buanedd hwn yn gyson ond bod y cyflymder yn newid o hyd?
  c Beth yw momentwm y Ddaear o ganlyniad i'w mudiant orbitol? Beth fydd ei momentwm ymhen 6 mis? A yw hyn yn groes i egwyddor cadwraeth momentwm?
  d Beth yw cyfaint, mewn m^3, yr asteroid mawr gan dybio ei fod yn sfferigol (yn cael ei roi gan V = ⅓πr^3)? Os yw ei ddwysedd cyfartalog yn 2500 kg m^{-3}, beth yw ei fàs?

15 Dychmygwch fod asteroid yn teithio mewn llinell syth ar lwybr sy'n arwain at wrthdrawiad uniongyrchol â'r Ddaear. Brasluniwch graffiau dadleoliad-amser ar gyfer taith yr asteroid
  a gan dybio bod ei fuanedd yn gyson
  b yn fwy realistig, gan ganiatáu (yn gyffredinol) am atyniad disgyrchiant y Ddaear.

16 Tybiwch fod yr asteroid yn symud i gyfeiriad dirgroes i gyfeiriad y Ddaear, mewn perthynas â'r Haul. Mewn gwirionedd, mae hyn yn annhebygol iawn o ddigwydd – mae asteroid, fel y Ddaear, mewn orbit o gwmpas yr Haul ac mae planedau a gwrthrychau eraill yn troi i'r un cyfeiriad, er y gall orbit asteroid fod yn afreolaidd. Er hynny, mae sefyllfa lle gallent wrthdaro benben â'i gilydd yn un ddiddorol i'w hystyried. Tybiwch felly fod gan yr asteroid yr un buanedd â'r Ddaear ac mai eich ateb i gwestiwn 14d yw ei fàs.
  a Beth yw ei fomentwm?
  b Beth yw cyfanswm momentwm y system Ddaear-asteroid?
  c Yn ôl pa ganran y bydd y gwrthdrawiad yn newid momentwm y Ddaear?

Os edrychwch i fyny i'r awyr ar noson glir, ni fydd yn rhaid i chi aros yn hir cyn gweld meteor yn llosgi yn haen uchaf atmosffer y Ddaear. Gronynnau llwch yw'r rhan fwyaf o'r meteorau hyn ac ni fyddant yn treiddio ymhell i'r atmosffer. Ond mae rhai yn fwy a gallant gyrraedd yr arwyneb – gelwir y creigiau y deuir o hyd iddynt o bryd i'w gilydd yn feteorynnau.

Mae asteroidau lawer yn fwy na meteorau. A oes gwrthdrawiad mawr arall ar fin digwydd? Mae'n anodd dweud, yn bennaf am nad yw'r rhan fwyaf o asteroidau yn ddigon mawr i'w gweld hyd nes y byddant yn weddol agos at y Ddaear. Mae'n anodd dweud pryd y bydd rhywbeth ar y ffordd neu yn wir os oes rhywbeth ar y ffordd. Wedi dweud hynny, does fawr o ddim y gallwn ei wneud mewn gwirionedd i'n diogelu ein hunain rhag effaith yr ardrawiad.

● **Tasg sgiliau ychwanegol**

Cyfathrebu a Thechnoleg Gwybodaeth

Mae'r posibilrwydd y gall asteroid wrthdaro yn erbyn y Ddaear yn un real, er hynny nid yw'r posibilrwydd hwnnw fymryn yn fwy tebygol yn awr nag a fu ar unrhyw adeg arall yn hanes y ddynol ryw. Gwnaed honiad bod gwyddonwyr y gofod, yn eu hofn y bydd y gwleidyddion yn atal y cyllid i ariannu eu gwaith, wedi bod yn awyddus iawn i dynnu sylw at y posibilrwydd hwn – er mwyn diogelu eu swyddi.

Ffurfiwch eich hunain yn grwpiau. Dylai pob un gymryd arno un o'r rolau canlynol:

1 gwyddonydd sy'n awyddus iawn i bwysleisio bygythiad yr asteroid er mwyn diogelu ei swydd
2 gwyddonydd sy'n awyddus i benderfyniadau gael eu gwneud ar sail asesiad manwl o'r risg
3 gwleidydd sy'n awyddus i leihau gwariant y llywodraeth ar waith ymchwil gymaint ag y bo modd
4 gwleidydd sy'n awyddus i ymateb i farn y bobl wrth wneud penderfyniadau
5 gohebydd sy'n gweithio i bapur newydd ac sy'n hoffi creu cynnwrf wrth gyflwyno stori
6 gohebydd sy'n gweithio i bapur newydd ac sy'n ymfalchïo yn ei asesiadau 'deallus'.

Dylai'r pedwar cyntaf ddefnyddio'r we (ac adnoddau eraill os oes modd) i wneud ymchwil ar fygythiad asteroidau ac yna dylai pob un baratoi cyflwyniad byr (tua un dudalen) yn amlinellu ei safbwynt. Dylent roi eu cyflwyniadau i weddill y grŵp. Dylai'r gohebwyr gymryd nodiadau ac ysgrifennu erthyglau byr ar gyfer eu papur newydd am y bygythiad. Dylai'r erthyglau hyn gael eu geirbrosesu a'u cyflwyno i'r grŵp ar ôl iddynt gwblhau'r gwaith.

IV
EGNI

Egni i weithio a gwresogi

Y CWESTIYNAU MAWR
- Beth yw egni?
- Pam y mae'r cysyniad yn un mor bwysig?

GEIRFA ALLWEDDOL
afradlonedd   cadwraeth   effeithlonedd   egni   egni cinetig   egni mewnol
egni potensial   egni potensial disgyrchiant   egni potensial trydanol   egni straen elastig
egwyddor cadwraeth egni   egwyddor cadwraeth màs   egwyddor cadwraeth màs-egni
electronfolt   gwaith   hafaliad màs-egni Einstein   joule   màs-egni
torri (egwyddor cadwraeth)   wat

Y CEFNDIR
Mae pob newid – o fudiant a rhyngweithiad gronynnau isatomig i newid eich sanau – yn golygu bod egni yn cael ei drosglwyddo o'r naill le i'r llall, o system i system. Pe na bai egni yn cael ei drosglwyddo yna ni fyddai newid yn digwydd. Byddai'r Bydysawd mewn cyflwr o anactifedd.

Ffigur 15.1
Mae digon o egni yn cael ei drosglwyddo o'r naill le i'r llall, o system i system, yn y llun hwn – o'r Haul i'r planhigion, o'r dyn i'r beic i'r aer.

Gwneud gwaith a pheidio â gwneud gwaith

Mewn ffiseg, dywedir mai **gwaith** yw lluoswm grym a'r dadleoliad sy'n digwydd i gyfeiriad y grym tra bo grym yn gweithredu. Dim ond lle bo grym yn gweithredu a dadleoliad yn digwydd y gall gwaith gael ei wneud.

Ffigur 15.2
Ym mha un o'r sefyllfaoedd hyn y mae gwaith yn cael ei wneud?

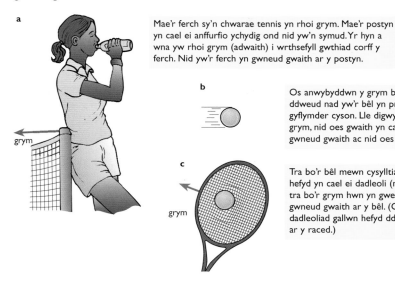

a Mae'r ferch sy'n chwarae tennis yn rhoi grym. Mae'r postyn yn cael ei anffurfio ychydig ond nid yw'n symud. Yr hyn a wna yw rhoi grym (adwaith) i wrthsefyll gwthiad corff y ferch. Nid yw'r ferch yn gwneud gwaith ar y postyn.

grym

b Os anwybyddwn y grym bychan o wrthiant aer yna gallwn ddweud nad yw'r bêl yn profi grym net a'i bod yn symud ar gyflymder cyson. Lle digwydd dadleoliad ond lle nad oes grym, nid oes gwaith yn cael ei wneud. Nid yw'r bêl yn gwneud gwaith ac nid oes gwaith yn cael ei wneud ar y bêl.

c Tra bo'r bêl mewn cysylltiad â'r raced, mae'n profi grym. Mae hefyd yn cael ei dadleoli (mae'n symud i gyfeiriad arbennig) tra bo'r grym hwn yn gweithredu arni. Mae'r raced yn gwneud gwaith ar y bêl. (Gan fod y raced yn profi grym a dadleoliad gallwn hefyd ddweud bod y bêl yn gwneud gwaith ar y raced.)

grym

I Edrychwch ar y sefyllfaoedd yn Ffigur 15.3 a dywedwch ble mae gwaith yn cael ei wneud ar y pwysau. Eglurwch eich ateb.

a codi'r pwysau

b dal y pwysau'n uchel

c mewn lifft yn symud ar i fyny ar fuanedd cyson

Ffigur 15.3

Ar ei ffurf symlaf, rhoddir y berthynas sy'n dilyn o'r diffiniad o waith gan:

gwaith = grym × dadleoliad tra bo'r grym yn gweithredu ac i'r un cyfeiriad

$$W = Fx$$

Gallai uned gwaith gael ei galw'n ddigon priodol a chywir yn newton metr. Fodd bynnag, gan fod gwaith yn fesur mor ddefnyddiol, rhoddwyd enw arall ar y newton metr. Gelwir newton metr yn **joule** neu, yn syml, J.

Beth fydd yn digwydd os yw'r dadleoliad yn digwydd i gyfeiriad sy'n wahanol i gyfeiriad y grym?

Mesurau fector yw grym a dadleoliad. Pan fyddant yn digwydd i'r un cyfeiriad yna y gwaith a wneir, yn syml iawn, yw eu lluoswm $W = Fx$. (Nodwch, er mai lluoswm dau fector yw gwaith, nid yw gwaith yn fesur fector ei hun. Sgalar ydyw. Nid oes gan waith gyfeiriad.) Er mwyn cyfrifo'r gwaith a wneir pan fo dadleoliad yn digwydd i gyfeiriad sy'n *wahanol* i gyfeiriad y grym mae'n rhaid i ni ystyried eu cydrannau paralel.

Mae'n bosibl, er enghraifft, na fydd y grym a roddir ar grât i'w dynnu ar draws y llawr, yn baralel i ddadleoliad y crât. Nid yw'r dadleoliad a'r grym yn digwydd i'r un cyfeiriad felly (Ffigur 15.4).

Ffigur 15.4
Fan yma mae'r grym a roddir ar ongl i ddadleoliad y crât.

grym, F

GOFAL!

dadleoliad, x

gwaith a wneir ar y crât = $F \cos \theta \times x$
= $Fx \cos \theta$

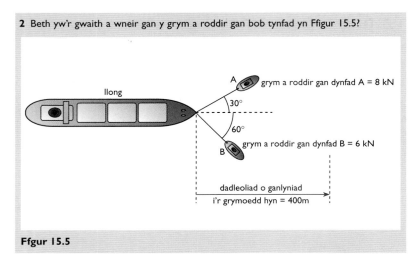

2 Beth yw'r gwaith a wneir gan y grym a roddir gan bob tynfad yn Ffigur 15.5?

llong

A   grym a roddir gan dynfad A = 8 kN

30°

60°

B   grym a roddir gan dynfad B = 6 kN

dadleoliad o ganlyniad
i'r grymoedd hyn = 400m

Ffgur 15.5

Ar gyfer y crât yn Ffigur 15.4 a sefyllfaoedd tebyg, rhaid meddwl am gydrannau paralel grym a dadleoliad. Gallwn naill ai ddod o hyd i gydran y grym sy'n baralel i'r union ddadleoliad, neu gallwn ddod o hyd i gydran y dadleoliad sy'n baralel i'r union rym.

Mae cydran y grym sy'n berpendicwlar i'r dadleoliad yn cael ei chydbwyso gan rym disgyrchiant ac nid oes unrhyw effaith arall arni. Nid yw'n gwneud gwaith. Yr unig gydran y gellir dweud ei bod yn gwneud gwaith yw cydran y grym sy'n gweithredu i'r un cyfeiriad â'r dadleoliad.

Os θ yw'r ongl rhwng y grym F a'r dadleoliad, cydran F sy'n baralel i'r dadleoliad yw $F \cos \theta$ (gweler tudalen 100).

Gwaith a wneir gan rym cyson

Mae'r grym sydd ei angen i oresgyn ffrithiant a gwthio crât ar draws y llawr ar gyflymder cyson bron â bod yn gyson; rhown F_1 am y grym cyfartalog. Oherwydd y ffrithiant, mae'n bosibl y bydd yn rhaid i F_1 fod yn weddol fawr. Yna gallwn roi x am ddadleoliad y crât, fel y bo'r

gwaith a wneir ar y crât i oresgyn ffrithiant $= F_1 x$

Os bydd gan y sawl sy'n gorfod symud y crât ddigon o synnwyr i roi olwynion oddi tano, yna gall leihau'r grym cyfartalog fydd ei angen a lleihau hefyd faint o waith y bydd angen ei wneud. Os rhown F_2 am y grym cyfartalog newydd, sy'n llai, yna

gwaith a wneir ar y crât i oresgyn ffrithiant, ar olwynion $= F_2 x$

Gallwn greu cynrychioliadau gweledol defnyddiol o'r ddwy sefyllfa. Mae Ffigur 15.6 yn dangos graffiau grym (echelin y) wedi'i blotio yn erbyn dadleoliad (echelin x).

Ffigur 15.6
Golyga mwy o rym ar gyfer yr un dadleoliad y bydd yn rhaid i fwy o waith gael ei wneud. Mae'r gwaith a wneir = 'arwynebedd o dan y graff'.

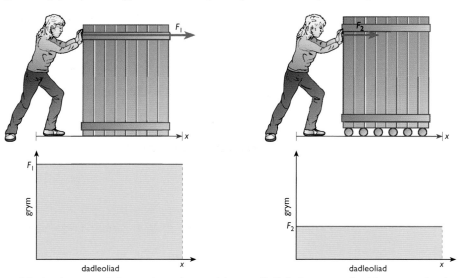

3 Brasluniwch graffiau i gynrychioli grym bach a grym mawr yn gwneud meintiau *hafal* o waith.

Nodwch y cewch betryal syml yn y ddau graff. Gelwir arwynebedd y petryalau hyn yn 'arwynebedd o dan y graff'. Uchder pob petryal yw'r grym a'r lled yw cyfanswm dadleoliad y crât tra bo'r grym yn gweithredu arno. Arwynebedd pob petryal yw'r grym wedi'i luosi â'r dadleoliad. Mae hyn, wrth gwrs, yn hafal i'r gwaith a wneir.

Gwaith a wneir gan rym sy'n amrywio

Estyn sbring

Nid yw'r grym sydd ei angen i estyn sbring yn gyson. Po fwyaf y caiff ei estyn, po fwyaf fydd y grym. Mewn gwirionedd (cyn belled na fyddwch yn tynnu'n ormodol arno ac yn ei anffurfio'n barhaol) mae'r grym mewn cyfrannedd union â'r estyniad. Mae'r estyniad yr un fath â dadleoliad pen y sbring sy'n symud. Mae'r cyfrannedd yn cynhyrchu graff sy'n llinell syth sy'n mynd drwy'r tarddbwynt (Ffigur 15.7).

Ffigur 15.7
Graff grym-dadleoliad ar gyfer sbring wedi'i estyn.

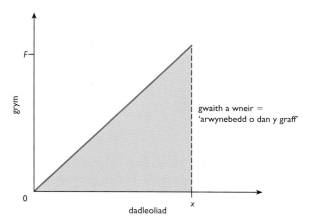

gwaith a wneir = 'arwynebedd o dan y graff'

Unwaith eto, cyfanswm y gwaith a wneir yw lluoswm y grym cyfartalog a'r dadleoliad. Nid yw'r grym cyfartalog mor syml ag ydoedd pan oedd yn rhoi grym a oedd bron â bod yn gyson er mwyn gwthio crât yn erbyn ffrithiant. Yn ffodus, fodd bynnag, nid yw'r sefyllfa yn rhy gymhleth. Mae'r grym yn cynyddu'n gyson felly gallwn ddefnyddio gwerthoedd dau rym i gyfrifo ei gyfartaledd – gwerth cyntaf (cychwynnol) y grym a gwerth terfynol y grym. Felly, mae'r

$$\text{grym cyfartalog ar gyfer estyniad y sbring} = \frac{\text{grym cychwynnol} + \text{grym terfynol}}{2}$$

Gan fod y grym cychwynnol yn sero, gellir symleiddio hyn ymhellach drwy ddweud bod y

$$\text{grym cyfartalog ar gyfer estyniad y sbring} = \frac{\text{grym terfynol}}{2}$$

Felly rhoddir y gwaith a wneir gan y sbring gan:

$$\text{gwaith a wneir} = \text{grym cyfartalog} \times \text{dadleoliad}$$
$$= \frac{\text{grym terfynol} \times \text{dadleoliad}}{2}$$
$$= \frac{Fx}{2}$$

Y grym terfynol yw uchder y triongl a wnaed gan y graff grym-dadleoliad. Y dadleoliad yw sail y triongl, felly nodwch fod y

$$\text{gwaith a wneir} = \frac{\text{uchder y triongl} \times \text{sail}}{2}$$

a bod yr ochr dde yn union yr un fath â'r fformiwla safonol sy'n cyfrifo arwynebedd triongl. Felly, unwaith eto, mae'r gwaith a wneir yn hafal i'r arwynebedd o dan y graff.

Systemau mwy cymhleth

Mae raced dennis a phêl dennis yn rhyngweithio â'i gilydd mewn ffordd gymhleth. Mae'r grym ar y bêl yn cynyddu o sero wrth i'r bêl sy'n symud daro yn erbyn y raced. Ni allwn ddisgrifio siâp y graff a gaiff ei gynhyrchu mor hawdd â siâp graff sbring syml.

Ffigur 15.8
Graff grym-dadleoliad posibl ar gyfer pêl dennis wrth iddi daro yn erbyn y raced.

Mae pennau'r blociau cul yn dilyn siâp cromlin y graff yn agos iawn. Po fwyaf cul yw'r blociau, mwyaf agos a chywir y byddant yn dilyn y gromlin.

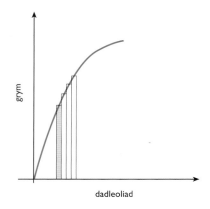

Fodd bynnag, gallwn feddwl am gyfran fach o'r graff — bloc fertigol lle mae'r newid dadleoliad yn fach a lle gellir ystyried bod y grym bron â bod yn gyson (Ffigur 15.8). Ar gyfer un bloc gwelwn eto fod y gwaith a wneir yn hafal i'w arwynebedd, ac mae hyn yn wir am bob bloc unigol o'r graff. Y mae felly'n wir, yn fras, am y graff cyfan a mwyaf cul yw'r blociau, mwyaf cywir yw'r brasamcan. Felly mae'r datganiad fod:

gwaith a wneir = arwynebedd o dan y graff grym–dadleoliad

nid yn unig yn wir ar gyfer grymoedd cyson ac ar gyfer grymoedd sydd mewn cyfrannedd â'r dadleoliad (fel ar gyfer y sbring), mae hefyd yn wir am bob siâp o'r graff.

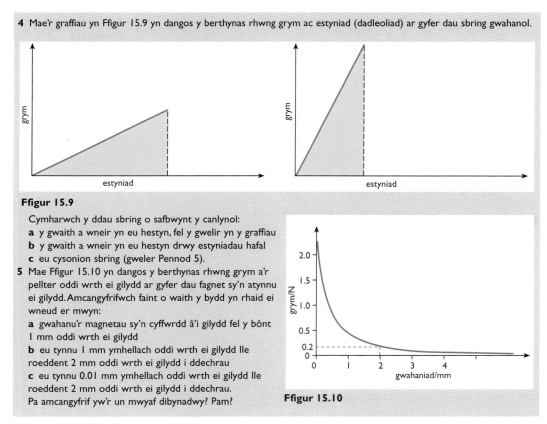

4 Mae'r graffiau yn Ffigur 15.9 yn dangos y berthynas rhwng grym ac estyniad (dadleoliad) ar gyfer dau sbring gwahanol.

Ffigur 15.9

Cymharwch y ddau sbring o safbwynt y canlynol:
a y gwaith a wneir yn eu hestyn, fel y gwelir yn y graffiau
b y gwaith a wneir yn eu hestyn drwy estyniadau hafal
c eu cysonion sbring (gweler Pennod 5).

5 Mae Ffigur 15.10 yn dangos y berthynas rhwng grym a'r pellter oddi wrth ei gilydd ar gyfer dau fagnet sy'n atynnu ei gilydd. Amcangyfrifwch faint o waith y bydd yn rhaid ei wneud er mwyn:
a gwahanu'r magnetau sy'n cyffwrdd â'i gilydd fel y bônt 1 mm oddi wrth ei gilydd
b eu tynnu 1 mm ymhellach oddi wrth ei gilydd lle roeddent 2 mm oddi wrth ei gilydd i ddechrau
c eu tynnu 0.01 mm ymhellach oddi wrth ei gilydd lle roeddent 2 mm oddi wrth ei gilydd i ddechrau.
Pa amcangyfrif yw'r un mwyaf dibynadwy? Pam?

Ffigur 15.10

Y gallu i wneud gwaith

Gall pêl a ddefnyddir i ddymchwel adeiladau, fel unrhyw wrthrych arall sy'n symud, wneud gwaith (rhoi grym sy'n gweithredu dros bellter) ar wrthrychau eraill y mae'n gwrthdaro yn eu herbyn.

Nid yw saeth mewn bwa wedi'i estyn eto'n symud, ond mae gan y system bwa saeth y gallu i wneud gwaith o ganlyniad i'r tyniant yn y llinyn. Grym sydd ond yn cael ei gydbwyso dros dro gan y bysedd yn tynnu yw'r tyniant hwn.

Yn yr un modd, mae grym disgyrchiant yn effeithio ar ddŵr mewn cronfa yn y mynyddoedd sy'n cael ei gydbwyso dros dro gan gynhaliad y ddaear oddi tano. Bydd y dŵr yn disgyn cyn gynted ag y bydd hynny'n bosibl a bydd gan y dŵr sy'n symud y gallu i wneud gwaith. Mae'r gallu i wneud gwaith yn bodoli cyn i'r mudiant ei hun ddechrau.

Mae taten, pan fo'n adweithio'n gemegol ag ocsigen, yn caniatáu i ddefnyddiau wneud gwaith. Defnydd y daten yw tanwydd. Gall llosgi'r tanwydd (yn araf hyd yn oed, fel mewn corff dynol), er enghraifft, achosi mudiant defnyddiau. Mae'r un egwyddor yn wir am losgi unrhyw danwydd arall. Gall petrol, pan fo'n adweithio ag ocsigen, achosi i'r pistonau symud. Mae gan danwydd, ym mhresenoldeb ocsigen, y gallu i wneud gwaith.

Gelwir y gallu hwn i wneud gwaith yn **egni**. Mae maint yr egni sydd gan system yn hafal i faint y gwaith y gall ei wneud (o dan amodau delfrydol). Mae egni, fel gwaith, yn cael ei fesur mewn jouleau.

Ffigur 15.11
Mae pob un o'r systemau hyn yn meddu ar y gallu i wneud gwaith.

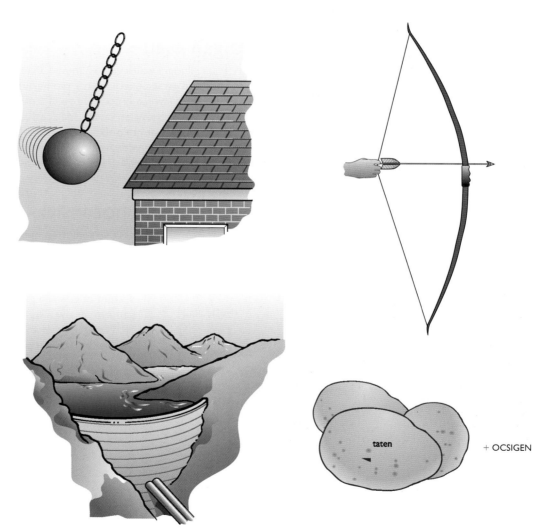

taten

+ OCSIGEN

Egni i weithio a gwresogi

Proses o drosglwyddo egni yw gwneud gwaith. Mae hylosgi petrol mewn injan car yn enghraifft o'r broses o drosglwyddo egni a'r broses o wneud gwaith – rhoi grym a dadleoli pistonau. Mae'r prosesau y tu mewn i'r injan yn trosglwyddo'r egni yn fecanyddol i'r pistonau. Ond bydd egni yn cael ei drosglwyddo trwy gyfrwng prosesau thermol, neu 'wresogi', hefyd. Gall trosglwyddiad thermol egni i wrthrych goddefol o ddefnydd, megis darn o fetel neu gynhwysydd dŵr, arwain at gynnydd yn ei dymheredd neu newid yn ei gyflwr, neu'r ddau.

Ffigur 15.12
Mae'r diagram hwn yn dangos gwerthoedd cymharol cyfanswm yr egni sydd ar gael a'r egnïon a drosglwyddir drwy wneud gwaith a gwresogi mewn injan car.

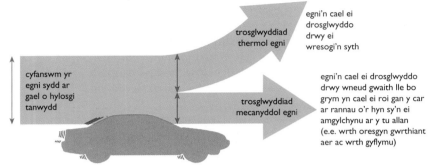

Mewn prosesau trosglwyddo egni go iawn ni chaiff yr holl egni cychwynnol ei drosglwyddo drwy wneud gwaith yn unig. Mae rhywfaint o egni bob amser yn cael ei drosglwyddo i wresogi'r system a/neu yr hyn sydd o'i hamgylch. Wrth lunio diagram trosglwyddiad egni gallwn ddefnyddio saethau o drwch gwahanol i ddangos maint cymharol yr egni sydd ar gael sy'n cael ei drosglwyddo drwy wneud gwaith (trosglwyddiad mecanyddol) a thrwy wresogi (trosglwyddiad thermol) mewn system, e.e. injan car (Ffigur 15.12).

Egni'n cael ei gludo gan olau

Gall pelydriad electromagnetig o'r Haul alluogi i waith gael ei wneud. Mae'n gwresogi'r atmosffer gan beri nid yn unig i'r tymheredd godi ond gwahaniaethau yn y tymheredd a fydd yn arwain at symudiadau yn yr aer sydd weithiau'n rymus iawn, e.e. corwyntoedd a thornados. Ar lefel foleciwlaidd, golau'r Haul sy'n gwneud ffotosynthesis yn bosibl. Mae'r golau a phelydriadau electromagnetig eraill yn trosglwyddo egni. Yr Haul sy'n darparu bron yr holl egni sydd ar gael i ni – yn ein bwyd, mewn tanwydd ac adnoddau adnewyddadwy megis y gwynt a'r llanw. (Mae adnoddau egni niwclear a geothermol yn eithriadau.) Yr Haul sy'n ei gwneud hi'n bosibl i'ch corff wneud yr holl waith y bydd yn ei wneud.

Cyflwyno egni cinetig ac egni potensial

Gall yr egni mecanyddol y mae system yn meddu arno gael ei ddosbarthu. Caiff yr egni sydd gan wrthrych oherwydd ei fudiant ei alw'n **egni cinetig**. Caiff yr egni sydd gan system oherwydd gweithrediad yn y dyfodol gan rym ei alw'n **egni potensial.**

Mae gan ddŵr mewn cronfa yn y mynyddoedd **egni potensial disgyrchiant**. Ar gyfer y bwa saeth ac ar gyfer tanwydd, nid grymoedd disgyrchiant mohonynt ond grymoedd sy'n gweithredu rhwng gronynnau ar lefel foleciwlaidd; grymoedd trydanol yw'r grymoedd hyn, pa mor gynnil a chymhleth bynnag y bônt. Ar lefel foleciwlaidd, mae'r egnïon felly yn **egnïon potensial trydanol**. Mae egni potensial yn cael ei golli ac egni cinetig yn cael ei ennill ym mhob un o'r enghreifftiau uchod: dŵr yn disgyn, y saeth yn cael ei rhyddhau a'r gronynnau mewn tanwydd sy'n llosgi.

6 Mae gan bêl dymchwel adeiladau y gallu i wneud 1 kJ o waith ar wal y mae'n gwrthdaro yn ei herbyn. Faint o egni cinetig sydd ganddi yn union cyn y gwrthdrawiad?

7 Mae Tabl 15.1 yn dangos y gwerthoedd egni sy'n gysylltiedig â rhai prosesau gwahanol.

Tabl 15.1

Proses	Egni/jouleau
egni'n cael ei drosglwyddo drwy hylosgi 1 ml o betrol	38 000
egni'n cael ei drosglwyddo ym metabolaeth gyfartalog dyn mewn 1 s	150
egni cinetig y Ddaear mewn orbit o gwmpas yr Haul	2.65×10^{33}
egni ffoton (egni cwanteiddiedig a gludir gan belydriad electromagnetig) o olau stryd sodiwm	3×10^{-18}

a Beth yw amrediad yr egnïon sydd yn y data yn y tabl?
b Ysgrifennwch bob gwerth egni mewn megajouleau, MJ.
c Faint o egni a gafwyd o ganlyniad i hylosgi 1 litr o betrol?
d Faint o ffotonau goleuadau stryd y byddai'n rhaid i chi eu hamsugno er mwyn cael tanwydd ar gyfer eich metabolaeth am 1 eiliad? Pa newidiadau y byddai'n rhaid eu gwneud i'r corff dynol er mwyn i hyn fod yn bosibl?
e Mae tua 10^{10} o bobl ar y Ddaear. Faint o bobl allai fyw am 1 eiliad ar egni cinetig y Ddaear yn cylchdroi? Drwy ba ffactor y mae hyn yn fwy na phoblogaeth y Ddaear? Am ba hyd y gallai poblogaeth y Ddaear oroesi o wneud defnydd o'r egni cinetig hwn? Pe gallai'r egni cinetig hwn fod ar gael at ein defnydd ni yn y ffordd hon, beth ddigwyddai i'r Ddaear?

Storio egni fel egni potensial ac egni cinetig

Os gall y dŵr mewn cronfa yn y mynyddoedd gael ei reoli, fel mewn system pŵer trydan dŵr, yna gallai'r egni fod ar gael pryd bynnag y bydd ei angen. Yn y cyfamser, caiff egni ei 'storio' fel egni potensial disgyrchiant.

Gall egni gael ei storio fel egni cinetig yn ogystal ag egni potensial. Mae chwylrod yn wrthrych sy'n cylchdroi ac mae ganddo fàs sylweddol. Gall gael egni cinetig a throelli'n gynt ac yna darparu'r egni hwn yn ddiweddarach drwy arafu. Mae hyn yn ddefnyddiol mewn injan car lle bo'r ffrwydradau yn y silindrau yn gwneud eu gwaith mewn hyrddiau sydyn. Mae cylchdro'r crancsiafft yn cael ei wneud yn fwy llyfn gan y chwylrod sydd ynghlwm wrtho. Mae cyflymu ar ôl pob ffrwydrad ac arafu rhwng ffrwydradau yn dal i ddigwydd ond i raddau cryn dipyn yn llai oherwydd gall màs mawr y chwylrod storio cryn dipyn o egni adeg pob ffrwydrad a'i ryddhau eto rhwng ffrwydradau.

Tanwyddau

Mae'r rhan fwyaf o adweithiau cemegol naturiol yn rhoi egni i'r byd y tu allan, gan wresogi'r hyn sy'n eu hamgylchynu a chaniatáu i waith gael ei wneud. Gyda thanwydd mewn hylosgiad wedi'i reoli, gall yr egni fod ar gael pryd bynnag y bo ei angen. Yn y cyfamser, caiff yr egni ei 'storio'.

Mae'r gyfatebiaeth rhwng sefyllfaoedd disgyrchol a sefyllfaoedd trydanol yn ddefnyddiol. Gan y gallwn ddychmygu'r dŵr mewn cronfeydd yn y mynyddoedd, mae'r system disgyrchiant yn fodel da i'n helpu ni i ddeall y system drydanol. Gellir cymharu'r newid mewn egni potensial trydanol sy'n digwydd yn ystod proses hylosgi (adwaith cemegol) i'r newid mewn egni potensial disgyrchiant sy'n digwydd pan fo dŵr yn llifo o un gronfa i un arall yn is i lawr (Ffigur 15.13).

Ffigur 15.13
Egni a storiwyd yn cael ei ryddhau.

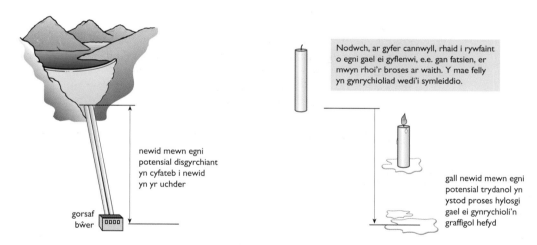

newid mewn egni potensial disgyrchiant yn cyfateb i newid yn yr uchder

gorsaf bŵer

Nodwch, ar gyfer cannwyll, rhaid i rywfaint o egni gael ei gyflenwi, e.e. gan fatsien, er mwyn rhoi'r broses ar waith. Y mae felly yn gynrychioliad wedi'i symleiddio.

gall newid mewn egni potensial trydanol yn ystod proses hylosgi gael ei gynrychioli'n graffigol hefyd

Egni'n cael ei storio gan sbring

Caiff gwaith ei wneud drwy estyn sbring. O ganlyniad, mae gan y sbring y gallu i wneud yr un faint o waith pan gaiff ei ryddhau. Cyhyd ag y caiff ei gadw wedi'i estyn mae'r sbring yn system sy'n meddu ar y gallu i wneud gwaith. Cyhyd ag y bydd wedi'i estyn, gallwn feddwl am y sbring fel system storio egni. Felly mae

egni storio = y gwaith all gael ei wneud pan gaiff ei ryddhau

= y gwaith a wnaed wrth estyn y sbring yn y lle cyntaf

$$= \frac{Fx}{2} \text{ (gweler tudalen 127)}$$

Egni potensial yw'r egni a gaiff ei storio gan sbring ac mae perthynas rhyngddo â'r grymoedd rhwng y gronynnau yn y sbring. Fe'i gelwir hefyd yn **egni straen elastig**. Nodwch fod y fformiwla uchod yn gymwys i unrhyw system lle bo'r dadleoliad (neu'r estyniad) mewn cyfrannedd union â'r grym a roddir. Mae felly yn gymwys i wifrau a cheblau yn ogystal â sbringiau (cyn belled nad ydynt yn cael eu hestyn y tu hwnt i'r terfan cyfrannedd).

8 Cyfrifwch yr egni a storir gan sbring a fydd yn ymestyn 2 cm pan fydd grym o 3 N yn gweithredu arno. (Cofiwch ddefnyddio'r unedau SI sy'n cyd-fynd â'r uchod.)

Egni mewnol gwrthrychau

Ar ddechrau'r 1840au, aeth James Joule a'i wraig newydd ar eu mis mêl i Alpau'r Swistir i fwynhau'r dolydd glas, aer iachus y mynyddoedd a'r afonydd byrlymus. Ar y pryd, roedd teithio ar drên yn dal i fod yn ddatblygiad newydd. Roedd trenau ager, fodd bynnag, wedi'u dyfeisio ers rhai blynyddoedd. Roeddent yn gweithio ar sail ager poeth yn troi'n ddŵr nad oedd mor boeth â'r ager a gwaith yn cael ei wneud – dyna'r dechnoleg ond nid oedd yna ddamcaniaeth wyddonol gyflawn a esboniai'r broses.

Aeth James Joule â'i offer gwyddonol gydag ef i'r Swistir. Roedd am droi ei sylw at yr afonydd byrlymus yn arbennig. Mesurodd dymheredd y dŵr ym mhen ucha'r rhaeadr ac yna wrth y gwaelod a sylwodd fod gwahaniaeth bychan yn nhymheredd y dŵr (Ffigur 15.14). Nid oedd egni'r dŵr – boed ei egni potensial ym mhen ucha'r rhaeadr neu ei egni cinetig yn y gwaelod – wedi peidio â bod, er ei fod yn ymddangos fel petai wedi'i 'golli'. Yn hytrach, fe'i gwelwyd yn effeithio ar y dŵr. Dyma dystiolaeth y gallai gwresogi ddigwydd o ganlyniad i drosglwyddo egni potensial ac egni cinetig.

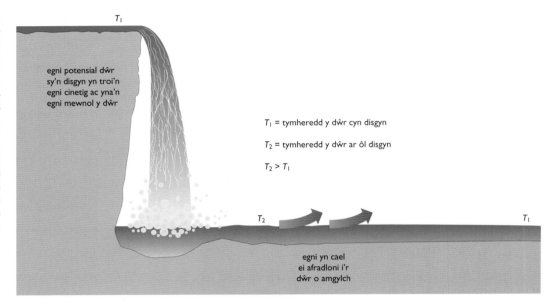

Ffigur 15.14
Roedd egni mecanyddol y dŵr yn disgyn wedi mynd i mewn i ddefnydd y dŵr ei hun – gan droi'n egni mewnol – ac effaith hyn oedd y cynnydd yn y tymheredd. (Nodwch, er bod perthynas rhwng egni mewnol gwrthrych a'i dymheredd, nid yw yr un fath.) Dangosodd Joule fod perthynas uniongyrchol rhwng yr egni mecanyddol a roddwyd gan y dŵr yn disgyn a'r tymheredd yn codi.

egni potensial dŵr sy'n disgyn yn troi'n egni cinetig ac yna'n egni mewnol y dŵr

T_1 = tymheredd y dŵr cyn disgyn

T_2 = tymheredd y dŵr ar ôl disgyn

$T_2 > T_1$

egni yn cael ei afradloni i'r dŵr o amgylch

Aeth Joule yn ei flaen i ddangos bod perthynas uniongyrchol rhwng gwaith a wneir ac effaith wresogi. Arweiniodd ei waith at y syniad o **egni mewnol** defnydd. Nawr, os meddyliwch am ein damcaniaeth ynglŷn â natur ronynnog mater, gallwn ddarlunio egni mewnol gwrthrych fel cyfanswm egni cinetig ac egni potensial ei ronynnau. Mae'n amhosibl, wrth gwrs, i ni fesur egnïon cinetig a photensial gronynnau unigol ond fe allwn fesur y newidiadau mewn egni mewnol gwrthrych o ddefnydd arbennig. Mae newidiadau mewn egni mewnol yn cael eu dangos fel arfer ar ffurf ΔU. Gall newidiadau o'r fath gael eu cysylltu â newid mewn tymheredd, newid mewn cyflwr a newidiadau cemegol.

9 a Mae tymheredd bag o siwgr yn codi. Beth sy'n digwydd i gyfanswm ei egni mewnol?
b Mae bag o siwgr yn cael ei losgi (drwy adweithio ag ocsigen a chynhyrchu defnyddiau gwastraff). Beth sy'n digwydd i gyfanswm egni mewnol y defnyddiau yn ystod yr adwaith hwn?
c Pa newid o fath arall allai newid cyfanswm egni mewnol y siwgr?

Trosglwyddo egni a'i afradloni

Gwnaeth James Joule fesuriadau ar system ffisegol a oedd yn trosglwyddo egni. Ar y dechrau, roedd gan y dŵr egni potensial. Trodd yr egni yn egni cinetig, ac yna'n egni mewnol o ganlyniad i gynhyrfu'r gronynnau. Wrth i'r dŵr symud i ffwrdd o waelod y rhaeadr, canfuwyd bod y gronynnau dŵr yn rhyngweithio â'r gronynnau yn y defnyddiau o amgylch megis yr aer a'r graig. Roedd y gronynnau amgylchynol yn cynhyrfu fwyfwy a chynhyrfiad gronynnau'r dŵr, yn raddol, yn lleihau; roedd egni'n cael ei drosglwyddo rhwng gronynnau. Heb fod ymhell iawn i lawr yr afon o'r rhaeadr, roedd unrhyw gynnydd yn nhymheredd y dŵr uwchlaw'r tymheredd cychwynnol T_1 yn rhy fach i'w fesur. Roedd yr egni wedi ei drosglwyddo i'r holl ddefnyddiau amgylchynol niferus. Roedd yr egni wedi'i **afradloni**.

10 Yr egni sydd ar gael o hylosgi bag 1 kg o siwgr yw 17 MJ.

a Beth yw uchafswm y gwaith a allai gael ei wneud gan ddefnyddio'r siwgr fel tanwydd?

b Pam y bydd yr union faint o waith a wneir yn llai na hyn?

c Er mwyn dringo grisiau rhaid i chi brofi grym cyfartalog ar i fyny sy'n hafal i'ch pwysau eich hun (e.e. 750 N). I ba uchder (dadleoliad) y gallech ei ddringo petai 17 MJ o egni ar gael i chi?

11 Mae morthwyl yn taro hoelen dro ar ôl tro ac mae'r hoelen yn treiddio ymhellach i flocyn o bren. Mae tymheredd y morthwyl a'r hoelen yn cynyddu.

a Tynnwch ddiagram o'r egni sy'n cael ei drosglwyddo yn y broses hon.

b Mae'r morthwyl a'r hoelen yn cael eu gadael i 'oeri'. Beth sy'n digwydd i

i eu hegni mewnol

ii egni mewnol y defnyddiau o'u hamgylch?

c Defnyddiwch eich ateb i **b ii** i egluro'r term 'afradlonedd egni'.

12 TRAFODWCH

'Ar ddiwedd taith, mae'r holl egni a oedd ar gael ar gyfer car a'i gynnwys o ganlyniad i hylosgi tanwydd wedi'i afradloni.' A yw hyn bob amser yn wir?

Mae egni'n fesur sgalar. Nid oes ganddo gyfeiriad. Ni allwn ddangos mesurau egni drwy ddefnyddio'r math o saethau y byddem yn eu defnyddio ar gyfer fectorau, megis cyflymder a grym. Fodd bynnag, gallwn ddangos trosglwyddiadau o system i system, gyda phen y saeth yn dangos y trosglwyddiad a thrwch y saeth yn dynodi mesur cymharol yr egni dan sylw (Ffigur 15.15).

Gall prosesau trosglwyddo egni gael eu cynrychioli gan ddiagramau tebyg i'r isod.

Ffigur 15.15
Diagramau yn dangos afradlonedd egni mewn prosesau gwahanol lle caiff egni ei drosglwyddo.

a Egni'n cael ei drosglwyddo yn ystod taith mewn car ar ffordd wastad.

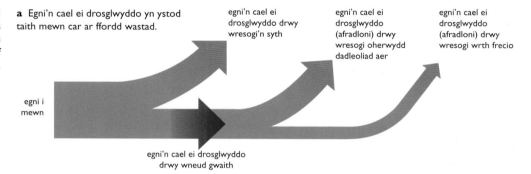

b Egni'n cael ei drosglwyddo yn ystod taith mewn car i fyny mynydd.

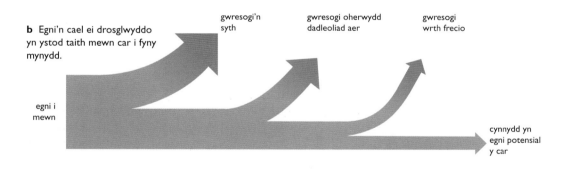

c Egni'n cael ei drosglwyddo wrth i long ofod danio ei moduron roced.

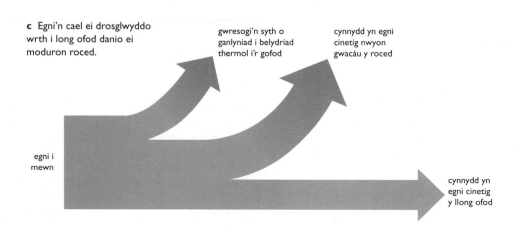

Cadwraeth egni

Yn yr holl drosglwyddiadau egni a welwyd yn yr adran flaenorol, mae cyfanswm yr egni yn ddigyfnewid. Mewn geiriau eraill, mae'r egni yn cael ei gadw. Mae'r patrwm hwn mor gyson caiff ei alw'n **egwyddor cadwraeth egni**. Ffordd arall o fynegi'r egwyddor hon yw na ellir byth creu na dinistrio egni, dim ond ei drawsnewid o un ffurf i ffurf arall rhwng systemau neu leoliadau gwahanol.

> **13** Pan fydd bag o siwgr yn llosgi, mae newid yng nghyfanswm egni mewnol y defnyddiau. A yw hyn yn gyson ag egwyddor cadwraeth egni?

Pŵer fel cyfradd trosglwyddo egni

Mae pŵer yn fesur sy'n perthyn yn agos i egni ac, yn aml iawn, mae'n fwy defnyddiol wrth fesur prosesau. Pŵer yw cyfradd trosglwyddo egni. (Gellir dweud hefyd mai pŵer yw cyfradd gwneud gwaith, gan fod gwneud gwaith yn golygu trosglwyddo egni.) Gallwn fynegi'r diffiniad hwn o bŵer ar ffurf hafaliad. Felly mae

$$\text{pŵer}, P = \text{cyfradd trosglwyddo egni}$$

$$P \text{ cyfartalog} = \frac{\Delta E}{\Delta t}$$

Nodwch, o dan amgylchiadau arbennig lle bo pŵer yn gyson, hynny yw, pan fo egni'n cael ei drosglwyddo ar gyfradd gyson, mae pŵer cyfartalog yn hafal i bŵer enydaidd, felly gallwn ddweud bod

$$P \text{ enydaidd} = \frac{\Delta E}{\Delta t} \text{ lle bo } P \text{ yn gyson}$$

Fodd bynnag, dim ond mewn achos arbennig y bydd hyn yn gymwys. Fel arfer, mae

$$P \text{ enydaidd} = \frac{dE}{dt}$$

Tabl 15.2 Mewnbynnau pŵer nodweddiadol.

	Mewnbwn pŵer/W	Allbwn egni mewn un awr/J
gorsaf bŵer glo	5×10^9	1.8×10^{13}
car	1×10^5	3.6×10^8
bod dynol	150	5.4×10^5

Uned SI pŵer yw'r **wat**, W, a gafodd ei enwi i goffáu'r peiriannydd James Watt (Ffigur 15.16). Mae un wat yn cyfateb i gyfradd trosglwyddo egni o un joule yr eiliad. Mae Tabl 15.2 yn dangos mewnbynnau nodweddiadol ar gyfer rhai systemau trosglwyddo egni.

Ffigur 15.16
James Watt (1736–1819).

Roedd James Watt yn beiriannydd ymarferol a wyddai gryn dipyn am farchnata hefyd. Llwyddodd nid yn unig i ddatblygu peiriant ager a oedd yn fwy effeithlon ond hefyd ei werthu i berchenogion y ffatrïoedd newydd drwy gymharu ei gyfradd gwaith, neu ei bŵer, â chyfradd gwaith ceffylau. Disgrifiai ei beiriant yn nhermau ei 'farchnerth' neu *horsepower*.

> **14** Cyfrifwch y pŵer cyfartalog o ddefnyddio uchafswm grym (terfynol) o 20 N i estyn sbring 4.4 cm mewn 0.6 s.
>
> **15 a** Cyfrifwch y pŵer cyfartalog o ffrwydro bag o siwgr (â 17 MJ o'r egni sydd ar gael) mewn 0.01 s. (Mae newid mor sydyn yn bosibl os gall ocsigen gael ei gyflenwi'n ddigon cyflym i'r siwgr, drwy ddefnyddio siwgr powdr mewn amgylchedd lle bo lefel yr ocsigen yn uchel efallai.)
> **b** Brasluniwch graffiau egni yn erbyn amser i ddangos pŵer sy'n gyson a phŵer sy'n amrywio a defnyddiwch y graffiau i ddangos y gwahaniaeth rhwng
> $$\frac{\Delta E}{\Delta t} \text{ a } \frac{dE}{dt}$$

Effeithlonedd

Mae prosesau naturiol unrhyw newid yn trosglwyddo egni. Rydym hefyd yn byw mewn byd llawn dyfeisiau trosglwyddo egni 'a wnaed gan ddyn' – o watsh gyffredin i injan tanceri mawr. Mae rhywfaint o egni'n cael ei afradloni bob tro mae egni'n cael ei drosglwyddo. Golyga hyn nad yw'r cyfan o'r egni a gyflenwyd, megis o fatri neu danwydd, yn gwneud y gwaith neu'n rhoi'r gwres (neu'r golau) a fydd yn ddefnyddiol i ni. Rhaid i ni gyflenwi mwy o egni na'r hyn y gallwn fanteisio arno. Mae'r egni allbwn defnyddiol yn llai na'r egni mewnbwn. Pe na bai hyn yn wir, yna byddem yn defnyddio cryn dipyn yn llai o danwydd, er enghraifft, i gynhyrchu trydan felly byddem yn arbed arian ac yn lleihau llygredd. Mae peirianwyr, felly, bob amser yn awyddus i sicrhau bod y prosesau trosglwyddo egni mor **effeithlon** ag y bo modd. Yr hyn a wnânt yw ceisio cael y mwyaf allan o'r gymhareb rhwng yr egni allbwn 'defnyddiol' a'r egni mewnbwn yn ystod yr un cyfnod o amser. Caiff y gymhareb hon ei mynegi ar ffurf canran fel a ganlyn:

$$\text{effeithlonedd} = \frac{\text{allbwn egni defnyddiol}}{\text{mewnbwn egni yn ystod yr un cyfnod o amser}} \times 100\,\%$$

$$= \frac{\Delta E_2}{\Delta E_1} \times 100\,\%$$

lle saif ΔE_1 a ΔE_2 am fewnbwn egni (egni i mewn) ac allbwn egni (egni allan).

Effeithlonedd yw cymhareb, wedi'i mynegi fel canran, o ddau fesur â'r un dimensiynau. Y mae felly yn fesur diddimensiwn ac nid oes iddo unedau.

Pan fo pŵer yn ddigyfnewid, fel y tybiwn yma, yna mae'r egni yn perthyn i bŵer drwy $\Delta E = P\,\Delta t$. Felly, ar gyfer mewnbwn pŵer cyson P_1 ac allbwn pŵer cyson P_2, mae

$$\Delta E_1 = P_1\,\Delta t \qquad \text{ac mae} \qquad \Delta E_2 = P_2\,\Delta t$$

Felly mae

$$\text{effeithlonedd} = \frac{P_2\Delta t}{P_1\Delta t} \times 100\,\%$$

$$= \frac{P_2}{P_1} \times 100\,\%$$

$$= \frac{\text{allbwn pŵer defnyddiol}}{\text{mewnbwn pŵer}} \times 100\,\%$$

Mae'n aml yn well gan beirianwyr ddefnyddio'r diffiniad hwn o effeithlonedd oherwydd mae'n osgoi'r angen i fynnu bod yn rhaid i'r ddau fesur yn y gymhareb berthyn i gyfnodau amser unfath.

16 Effeithlonedd gorsaf bŵer yw 35%.

a Os yw'r allbwn pŵer yn 100 MW, beth fydd y mewnbwn pŵer?

b Beth yw ffynhonnell y pŵer hwn?

c Faint o egni y mae gorsaf bŵer, yn gweithio ar 100 MW, yn ei gyflenwi i system y grid trydan (ei hallbwn egni) mewn 1 awr?

d Yn yr un awr, faint o egni a gaiff ei gyflenwi i'r orsaf bŵer o losgi tanwydd neu ffynhonnell arall (y mewnbwn egni)?

e Ar unrhyw adeg benodol, dim ond 35% o'r egni mewnbwn sy'n cael ei drosglwyddo i system y grid trydan. Beth fydd yn digwydd i weddill yr egni?

Màs, egni ac unedau mewn ffiseg gronynnau

Mae cyfanswm màs y cynnyrch mewn adwaith cemegol, i'r graddau y gallwn ei fesur, yn hafal i gyfanswm màs yr adweithyddion – nid yw cyfanswm y màs yn newid mewn modd y gellir ei fesur. Dywedwn fod adweithiau cemegol yn **cadw** màs. Gallwn alw hyn yn **egwyddor cadwraeth màs**.

Mae atomau yn rhan o adweithiau cemegol. Mae niwclysau atomau lawer yn llai na'r atomau cyfan ac, ar lefel niwclear, mae math gwahanol o broses yn digwydd. Yn y prosesau hyn, megis allyriad ymbelydrol neu adweithiau ymasiad yn yr Haul, mae màs y defnydd ar ôl y newid yn llai nag ydoedd ar y dechrau ac mae'n fesuradwy. Mae rhywfaint o fàs y defnydd gwreiddiol wedi peidio â bod ac mae egwyddor cadwraeth màs wedi'i **thorri**.

Mae'r gronynnau sy'n gynnyrch adwaith niwclear o'r fath yn tueddu i hedfan yn wyllt oddi wrth ei gilydd a gall peth egni gael ei gludo i ffwrdd hefyd gan belydriad electromagnetig. Mae gan y gronynnau a'r pelydriad gyda'i gilydd fwy o egni nag oedd yno cyn y newid. Mae'r egwyddor cadwraeth egni hefyd, i bob pwrpas, wedi'i thorri. Fodd bynnag, os meddyliwn am fàs ac egni yn fersiynau cydgyfnewidiol o'r un peth, un **màs-egni**, yna bydd y cynnydd mewn egni yn cydweddu â'r gostyngiad mewn màs ac fe allwn gadw at y rheol gadwraeth heb iddi gael ei thorri gan newidiadau cemegol neu niwclear. Dyma **egwyddor cadwraeth màs-egni** a ddywed fod cyfanswm y màs-egni yr un fath cyn y prosesau newid ac ar ôl y prosesau newid.

Mae'n ymddangos y gall egni fodoli fel màs neu, o'i roi mewn ffordd arall, mae màs yn ymddangos fel egni sydd wedi'i gyfyngu i leoliad. Fodd bynnag, byddwn fel rheol yn mesur màs mewn cilogramau ac egni mewn jouleau, gan eu trin fel mesurau gwahanol iawn. Gan ddefnyddio'r unedau hyn gallwn drawsnewid mesurau o fàs yn fesurau o egni gan ddefnyddio'r fformiwla:

$$E = mc^2$$

lle saif c am fuanedd golau mewn gwactod, 3×10^8 m s^{-1}. Y fformiwla yw **hafaliad màs-egni Einstein**.

Petai hanes ffiseg wedi bod yn wahanol, byddai gennym system wahanol o unedau a phetai cywerthedd màs ac egni yn hysbys ynghynt, yna mae'n bosibl y byddem bellach yn defnyddio system o unedau lle byddai gan egni a màs yr un uned. Mewn system o'r fath byddai $E = m =$ màs-egni ac $c = 1$ uned o fuanedd. Mae'n bosibl y byddem am enwi'r uned hon o fuanedd; gallem fenthyca term o fyd ffuglen wyddonol a'i alw'n *warp*, felly byddai $c = 1$ warp. Yna, gallem gyfeirio at 5 warp neu 'warp ffactor 5' fel pum gwaith buanedd golau. Fodd bynnag, o ddod yn ôl at y Ddaear, gan fod buanedd golau gymaint yn gyflymach na'r buaneddau cyffredin y byddwn ni'n eu profi'n uniongyrchol, byddai'n rhaid i ni ddefnyddio rhifau bychan iawn i fesur buaneddau gwrthrychau mor araf â malwod.

Mae ffisegwyr gronynnau yn ymdrin â gronynnau bach ac mae gan bob un ohonynt fesurau cymharol fychan o egni, felly mae'r joule yn uned o egni sy'n rhy fawr i fod yn gyfleus i'w defnyddio. Mesurant egni mewn **electronfoltiau**, neu eV; mae eV gywerth ag 1.6×10^{-19} J. Dyma'r egni a gaiff ei drosglwyddo i electron gan wahaniaeth potensial o 1 V. Bydd gwahaniaeth potensial o'r fath yn gwneud 1 eV o waith ar yr electron ac (os nad oes unrhyw rymoedd eraill yn gweithredu) bydd yn cyflenwi 1 eV o egni cinetig i'r electron.

Byddant hefyd yn gweithio gyda thrawsnewidiadau màs-egni yn rhan o'u gwaith bob dydd. Felly byddant yn defnyddio'r electronfolt fel uned o fàs yn ogystal ag egni. Bydd hynny'n eu harbed rhag gorfod defnyddio $E = mc^2$ a gwneud cyfrifiadau diangen. Pe gallai'r egni sydd ym màs proton, er enghraifft, fod ar gael fel egni cinetig, yna swm yr egni a fyddai ar gael fyddai 9.38×10^8 eV, neu 938 MeV (Tabl 15.3). Yn ystod y broses, byddai màs y proton yn peidio â bod. 938 MeV yw màs-egni'r proton.

Tabl 15.3

Enw'r gronyn	Màs–egni/miliwn electronfolt, MeV	Màs/kg
electron	0.511	9.11×10^{-31}
proton	938	1.67×10^{-27}

Noder: mae 1 eV gywerth â màs o 1.78×10^{-36} kg.

---

17 a Pe gallai holl fàs bag 1 kg o siwgr fod ar gael fel egni defnyddiol, faint o egni fyddai ar gael?
b Ail-wnewch **a** ar gyfer màs proton.

18 a Beth fyddai mantais/manteision ac anfantais/anfanteision cefnu ar y cysyniad o fàs ac egni ar wahân a defnyddio'r cysyniad màs-egni yn unig?
b Tybiwch fod system newydd o'r fath yn cael ei mabwysiadu. Ni fyddai angen i ni ddefnyddio'r cilogram neu'r joule fel unedau mwyach, ond byddai angen uned newydd arnom ar gyfer màs-egni. Rhowch gyngor i'r pwyllgor SI ar ddewis enw ar gyfer yr uned newydd hon.
c Mae ffisegwyr gronynnau yn defnyddio'r MeV fel uned ar gyfer màs-egni. Beth yw swm cywerth
i màs mewn cilogramau?
ii egni mewn jouleau?

● **Tasg sgiliau ychwanegol**

Technoleg Gwybodaeth, Cymhwyso Rhif a Chyfathrebu

Mae'r tabl yn dangos effeithlonedd nodweddiadol rhai dyfeisiau:

Dyfais	Effeithlonedd / %	Dyfais	Effeithlonedd / %
peiriant ager cynnar	1	peiriant diesel	40
lamp ffilament	5	boeler cartref	80
tiwb fflwroleuol	20	modur trydan	80
peiriant car (petrol)	30	batri tortsh	90
gorsaf bŵer glo	35	gwresogydd trydan	100

Defnyddiwch gyfrifiadur i greu delwedd weledol o'r data.

Gwerth caloriffig glo yw 35 MJkg^{-1}. Cyfrifwch allbwn egni defnyddiol peiriant ager cynnar a gorsaf bŵer glo am bob tunnell fetrig o lo a losgwyd.

Esboniwch y gwahaniaeth mawr rhwng effeithlonedd lamp ffilament a gwresogydd trydan.

16 Newidiadau mewn egni potensial ac egni cinetig

Y CWESTIWN MAWR
● Sut y mae defnyddio syniadau egni potensial ac egni cinetig i ddehongli ymddygiad systemau mecanyddol?

GEIRFA ALLWEDDOL
gwahaniad cydbwysedd

Y CEFNDIR
Mae'r byd yn gymhleth, ond mae rhai systemau oddi mewn iddo yn hynod o syml. Meddyliwch am fudiant planedau, lleuadau a chomedau, er enghraifft. Er nad yw eu horbit yn gylch syml, maent yn ddigon syml i ni fedru rhagfynegi eu mudiant am ganrifoedd i ddod. Mae egni'n cael ei drosglwyddo yn araf iawn i ffwrdd o blaned sydd mewn orbit.

Mae'r egni mwyaf sy'n cael ei ryddhau o droelliad dyddiol y Ddaear yn digwydd o ganlyniad i effeithiau gwresogi'r llanw yng nghefnforoedd y Ddaear. Yn araf deg, maent yn gwneud y dyddiau'n hirach ond go brin y sylwch chi ar y gwahaniaeth yn ystod eich oes chi.

Ar rai adegau o'r flwyddyn mae'r Ddaear ychydig bach yn nes at yr Haul. Nid yw'n ddigon, fodd bynnag, i ni weld gwahaniaeth amlwg yn yr hinsawdd ond mae'n ddigon i'r Ddaear gyflymu ac arafu wrth fynd o gwmpas yr Haul. Wrth i'r Ddaear symud ychydig yn nes at yr Haul, mae'r Ddaear yn colli egni potensial ac mae hyn yn troi'n egni cinetig. Yna, wrth i'r Ddaear symud ychydig ymhellach oddi wrth yr Haul, mae'r egni potensial yn cynyddu ac mae'r egni cinetig yn gostwng. Rydym ni i gyd yn rhan o'r un broses ond, heb sylwi'n fanwl ar y newid yn safleoedd y sêr, ni fyddem yn ymwybodol o'r gwahaniaeth.

● Cyfrifo'r newidiadau mewn egni potensial disgyrchiant

Dychmygwch weithio mewn adeilad ar y degfed llawr. Bob bore, byddwch yn cymryd y lifft. Mae'r lifft yn gwneud gwaith ar eich corff a gellir dweud bod eich corff yn ennill egni potensial. Mae gan eich corff yn awr y gallu ychwanegol i wneud gwaith oherwydd ei safle yn y maes disgyrchiant. Un ffordd o ddangos hyn fyddai neidio allan o'r ffenestr, trawsnewid yr egni potensial yn egni cinetig, a gwneud gwaith drwy weithredu dros bellter (byr) ar do'r car sydd wedi parcio islaw.

Mae'r egni potensial rydych yn ei ennill o fynd yn y lifft yn hafal i'r gwaith a wneir gan y lifft wrth eich codi chi. Proses o drosglwyddo egni yw 'gwneud gwaith'; yn yr achos hwn, o system y lifft i system eich corff-y Ddaear. Felly mae

egni potensial a enillwyd = gwaith a wneir ar y corff gan y lifft

= grym cyfartalog a roddir gan y lifft × newid uchder

$$\Delta E = F_{av} \times \Delta h$$

Mae'r 'deltâu' hyn, unwaith eto, yn dangos y newidiadau yn y mesurau. Nid yw'r grym cyfartalog yn newid ac mae'n gymwys i'r cyfan o'r daith ar i fyny.

Mae'r grym cyfartalog yn hafal i'ch pwysau. (Mae'r union rym ychydig yn fwy na hyn pan fo'r lifft yn cyflymu ar i fyny ar ddechrau'r daith, ac ychydig yn llai pan fo'n arafu wrth i'r lifft gyrraedd y degfed llawr. Mae'n bosibl y byddwch yn ymwybodol o inertia eich brecwast pan fydd y lifft yn cyflymu. Mae'r grym cyfartalog ar gyfer y daith gyfan yn dal i fod yn hafal i'r pwysau.)

Mae perthynas rhwng eich pwysau a màs eich corff yn unol â'r ffactor trawsnewid 9.81 N kg^{-1} sy'n gymwys ar arwyneb y Ddaear ac o'i gwmpas. Dyma gryfder y maes disgyrchiant ar arwyneb y Ddaear a chaiff ei dalfyrru yn syml yn g. Hynny yw, $F_{av} = mg$.

Felly

$$\Delta E = mg\, \Delta h$$

1 a Amcangyfrifwch eich pwysau.
  b Os 2.7 m yw'r gwahaniaeth yn yr uchder rhwng lloriau cyfagos adeilad, faint o egni potensial y byddwch yn ei ennill wrth godi
  i un llawr ii wyth llawr?
  c Beth yw cymhareb y newidiadau hyn yn yr egni potensial?
2 Gan feddwl o hyd am y newid yn yr egni potensial wrth i chi deithio i fyny ac i lawr adeilad tal, brasluniwch graff o'r newidiadau yn yr egni potensial a enillwyd yn erbyn
  a eich uchder uwchlaw lefel y ddaear, mewn metrau
  b cyfanswm nifer y lloriau y byddwch yn codi drwyddynt.
  Pa wybodaeth sy'n cael ei chynnwys yng ngraddiannau'r ddau graff?
3 Mae cronfa ddŵr yn dal 10^9 kg o ddŵr. Beth yw cyfanswm y newid yn egni potensial y dŵr os yw'r argae yn chwalu a'r dŵr yn llifo drwyddo o uchder o 10 m? A yw'r newid hwn yn un positif neu negatif? (Defnyddiwch $g = 10$ N kg^{-1}.)
4 Rhoddir y berthynas rhwng cryfder y maes disgyrchiant, g, a'r pellter o ganol y Ddaear, r, gan $\dfrac{4 \times 10^{13}}{r^2}$ lle bo r mewn metrau.

  Beth yw cymhareb gwerth g ar arwyneb y Ddaear (lle bo $r = 6.37 \times 10^6$ m) ac ar uchder orbit gwennol ofod (300 km yn uwch, lle bo $r = 6.67 \times 10^6$ m)? (Er mwyn cyfrifo'r gymhareb, gallwch alw'r gwerthoedd hyn yn $g_{arwyneb}$ a g_{orbit}.)

Nodwch fod gwerth g yn amrywio yn unol â'i leoliad yn y gofod. Mae'n newid wrth i'ch uchder uwchlaw'r Ddaear newid. Fodd bynnag, mae gwerth g ar y degfed llawr bron yn unfath â'i werth ar y llawr gwaelod. Gan ddefnyddio'r fformiwla $\Delta E = mg\,\Delta h$ tybiwn fod g yn gyson. Gallwn ddefnyddio'r fformiwla ar gyfer yr holl newidiadau mewn egni potensial disgyrchiant sy'n digwydd yn agos at arwyneb y Ddaear. Fodd bynnag, wrth gyfrifo'r newidiadau mewn egni a brofir gan long ofod yn teithio ymhell o'r Ddaear, lle bo Δh yn fawr a lle na ellir tybio bod g yn gyson, ni fydd y fformiwla yn cynnig atebion dibynadwy. Mae'n fformiwla sy'n ddefnyddiol mewn rhai achosion ond nid yw'n wir yn gyffredinol.

Cyfrifo newidiadau mewn egni cinetig

Ar eich taith i'ch gwaith mewn adeilad deg llawr, mae eich bws yn cyflymu o'r safle bysiau. Mae eich sedd yn rhoi grym arnoch ac rydych chithau hefyd yn cyflymu. Mae eich corff yn profi dadleoliad tra bo'n profi'r grym hwn, ac os yw'r bws yn teithio mewn llinell syth, yna mae'r grym a'r dadleoliad yn digwydd i'r un cyfeiriad. Mae perthynas rhwng y grym a'ch dadleoliad o ganlyniad i effaith y grym a'r gwaith a wneir ar eich corff. Mae:

gwaith a wneir = grym cyfartalog × dadleoliad

Effaith y gwaith a wneir ar eich corff yw rhoi egni cinetig i chi. Mae:

gwaith a wneir = egni cinetig a enillwyd

Felly mae

egni cinetig a enillwyd = grym cyfartalog × dadleoliad
$$\Delta E = F_{av} \times \Delta x$$

Mae grym cyfartalog yn cynhyrchu cyflymiad, yn ôl $F_{av} = ma$, lle saif m am y màs (a fydd, fe allwn dybio, yn gyson), ac a am y cyflymiad cyfartalog, felly mae

$$\Delta E = ma\,\Delta x$$

Ym Mhennod 31 fe welwch, ar gyfer gwrthrych sy'n cychwyn o ddisymudedd, fod $a\,\Delta x$ yn hafal i $v^2/2$ lle saif v am y cyflymder a enillir yn ystod y cyflymiad. Felly, ar gyfer gwrthrych sy'n cychwyn o ddisymudedd, rhoddir yr egni cinetig a enillir gan

$$\Delta E = \frac{mv^2}{2} = \tfrac{1}{2}mv^2$$

Gan fod y gwrthrych wedi cychwyn o ddisymudedd a chan nad oedd ganddo egni cinetig cychwynnol, mae'r egni cinetig a enillodd, ΔE, yn hafal i gyfanswm ei egni cinetig terfynol, E. Hynny yw, mae

$\Delta E =$ egni cinetig terfynol − egni cinetig cychwynnol
$\Delta E = E - 0$

Mae perthynas felly rhwng egni cinetig terfynol a màs a chyflymder drwy

$$E = \tfrac{1}{2}mv^2$$

Nodwch, nid newid mewn egni cinetig yn unig yw'r egni cinetig terfynol, E. Dyma werth gwirioneddol cyfanswm egni cinetig gwrthrych ac iddo fàs m a chyflymder v.

5 a Faint o egni cinetig y mae car ac iddo fàs o 10^3 kg sy'n cyflymu o ddisymudedd i 20 m s^{-1} yn ei ennill?
  b Beth yw'r newid mewn egni cinetig
  i os yw'n cyflymu o 20 m s^{-1} i 25 m s^{-1}
  ii os yw'n arafu o 20 m s^{-1} i ddisymudedd?
6 Defnyddiwch gyfrifiadur i'ch helpu i blotio graff yn dangos egni cinetig yn erbyn buanedd car ac iddo fàs o 1×10^3 kg.
7 Pa un sydd â'r egni cinetig mwyaf, tryc ac iddo fàs o 3×10^3 kg a buanedd o 10 m s^{-1} neu gar ac iddo fàs o 1×10^3 kg a buanedd o 30 m s^{-1}?
8 Gordd beiriant yw pwysau trwm sy'n cael ei ollwng ar bostyn i'w yrru i mewn i'r ddaear.
  a Os oes màs o 500 kg i'r gordd beiriant sy'n cael ei ollwng o uchder o 1.2 m, ac os yw ei holl egni potensial yn troi'n egni cinetig yn union cyn y bydd yn taro'r postyn, faint o egni cinetig y bydd yn ei ennill?
  b Wrth daro'r postyn, mae'n ei yrru 0.07 m i mewn i'r ddaear. Os yw holl egni'r gordd beiriant yn gwneud gwaith ar y postyn, beth yw'r grym cyfartalog ar y postyn?

Egni potensial ac egni cinetig pendil

Mae bob pendil yn codi ac yn disgyn. Mae ei egni potensial yn cynyddu ac yn gostwng. Felly hefyd ei egni cinetig. Fodd bynnag, system fecanyddol yw pendil a rhaid iddo ufuddhau i egwyddor cadwraeth egni. Ystyrir bod cyfanswm yr egni yn gyson os yw dylanwad gwrthiant aer a ffrithiant, a allai achosi i'r egni gael ei afradloni, yn ddigon bach i fod yn ddibwys i bob pwrpas ymarferol. Mae egni potensial yn newid o hyd i fod yn egni cinetig ac yn ôl eto (Ffigur 16.1).

Ffigur 16.1
Newidiadau mewn egni potensial ac egni cinetig pendil syml.

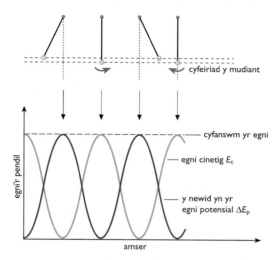

Mae'r pendil yn colli ac yn ennill egni potensial o hyd wrth iddo fynd yn ôl ac ymlaen. Mae ei egni potensial ar ei isaf pan yw yn y pwynt isaf (lle bo'r dadleoliad llorweddol yn sero), ac mae ei egni potensial ar ei uchaf pan yw yn y pwynt uchaf (lle bo'r dadleoliad llorweddol ar ei uchaf). Gellir rhoi ΔE_p am y cynnydd mewn egni potensial uwchlaw'r minimwm pan fo ar bwynt arbennig.

Mae pendil hefyd yn ennill ac yn colli egni cinetig. Bydd hyn ar ei uchaf ar bwynt isaf y bob a bydd ar ei isaf ar bwynt uchaf y bob. Gellir rhoi E_c am yr egni cinetig ar bwynt arbennig.

Mae'r egni cinetig minimwm yn sero – mae gan y bob gyflymder sero am ennyd pan fydd ei ddadleoliad ar ei uchaf. Nid yw ei egni potensial minimwm, fodd bynnag, yn sero. Caiff hyn ei egluro ymhellach yn *Ffiseg Safon Uwch*. Mae

$$\Delta E_p + E_c = \text{cyfanswm egni'r pendil}$$

Mae'r pendil yn cyfnewid egni potensial ac egni cinetig o hyd.

Egni potensial ac egni cinetig màs ar sbring

Mae màs sydd wedi'i ddal ar sbring yn osgiliadu, yn union fel y gwna bob pendil. Mae ei newidiadau mewn egni cinetig ac egni potensial yn dilyn yr un patrymau ag ar gyfer y pendil. (Am ragor o wybodaeth am 'fudiant harmonig syml' pendil a'r màs ar sbring gweler *Ffiseg Safon Uwch*.)

Mae'r system màs-sbring ychydig yn fwy cymhleth gan fod ei newidiadau mewn egni potensial yn tarddu o ddwy ffynhonnell. Disgyrchiant yw un ohonynt gan fod y màs yn symud i fyny ac i lawr mewn maes disgyrchiant. Mae'r llall yn drydanol yn ei hanfod gan fod estyniad y sbring yn amrywio (ac felly bydd gwahaniad gronynnau defnydd y sbring yn amrywio). Gelwir yr egni sy'n gysylltiedig â hyn weithiau yn egni potensial straen. Fodd bynnag, mae'r newidiadau cyffredinol yn yr egni potensial yn dal i ddilyn yr un patrwm ag ar gyfer y pendil ac mae'r un siapiau i'r graffiau sy'n dangos y newidiadau mewn egni potensial ac egni cinetig (Ffigur 16.2).

Ffigur 16.2
Newidiadau mewn egni potensial ac egni cinetig màs ar sbring.

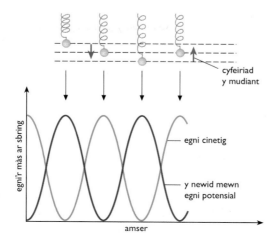

Nodwch fod yr egni potensial ar ei isaf pan yw'r màs yn y safle lle bydd yn aros pan fo'n llonydd, nid pan fo ar ei bwynt isaf. Mae ei egni potensial pan fo wedi'i ddadleoli o ddisymudedd yn gyfuniad o egni potensial disgyrchiant ac egni potensial straen (oherwydd estyniad a chywasgiad y sbring.)

Egni potensial a chinetig atom mewn solid

Model syml ond defnyddiol o'r grymoedd rhwng gronynnau solid yw sbring. Gellir meddwl am y gronynnau yn syml iawn fel masau sydd wedi'u cysylltu gan sbringiau â'u masau yn fach iawn. Ar ei symlaf, gallwn feddwl am ddim ond dau fàs wedi'u cysylltu gan sbring di-fàs (Ffigur 16.3).

Tybiwch fod system syml o'r fath yn arnofio yn y gofod fel nad oes angen i ni boeni am rymoedd disgyrchiant. Gallwn gyfiawnhau ei symleiddio i'r fath raddau gan ein bod yn llunio model ar gyfer ymddygiad gronynnau ac mae'r grymoedd disgyrchiant sy'n gweithredu ar ronynnau unigol yn fach iawn o'u cymharu â'r grymoedd trydanol. Pan fo'r sbring heb ei estyn na'i gywasgu mae'r masau yn setlo ar bellter penodol oddi wrth ei gilydd. Dyma eu **gwahaniad cydbwysedd**. Pan fo'r masau yn symud yn agosach at ei gilydd, mae'r sbring yn cael ei gywasgu ac mae'r grym rhyngddynt i bob pwrpas yn rym gwrthyrru (Ffigur 16.4a). Pan symudant ymhellach oddi wrth ei gilydd mae'r sbring yn gweithredu fel grym atynnu. Felly mae model y sbring yn ymddwyn fel pâr o ronynnau go iawn.

Pan fo'r sbring naill ai'n cael ei gywasgu neu ei estyn, yna caiff grym ei roi ar y masau ac mae dadleoliad paralel yn digwydd. Mae gwaith yn cael ei wneud. Mae'r system yn ennill egni potensial (Ffigur 16.4b). Os caiff y sbring cywasgedig neu estynedig ei ryddhau, gall yr egni potensial hwn gael ei newid yn egni cinetig. Mae'r system màs-sbring yn osgiliadu â chyfanswm yr egni yn hafal i'r gwaith a wneir yn cywasgu neu'n estyn y sbring. Os nad yw egni'n cael ei golli ohono yna bydd yn osgiliadu am byth, gan gyfnewid egni potensial ac egni cinetig yn barhaus ond gyda chyfanswm yr egni yn gyson.

9 Mae màs ar sbring estynedig yn cael ei ryddhau ac mae'r egni potensial yn cael ei newid yn egni cinetig. A yw hyn yn unol ag egwyddor cadwraeth egni?

10 Pan fydd pâr o ronynnau'n osgiliadu, ar ba bwynt yn union y bydd eu hegni cinetig ar ei uchaf?

11 Ar gyfer pâr o fasau sydd wedi'u cysylltu gan sbring:

a Beth yw'r grym pan na fydd y sbring wedi'i estyn na'i gywasgu? (Tybiwch fod y sbring yn gyfrifol am yr holl rymoedd sy'n gweithredu ar y system.)

b Beth sy'n digwydd i'r grym wrth i'r sbring gael ei estyn? Dangoswch hyn ar ffurf graff.

c Sut y mae'r graff yn dangos y gwaith a wnaed?

d Mae'r system màs-sbring wedi ennill egni o ganlyniad i'r gwaith a wnaed a'r sbring yn cael ei estyn. Rhowch yr enw neu'r dosbarthiad cywir ar yr egni hwn.

e Beth sy'n digwydd i ddosbarthiad yr egni hwn pan fo'r sbring yn cael ei ryddhau, gan dybio bod y system yn cadw'r un cyfanswm egni ac na fydd dim yn cael ei drosglwyddo i'r amgylchedd o'i amgylch mewn unrhyw fodd?

f Tybiwch, ar ôl ei ryddhau, fod y system wedi'i gwahanu oddi wrth y byd o'i chwmpas ac na all golli egni byth. Disgrifiwch y canlynol:

i mudiant y masau
ii cyfanswm yr egni
iii yr egni potensial
iv yr egni cinetig.

Ffigur 16.4
Cynrychioliadau graffigol o'r newidiadau mewn grym ac egni potensial ar gyfer y system màs-sbring. Sylwch, er bod y graffiau'n edrych yn wahanol, maent yn cynrychioli'r un digwyddiad.

a Graff grym–gwahaniad, gan ddefnyddio'r confensiwn o ddangos grym gwrthyrru fel positif.

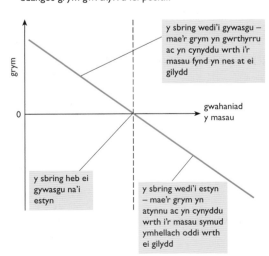

b Y newid mewn egni potensial gyda gwahaniad.

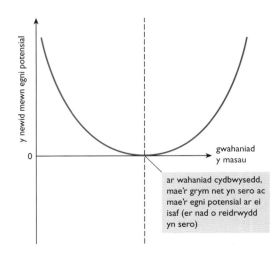

● **Deall a chymhwyso**

Egni potensial ac egni cinetig Plwton–Charon

Mae gan y blaned Plwton a'i lleuad Charon (Ffigur 16.5) fàs cyfunol o ryw 1.5×10^{22} kg o'u cyfuno â'i gilydd, a byddant yn cylchdroi o gwmpas canol cyffredin y màs fel y gellir eu hystyried fel un gwrthrych mewn orbit o gwmpas yr Haul. Mae eu horbit yn anarferol o'i gymharu ag orbit planedau eraill. Yn gyntaf, mae'r planedau eraill yn cylchdroi yn yr un plân yn fras, ond saif plân Plwton–Charon ar ongl o ryw 17° i hyn. Yn ail, mae gan y planedau eraill orbitau sydd ychydig yn eliptigol, hynny yw maent bron â bod yn gylch, ond mae orbit Plwton–Charon yn eliptigol iawn. Felly, er eu bod yn cael eu hadnabod fel rheol fel y planedau sydd bellaf o'r Haul, weithiau maent yn nes at yr Haul nag yw Neifion. Mae pellter Plwton–Charon o'r Haul yn amrywio o leiafswm o 4.4×10^9 km i uchafswm o 7.3×10^9 km.

Ffigur 16.5
Plwton–Charon a'r Haul yn y pellter. Mae'n rhy bell i ddisgleirio ond mae'n ddigon agos i ddal Plwton a Charon yn ei faes disgyrchiant.

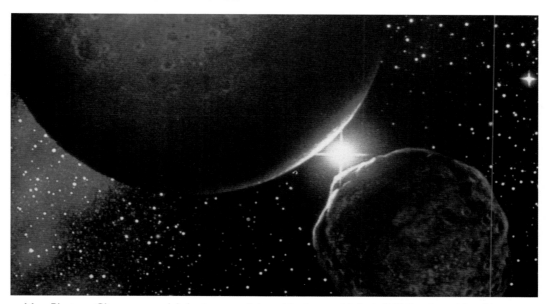

Mae Plwton–Charon yn cylchdroi o amgylch yr Haul unwaith bob 247.7 o flynyddoedd y Ddaear – ni fyddai neb ohonom i ddathlu ein pen-blwydd cyntaf petaem yn byw yno. Wrth iddynt gylchdroi, mae'r amrywiaeth yn eu pellter o'r Haul yn golygu bod newidiadau mawr yn eu hegni potensial disgyrchiant. Pan fyddant bellaf oddi wrth yr Haul (a elwir yn affelion eu horbit) mae ganddynt lawer mwy o egni potensial na phan fyddant agosaf at yr Haul (sef perihelion eu horbit). Yn rhan o'r broses hon, nid ydynt yn ennill nac yn colli cyfanswm eu hegni. Yn hytrach, mae eu hegni cinetig yn newid. Pan fyddant yn bell oddi wrth yr Haul, bydd eu hegni potensial yn uwch a bydd eu hegni cinetig yn is. Felly, mewn blwyddyn Plwton–Charon, bydd y gwrthrychau yn profi newid sylweddol yn eu buanedd cylchdroi.

Ni allwn gyfrifo'r newidiadau mewn egni potensial planedol drwy ddefnyddio hafaliad ar ffurf $\Delta E_p = mg\Delta h$, lle saif g am gryfder y maes disgyrchiant oherwydd maes disgyrchiant yr Haul. Mae gwerth g yn amrywio'n fawr yn ôl pellter; dim ond lle bo Δh yn fach y mae'r fformiwla $\Delta E_p = mg\Delta h$ yn frasamcan digonol. Ond yn achos Plwton–Charon, mae Δh yn fawr iawn. Y newid mewn egni potensial a brofir gan wrthrych a fydd yn cychwyn ar bellter r o'r Haul, a'i bellter yn cynyddu Δr yw:

$$\Delta E_p = k \frac{\Delta r}{r(r + \Delta r)}$$

lle bo k yn hafal i 2.0×10^{42} N m². Mae'r rhif yn un mawr iawn gan fod y gwrthrychau eu hunain yn fawr.

12 Beth yw gwerthoedd r ac Δr ar gyfer Plwton–Charon?

13 Cyfrifwch y newidiadau sy'n digwydd i egni potensial Plwton–Charon mewn un orbit.

14 Pa newidiadau cyfatebol sy'n digwydd mewn egni cinetig?

15 Amcangyfrifwch y pellter y bydd Plwton–Charon yn ei deithio wrth wneud un orbit o gwmpas yr Haul. Defnyddiwch y pellter hwn i amcangyfrif y buanedd cyfartalog. Yna defnyddiwch hyn i amcangyfrif y buanedau macsimwm a minimwm.

16 Esboniwch yn llawn pam na all y fformiwla $\Delta E_p = mg\Delta h$ gael ei defnyddio gyda Plwton–Charon. Pryd y gall gael ei defnyddio?

17 Gwnewch fraslun o orbit Plwton–Charon. Lluniwch siartiau bar yn dangos maint cymharol yr egni potensial a'r egni cinetig yn y pwynt agosaf at yr Haul (perihelion) a'r pwynt pellaf (affelion).
Esboniwch sut y mae maint y barrau hyn yn amrywio mewn un orbit.

V
TRYDAN

17 Gwefr drydanol

Y CWESTIWN MAWR

● Pa fodelau a gafodd eu creu gan bobl i ddisgrifio eu syniadau am ymddygiad mater sydd wrth wraidd y ffenomenau trydanol y gallwn eu gweld?

GEIRFA ALLWEDDOL

cerrynt confensiynol   cludyddion gwefrau   coulomb   cryfder maes trydanol   dadwefru   dwysedd fflwcs magnetig   electrod   electrolysis   gwefr   gwefr bositif   gwefr negatif   gwefr net   gwefr sbesiffig   gwefru   llinellau maes trydanol   niwtral   rheol llaw dde Fleming   tesla

Y CEFNDIR

Ffigur 17.1
Michael Faraday
(1791–1867).

Mae llawer wedi digwydd yn ystod y 200 mlynedd diwethaf ers i'r arbrofion cyntaf gael eu cynnal ar wefrau trydanol, ceryntau ac electromagneteg. Mae'n bosibl mai'r dechnoleg hon, technoleg trydan, yn fwy nag unrhyw ddatblygiad eraill, sydd wedi trawsnewid ein bywydau fwyaf. Mae diwydiannau cyfan bellach wedi'u seilio ar drydan a go brin y byddai'r un ohonom ni am fod hebddo. Llwyddodd y gwyddonwyr cyntaf – pobl fel Michael Faraday (Ffigur 17.1) – i drawsnewid y byd.

Nid oedd Faraday ymhlith y mathemategwyr mwyaf disglair ond roedd yn ŵr blaengar a brwdfrydig gyda'i arbrofion, roedd ganddo feddwl hynod o greadigol a byddai bob amser yn esbonio ei waith gydag angerdd. Mae dylanwad ei waith ar wefrau, cylchedau a meysydd i'w weld ar ein ffordd o feddwl hyd heddiw.

● Gwefr

Y cyfan sydd angen i chi ei wneud i weld effaith disgyrchiant yw gollwng riwl blastig ar lawr. Gallwch ei gweld yn cyflymu. Nid yw grym trydanol mor amlwg, ond gallwch achosi i'r riwl blastig roi a phrofi grym trydanol drwy ei rhwbio â chadach neu glwtyn. Gall y grym fod yn rym atynnu – gall y riwl blastig godi darnau bach o bapur neu blygu llif ysgafn o ddŵr o'r tap. Gall hefyd fod yn rym gwrthyrru – bydd dwy riwl blastig wedi'u rhwbio â'r un cadach yn gwrthyrru ei gilydd. Gelwir y gallu i roi a phrofi grym trydanol yn **wefr**. Gall riwl blastig gael ei **gwefru** gan ffrithiant – bydd yn ennill gwefr pan gaiff ei rhwbio. Gall hefyd golli ei gwefr eto – gall gael ei **dadwefru**. Nid yw gwefr o'r fath ar wrthrych sy'n ddigon mawr i'w weld a theimlo, megis riwl blastig, yn barhaol. Nodwch y bydd y rhwbio yn achosi i'r cadach gael ei wefru hefyd.

Mae rhywfaint o debygrwydd rhwng grym trydanol a grym disgyrchiant. Gall y ddau weithredu o bell. Yn achos y ddau hefyd, mae cryfder y grym rhwng y ddau wrthrych yn lleihau wrth iddynt fynd ymhellach oddi wrth ei gilydd. Mae'r ddau yn digwydd rhwng gwrthrychau ac iddynt briodweddau a enwyd: mae grym disgyrchiant yn gweithredu ar wrthrychau a chanddynt fàs, mae grym trydanol yn gweithredu ar wrthrychau a chanddynt wefr.

Serch hynny, mae gwahaniaeth amlwg i'w weld hefyd rhwng grym disgyrchiant a grym trydanol. Mae grym disgyrchiant bob amser yn atynnu, tra gall grym trydanol wrthyrru hefyd. Yr hyn y gellir ei gasglu o hyn yw mai un math o fàs sydd ond mae yna ddau fath o wefr. Mae'r enwau a roddwyd ar y ddau fath o wefr yn awgrymu'n glir eu hymddygiad gwrthgyferbyniol – **gwefr bositif** a **gwefr negatif**.

Gwefr a gronynnau

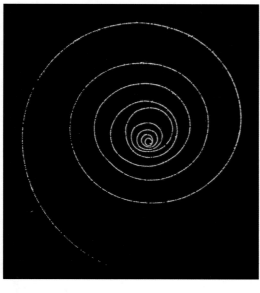

Ffigur 17.2
Mewn siambr swigod (gweler Pennod 29), mae gronynnau wedi'u gwefru yn gadael olion swigod. Mae'r llwybr o electron a welir yma wedi plygu gan fod y siambr swigod wedi'i hamgylchynu gan faes magnetig a gall gronynnau wedi'u gwefru sy'n symud brofi grym magnetig.

Mae ein gwybodaeth am adeiledd atomig (gweler Pennod 7) yn egluro rôl y grym trydanol rhwng gronynnau isatomig, hynny yw, rhwng protonau sydd wedi'u gwefru'n bositif mewn niwclysau ac electronau sydd wedi'u gwefru'n negatif mewn orbit. Nid oes gan niwtronau ran uniongyrchol i'w chwarae mewn gweithgaredd trydanol o'r fath – maent yn **niwtral** yn drydanol. Mae pob proton wedi'i wefru'n bositif bob amser, mae pob electron wedi'i wefru'n negatif bob amser ac mae pob niwtron heb ei wefru. Mae gronyn bob amser yn cadw ei wefr.

màs   dim màs   gwefr bositif   gwefr negatif   niwtral (dim gwefr)

Ffigur 17.3
O safbwynt màs, mae dau bosibilrwydd; mae gan ronynnau naill ai fàs positif neu nid oes ganddynt fàs o gwbl. O safbwynt trydanol, mae tri math o ronyn yn bosibl: rhai â gwefr bositif, rhai â gwefr negatif a gronynnau niwtral heb unrhyw wefr o gwbl.

Cyfanswm màs unrhyw wrthrych, tebyg i riwl blastig, yw swm masau ei ronynnau. Mae'r wefr ar riwl blastig hefyd yn ganlyniad i ronynnau, ond mae hyn ychydig yn gymhleth oherwydd mae gan rai o'i gronynnau wefr negatif ac mae gan rai wefr bositif. Y cydbwysedd a'r anghydbwysedd rhwng y gwefrau negatif a'r gwefrau positif fydd yn penderfynu a oes gan y riwl blastig **wefr net** ai peidio.

Felly, beth allwn ni ei ddweud am y riwl blastig a'r cadach a ddefnyddiwyd i'w rhwbio? Pan fyddant heb eu gwefru (cyn rhwbio'r riwl blastig) yna, naill ai:

- maent wedi'u gwneud o gymysgedd o'r mathau hyn o ronynnau, gyda chyfanswm y gwefrau positif a negatif mewn cydbwysedd, neu
- maent wedi'u gwneud o ronynnau heb eu gwefru.

Ni allai'r ail ragdybiaeth fod yn gymwys i'r arsylwadau a geid ar ôl rhwbio'r riwl blastig. Petai'r riwl blastig a'r cadach ond yn cynnwys gronynnau heb eu gwefru, a phetai'r holl wefr yn cael ei chludo gan ronynnau na allant newid eu gwefr, yna ni allai'r riwl blastig a'r cadach gael eu gwefru drwy eu rhwbio.

Fel rheol, bydd gan y cadach a'r riwl blastig nifer cytbwys o ronynnau wedi'u gwefru'n bositif a rhai wedi'u gwefru'n negatif. Bydd rhwbio'r riwl blastig yn chwalu'r cydbwysedd hwn drwy drosglwyddo gronynnau wedi'u gwefru o un arwyneb i un arall. Bydd y riwl blastig wedi'i gwefru'n bositif (Ffigur 17.4).

I Pam nad oes angen i ni fynd i'r drafferth i siarad am fàs positif a màs negatif?

Ffigur 17.4
Pan fo'r riwl blastig yn niwtral yn drydanol a phan nad yw'n dangos unrhyw ymddygiad trydanol, mae ei gronynnau positif a negatif mewn cydbwysedd ac nid oes ganddi unrhyw wefr net. Pan gaiff ei rhwbio, nid yw gwefrau positif a negatif mewn cydbwysedd mwyach.

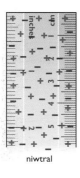 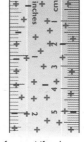

niwtral   gwefrau positif – oherwydd y prinder gwefrau negatif

Unwaith y bydd wedi'i gwefru, gall y riwl blastig ddychwelyd i'w chyflwr niwtral, neu gall gael ei dadwefru, drwy adfer y cydbwysedd.

Ffenomenau a modelau

O ganlyniad i arsylwi ar ffenomenau a phrofi syniadau drwy gynnal arbrofion, arweiniodd hyn dros nifer o genedlaethau, at ein damcaniaeth bresennol bod gronynnau yn cario gwefr. Cynhyrchwyd llawer o fodelau gweledol, pob un yn gyson â'r ddamcaniaeth gyffredinol, er mwyn dehongli'r ffenomenau.

Mae Ffigurau 17.5 i 17.10 yn dangos cyfoeth y ddamcaniaeth gronynnau sy'n disgrifio sut y mae'r byd yn ymddwyn. Syniadau cyffredinol ynglŷn â symudiad gwefr bositif a gwefr negatif yw man cychwyn y ddamcaniaeth (gweler y testun ar y cefndir pinc). Ond syniadau am electronau ac ïonau fel cludyddion gwefr sy'n egluro neu'n disgrifio'r mecanweithiau yn nhermau natur sylfaenol mater (gweler y testun ar y cefndir porffor).

Ffigur 17.5
Gwefru o ganlyniad i ffrithiant.

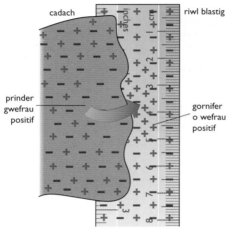

Gall gwefrau gael eu trosglwyddo rhwng gwrthrychau, megis riwl blastig a chadach. Mae model syml gwefr yn ei thrin fel mesur sy'n cael ei ddynodi gan yr arwyddion + a −. Cyn llunio'r ddamcaniaeth gronynnau sydd gennym heddiw, dyma'r unig ffordd resymol o feddwl am wefr.

Mae'r ddamcaniaeth gronynnau yn cynnig model mwy manwl ac yn dangos bod gwefr yn cael ei throsglwyddo o ganlyniad i drosglwyddiad gronynnau wedi'u gwefru. Pan fydd cadach a riwl blastig yn cael eu rhwbio yn erbyn ei gilydd mae electronau negatif yn cael eu trosglwyddo.

Ffigur 17.6
Yr electrosgop deilen aur.

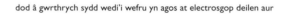

dod â gwrthrych sydd wedi'i wefru yn agos at electrosgop deilen aur

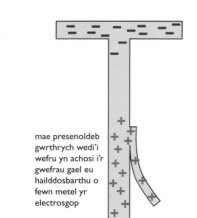

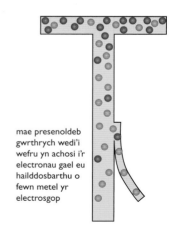

mae presenoldeb gwrthrych wedi'i wefru yn achosi i'r gwefrau gael eu hailddosbarthu o fewn metel yr electrosgop

mae presenoldeb gwrthrych wedi'i wefru yn achosi i'r electronau gael eu hailddosbarthu o fewn metel yr electrosgop

Gall gwefr symud oddi mewn i fetelau ac ailddosbarthu ei hun yn anghyson, gyda mwy o wefrau positif mewn un man a gwefrau negatif mewn man arall. Yna gall un rhan o'r gwrthrych metel wrthyrru darn arall ac mae'n bosibl gweld hynny, fel yn yr electrosgop deilen aur.

Gellir meddwl am symudiad gwefr oddi mewn i fetel fel symudiad electronau, felly bydd mwy o electronau mewn un man a phrinder mewn man arall.

Ffigur 17.7
Dadwefru gwrthrych metel sydd wedi'i wefru'n bositif.

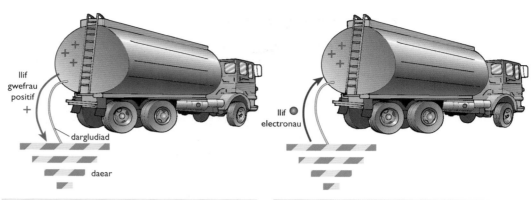

llif gwefrau positif
+
dargludiad
daear

llif electronau

Mae gwrthrych metel wedi'i wefru'n bositif yn troi'n niwtral pan yw wedi'i gysylltu â'r 'ddaear' â dargludydd. (Mae 'daear' yn wrthrych niwtral mawr iawn.) Gellir meddwl am wefr yn llifo ar hyd y dargludydd. Mae gwefrau positif yn llifo i'r un cyfeiriad â **cherrynt confensiynol** (gweler tudalen 148).

Yn nhermau gronynnau, gellir meddwl am ddadwefru neu niwtraleiddio'r metel sydd wedi'i wefru'n bositif yn nhermau llif o electronau o rywle arall. Mae'r electronau negatif yn niwtraleiddio'r wefr bositif.

Ffigur 17.8
Cerrynt mewn hylif yn arwain at newid cemegol: **electrolysis**.

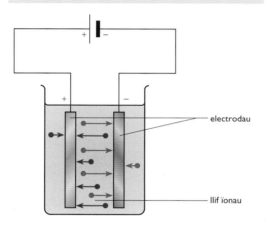

electrodau

llif ïonau

Nid oes electronau rhydd yn yr hylif ond mae yna ïonau sydd, oherwydd y cyflwr hylifol, yn rhydd i symud. Mae ïonau negatif yn cael eu hatynnu at y rhodenni neu'r platiau wedi'u gwefru'n bositif sydd yn yr hylif (**electrodau** positif) ac mae ïonau positif yn cael eu hatynnu at electrodau negatif.

Ffigur 17.9
Allwyriad gan faes trydanol.

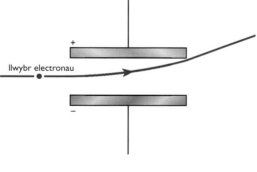

+

llwybr electronau

−

Mae meysydd trydanol yn cael eu defnyddio i gyflymu pelydrau catod mewn setiau teledu, osgilosgopau a microsgopau electron ac i'w hallwyro mewn osgilosgopau.
Dywed y ddamcaniaeth gronynnau mai llif o electronau egnïol yw'r 'pelydrau'.

Ffigur 17.10
Allwyriad gan faes magnetig.

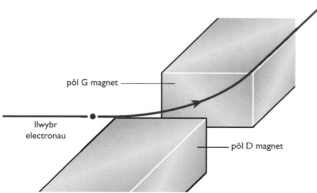

pôl G magnet

llwybr electronau

pôl D magnet

Mae meysydd magnetig hefyd yn allwyro'r pelydr electron hyn a chânt eu defnyddio hefyd mewn setiau teledu a microsgopau electron. (Mae grym magnetig, fel grym trydanol, yn gweithredu ar ronynnau sydd â gwefr. Y gwahaniaeth yw bod grym magnetig ond yn gweithredu ar ronynnau wedi'u gwefru sy'n symud.)

Cerrynt confensiynol

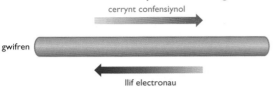

cerrynt confensiynol

gwifren

llif electronau

Mae cerrynt confensiynol ac electronau yn llifo i gyfeiriadau dirgroes. Mae hyn yn anffodus ac fe ddigwyddodd oherwydd cafodd llawer o waith ei wneud ar drydan cyn i'r ddamcaniaeth electronau gael ei datblygu. Erbyn y sylweddolwyd mai electronau sy'n cludo'r wefr pan fo cerrynt trydanol mewn gwifren fetel, roedd pobl wedi arfer tybio bod y llif yn mynd o derfynell bositif cell i'r derfynell negatif (sef cyfeiriad llif gwefrau positif). Gan fod y llif mewn dargludydd y tu hwnt i'n synhwyrau ni, nid yw o bwys mewn gwirionedd i ba gyfeiriad y mae'r llif yn mynd, cyn belled ag ein bod yn glir ynglŷn â'r hyn a olygwn. Trwy gydol y llyfr hwn byddwn yn defnyddio saethau coch i ddangos cerrynt confensiynol a saethau glas i ddangos llif electronau, fel y gwelir yn Ffigur 17.11.

Nodwch, mewn hydoddiant ag ïonau sy'n rhydd i symud, mae gan rai ïonau wefr bositif ac mae gan rai wefr negatif. Gall hydoddiant felly gynnwys **cludyddion gwefrau** positif a negatif. Mewn hydoddiant sydd wedi'i gysylltu drwy electrodau â batri, bydd y cludyddion gwefrau negatif yn llifo i ffwrdd o derfynell negatif y batri tuag at y derfynell bositif sydd i'r cyfeiriad dirgroes i gerrynt confensiynol. Mae cludyddion gwefrau positif yn llifo i ffwrdd o'r derfynell bositif tuag at y derfynell negatif – i'r un cyfeiriad â cherrynt confensiynol.

2. Pa ronynnau sy'n cael eu trosglwyddo rhwng riwl blastig a chadach pan fyddant yn cael eu rhwbio yn erbyn ei gilydd?

3. Os yw'r riwl blastig yn derbyn gwefr bositif, i ba gyfeiriad y trosglwyddwyd y gronynnau? Pa symudiad yn y gronynnau a fydd yn dadwefru'r riwl blastig?

4. Eglurwch sut y gall electronau mewn electrosgop deilen aur niwtral gael eu dosbarthu'n anghyson.

5. Yn ystod electrolysis, pa ronynnau sy'n llifo i'r *un* cyfeiriad â cherrynt confensiynol?

Mesur gwefr

6. Faint o electronau sydd eu hangen i gyfanswm eu gwefr fod yn hafal i −1 C?

7. Mae darn o blastig wedi'i wefru yn dal 8.55×10^{16} proton a 8.54×10^{16} electron. Faint yn fwy o brotonau sydd o ran eu nifer o'i gymharu â nifer yr electronau? Beth yw'r wefr ar y plastig, mewn coulombau?

8. Beth yw gwefr, mewn coulombau, cilogram o electronau?

Mae gan ronynnau wedi'u gwefru mewn defnyddiau fàs bach iawn a gwefr fach iawn. Ar gyfer màs, yr uned SI yw'r cilogram. Mae un cilogram o garbon yn cynnwys tua 10^{25} atom. Ar gyfer gwefr, yr uned SI yw'r **coulomb** (C). Mae un coulomb o wefr yr un fath â'r wefr ar oddeutu 10^{18} o niwclysau carbon. Mae

$$\text{gwefr ar un proton} = 1.6 \times 10^{-19} \text{ C}$$
$$\text{gwefr ar un electron, } e = -1.6 \times 10^{-19} \text{ C}$$

Mae cymhareb y wefr i fàs electron yn cael ei galw'n **wefr sbesiffig** electron. Mae'r rhif yn un mawr iawn:

$$\frac{e}{m} = -1.7 \times 10^{11} \text{ C kg}^{-1}$$

Mae'r arwydd minws yno oherwydd bod gan electronau wefr negatif. Mae'r rhif mawr yn awgrymu bod gan electronau wefr go fawr wedi'i phacio i fàs bach. (Mae màs electron yn fesur bach iawn, dim ond 9.1×10^{-31} kg.)

Gronynnau wedi'u gwefru a maes trydanol

Mae'r ardal o gwmpas gwrthrych wedi'i wefru, lle bo grym yn cael ei brofi gan wrthrych arall wedi'i wefru, yn cael ei galw'n faes trydanol. Mae gan riwl blastig wedi'i gwefru gan ffrithiant faes trydanol o'i chwmpas, ond mae'n gymharol wan. Gall y maes trydanol o gwmpas gwrthrychau metel fod yn gryfach oherwydd gall y prinder electronau neu'r gornifer fod yn fwy.

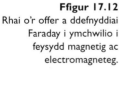

llun coil yn llyfr nodiadau labordy Faraday, 1831

Gall cysyniad llinellau maes neu linellau grym a grëwyd gan Michael Faraday i'w helpu i feddwl am feysydd magentig (Ffigur 17.12), gael eu defnyddio hefyd i ddangos meysydd disgyrchiant a meysydd trydanol (Ffigur 17.13). Mae **llinellau maes trydanol** yn dangos cyfeiriad y grym a fydd yn gweithredu ar wefr drydanol bositif fach (maint 'pwynt'). Mae'r bwlch rhwng y llinellau maes yn dynodi cryfder y maes trydanol – gweler *Ffiseg Safon Uwch*.

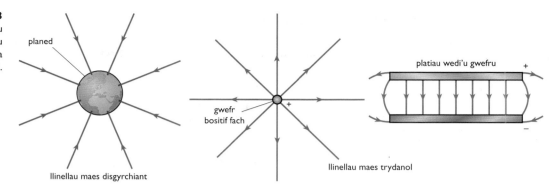

Ffigur 17.13
Llinellau maes (mewn dau ddimensiwn): cymharu meysydd disgyrchiant a thrydanol.

planed

gwefr bositif fach

platiau wedi'u gwefru +

−

llinellau maes disgyrchiant

llinellau maes trydanol

Wrth feddwl am feysydd disgyrchiant defnyddiwn fesur sy'n rhoi i ni wybodaeth am y maes ei hun yn hytrach nag am unrhyw wrthrych sy'n digwydd bod yn y maes. Gelwir y mesur defnyddiol hwn yn gryfder maes disgyrchiant, g. Gwerth g ar bwynt 1 m y tu blaen i chi yw 9.81 Nkg⁻¹. Mae'r un gwerth i'r pwynt 1 m y tu ôl i chi. Diffinnir cryfder maes disgyrchiant pwynt fel y grym a fyddai'n gweithredu ar uned o fàs a roddwyd yn y pwynt hwnnw (gweler tudalen 108).

Gallwn gynnig yr un ddadl yn union ar gyfer maes trydanol a diffinio **cryfder maes trydanol** pwynt fel y grym a fyddai'n gweithredu am bob uned o wefr ar y pwynt hwnnw. Mae cryfder maes trydanol yn cael ei dalfyrru fel arfer yn E a chaiff ei fesur yn unol ag unedau SI mewn N C⁻¹. Mae

$$E = \text{y grym a all weithredu am bob uned o wefr} = \frac{F}{q}$$

Os gwyddom gryfder maes trydanol pwynt ac os gwyddom werth gwefr yna gallwn ragfynegi'r grym a fydd yn gweithredu ar y wefr honno ar y pwynt hwnnw.

9 Pam y mae allwyriad electronau mewn maes trydanol i gyfeiriad dirgroes i'r saethau ar y llinellau maes?

Gronynnau wedi'u gwefru a maes magnetig

Mae gwrthrychau a chanddynt fàs yn profi grym disgyrchiant ac mae gwrthrychau a chanddynt wefr yn profi grym trydanol. Mae gwrthrychau â gwefr *a* chyflymder yn profi grym magnetig. Felly, gallwn greu mesur ar gyfer maes magnetig sy'n debyg i gryfder y meysydd sydd gennym eisoes ar gyfer disgyrchiant a thrydan. Gelwir hyn yn **ddwysedd fflwcs magnetig** a chaiff ei dalfyrru'n B. Mae'n cyd-fynd â chryfder meysydd disgyrchiant a thrydanol ac, yn union fel g ac E, mae'n briodwedd i bwynt yn y maes. Mae ei ddiffiniad yn dilyn patrwm tebyg: dyma'r grym a fyddai'n gweithredu ar bwynt am bob uned o wefr ag uned o gyflymder.

$$B = \left(\begin{array}{l} \text{grym a all weithredu am bob uned o wefr ag uned o gyflymder} \\ \text{pan fo cyflymder a llinellau maes yn gydberpendicwlar} \end{array} \right) = \frac{F}{qv}$$

Uned SI dderbyniol ar gyfer B fyddai N C⁻¹ m⁻¹ s, ond mae hyn braidd yn hir ac yn drwsgwl. Rhoddwyd enw arbennig ar yr uned hon felly, sef **tesla**, T, ac mae:

$$1\,T = 1\,N\,C^{-1}\,m^{-1}\,s$$

Os gwyddom beth yw'r dwysedd fflwcs magentig ar bwynt arbennig, yna gallwn ragfynegi'r grym a fydd yn gweithredu ar ronyn ac iddo wefr sy'n hysbys a chyflymder sy'n hysbys *yn berpendicwlar i'r llinellau maes* pan fo ar y pwynt hwnnw:

$$F = B\,q\,v$$

Yn union fel y gallwn dynnu llinellau maes i gynrychioli maes trydanol yn weledol, gallwn wneud yr un fath ar gyfer maes magnetig hefyd. Fodd bynnag, mae llinellau maes magnetig yn dangos cyfeiriad y grym sydd â'r potensial i weithredu ar bôl Gogledd bach a osodwyd yn y maes ac nid yw hyn yr un fath â'r grym sy'n gweithredu ar wefr symudol. Mae cyfeiriad y grym ar ronyn

10 a Os oes gan electron mewn paladr fàs o 9.1×10^{-31} kg a gwefr o -1.6×10^{-19} C ac os yw'n symud â chyflymder 5×10^7 m s^{-1} mewn rhanbarth lle mae

$g = 9.81$ N kg^{-1}, $E = 1 \times 10^3$ N C^{-1}, $B = 8 \times 10^{-4}$ T

a lle mae'r llinellau maes a chyflymder yr electronau yn gydberpendicwlar, cyfrifwch y grymoedd a fydd yn gweithredu oherwydd pob un o'r meysydd, a'r cyflymiadau a fydd yn dilyn.

b Brasluniwch y llinellau maes ym mhob achos gan sicrhau bod saethau yn cael eu hychwanegu fel y bo'n briodol. Defnyddiwch y saethau hyn i ddangos cyfeiriad y grym a fydd yn gweithredu ar electron ar bwynt penodol yn y maes.

wedi'i wefru sy'n symud yn berpendicwlar i fudiant y gronyn a llinellau'r maes magnetig. Gellir nodi'r grym sy'n gweithredu ar wefr bositif sy'n symud yn berpendicwlar i'r llinellau maes lleol gan ddefnyddio **rheol llaw chwith Fleming** (Ffigur 17.4). Rhaid cymryd gofal, felly, wrth ymdrin ag electronau – golyga eu gwefr negatif fod y grym a brofant yn ddirgroes i'r hyn a brofir gan wefrau positif.

Ffigur 17.14
Meysydd magnetig a grymoedd ar wefrau positif a negatif (rheol llaw chwith).

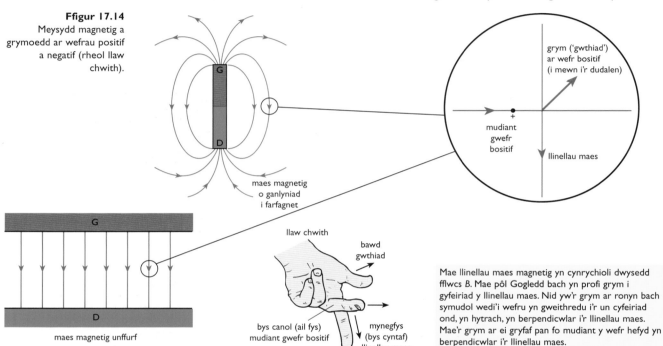

maes magnetig o ganlyniad i farfagnet

grym ('gwthiad') ar wefr bositif (i mewn i'r dudalen)

mudiant gwefr bositif

llinellau maes

maes magnetig unffurf

llaw chwith

bawd gwthiad

bys canol (ail fys) mudiant gwefr bositif

mynegfys (bys cyntaf) llinellau maes

Mae llinellau maes magnetig yn cynrychioli dwysedd fflwcs B. Mae pôl Gogledd bach yn profi grym i gyfeiriad y llinellau maes. Nid yw'r grym ar ronyn bach symudol wedi'i wefru i'r un cyfeiriad ond, yn hytrach, yn berpendicwlar i'r llinellau maes. Mae'r grym ar ei gryfaf pan fo mudiant y wefr hefyd yn berpendicwlar i'r llinellau maes.

Pelydr electron

Proses allyrru electronau o arwyneb metel wedi'i wresogi a'i wefru'n negatif – allyriant thermionig (gweler tudalen 59) – sy'n gyfrifol am y teledu a'r microsgop electron.

Yn y teledu a'r microsgop electron, bydd allyriant thermionig yn digwydd o gatod sy'n cael ei wresogi gan ffilament gwresogi gerllaw. Mae gwefr negatif y catod yn gwrthyrru'r electronau ac mae gwefr bositif ar anod yn eu hatynnu. Maent felly yn cyflymu o'r catod i'r anod. Os oes twll cul yn yr anod, yna dim ond paladr cul o electronau all fynd drwy'r twll (Ffigur 17.15), a gellir 'llywio' yr electronau cyflym hyn ymhellach drwy ddefnyddio naill ai mwy o feysydd trydanol neu feysydd magnetig.

Ffigur 17.15
Creu paladr cul o electronau.

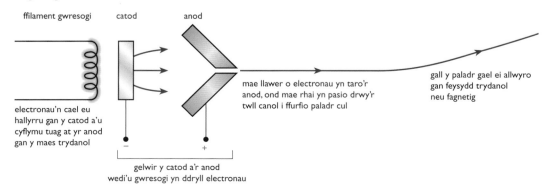

ffilament gwresogi

catod

anod

electronau'n cael eu hallyrru gan y catod a'u cyflymu tuag at yr anod gan y maes trydanol

mae llawer o electronau yn taro'r anod, ond mae rhai yn pasio drwy'r twll canol i ffurfio paladr cul

gall y paladr gael ei allwyro gan feysydd trydanol neu fagnetig

gelwir y catod a'r anod wedi'u gwresogi yn ddryll electronau

Mewn tiwb teledu lliw, mae tri phaladr electron (i gynhyrchu'r tri lliw cynradd coch, glas a gwyrdd – gweler tudalen 23). Maent yn sganio'r sgrin yn gyflym iawn drwy gael eu hallwyro â meysydd magnetig cyfnewidiol (Ffigur 17.16). Gallwch ddarllen am y microsgop electron ym Mhennod 26, tudalen 270.

Ffigur 17.16
Pelydr electronau mewn set deledu.

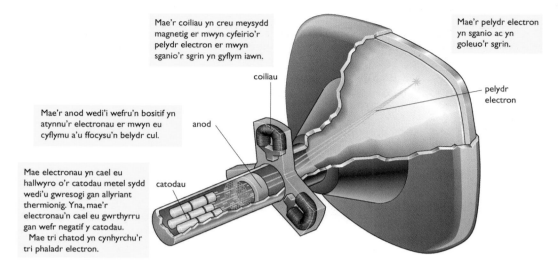

Mae'r coiliau yn creu meysydd magnetig er mwyn cyfeirio'r pelydr electron er mwyn sganio'r sgrin yn gyflym iawn.

Mae'r pelydr electron yn sganio ac yn goleuo'r sgrin.

coiliau

pelydr electron

Mae'r anod wedi'i wefru'n bositif yn atynnu'r electronau er mwyn eu cyflymu a'u ffocysu'n belydr cul.

anod

Mae electronau yn cael eu hallwyro o'r catodau metel sydd wedi'u gwresogi gan allyriant thermionig. Yna, mae'r electronau'n cael eu gwrthyrru gan wefr negatif y catodau.
Mae tri chatod yn cynhyrchu'r tri phaladr electron.

catodau

11 a Beth yw allyriant thermionig?
b Ym mha ran neu rannau o'ch bywyd y mae gan allyriant thermionig gyfraniad uniongyrchol i'w wneud?

12 Arsylwyd ar y ffenomen allyriant thermionig cyn y datblygwyd damcaniaeth i ddisgrifio beth yn union oedd yn digwydd ar lefel gronynnau. Darllenwch am waith Joseph John Thomson ym Mhennod 7 (tudalen 58). I ba raddau oedd ei waith ar belydrau catod yn dibynnu ar allyriant thermionig?

13 Disgrifiwch rôl y maes trydanol a'r maes magnetig mewn teledu.

14 A fyddech yn disgwyl i ddarn metel wedi'i ynysu'n drydanol, o'i wresogi gryn dipyn, i:
a aros yn niwtral
b datblygu gwefr bositif net
c datblygu gwefr negatif net?
Eglurwch eich atebion. Amlinellwch eich syniadau ar gyfer arbrawf a fyddai'n profi eich rhagfynegiad.

15 a Cyfrifwch y wefr a gâi ei chyflenwi gan 10^{20} electron i sgrin teledu.
b Eglurwch sut, mewn teledu, y mae cyflenwad mawr a di-dor o electronau ar gael ar gyfer y pelydr electron.
c Awgrymwch pam y mae gwreichion bach i'w gweld pan rowch eich llaw yn agos at sgrin teledu sydd newydd ei ddiffodd.

Tasg sgiliau ychwanegol

Cyfathrebu a Thechnoleg Gwybodaeth

Gall yr effeithiau a achosir gan lif (neu ddiffyg llif) gwefr effeithio'n sylweddol ar ein bywydau. Dewiswch un o'r ffenomenau hyn, megis llif cerrynt, electrolysis, allyriant thermionig, gwefru oherwydd ffrithiant, ac yn y blaen. Ewch ati i wneud ychydig o waith ymchwil a chynllunio taflen gan ddefnyddio pecyn cyhoeddi pen bwrdd, a chynnwys testun a delweddau, i ddisgrifio'r ffiseg sy'n rhan o'r broses a sut y caiff ei chymhwyso. Dylai eich taflen gael ei hanelu at y cyhoedd a dylai unrhyw wybodaeth neu eiriau technegol arbennig gael eu hesbonio'n glir yn y testun.

18 Egni potensial trydanol, potensial a gwahaniaeth potensial

Y CWESTIYNAU MAWR
- Sut y mae dadansoddi'r newidiadau yn yr egni potensial a brofir gan wrthrychau wedi'u gwefru oherwydd effaith grym trydanol?
- Beth yw'r berthynas rhwng newidiadau egni potensial gronynnau (neu wrthrychau delfrydol maint pwynt wedi'u gwefru) mewn systemau syml dychmygol a throsglwyddiadau egni mewn cylchedau real?

GEIRFA ALLWEDDOL
egni potensial trydanol   folt   foltiau coll   grym electromotif
gwahaniaeth potensial   potensial   uned gwefr

Y CEFNDIR
Mewn atom hydrogen, mae grym trydanol rhwng dau ronyn yn unig – electron a phroton. Mewn atomau mwy o faint mae mwy o ronynnau a bydd eu rhyngweithiad trydanol yn fwy cymhleth. Mae rhyngweithiadau o'r fath yn faes astudiaeth mawr ynddo'i hun, sef cemeg. Mae astudio 'trydan' mewn ffiseg yn ymwneud yn bennaf â symudiad electronau sy'n rhydd i symud y tu mewn i fetelau. Yn y bennod hon, dechreuwn drwy feddwl am system syml â dau ronyn – rhywbeth tebyg i atom hydrogen – a symud ymlaen i gylchedau trydanol sef systemau sy'n cynnwys nifer mawr o ronynnau'n symud.

Egni potensial trydanol

Pan fo uchder gwrthrych â màs penodol uwchlaw'r Ddaear yn newid yna mae ei egni potensial disgyrchol yn newid. Yn yr un modd, pan fo dau wrthrych wedi'u gwefru yn symud ymhellach oddi wrth ei gilydd neu'n nes at ei gilydd, mae eu hegni potensial trydanol yn newid. O safbwynt disgyrchol a thrydanol felly, mae grym yn gweithredu ac mae gwaith yn cael ei wneud.

Mae system sydd wedi'i gwneud o ddau wrthrych bach (maint pwynt) wedi'u gwefru a dim byd arall yn system syml sy'n ddechreuad da i ni feddwl am y ffordd y mae trydan yn ymddwyn. Tybiwch fod gan ein dau wrthrych wefr bositif a'u bod, i ddechrau, bellter anfeidraidd oddi wrth ei gilydd. Tybiwch hefyd fod un ohonynt, mewn rhyw fodd, wedi'i ddal yn sefydlog a bod y llall yn rhydd i symud mewn gofod sydd, fel arall, yn wag. Pan fyddant bellter anfeidraidd oddi wrth ei gilydd, ni fyddant yn gallu dylanwadu ar ei gilydd – maent y tu allan i'w meysydd ei gilydd. Egni potensial trydanol y system yw sero.

Gallwn yn awr symud y wefr symudol yn nes at yr un sefydlog. Mae grym gwrthyrru yn gweithredu rhyngddynt. Rhaid i ni (neu ryw gyfrwng arall) wthio i oresgyn y grym trydanol. Rhaid gwneud gwaith er mwyn dod â'r gwefrau ynghyd. Os byddwn, ar ryw adeg, yn gollwng gafael ar y wefr symudol yna bydd yn cyflymu i ffwrdd. Bydd yn dychwelyd i'r pellter anfeidraidd. Wrth wneud gwaith, rhown egni potensial i'r system (Ffigur 18.1) a gaiff ei drawsnewid yn egni cinetig gan y system os gollyngwn afael ar y wefr.

Mae **egni potensial trydanol** system sy'n ddau wrthrych, â gwahaniad x rhyngddynt, yn hafal i'r gwaith y mae'n rhaid ei wneud i ddod â'r ddau wrthrych o wahaniad anfeidraidd:

$$\begin{pmatrix} \text{egni potensial trydanol system o ddau} \\ \text{wrthrych wedi'u gwefru ar wahaniad } x \end{pmatrix} = \begin{pmatrix} \text{gwaith a wneir i ddod â nhw o} \\ \text{wahaniad anfeidraidd i'w gwahaniad } x \end{pmatrix}$$

Ffigur 18.1
Egni potensial trydanol system sy'n ddwy wefr bwynt positif.

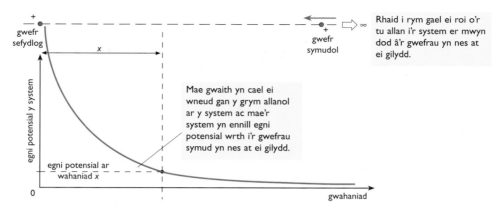

Rhaid i rym gael ei roi o'r tu allan i'r system er mwyn dod â'r gwefrau yn nes at ei gilydd.

Mae gwaith yn cael ei wneud gan y grym allanol ar y system ac mae'r system yn ennill egni potensial wrth i'r gwefrau symud yn nes at ei gilydd.

Os oes gan y ddau wrthrych wefr *ddirgroes* yna byddant yn atynnu. Nid oes raid i ni (sef y cyfrwng allanol) wneud gwaith i ddod â nhw yn nes at ei gilydd – mae'r system yn meddu ar y gallu i wneud gwaith arnom *ni*. Y cyfan sy'n rhaid i ni ei wneud yw ymlacio a gadael i'r cyfan ddigwydd. Golyga hyn i bob pwrpas fod yn rhaid i ni wneud swm *negatif* o waith i ddod â nhw at ei gilydd a bydd egni potensial y system yn lleihau (Ffigur 18.2).

Ffigur 18.2
Egni potensial trydanol system sy'n wefr bwynt bositif a gwefr bwynt negatif.

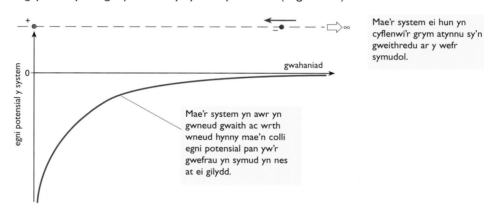

Mae'r system ei hun yn cyflenwi'r grym atynnu sy'n gweithredu ar y wefr symudol.

Mae'r system yn awr yn gwneud gwaith ac wrth wneud hynny mae'n colli egni potensial pan yw'r gwefrau yn symud yn nes at ei gilydd.

Mae hyn yn debyg i'r hyn sy'n digwydd mewn maes disgyrchiant. Mae'r grym sydd rhwng gwrthrychau masfawr yn rym atynnu. Wrth iddynt symud yn nes at ei gilydd (neu 'ar i lawr' os y Ddaear yw un o'r gwrthrychau), mae egni potensial yn cael ei golli. Wrth iddynt symud ymhellach oddi wrth ei gilydd ('ar i fyny') mae'r system yn ennill egni potensial.

Mae egni potensial system sy'n ddwy wefr ddirgroes (neu ddau wrthrych masfawr) yn sero pan fyddant bellter anfeidraidd oddi wrth ei gilydd. Mae wedyn yn colli ei hegni potensial wrth iddynt symud at ei gilydd. Os yw system yn dechrau heb ddim ac yna'n colli egni, rhaid i'r mesur terfynol fod yn negatif. Felly mae egni potensial system sy'n ddau wrthrych yn atynnu, yn negatif.

1 Mae dau ronyn â gwefr ddirgroes yn cael eu symud ymhellach oddi wrth ei gilydd.
   a A oes angen gwneud gwaith ar y system er mwyn cyflawni hyn?
   b Eglurwch a yw'r broses hon yn cynyddu neu'n lleihau egni potensial y system.
   c Ar ba wahaniad y mae gan y system egni potensial sero?
2 Mewn system dau ronyn, pan fo'r ddau ronyn wedi'u gwefru yn symud yn nes at ei gilydd, o dan ba amgylchiadau mae'r egni potensial
   a yn cynyddu
   b yn lleihau?
3 Eglurwch pam y mae egni potensial system dau wrthrych sy'n atynnu yn negatif.

Potensial trydanol

Mae gan system sy'n ddau wrthrych wedi'u gwefru egni potensial. Mae maint yr egni potensial yn dibynnu ar faint o wefr sydd gan bob gwrthrych a pha fath o wefr ydyw a hefyd y pellter sydd rhyngddynt. Ond tybiwch ein bod am ystyried un gwrthrych sefydlog a'i faes trydanol ar ei ben ei hun. Byddai'n ddefnyddiol medru rhagfynegi wedyn beth ddigwyddai nid pan fyddai gwefr symudol benodol yn digwydd ymddangos ond beth fyddai'r *potensial* i rywbeth ddigwydd ar gyfer *unrhyw* wrthrych wedi'i wefru. Y ffordd o wneud hyn yw defnyddio'r cysyniad o **uned gwefr**. Mewn unedau SI, uned gwefr yw 1 coulomb.

Mae'r gwaith sy'n rhaid ei wneud i wthio uned gwefr o wahaniad anfeidraidd (hynny yw, y tu allan i'r maes) i wahaniad *x* yn cael ei alw'n **botensial** trydanol pwynt *x*:

$$(\text{potensial trydanol pwynt } x) = \left(\begin{array}{l} \text{gwaith a wneir wrth ddod ag uned} \\ \text{gwefr o'r tu allan i'r maes i bwynt } x \end{array} \right)$$

Wedi'i dalfyrru, mae

$$V = \frac{W}{q}$$

Gan mai uned egni yw joule ac uned gwefr yw'r coulomb, uned potensial yw'r 'joule y coulomb'. Gall hyn gael ei dalfyrru'n J C^{-1}. Mae potensial, fodd bynnag, yn gysyniad defnyddiol iawn ac felly rhoddwyd i 'joule y coulomb' ei enw ei hun, **folt**, V. Mae potensial trydanol yn ymwneud ag uned gwefr ac nid rhyw wrthrych arbennig â gwefr a fydd neu na fydd yn hysbys i ni. Y mae felly yn gysyniad sydd, yn gyffredinol, yn fwy defnyddiol nag egni potensial. Mae egni potensial yn briodwedd system arbennig tra bo potensial yn briodwedd *pwynt* mewn maes trydanol (Ffigurau 18.3, 18.4).

4 Beth yw potensial pwynt, P, mewn maes os oes raid gwneud 10 J o waith er mwyn dod â gwefr o 2 C o'r tu allan i'r maes?

5 Drwy wneud 24 J o waith, faint o wefr all ddod o bwynt o'r tu allan i faes i bwynt, P, yn y maes sydd â photensial o 6 V?

6 Ysgrifennwch gynifer o wahaniaethau ag y gallwch rhwng *potensial* ac *egni potensial*.

Ffigur 18.3
Mae egni potensial yn briodwedd system ac mae potensial yn briodwedd pwynt.

mae gan system arbennig o wefrau egni potensial

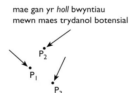

mae gan yr *holl* bwyntiau mewn maes trydanol botensial

P$_2$

P$_1$

P$_3$

+

Ffigur 18.4
Mae potensial pwynt yn dibynnu ar y wefr sy'n creu'r maes.

gwefr sefydlog, Q

pwynt P

gwefr symudol, +q

∞

potensial ar bwynt P = $\frac{W}{q}$

lle saif W am y gwaith a wneir i oresgyn grym gwrthyrru ac i ddod â gwefr +q o anfeidredd, ∞, i P

Os yw'r wefr sefydlog sy'n creu'r maes yn negatif, yna bydd y gwaith a wneir ar wefr +q yn negatif ac felly bydd y potensial yn negatif.

7 Mae gwefr bositif symudol o 0.1 C yn ennill egni cinetig o 2 J pan fydd yn cael ei hatynnu o bellter anfeidraidd i bwynt, P, mewn maes gwefr sefydlog.
a A yw'r wefr sefydlog yn bositif neu'n negatif?
b Faint o waith a wneir yn goresgyn grym gwrthyrru?
c Beth yw potensial pwynt P?

Mae'r syniadau hyn yn cael eu datblygu ymhellach yn *Ffiseg Safon Uwch*. Nid astudio potensial yn fanwl yw'r bwriad yn yr adran hon ond yn hytrach rhoi'r sylfaen er mwyn deall trosglwyddiadau egni a gwahaniaeth potensial mewn cylchedau.

Gwahaniaeth potensial

8 Pryd mae'r un gwerth i botensial a gwahaniaeth potensial?

9 Beth yw'r gwahaniaeth potensial rhwng dau bwynt os oes yn rhaid gwneud 5 J o waith i drosglwyddo 0.2 C o wefr rhyngddynt?

10 Faint o waith sy'n rhaid ei wneud i oresgyn y grym gwrthyrru a throsglwyddo gwefr o 0.1 C drwy wahaniaeth potensial o 2 V?

Mae'n bosibl y bydd gan ddau bwynt mewn maes yr un potensial. Golyga hyn fod yn rhaid gwneud yr un faint o waith i ddod ag uned gwefr o anfeidredd i'r naill bwynt neu'r llall. Golyga hefyd nad oes raid gwneud gwaith net i symud yr uned gwefr o'r naill bwynt i'r llall.

Mae'n bosibl y bydd gan ddau bwynt arall wahanol botensialau. Mae yna felly **wahaniaeth potensial** rhyngddynt. Y gwahaniaeth potensial rhwng y ddau bwynt yw'r gwaith y mae'n rhaid ei wneud am bob uned gwefr bositif er mwyn symud gwefr rhyngddynt.

$$\left(\begin{array}{c} \text{gwahaniaeth potensial} \\ \text{trydanol rhwng dau bwynt} \end{array} \right) = \left(\begin{array}{c} \text{gwaith a wneir am bob uned gwefr} \\ \text{bositif wrth symud gwefr rhyngddynt} \end{array} \right)$$

$$\Delta V = \frac{\Delta W}{q}$$

Mae gwahaniaeth potensial trydanol rhwng pwyntiau mewn cylchedau lle mae gwefr yn cael ei symud a gwaith yn cael ei wneud. Yr uned yw'r folt, yn union yr un fath â photensial trydanol. Gellir cysylltu foltmedr â'r ddau bwynt mewn cylched er mwyn gwybod beth yn union yw'r gwahaniaeth yn eu potensial (Ffigur 18.5).

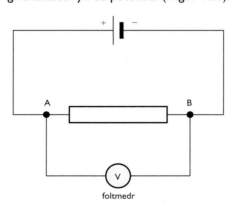

Ffigur 18.5
Mae foltmedr yn mesur y gwahaniaeth mewn potensial rhwng dau bwynt, A a B.

foltmedr

Modelu gwahaniaeth potensial rhwng terfynellau batri*

Mae gan bob pwynt mewn cylched botensial. Mae'n bosibl y bydd rhai pwyntiau ar yr un potensial ag eraill. Bydd gan rai parau o bwyntiau wahaniaeth potensial rhyngddynt. Mae'n sicr y bydd gwahaniaeth potensial rhwng dwy derfynell y batri*, neu 'ar draws' y batri. Mae potensial terfynell bositif y batri yn uwch na photensial y derfynell negatif (oherwydd byddai'n rhaid i ni wneud mwy o waith i ddod ag uned o wefr bositif o anfeidredd i'r derfynell bositif, oherwydd gwrthyriad). Gallwn fynegi'r gwahaniaeth hwn fel gwahaniaeth yn lefelau'r potensial (Ffigur 18.6).

Ffigur 18.6
Mae gwahaniaeth potensial rhwng terfynellau batri.

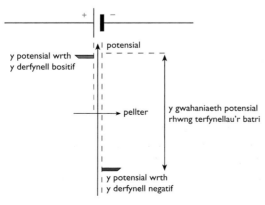

* Batri, mewn gwirionedd, yw nifer o gelloedd trydanol yn gweithio gyda'i gilydd. Er hynny, defnyddiwn y term batri yn y cyswllt hwn, fel y gwnawn yn ein hiaith bob dydd, i olygu cell unigol.

Bydd gronyn rhydd â gwefr bositif yn profi grym ac yn symud o botensial uwch i botensial is. Mewn cylched sydd wedi'i chysylltu â dwy derfynell batri, bydd yn symud i ffwrdd o'r derfynell bositif tuag at y derfynell negatif. Bydd gronyn rhydd â gwefr negatif, megis electron, yn symud i'r cyfeiriad dirgroes, o'r potensial is i'r potensial uwch. Gall lefelau'r potensial a llif yr electronau gael eu cynrychioli ar ffurf cylched syml fel y gwelir yn Ffigur 18.7.

Ffigur 18.7
Yn y gylched syml hon, mae'r gwahaniaeth potensial rhwng terfynellau'r batri (A ac X) yr un maint â'r gwahaniaeth potensial rhwng pwyntiau ar y naill ochr o'r lamp a'r llall (B ac Y).

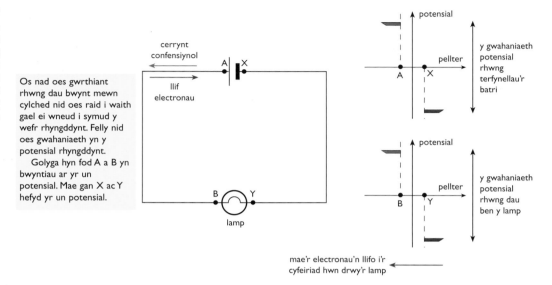

Os nad oes gwrthiant rhwng dau bwynt mewn cylched nid oes raid i waith gael ei wneud i symud y wefr rhyngddynt. Felly nid oes gwahaniaeth yn y potensial rhyngddynt.
Golyga hyn fod A a B yn bwyntiau ar yr un potensial. Mae gan X ac Y hefyd yr un potensial.

Trosglwyddo egni mewn cylchedau

Gellir meddwl am fatri yn nhermau trosglwyddo egni i electronau. Rhoddir yr egni a gaiff ei drosglwyddo i electronau yn y gylched gan:

$$\Delta W = \Delta V q$$

lle saif ΔV am wahaniaeth potensial y batri a q am gyfanswm y wefr a drosglwyddwyd.

Nid y grym trydanol a ddaw o wahaniaeth potensial y batri yn unig y bydd yr electronau yn ei brofi. Wrth iddynt symud drwy fetel y gylched allanol maent hefyd yn rhyngweithio â'i gilydd ac ïonau'r metel. Mae'r rhyngweithiadau hyn yn gwrthsefyll eu mudiant. Rhaid i'r electronau wneud gwaith er mwyn goresgyn y gwrthiant hwn. Wrth wneud y gwaith hwn trosglwyddant egni i fetel y gylched, gan achosi i'r metel wresogi. Mae'n bosibl y byddant hefyd yn gwneud gwaith ar electronau mewn gwifrau eraill, drwy ryngweithiad magnetig, fel mewn newidydd, neu mae'n bosibl y byddant yn galluogi i waith mecanyddol gael ei wneud, fel mewn modur trydanol.

Ffigur 18.8
Trosglwyddo egni mewn cydrannau cylched.

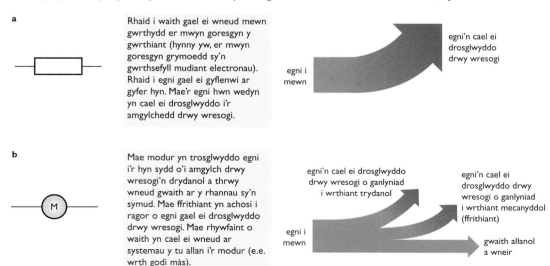

a
Rhaid i waith gael ei wneud mewn gwrthydd er mwyn goresgyn y gwrthiant (hynny yw, er mwyn goresgyn grymoedd sy'n gwrthsefyll mudiant electronau). Rhaid i egni gael ei gyflenwi ar gyfer hyn. Mae'r egni hwn wedyn yn cael ei drosglwyddo i'r amgylchedd drwy wresogi.

b
Mae modur yn trosglwyddo egni i'r hyn sydd o'i amgylch drwy wresogi'n drydanol a thrwy wneud gwaith ar y rhannau sy'n symud. Mae ffrithiant yn achosi i ragor o egni gael ei drosglwyddo drwy wresogi. Mae rhywfaint o waith yn cael ei wneud ar systemau y tu allan i'r modur (e.e. wrth godi màs).

Gwahaniaeth potensial a grym electromotif (g.e.m.) batri

Batri fel rheol yw'r ffynhonnell egni mewn cylched cerrynt union (c.u.). Gall ymddygiad y batri gael ei fesur yn nhermau'r egni y gall ei gyflenwi i bob coulomb o wefr a fydd yn cael ei symud o gwmpas cylched allanol – hynny yw, yn nhermau'r gwahaniaeth potensial ar draws ei derfynellau:

$$\text{y gwahaniaeth potensial ar draws y terfynellau} = \frac{\text{egni sy'n cael ei drosglwyddo i'r gylched allanol}}{\text{gwefr a symudwyd}}$$

Gall batrïau gael eu mesur hefyd yn nhermau **grym electromotif (g.e.m.)**. Nid grym mo hwn o gwbl ond, fel potensial a gwahaniaeth potensial, mae'n gymhareb gwaith (neu egni) i wefr. Felly, fel potensial a gwahaniaeth potensial, caiff ei fesur mewn foltiau. Mae'n cymryd i ystyriaeth y gwaith y mae'n rhaid ei wneud am bob uned gwefr er mwyn symud gwefr drwy'r batri ei hun yn ogystal â thrwy'r gylched allanol. Mae'r gwaith hwn yn achosi gwresogi'r tu mewn i'r batri ac felly caiff yr egni ei afradloni (Ffigur 18.9). Mae:

$$\text{g.e.m. cell} = \frac{\text{egni a drosglwyddir i'r gylched allanol} + \text{egni a afradlonir o fewn y batri}}{\text{gwefr a symudwyd}}$$

11 Mewn cyfnod arbennig o amser mae batri â gwahaniaeth potensial o 1.25 V rhwng ei derfynellau yn symud 0.01 C o wefr drwy gylched allanol.
a Faint o waith y mae'r batri'n ei wneud yn ystod y cyfnod hwn?
b Faint o waith y mae'n ei wneud ar bob electron? (1 C yw'r wefr a gaiff ei chario gan ryw 6.3×10^{18} electron.)

Ffigur 18.9
Cyfanswm yr egni a drosglwyddir o fatri, gan gymryd i ystyriaeth y gwaith sy'n rhaid ei wneud i symud gwefr drwy'r batri yn ogystal â thrwy'r gylched allanol.

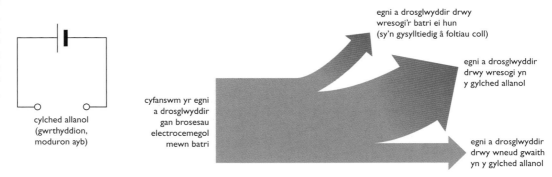

cylched allanol (gwrthyddion, moduron ayb)

cyfanswm yr egni a drosglwyddir gan brosesau electrocemegol mewn batri

egni a drosglwyddir drwy wresogi'r batri ei hun (sy'n gysylltiedig â foltiau coll)

egni a drosglwyddir drwy wresogi yn y gylched allanol

egni a drosglwyddir drwy wneud gwaith yn y gylched allanol

12 Beth yw uned g.e.m.?
13 Mae batri 1.5 V yn rhoi gwahaniaeth potensial terfynell o 1.2 V wrth bweru tortsh. Beth yw gwerth y foltiau coll?
14 Mae batri wedi'i gysylltu i wrthydd newidiol. Mae hyn yn caniatáu i wrthiant y gylched allanol gael ei leihau yn raddol fel y bo cerrynt y gylched, gan gynnwys y cerrynt yn y batri, yn cynyddu. Beth y byddech chi'n disgwyl ei weld yn digwydd:
a i gyfradd afradloni'r egni y tu mewn i'r batri o ganlyniad i'r cynnydd yn y cerrynt
b i'r foltiau coll?
15 Mae cydrannau cylched car wedi'u cysylltu'n baralel, bob un ohonynt, i'r cyflenwad 12 V. Esboniwch pam y mae angen cyfradd trosglwyddo gwefr gyflymach ar ddyfeisiau pwerus iawn.

Y gwerth a fydd wedi'i ysgrifennu ar ochr batri, wedi'i fesur mewn foltiau, fydd ei rym electromotif. Mae'r gwahaniaeth potensial y gall y batri ei gyflenwi i yrru cerrynt mewn cylched allanol bob amser yn llai na'r grym electromotif a ddyfynnwyd. Gelwir y gwahaniaeth rhwng g.e.m. batri a'i wahaniaeth potensial terfynell yn **foltiau coll**. Ceir foltiau coll o ganlyniad i waith sy'n rhaid ei wneud i symud gwefr drwy'r batri ei hun. Mae:

$$\text{g.e.m.} - \left(\begin{array}{c}\text{gwahaniaeth potensial ar}\\\text{drws y terfynellau}\end{array}\right) = \text{foltiau coll}$$

19 Cerrynt

Y CWESTIYNAU MAWR
- Sut y mae dweud pa bryd mae gwifren yn cario cerrynt?
- Sut y mae mesur cerrynt mewn gwifren?
- Sut y mae anwytho cerrynt mewn gwifren?

GEIRFA ALLWEDDOL
allwyriad graddfa gyfan   amp (neu amper)   amrediad (mesurydd)
anwythiad electromagnetig   cerrynt   cerrynt eiledol, c.e.   cerrynt union, c.u.
dyfais cerrynt gweddillol   foltedd 'isradd sgwâr cymedrig'   graddnodiad   lluosydd
mesurydd coil symudol   moment adfer   newidydd   relái   siynt

Y CEFNDIR

Drwy gydol hanes dyn, tan yn gymharol ddiweddar, ni wyddai neb ddim am gerrynt trydanol. Nid yw hyn yn syndod. Rhaid i'r ceryntau sy'n rhan o'n bywydau bob dydd ni gael eu hanwytho neu eu cynhyrchu'n ofalus iawn. Hyd yn oed wedyn, gallwn edrych ar wifren a gafodd ei chreu yn arbennig er mwyn cario cerrynt ac ni fydd hi'n bosibl i ni ddweud a yw'n cludo cerrynt ai peidio. Dim ond wrth ei effeithiau y gallwn ddweud a oes cerrynt yno ai peidio. Cymerodd gryn amser i greu'r ddamcaniaeth sy'n disgrifio beth yn union sy'n digwydd y tu mewn i wifrau sy'n cludo cerrynt.

Ar ddechrau'r bedwaredd ganrif ar bymtheg roedd rhai gwyddonwyr wedi dechrau meddwl am gysyniad llif. Datblygodd pobl fel Charles Augustin de Coulomb, Alessandro Volta a Georg Simon Ohm syniadau am wefr a photensial. Yna, am rai degawdau gwelwyd pobl fel Hans Christian Oersted, André Marie Ampère a Michael Faraday yn canolbwyntio eu hymchwiliadau ar effeithiau magnetig ffenomenau trydanol. Mae enwau rhai o'r bobl hyn ar gof a chadw fel enwau unedau SI.

Datblygodd gwaith Faraday, yn arbennig, i ddau gyfeiriad. Yn gyntaf, arweiniodd at ddatblygu damcaniaeth meysydd a thaith golau ei hun ac at waith James Clerk Maxwell ac Albert Einstein mewn agweddau ar ffiseg sydd, ar yr olwg gyntaf, yn ymddangos yn wahanol iawn. Yn ail, sefydlodd reolau electromagneteg a'i gwnaeth hi'n bosibl i drydan gael ei gynhyrchu'n fasnachol. Erbyn diwedd y bedwaredd ganrif ar bymtheg, roedd lampau trydan yn goleuo strydoedd ac roedd moduron yn gwneud gwaith mewn cerbydau a pheiriannau eraill. Ymhen amser byddai peiriannau'n cael eu dyfeisio i lanhau carpedi, golchi dillad a phob math o bethau eraill. Byddai hynny, yn ei dro, yn newid ein ffordd o fyw.

Diffinio cerrynt

Cyfradd llif gwefr yw cerrynt trydanol. Y **cerrynt** ar bwynt mewn cylched yw maint y wefr sy'n llifo heibio i'r pwynt hwnnw bob eiliad. Gallwn ei ysgrifennu fel a ganlyn:

$$\text{cerrynt} = \text{cyfradd llif gwefr}$$

$$\text{cerrynt cyfartalog mewn cyfnod penodol} = \frac{\text{y wefr sy'n llifo}}{\text{yr amser mae'n ei gymryd i lifo}}$$

Gan ddefnyddio I am y cerrynt a q am y wefr gallwn ddefnyddio Δq am y newid yn y wefr (y wefr sy'n llifo heibio i'r pwynt) a Δt am yr amser cyfatebol. Rhoddir y cerrynt cyfatebol yn ystod Δt gan:

$$I \text{ cyfartalog} = \frac{\Delta q}{\Delta t}$$

Os yw Δq a Δt yn fach iawn, gallwn eu galw'n δq a δt; gallant wedyn roi gwerth y cerrynt cyfartalog yn ystod y cyfnod byr δt fel a ganlyn:

$$\text{cerrynt cyfartalog yn ystod y cyfnod byr } \delta t = \frac{\delta q}{t}$$

1 **a** Os oes cerrynt cyson o 0.4 A drwy bwynt mewn cylched am 1 funud, faint o wefr sydd wedi'i symud drwy'r pwynt?
b Os llif electronau yw cerrynt, mynegwch eich ateb i **a** yn nhermau nifer yr electronau. (Mae'r wefr ar un electron = e = -1.6 × 10⁻¹⁹C. Yn y cyswllt hwn, nid yw'r arwydd minws yn ffisegol bwysig a gallwch ei anwybyddu.)

2 Mae pob electron yn cario gwefr fach iawn a, phan fo cerrynt yn llifo, mae'n symud yn weddol araf. Sut y mae'n bosibl i gerrynt mor fawr ag 1 A, dyweder, lifo?

3 Brasluniwch graffiau lle bo
a dq/dt = Δq / Δt = cysonyn
b dq/dt ≠ Δq / Δt.
Beth y gallwch chi ei ddweud am y cerrynt ym mhob achos?

Os yw δt a δq yn orfychan (mor fach nes eu bod bron â diflannu) yna cyfrifir gwerth y cerrynt fel y cerrynt ar un ennyd:

$$\text{cerrynt enydaidd} = \frac{dq}{dt}$$

$\dfrac{dq}{dt}$ yw gwerth $\dfrac{\delta q}{\delta t}$ lle bo δq a δt yn orfychan.

Uned cerrynt yw **amper**, neu **amp**, sef A. Mae 1 A gywerth ag 1 Cs⁻¹.

Ffigur 19.1
Gellir cyfrifo gwerth cerrynt o raddiant graff gwefr yn erbyn amser.

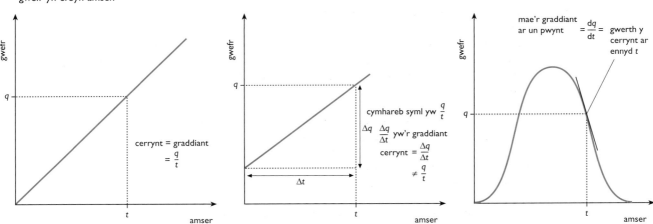

Effaith wresogi cerrynt

Ym Mhennod 17, edrychwyd ar systemau syml o ddau ronyn wedi'u gwefru nad oeddent yn rhyngweithio â dim arall. Mae gweithio yn y fath fodd yn ddefnyddiol er mwyn sefydlu rhai syniadau sylfaenol, ond yn y 'byd go iawn' y mae gronynnau yn rhyngweithio ag eraill. Mewn gwifren fetel, mae electronau yn rhyngweithio ag ïonau metel ac electronau eraill. Mewn hydoddiannau, ïonau yw'r cludwyr gwefr symudol, ac mae'r ïonau hyn yn rhyngweithio â gronynnau eraill yn yr hydoddiant. Yn y wifren ac yn yr hydoddiant, mae'r rhyngweithiadau hyn yn trosglwyddo egni o ronyn i ronyn. Caiff egni ei drosglwyddo i ffwrdd o'r llif cydlynol, sef y cerrynt trydanol, a chaiff y defnydd ei wresogi. Gan fod egni yn cael ei drosglwyddo i ffwrdd o'r cerrynt, os yw'r cerrynt i lifo'n gyson yna rhaid i'r egni gael ei adnewyddu. Mewn cylched cerrynt union, y batri fydd y ffynhonnell ddi-dor o egni a gaiff ei ddarparu yn lle'r egni a gollir drwy wresogi.

Cyfrifo'r egni sy'n cael ei drosglwyddo

Gwyddom fod y gwahaniaeth potensial rhwng dau bwynt yn hafal i'r gwaith y mae'n rhaid ei wneud i symud un uned o wefr (1 coulomb mewn unedau SI) rhyngddynt. Os terfynellau batri mewn cylched yw'r ddau bwynt, yna y batri sy'n gwneud y gwaith i drosglwyddo'r wefr o derfynell i derfynell o amgylch y gylched. Mae'r gwaith a wneir yn hafal i'r egni a drosglwyddir i'r gylched allanol. (Y gylched allanol yw'r gylched o derfynell i derfynell, gan anwybyddu y tu mewn i'r batri ei hun.) Mewn cylched syml lle ceir, dyweder, batri a lamp, caiff yr egni ei drosglwyddo yn gyfan gwbl drwy wresogi. Gallwn ei ysgrifennu fel a ganlyn:

$$\text{gwahaniaeth potensial rhwng terfynellau'r batri} = \frac{\text{gwaith a wneir (neu'r egni a gaiff ei drosglwyddo)}}{\text{y wefr a symudir o gwmpas y gylched}}$$

$$\Delta V = \frac{\Delta W}{q}$$

Wrth ddelio â chylchedau, yr arfer yw defnyddio V ar gyfer y gwahaniaeth potensial ac W ar gyfer y gwaith a wneir, felly mae:

$$V = \frac{W}{q}$$

ac mae

$$W = Vq$$

Mae'r gwaith a wneir yn hafal i'r egni a drosglwyddir i'r gylched allanol drwy wresogi. A oes perthynas rhyngddo â'r cerrynt? Gwyddom mai cyfradd llif gwefr yw:

$$I = \frac{dq}{dt}$$

Dros gyfnod o amser, t, os yw'r cerrynt yn gyson yna mae perthynas rhyngddo â chyfanswm y wefr a drosglwyddir. Y berthynas honno yw:

$$I = \frac{q}{t}$$

sy'n golygu bod:

$$q = It$$

Felly, gan fynd yn ôl at y gwaith a wneir (= egni a drosglwyddir), a chan roi It yn lle q, mae

$$W = VIt$$

O wybod am y berthynas hon gallwn fesur yr egni a drosglwyddir gan gylched neu ran o gylched ar adeg arbennig. Defnyddir amedr a foltmedr i fesur cerrynt a foltedd a chaiff yr amser y mae'r cerrynt yn llifo ei fesur (Ffigur 19.2).

4 Cyfrifwch yr egni a gaiff ei drosglwyddo mewn cylched allanol mewn car y caiff gwahaniaeth potensial o 12 V ei roi iddo, os bydd yn cario cerrynt o 1.2 A am 20 munud.

5 Faint o amser y bydd yn ei gymryd i drosglwyddo 1 kJ o egni mewn cylched allanol tortsh bychan gan ddefnyddio gwahaniaeth potensial o 1.3 V a cherrynt o 0.05 A?

Ffigur 19.2
Rhoddir yr egni a drosglwyddir gan y gwresogydd yn y gylched hon gan $W = VIt$.

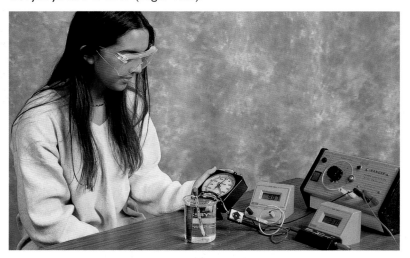

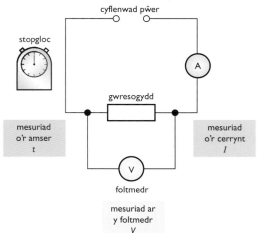

Effaith fagnetig cerrynt

Mae egni yn cael ei drosglwyddo o gerrynt i ddefnyddiau cylched ac yna i'r hyn sydd o'i hamgylch o ganlyniad i wresogi. Ond mae egni yn cael ei drosglwyddo o'r cerrynt a'r gylched i systemau y tu allan mewn ffordd bwysig arall. Digwydd hyn drwy gyfrwng y maes magnetig sy'n bodoli o amgylch gwrthrychau wedi'u gwefru sy'n symud.

Nodwch fod grym trydanol a grym magnetig yn gweithredu ar ronynnau wedi'u gwefru, ond lle bydd yr holl ronynnau wedi'u gwefru yn rhoi ac yn profi grym trydanol, dim ond gronynnau *symudol* wedi'u gwefru sy'n rhoi ac yn profi grym magnetig. Mae maes trydanol yn bodoli o amgylch unrhyw ronyn wedi'i wefru; mae maes magnetig yn bodoli o gwmpas unrhyw ronyn wedi'i wefru sy'n symud.

Mae electronau mewn atomau yn symud (ac yn troelli). Mae ganddynt felly feysydd magnetig o'u hamgylch. Yn y rhan fwyaf o ddefnyddiau, mae'r holl feysydd magnetig hyn yn canslo ei gilydd. Ond mewn rhai sylweddau, fel haearn, mae pob atom yn gweithredu fel magnet bychan all gael ei alinio â'r holl fagnetau eraill o faint atom. Yn hytrach na chanslo eu magnetedd ei gilydd felly, byddant yn cyfuno i gynhyrchu effeithiau magnetig all gael eu canfod yn y byd maint llawn (Ffigur 19.3a).

Nid drwy gyfuno effeithiau niferoedd mawr o fagnetau o faint atomau, fel mewn magnet haearn neu ddur, y mae canfod maes magnetig yn unig. Mae niferoedd mawr o electronau'n teithio i'r un cyfeiriad mewn gwifren, gan greu cerrynt trydanol, hefyd yn arwain at gyfuno nifer o feysydd magnetig bach iawn (Ffigur 19.3b). Dyma sylfaen electromagnetau lle mae'r gwifrau wedi'u siapio'n goiliau (gyda llawer o ddolennau neu droeon er mwyn i'r effeithiau magnetig fod yn fwy amlwg). Mae gan y rhan fwyaf o'r electromagnetau graidd haearn. Mae'r maes magnetig o ganlyniad i'r cerrynt yn achosi aliniad dros dro yr atomau o fewn y craidd haearn ac mae'r aliniad hwn yn atgyfnerthu ymhellach faes magnetig y coil.

Gwelsom eisoes ym Mhennod 17 fod y grym sy'n gweithredu ar wefr q pan fydd yn symud ar gyflymder v i gyfeiriad sy'n berpendicwlar i linellau maes mewn maes magnetig â dwysedd fflwcs B yn cael ei roi gan:

$$F = Bqv$$

Mewn gwifren sy'n cario cerrynt cyson mae llif di-dor o wefr a gellir cyfrifo cyfanswm y wefr a drosglwyddir dros gyfnod o amser t ar sail

$$q = It$$

Yn ystod yr un cyfnod o amser t, os bydd pob gronyn sy'n cludo gwefrau yn symud pellter l ar hyd y wifren, yna mae ganddynt gyflymder v a roddir gan

$$v = \frac{l}{t}$$

Felly, y grym sy'n gweithredu ar yr holl gludyddion gwefr hyn gyda'i gilydd, sef y grym sy'n gweithredu ar hyd l y wifren yw

$$F = BIt\,\frac{l}{t}$$
$$= BIl$$

Nodwch fod y grym hwn F yn berpendicwlar i'r cyflymder v a'r dwysedd fflwcs B. Rhoddir cyfeiriad y grym sy'n gweithredu ar gludydd gwefr *bositif* gan y rheol llaw chwith (gweler tudalen 150). Ystyrir bod cerrynt confensiynol yn llif cludyddion gwefr bositif o derfynellau positif i derfynellau negatif cell neu fatri. Felly gellir defnyddio'r rheol llaw chwith lle bo'r bys canol yn dynodi naill ai cyfeiriad mudiant y wefr bositif, neu gyfeiriad y cerrynt confensiynol. (Ar gyfer y grym ar yr electronau, mae'r bys canol ar y llaw chwith yn pwyntio i'r cyfeiriad anghywir.)

Nodwch hefyd, lle nad yw v a B yn berpendicwlar i'w gilydd, mae'r grym yn llai na'r hyn a roddir gan y fformiwla. Mae'r fformiwla $F = Bqv = BIl$ yn rhoi'r grym mwyaf a all weithredu.

Ffigur 19.3
Mae magnetedd, sydd â'i darddiad ym micro-fyd gronynnau yn creu maes magnetig all gael ei ganfod yn y byd maint llawn mewn dwy ffordd: **a** mewn defnyddiau sydd wedi'u magneteiddio fel haearn, a **b** mewn gwifrau sy'n cario cerrynt.

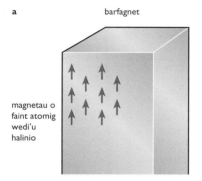

a   barfagnet

magnetau o faint atomig wedi'u halinio

b   gwifren yn cario cerrynt

meysydd magnetig wedi'u halinio o fewn y coil o ganlyniad i electronau'n symud

Dyfeisiau sy'n defnyddio'r effaith fagnetig i drosglwyddo egni

Gall gwifren sy'n cario cerrynt wneud gwaith ar systemau eraill drwy gyfwng grym magnetig. Ar ei symlaf, gall gwifren sy'n cario cerrynt wneud gwaith ar fagnet allanol. Dyna sy'n digwydd mewn **relái**. Relái yw switsh sy'n caniatáu i gylched cerrynt isel, fel cylched sy'n cynnwys electroneg gywrain, gael ei defnyddio i gynnau cylched cerrynt uchel ymlaen. Mae coil yn ffurfio rhan o'r gylched cerrynt isel a phan fo ei faes yn ddigon cryf mae'n atynnu armatwr haearn sy'n cau'r switsh yn y gylched cerrynt uchel (Ffigur 19.4).

Ffigur 19.4
Relái syml.

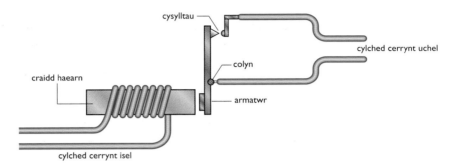

cysylltau
cylched cerrynt uchel
colyn
craidd haearn
armatwr
cylched cerrynt isel

Mae uchelseinydd hefyd yn trosglwyddo egni o goil ond fan yma, y magnet sy'n aros yn sefydlog tra bo'r coil ei hun yn symud (Ffigur 19.5). Er hynny, mae'r gwaith a wneir yn symud y coil ar gael o'r gylched o ganlyniad i effaith fagnetig y cerrynt yn y coil. Yna, caiff gwaith ei wneud ar yr aer o amgylch, a bydd seindon yn cario egni i ffwrdd oddi wrth yr uchelseinydd.

Ffigur 19.5
Egwyddor uchelseinydd syml.

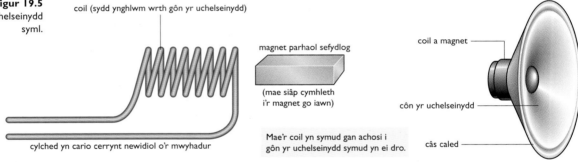

coil (sydd ynghlwm wrth gôn yr uchelseinydd)
magnet parhaol sefydlog
(mae siâp cymhleth i'r magnet go iawn)
coil a magnet
côn yr uchelseinydd
câs caled
cylched yn cario cerrynt newidiol o'r mwyhadur
Mae'r coil yn symud gan achosi i gôn yr uchelseinydd symud yn ei dro.

Ffigur 19.6
Mae grym gwrthyrru bychan yn gweithredu rhwng dau ddargludydd paralel.

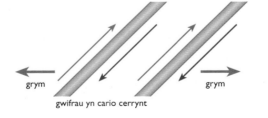

grym
grym
gwifrau yn cario cerrynt

Yn union fel uchelseinydd, gall modur gael ei wneud o fagnet sefydlog a choil symudol. Yna gall y modur wneud gwaith, fel codi pwysau. Bydd angen egni hefyd yn lle'r hyn a drosglwyddir wrth wneud gwaith i oresgyn grymoedd ffrithiannol.

Nid oes grym net yn gweithredu rhwng gwifren sy'n cario cerrynt a gwifren nad yw'n cario cerrynt. Nid oes gan y wifren heb gerrynt faes magnetig ac nid yw'n rhoi nac yn profi grym magnetig. Fodd bynnag, os yw'r *ddwy* wifren yn cario cerrynt yna mae'r grym yn gweithredu rhyngddynt (Ffigur 19.6). Bydd y rhan fwyaf o foduron trydan ymarferol yn manteisio ar y grym rhwng dau goil sy'n cario cerrynt.

6 Lle caiff signalau teleffon eu cario gan gerrynt trydanol mewn gwifrau, gellir canfod y cerrynt a'i signal y tu allan i'r wifren a thrwy hynny 'dapio' galwad ffôn. Pa effaith y cerrynt sy'n cael ei chanfod?

7 Mae gwifren gopr heb gerrynt yn llifo drwyddi yn llawn electronau sy'n symud yn rhydd. Eglurwch pam nad oes unrhyw ymddygiad magnetig i'w weld yn y wifren.

8 I ba system y mae egni'n cael ei drosglwyddo'n uniongyrchol gan y gwaith sy'n cael ei wneud o ganlyniad i effaith fagnetig y cerrynt mewn coil yn y canlynol:
a relái
b uchelseinydd
c modur yn troelli'n rhydd
d modur yn codi pwysau?

Defnyddio'r effaith fagnetig i fesur cerrynt

Diffinnir cerrynt fel cyfradd llif gwefr. Fodd bynnag, nid yw'n bosibl mesur llif gwefr y tu mewn i wifren. Er mwyn mesur cerrynt mewn cylched sy'n gweithio rhaid ei fesur yn anuniongyrchol, drwy fesur ei effaith.

Gallem fesur effaith wresogi cerrynt. Gallem fesur faint o egni sy'n cael ei drosglwyddo drwy wresogi a hefyd faint o amser a gymer i wresogi a'r gwahaniaeth potensial perthnasol. Yna gallem drawsnewid y berthynas

$$W = VIt \quad \text{yn} \quad I = \frac{W}{Vt}$$

ond nid yw'n ffordd ymarferol iawn o fesur y cerrynt, ennyd wrth ennyd, mewn cylched.

Mwy synhwyrol o lawer fyddai defnyddio'r effaith fagnetig. Mewn **mesurydd coil symudol**, mae'r cerrynt sydd i'w fesur yn mynd drwy goil. Mae'r cerrynt yn y coil yn rhyngweithio â magnet parhaol gan achosi i'r coil gylchdroi. Gellir ychwanegu pwyntydd at y coil er mwyn darllen y mesuriadau oddi ar raddfa (Ffigur 19.7).

Ffigur 19.7
Egwyddor mesurydd coil symudol.

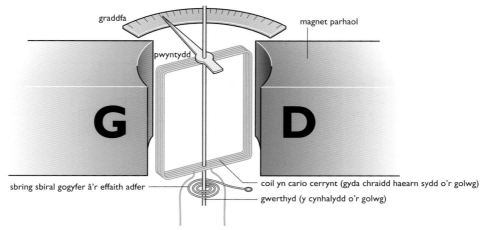

graddfa
magnet parhaol
pwyntydd
sbring sbiral gogyfer â'r effaith adfer
coil yn cario cerrynt (gyda chraidd haearn sydd o'r golwg)
gwerthyd (y cynhalydd o'r golwg)

Po fwyaf y cerrynt yn y coil, y mwyaf y bydd y duedd iddo gylchdroi. Mae'n bosibl y bydd y coil yn troelli'n weddol gyflym os yw'r cerrynt yn fach, ac yn gyflym iawn os yw'r cerrynt yn fwy. Er hynny, nid yw buanedd cylchdroi'r coil yn rhoi unrhyw arwydd sy'n ymarferol ddefnyddiol o faint y cerrynt. Fodd bynnag, os rhoddir sbring wrth y coil er mwyn ei atal rhag troi, yna po fwyaf y cerrynt y mwyaf y bydd yr effaith fagnetig yn tueddu i oresgyn y rhwystr hwn (a elwir weithiau'n **foment adfer**). Daw'r coil a'i bwyntydd i ddisymudedd pan fo'r effaith droi fagnetig yn cydbwyso effaith droi gwrthsefyll neu adfer y sbring. Defnyddir safle'r pwyntydd pan fydd yn 'ddisymud' i ddynodi'r cerrynt.

Bydd y pwyntydd yn troi trwy ongl a chaiff y raddfa ei nodi neu ei graddio mewn onglau ond rhaid **graddnodi'r** raddfa er mwyn darllen y wefr yn uniongyrchol ohoni. Gellir graddnodi'r raddfa drwy anfon cerrynt sy'n hysbys drwy'r coil a marcio safleoedd cyfatebol y pwyntydd yn ogystal â'i safle pan na fydd cerrynt yn llifo. Os tybir felly y bydd ongl cylchdroi'r coil mewn cyfrannedd â'r cerrynt, gall y raddfa gael ei marcio fel y bo'n briodol (Ffigur 19.8).

Ffigur 19.8
Graddnodi amedr.

Gellir marcio safle'r nodwydd pan nad oes unrhyw gerrynt yn y coil.

Gellir marcio safle'r nodwydd pan fo cerrynt sy'n hysbys (o fesuriadau eraill) yn y coil.

Gellir marcio gwerthoedd eraill ar y raddfa yn ôl y gofyn gan ddefnyddio'r dybiaeth fod y berthynas rhwng allwyriad y nodwydd a'r cerrynt yn gyfrannedd syml.

Problemau mesur cerrynt a sut i'w datrys

Mae mesurydd coil symudol sy'n gweithredu fel amedr yn defnyddio dadleoliad onglog pwyntydd i fesur cerrynt. Rhaid i'r cerrynt sydd i'w fesur fynd drwy'r coil. Mae'n anochel y bydd i'r coil wrthiant, felly bydd yn sicr o ddylanwadu ar faint y cerrynt. Mae hyn yn anffodus, ond rhaid i ni dderbyn bod mesurydd coil symudol yn offeryn mesur sy'n effeithio ar werth yr hyn sy'n cael ei fesur. (Byddai'n syndod petai hyn yn digwydd gydag offeryn mesur symlach, e.e. riwl blastig.) Lle bo gwrthiant y gylched lawer yn fwy na gwrthiant y coil yn y mesurydd, yna bydd dylanwad y mesurydd yn gymharol fychan. Er mwyn mesur cerrynt felly, gwell fyddai defnyddio coil ac iddo wrthiant bach.

Bydd gan fesurydd penodol gerrynt penodol a fydd yn achosi i'r pwyntydd symud i ben y raddfa – hynny yw, bydd yn achosi **allwyriad graddfa gyfan**. Os yw allwyriad o'r fath yn cyfateb i, dyweder, 0.1 A, yna ni ellir defnyddio'r mesurydd ond i fesur ceryntau rhwng 0 a 0.1 A. Dyma **amrediad** y mesurydd. Gellir cynyddu amrediad mesurydd er mwyn darllen hyd at 1.0 A, dyweder, drwy ganiatáu i gyfran yn unig o gyfanswm cerrynt y gylched fynd drwy'r coil. Er mwyn gwneud hyn, bydd yn rhaid i weddill y cerrynt fynd heibio i'r coil yn hytrach na thrwyddo. Gelwir y 'ffordd osgoi' hon a fydd yn rhedeg yn baralel i goil y mesurydd yn **siynt** (Ffigur 19.9). Rhaid dewis gwrthiant y siynt yn ofalus iawn fel y bo cyfrannau o'r cerrynt sy'n hysbys yn mynd drwy'r siynt a'r coil.

Ffigur 19.1
Defnyddio siynt i newid amrediad mesurydd.

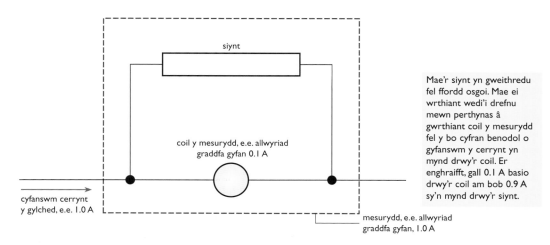

Mae'r siynt yn gweithredu fel ffordd osgoi. Mae ei wrthiant wedi'i drefnu mewn perthynas â gwrthiant coil y mesurydd fel y bo cyfran benodol o gyfanswm y cerrynt yn mynd drwy'r coil. Er enghraifft, gall 0.1 A basio drwy'r coil am bob 0.9 A sy'n mynd drwy'r siynt.

Cymharu mesur cerrynt a gwahaniaeth potensial

Mae amedr yn cael ei gysylltu mewn cylched er mwyn i'r cerrynt lifo drwyddo. Dylai fod iddo wrthiant isel er mwyn dylanwadu cyn lleied â phosibl ar y cerrynt sydd i'w fesur.

Gellir addasu'r un mesurydd coil symudol i'w ddefnyddio fel foltmedr. Mae'r egwyddor sylfaenol yn seiliedig o hyd ar y grym magnetig yn gweithredu ar goil y mae cerrynt yn llifo drwyddo. Fodd bynnag, gan fod y cerrynt yn y coil yn dibynnu ar y gwahaniaeth potensial sy'n cael ei roi ar ei draws, mae allwyriad y pwyntydd yn mesur yn anuniongyrchol y gwahaniaeth potensial. Wrth reswm, rhaid i'r mesurydd gael ei ailraddnodi er mwyn i'r raddfa fod mewn foltiau.

9 Llenwch y bylchau isod gan ddefnyddio un neu ragor o eiriau.
Mae mesurydd coil symudol yn defnyddio .... onglog pwyntydd i ddynodi'r .... magnetig sy'n gweithredu ar y coil sydd, yn ei dro, yn dynodi'r .... yn y coil.

Mae gwahaniaeth mawr yn y ffordd y caiff mesurydd ei gysylltu mewn cylched er mwyn mesur cerrynt ac er mwyn mesur gwahaniaeth potensial. Er mwyn mesur y gwahaniaeth potensial rhaid iddo gael ei gysylltu rhwng neu 'ar draws' dau bwynt mewn cylched. Hynny yw, caiff ei gysylltu'n baralel i ran o'r gylched. Bydd rhywfaint o wrthiant yn y gylched rhwng y ddau bwynt hyn. Petai gwrthiant isel i'r mesurydd o'i gymharu â'r rhan honno o'r gylched y mae'n baralel iddi, yna byddai'n cymryd cyfran fawr o'r cerrynt ac yn dylanwadu'n fawr ar ymddygiad y gylched y bwriedir iddo ei fesur. Felly, pan ddefnyddir mesurydd coil symudol fel foltmedr, rhaid ychwanegu gwrthiant ato. Gelwir gwrthydd sydd wedi'i gysylltu mewn cyfres â choil mesurydd yn y modd hwn yn **lluosydd** (Ffigur 19.10).

Ffigur 19.10
Ychwanegu lluosydd er mwyn cynyddu gwrthiant y mesurydd.

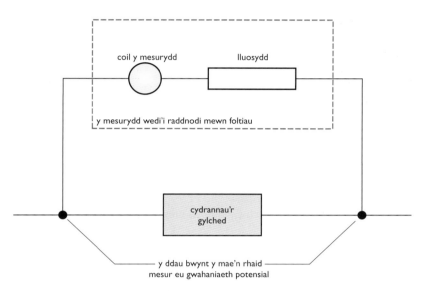

10 Ym mha ffordd sylfaenol y mae ymddygiad mesurydd coil symudol a ddefnyddir i fesur y cerrynt mewn cylched yn wahanol i dâp mesur a ddefnyddir i fesur pa mor bell y mae athletwr wedi neidio?

11 Esboniwch y gwahaniaeth rhwng
a y ffyrdd y mae amedr a foltmedr wedi'u cysylltu â chylched
b siynt a lluosydd.

Anwytho symudiad swm o electronau mewn metelau

Gellir meddwl am fetel fel arae o ronynnau wedi'u gwefru'n bositif mewn safleoedd penodol wedi'u hamgylchynu gan 'fôr' neu 'nwy' o electronau all deithio drwy'r metel. Ïonau positif yw'r gronynnau sydd wedi'u gwefru'n bositif – niwclysau'r atomau metel wedi'u hamgylchynu gan rai electronau nad ydynt yn rhydd i grwydro. Nid oes digon o'r electronau hyn sydd 'ynghlwm' i niwtraleiddio'r ïonau. Ond nid oes gan y metel at ei gilydd unrhyw wefr; mae cyfanswm yr electronau 'rhydd' a'r rhai sydd 'ynghlwm' yn ddigon i gydbwyso gwefr bositif y niwclysau er mwyn bod yn niwtral.

Mewn unrhyw wrthrych metel, mae niferoedd mawr o electronau 'rhydd'. Maent yn symud yn barhaus. Mae'r mudiant hwn fel rheol yn digwydd ar hap, fel mudiant thermol afreolus moleciwlau mewn hylif neu nwy. Fodd bynnag, gall maes trydanol neu faes magnetig newidiol anwytho'r electronau i symud i gyfeiriad pendant. Nid ydynt yn colli eu mudiant afreolus, fodd bynnag. Mae'r maes, yn hytrach, yn achosi i'r holl electronau rhydd ddatblygu'r un mudiant drifftio wedi'i arosod ar y mudiant afreolus. Y mudiant drifftio hwn sy'n arwain at gerrynt mewn gwifren.

Mae drifft neu lif yr electronau a gynhyrchir gan faes trydanol i ffwrdd o'r wefr negatif wrthyrrol a thuag at y wefr bositif atynnol, neu o'r potensial trydanol is i'r potensial trydanol uwch.

Mae drifft neu lif yr electronau ar hyd gwifren o ganlyniad i faes magnetig hefyd yn bwysig iawn; gelwir effaith o'r fath yn **anwythiad electromagnetig**. Dim ond pan fo mudiant cymharol rhwng yr electronau a'r maes y mae mudiant anwythol electronau yn digwydd. Gall hyn ddigwydd naill ai pan fydd yr electronau yn symud oherwydd bod y wifren i gyd yn symud (Ffigur 19.11) neu pan fydd y maes magnetig yn symud neu'n newid. Defnyddir yr effaith gyntaf mewn generadur syml a'r ail mewn newidydd.

Ffigur 19.11
Anwythiad cerrynt o ganlyniad i effaith generadur.

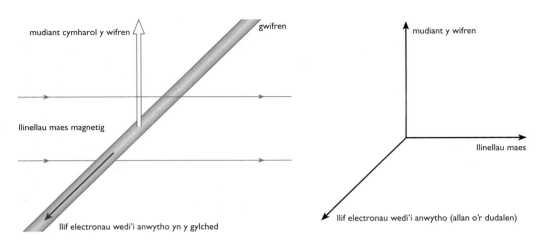

Mae **newidydd** yn defnyddio dau goil (Ffigur 19.12), gyda'r ddau fel arfer wedi'u lapio o gwmpas yr un craidd haearn a fydd yn cryfhau'r maes magnetig sy'n cael ei greu gan gerrynt mewn un o'r coiliau, a elwir y coil cynradd. Mae'r ddau goil, y coil cynradd a'r coil eilaidd, yn cael eu hynysu oddi wrth ei gilydd ac maent yn rhan o ddwy gylched wahanol. Nid yw'n syndod nad oes dim yn digwydd yn y coil eilaidd pan fo cerrynt cyson yn y coil cynradd. Yr hyn sy'n syndod ar y dechrau yw bod g.e.m. yn cael ei anwytho ar draws y coil eilaidd pan fo'r cerrynt yn y coil cynradd yn newid a gall hyn yn ei dro arwain at gerrynt yn y gylched eilaidd. Felly, mae cerrynt newidiol mewn un gylched yn anwytho cerrynt yn y gylched eilaidd nad yw wedi'i chysylltu'n drydanol ond drwy effeithiau magnetig yn unig. Mae newidydd yn trosglwyddo egni o gylched i gylched (Ffigur 19.13).

Ffigur 19.12
Gall cerrynt gael ei anwytho hefyd gan yr effaith newidydd.

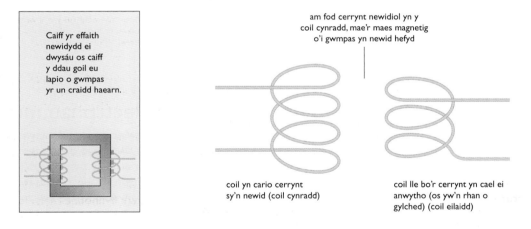

Caiff yr effaith newidydd ei dwysáu os caiff y ddau goil eu lapio o gwmpas yr un craidd haearn.

am fod cerrynt newidiol yn y coil cynradd, mae'r maes magnetig o'i gwmpas yn newid hefyd

coil yn cario cerrynt sy'n newid (coil cynradd)

coil lle bo'r cerrynt yn cael ei anwytho (os yw'n rhan o gylched) (coil eilaidd)

Ffigur 19.13
Egni'n cael ei drosglwyddo gan newidydd.

egni'n cael ei drosglwyddo drwy wresogi gwifrau a chraidd y newidydd

egni'n cael ei drosglwyddo o'r coil cynradd

egni'n cael ei drosglwyddo i'r gylched eilaidd

12 Beth yw'r gwahaniaeth sylfaenol rhwng newidydd a generadur yn y ffordd y caiff llif yr electronau ei anwytho?

Ceryntau union ac eiledol

Mae prosesau cemegol y tu mewn i gell drydanol neu fatri yn creu g.e.m. ac felly gwahaniaeth potensial rhwng y terfynellau. Pan gaiff y terfynellau eu cysylltu gan ddolen ddargludo – cylched – yna mae'r wefr yn symud a chaiff gwaith ei wneud arni. Ffynhonnell y wefr symudol (yr electronau) yw terfynell negatif y batri a fydd yn derbyn cyflenwad o electronau o ganlyniad i brosesau cemegol, a bydd yn eu gwrthyrru i mewn i'r gylched. 'Sinc' electronau yw terfynell bositif y batri – mae electronau yn llifo i mewn iddo ac yn cyfuno â'r ïonau positif y tu mewn i'r batri (Ffigur 19.14). Nid yw gwahaniaeth potensial y terfynellau yn newid ac mae cyfeiriad llif yr electronau o amgylch y gylched yn gyson. Dyma **gerrynt union**, **c.u.**, syml.

Mewn generadur syml, mae coil yn cylchdroi mewn maes magnetig. Mae un ochr o'r coil yn mynd drwy'r maes i un cyfeiriad i ddechrau ac yna i'r cyfeiriad arall (Ffigur 19.15). Mae'r llif gwefrau a anwythir yn newid cyfeiriad hefyd. Dyma **gerrynt eiledol**, **c.e.**

Ffigur 19.14
Mae barti (cell neu grŵp o gelloedd) yn darparu ffynhonnell o electronau a sinc electronau.

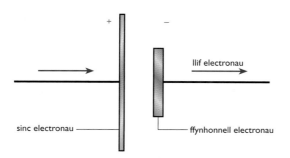

llif electronau

sinc electronau

ffynhonnell electronau

Ffigur 19.15
Mudiant coil generadur syml drwy faes magnetig.

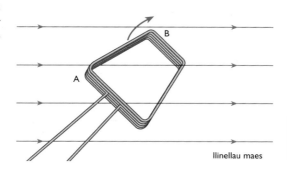

llinellau maes

Yma, mae ochr AB y coil yn symud i fyny drwy'r maes ac yna i lawr. Mae cyfeiriad y cerrynt sy'n cael ei anwytho ynddo hefyd yn cael ei wrthdroi.

Mewn generadur, saif y wifren lle mae'r anwythiad electromagnetig yn digwydd mewn amgylchedd lle mae'r maes magnetig allanol yn newid. Mae'r newid yn digwydd o ganlyniad i *fudiant cymharol* y wifren a 'ffynhonnell' y maes magnetig. Mae'n bosibl mai magnet parhaol neu electromagnet yw ffynhonnell y maes.

Mewn newidydd, saif y coil eilaidd lle mae'r anwythiad electromagnetig yn digwydd hefyd mewn amgylchedd lle mae'r maes magnetig allanol yn newid. Mae'r newid yn digwydd o ganlyniad i amrywiad yn y maes magnetig a gaiff ei gynhyrchu gan ffynhonnell sefydlog. Coil arall yw'r ffynhonnell sefydlog hon – electromagnet – ac er mwyn i'w faes magnetig amrywio rhaid iddo gludo *cerrynt newidiol*. Gall fod yn gerrynt eiledol (c.e.) neu'n gerrynt union (c.u.) amrywiol (Ffigur 19.16).

13 Disgrifiwch y gwahaniaeth rhwng cylched c.u. a chylched c.e. o safbwynt symudiad yr electronau.

14 Esboniwch pam y mae cerrynt yn cael ei anwytho yng nghylched eilaidd newidydd pan fo ei gylched gynradd yn cael ei gyrru gan fatri am gyfnod byr *yn unig* pan fo'r gylched yn cael ei chysylltu a'i datgysylltu, ac nid tra bo'r cerrynt wedi'i gysylltu'n barhaol.

Ffigur 19.16
Un cyfeiriad yn unig sydd i'r c.u.; mae'r c.e. yn newid cyfeiriad. Mae gan c.u. newidiol gerrynt sy'n amrywio o ran ei faint ond mae'r llif bob amser i'r un cyfeiriad.

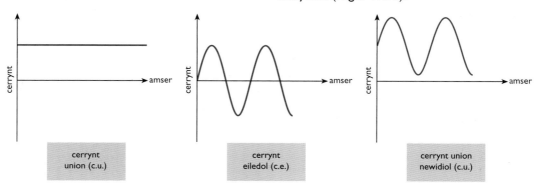

amser

amser

amser

cerrynt union (c.u.)

cerrynt eiledol (c.e.)

cerrynt union newidiol (c.u.)

● **Deall a chymhwyso**

Y prif gyflenwad a'r ddyfais cerrynt gweddillol

Astudiwch y diagramau a'r testun sydd yn y paneli yn Ffigurau 19.17 hyd 19.22 ac yna atebwch gwestiynau 15–18.

Ffigur 19.17
Gwifrau cyflenwad trydan.

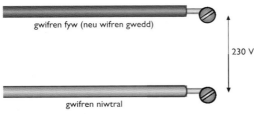

Bydd cerrynt yn llifo rhwng y wifren fyw a'r wifren niwtral, gan fynd drwy beth bynnag fydd yn eu cysylltu nhw.

Byddai cerrynt yn llifo rhwng y wifren fyw a'r wifren ddaearu hefyd petaent yn dod i gysylltiad â'i gilydd.

Ffigur 19.18
Cerrynt eiledol, c.e., a'r gwahaniaeth potensial eiledol cyfatebol rhwng y gwifrau byw a niwtral.

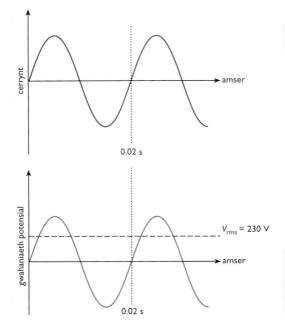

Mae'r prif gyflenwad yn eiledol.

V_{rms} yw'r foltedd '**isradd sgwâr cymedrig**' ac y mae'n hafal i wahaniaeth potensial y c.u. cyson a fyddai'n darparu'r un gyfradd o drosglwyddo egni â gwahaniaeth potensial y c.e. a gyflenwir. Yn yr Undeb Ewropeaidd, gwerth V_{rms} yw 230 V ac amledd y c.e. yw 50 Hz.

Ffigur 19.19
Mae switshis a ffiwsiau bob amser wedi'u cysylltu â'r wifren fyw.

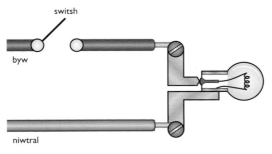

Gall switsh arunigo lamp neu gyfarpar arall o'r wifren fyw.

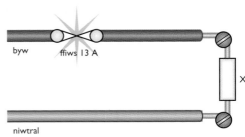

Os yw'r gwifrau byw a niwtral yn cael eu cysylltu gan wrthiant isel, gall cerrynt mawr iawn lifo. Mae ffiws yn gweithredu fel y pwynt gwan yn y gylched. Os yw'r cerrynt uwchlaw rhyw werth penodol – gradd y ffiws – mae gwifren y ffiws yn ymdoddi ac yn torri'r gylched, gan weithredu fel switsh. Pe na bai'r ffiws yn ymdoddi, gallai unrhyw gyfarpar yn X gael ei ddifrodi gan y cerrynt uchel.

Ffigur 19.20
Perygl trydaniad.

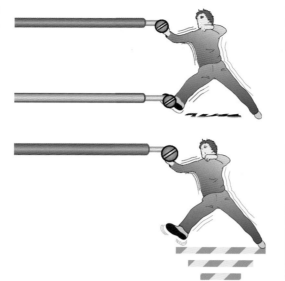

Os yw'r cysylltiad rhwng y gwifrau byw a niwtral drwy gorff dynol yna gall y cerrynt a fydd yn llifo fod yn beryglus *iawn*. Mae'r effaith ar y corff hyd yn oed yn waeth gan fod y cerrynt yn gerrynt eiledol ac mae hyn yn achosi i'r cyhyrau gyfangu dro ar ôl tro.

Mae'r un peth yn digwydd os yw rhywun sydd wedi'i gysylltu â'r ddaear yn dod i gysylltiad â'r wifren fyw.
- Mae cerrynt eiledol o ryw 10 mA ar 50 Hz drwy'r bysedd yn achosi i'r cyhyrau gyfangu. Mae hyn yn ei gwneud hi'n amhosibl i'r person ollwng ei afael ar y wifren fyw.
- Gall cerrynt ar draws y croen losgi'r croen. Mae haenen denau o hylif ïonig (hydoddiant halen) ar y croen ac mae iddo wrthiant cymharol isel.
- Gall ceryntau o ddegau o filiampau achosi i'r galon ffibrilio – cyhyryn y galon yn symud yn afreolus gan danseilio curiad arferol y galon. Canlyniad hyn fydd marwolaeth.

Ffigur 19.21
Perygl offer â nam arno.

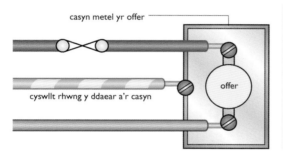

casyn metel yr offer

cyswllt rhwng y ddaear a'r casyn

offer

Mae'n bosibl y bydd y casyn metel a fydd o gwmpas yr offer yn dod i gysylltiad yn ddamweiniol â'r wifren fyw. Os caiff yr offer ei ddaearu yna bydd y wifren ddaearu yn ymddwyn yn yr un modd yn union â'r wifren niwtral a bydd cerrynt mawr yn mynd drwodd a all achosi i wifren y ffiws ymdoddi, gan arunigo'r offer o'r cyflenwad.

Mae gwifren y ffiws yn ymdoddi cyn bod unrhyw wifrau yn yr offer yn ymdoddi, felly mae'n diogelu'r offer rhag difrod. Fodd bynnag, gall cerrynt sylweddol lifo cyn i'r ffiws ymdoddi, felly dim ond yn rhannol yn unig y gall ffiws ddiogelu pobl. Bwriad **dyfais cerrynt gweddillol** yw cynnig mwy o ddiogelwch – i'r bobl yn hytrach na'r offer.

Ffigur 19.22
Dyfais cerrynt gweddillol.

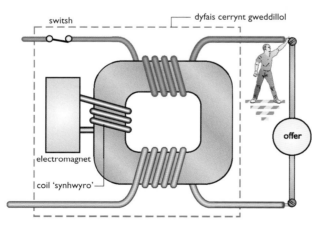

switsh

dyfais cerrynt gweddillol

electromagnet

coil 'synhwyro'

offer

O dan amgylchiadau arferol, mae'r ceryntau yn y gwifrau byw a niwtral yn gyfartal. Mewn dyfais cerrynt gweddillol, mae'r ceryntau hyn yn creu meysydd magnetig hafal a dirgroes yn y coiliau sydd wedi'u lapio o amgylch craidd haearn.

Petai daearu'n digwydd yn ddamweiniol (er enghraifft, drwy gorff dynol), yna mae'r cerrynt yn y wifren fyw yn cynyddu ond mae'r cerrynt yn y wifren niwtral yn gostwng.

Nid yw'r ddau faes magnetig a grëwyd gan y coiliau yn y ddyfais cerrynt gweddillol yn hafal mwyach. Caiff cerrynt net ei anwytho mewn trydydd coil a fydd i bob pwrpas yn 'synhwyro' anghydraddoldeb y maes magnetig. Mae'r cerrynt net hwn yn achosi i'r switsh agor drwy weithred yr electromagnet.

---

15 a Mae'r gwahaniaeth potensial rhwng y prif wifrau byw a niwtral yn aml yn sero ac amrywia rhwng +325 a −325 V. Dangoswch y wybodaeth hon ar graff.
b Defnyddiwch y graff i ddangos gwahaniaeth potensial c.u. sy'n rhoi'r un gyfradd o drosglwyddo egni. Dangoswch werth y gwahaniaeth potensial hwn.
16 a Cyfrifwch yr egni a drosglwyddir gan offer sy'n gweithio oddi ar y prif gyflenwad trydan yn y cartref ar 3.5 A pan gaiff ei ddefnyddio am
  i 1 funud
  ii 1 awr.

b Cyfrifwch yr egni a drosglwyddir yng nghyhyrau person pan gaiff ei gysylltu â'r prif gyflenwad trydan sy'n cario cerrynt o 10 mA am 0.1s.
c Beth yw effaith cerrynt o'r fath?
d Pam y mae'n bosibl i gerrynt ar draws y croen fod lawer yn uwch na 10 mA?
e Beth yw effaith cerrynt o'r fath?
17 Disgrifiwch rôl anwythiad electromagnetig yng ngweithrediad dyfais cerrynt gweddillol.
18 'Mae ffiws yn gwarchod offer a gwifrau, ond mae dyfais cerrynt gweddillol yn diogelu pobl.' Eglurwch y datganiad hwn.

● **Tasg sgiliau ychwanegol**

Cyfathrebu a Thechnoleg Gwybodaeth

Mae'n debyg i'r Brenin William IV fynd i weld Faraday pan oedd wrthi'n ymchwilio i anwythiad electromagnetig ond ni chafodd fawr o argraff ar y Brenin. Ar yr adeg yma roedd Faraday yn gwneud gwaith ymchwil 'pur'; hynny yw, roedd yn ceisio darganfod mwy am y maes. Pan ofynnodd y Brenin iddo beth oedd pwrpas ei holl waith, dywedodd Faraday fod canlyniadau ei waith mor bwysig y byddent yn codi treth arnynt ymhen blynyddoedd.

Sylweddolwn erbyn hyn pa mor graff oedd Faraday. Yn anffodus, mae'n anodd iawn cael yr arian i wneud gwaith ymchwil pur. Heddiw, mae mwy o arian ar gael i gynnal projectau sy'n fwy masnachol eu natur.

Rhannwch yn grwpiau i ddadlau am y prif faterion sy'n wynebu llywodraethau a buddsoddwyr preifat. Ystyriwch gwestiynau tebyg i: A ddylai ymchwil ariannu ei hun yn uniongyrchol ac oni ddylai dderbyn arian os bydd yn debygol o arwain at gynnyrch y gellir ei werthu yn unig? A yw hi'n anghywir i dalu gwyddonwyr i 'chwarae o gwmpas' mewn labordai neu a ddylem eu hannog i barhau gan wybod y bydd yna ganlyniadau gwerthfawr yn fasnachol yn aml o ymchwilio i'r ffordd y mae natur yn gweithio?

Cyn y drafodaeth, gwnewch ychydig o waith ymchwil eich hun fel y bydd eich cyfraniad i'r drafodaeth yn berthnasol. Rhowch enghreifftiau, e.e. y berthynas rhwng y Rhyngrwyd a ffiseg gronynnau, neu ddatblygiad defnyddiau newydd o ganlyniad i wyddoniaeth y gofod. Gwrandewch ar gyfraniadau pobl eraill ac ewch ati i ddatblygu'r amryw bwyntiau a'r syniadau.

20 Gwrthiant cydrannau cylched

Ffigur 20.1
Gwybodaeth yw'r cyfrwng sy'n rhoi i ni y gallu i wella ein ffordd o fyw. Gall y ffermwyr yma yn Sudan sianelu egni solar er mwyn cael yr egni i yrru pwmp dŵr.

Gwrthiant a throsglwyddo egni

1 Mae arwynebau llorweddol garw yn gwrthsefyll mudiant sglefrfyrddiwr oherwydd ffrithiant. Gellir gwneud iawn am hyn a threfnu bod y sglefrfyrddiwr yn teithio ar draws arwynebau heb arafu a heb wneud unrhyw ymdrech bersonol ychwanegol trwy ddefnyddio llethr.
a O ble y daw'r egni i wneud iawn am y ffrithiant a chaniatáu i'r sglefrfyrddiwr symud yn ddiymdrech ar fuanedd cyson i lawr y llethr?
b Mewn cylched drydan, sut y mae 'gwneud iawn' am y gwrthiant? O ble y daw'r egni i wneud hyn?

Gwaith gwrthydd mewn cylched yw gwrthsefyll llif y wefr; gellir cymharu hyn â'r ffordd y mae ffrithiant mecanyddol yn gwrthsefyll mudiant. Yn y ddau achos, rhaid gwneud gwaith er mwyn goresgyn y gwrthsafiad a chanlyniad y gwaith hwn fydd gwresogi'r defnyddiau a'r hyn sydd o'u hamgylch. Caiff yr egni ei afradloni. Mewn cylched c.u., y batri, fel arfer, yw ffynhonnell yr egni sydd ei angen. Mae ei wahaniaeth potensial yn caniatáu i waith gael ei wneud ar ronynnau wedi'u gwefru.

Diffiniad gwrthiant

Diffinnir **gwrthiant** cydran fel cymhareb y gwahaniaeth potensial rhwng ei dau ben i'r cerrynt sy'n mynd drwyddi:

$$\text{gwrthiant} = \frac{\text{gwahaniaeth potensial}}{\text{cerrynt}} \quad \text{neu} \quad R = \frac{V}{I}$$

2 Beth sy'n digwydd i'r gymhareb *V*/*I*:
  a os yw *V* yn cynyddu ac *I* yn aros yr un fath
  b os yw *I* yn cynyddu a *V* yn aros yr un fath
  c os yw *I* yn gostwng a *V* yn aros yr un fath
  d os yw *V* ac *I* yn cynyddu yn ôl yr un cyfrannedd
  e os yw *V* ac *I* yn cynyddu yr un faint. (Gwyliwch y cwestiwn yma!)
3 Beth yw gwrthiant gwifren y mae angen gwahaniaeth potensial o 6 V arni i yrru cerrynt o 0.2A?
4 Pa wahaniaeth potensial y mae'n rhaid ei roi i wrthydd 16 Ω er mwyn gyrru cerrynt o 0.25 A drwyddo?

Uned gwrthiant yw'r folt yr amper, sy'n cael ei alw'n aml yn **ohm**, Ω. Mae foltedd mawr mewn perthynas â cherrynt bach yn cynhyrchu cymhareb fawr ac yn dynodi gwrthiant uchel. Ar y llaw arall, os yw'r gymhareb yn fach, yna bydd gwahaniaeth potensial cymharol fach yn arwain at gerrynt mawr a bydd y gwrthiant yn fach.

Cyfrifo'r egni sy'n cael ei drosglwyddo gan wrthydd

Gwyddom mai'r fformiwla ar gyfer yr egni sy'n cael ei drosglwyddo gan gerrynt, *I*, sy'n llifo oherwydd y gwahaniaeth potensial, *V*, ar gyfer amser, *t,* yw:

$$W = VIt$$

(gweler tudalen 160).

Mae gwrthyddion yn trosglwyddo egni o'r gylched i'r hyn sydd o'i hamgylch ac yn ei wresogi. Os ydym am weld y berthynas rhwng faint o egni sy'n cael ei drosglwyddo a'r gwrthiant gallwn ddefnyddio'r fformiwla $R = V/I$ neu, o'i had-drefnu, $V = IR$. Yna gallwn roi *IR* yn lle *V*:

$$W = IR\,It = I^2Rt$$

Pŵer yn cael ei afradloni gan wrthydd

Mae gwrthydd yn trosglwyddo egni o'r gylched i'w hamgylchoedd ac yn eu gwresogi. Caiff yr egni ei afradloni. Y gyfradd y bydd y gwrthydd yn trosglwyddo egni i'r hyn sydd o'i amgylch yw ei bŵer. Mae:

$$\text{pŵer cyfartalog} = \text{cyfradd gyfartalog trosglwyddo'r egni} = \frac{\text{newid yn y gwaith}}{\text{newid yn yr amser}} = \frac{\Delta W}{\Delta T}$$

$$\text{pŵer enydaidd} = \frac{dW}{dt}$$

Uned pŵer yw'r wat, sydd gywerth â'r joule yr eiliad: $1\,W = 1\,Js^{-1}$ (gweler tudalen 134).

Pan fo egni yn cael ei drosglwyddo ar gyfradd gyson gan ddechrau ar amser $t = 0$, yna mae'r pŵer yn gyson. Yna gallwn gyfrifo'r pŵer o gyfanswm yr egni a drosglwyddir, *W*, dros gyfnod o amser, *t*:

$$\text{pŵer (pan fo'n gyson)} = \frac{\text{cyfanswm yr egni a drosglwyddir}}{\text{amser a gymerwyd}} = \frac{W}{t}$$

$$= \frac{VIt}{t}$$

$$= VI$$

Felly, pŵer dyfais drydanol yn y cartref yw lluoswm y foltedd a roddir (230 V pan gaiff ei chysylltu â'r prif gyflenwad) a'r cerrynt. Gan fod gwerth penodol i foltedd y prif gyflenwad yn y cartref a chan y gwyddom fel arfer bŵer gweithredu'r ddyfais (o edrych ar y label), gallwn gyfrifo'r cerrynt sydd ei angen ar y ddyfais:

$$I = \frac{P}{V}$$

lle saif P am y pŵer.

Gallwn ddefnyddio hyn i gyfrifo gradd (gwerth cerrynt) y ffiws a ddylai gael ei ddefnyddio gyda'r ddyfais. Er enghraifft, ar gyfer sychwr gwallt 400 W:

$$I = \frac{P}{V} = \frac{400}{230} = 1.74\,A$$

Byddai ffiws 1 A yn ymdoddi gyda'r ddyfais hon, tra byddai ffiws 13 A yn caniatáu cerrynt lawer mwy o faint na'r cerrynt gweithredu arferol, a gallai hynny wneud difrod i'r gwifrau. Ffiws 3 A fyddai fwyaf addas felly.

Nodwch, gan fod $W = VIt = I^2Rt$, yna mae'r pŵer cyson (neu gyfartalog) $= VI = I^2R$.

● Cilowat awr

5 Faint o egni a drosglwyddir gan wresogydd sy'n gweithio â gwahaniaeth potensial o 24 V a cherrynt o 0.8 A am
   a 10 eiliad   b 10 munud?

6 a Beth yw gwrthiant y gwresogydd yng nghwestiwn 5?
   b Beth yw ei bŵer pan yw'r gwahaniaeth potensial yn 24 V?

7 Faint o egni y byddai'r un gwresogydd yn ei drosglwyddo petai'n cludo cerrynt o 1.6 A am
   a 30 eiliad   b 2 funud?

8 Am ba hyd y byddai'n rhaid i'r gwresogydd gludo cerrynt o 2.0 A er mwyn trosglwyddo
   a 600 J o egni   b 200 kJ o egni
   c 1 kWh o egni?

9 a Cymerwch y fformiwla $W = VIt$ a defnyddiwch $I = V/R$ i gael gwared ag I, a cheisiwch ddod o hyd i fformiwla newydd a fydd yn cysylltu'r egni a drosglwyddir â'r gwahaniaeth potensial, gwrthiant ac amser.
   b Defnyddiwch y fformiwla newydd hon i gyfrifo'r egni a drosglwyddir pan roddir gwahaniaeth potensial o 230 V i elfen wresogi tegell 100 Ω am 5 munud.
   c Beth sy'n digwydd i'r egni hwn?

10 Brasluniwch graffiau o'r egni a drosglwyddir yn erbyn amser er mwyn dangos pŵer cyson a phŵer newidiol. Defnyddiwch y graffiau i ddangos y gall $\frac{W}{t}$ fod yn hafal i $\frac{dW}{dt}$, er nad yw felly bob amser.

11 Beth yw cerrynt gweithredu gwresogydd 2.4 kW pan gaiff ei gysylltu â'r prif gyflenwad domestig?

12 Brasluniwch graff o'r pŵer yn erbyn cerrynt ar gyfer gwrthydd ac iddo wrthiant cyson.

Mae biliau trydan yn cael eu hanfon i'n cartrefi bob 3 mis. Mae llawer o egni yn cael ei drosglwyddo mewn cartref cyffredin mewn tri mis, felly mae'r joule yn uned rhy fach i'w defnyddio yn y cyswllt hwn. Un ateb yw mesur faint o egni domestig a gaiff ei ddefnyddio mewn megajouleau, MJ. Ond y ffordd hawsaf yw defnyddio'r cilowat awr, gan y caiff hwn ei ddiffinio yn nhermau defnydd nodweddiadol offer yn y cartref. Y cilowat awr, kWh, yw'r egni a drosglwyddir gan ddyfais 1 kW mewn 1 awr. 1 kW yw 1000 W ac 1 awr yw 3600 eiliad, felly mae

1 kWh = egni a drosglwyddir gan ddyfais
        1000 W mewn 3600 eiliad

Oherwydd, ar gyfer pŵer cyson, bod

$$P = \frac{W}{t}$$

$$W = P \times t$$
$$= 1000 \times 3600$$
$$= 3\,600\,000\,J$$

Felly   1 kWh $= 3\,600\,000\,J = 3.6\,MJ$

● Graddiant potensial ar draws gwrthydd

Mae gan ddarn unffurf o wifren yr un gwrthiant ym mhob milimetr o'i hyd. Hynny yw, y mae gan wifren unffurf wrthiant unffurf fesul uned o'i hyd. Gallwn fesur hyn drwy gysylltu foltmeter rhwng dau bwynt ar hyd y wifren gan ddefnyddio clipiau crocodeil fel cysylltau (Ffigur 20.2). Gallwn ddewis unrhyw ddau bwynt. Tybiwch, er enghraifft, y byddwn yn gosod y cysylltau 100 mm oddi wrth ei gilydd. Gallwn symud y cysylltau i gynifer o barau o bwyntiau ar y wifren ag y mynnwn. Os yw pob pâr o bwyntiau 100 mm oddi wrth ei gilydd, yna fe welwn yr un darlleniad ar y foltmedr ym mhob achos. Os byddwn yn cynyddu'r pellter i fod yn fwy na 100 mm, yna bydd darlleniad y foltmedr yn cynyddu. Os yw'r pellter yn llai na 100 mm yna bydd y gwahaniaeth potensial rhwng y ddau bwynt yn llai.

Ffigur 20.2
Dod o hyd i raddiant
potensial gwifren unffurf.

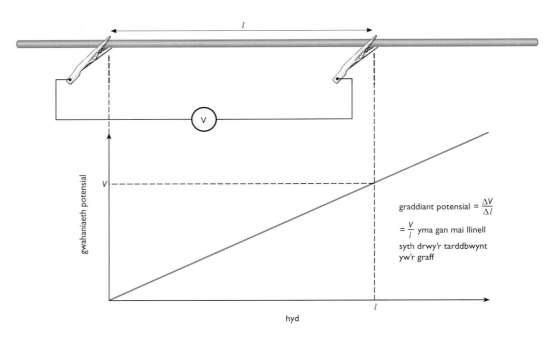

graddiant potensial $= \dfrac{\Delta V}{\Delta l}$

$= \dfrac{V}{l}$ yma gan mai llinell syth drwy'r tarddbwynt yw'r graff

Gelwir cymhareb y foltedd i hyd y wifren rhwng cysylltau'r foltmedr yn **raddiant potensial**:

$$\text{graddiant potensial} = \frac{\text{gwahaniaeth potensial}}{\text{pellter rhwng cysylltau'r foltmedr}}$$

$$= \frac{\Delta V}{\Delta l}$$

Uned y gwahaniaeth potensial, ΔV, yw'r folt ac uned y pellter, Δl, yw'r metr. Felly uned y graddiant potensial yw'r folt y metr, $V\ m^{-1}$.

Gallwn ddefnyddio hyn pan fyddwn am amrywio'r gwahaniaeth potensial a roddir i gydran arbennig, gan ddefnyddio cyflenwad penodol o foltedd megis batri. Rhowch wahaniaeth potensial y batri ar draws hyd o wifren ac iddi wrthiant unffurf. Yna, drwy symud y ddau gyswllt sydd ynghlwm wrth y wifren, naill ai ymhellach oddi wrth ei gilydd neu'n nes at ei gilydd, gallwn ddefnyddio cyfran fwy o gyfanswm gwahaniaeth potensial y batri neu lai ohono. Gelwir y trefniant hwn weithiau yn **botensiomedr llithrol** (Ffigur 20.3a), a hyn sy'n rheoli'r ffordd y caiff foltedd ei gyflenwi i'r gwahanol gydrannau i reoli, er enghraifft, gryfder y sain, y disgleirdeb a'r cyferbyniad mewn teledu. Ar gyfer y rhain, gall y wifren fod ar ffurf coil a gall y coil gael ei blygu yn arc cylch er mwyn i unrhyw addasiadau gael eu gwneud drwy droi'r cyswllt i wahanol bwynt ar y coil (Ffigur 20.3b).

13 a Brasluniwch graff yn dangos y gwahaniaeth potensial yn erbyn pellter rhwng cysylltau foltmedr ar wifren fetel.
b Beth yw enw'r graddiant ar y graff?
14 Brasluniwch gylched y gallech ei defnyddio i amrywio'r gwahaniaeth potensial a roddir i lamp.

Ffigur 20.3
a Cylched potensiomedr llithrol syml a
b y tu mewn i botensiomedr masnachol.

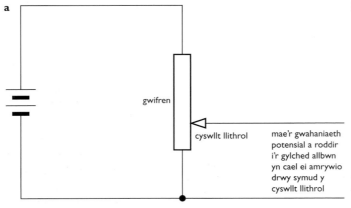

gwifren

cyswllt llithrol

mae'r gwahaniaeth potensial a roddir i'r gylched allbwn yn cael ei amrywio drwy symud y cyswllt llithrol

Y berthynas rhwng y cerrynt a'r gwahaniaeth potensial a roddir

Mae'r berthynas $R = V/I$ yn diffinio gwrthiant ac mae'n wir bob amser. Ar gyfer cydran lle mae'r gymhareb V/I yn amrywio, mae'r gwrthiant hefyd yn amrywio. Mae gwrthiant cyson gan gydran sydd â'r gymhareb V/I yn gyson. Golyga'r gymhareb gyson fod graff o'r cerrynt yn erbyn gwahaniaeth potensial yn llinell syth drwy'r tarddbwynt (Ffigur 20.4).

Ffigur 20.4
Graff I-V ar gyfer cydran ac iddi wrthiant cyson.

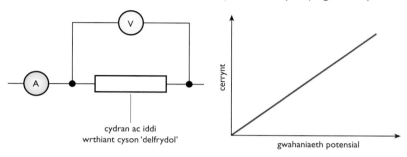

cydran ac iddi
wrthiant cyson 'delfrydol'

Mae gan y graff raddiant cyson, sy'n hafal i I/V. Golyga hyn mai'r graddiant yw gwrthdro'r gwrthiant, sef cilydd y gwrthiant:

$$\text{graddiant} = \frac{I}{V} = \frac{1}{R}$$

Mae gan y mesurau a blotiwyd berthynas gyfrannol – mae'r cerrynt mewn cyfrannedd â'r gwahaniaeth potensial.

Gelwir y datganiad bod y cerrynt mewn cyfrannedd â'r gwahaniaeth potensial yn **Ddeddf Ohm**. Dim ond ar gyfer cydrannau cylched sydd â graffiau cerrynt-gwahaniaeth potensial sy'n llinellau syth drwy'r tarddbwynt y mae'n gymwys; gelwir y cydrannau hyn yn **ddargludyddion ohmig**. Mae gwifrau metel yn ddargludyddion ohmig cyn belled nad yw eu tymheredd (a'u tyniant, eu siâp a'u dwysedd) yn newid. Ymddygiad delfrydol yw ymddygiad ohmig. Mae'n syml iawn ond dim ond o dan amodau sydd wedi'u rheoli'n llym y mae cydrannau metel go iawn yn ohmig. Anaml iawn y mae cydrannau anfetel yn ohmig.

15 Dangoswch, drwy ad-drefnu gam wrth gam, fod y berthynas $I/V = 1/R$ yn cytuno â'r berthynas $R = V/I$.

Gwifrau metel

Mae gwifren fetel fel arfer yn ohmig (hynny yw, mae iddi wrthiant cyson, cymhareb cerrynt-foltedd gyson a graff cerrynt-foltedd sy'n llinell syth) hyd nes y bydd effaith wresogi'r cerrynt yn dod yn arwyddocaol. Felly mae ymddygiad gwifren fetel yn debyg yn fras i ymddygiad dargludydd ohmig 'delfrydol' pan fydd yn oer. Fodd bynnag, bydd ei gwrthiant yn cynyddu gyda'i thymheredd a bydd y llinell cerrynt-foltedd yn crymu (Ffigur 20.5).

Ffigur 20.5
Graff I-V ar gyfer gwifren fetel.

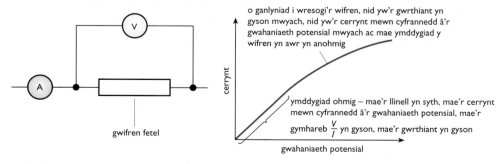

gwifren fetel

o ganlyniad i wresogi'r wifren, nid yw'r gwrthiant yn gyson mwyach, nid yw'r cerrynt mewn cyfrannedd â'r gwahaniaeth potensial mwyach ac mae ymddygiad y wifren yn awr yn anohmig

ymddygiad ohmig – mae'r llinell yn syth, mae'r cerrynt mewn cyfrannedd â'r gwahaniaeth potensial, mae'r gymhareb $\frac{V}{I}$ yn gyson, mae'r gwrthiant yn gyson

16 Eglurwch a fyddech yn disgwyl i ffilament lamp fod yn ddargludydd ohmig pan fydd yn cael ei ddefnyddio.

17 Gan ddefnyddio'r un raddfa foltedd, brasluniwch graffiau cerrynt yn erbyn foltedd a gwrthiant yn erbyn foltedd ar gyfer gwifren fetel. (Dylai eich ail graff ddangos beth sy'n digwydd i'r gwrthiant pan fo ymddygiad y wifren yn mynd yn anohmig iawn.)

Mae siâp y gromlin cerrynt-foltedd yn dweud llawer wrthym am y gydran. Mae gan wahanol fathau o gydrannau gromlin o wahanol siapiau, felly fe'u gelwir weithiau yn **gromliniau nodweddiadol**.

Thermistorau

Mae gan ddyfais a wnaed o ddefnydd **lled-ddargludydd** wrthiant uchel pan fo'n oer ond mae ei gwrthiant lawer yn is pan fo'n gynhesach. Mae rhai lled-ddargludyddion, fel silicon neu garbon ar ffurf graffit, yn ddargludyddion cymharol dda ar dymheredd ystafell. Mae carbon ar ffurf diemwnt hefyd yn lled-ddargludydd ond mae'n ddargludydd gwael ar dymheredd ystafell a dim ond pan fydd yn boeth iawn y bydd yn dargludo'n dda.

Ychydig o electronau rhydd sydd gan led-ddargludydd oer o fewn ei adeiledd grisial. Wrth i'r defnydd gael ei wresogi yna bydd mwy o electronau yn cael digon o egni i ryddhau eu hunain o atomau unigol. Bydd y defnydd felly yn ddargludydd gwell o lawer. Po uchaf yw'r tymheredd, felly, y lleiaf yw gwrthiant lled-ddargludydd.

Nodwch fod tymheredd yn cael effaith hollol ddirgroes ar wrthiant lled-ddargludydd o'i gymharu â gwifren fetel. Gwahaniaeth arall yw bod gwrthiant lled-ddargludydd lawer yn fwy sensitif i newidiadau yn y tymheredd (Ffigur 20.6).

Ffigur 20.6
Amrywiadau yng ngwrthiant
a thermistor nodweddiadol gyda'r tymheredd, a **b** gwifren fetel nodweddiadol dros yr un amrediad tymheredd.

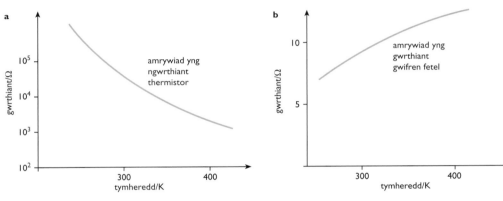

Sylwch ar y raddfa logarithmig – mae hydoedd cyfartal ar y raddfa yn cyfateb i gynnydd o *luosrifau* cyfartal yn y gwrthiant. Mae hyn yn caniatáu i'r raddfa ddangos amrediad mawr o werthoedd.

Nid oes angen defnyddio graddfa arbennig yma oherwydd bod yr amrywiad yn y gwrthiant lawer yn llai.

Thermistor yw darn o ddefnydd lled-ddargludol sy'n cael ei ddefnyddio mewn cylchedau oherwydd bod ei wrthiant yn dibynnu'n gryf ar dymheredd. Gellir ei ddefnyddio i wneud i ymddygiad cylched ddibynnu ar dymheredd. Mae'r gylched wedyn yn 'synhwyro' y newid yn y tymheredd. Gellir defnyddio cylchedau o'r fath i reoli systemau gwresogi neu awyru (Ffigur 20.7).

Ffigur 20.7
Mae'r cylchedau gwresogi ar gyfer y crud hwn i gynnal babanod yn cynnau a diffodd yn awtomatig, yn ddibynnol ar y tymheredd y tu mewn. Mae cylched sy'n cynnwys thermistor yn ymateb i newidiadau yn y tymheredd.

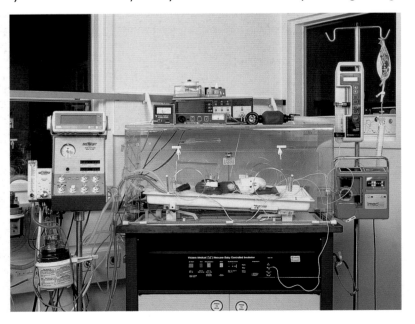

Ffigur 20.8
Adborth positif – mae cynnydd yn y cerrynt yn achosi i'r tymheredd godi, a chynnydd pellach yn y cerrynt. Mae adborth positif yn arwain at ansefydlogrwydd a gall hyn arwain at ddihangiad thermol.

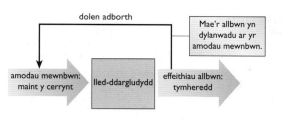

dolen adborth

Mae'r allbwn yn dylanwadu ar yr amodau mewnbwn.

amodau mewnbwn: maint y cerrynt → lled-ddargludydd → effeithiau allbwn: tymheredd

Mae'r cerrynt yn y lled-ddargludydd ei hun yn achosi gwresogi sy'n lleihau ei wrthiant. Felly bydd cynnydd yn y cerrynt ynddo'i hun yn achosi cynnydd pellach yn y cerrynt. Dyma enghraifft o **adborth positif** (Ffigur 20.8) ac os na chaiff ei reoli mae'n arwain at **ddihangiad thermol**.

18 Pam y mae thermistor yn ymateb yn wahanol i gynnydd yn y tymheredd o'i gymharu â gwifren fetel? Sut y caiff hyn ei ddatgelu yn siâp y gromlin nodweddiadol a ddangosir yn Ffigur 20.9?

19 Pa un o'r canlynol sydd â pherthynas union a pha un sydd â pherthynas wrthdro:
   a tymheredd thermistor a'r cerrynt ynddo, ar gyfer gwahaniaeth potensial penodol
   b tymheredd thermistor a'i wrthiant?

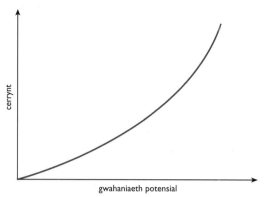

Ffigur 20.9
Cromlin nodweddiadol thermistor.

cerrynt

gwahaniaeth potensial

Deuodau lled-ddargludol

Mae **deuod lled-ddargludol** yn cynnwys dau ddarn o led-ddargludydd. Pan roddir gwahaniaeth potensial i un cyfeiriad gall cerrynt lifo ar draws y ffin rhwng y ddau ddarn yma. Pan fydd y gwahaniaeth potensial yn cael ei wrthdroi, ni fydd cerrynt yn llifo.

Mae deuod lled-ddargludol yn debyg i falf yn y galon neu bwmp mecanyddol arall. I un cyfeiriad yn unig y mae'r llif yn mynd. Yn nhermau trydanol, mae iddo wrthiant isel pan roddir gwahaniaeth potensial i'r cyfeiriad 'ymlaen', a gwrthiant uchel iawn pan roddir gwahaniaeth potensial i'r cyfeiriad 'yn ôl' (Ffigur 20.11).

20 Byddai gan ddeuod *delfrydol* wrthiant anfeidraidd ar gyfer pob gwahaniaeth potensial negatif neu 'yn ôl', a gwrthiant sero ar gyfer pob gwahaniaeth potensial positif neu 'ymlaen'. Brasluniwch y gromlin nodweddiadol ar gyfer dyfais o'r fath.

Ffigur 20.10
Deuodau, gwrthyddion, cynwysyddion a microsglodion mewn cylched.

Yn syml, sawl transistor wedi'u casglu gyda'i gilydd yw microsglodyn. Mae transistor yn debyg i ddeuod ond mae iddo dair haen o ddefnydd lled-ddargludol yn hytrach na dwy. Mae'r gwahaniaeth hwn yn golygu y bydd ei ymddygiad yn wahanol iawn (gweler tudalen 181).

Ffigur 20.11
Cromlin nodweddiadol ar gyfer deuod lled-ddargludol.

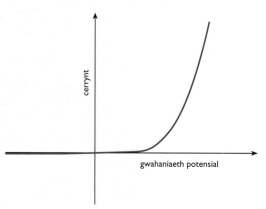

cerrynt

gwahaniaeth potensial

Gwrthiant mewnol batri

Mae batri wedi'i gysylltu mewn cyfres â'r gylched y mae'n darparu egni ar ei chyfer. Mae maint y cerrynt yn y batri yr un fath ag sydd yn y gylched allanol. Oherwydd y cerrynt yn y batri, mae egni yn cael ei afradloni oddi mewn iddo. Gallwn ddweud felly, ar gyfer unrhyw gyfnod penodol o amser:

cyfanswm yr egni sy'n cael ei drosglwyddo gan y batri	$=$	(egni sy'n cael ei drosglwyddo i gylched allanol)	$+$	(egni sy'n cael ei afradloni yn y batri)

O'i dalfyrru, mae

$$W_T = W_X + W_B$$

Gallwn wedyn rannu hyn â'r wefr, q, sy'n cael ei throsglwyddo o gwmpas y gylched yn ystod yr un cyfnod o amser:

$$\frac{W_T}{q} = \frac{W_X + W_B}{q}$$

$$\frac{W_T}{q} = \frac{W_X}{q} + \frac{W_B}{q}$$

Mae'r rhain yn fesurau o egni wedi'u rhannu â gwefr. Hynny yw, maent yn cael eu mesur mewn foltiau, sef folteddau:

$$\frac{W_T}{q} = \text{g.e.m. y batri, } \varepsilon$$

$$\frac{W_X}{q} = \text{gwahaniaeth potensial ar draws terfynellau'r batri, } V$$

$$\frac{W_B}{q} = \text{'foltiau coll'}$$

Felly,

$$\varepsilon = V + \text{foltiau coll}$$

Mae hyn yn cyd-fynd â'r fformiwla a roddir ar dudalen 157.

Os V yw'r gwahaniaeth potensial ar draws y batri yna mae'n rhaid mai dyna'r gwahaniaeth potensial ar draws y gylched allanol. Mae ganddo'r berthynas hon â gwrthiant y gylched allanol:

$$V = IR$$

Nid yw gwerth y foltiau coll yn dibynnu ar wrthiant y gylched allanol ond ar wrthiant effeithiol y batri ei hun, sef **gwrthiant mewnol** y batri, r. Gan fod yr un cerrynt, I, yn bodoli yn y batri ag sydd yn y gylched allanol mae:

$$\text{foltiau coll} = Ir$$

Felly gallwn ddweud bod:

$$\varepsilon = V + \text{foltiau coll}$$
$$= V + Ir = IR + Ir = I(R + r)$$

Felly gallwn ad-drefnu $\varepsilon = V + Ir$ fel mai V yw'r testun:

$$V = \varepsilon - Ir$$

Mae'n ddiddorol ac yn bwysig gweld beth sy'n digwydd i'r gwahaniaeth potensial y bydd batri yn ei roi i gylched pan fydd y galw arno o ran y cerrynt yn wahanol. Gallwn reoli'r cerrynt drwy gysylltu batri â gwrthydd newidiol. Y cerrynt wedyn yw'r newidyn mewnbwn a gwahaniaeth potensial y batri yw'r newidyn allbwn. Gallant gael eu plotio ar graff. Rhagdybia'r fformiwla $V = \varepsilon - Ir$ y bydd gan y graff hwn **ryngdoriad** positif o ε. Rhyngdoriad yw gwerth newidyn a blotiwyd pan fydd ei newidyn cyfatebol yn hafal i sero. Pan yw'r cerrynt yn sero, yna mae $V = \varepsilon = $ y rhyngdoriad. Dangosir y rhyngdoriad ar graff fel pwynt lle bydd y llinell yn croesi echelin. Mae'r fformiwla hefyd yn rhagfynegi y bydd y graff yn llinell syth â graddiant negatif a fydd yn hafal o ran ei werth i wrthiant mewnol y batri, r (Ffigur 20.12).

21 Beth yw gwrthiant mewnol batri sydd â g.e.m. o 1.5 V ac sy'n gyrru cerrynt o 0.2 A drwy wrthiant allanol o 3.5 Ω?

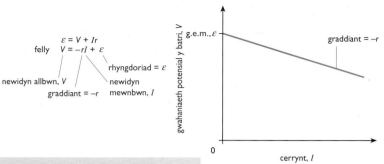

Ffigur 20.12
Nid yw batrïau yn rhoi gwahaniaeth potensial cyson. Yn hytrach, bydd yn lleihau wrth i'r cerrynt gynyddu.

Dyma graff o'r ffurf:

$$y = mx + c$$

lle saif V am y, I am x, $-r$ am y graddiant m, ac ε am y rhyngdoriad c.

22 Beth sy'n digwydd i wahaniaeth potensial batri pan fo gwrthiant y gylched allanol yn cael ei leihau?

23 **a** Brasluniwch graff i ddangos y berthynas rhwng cerrynt cylched a gwahaniaeth potensial terfynell ar gyfer batri â g.e.m. o 6 V a gwrthiant mewnol o 0.3 Ω.
b Beth yw gwerth y cerrynt pan yw gwahaniaeth potensial y terfynellau
i yn hafal i'r g.e.m.   **ii** yn 60% o'r g.e.m?

Batri car

Mae gan fatri car y fantais o fedru cael ei 'adfywio', neu ei ailwefru, dro ar ôl tro. Caiff ei wneud o gelloedd a elwir yn gelloedd eilaidd neu groniaduron. Pan fyddant yn gyrru cerrynt, bydd adwaith cemegol yn digwydd a byddant yn cael eu dadwefru. Cânt eu hailwefru pan fo'r adwaith cemegol yn cael ei wrthdroi. Yn ystod y broses dadwefru, mae batri yn rhoi cyflenwad o egni i gylched allanol; mae angen hyn, er enghraifft, er mwyn cychwyn car drwy ddefnyddio'r modur cychwyn. Unwaith y bydd y car wedi'i danio, mae'r eiliadur yn cynhyrchu'r trydan ac, yn dilyn hynny fel arfer, nid oes angen y batri. Mewn gwirionedd, yr eiliadur sy'n ailwefru'r batri.

Mae gan fatri car g.e.m. sydd ychydig dros 12 V ac mae gwahaniaeth potensial y terfynellau pan fydd yn gyrru cerrynt hyd yn oed yn llai. Ond mae modur cychwyn yn ddyfais sydd angen llawer o bŵer, felly er mwyn cynhyrchu'r pŵer hwn mae'n rhaid bod y batri yn medru gyrru cerrynt uchel ar ei foltedd isel. Fodd bynnag, mae'n rhaid bod gan y batri wrthiant mewnol isel hefyd neu byddai hyn yn arwain at werth uchel o ran 'foltiau coll' a gwerth isel o ran gwahaniaeth potensial y batri, fel y gwelir yn yr esboniad isod.

pŵer cyfartalog modur cychwyn = IV (lle saif V am wahaniaeth potensial terfynell y batri)
ar gyfer modur cychwyn, mae'r cerrynt I fel arfer gymaint â 80 A
os yw g.e.m. batri yn 12 V a'i wrthiant mewnol yn 0.05 Ω, yna

$$\varepsilon = I(R + r) = V + Ir$$
$$V = \varepsilon - Ir$$
$$= 12 - (80 \times 0.05)$$
$$= 12 - 4 = 8\,V$$

Gorau oll felly os oes gwrthiant mewnol isel i'r batri er mwyn sicrhau'r gwahaniaeth potensial mwyaf posibl rhwng y terfynellau.

Mewn batri sydd wedi'i ddadwefru'n rhannol neu fatri 'fflat', ychydig o newid sydd yn y g.e.m. o'i gymharu â'r batri â gwefr lawn. Fodd bynnag, mae'r gwrthiant mewnol yn cynyddu, felly pan fo angen cerrynt uchel ar fodur cychwyn, mae gwahaniaeth potensial terfynellau'r batri yn disgyn yn sylweddol iawn. Mae gostyngiad yn y pŵer i gylchedau eraill yn y car, gan arwain at y golau'n pylu er enghraifft, yn arwydd o'r gostyngiad hwn yng ngwahaniaeth potensial y terfynellau. Os yw'r dadwefru yn fwy sylweddol, ni fydd y modur cychwyn yn derbyn digon o bŵer i droi a bydd y car yn methu cychwyn.

● **Deall a chymhwyso**

Gwrthiant newidiol mewn cydrannau lled-ddargludol

Mae gan led-ddargludydd megis carbon (graffit), silicon neu germaniwm, ar dymheredd ystafell, nifer cyfyngedig o gludyddion gwefr rhydd. Bydd cynnydd yn y tymheredd yn darparu'r egni sy'n ofynnol i gynyddu nifer y cludyddion gwefr sy'n rhydd i symud o fewn y defnydd. Dyma egwyddor thermistor (tudalen 176), sy'n wrthydd y mae ei werth yn dibynnu llawer ar ei dymheredd.

Mae hefyd yn bosibl newid nifer y cludyddion gwefr mewn lled-ddargludydd drwy newid ychydig ar ei gyfansoddiad. Gelwir y broses hon o gyflwyno amhuredd yn **amhureddu**. Effaith rhai amhureddau yw cynyddu nifer yr electronau rhydd – byddant yn cynyddu nifer y cludyddion gwefr negatif yn y defnydd. Gelwir y defnydd yn lled-ddargludydd **math-n**, lle saif 'n' am 'negatif'.

Mae amhureddau eraill yn cynyddu nifer y lleoedd gwag sydd ar gael i electronau o fewn adeiledd y grisial. Gall electron symud i mewn i le gwag, ond pan fydd yn gwneud hynny bydd yn gadael lle gwag ar ei ôl. Gelwir y lleoedd gwag hyn yn 'dyllau'. Wrth i electronau ddisgyn i mewn ac allan o'r tyllau, mae'r tyllau yn symud o gwmpas y defnydd, gan weithredu fel gwefrau positif symudol. Er mai electronau sy'n symud, mae'n haws meddwl am y broses hon fel symudiad tyllau positif. Gelwir defnydd sydd wedi'i amhureddu i greu tyllau symudol yn lled-ddargludydd **math-p**, lle saif 'p' am 'positif'.

Bydd pethau diddorol yn digwydd i ddefnyddiau math-n a math-p pan fyddant wedi'u cysylltu â'i gilydd. Mewn unrhyw gasgliad o ronynnau symudol, mae tryledu yn digwydd o ganlyniad i symudiad ar hap. Ar **gysylltle p-n** (Ffigur 20.13a) mae electronau yn tryledu ar hap ar draws y cysylltle. Mae symudiad net o electronau o'r defnydd math-n lle mae mwy o electronau rhydd ar y cychwyn. Bydd rhai electronau a fydd yn crwydro ar hap yn llenwi'r tyllau yn y defnydd math-p gerllaw. O ganlyniad, mae llai o electronau rhydd ar ochr 'n' y cysylltle a llai o dyllau rhydd ar yr ochr 'p'. Mae haen o ddefnydd wedi'i gwacáu'n naturiol o'i chludyddion gwefr rhydd. Dyma'r **haen ddisbydd**.

Os rhoddir gwahaniaeth potensial i'r cysylltle i un cyfeiriad – **bias yn ôl** – yna bydd y disbyddiad yn waeth (Ffigur 20.13b) ac ni fydd cerrynt yn cael ei gludo gan y defnydd. Mae ganddo lefel uchel iawn o wrthiant. Ond os rhoddir y gwahaniaeth potensial i'r cyfeiriad dirgroes – **bias ymlaen** – yna bydd y cludyddion gwefr rhydd yn cael eu gwthio'n ôl i mewn i'r haen ddisbydd (Ffigur 20.13c) a bydd ei wrthiant yn isel iawn. Mae ganddo'r gallu fodd bynnag i gludo cerrynt mawr. Felly mae bloc o led-ddargludydd gyda chysylltle p-n yn gweithredu fel dyfais un-ffordd; gelwir dyfais o'r fath yn ddeuod. Mae Ffigur 20.13d yn dangos ei ymddygiad nodweddiadol.

Ffigur 20.13
Deuod lled-ddargludydd a ffurfiwyd o gysylltle p-n, a'i ymddygiad.

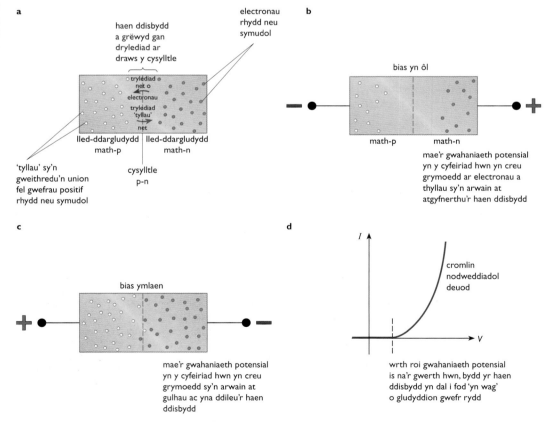

Mae pob math o bosibiliadau electronig yn cael eu creu drwy wneud 'brechdan' gyda defnyddiau math-n neu fath-p yn cael eu defnyddio fel y 'bara' a haen denau iawn o'r defnydd o'r math dirgroes yn cael ei ddefnyddio fel y 'llenwad'. Mae'r 'llenwad' a'r 'bara' ar y naill ochr a'r llall wedi'u disbyddu o gludyddion gwefr. Caiff y 'llenwad' ei alw y **sail**, a'r **transistor** yw'r frechdan gyfan. Drwy gyflwyno cludyddion gwefr yn uniongyrchol i'r sail drwy gyfrwng trydedd wifren i'r transistor, gallwn leihau ei wrthiant yn sylweddol iawn. Mae llif bychan o'r cludyddion gwefr hyn – **cerrynt y sail** – yn gwneud gwahaniaeth mawr i wrthiant y transistor. Mae hyn yn arwain at greu posibiliadau o safbwynt **mwyhau'r cerrynt** – defnyddio cerrynt bach i reoli un mwy o faint, fel y bo'r un mwy yn copïo'r patrwm neu'r signal a gludir gan yr un llai o faint. Gelwir y cerrynt mwy o faint yn **gerrynt y casglydd** (Ffigur 20.14).

Ffigur 20.14
Cysylltiadau â thransistor, a'i ymddygiad fel mwyhadur cerrynt.

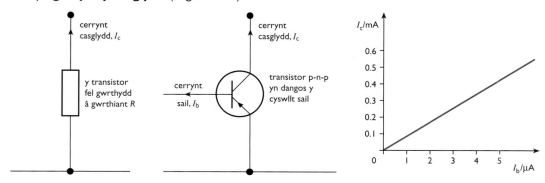

Noder: mae I_b 100 gwaith yn llai nag I_c. Mae amrywiad yn y cerrynt bach I_b yn cynhyrchu amrywiad cyfatebol yn y cerrynt mwy I_c, felly mae patrymau cerrynt amrywiol, neu signalau, yn cael eu mwyhau.

Mae yna bosibiliadau hefyd o **switsio** electronig – defnyddio un foltedd, sy'n cael ei alw y foltedd mewnbwn, i newid gwrthiant effeithiol y transistor o lefel uchel i lefel isel neu o lefel isel i lefel uchel. Switsio o'r fath sy'n ei gwneud hi'n bosibl i gyfrifiaduron weithio (Ffigur 20.15).

Ffigur 20.15
Y transistor yn ymddwyn fel switsh.

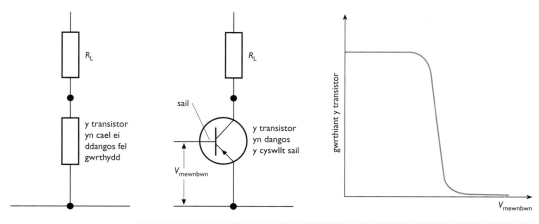

Mae gwrthiant y transistor yn newid o lefel uchel i lefel isel wrth i'r gwahaniaeth potensial a roddir i'r sail ($V_{mewnbwn}$) gynyddu. Switsio o'r fath sy'n ei gwneud hi'n bosibl i gyfrifiaduron weithio.

24 Pam y mae gwrthiant lled-ddargludydd yn lleihau gyda'r tymheredd?

25 Mae chwech o bobl yn eistedd ar chwe chadair yn aros i weld y meddyg. Mae'r un ar y pen yn codi i fynd at y meddyg. Mae'r person nesaf yn symud i'r lle gwag a ddaeth yn rhydd ac mae pob un o'r pedwar arall hefyd yn symud i fyny un lle.
a Ble mae'r lle gwag ar ôl iddynt wneud hynny?
b Faint o bobl wnaeth symud yn gorfforol?
c Pam y byddai'n haws meddwl am symudiad o'r fath fel symudiad y lle gwag?
d Beth sydd a wnelo'r gyfatebiaeth hon â dargludiad mewn lled-ddargluddion math-p?

26 Beth fyddech chi'n disgwyl ei weld yn digwydd i'r raddfa tryledu ar draws cysylltle p-n pan fydd y tymheredd yn cynyddu?

27 Pryd y mae gan dransistor
a wrthiant uchel
b gwrthiant isel?

28 a Beth yw gwerth y gymhareb I_c / I_b ar gyfer y graff yn Ffigur 20.14?
b Gan dybio y bydd y gwahaniaeth potensial a roddir i'r transistor yn aros yr un fath, brasluniwch graff i ddangos dibyniaeth y gwrthiant, a ddangosir yn y diagram fel R, ar y cerrynt sail.

29 At ddibenion switsio, tybiwch fod y transistor wedi'i gysylltu mewn cyfres â gwrthydd arall, R_L, sy'n gyson (gweler Ffigur 20.15). Beth sy'n digwydd i wrthiant y transistor wrth i $V_{mewnbwn}$ gynyddu?

● **Tasg sgiliau ychwanegol**

Technoleg Gwybodaeth a Chymhwyso Rhif

Ymchwiliwch i'r newidiadau yn y gwrthiant gyda thymheredd ar gyfer thermistor a bwlb golau gan ddefnyddio rhaglen gofnodi data gyda synwyryddion addas i gasglu'r data. Dadansoddwch y data gan ddefnyddio taenlen i gynhyrchu graffiau sy'n dangos y tueddiadau a welwyd yn yr arbrawf. Os gallwch gael graff llinell syth (all gael ei ddisgrifio gan yr hafaliad $y = mx + c$) fe welwch berthynas sy'n 'llinol', ac os yw $c = 0$ mae'r berthynas mewn cyfrannedd union. Fel arall, ceisiwch egluro'r canlyniadau a gawsoch.

VI
THEMÂU
FFISEG

21 Geiriau ffiseg

GEIRFA ALLWEDDOL allosod deddf damcaniaeth deddf cadwraeth gwrthbrofi model rhagdybiaeth

● Gwybod ystyr geiriau ffiseg

Bydd llawer o fyfyrwyr yn cwyno mai'r fathemateg mewn ffiseg sy'n achosi'r poendod mwyaf. Ond, bob blwyddyn, yr hyn y mae'r arholwyr yn ei weld yw mai'r broblem go iawn yw'r ffordd y bydd myfyrwyr yn defnyddio *geiriau* i egluro syniadau. Felly, mae angen dod yn gyfarwydd â'r geiriau ac mae hynny'n cymryd ychydig o amser.

Pa bwnc bynnag y byddwch yn ei astudio, bydd yn rhaid defnyddio iaith sy'n addas at y pwnc hwnnw. Mewn hanes neu yn y gyfraith, er enghraifft, bydd yn rhaid dadlau eich pwynt ac argyhoeddi eraill ar yr un pryd. Mewn ffiseg, yr hyn sy'n rhaid ei wneud yw disgrifio ac egluro yn nhermau damcaniaethau. Wrth siarad neu ysgrifennu am bwnc arbennig, dylech bob amser gymryd bod y sawl rydych chi'n siarad ag ef yn ddeallus ond nad yw'n gwybod llawer am y pwnc dan sylw a'i fod am wybod mwy.

Y cam cyntaf wrth fedru defnyddio geiriau a lluniau i egluro syniadau yw gwybod ystyr y geiriau hynny. Mae'r Fanyleb ar gyfer Ffiseg yn llawn geiriau sydd ag ystyr penodol iawn – geiriau megis pelydriad, diffreithiant, tyniant, cyfrannedd, model, egni, lefel egni, egni mewnol, ïoneiddio, enydaidd, elastig, plastig, grym, pŵer, cyfradd newid, potensial, gwahaniaeth potensial, graddiant potensial ... Mae llawer ohonynt yn swnio'n debyg iawn i'w gilydd. Mae nifer go dda o'r geiriau, er enghraifft 'egni', yn cael eu defnyddio gennym bob dydd ar lafar mewn cyd-destun sy'n llai penodol. Gall rhai geiriau, fel 'plastig', gael eu defnyddio yn ein hiaith bob dydd i olygu rhywbeth cwbl wahanol.

Dyma'r her gyntaf – eich targed cyntaf – dysgu ystyr geiriau ffiseg. Eich nod fydd gallu ysgrifennu diffiniad cywir a chyflawn ar gyfer pob un o'r geiriau y byddwch yn dod ar eu traws petai gofyn i chi wneud hynny. Y cam cyntaf fydd eu dysgu ar y cof; fe welwch y dewch i'w deall yn well gydag amser. Dyma'r fframwaith felly i chi adeiladu arno. Os na ddysgwch y geiriau a'u hystyr byddwch yn sicr o faglu drwy'r cwrs ar ei hyd.

Os ydych yn gwybod ac yn deall, er enghraifft, fod gwrthiant yn briodwedd cydran mewn cylched a'i fod yn cael ei ddiffinio fel 'cymhareb y gwahaniaeth potensial a roddir iddo i'r cerrynt sydd ynddo', yna byddwch wedi deall cryn dipyn yn barod. Fe welwch y bydd y fathemateg yn dod yn haws, ond down yn ôl at hynny yn y bennod nesaf.

1 Mynnwch gopi o fanyleb eich arholiad. Nodwch bob gair ac iddo ystyr penodol mewn ffiseg. Gallech ddefnyddio pen goleuo arbennig neu danlinellu'r geiriau neu dynnu cylch o'u hamgylch er mwyn tynnu sylw at y canlynol:
   a y geiriau y dylech eu deall ac yr ydych yn eu deall yn ddigon da i ysgrifennu diffiniad ar eu cyfer
   b y geiriau y dylech eu deall ac yr ydych yn eu deall yn ddigon da i ysgrifennu diffiniad ar eu cyfer ond yr ydych yn ansicr yn eu cylch
   c y geiriau nad ydych wedi dod ar eu traws eto.
2 Pa dermau sy'n cael eu diffinio fel a ganlyn:
   a lluoswm grym a dadleoliad paralel o dan effaith gweithrediad y grym
   b cymhareb y gwahaniaeth potensial ar draws cydran i'r cerrynt sydd ynddi
   c cyfradd trosglwyddo egni neu wneud gwaith
   d cyfradd newid cyflymder
   e y gwahaniaeth potensial rhwng dau bwynt pan fydd 1 J o waith yn cael ei wneud wrth drosglwyddo 1 C o wefr rhyngddynt
   f y grym sydd ei angen i gyflymu 1 kg ar 1 m s^{-2}
   g amledd o 1 gylchred yr eiliad
   h cyfradd dadfeiliad ymbelydrol neu ei ganfyddiad ar 1 digwyddiad yr eiliad?
3 Gellir grwpio'r termau yng nghwestiwn 2 yn ddau fath – pa ddau fath? Rhannwch y termau hyn rhwng y ddau fath hyn.
4 Enwau ar ffenomenau yw'r canlynol. Disgrifiwch bob ffenomen gan ddefnyddio brasluniau lle gallant fod o gymorth:
   a adlewyrchiad tryledol
   b diffreithiant
   c ehangiad afreolaidd dŵr
   d ïoneiddiad
   e afradloniad.
5 Dyma brosesau neu weithrediadau a ddefnyddir mewn ffiseg. Rhowch yr enwau cywir arnynt:
   a anwybyddu effeithiau dylanwadau cymhlyg
   b darganfod gwerthoedd cydrannau cydberpendicwlar un grym unigol.
6 Rhannwch yr enwau isod yn rhai sydd ag unedau a'r rhai sydd heb unedau:
   pelydryn dwysedd cysonyn sbring straen modwlws Young gwasgedd gwefr cylchedd gwthiad cadwraeth ïon foltia coll llinell maes lled-ddargludydd
7 A oes gan raddiannau a rhyngdoriadau graffiau unedau:
   a bob amser
   b weithiau
   c byth?
   Esboniwch eich ateb gan roi enghreifftiau.

8 Mae diagram wedi'i fraslunio yn ffordd dda a chyflym o gyfathrebu. Mae'n gyfrwng da i'w ddefnyddio mewn arholiadau. Dylech gymryd pwyll wrth fraslunio ond ni ddylech ddefnyddio riwl blastig. Cofiwch ei labelu bob amser hefyd. Mae brasluniau mawr fel arfer yn fwy clir gan fod digon o le ynddynt i gynnwys labeli clir. Defnyddiwch ddiagramau wedi'u braslunio i ddangos y canlynol:

  a paladr paralel (o olau)
  b deddf adlewyrchiad
  c plygiant
  d lliwiau'n cael eu tynnu o baladr golau
  e graddfa Vernier
  f mudiant Brown
  g effaith ffotodrydanol
  h tiwb G-M
  i cyfrannedd
  j cyfrannedd gwrthdro
  k cydeffaith dau rym cydberpendicwlar (yn fras wrth raddfa)
  l egni'n cael ei drosglwyddo gan rywun sy'n reidio beic
  m newidydd
  n graddiant potensial.

9 (Mae hon yn dasg fawr, o ran yr ymdrech i'w chyflawni a'i phwysigrwydd i chi.) Gwnewch restr bersonol o'r holl eiriau ffiseg y byddwch yn dod ar eu traws. Rhowch fformiwla ddiffiniol lle bo'n briodol (e.e. $R = V/I$ am wrthiant). Defnyddiwch ddiagramau wedi'u braslunio lle bo modd.

Deddfau Ffiseg

Mewn ffiseg, **deddf** yw patrwm o ymddygiad a welwyd yn digwydd. Cyfeiriwyd eisoes at Ddeddf Adlewyrchiad, Deddf Hooke, Deddf Mudiant Gyntaf Newton, Ail Ddeddf Mudiant Newton, Trydedd Ddeddf Mudiant Newton, a Deddf Ohm. Dyna ragor o eiriau i chi eu dysgu a bydd angen i chi fedru ysgrifennu datganiad byr am bob un.

Felly, patrymau o ymddygiad a gafodd eu gweld yn digwydd dro ar ôl tro yw deddfau. Nid oes unrhyw reswm pam na ddylai drych anfon golau i gyfeiriad newydd cyffrous arall; mae pob drych a welwyd, fodd bynnag, wedi adlewyrchu golau yn y fath fodd fel bod yr ongl drawiad a'r ongl adlewyrchiad bob amser yr un fath. Nid oes gennym *brawf* y bydd pob drych yn ufuddhau i'r ddeddf yma bob tro, ond byddai'n syndod mawr i ni pe na bai'n ufuddhau i'r ddeddf.

Mae nifer o ddeddfau'n gymwys o dan rai amodau yn unig – Deddf Ohm, er enghraifft. Dim ond ar gyfer gwifren fetel nad yw'n cael ei gwresogi gan y cerrynt ynddi, ac nad yw ei thymheredd yn newid, y mae'n gymwys.

10 Rhowch ddisgrifiad o'r canlynol:
  a Deddf Hooke
  b Deddf Ohm
  c Trydedd Ddeddf Newton
  d Deddf Adlewyrchiad

11 Rhowch y deddfau a restrwyd yng nghwestiwn 10 o dan y penawdau priodol isod:
  • deddf sy'n cael ei thorri yn aml
  • deddf sy'n cael ei thorri yn anaml
  • deddf na fydd byth yn cael ei thorri.

Deddfau cadwraeth

Mae **deddfau** (neu 'egwyddorion') **cadwraeth** yn batrymau ymddygiad y mae'n werth cyfeirio atynt gan eu bod mor ddefnyddiol. Os gwyddom, er enghraifft, y bydd cyfanswm yr egni yr un fath ar ôl mynd drwy ryw broses arbennig ag ydoedd cyn dechrau ar y broses yna mae gennym gyfrwng defnyddiol i ragfynegi'r broses. Dyma rai mesurau sy'n cael eu cadw:

• egni (ar wahân i'r hyn a fydd yn digwydd yn ystod newidiadau niwclear)
• màs (ar wahân i'r hyn a fydd yn digwydd yn ystod newidiadau niwclear)
• màs-egni (bob amser)
• gwefr (gronyn)
• cerrynt mewn cylched gyfres
• momentwm.

12 Brasluniwch ddiagram o egni'n cael ei drosglwyddo er mwyn dangos enghraifft o egwyddor cadwraeth egni.

13 A yw'r canlynol yn mynd yn groes i egwyddor cadwraeth màs?
  a Mae gan hoelen haearn rydlyd fàs sy'n fwy na'i màs pan oedd yn sgleinio.
  b Mae gan ofodwr lai o bwysau pan fydd 100 km uwchlaw'r ddaear na phan oedd ar y ddaear.
  c Mae gan yr amryw ronynnau sy'n bodoli ar ôl dadfeiliad ymbelydrol fàs sy'n llai na màs y gronynnau a fodolai cynt.
  d Eglurwch c yn nhermau màs-egni.

14 Pan fyddwch yn cribo eich gwallt bydd y grib a'ch gwallt yn cael eu gwefru. Sut y mae hyn yn gyson â chadwraeth gwefr?

15 Pam nad yw'r cerrynt yr un fath ym mhob pwynt mewn cylched os yw rhan ohoni wedi'i chysylltu'n baralel? (Brasluniwch ddiagram i'ch helpu i egluro'r ateb.)

Damcaniaethau

Damcaniaeth yw set o ddisgrifiadau sy'n deillio o'n harsylwadau o brosesau penodol. Mae gennym ddamcaniaeth esblygiad sy'n disgrifio'r prosesau a ddigwyddodd i alluogi cynifer o rywogaethau byw ddatblygu. Awgryma sut y gallai pethau fod wedi datblygu fel y gwnaethant. Yn rhesymegol, fodd bynnag, nid yw damcaniaeth esblygiad yn *profi* dim, ond dyma'r ddamcaniaeth orau sydd gennym i ddisgrifio'r prosesau anweladwy sydd wrth wraidd ein byd. Mae disgrifiadau o'r fath hefyd yn cael eu galw'n 'esboniadau'. Mae gennym hefyd ddamcaniaeth gronynnau sy'n cynnig esboniadau lu i egluro ymddygiad y byd ffisegol – ymddygiad trydanol, thermol a chemegol.

Mae damcaniaeth esblygiad a damcaniaeth gronynnau yn ddamcaniaethau da gan eu bod yn esbonio cymaint o'r mecanweithiau sydd y tu ôl i'r hyn sy'n weladwy i ni. Maent hefyd yn ddamcaniaethau gwyddonol da am y gellir eu **gwrthbrofi**, hynny yw, dweud nad ydynt yn wir. Mae hyn yn bwysig, oherwydd hyn sy'n gwneud damcaniaeth wyddonol mor arbennig. Mae damcaniaethau gwyddonol yn cael eu profi byth a beunydd a gallai dim ond un arsylwad fod yn ddigon iddynt fethu'r prawf a chael eu profi'n anghywir. Byddai'n rhaid i'r gwyddonwyr dderbyn wedyn, ar ôl iddynt o bosibl ddadlau o blaid pwysigrwydd damcaniaeth, nad oedd bellach yn ddibynadwy fel ffynhonnell o esboniadau ar gyfer yr holl arsylwadau a wnaed. Byddai'r ddamcaniaeth felly yn cael ei gwrthod. Pan ddywedwn y gall damcaniaethau gwyddonol gael eu gwrthbrofi golygwn nad ydynt bellach yn cael eu derbyn yn wirionedd diamheuol ac y *gallant* gael eu gwrthod.

Mae damcaniaethau esblygiad a natur ronynnog mater yn cael eu rhoi ar brawf yn gyson yn y jyngl ac mewn labordai ar draws y byd. Gall unrhyw wyddonydd a fydd yn gallu gwneud arsylwad y gellir ei wirio gan wyddonwyr eraill ac a fydd yn dangos nad yw damcaniaeth arbennig yn wir, fod yn enwog (Ffigur 21.1).

Ffigur 21.1
Gwyddonwyr a ddaeth yn enwog am iddynt wrthbrofi damcaniaethau.

Helpodd arsylwadau Thomas Young ynglŷn â diffreithiant ac ymyriant golau i wrthbrofi'r 'ddamcaniaeth gorffilaidd' (damcaniaeth gronynnau golau) a gafodd ei defnyddio cyn hynny fel ffordd o esbonio adlewyrchiad a phlygiant.

Bu casgliadau Ernest Rutherford yn dilyn ei arsylwadau o lwybrau gronynnau alffa drwy ddeilen aur denau yn fodd i wrthbrofi damcaniaeth o ddwysedd unffurf atomau a gafodd ei defnyddio cyn hynny fel ffordd o esbonio ymddygiad mater.

16 TRAFODWCH

Allwch chi feddwl am unrhyw arsylwad a fyddai'n ddigon pwerus i wrthbrofi damcaniaeth gronynnau mater? Bydd angen i chi ddefnyddio eich dychymyg.

17 Pa rai o'r canlynol sy'n ddatganiadau gwyddonol? Ar gyfer y datganiadau hynny sy'n ddatganiadau gwyddonol, esboniwch sut y byddech yn mynd ati i'w gwrthbrofi.

a 'Dim ond fy meddwl i sy'n bodoli. Nid oes yna fyd y tu allan i'm meddwl i. Mae popeth sy'n digwydd ond yn digwydd yn fy meddwl i.'

b '1 + 1 = 2'

c 'Ffosiliau yw olion pethau byw wedi'u troi'n garreg.'

d 'Mae atomau yn cynnwys electronau wedi'u gwefru'n negatif a niwclysau wedi'u gwefru'n bositif.'

e 'Math o don yw golau.'

f 'Mae golau yn teithio mewn ffordd sy'n debyg i'r ffordd mae tonnau'n teithio.'

g 'Nid oes y fath beth â gwirionedd absoliwt yn bod.'

Petai rhywun yn dweud, 'Gwelais storc yn gadael baban o dan lwyn eirin mair yr wythnos diwethaf ac rydw i wedi datblygu damcaniaeth mai fel hyn y mae babis yn cyrraedd', yna byddai'n cynnig damcaniaeth nad oes gobaith iddi gael ei derbyn. Cafodd y ddamcaniaeth gyffredinol honno ei seilio ar arsylwadau cyfyng iawn a byddai'n rhaid iddi gael ei harchwilio'n ofalus iawn. Gallwn ddefnyddio'r ddamcaniaeth i wneud **rhagdybiaeth** – rhagfynegiad, i'w phrofi. Petai pob baban yn dod o fôn llwyn eirin mair, yna gallem ragfynegi y byddai'r cyflenwad o fabanod yn dod i ben petai pob llwyn eirin mair yn cael ei godi neu petaem yn edrych mewn mannau yn y byd lle nad oes llwyni eirin mair. Wedi profi bod y rhagdybiaeth hon yn anghywir, byddem wedi gwrthbrofi'r ddamcaniaeth llwyn eirin mair, a byddai angen damcaniaeth newydd arnom.

Nid yw damcaniaethau na ellir eu gwrthbrofi, oherwydd eu natur, ar sail arsylwadau, yn ddamcaniaethau gwyddonol. Os bydd rhywun yn dweud, 'Mae Duw yn bod', yna nid damcaniaeth wyddonol mo hynny oherwydd ni allwn ei phrofi mewn rhyw ffordd arbennig. Bydd yn rhaid i bob un ohonom ddod i benderfyniad personol ynghylch y datganiad. Nid yw'r cwestiwn 'A yw Duw yn bod?' yn gwestiwn gwyddonol.

Gwahanol fathau o fodelau

Bwriad damcaniaeth yw cynnig disgrifiadau, sy'n gyson â *phob* arsylwad, o'r mecanweithiau cudd sy'n llywio'r byd sy'n weladwy i ni. Lle bo'r disgrifiadau yn cytuno'n llwyddiannus â'r holl arsylwadau, gallwn ddisgrifio'r ddamcaniaeth fel un *gyflawn*. Gall un arsylwad newydd ddangos bod damcaniaeth a oedd gynt yn gyflawn yn anghyflawn mewn gwirionedd ac felly nad dyna'r ffordd orau o feddwl am y byd. Mae'r un arsylwad hwnnw felly yn 'gwrthbrofi' y ddamcaniaeth. Nid oes raid i **fodel** ar y llaw arall esgus cynnig darlun cyflawn, dim ond darlun sy'n *ddefnyddiol*. Cynrychioli realiti y mae model. Pan fyddwn yn defnyddio model ni fyddwn bob amser yn dweud 'mae hyn yn cytuno â'r *holl* arsylwadau' ond yn hytrach 'mae rhywfaint ohono yn digwydd fel hyn a dyma ffordd ddefnyddiol o feddwl amdano'. Mae yna wahanol fathau o fodelau, fel y trafodir ar y tudalennau canlynol.

Modelau mathemategol

Mae unrhyw fformiwla yn fodel mathemategol. Mae fformiwla yn 'copïo' realiti. Dyma enghraifft weddol syml. Mae mathemateg y fformiwla ganlynol:

$$I = I_1 + I_2$$

yn copïo ymddygiad cerrynt mewn cylched lle saif I am gyfanswm cerrynt y gylched a lle saif I_1 a I_2 am y ceryntau ym mhob un o bâr o wrthyddion paralel (Ffigur 21.2). Oherwydd y gwyddom fod fformiwla yn copïo realiti mor agos, gallwn ei defnyddio i ragfynegi ymddygiad mewn cylchedau sydd heb eto eu hadeiladu. Mae hynny, a dweud y lleiaf, yn hynod ddefnyddiol. Fodd bynnag, nid realiti yw fformiwla – copïo realiti a wna. Mae mathemateg yn hynod o ddibynadwy wrth fodelu realiti.

Ffigur 21.2
Cynrychioliad o realiti.

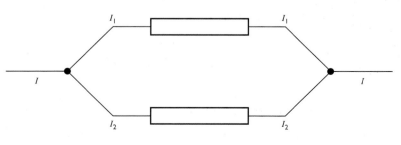

$$I = I_1 + I_2$$

Modelau gweladwy

Meddyliwch am atom. Wrth wneud hynny, mae'n bosibl y bydd lluniau yn ffurfio yn eich meddwl. Gall fod yno lun pêl syml, neu lun y cnewyllyn canolog gydag electronau mewn orbit ac efallai y bydd yr electronau yn smotiau neu'n beli bach o gymylau niwlog. Popeth yn iawn – maent i gyd yn fodelau o atomau ac electronau all fod yn ddefnyddiol. Dyna'r cyfan sydd i'w ddisgwyl – ei fod yn ddefnyddiol. Nid oes raid iddo fod yn gywir. A dweud y gwir, nonsens yw'r syniad o lun go iawn o atom neu electron. Mae gronynnau mor fach, maent yn anweladwy i bob pwrpas. Nid ydynt yn 'edrych yn debyg' i ddim byd ac ni fyddant byth chwaith. Eto i gyd, rydym yn dal i dynnu lluniau ohonynt er mwyn ein helpu i ddeall atomau. Ac os ydynt yn gweithio, pam lai? Mae'n bwysig serch hynny ein bod yn cofio mai lluniau yn unig ydynt ac nid y peth go iawn.

Mae diagram cylched, fel sydd yn Ffigur 21.2, yn fodel gweladwy defnyddiol. Mae graff yn fodel mathemategol ac yn fodel gweladwy ac mae'n cynnig cynrychioliad defnyddiol iawn o realiti.

Modelau ffisegol

Cynrychioliad o realiti yw car tegan. Mae'n fodel ffisegol. Mae model 'peli a ffyn' o foleciwl, wedi'i wneud o beli a ffyn go iawn, yn fodel ffisegol. Mae modelau ffisegol o'r fath yn ddefnyddiol iawn i gemegwyr.

Mae llun dau ddimensiwn o gar yn fodel yr un fath yn union â char tegan tri dimensiwn. Gall model 2D ymddangos yn llai defnyddiol ond mae iddo'r fantais y gall gael ei roi ar bapur neu sgrin cyfrifiadur.

Ffigur 21.3 (uchod) Rhagfynegi gyda help modelau cyfrifiadurol.

Modelau cyfrifiadurol

Mae graff syml yn fodel o sut y mae dau newidyn yn rhyngweithio yn y byd real. Meddyliwch am hinsawdd y Ddaear. Mae newidynnau a allai wneud gwahaniaeth i'r hinsawdd yn cynnwys cyfradd llosgi tanwydd ffosil, cyfradd gollwng methan o wartheg sy'n llawn gwynt, cyfradd llosgi coedwigoedd glaw, faint o gymylau sy'n adlewyrchu golau'r haul, twf pethau byw yn y cefnforoedd, y difrod a achosir i gorsydd mawn ac ati. Mae perthynas rhwng nifer o newidynnau yn yr hinsawdd ac nid ydynt o reidrwydd mewn cyfrannedd â'i gilydd. Mae gan bobl y deallusrwydd i geisio penderfynu pa newidynnau sy'n bwysig a beth yw'r berthynas sydd rhyngddynt, ac i osod y rheolau i gyfrifiadur eu dilyn er mwyn i'r cyfrifiadur wneud gweddill y gwaith mathemategol. Mae angen model da ar y cyfrifiadur yn rhan o'i feddalwedd, a data da, neu ni fydd a wnelo'r rhagfynegiadau ddim oll â realiti. Mae angen i gyfrifiadur all fodelu'r hinsawdd – gan gopïo realiti er mwyn ei ddefnyddio i ragfynegi beth allai ddigwydd nesaf mewn realiti – fod yn fawr ac yn gyflym.

Mae masnachwyr stociau a chyfranddaliadau yn gwneud penderfyniadau ariannol gan ddefnyddio modelau cyfrifiadurol. Defnyddiant fformiwlâu mathemategol i geisio rhagfynegi beth fydd yn digwydd nesaf. Defnyddiant graffiau a cheisiant **allosod** – defnyddio'r hyn a wyddant o ddata sydd ganddynt eisoes i dybio beth allai ddigwydd nesaf (Ffigur 21.4). Bydd

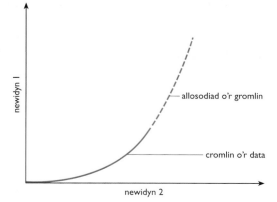

allosodiad o'r gromlin

cromlin o'r data

newidyn 1

newidyn 2

Ffigur 21.4
Mae allosod yn un ffordd o ragfynegi ymddygiad.

Ffigur 21.5
Defnyddio gwahanol fodelau.

masnachwyr ar y farchnad stoc yn rhagfynegi patrymau ymddygiad yn y dyfodol ar sail data o'r hyn a ddigwyddodd yn y gorffennol. Os bydd eu rhagfynegiadau yn dda, byddant yn sicr o wneud llawer o arian ac, os bydd eu rhagfynegiadau yn wael, byddant yn sicr o golli arian.

Bydd gwyddonwyr yn defnyddio pa fodelau bynnag fydd yn eu helpu i feddwl am ymddygiad a'i ragfynegi – modelau ffisegol, modelau mathemategol, modelau cyfrifiadurol a modelau gweledol (Ffigur 21.5). Yn aml iawn, byddant yn defnyddio gwahanol fodelau o'r un realiti – er enghraifft y model 'peli a ffyn' ffisegol o foleciwl a model cyfrifiadurol yn 'llenwi'r gofod' o'r un peth. Un o'r prif sgiliau newydd a gewch o astudio gwyddoniaeth yw'r gallu soffistigedig i ddefnyddio modelau.

18 Rhowch enghreifftiau o'r canlynol
   a model mathemategol
   b model gweledol
   c model ffisegol.
19 Brasluniwch dri model gweledol gwahanol o atom y byddech yn debygol o'u gweld mewn gwerslyfr ffiseg neu gemeg fodern. O dan ba amgylchiadau y byddech yn defnyddio pob un o'r tri model gwahanol?
20 Brasluniwch sbring yn cael ei estyn gan rym. Brasluniwch graff o'r estyniad (echelin *y*) yn erbyn grym (echelin *x*). Pryd y mae pob un o'r cynrychioliadau hyn o realiti yn fwy defnyddiol na'i gilydd?
21 Awgrymwch pam, hyd yn oed gyda'r cyfrifiaduron mawr a chyflym sydd ganddynt, na all gwyddonwyr ragfynegi hinsawdd y dyfodol i sicrwydd.
22 Beth yw'r gwahaniaeth rhwng damcaniaeth a model?
23 Ai yn eich meddwl yn unig y mae'r Bydysawd yn bodoli?

● **Tasg sgiliau ychwanegol**

Technoleg Gwybodaeth a Chyfathrebu

Dewiswch un model gwyddonol o rai agweddau ar y byd ffisegol. Gallech ddewis model pelydrau neu donnau o olau, modelau mathemategol o adeileddau neu fudiant, neu fodelau gweledol o electronau.

Gwnewch waith ymchwil manwl ar eich dewis gan ddefnyddio cyfrifiaduron, llyfrgelloedd, cylchgronau a deunydd arall.

Paratowch draethawd hir, gan gynnwys diagramau, yn egluro'r model, y damcaniaethau sy'n gysylltiedig ag ef a sut y mae wedi helpu'r gymuned wyddonol i ddeall yr agwedd arbennig honno ar y byd ffisegol.

22 Mesurau a pherthnasoedd mewn ffiseg

GEIRFA ALLWEDDOL annibynnol ansicrwydd bar cyfeiliornad cilydd cyfaniaeth cyfeiliornad cyfrannedd cyfrannedd gwrthdro dadansoddiad dimensiynol dibynnol dimensiwn esbonyddol ffigur ystyrlon gwrthdro sgwâr homogenedd lleihadaeth llinell ffit orau manwl gywirdeb mesur diddimensiwn model Gaia newidyn sinwsoidaidd testun (hafaliad) trachywiredd unedau sylfaenol unedau deilliadol

● Cadw pethau'n syml

Nid yw 'syml' a 'hawdd' yn golygu'r un peth. Gwrthwyneb hawdd yw 'anodd'. Gwrthwyneb syml yw 'cymhleth'. Mae ffiseg yn bwnc syml neu, yn hytrach, yr hyn a wna yw edrych ar y byd cymhleth a cheisio chwilio am batrymau syml. Wrth wraidd ffiseg y mae'r broses o edrych ar **newidynnau** – mesurau mesuradwy ac iddynt wahanol werthoedd – dau ar y trc.

Mae'r byd real, fel y gwelir wrth ystyried yr hinsawdd fyd-eang, yn llawn newidynnau sy'n gysylltiedig â'i gilydd. Mae'n gymhleth a hefyd yn anodd iawn, iawn. Oherwydd ei fod mor anodd ni wyddom eto, er gwaetha'r ffaith bod miloedd o wyddonwyr drwy'r byd i gyd yn gweithio arno, sut y mae pobl yn effeithio ar yr hinsawdd a pha fath o fyd a fydd gennym, o ganlyniad i hynny, ymhen 50 mlynedd. Mae ymdrin â dau newidyn ar yr un pryd felly yn gymharol syml (Ffigur 22.1).

Ffigur 22.1
Dwy echelin sydd i graffiau safonol – un ar gyfer pob newidyn. Mae rhai perthnasoedd rhwng newidynnau yn symlach na'i gilydd ond gall perthnasoedd rhwng parau o newidynnau gael eu dangos fel siapiau llinellau.

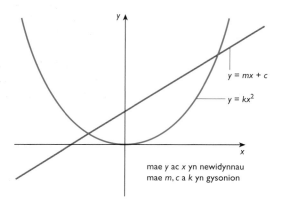

mae y ac x yn newidynnau
mae m, c a k yn gysonion

Gelwir y broses o edrych ar y byd yn y ffordd symlaf bosibl – gan edrych ar ddarnau bach o'r system gan fod y system gyfan yn rhy gymhleth – yn **lleihadaeth**. Mae'n ffordd rymus o weithio ond rhaid bod yn ofalus. Yn gyntaf , mae perygl o orsymleiddio neu orddelfrydu. (Nodwch, gall 'syml' a 'delfrydol' olygu'r un peth i'r ffisegydd.) Er enghraifft, er mwyn cadw pethau'n syml, gallem anwybyddu gwrthiant aer neu ffrithiant wrth ddadansoddi mudiant. Mae hynny'n gweithio weithiau ond, dro arall, nid yw'n gweithio cystal.

Yn ail, mae'n bosibl y bydd y ffordd y bydd gwahanol rannau system yn gweithio pan fyddant ar wahân i'w gilydd yn wahanol i'r ffordd y byddant yn gweithio pan fyddant yn gweithio gyda'i gilydd. Wrth 'leihau' system yn wahanol rannau gallwn fethu rhai o nodweddion hollbwysig y system. (Ni fydd astudio un morgrugyn yn dweud llawer wrthym am gymuned y morgrug.) Mae lleihadaeth yn ffordd rymus o wella ein dealltwriaeth o'r byd, trwy edrych arno'n syml, ond nid dyma'r unig ffordd o ddeall y byd.

Mae'r broses o edrych ar system, megis ecosystem y Ddaear, yn ei chyfanrwydd yn golygu nad yw ein dealltwriaeth o berthnasoedd unigol mor drachywir, ond gall fod yn ddefnyddiol wrth ein hysgogi i fabwysiadu dulliau newydd o feddwl. Er enghraifft, roedd y gwyddonydd James Lovelock yn gweithio i NASA yn y 1960au, yn edrych ar blanedau Cysawd yr Haul am arwyddion bywyd. Yr hyn a wnaeth oedd edrych ar blanedau Gwener a Mawrth fel systemau cyfan, felly dechreuodd feddwl am y Ddaear yn yr un modd. Bu hyn yn hwb i wyddonwyr eraill archwilio, drwy ddefnyddio dulliau newydd, i'r berthynas sy'n cynnal bywyd ar y Ddaear ac i ddarganfod cysylltiadau newydd rhwng newidynnau. Gelwir y dull hwn o edrych ar y byd cyfan yn **fodel Gaia**. Gelwir y broses o archwilio unrhyw system yn ei chyfanrwydd, yn groes i leihadaeth, yn **gyfaniaeth**.

Dibyniaeth ac annibyniaeth

Beth yw'r berthynas symlaf bosibl rhwng dau newidyn? Cyn ateb, rhaid cofio nad oes raid bod unrhyw berthynas o gwbl rhwng y ddau newidyn – gallant fod yn **annibynnol**.

Tybiwch ein bod yn archwilio dibyniaeth gwahanol fathau o ymddygiad ar dymheredd. Byddem yn gweld bod nifer o briodweddau defnyddiau, megis dwysedd, indecs plygiant a gwrthedd, yn amrywio gyda thymheredd. Maent yn **ddibynnol** ar dymheredd. Ond byddem hefyd yn gweld enghreifftiau eraill o ymddygiad sy'n annibynnol ar dymheredd.

Er enghraifft, gallem fesur actifedd sampl o ddefnydd ymbelydrol. Os yw'n sampl bychan, mae'n bosibl y byddem yn sylwi bod ei actifedd yn amrywio o fesuriad i fesuriad ond ni fyddai amrywiad o'r fath yn cael ei ddylanwadu gan ei dymheredd.

Neu fe allem fesur cyflymiad gwrthrych ac iddo fàs penodol pan roddir grym cyson arno. Gwyddom fod $F = ma$ ac felly bod $a = F/m$. Nid oes dim arall yn ymddangos yn yr hafaliad hwn. Os yw F ac m yn benodol wrth wneud cyfres o fesuriadau, yna bydd a hefyd yn aros yr un fath. Ni fydd newid yn nhymheredd y gwrthrych yn gwneud unrhyw wahaniaeth. Mae cyflymiad gwrthrych ac iddo fàs penodol pan fo grym penodol yn gweithredu arno yn annibynnol ar dymheredd.

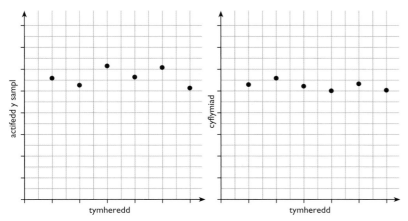

Ffigur 22.2
Mae'r newidynnau allbwn ill dau yn annibynnol ar y tymheredd.

Gellir priodoli unrhyw amrywiad yn ein mesuriadau ar gyfer cyflymiad i gyfyngiadau ein mesuriadau arbrofol. (Gelwir cyfyngiadau o'r fath weithiau yn **gyfeiliornad** arbrofol. Mae'r term hwn yn un anffodus gan ei fod yn awgrymu mai'r sawl sy'n gwneud yr arbrawf sydd wedi mynd ar gyfeiliorn, neu mai ef neu hi sydd ar fai, yn hytrach na bod yna gyfyngiadau naturiol i'r broses o fesur. Gwell gair fyddai **ansicrwydd**.)

Gallem blotio graffiau o actifedd y sampl ymbelydrol a chyflymiad y gwrthrych yn erbyn tymheredd (Ffigur 22.2).

Yn ein hobsesiwn am batrymau o'r byd, gallem geisio plotio actifedd y sampl ymbelydrol ar dymheredd penodol yn erbyn cyflymiad y màs m ar yr un tymheredd, gan ddefnyddio'r un data. Bydd y pwyntiau yn awr yn cael eu gwasgaru'n eang, heb wneud unrhyw batrwm o gwbl. Byddai'n rhaid i ni ddod i'r casgliad yn awr bod y ddau newidyn yn annibynnol ar ei gilydd.

Chwilio am batrymau syml

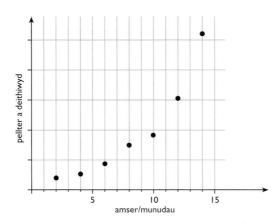

Ffigur 22.3
Mae'r patrwm hwn yn dangos rhywfaint o ddibyniaeth rhwng y newidynnau.

Gan ddefnyddio enghraifft bob dydd, gallem blotio'r pellter a deithiwyd gan fws ar ei siwrnai o'r safle bysiau ac yn ôl yn erbyn amser. Er mwyn gwneud hynny, gallem nodi ei safle a hefyd ei bellter o'r pwynt cychwyn ar gyfyngau rheolaidd o amser. Fel rheol, bydd graff yn gofnod gweledol defnyddiol lle gellir gweld patrwm cyffredinol yn gymharol hawdd (Ffigur 22.3).

Mae'n edrych fel petai patrwm yma. Gallem ddefnyddio technegau ystadegol neu ddod i farn yn syml (sydd lawer cyflymach, yn eithaf effeithiol ond ddim mor ddibynadwy â'r ystadegau) er mwyn llunio cromlin sy'n dilyn y patrwm. Mae'r patrwm yn ddigon i ddweud wrthym bod rhai rhannau o'r siwrnai yn arafach na'i gilydd.

Ffigur 22.4
Graff yn dangos
cyfrannedd.

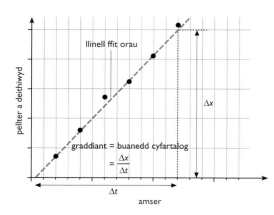

Tybiwch wedyn bod y cyngor lleol yn gwahardd ceir yn yr ardal honno. Golygai hynny wedyn y gallai'r bws deithio ar fuanedd mwy cyson. Petaem yn gwneud mesuriadau newydd ac yn plotio graff newydd, byddai'r patrwm yn fwy clir (Ffigur 22.4). Mae'n edrych fel llinell syth drwy'r tarddbwynt. Unwaith eto, gallwn ddefnyddio ein barn neu ystadegau i dynnu'r llinell syth orau, neu'r **llinell ffit orau**, drwy'r pwyntiau. (Gall cyfrifiaduron wneud y gwaith llafurus gydag ystadegau a chynhyrchu llinell ffit orau ar gyfer unrhyw set o ddata.)

Mae'r llinell syth drwy'r tarddbwynt yn dangos bod y pellter a deithiwyd mewn **cyfrannedd** â'r amser. Hynny yw, beth bynnag y bo'r newid yn yr amser, mae'r pellter yn newid yn unol â'r un cyfrannedd. Mae'r graddiant yn gyson, yn hafal i'r newid mewn pellter, Δx, wedi'i rannu gan newid mewn amser, Δt, a chaiff ei fesur mewn unedau pellter am bob uned amser. Hynny yw, mae'n hafal i'r buanedd cyfartalog.

Mae graddiant graff llinell syth wedi'i blotio o ddata arbrawf yn fesur ffisegol. Penderfynir yr unedau gan unedau'r newidynnau a blotiwyd (Ffigur 22.5).

Ffigur 22.5
Enghreifftiau o graffiau
llinell syth.

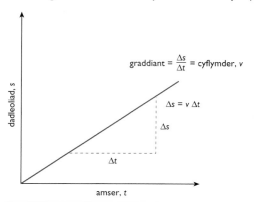

Os caiff dadleoliad ei fesur mewn metrau, m, ac amser mewn eiliadau, s, yna uned y graddiant yw m s^{-1}.

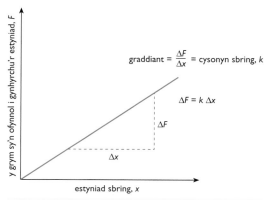

Os caiff grym ei fesur mewn newtonau, N, a'r estyniad mewn metrau, m, yna uned y graddiant yw N m^{-1}.

1 TRAFODWCH
Pa ddull sy'n cynnig y ffordd fwyaf
a dibynadwy   **b** ystyrlon
o archwilio system gymhleth (fel yr ymennydd dynol) – cyfaniaeth neu leihadaeth?

2 TRAFODWCH
Ymhlith cydrannau car y mae'r peiriant, y system drawsyrru sy'n cysylltu'r peiriant a'r olwynion, yr olwynion eu hunain a'r system drydanol. Ymhlith cydrannau'r Ddaear y mae'r cefnforoedd, yr atmosffer, creigiau a phethau byw.
a Ar wahân i'r gwahaniaeth amlwg mewn maint, beth yw'r gwahaniaeth sylfaenol rhwng car a phlaned o ran rhyngweithiad eu cydrannau?
b Gyda pha un y bydd y dull lleihadaeth yn gweithio hawsaf?
c A yw'r corff dynol yn debycach i'r car neu i'r blaned?
d Os ewch i'r ysbyty am driniaeth neu ddiagnosis, bydd y rhan fwyaf o'r dulliau a ddefnyddir wedi'u datblygu o ganlyniad i leihadaeth. A yw hi'n bosibl deall y corff dynol a datblygu triniaeth feddygol effeithiol heb ddefnyddio lleihadaeth?
3 Gallai un gwleidydd ddatgan, dyweder, bod troseddu'n cael ei achosi gan ddiweithdra. Gallai gwleidydd arall honni nad oes unrhyw gysylltiad o gwbl rhwng troseddu a diweithdra. Mae gwleidyddion yn byw mewn byd sy'n fwy cymhleth na byd gwyddoniaeth sy'n seiliedig ar leihadaeth.

Awgrymwch ddull yn seiliedig ar leihadaeth lle gellid darganfod mwy am y berthynas rhwng troseddu a diweithdra. Golyga hyn ymchwilio i'r berthynas rhwng y newidynnau.
4 Beth yw arwyddocad graddiant
a graff dadleoliad-amser
b graff cyflymder-amser
c graff egni a drosglwyddir yn erbyn amser
d graff gwefr a drosglwyddir mewn cylched yn erbyn amser
e graff grym-estyniad ar gyfer gwifren
f graff diriant-straen?
5 Mae mesur y wedi'i blotio yn erbyn amser t.
a Ar gyfer pa fath o graff y mae'r canlynol yn wir?
$$\frac{dy}{dt} = \frac{y}{t}$$
Brasluniwch graff o'r fath.
b Brasluniwch graff lle bo
$$\frac{dy}{dt} \neq \frac{y}{t}$$
Defnyddiwch eich graff i ddangos y gwahaniaeth rhwng dy/dt ac y/t.
c Rhowch enghraifft o sefyllfa lle bo gan y gwahaniaeth rhwng dy/dt ac y/t bwysigrwydd ffisegol. (Gallai y fod yn ddadleoliad, cyflymder, egni a drosglwyddir neu wefr a drosglwyddir, er enghraifft.)

Cyfrannedd gwrthdro a'r cilydd

Gall newidynnau fod mewn **cyfrannedd gwrthdro**. Hynny yw, pan fo un yn cynyddu mae'r llall yn lleihau mewn cyfrannedd â'i gilydd. O'u plotio ar graff, fe welwch gromlin yn ffurfio fel y gwelir yn Ffigur 22.6.

Ffigur 22.6
Cyfrannedd gwrthdro.

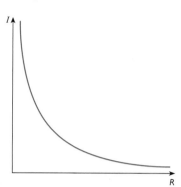

Wrth i'r gwrthiant gynyddu, gyda gwahaniaeth potensial penodol, mae'r cerrynt yn y gylched yn lleihau yn ôl yr un cyfrannedd.

Ceir llai o wybodaeth o gromlin o'i chymharu â llinell syth syml. Er mwyn gwirio a yw'r berthynas mewn cyfrannedd gwrthdro, gallwn blotio ail graff gyda gwrthdro neu **gilydd** un newidyn ar un o'r echelinau (Ffigur 22.7).

Cilydd newidyn x yw $\dfrac{1}{x}$.

(Mae'n bosibl y bydd gennych fotwm $1/x$ neu x^{-1} ar eich cyfrifiannell. Dylai hyn eich helpu.)

Cilydd gwrthiant R yw $\dfrac{1}{R}$.

Ffigur 22.7
Cyfrannedd.

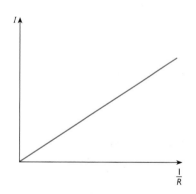

O'r graff hwn, gallwn ddweud yn hyderus bod I mewn cyfrannedd ag I/R.

Perthnasoedd eraill rhwng newidynnau

Yn ystod eich cwrs ffiseg, byddwch yn sicr o ddod ar draws perthnasoedd safonol eraill a'u graffiau cyfatebol. Dyma rai ohonynt:

- y berthynas **sinwsoidaidd** (Ffigur 22.8)
- y berthynas **gwrthdro sgwâr** (Ffigur 22.9)
- y berthynas **esbonyddol** (Ffigur 22.10).

Ffigur 22.8
Perthynas sinwsoidaidd.

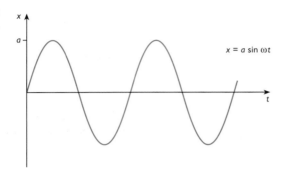

$$x = a \sin \omega t$$

Ffigur 22.9
Perthynas gwrthdro sgwâr.

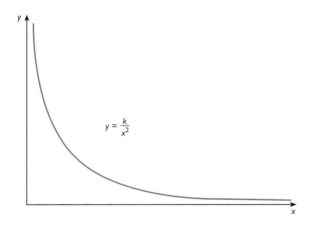

$$y = \frac{k}{x^2}$$

Ffigur 22.10
Perthynas esbonyddol.

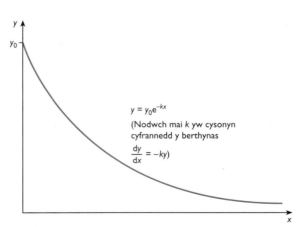

$$y = y_0 e^{-kx}$$

(Nodwch mai k yw cysonyn cyfrannedd y berthynas $\frac{dy}{dx} = -ky$)

6 Pa newidynnau ddylai gael eu plotio i gael graffiau llinell ar sail pob un o'r perthnasoedd canlynol? (Mae a, b ac c yn gysonion.)

a $y = ax$
b $y = b/x$
c $y = cx^2$
Beth yw graddiant pob graff?

Defnyddio fformiwlâu

Y peth gorau i'w wneud er mwyn ceisio deall fformiwlâu yw dechrau yn y canol. Yng nghanol pob fformiwla fe welwch hafalnod. Ei bwrpas yw dweud bod dau beth yn gyfartal neu'n hafal i'w gilydd (Ffigur 22.11), hynny yw, bod yn rhaid trin y ddau gasgliad o symbolau sydd ar y naill ochr a'r llall yr un fath. Os ydynt yr un fath yna maent yn gydgyfnewidiol, h.y. gallwch eu cyfnewid, y naill am y llall.

Ffigur 22.11
Mae fformiwla yn dangos bod dau beth yn gyfartal.

$$3 \times 4 = 10 + 2$$

Lle bo dau fynegiad yn gydgyfnewidiol, gallwn eu cysylltu â hafalnod.

$$3x = 24$$
$$x = 8$$

Dyma ddatganiad sy'n rhoi i ni'r wybodaeth bod $3x$ a 24 yn gydgyfnewidiol, neu eu bod yn hafal. Ar sail y datganiad hwn gallwn gyfrifo wedyn mai gwerth x yw 8.

Nid yw hyn yn golygu na allwch wneud unrhyw newidiadau i'r symbolau ar y naill ochr a'r llall i'r hafalnod. Er hynny, mae yna reolau sy'n dweud beth allwch chi ei newid a beth na allwch chi ei newid. Nodwch mai'r mesur sydd wedi'i ysgrifennu ar ei ben ei hun ar ochr chwith yr hafalnod yw **testun** yr hafaliad.

Prif Reol 1

Gallwch newid y symbolau ar un ochr y fformiwla, heb newid yr ochr arall, cyn belled ag y bo'r newidiadau yn golygu defnyddio gweithrediadau prosesau lluosi a rhannu, adio a thynnu. Er enghraifft:

Rhannu

Gall y datganiad $\dfrac{20}{4} = 5$ gael ei newid yn $5 = 5$

Lluosi

Gall y datganiad bod $9 \times 4 = 6 \times 6$ gael ei newid yn $36 = 6 \times 6$, neu'n $9 \times 4 = 36$, neu $36 = 36$

Mae hyn oll yn edrych yn amlwg gyda rhifau syml, ond dylech fedru defnyddio gweithrediadau tebyg eraill gan ddefnyddio symbolau fel x ac y.

Gall datganiadau mathemategol gynnwys mwy nag un math o weithrediad ac yna rhaid i'r gweithrediadau gael eu gwneud yn y drefn gywir, er enghraifft:

$$3 + 4 \times 5 = 26 - 9 \div 3$$

Yma, fe welwch fod gwneud y gweithrediadau mewn trefn wahanol yn rhoi atebion gwahanol. Rhaid lluosi a rhannu yn gyntaf, ac yna adio a thynnu. O wneud hynny mae:

$$3 + 20 = 26 - 3$$

ac felly

$$23 = 23$$

Cofiwch, fodd bynnag, fod cromfachau yn golygu bod yn rhaid ymdrin â'r hyn sydd y tu mewn i'r cromfachau fel un uned a rhaid i'r rhain gael eu gwneud yn gyntaf:

$$(3 + 4) \times 5 = (73 - 3) \div 2$$

felly

$$35 = 35$$

Felly, cofiwch yr is-reol hon ynglŷn â threfn defnyddio'r gweithrediadau:

cromfachau cyn rhannu a lluosi, adio a thynnu yn olaf

7 Defnyddiwch y gweithrediadau priodol i ailysgrifennu'r datganiadau canlynol ar ffurf symlach:
a $2 + 7 = 1 + 8$
b $14 - 7 = 9 - 2$

8 Gwnewch yr isod drwy adio a thynnu cyn lluosi a rhannu:
$3 + 4 \times 5 =$
$26 - 9 \div 3$

9 Gwnewch yr isod gan anwybyddu'r cromfachau:
$(3 + 4) \times 5 =$
$(73 - 3) \div 2$

10 Ewch ati i lunio cofrif h.y. defnyddio'r llythrennau cyntaf C, Ll, Rh, A, T i lunio ymadrodd hawdd i gofio: Cromfachau yn gyntaf, wedyn Lluosi a Rhannu ac yna Adio a Thynnu.

Prif Reol 2

Gallwch wneud beth bynnag rydych chi am ei wneud i fformiwla cyn belled ag y caiff ei wneud ar y ddwy ochr. Dyma rai enghreifftiau.

Gan ddechrau â

$$36 = 6 \times 6$$

gallwn:

- adio 1 at y ddwy ochr

$$36 + 1 = (6 \times 6) + 1$$

- neu rannu'r ddwy ochr â 6

$$\frac{36}{6} = \frac{6 \times 6}{6}$$

- neu gymryd ail isradd y ddwy ochr

$$\sqrt{36} = \sqrt{(6 \times 6)}$$

- neu gymryd cilydd y ddwy ochr

$$\frac{1}{36} = \frac{1}{6 \times 6}$$

Gan ddechrau â

$$\frac{ab}{c} = \frac{x}{y}$$

gallwn luosi'r ddwy ochr ag *c*:

$$\frac{abc}{c} = \frac{xc}{y}$$

sy'n gallu cael ei symleiddio i

$$ab = \frac{xc}{y}$$

Gan ddechrau â

$$\frac{p}{q} = s + t$$

gallwn luosi'r ddwy ochr gydag *q*:

$$p = q(s + t)$$

sydd yr un fath â

$$p = qs + qt$$

11 Adiwch a/neu dynnu o ddwy ochr yr hafaliad hwn er mwyn darganfod *x*:
$25.5 - x = 14.5 + x$

12 Ad-drefnwch y canlynol fel mai *a* yw'r testun. Ym mhob achos, eglurwch yr hyn a wnaethoch.

a $2a = b - c$

b $2p = a + q$

c $ax = 5y - z$

d $\dfrac{a}{w} = 3v$

e $4c + d = \dfrac{3e}{a}$

f $3(p - a) = 4q$

g $3c = \dfrac{d}{2(a - b)}$

h $\dfrac{a}{3} + \dfrac{b}{4} = 5c$

i $\dfrac{1}{a} + \dfrac{1}{x} = \dfrac{1}{y}$

j $\dfrac{p}{m} + \dfrac{q}{n} = \dfrac{r}{a}$

Prif Reol 2 yw'r rheol y dylech ei dilyn wrth ad-drefnu unrhyw fformiwla.

Unedau Sylfaenol SI

Golyga SI *Système International d'Unités*, sef 'system ryngwladol unedau' mewn Ffrangeg. Y mae yn ei hanfod yr un fath â'r system fetrig, sef sylfaen yr unedau SI. Y system arall sy'n cael ei defnyddio o hyd yw'r system Imperial, sydd wedi'i seilio ar unedau Prydeinig troedfeddi (i fynegi hyd) a phwysi (i fynegi màs) ac eiliadau (i fynegi amser). Mae'r system hon yn cael ei defnyddio o hyd gan i ddiwydiant America fabwysiadu system Prydain a bu'n araf iawn i newid. Y broblem wrth ddefnyddio dwy system yw y gall camgymeriadau ddigwydd – hyd yn oed trychinebau, gan gynnwys methiant y daith ofod gwerth miliynau o bunnoedd i blaned Mawrth. Mae diwydiant Prydain bellach yn defnyddio'r system fetrig neu SI. Mae ffisegwyr ledled y byd yn defnyddio'r system SI hefyd.

Mae'r system SI yn seiliedig ar saith **uned sylfaenol** sydd wedi'u diffinio ar sail ein harsylwadau o'r byd ffisegol. Gellir mynegi'r mesurau a gysylltir â'r unedau sylfaenol yn nhermau **dimensiynau**. Gweler Tabl 22.1.

Tabl 22.1
Yr unedau SI, eu mesurau cysylltiedig a'u dimensiynau.

Mesur	Uned sylfaenol	Mynegiant y mesur i bwrpas dadansoddi dimensiynau	Diffiniad o'r uned yn nhermau arsylwadau o'r byd ffisegol
màs	cilogram, kg	[M]	mae 1 kg yn hafal i fàs y cilogram prototeip rhyngwladol (darn o blatinwm-iridiwm sy'n cael ei gadw ym Mharis). Gan fod màs y prototeip rhyngwladol yn newid o ganlyniad i adwaith cemegol ar ei arwyneb fodd bynnag, mae bwriad i newid diffiniad cilogram yn y dyfodol
hyd	metr, m	[L]	1 metr yw'r pellter mae golau yn ei deithio mewn gwactod yn ystod cyfwng amser o 1/299 792 458 s
amser	eiliad, s	[T]	1 eiliad yw hyd 9 192 631 770 cyfnod o'r pelydriad sy'n cyfateb i drosiant electron rhwng y ddwy lefel gul iawn sydd gan gyflwr isaf yr atom caesiwm-133
cerrynt trydanol	amper (neu amp), A	[I]	1 amper yw'r cerrynt mewn dau ddargludydd paralel syth o hyd anfeidraidd ac arwynebedd trawstoriadol y gellir ei anwybyddu, wedi'u gosod 1 metr ar wahân i'w gilydd mewn gwactod, sy'n cynhyrchu grym o 2×10^{-7} newton am bob metr o hyd
tymheredd thermodynamig	celfin, K	—	1 celfin yw 1/273.16 o dymheredd thermodynamig pwynt triphlyg dŵr
maint y sylwedd	môl, mol	—	1 môl yw maint y sylwedd sy'n cynnwys yr un nifer o unedau elfennol (megis atomau, moleciwlau) ag sydd mewn 0.012 kg o garbon-12
arddwysedd goleuol	candela, cd	—	1 candela yw arddwysedd goleuol, i gyfeiriad penodol, ffynhonnell o olau sy'n allyrru pelydriad monocromatig ag amledd 540×10^{12} hertz ac sydd ag arddwysedd i'r cyfeiriad hwnnw o 1/683 wat am bob steradian

Mae dadansoddiad dimensiynol ar Safon Uwch wedi'i gyfyngu fel arfer i sefyllfaoedd sy'n cynnwys màs, hyd ac amser.

Mae'n bwysig eich bod yn deall mai'r diffiniadau ar gyfer yr unedau sylfaenol yn Nhabl 22.1 yw'r sylfaen ar gyfer yr *holl* unedau SI. Fodd bynnag, oni bai y bo gennych ddiddordeb arbennig ym manylion technegol y ddiffiniadau hyn nid oes raid i chi eu cofio.

Unedau SI deilliadol

Mae'r holl unedau SI eraill yn deillio o'r unedau sylfaenol; dyma'r **unedau deilliadol**. Mae gan rai unedau deilliadol enwau arbennig. Gweler Tablau 22.2 a 22.3.

Nodwch fod dimensiynau unrhyw fesurau deilliadol yn dangos i ba bwerau y bydd yn rhaid codi'r mesurau sylfaenol er mwyn cael y mesur deilliadol.

Tabl 22.2
Rhai unedau SI deilliadol heb enwau arbennig.

Mesur	Uned SI	Mynegiant y mesur i bwrpas dadansoddi dimensiynau
arwynebedd	m^2	$[L]^2$
cyfaint	m^3	$[L]^3$
buanedd a chyflymder	$m\ s^{-1}$	$[L][T]^{-1}$
cyflymiad	$m\ s^{-2}$	$[L][T]^{-2}$
dwysedd màs	$kg\ m^{-3}$	$[M][L]^{-3}$

Tabl 22.3
Rhai unedau SI deilliadol ag enwau arbennig.

Mesur	Uned SI	Yr uned yn nhermau unedau eraill	Yr uned yn nhermau unedau sylfaenol SI	Mynegiant y mesur i bwrpas dadansoddi dimensiynau
ongl blân	radian, rad	—	—	cymhareb hydoedd, $[L][L]^{-1}$, felly mae'n ddiddimensiwn
ongl solid	steradian, sr	—	—	cymhareb arwynebeddau, $[L]^2[L]^{-2}$, felly mae'n ddiddimensiwn
amledd	hertz, Hz	—	s^{-1}	$[T]^{-1}$
grym	newton, N	—	$kg\ m\ s^{-2}$	$[M][L][T]^{-2}$
gwasgedd	pascal, Pa	$N\ m^{-2}$	$kg\ m^{-1}\ s^{-2}$	$[M][L]^{-1}[T]^{-2}$
egni, gwaith	joule, J	$N\ m$	$kg\ m^2\ s^{-2}$	$[M][L]^2[T]^{-2}$
pŵer	wat, W	$J\ s^{-1}$	$kg\ m^2\ s^{-3}$	$[M][L]^2[T]^{-3}$
gwefr	coulomb, C	—	$A\ s$	$[I][T]$
potensial trydanol	folt, V	$J\ C^{-1}$	$kg\ m^2\ s^{-3}\ A^{-1}$	$[M][L]^2[T]^{-3}[I]^{-1}$
cynhwysiant	ffarad, F	$C\ V^{-1}$	$kg^{-1}\ m^{-2}\ s^4\ A^2$	$[M]^{-1}[L]^{-2}[T]^4[I]^2$
gwrthiant trydanol	ohm, Ω	$V\ A^{-1}$	$kg\ m^2\ s^{-3}\ A^{-2}$	$[M][L]^2[T]^{-3}[I]^{-2}$
dargludiant trydanol	siemens, S	$A\ V^{-1}$	$kg^{-1}\ m^{-2}\ s^3\ A^2$	$[M]^{-1}[L]^{-2}[T]^3[I]^2$
fflwcs magnetig	weber, Wb	$V\ s$	$kg\ m^2\ s^{-2}\ A^{-1}$	$[M][L]^2[T]^{-2}[I]^{-1}$
dwysedd fflwcs magnetig	tesla, T	$Wb\ m^{-2}$	$kg\ s^{-2}\ A^{-1}$	$[M][T]^{-2}[I]^{-1}$
anwythiant	henri, H	$Wb\ A^{-1}$	$kg\ m^2\ s^{-2}\ A^{-2}$	$[M][L]^2[T]^{-2}[I]^{-2}$
fflwcs goleuol	lwmen, lm	$cd\ sr$	cd	—
goleuedd	lwcs, lx	—	$cd\ m^{-2}$	—
actifedd neu gyfrifiad ymbelydrol	becquerel, Bq	—	s^{-1}	$[T]^{-1}$
dos a amsugnwyd	gray, Gy	$J\ kg^{-1}$	$m^2\ s^{-2}$	$[L]^2[T]^{-2}$
dos cywerth	siefert, Sv	$J\ kg^{-1}$	$m^2\ s^{-2}$	$[L]^2[T]^{-2}$

Rhagddodiaid unedau

Mae'r system SI yn ymgorffori system safonol o ragddodiaid, e.e. cilo-. Mae'r rhagddodiad 'cilo' o flaen uned SI yn ei thrawsnewid yn uned sydd 1000 gwaith yn fwy; mae cilometr fil o weithiau'n fwy na metr. Mae'r un rheol yn wir am y cilofolt neu'r cilonewton, er enghraifft.

Rhoddir y rhagddodiaid sy'n arwain at y lluosiadau, o 10^{-18} i 10^{18}, yn Nhabl 22.4.

Tabl 22.4
Rhagddodiaid unedau.

Ffactor	Rhagddodiad	Symbol	Enghraifft
10^{18}	ecsa	E	ecsajoule, EJ
10^{15}	peta	P	petaohm, PΩ
10^{12}	tera	T	terabecquerel, TBq
10^{9}	giga	G	gigawat, GW
10^{6}	mega	M	megahenri, MH
10^{3}	cilo	k	cilogray, kGy
10^{-3}	mili	m	milicoulomb, mC
10^{-6}	micro	μ	microamper, μA
10^{-9}	nano	n	nanocelfin, nK
10^{-12}	pico	p	picoffarad, pF
10^{-15}	ffemto	f	ffemtometr, fm
10^{-18}	ato	a	atoeiliad, as

Homogenedd fformiwlâu

Mae $2 + 3 = 5$, ond ni fydd dau gi a thair cath byth yn hafal i bum camel. Mewn unrhyw hafaliad sy'n ffisegol ystyrlon, rhaid i'r unedau fod yr un fath ar y ddwy ochr. Hynny yw, mae'n rhaid i'r hafaliad fod yn **homogenaidd**. Cymerwch, er enghraifft,

$$\text{grym} = \text{màs} \times \text{cyflymiad} \quad \text{neu} \quad F = ma$$

Gwyddom unedau'r tri mesur ac nid ydynt, ar yr olwg gyntaf, yn ymddangos yr un fath ar ddwy ochr yr hafaliad. Ond mae'r newton yn uned ddeilliadol ac y mae, mewn gwirionedd, wedi'i ddeillio o'r hafaliad hwn. Dewiswyd maint y newton fel y bo yr un fath â chilogram metr yr eiliad sgwâr. Mae hyn wedi'i ysgrifennu'n rhan o ddiffiniad ffurfiol newton:

I newton yw'r grym sydd ei angen i roi cyflymiad o I m s^{-2} i fàs o I kg

Gallwn fynegi homogenedd yr hafaliad naill ai yn nhermau unedau neu yn nhermau dimensiynau:

$$F = ma$$

Yn nhermau unedau,

$$\text{kg m s}^{-2} = \text{kg m s}^{-2}$$

Yn nhermau dimensiynau,

$$[M] [L] [T]^{-2} = [M] [L] [T]^{-2}$$

Nodwch nad oes gan gymhareb dau fesur sy'n unfath o safbwynt eu dimensiynau ddim dimensiynau ei hun. Sawl arwynebedd o 3 m^2 y gellir ei ffitio i arwynebedd o 12 m^2? Rhaid llunio cymhareb er mwyn ateb y cwestiwn:

$$\frac{12 \text{ m}^2}{3 \text{ m}^2}$$

4, nid 4 m^2, yw'r ateb. Y mae'n **fesur diddimensiwn**.

Gan fod yn rhaid i hafaliad ffisegol fod yn homogenaidd, gallwn ei ddefnyddio i wirio ein hafaliadau. Dychmygwch eich hun yn yr ystafell arholiad ac na allwch gofio'r fformiwla ar gyfer cyfnod pendil. Fe wyddoch mai un o'r ddau yma ydyw:

$$T = 2\pi \sqrt{g/l} \quad \text{neu} \quad T = 2\pi \sqrt{l/g}$$

Ile saif T am y cyfnod, l am yr hyd a g am gryfder y maes disgyrchiant. Dim ond hafaliad sy'n homogenaidd all fod yn gywir. Gallech wneud **dadansoddiad dimensiynol**. Rhoddir y dimensiynau gan:

ar gyfer T	$[T]$
ar gyfer 2	rhif ydyw ac nid oes iddo uned na dimensiynau
ar gyer π	cymhareb ar gyfer dau hyd ydyw (y cylchedd a'r diamedr) ac nid oes iddo uned na dimensiynau
ar gyfer l	$[L]$
ar gyfer g	dyma rym am bob uned màs; dimensiynau grym yw $[M][L][T]^{-2}$ a dimensiynau màs yw $[M]$, felly dimensiynau g yw $[L][T]^{-2}$

Felly ar gyfer fersiwn cyntaf yr hafaliad:

$$[T] = \sqrt{[L][T]^{-2}/[L]}$$
$$= \sqrt{[T]^{-2}}$$

sydd o'i symleiddio yn rhoi

$$[T] = [T]^{-1}$$

sy'n amlwg yn anghywir.

Ar gyfer ail fersiwn yr hafaliad:

$$[T] = \sqrt{[L]/([L][T]^{-2})}$$
$$= \sqrt{1/[T]^{-2}}$$
$$= \sqrt{[T]^2}$$

sydd o'i symleiddio yn rhoi

$$[T] = [T]$$

sy'n amlwg yn gywir.

Mae gan yr ail fersiwn ddimensiynau homogenaidd.

Nid yw, fodd bynnag, yn profi bod yr ail fersiwn yn gywir. (Mae'r fformiwla $T = \sqrt{l/g}$ hefyd yn homogenaidd, er enghraifft). Fodd bynnag, o blith y ddwy fformiwla a gawsoch ar y dechrau, rydych wedi darganfod pa un sy'n bendant yn anghywir.

---

13 Pa uned sylfaenol arall a ddefnyddir i ddiffinio'r metr?

14 TRAFODWCH

Pa broblemau allai godi pe na bai diffiniad rhyngwladol safonol ar gyfer y metr?

15 Tybiwch fod y pwyllgor SI yn cytuno y dylai uned SI cyflymiad gael ei henw ei hun.

a Awgrymwch enw. (Nodwch fod y rhan fwyaf o unedau o'r fath wedi'u henwi ar ôl gwyddonwyr o'r gorffennol, ond does dim rhaid i chi ddilyn y drefn yma.)

b Ysgrifennwch ddiffiniad ffurfiol ar gyfer yr uned hon.

16 Esboniwch pam y mae diriant (gweler Pennod 5 ar estyn gwifrau) yn fesur diddimensiwn.

17 Dwysedd cymharol sylwedd yw cymhareb dwysedd y sylwedd i ddwysedd dŵr:

$$\text{dwysedd cymharol sylwedd} = \frac{\text{dwysedd y sylwedd}}{\text{dwysedd dŵr}}$$

Gwnewch sylwadau ar uned a dimensiynau dwysedd cymharol.

18 a Mynegwch wrthiant yn nhermau ei ddimensiynau.

b Mae R_1, R_2, R_3, ac R_4 i gyd yn wrthyddion. Dyma'r hyn a ysgrifennodd un myfyriwr:

$$R_1 + R_2 = \frac{R_3}{R_4}$$

Esboniwch sut y gallwch ddweud yn eithaf sydyn fod hyn yn anghywir.

19 a Mynegwch mewn pm:
1 pm + 100 fm

b Faint yn fwy yw 1 gigabecquerel na 10 cilobecquerel?

20 a Sawl ns sydd mewn 1 funud?

b Faint o amser yw 1 Es mewn blynyddoedd?

c Pa un sydd agosaf at eich disgwyliad oes chi:
i 1 Ms   **ii** 1 Gs   **iii** 1 Ts   **iv** 1 Es?

Mesuriad, trachywiredd, cyfeiliornad a manwl gywirdeb

Yr hyn a gewch mewn gwerslyfr yw cefndir syniadau, ond ni all roi i chi brofiad ymarferol ohonynt. Pwnc ymarferol yw ffiseg, yn ei hanfod, sy'n seiliedig ar arsylwadau o'r byd o'n cwmpas. O ddiddordeb mawr yw'r ymchwiliad i'r berthynas feintiol rhwng newidynnau. Mae mesur newidynnau felly yn rhan ganolog o ffiseg.

Yn anffodus, nid oes yna'r fath beth â mesuriad perffaith. Y cyfan y gallwn ei gael yw lefel arbennig o **drachywiredd**. Os dywedwn y gwyddom mai gwrthiant darn o wifren yw 2.428 Ω yna rydym yn honni bod gennym lefel uchel o drachywiredd. Rydym yn datgan y gallwn ddweud y gwahaniaeth rhwng 2.428 Ω a naill ai 2.427 Ω a 2.429 Ω. Mae pedwar **ffigur ystyrlon**, neu ddigid ystyrlon, sy'n cyfrannu at drachywiredd y gwerth a roddwyd, neu'r gwerth a roddwn ar wrthiant. Rydym yn honni bod ein mesuriadau yn drachywir i 0.001 Ω. Rhaid sicrhau bod ein mesuriadau yn cyfiawnhau hyn.

Mae'n bosibl mai'r gorau y gallwn ei wneud yw rhoi gwerth ar y gwrthiant i ddau ffigur ystyrlon, felly fe ddywedwn fod y gwrthiant yn 2.4 Ω. Efallai y bydd angen i ni fod yn ofalus ynglŷn â hyn a chyfaddef y gall fod yna gyfeiliornad neu ansicrwydd ynglŷn â'r ffigur llai trachywir hwn hyd yn oed. Y gorau y gallem ei wneud o dan y fath amgylchiadau fyddai dweud bod y gwrthiant rywle rhwng 2.3 Ω a 2.5 Ω. Gallwn ymgorffori'r ansicrwydd hwn yn y gwerth a roddwn ar gyfer gwrthiant wrth ddweud

$$R = (2.4 \pm 0.1)\ \Omega$$

Saif yr 0.1 Ω am ansicrwydd neu asesiad o'r cyfeiliornad macsimwm mewn mesuriad. Fe'i gelwir weithiau yn syml iawn yn gyfeiliornad yn y mesuriad. Gall cyfeiliornadau o'r fath fod yn bwysig wrth blotio graff – gallant gynyddu ein hyder wrth dynnu llinell i ffitio'r pwyntiau a blotiwyd. Er mwyn sicrhau nad ydym yn dod i gasgliadau na allwn eu cyfiawnhau, gallwn dynnu **barrau cyfeiliornad** ar ein graff (Ffigur 22.12). Gwyddom wedyn y dylai'r llinell fod o fewn terfynau'r barrau cyfeiliornad.

Mae trachywiredd yn werthfawr weithiau, ond ddim bob amser. Os ydych am wybod faint y bydd yn rhaid i chi ddisgwyl tan eich pryd bwyd nesaf, yna mae'n annhebygol y bydd angen i chi wybod i'r eiliad neu hyd yn oed i'r funud agosaf. Ychydig o werth sydd i lefel uchel o drachywiredd yma.

Nid yw **manwl gywirdeb** yr un fath â thrachywiredd. Mae manwl gywirdeb yn dweud wrthym pa mor ddibynadwy yw mesuriad. Mae mesuriad sy'n anghywir yn fynegiad annibynadwy o'r gwir werth ac mae'n bosibl y bydd gwneud mesuriadau pellach yn datgelu'r anghywirdeb. Gall y datganiad 'mae cinio mewn rhyw ddwy awr', er enghraifft, fod yn fanwl gywir ond nid yw'n drachywir. Gall mesuriad nad yw'n drachywir fod yn fanwl gywir felly. Ar y llaw arall, nid yw'r datganiad uchod yn fanwl gywir chwaith os yw cinio mewn tair awr.

Ffigur 22.12
Mae barrau cyfeiliornad yn cymryd i ystyriaeth ansicrwydd y mesuriadau.

Mae'n ymddangos bod y pwyntiau a blotiwyd yn dangos patrwm sy'n codi ac yn disgyn ond mae'n bosibl ffitio llinell syth y tu mewn i'r barrau cyfeiliornad hefyd. Yn yr achos hwn, ni ellir dod i gasgliad dibynadwy am siâp y llinell.

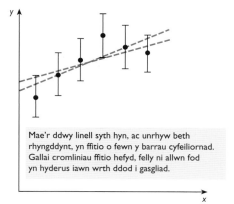

Mae'r ddwy linell syth hyn, ac unrhyw beth rhyngddynt, yn ffitio o fewn y barrau cyfeiliornad. Gallai cromliniau ffitio hefyd, felly ni allwn fod yn hyderus iawn wrth ddod i gasgliad.

Ffigur 22.13
Mae'r amser a roddir mewn ras rhedeg fel arfer ar lefel o drachywiredd gweddol uchel sy'n cael ei phennu ymlaen llaw – i'r 1/100fed eiliad agosaf neu i ddau le degol fel rheol.

Ar gyfer ras can metr, er enghraifft, mae'n bosibl mai'r amser ar gyfer y cyntaf, yr ail a'r trydydd fyddai:

9.96 s   9.98 s   9.99 s

Mae pobl sy'n gyfrifol am y mesuriadau yn honni y gall eu hoffer mesur wahaniaethu rhwng 9.96 s a 9.97 s. Ond ni allant wahaniaethu rhwng 9.962 s a 9.964 s. Caiff y ddau eu cofnodi fel 9.96 s.

Gallwn gynnig gwerth i ddynodi'r ansicrwydd, neu gyfeiliornad posibl, yn y mesuriad. Er enghraifft, gallai'r amser 9.96 s gael ei ysgrifennu fel (9.96 s ± 0.01) s, sy'n dweud wrthym fod yr amser rywle rhwng 9.95 s a 9.97 s ond na allwn ddweud mwy na hynny.

21 Wrth ymchwilio i berthynas benodol, pam y mae'n bwysig cymryd mesuriadau dros amrediad o newidynnau mewnbwn sydd mor fawr â phosibl?

22 Mynegwch fesuriad y newidyn allbwn yn Ffigur 22.14 yn ysgrifenedig, gan roi gwerthoedd ansicrwydd ar ffurf ±.

Ffigur 22.14

23 Nodir mai gwerth cerrynt mewn cylched yw 0.025 A. Mae iddo ddau ffigur ystyrlon.

a Sawl ffigur ystyrlon sydd yna yn y mesuriadau hyn:

i 1270 N

i 0.000 565 m?

b Ysgrifennwch y mesuriadau yn **a** i ddau ffigur ystyrlon. Pa effaith a gaiff hyn ar drachywiredd y gwerthoedd a roddir?

c Pam y mae'n bwysig na ddylai trachywiredd gwerth a nodwyd fod yn fwy na thrachywiredd y mesuriad?

24 a Gwyddom fod ansicrwydd o 5% o'r gwerth a roddir ym mhob un o'r mesuriadau canlynol. Ysgrifennwch y gwerth gan ddangos y cyfeiliornad. (Dylai'r cyfeiliornad gael ei dalgrynnu i gyfateb i nifer y ffigurau ystyrlon yn y gwerth a roddir. Dylid dileu unrhyw honiadau o drachywiredd yn y gwerth a roddir na ellir eu cyfiawnhau.)

Er enghraifft, bydd y mesuriad 2.41 V yn troi'n (2.4 ± 0.1) V.

i 38.8 mm

ii 0.05 J

b Ail-wnewch **a**, gan dybio bod ansicrwydd o 1% yn perthyn iddo.

c Pa mor aml, yn gyffredinol, y gallwch wneud mesuriadau sydd ag ansicrwydd mor isel ag 1%?

● **Tasg sgiliau ychwanegol**

Cyfathrebu, Technoleg Gwybodaeth a Chymwyso Rhif

Treuliwch ychydig o amser naill ai

- mewn gwers fathemateg gyda Blwyddyn 10 ar algebra, neu
- yn siarad gyda'r athro mathemateg am y problemau sy'n wynebu disgyblion Blwyddyn 10 wrth ymdopi ag algebra.

Paratowch boster neu ryw ddeunydd graffeg arall (ar gyfrifiadur o bosibl) i helpu disgyblion Blwyddyn 10 i drin hafaliadau.

VII
GOLAU A MATER

Plygiant golau

Y CWESTIYNAU MAWR
- Sut y mae dadansoddi'r ffordd y mae golau'n teithio ar draws ffiniau gwahanol gyfryngau?
- Sut y mae'r dadansoddiad hwn yn ein helpu i
  - **a** ddeall y byd mewn ffyrdd newydd
  - **b** datblygu technolegau newydd?

GEIRFA ALLWEDDOL
adlewyrchiad mewnol cyflawn   adlewyrchiad mewnol rhannol   ailadrodd (canlyniadau)
amblecsio rhannu amser   blaendon   cladin (o amgylch ffibrau optig)
cydlynol (bwndel o ffibrau optig)   cyfradd didau   deuod allyrru golau (*light emitting diode* LED)
did   dwysedd optegol   egwyddor cildroadedd   endosgop   ffibr amlfodd
ffibr indecs graddedig   ffibr indecs gris   ffibr monofodd   indecs plygiant
indecs plygiant absoliwt   ongl blygiant   ongl drawiad   ongl gritigol

Y CEFNDIR

Ffigur 23.1
Mae plygiant yn achosi i ni weld pethau mewn ffordd wahanol.

Mae golau sy'n cael ei drawsyrru drwy un defnydd, neu gyfrwng, ac yna drwy un arall, yn mynd drwy broses o newid. Mae'r newidiadau fel petaent yn newid geometreg y byd (Ffigur 23.1). Plygiant ar y ffin rhwng y defnyddiau sy'n trawsyrru sy'n gyfrifol am hyn, ffenomen sy'n cael ei hachosi gan newid ym muanedd golau. Oni bai bod y golau yn teithio ar hyd y normal wrth groesi'r ffin, mae plygiant hefyd yn achosi newid cyfeiriad. Gallwn ddefnyddio pelydrau, tonnau a pherthnasoedd mathemategol fel modelau i ddadansoddi plygiant. Wedi gwneud hyn, gallwn gymhwyso'r wybodaeth sydd gennym i donnau o bob math, ond mae'n arbennig o ddefnyddiol gyda thonnau golau. Rhoddodd hyn gyfle i ni nid yn unig weld pethau mewn ffordd newydd ond ffyrdd newydd o gyfathrebu.

Pelydrau a phlygiant

Mae aer, gwydr, persbecs a dŵr i gyd yn ddefnyddiau sy'n trawsyrru golau yn dda. Ond pan fo golau yn croesi ffiniau rhwng defnyddiau tryloyw o'r fath mae'n profi plygiant. Gan ddefnyddio pelydrau i gynrychioli golau'n teithio gallwn lunio diagramau i ddadansoddi pob ffenomen plygiant o'r fath yn gywir (Ffigur 23.2).

Ffigur 23.2
Mae defnyddio pelydrau i ddadansoddi plygiant yn gyson â'r arsylwad bod y darn arian yn dod yn weladwy pan fo bicer yn cael ei lenwi â dŵr. Mae presenoldeb y dŵr yn rhoi llwybr newydd i'r golau.

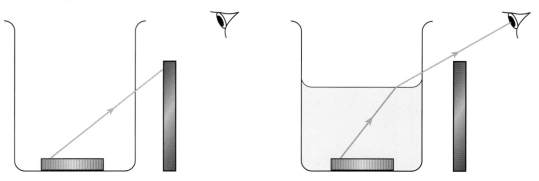

Mae pelydrau, sef y cynrychioliadau gweledol y byddwn yn eu llunio ar bapur, mor ddefnyddiol fel ei bod hi'n werth creu'r amodau, ar ffurf arbrawf, i'w hefelychu. (Mae hyn yn groes i'r hyn y byddwn yn ei wneud fel arfer sef creu modelau sy'n efelychu realiti!) Mae paladr cul o olau yn disgleirio drwy floc o wydr neu linell o binnau ar y naill ochr a'r llall o'r bloc yn ein helpu ni i greu diagramau pelydrol sy'n dangos plygiant. Mae Ffigur 23.3a yn dangos ymgais o'r fath ac mae Ffigur 23.3b yn dangos y diagram pelydrol a luniwyd ynghyd â'r **ongl drawiad** a'r **ongl blygiant** wedi'u labelu arno.

Ffigur 23.3
a Trawstoriad llorweddol o floc gwydr neu bersbecs ar siâp petryal neu hanner cylch yw'r ffordd symlaf o ddechrau astudio plygiant.
b Gall diagram pelydrau gael ei greu i helpu i ddadansoddi plygiant.

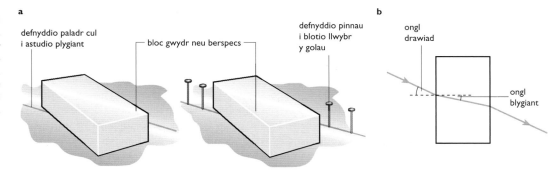

Model mathemategol o blygiant

O'r diagramau pelydrol a grëwyd o ganlyniad i'r arbrofion, os cânt eu llunio'n ddigon gofalus, gallwn fesur yr ongl drawiad a'r ongl blygiant ar y ffin rhwng dau ddefnydd megis aer a gwydr. Gallwn ymchwilio i'r berthynas rhwng yr onglau, gan amrywio'r ongl drawiad a mesur yr onglau hyd nes y gallwn ddechrau edrych am batrwm mathemategol a fydd yn gymwys i'r holl ddata.

Yn anffodus, o edrych ar y mesuriadau a gafwyd ar gyfer yr ongl drawiad a'r ongl blygiant, ni welwn unrhyw berthynas sydd mor syml â hafaledd yr onglau a geir ar gyfer adlewyrchiad. Rhaid edrych yn fwy manwl. Mae defnyddio cyfrifiannell gwyddonol yn cynnig digon o bosibiliadau i drin rhifau. Dim ond pan ddechreuwn ddefnyddio'r botymau trigonometrig y mae patrwm yn ymddangos yn y data a archwiliwyd. Gwelwn fod angen i ni edrych ar sinau'r onglau. Mae'r data, a'r ffordd y byddwn yn ei drin, yn dangos bod gan bob pâr o sinau onglau trawiad a phlygiant yr un gymhareb. Os rhannwn un sin â'r llall ym mhob achos, o fewn ffiniau cywirdeb ein mesuriadau, cawn yr un ateb. O'i fynegi mewn ffordd sydd mor fyr â phosibl:

$$\frac{\sin i}{\sin r} = \text{cysonyn}$$

lle saif *i* am yr ongl drawiad ac *r* am yr ongl blygiant (Ffigur 23.4).

O Bennod 24 ymlaen, fe welwn ei bod hi'n fwy defnyddiol i ni fesur onglau mewn radianau yn hytrach na graddau. Fodd bynnag, wrth fesur onglau trawiad a phlygiant mae cymryd y mesuriadau yn syth o'r onglydd yn symlach, ac mae onglyddion fel rheol wedi'u graddnodi mewn graddau. Yn y bennod hon, byddwn yn dal i ddefnyddio graddau i fesur onglau.

Ffigur 23.4
O edrych ar faint cymharol yr onglau trawiad a phlygiant a fesurwyd ar y ffin rhwng aer a gwydr, gwelwn berthynas fathemategol:
$$\frac{\sin i}{\sin r} = \text{cysonyn}.$$

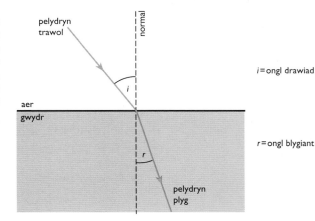

i = ongl drawiad

r = ongl blygiant

Ffiniau eraill – indecs plygiant

Dim ond os gall canlyniad arbrawf gael ei **ailadrodd**, h.y. os ceir yr un canlyniad gan bobl eraill yn ail-wneud yr arbrawf, y caiff ei ystyried yn ddibynadwy. Yn wir, o ailadrodd yr arbrawf gyda blociau o wydr unfath ceir yr un canlyniad, gyda'r un gwerth yn cael ei roi i'r cysonyn, dro ar ôl tro. Fodd bynnag, os yw'r blociau wedi'u gwneud o wahanol fath o wydr yna mae gwerth y cysonyn ychydig yn wahanol. Gyda blociau persbecs, mae'n wahanol eto. Pan fo'r ffin rhwng aer a gwahanol sylweddau, mae'n ymddangos bod y canlyniadau yn wahanol. Er mwyn mynegi ein canlyniad ar ffurf y gellir ei hailadrodd rhaid i ni fod yn ofalus gyda'n geiriau:

$$\frac{\sin i}{\sin r} = \text{cysonyn ar gyfer ffin benodol}$$

Mae'n amlwg bod y cysonyn yn ddigon pwysig i gael ei enw ei hun. Dyma **indecs plygiant** y ffin. Mewn gwirionedd dim ond ar gyfer golau o donfedd neu liw penodol y mae'r gwerth yn gyson. Mae gwerth yr indecs plygiant yn amrywio ychydig yn ôl y donfedd. Rydym yn gyfarwydd â'r amrywiad hwn oherwydd gwasgariad – gwahanu golau gwyn yn wahanol liwiau, fel sy'n digwydd gyda phrism. Fodd bynnag, wrth wneud mesuriadau mewn labordy ar olau coch a golau glas, dyweder, bydd angen i ni fod yn hynod o drachywir wrth fesur y gwahaniaeth yng ngwerthoedd yr indecs plygiant.

Mewn mathemateg, mae talfyrru'r iaith yn hwyluso'r broses o fynegi pethau ac felly gellir ysgrifennu indecs plygiant, er enghraifft, ffin aer-i-wydr, fel $_an_g$. Ar gyfer y ffin rhwng gwydr a dŵr, ceir $_gn_d$.

Os gofynnir i chi roi diffiniad ffurfiol o indecs plygiant, gallech ysgrifennu rhywbeth tebyg i'r un yn Ffigur 23.5.

Ffigur 23.5
Diffiniad ffurfiol ar gyfer indecs plygiant.

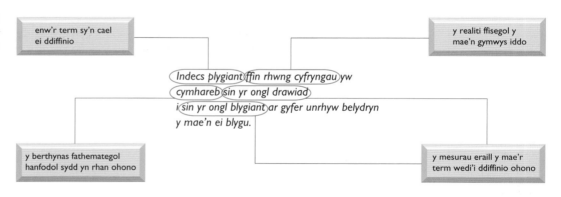

enw'r term sy'n cael ei ddiffinio

y realiti ffisegol y mae'n gymwys iddo

Indecs plygiant ffin rhwng cyfryngau yw cymhareb sin yr ongl drawiad i sin yr ongl blygiant ar gyfer unrhyw belydryn y mae'n ei blygu.

y berthynas fathemategol hanfodol sydd yn rhan ohono

y mesurau eraill y mae'r term wedi'i ddiffinio ohono

Ffigur 23.6
Mae'r indecs plygiant, ac felly'r newid yng nghyfeiriad y golau, yn wahanol ar gyfer pob un o'r ffiniau hyn.

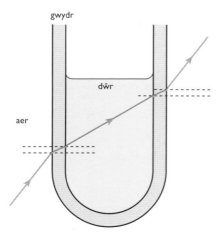

gwydr

dŵr

aer

Cofiwch, mae indecs plygiant gwahanol i'r ffiniau rhwng defnyddiau gwahanol (Ffigur 23.6).

Mae perthynas rhwng indecs plygiant arwyneb a meintiau cymharol yr ongl drawiad a'r ongl blygiant. Os yw'r ongl drawiad yn fwy na'r ongl blygiant yna mae indecs plygiant y ffin yn fwy nag 1. Os yw'r ongl drawiad yn llai na'r ongl blygiant yna mae'r indecs plygiant yn llai nag 1. Yr indecs plygiant yw cymhareb sinau'r onglau ac felly nid oes iddo unedau – mae'n fesur diddimensiwn.

Ar gyfer golau sy'n teithio o'r aer i floc gwydr nodweddiadol, mae'r indecs plygiant $_a n_g$ yn fwy nag 1; mae'r ongl drawiad yn fwy na'r ongl blygiant. Mae golau sy'n teithio i'r cyfeiriad dirgroes, o'r gwydr i'r aer, yn cael ei blygu fel y bo'r ongl blygiant yn fwy na'r ongl drawiad. Mewn gwirionedd, gall pelydryn o olau ddilyn yr un llwybr yn union ond i gyfeiriad dirgroes. Mae'r arsylwad y gall golau deithio un ffordd drwy system optegol ac y gall hefyd fynd i'r cyfeiriad dirgroes ar hyd llwybr unfath yn cael ei alw'n **egwyddor cildroadedd** (Ffigur 23.7).

Ffigur 23.7
Mae golau'n ufuddhau i egwyddor cildroadedd – mae'n dilyn yr un llwybr i'r naill gyfeiriad neu'r llall.

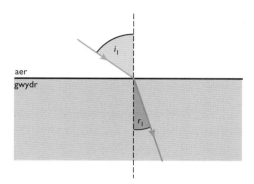
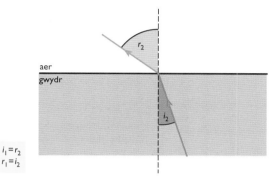

$i_1 = r_2$
$r_1 = i_2$

Ar gyfer y ffin aer-i-wydr:

$$_a n_g = \frac{\sin i_1}{\sin r_1} \quad \text{(i)}$$

Ar gyfer y ffin gwydr-i-aer:

$$_g n_a = \frac{\sin i_2}{\sin r_2}$$

Ond gan fod $i_1 = r_2$ a bod $r_1 = i_2$,

$$_g n_a = \frac{\sin r_1}{\sin i_1} \quad \text{(ii)}$$

Sylwch ar y berthynas rhwng ochr dde hafaliadau (i) a (ii). Mae un yn wrthdro i'r llall. Felly mae'n rhaid bod y ddwy ochr chwith yn wrthdro i'w gilydd:

$$_g n_a = \frac{1}{_a n_g}$$

1 a Ar gyfer brasluniau **i** a **ii** yn Ffigur 23.8, cyfrifwch indecs plygiant y ffin.
b Ar gyfer brasluniau **iii** a **iv**, cyfrifwch yr ongl blygiant.
c Ar gyfer brasluniau **v** a **vi**, cyfrifwch yr ongl drawiad.
2 Pam, yn achos plygiant, y mae cymhareb ($\sin i / \sin r$) yn fwy defnyddiol na gwahaniaeth ($\sin i - \sin r$)?
3 a Os yw $_d n_g = 1.13$ (d = dŵr a g = gwydr), yna beth yw $_g n_d$?
b Cyfrifwch yr ongl blygiant pan fo golau yn croesi ffin rhwng dŵr a gwydr ag ongl drawiad o 60°.

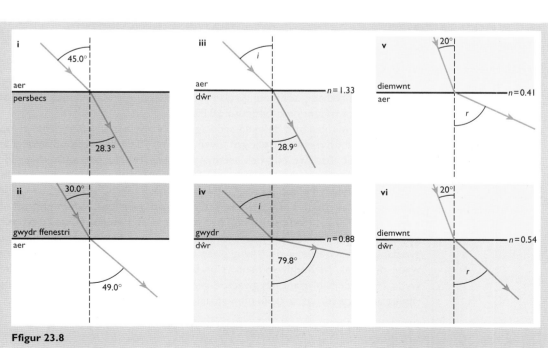

Ffigur 23.8

Indecs plygiant absoliwt

O drefnu arbrawf yn ofalus, gellir mesur plygiant wrth i olau deithio o wactod i sylwedd sy'n trawsyrru golau. Gellir ysgrifennu indecs plygiant ffin o'r fath fel a ganlyn:

$$_{gwactod}n_{defnydd} \quad \text{neu'n syml} \quad n_{defnydd} \quad \text{(neu hyd yn oed, yn syml, } n\text{)}$$

Dyma ffordd ddefnyddiol o gymharu defnyddiau sy'n trawsyrru golau. Yr enw arno yw **indecs plygiant absoliwt** y defnydd.

Mae diffiniad ffurfiol indecs plygiant absoliwt (Ffigur 23.9) yn debyg i'r diffiniad a roddir ar gyfer indecs plygiant ffin benodol yn Ffigur 23.5. Yma, fodd bynnag, rhaid nodi bod indecs plygiant absoliwt yn briodwedd i'r defnydd a bod gwactod ar yr 'ochr drawol' i'r ffin. Mae Tabl 23.1 yn rhoi rhai gwerthoedd ar gyfer defnyddiau gwahanol.

Ffigur 23.9
Diffiniad ffurfiol ar gyfer indecs plygiant absoliwt.

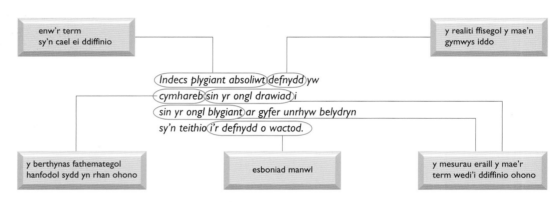

Tabl 23.1
Rhai gwerthoedd indecs plygiant absoliwt.

Defnydd	Indecs plygiant absoliwt, $n_{defnydd}$
aer	1.00
dŵr	1.33
gwydr (borosilicad)	1.47
gwydr (optegol)	1.54
diemwnt	2.42

Sylwch fod indecs plygiant absoliwt defnydd yn amrywio gyda'r donfedd. Y gwerthoedd a roddir yn y tabl yw'r rhai ar gyfer tonfeddi yng nghanol yr amrediad gweladwy – tua 500 nm. Ar draws holl amrediad y tonfeddi gweladwy, tua 400 nm i 700 nm, mae indecs plygiant absoliwt gwydr optegol yn amrywio oddeutu ±0.02.

Dywedir weithiau bod defnydd sydd ag indecs plygiant absoliwt uchel yn optegol ddwys. Felly mae gan wydr **ddwysedd optegol** uwch na dŵr. (Caiff dwysedd optegol ei feintioli yn nhermau indecs plygiant absoliwt. Nid oes perthynas uniongyrchol a phenodol rhyngddo â dwysedd màs defnydd, fel y caiff ei fesur mewn kg m^{-3}. Sylwch, pan gaiff y gair dwysedd ei ddefnyddio ar ei ben ei hun, dylid cymryd ei fod yn golygu dwysedd màs.)

Ar lefel uchel iawn o drachywiredd (chwe ffigur ystyrlon), indecs plygiant absoliwt aer ar lefel y môr yw 1.000 29. Mae'r ffaith bod hyn mor agos at 1 yn golygu, petai'n bosibl cael ffin rhwng gwactod ac aer, y byddai'r plygiant yn fach iawn. O ran plygiant pelydryn o olau, dim ond gwahaniaeth bach iawn sydd rhwng gwactod ac aer. Felly, mae pelydryn o olau sy'n teithio o aer i wydr, dyweder, yn ymddwyn bron yr un fath yn union â phelydryn o olau sy'n teithio o wactod i wydr. Mae indecs plygiant ffin gwactod-gwydr ond ychydig yn wahanol i indecs plygiant y ffin rhwng aer a gwydr ac, at ddibenion ymarferol, gallwn eu trin fel petaent yr un fath. Felly

$$\text{indecs plygiant absoliwt gwydr} = n_{gwydr} \approx {}_a n_g$$

4 Ar gyfer ongl drawiad o 30° mae arwyneb aer-gwydr (borosilicad) yn plygu golau fioled gydag ongl blygiant o 19.7° a golau coch gydag ongl blygiant o 20.0°. Cyfrifwch indecsau plygiant y ddau liw.

5 Defnyddiwch y data yn Nhablau 23.1 a 23.2 i ddarganfod a oes perthynas glir rhwng dwysedd optegol (sydd wedi'i faintioli gan indecs plygiant absoliwt) a dwysedd màs.

6 a Petai'n bosibl cael ffin rhwng gwactod ac aer, gydag indecs plygiant o 1.000 29, beth fyddai'r onglau plygiant ar gyfer onglau trawiad o
i 30° **ii** 30.0° **iii** 30.00° **iv** 30.000°?
b Disgrifiwch lwybr pelydryn o olau ar draws ffin o'r fath.

7 Cyfrifwch yr ongl blygiant pan fo pelydryn o olau yn creu ongl drawiad o 80° gydag
a ffin gwactod-dŵr (petai hynny'n bosibl)
b ffin gwactod-diemwnt.

Tabl 23.2

Defnydd	Dwysedd màs/kg m^{-3}
aer	1.26
dŵr	1000
gwydr (borosilicad)	2230
gwydr (optegol)	2900
diemwnt	3510

Dyfnder real ac ymddangosol

Mae pwll o ddŵr yn edrych yn fwy bas nag ydyw mewn gwirionedd oherwydd plygiant (Ffigur 23.10). Mae gwaelod y pwll yn edrych fel petai wedi'i godi; yn yr un modd mae darn o bren a fydd yn cael ei roi yn y dŵr yn edrych yn fyrrach nag ydyw mewn aer. Os x yw dyfnder real y dŵr ac os y yw ei ddyfnder ymddangosol, yna

$$\tan i = \frac{\text{cyferbyn}}{\text{cyfagos}} = \frac{z}{x} \qquad \text{a} \qquad \tan r = \frac{\text{cyferbyn}}{\text{cyfagos}} = \frac{z}{y}$$

lle saif z am y pellter rhwng y ddau normal a ddangosir. Felly

$$\frac{\tan i}{\tan r} = \frac{z/x}{z/y} = \frac{y}{x}$$

Ffigur 23.10
Mae'r pelydrau yn edrych fel petaent yn dargyfeirio o bwynt uwchben eu tarddbwynt gwreiddiol.

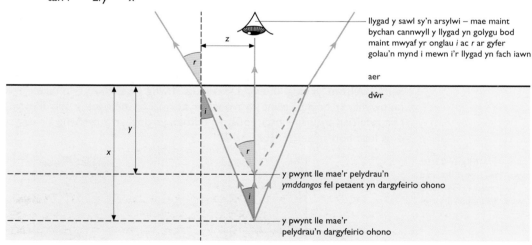

llygad y sawl sy'n arsylwi – mae maint bychan cannwyll y llygad yn golygu bod maint mwyaf yr onglau i ac r ar gyfer golau'n mynd i mewn i'r llygad yn fach iawn

aer

dŵr

y pwynt lle mae'r pelydrau'n *ymddangos* fel petaent yn dargyfeirio ohono

y pwynt lle mae'r pelydrau'n dargyfeirio ohono

Os edrychwn i lawr o bwynt yn union uwchlaw'r dŵr yna gwelwn fod i ac r yn fach. Yna

$$\tan i \approx \sin i \qquad \text{a} \qquad \tan r \approx \sin r$$

8 Gwnewch gyfrifiadau'n seiliedig ar y ffigurau yn Nhabl 23.3 i'ch galluogi chi i farnu a ydyw'r brasamcan

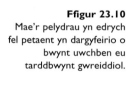

yn rhesymol ar gyfer yr onglau a roddywd. Sylwch y gwyddom fod

$$\frac{\tan r}{\tan i} = \frac{\text{dyfnder real}}{\text{dyfnder ymddangosol}}$$

a bod

$$\frac{\sin r}{\sin i} = n_{\text{dŵr}}$$

Tabl 23.3

sin r/sin i = $n_{\text{dŵr}}$	1.33	1.33	1.33	1.33
r (= yr ongl yn yr aer)	30°	10°	3°	1°

Felly

$$\frac{\tan i}{\tan r} \approx \frac{\sin i}{\sin r} = \frac{1}{n_{\text{dŵr}}}$$

(i yw'r ongl yn y dŵr)

Gallwn ddweud felly, gan roi brasamcan a fydd yn gwella wrth i'r cyfeiriad y byddwn edrych arno fynd yn fwyfwy fertigol (gan wneud i ac r yn llai), fod

$$n_{\text{dŵr}} = \frac{x}{y} = \frac{\text{dyfnder real}}{\text{dyfnder ymddangosol}}$$

Amrywiad indecs plygiant defnydd â'i ddwysedd màs

Os oes gan ddau ddefnydd yr un indecs plygiant absoliwt yna bydd pelydryn o olau yn mynd o un i'r llall heb newid cyfeiriad, ond gall gwahaniaeth bychan yn yr indecs plygiant wneud gwahaniaeth i lwybr y pelydryn. Mae indecs plygiant absoliwt defnydd yn amrywio wrth i'w ddwysedd màs newid. Felly gall newidiadau bychan yng nghyfeiriad y pelydryn ddigwydd o fewn un defnydd o ganlyniad i amrywiadau yn y dwysedd màs.

Gall gwahaniaethau tymheredd lleol achosi gwahaniaethau bychan mewn dwysedd, gan arwain at blygiant. Mewn aer neu ddŵr mae gwahaniaethau lleol o'r fath yn y tymheredd yn annhebygol o fod yn llonydd. Byddant yn symud o amgylch o ganlyniad i symudiad y defnydd oherwydd ceryntau darfudiad. Felly, pan fyddwch yn cymysgu dŵr poeth ac oer yn eich bath byddwch yn gweld patrymau symudol o olau a 'chysgod' ar waelod y bath. Neu, pan fyddwch yn edrych ar draws llyn ar noson o haf, bydd y golau ar y lan ar yr ochr draw yn disgleirio wrth i arddwysedd y golau a fydd yn cyrraedd eich llygaid amrywio. Ar ddiwrnod poeth, mae'n bosibl y gwelwch rithlun – patrymau'n disgleirio fel petaent ar y ddaear neu'n union uwchben y ddaear (Ffigur 23.11).

Ffigur 23.11
Rhithlun yw delwedd o'r awyr yn cael ei gweld ar y ddaear neu'n union uwchben y ddaear.

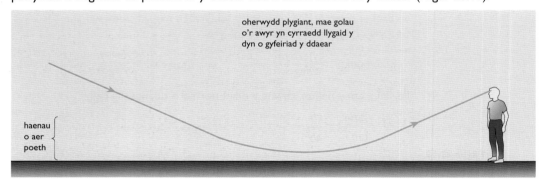

oherwydd plygiant, mae golau o'r awyr yn cyrraedd llygaid y dyn o gyfeiriad y ddaear

haenau o aer poeth

Adlewyrchiad mewnol cyflawn a'r ongl gritigol

Fel y gwelsom, yr ongl drawiad yw'r ongl rhwng y pelydryn sy'n taro'r arwyneb a'r normal ar yr un pwynt. Yr ongl blygiant yw'r ongl â'r normal a wneir gan y pelydryn yn teithio i ffwrdd o'r ffin. I ba gyfeiriad bynnag y bo'r golau yn teithio, yr ongl yn y cyfrwng â'r dwysedd optegol mwyaf yw'r ongl leiaf bob amser (Ffigur 23.12).

Ffigur 23.12
Cofiwch mai'r ongl drawiad yw'r ongl â'r normal a wneir gan y pelydryn yn taro'r ffin.

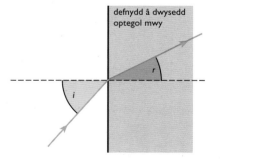
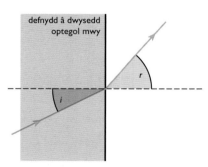

defnydd â dwysedd optegol mwy

defnydd â dwysedd optegol mwy

Felly, ar gyfer golau sy'n teithio drwy wydr ac yn cyrraedd y ffin gyda'r aer, er enghraifft, mae'r ongl blygiant yn yr aer yn fwy na'r ongl drawiad yn y gwydr. Os yw'r ongl drawiad yn cynyddu, mae'r ongl blygiant hefyd yn cynyddu. Mae'r ongl blygiant yn cyrraedd 90° cyn yr ongl drawiad. Ni all yr ongl yn yr aer fod yn fwy na 90°. Felly mae unrhyw gynnydd pellach yn yr ongl drawiad yn ei gwneud hi'n amhosibl i'r golau fynd trwy'r ffin i'r aer. Yn lle hynny, mae'r golau yn teithio'n ôl i'r cyfrwng â dwysedd optegol mwy. Mae'n ufuddhau i'r ddeddf adlewyrchiad a gelwir y ffenomen yn **adlewyrchiad mewnol cyflawn**.

Mae'r ongl yn y cyfrwng mwy dwys, sef yr ongl drawiad, pan ddaw'r ongl allanol yn 90°, yn cael ei galw'n **ongl gritigol**. Ar gyfer onglau trawiad sy'n llai na'r ongl gritigol, caiff golau ei blygu i'r cyfrwng llai dwys. Ar gyfer onglau trawiad sy'n fwy na'r ongl gritigol, mae adlewyrchiad mewnol cyflawn yn digwydd (Ffigur 23.13).

Ffigur 23.13
Adlewyrchiad mewnol rhannol a chyflawn.

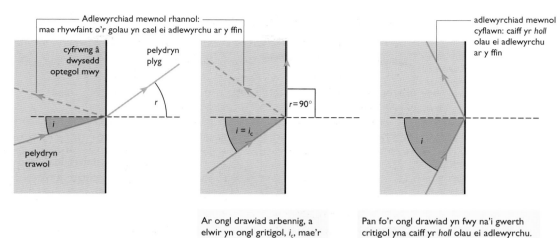

Ar ongl drawiad arbennig, a elwir yn ongl gritigol, i_c, mae'r ongl blygiant yn 90°.

Pan fo'r ongl drawiad yn fwy na'i gwerth critigol yna caiff yr *holl* olau ei adlewyrchu. Dyma'r adlewyrchiad mewnol cyflawn.

Mae cyfran fach o'r golau a fydd yn cyrraedd y ffin rhwng cyfrwng â dwysedd optegol mwy a chyfrwng llai dwys yn cael ei adlewyrchu bob amser gan yr arwyneb a bydd yn ufuddhau i'r ddeddf adlewyrchiad. Mae'r golau adlewyrchedig bob amser yn aros yn y cyfrwng â dwysedd optegol mwy. Dyma **adlewyrchiad mewnol rhannol**.

Ongl gritigol ac indecs plygiant

Ar gyfer plygiant yn gyffredinol rhwng dau gyfrwng, *a* a *b*, gwyddom fod

$$_an_b = \frac{\sin i}{\sin r}$$

Gall adlewyrchiad mewnol cyflawn ddigwydd pan fo dwysedd optegol cyfrwng *a* yn fwy na dwysedd optegol cyfrwng *b* ar gyfer onglau *i* sy'n fwy na'r ongl gritigol. Pan fo *i* yn hafal i'r ongl gritigol, i_c, yna mae ongl *r* yn hafal i 90° (Ffigur 23.14).

Ffigur 23.14
Pan fo'r ongl drawiad (yr ongl yn y cyfrwng â dwysedd optegol mwy) yn hafal i'r ongl gritigol, yna yr ongl blygiant yw 90°.

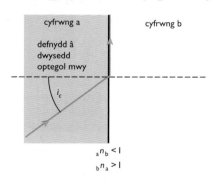

$$_an_b < 1$$
$$_bn_a > 1$$

Felly gallwn ysgrifennu

$$_an_b = \frac{\sin i_c}{\sin 90°}$$

a, gan fod sin 90° = 1

$$_an_b = \sin i_c$$

Yn fwy cyffredin, y cyfrwng llai dwys sy'n rhan o'r adlewyrchiad mewnol cyflawn yw aer, tra bo'r cyfrwng mwy dwys yn ddŵr, gwydr, persbecs neu efallai diemwnt. Ar gyfer dŵr, er enghraifft,

$$_{dŵr}n_{aer} = \sin i_{c\,dŵr}$$

Indecs plygiant golau sy'n mynd o ddŵr i aer yw gwrthdro indecs plygiant golau sy'n mynd o aer i ddŵr:

$$_{dŵr}n_{air} = \frac{1}{_{aer}n_{dŵr}}$$

felly, ar gyfer dŵr,

$$\sin i_{c\,dŵr} = \frac{1}{_{aer}n_{dŵr}}$$

Ond $_{aer}n_{dŵr} \approx {}_{gwactod}n_{dŵr}$, sef indecs plygiant absoliwt dŵr, $n_{dŵr}$, felly gallwn ddweud, fel brasamcan da,

$$\sin i_{c\,dŵr} = \frac{1}{n_{dŵr}}$$

Golyga hyn fod yr ongl gritigol, lle bo'r cyfrwng allanol yn aer, yn briodwedd sy'n perthyn i'r defnydd. Rhoddir rhai gwerthoedd ongl gritigol yn Nhabl 23.4.

Tabl 23.4
Rhai onglau critigol ac indecsau plygiant.

Defnydd	Indecs plygiant absoliwt, n_{defnydd}	Ongl gritigol, $i_{c\,\text{defnydd}}$
dŵr	1.33	48.7°
gwydr (borosilicad)	1.47	42.9°
diemwnt	2.42	24.4°

Ffigur 23.15
Prismau sy'n adlewyrchu'n gyflawn mewn un hanner pâr o finocwlars. Bydd y golau'n mynd drwy gyfres o adlewyrchiadau 90°.

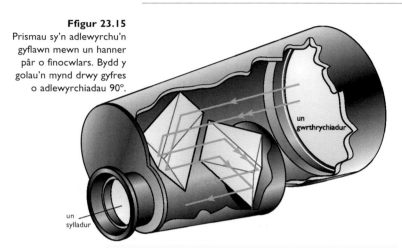

un gwrthrychiadur

un sylladur

Mae'r prismau yn estyn y pellter effeithiol rhwng lens y gwrthrychiadur a lens y sylladur, a hefyd yn gwneud iawn am y troi pen i waered a chwith i'r dde sy'n cael ei gynhyrchu gan y system lensiau.

Mae delweddau sy'n cael eu cynhyrchu drwy adlewyrchiad mewnol cyflawn yn fwy llachar na'r delweddau sy'n cael eu cynhyrchu gan ddrychau oherwydd bod llai o olau yn cael ei amsugno ar arwyneb lle bo adlewyrchiad mewnol cyflawn yn digwydd o'i gymharu ag arwyneb drych. Felly mae dyfeisiau optegol megis camerâu a binocwlars (Ffigur 23.15) yn defnyddio adlewyrchiad mewnol cyflawn mewn prismau gwydr yn hytrach nag adlewyrchiad drych. Caiff hyn ei wneud yn syml gan y ffaith bod ongl gritigol gwydr yn llai na 45°.

Nodwch fod gan ddiemwnt indecs plygiant eithriadol o uchel ac ongl gritigol eithriadol o isel. Yr adlewyrchiad mewnol cyflawn o fewn y diemwnt, a dihangiad golau i'r aer yn y pen draw, sy'n rhoi i ddiemwnt ei olwg arbennig (Ffigur 23.16b).

Ffigur 23.16 a
Ni all gwydr byth ddisgleirio yn union fel diemwnt.

b

9 Ysgrifennwch y berthynas rhwng ongl gritigol ac indecs plygiant absoliwt cyfrwng, gyda'r indecs plygiant yn destun yr hafaliad.

10 Rhowch eich sylwadau ar y datganiad:
'Dim ond ongl drawiad yw'r ongl gritigol ond nid *unrhyw* ongl drawiad mohoni.'

11 Lluniwch fraslun i ddangos beth sy'n digwydd pan fo golau sy'n teithio mewn
    a gwydr
    b diemwnt
    yn taro'r ffin â'r aer ar ongl drawiad o 30°. Sut y mae'r gwahaniaeth hwn yn y ffordd y mae'n ymddwyn yn effeithio ar y gwahaniaeth yn ymddangosiad gwydr a diemwnt?

12 Beth yw'r ongl gritigol ar gyfer pelydryn o olau sy'n teithio mewn gwydr (Ba optegol) ac yn taro ffin â'r aer? (Gweler Tabl 23.1.)

Ffibrau optig

Ar un adeg câi pob galwad ffôn ei chludo gan signalau trydanol analog. Roedd y patrymau cyfnewidiol di-dor yn y cerrynt trydan yn y gwifrau yn efelychu'r patrymau yn y sain. Yn awr, er bod ceg y ffôn yn creu signal trydanol analog yn gyntaf oll, caiff y wybodaeth ei throsglwyddo dros bellter hir yn ddigidol – fel cyfres 'cynnau' a 'diffodd' o naill ai signalau trydanol neu, yn amlach na pheidio, signalau optegol.

Adlewyrchiad mewnol cyflawn sy'n gyfrifol am gyfathrebu ar hyd ffibrau optig. Mae ffibr gwydr yn hir ac yn denau a gall golau deithio ar hyd y gwydr a tharo arwyneb y gwydr ar onglau trawiad mawr – mwy o lawer na'r ongl gritigol, oni bai y bo'r cebl wedi'i blygu'n rhy sydyn (Ffigur 23.17).

Ffigur 23.17
Os caiff ffigr optig ei blygu'n ormodol mae'r golau'n dianc.

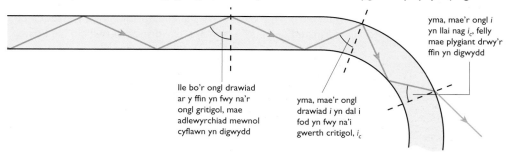

yma, mae'r ongl i yn llai nag i_c, felly mae plygiant drwy'r ffin yn digwydd

lle bo'r ongl drawiad ar y ffin yn fwy na'r ongl gritigol, mae adlewyrchiad mewnol cyflawn yn digwydd

yma, mae'r ongl drawiad i yn dal i fod yn fwy na'i gwerth critigol, i_c

Ffigur 23.18
Gall golau ddianc lle bo nam ar arwyneb ffibr.

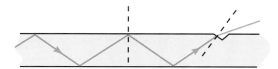

Nid oes amsugniad yn digwydd pan fo'r golau'n cael ei adlewyrchu'n fewnol yn gyflawn gan arwyneb llyfn perffaith. Felly, wrth bob adlewyrchiad yn y ffibr optig, mae arddwysedd y golau yn aros yr un fath. Fodd bynnag, mae unrhyw grafiadau ar yr arwyneb yn achosi i'r ongl drawiad newid yn y mannau hynny. Lle digwydd nam o'r fath ar yr arwyneb, gall y golau dorri trwodd (Ffigur 23.18). Os oes llawer o grafiadau ar arwyneb, mae arddwysedd y golau sy'n teithio ar hyd y ffibr yn lleihau.

Cynlluniwyd ffibrau optig fel nad yw adlewyrchiad mewnol cyflawn yn digwydd ar arwyneb gwydr-aer. Gall y ffibr gael ei adeiladu mewn dwy ffordd (Ffigur 23.19). Gall fod iddo graidd o wydr â dwysedd optegol mawr sy'n cario'r signal, a haen allanol o wydr â dwysedd optegol llai. Mae'r adlewyrchiad mewnol cyflawn yn digwydd ar y ffin rhyngddynt. **Ffibr indecs gris** yw ffibr o'r fath. Fel arall, gall y ffibr gael ei wneud â dwysedd optegol mawr yn y canol, gan ostwng yn raddol, gyda defnydd indecs plygiant bach yn yr haenau allanol. Mae ffibrau o'r fath, sef **ffibrau indecs graddedig**, yn ddrud i'w gwneud.

13 Dychmygwch ffibr indecs gris yn cael ei wneud â dau fath o wydr 'tu chwith' – hynny yw, gyda'r gwydr â dwysedd optegol llai fel y craidd a'r defnydd dwysach fel yr haen allanol. Brasluniwch lwybrau rhai pelydrau o olau sy'n mynd i mewn i ben ffibr o'r fath.

14 Mae'r ongl gritigol ar gyfer y ffin rhwng y craidd canolog a'r ffibr indecs gris yn fawr. Esboniwch pam. Esboniwch hefyd pam nad yw hyn o bwys.

Ffigur 23.19
Golau'n cael ei drawsyrru drwy
a ffibr indecs gris
b ffibr indecs graddedig
a'r amrywiad yn yr indecs plygiant ar eu traws.

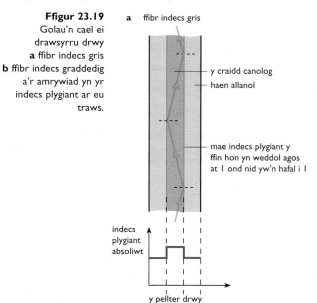

a ffibr indecs gris

y craidd canolog
haen allanol

mae indecs plygiant y ffin hon yn weddol agos at 1 ond nid yw'n hafal i 1

indecs plygiant absoliwt

y pellter drwy drawstoriad o'r ffibr

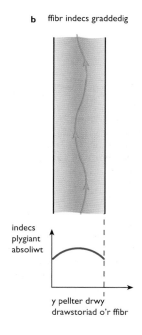

b ffibr indecs graddedig

indecs plygiant absoliwt

y pellter drwy drawstoriad o'r ffibr

Endosgopeg ffibrau optig

Gall bwndel o ffibrau optig drosglwyddo delweddau clir, cyn belled â bod y golau'n dod o ran fach o wrthrych yn cael ei drosglwyddo fel nad yw'r golau a dderbynnir yn gorgyffwrdd â golau o rannau bach eraill ac, o ganlyniad, yn aneglur. Rhaid felly defnyddio ffibrau tenau iawn a rhaid i'r holl ffibrau yn y bwndel aros yn yr un safleoedd cymharol, hynny yw rhaid iddynt fod yn **gydlynol**, o naill ben y bwndel i'r llall.

At ddibenion meddygol, mae ail fwndel yn dod gyda bwndel o ffibrau o'r fath, sy'n cario golau i lawr i'r man sy'n cael ei archwilio. Nid oes raid i'r ail fwndel fod yn gydlynol. Mae'n bosibl y gall fod yno wifrau eraill yn rhedeg ar hyd y bwndel ac wedi'u cysylltu ag offer llawfeddygol. Yr enw ar ddyfais sy'n cynnwys y bwndeli a'r ceblau hyn gyda'i gilydd yw **endosgop** meddygol (Ffigur 23.20). Gall gael ei roi yn y corff drwy sianel naturiol, megis y gwddf, neu drwy agoriad a grëwyd yn ystod llawdriniaeth. Hyn sy'n gwneud 'llawdriniaeth twll clo' yn bosibl.

Ffigur 23.20
Endosgop.

sylladur — golau i mewn — tiwb hyblyg hir

golau allan

golwg fanwl ar flaen y tiwb

golau'n dod allan o fwndel nad yw'n gydlynol

golau o'r ffynhonnell

sianel sy'n golchi'r lens

agorfa ar gyfer offeryn meddygol

lens y gwrthrychiadur a bwndel cydlynol

~1 cm

Y model tonnau o blygiant

Ffigur 23.21
Mae pelydrau a blaendonnau yn ddwy ffordd wahanol o gynrychioli'r un ymddygiad yn y byd real.

Hyd yma, defnyddiwyd y dull symlaf posibl wrth ymdrin â phlygiant, sef pelydrau, er mwyn dangos cyfeiriad y teithio. Mae'n ddefnyddiol gweld, fodd bynnag, beth sy'n digwydd pan ddefnyddiwn donnau i greu model o blygiant golau. Gallwn gynrychioli tonnau yn weledol drwy ddefnyddio llinellau sy'n baralel i'r brig a'r cafnau – gelwir llinellau o'r fath yn **flaendonnau**. Mae'r cyfeiriad y mae tonnau'n teithio bob amser yn berpendicwlar i'r flaendon. Ni ddylai cyfnewid rhwng y ddau fodel fod yn rhy anodd felly; gweler Ffigur 23.21. Awgrymodd Huygens fod pob pwynt ar flaendon yn gweithredu fel pwynt cynnwrf, ac felly fel ffynhonnell o donellau eilaidd. Mae'r tonellau hyn yn cyfuno â'i gilydd (drwy arosodiad) er mwyn creu'r flaendon sy'n teithio ymlaen.

Gwyddom fod golau'n teithio'n fwy araf mewn cyfryngau â dwysedd optegol uwch nag mewn gwactod neu mewn aer. Gallwn ddarlunio hyn yn nhermau blaendonnau. (Noder: gan fod pelydrau ond yn dangos i ba gyfeiriad y maent yn teithio ni allant, ynddynt eu hunain, ddweud dim am eu buanedd. Mae modelau pelydrau yn hollol annigonol wrth drafod buanedd tonnau.) Meddyliwch am don yn teithio o wactod neu aer i wydr. Oni bai y bo'r don yn teithio yn normal i'r arwyneb mae'r plygiant yn arwain at newid cyfeiriad. Po bellaf y mae'r pwynt ar flaendon yn teithio drwy'r cyfrwng â dwysedd optegol uwch, pellaf i gyd y caiff ei adael ar ôl o'i gymharu â phwynt ar flaendon sy'n dal i fod yn y cyfrwng llai dwys (Ffigur 23.22).

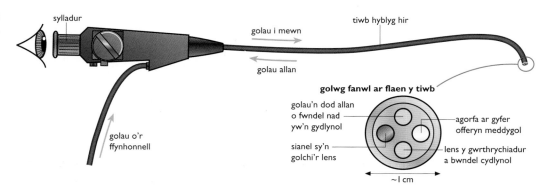

pelydrau yn dargyfeirio

blaendonnau cywerth yn lledu

pelydrau paralel

blaendonnau cywerth paralel

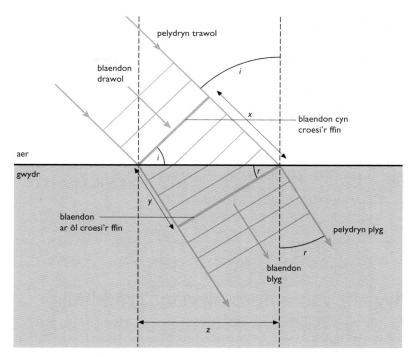

Ffigur 23.22
Rhan o flaendon, gyda phelydrau ar bob pen, cyn croesi ffin i gyfrwng â dwysedd optegol uwch ac wedyn.

pelydryn trawol

blaendon drawol

i

x

blaendon cyn croesi'r ffin

aer

gwydr

i

r

y

blaendon ar ôl croesi'r ffin

pelydryn plyg

r

blaendon blyg

z

Christiaan Huygens a wnaeth y dadansoddiad hwn o blygiant am y tro cyntaf tua 1678. Sylwch nad buanedd y golau yn unig sy'n newid ar y ffin ond ei donfedd hefyd.

Ar gyfer rhan o flaendon sydd ar fin mynd drwy ffin o aer i wydr, ei buanedd yw *c* ac mae'n teithio i'r cyfeiriad sy'n ffurfio ongl *i* (ongl drawiad) gyda'r normal i'r ffin. Ar ôl amser pendol, *t*, mae'r flaendon hon yn croesi'r ffin ac mae ei buanedd *v* yn awr yn gostwng ac mae'r cyfeiriad y mae'n teithio iddo yn ffurfio ongl *r* (ongl blygiant) â'r normal. Mae un pen o'r rhan hon o'r flaendon wedi bod yn teithio drwy'r aer, bellter *x*, tra bo'r pen arall wedi bod yn teithio drwy wydr, bellter *y*. Mae gennym

$$\frac{x}{t} = c \qquad \text{ac} \qquad \frac{y}{t} = v$$

felly

$$\frac{c}{v} = \frac{x/t}{y/t} = \frac{x}{y} \qquad\qquad \text{(i)}$$

Ond sylwch fod sin *i* = cyferbyn/hypotenws = *x/z* a bod sin *r* = cyferbyn/hypotenws = *y/z*, lle saif *z* am hyd y ffin a gafodd ei chroesi (gweler Ffigur 23.22). Mae hyn yn dweud wrthym fod

$$\frac{\sin i}{\sin r} = \frac{x/z}{y/z} = \frac{x}{y} \qquad\qquad \text{(ii)}$$

O ddod ag (i) a (ii) at ei gilydd,

$$\frac{\sin i}{\sin r} = \frac{c}{v}$$

Gwyddom eisoes mai sin *i*/sin *r* yw indecs plygiant absoliwt y gwydr, n_{gwydr}, felly

$$n_{\text{gwydr}} = \frac{c}{v}$$

Mae mesuriadau ar gyfer buanedd golau mewn gwydr yn gyson â hyn. Sylwch fod gennym hefyd ffordd newydd arall o ddiffinio indecs plygiant absoliwt:

Indecs plygiant absoliwt defnydd yw cymhareb buanedd golau mewn gwactod i'w fuanedd yn y cyfrwng.

Mae'r diffiniad hwn yn gyson â'r un a roddwyd yn gynharach (tudalen 208). Gallwn ddefnyddio'r naill neu'r llall. (Cofiwch fod rhywfaint o amrywiad rhwng yr indecs plygiant a'r donfedd, ond nid yw hynny'n newid dim ar y diffiniadau sylfaenol.)

Plygiant, amledd a thonfedd

Sylwch fod nifer y tonnau sy'n gadael un cyfrwng mewn eiliad yr un fath â'r nifer sy'n cyrraedd y pen arall. Nid yw plygiant yn effeithio ar amledd. Fodd bynnag, o wybod bod $v = f\lambda$ (gweler Pennod 2), yna os yw'r buanedd yn newid a'r amledd yn aros yn ddigyfnewid, rhaid i'r donfedd newid. Mae gostyngiad mewn buanedd yn arwain at leihad mewn tonfedd.

Os $_1n_2$ yw indecs plygiant ffin rhwng dau gyfrwng ac os v_1 yw'r buanedd yn y cyfrwng cyntaf a λ_1 yw'r donfedd, sy'n troi yn v_2 a λ_2 yn yr ail gyfrwng, yna

$$_1n_2 = \frac{v_1}{v_2} = \frac{f\lambda_1}{f\lambda_2} = \frac{\lambda_1}{\lambda_2}$$

15 Brasluniwch ddiagram yn dangos cyfres o flaendonnau syth yn teithio o wydr i aer.

16 Mae golau â thonfedd 6.00×10^{-7} m yn mynd o'r aer i gornbilen dynol sydd ag indecs plygiant absoliwt o 1.38. Beth yw ei
   a fuanedd   **b** tonfedd   **c** amledd newydd?

17 Tonfedd fyrraf golau gweladwy mewn aer yw tua 3.7×10^{-7} m. Gan gymryd mai pêl syml o ddŵr yw llygad dynol ac iddi indecs plygiant absoliwt o 1.33, beth yw tonfedd y golau hwn pan fo'n cyrraedd y retina?

18 Pan fyddwch yn nofio o dan y dŵr a ydyw lliw eich gwisg nofio yn edrych (i chi) yn wahanol i'w lliw pan fyddwch allan o'r dŵr? Esboniwch hyn yn nhermau buanedd golau, ei amledd a'i donfedd yn y cyfryngau y bydd yn rhaid iddo fynd drwyddynt er mwyn cyrraedd eich retinâu pan fo'r wisg nofio allan yn yr awyr agored a phan fo yn y dŵr.

Plygiant gan indecs plygiant graddedig

Mae'r ffin rhwng gwydr ac aer yn digwydd yn sydyn. Mewn ffibrau indecs graddedig y mae'r gwydr â'r dwysedd optegol uwch yn y canol ond nid oes ffin sydyn rhwng defnyddiau ac iddynt indecs plygiant gwahanol. Mae gostyngiad graddol yn yr indecs plygiant. Yn yr un modd, gyda rhithlun (tudalen 210) nid yw'r ffiniau rhwng ardaloedd o aer cynhesach ac oerach yn sydyn. Gallwn ddeall yn well pam y mae hyn yn arwain at newid cyfeiriad os defnyddiwn fodel tonnau golau yn hytrach na model pelydrau (Ffigur 23.23).

Ffigur 23.23
Blaendonnau'n plygu ac yn achosi rhith.

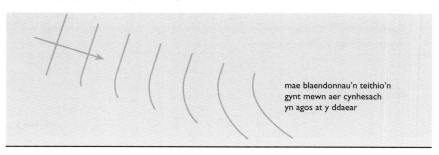

mae blaendonnau'n teithio'n gynt mewn aer cynhesach yn agos at y ddaear

Gallwn ddefnyddio'r un dull wrth feddwl am ymddygiad mathau eraill o donnau. Mae tonnau ar y môr, er enghraifft, yn teithio'n gynt mewn dŵr dwfn nag mewn dŵr bas. Felly wrth i flaendon syth nesáu at draeth sydd ar oledd mae'r rhannau ohoni sydd yn y dŵr mwy bas yn teithio'n fwy araf. Mae siâp y flaendon felly yn dechrau newid. Po hiraf y bo'r rhan honno o'r flaendon yn teithio yn y dŵr mwy bas, y pellaf y bydd yn cael ei gadael ar ôl o'i gymharu â'r rhan sy'n dal i fod yn y dŵr dwfn. Mae'r dŵr fel arfer yn mynd yn fwyfwy bas wrth i'r don nesáu at y lan. Mae siâp y flaendon yn newid cymaint, mae'r tonnau sy'n nesáu at ymyl y dŵr bron â bod yn baralel i'r traeth (Ffigur 23.24).

Ffigur 23.24
Blaendonnau'n plygu wrth gyrraedd traeth ar oledd.

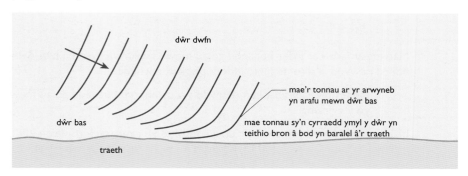

dŵr dwfn

dŵr bas

mae'r tonnau ar yr arwyneb yn arafu mewn dŵr bas

mae tonnau sy'n cyrraedd ymyl y dŵr yn teithio bron â bod yn baralel â'r traeth

traeth

Gall dŵr bas dros fanciau tywod gael effaith ddiddorol ar flaendonnau. Mae'n anodd gweld yr effeithiau hyn oherwydd anaml y gwelir blaendonnau hir – gyda brigau a chafnau di-dor – ar y môr oherwydd arosodiad tonnau sydd wedi'u creu mewn mannau gwahanol ac ar adegau gwahanol o dan amodau gwahanol. Mae tuedd i donnau ar y môr fod yn gymhleth eu natur. O'r awyr, fodd bynnag, gallwch weld y patrymau'n fwy clir (Ffigur 23.25).

Mae plygiant yn digwydd gyda seindonnau hefyd. Mae buanedd uwch i sain mewn aer mwy cynnes ac felly mae'n dilyn llwybrau crwm pan fo haenau o aer ar dymereddau gwahanol.

Ffigur 23.25
Gall ardal lle mae'r dŵr yn fas, er enghraifft wrth ymyl banc tywod, greu patrymau diddorol yn y ffordd y mae tonnau dŵr arwyneb yn teithio.

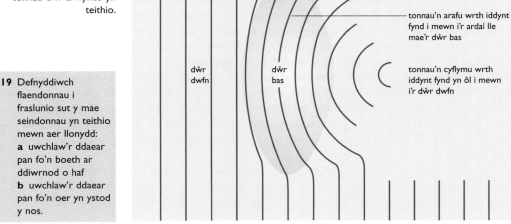

dŵr dwfn

dŵr bas

tonnau'n arafu wrth iddynt fynd i mewn i'r ardal lle mae'r dŵr bas

tonnau'n cyflymu wrth iddynt fynd yn ôl i mewn i'r dŵr dwfn

19 Defnyddiwch flaendonnau i fraslunio sut y mae seindonnau yn teithio mewn aer llonydd:
a uwchlaw'r ddaear pan fo'n boeth ar ddiwrnod o haf
b uwchlaw'r ddaear pan fo'n oer yn ystod y nos.

Plygiant ar arwynebau crwm

Mae 'paladr paralel' o olau yn cyrraedd y ddau lens yn Ffigur 23.26. Mae pelydrau a blaendonnau yn ddau fodel da – mae'r ddau yn dangos fel y mae'r paladr trawol yn baralel, a gall y ddau gael eu defnyddio i ddangos fersiynau gwahanol o'r un realiti. Gallwn lunio'r diagram pelydrol gan wybod bod sin i/sin $r = n$. Gallwn lunio diagram tonnau gan wybod bod $c/v = n$, a gweld bod cyflymder arafach golau pan fo'n teithio drwy wydr yn achosi i'r blaendonnau grymu.

Mae pelydrau yn fwy defnyddiol wrth ddadansoddi plygiant gan lensiau. Yn y bennod nesaf felly byddwn yn defnyddio pelydrau i ystyried ymddygiad a chymwysiadau lensiau.

Ffigur 23.26
Model pelydrau a model blaendonnau plygiant gan lens amgrwm.

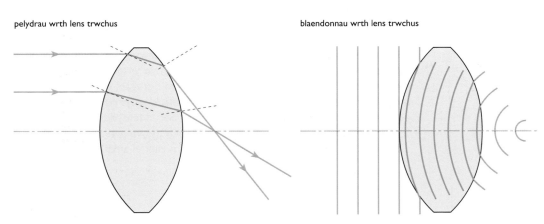

pelydrau wrth lens trwchus

blaendonnau wrth lens trwchus

20 Mae seindonnau yn teithio ar fuanedd uwch drwy heliwm na thrwy aer ar yr un gwasgedd. Brasluniwch flaendonnau yn mynd drwy falŵn yn llawn heliwm.

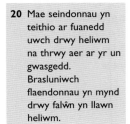

Plygiant, signalau digidol a ffibrau optig

Mae nifer o fanteision i ddefnyddio signalau digidol:

- gall y signal digidol gael ei gario gan hyrddiau sydyn o gerrynt trydanol *neu* olau;
- gall nifer o signalau di-dor (fel y rhai a gynhyrchir gan nifer o sgyrsiau ffôn) gael eu hanfon ar hyd un ffibr ar yr un pryd trwy gael hyrddiau byr iawn wedi'u codio i deithio ar hyd y ffibr yn eu tro. **Amlblecsio rhannu amser** yw'r enw ar hyn.

Pan fo'r signal yn cael ei gario gan olau yn hytrach na cherrynt trydanol mae mantais arall: gall fflachiadau golau mewn system ffibrau optig digidol deithio ymhellach heb golli'r signal.

Mae **did**, neu ddigid deuaidd, o wybodaeth yn cael ei daflunio i un pen ffibr optig fel pwls o olau, gyda'i arddwysedd yn codi bron yn enydaidd i'w werth macsimwm ac yn disgyn yr un mor sydyn. Mae'n dda cael pylsiau sydyn a chyflym oherwydd maent yn caniatáu i fwy o wybodaeth gael ei throsglwyddo mewn cyfnod penodol o amser. Y buanedd y gall ffynhonnell y golau gael ei chynnau a'i diffodd yw'r prif ffactor sy'n cyfyngu ar leihau hyd pob pwls, ond mae'n bosibl allyrru pylsiau sy'n para llai na degfed ran o nanoeiliad. Gyda phylsiau o'r fath o hyd 10^{-10} s, mae'n bosibl anfon hyd at 10^{10} did yr eiliad. Gelwir y gwerth hwn yn **gyfradd did**.

Gyda systemau analog, caiff y wybodaeth ei hamgodio i gyfateb â siâp y don (megis mewn analogau trydanol o seindonnau lleferydd neu mewn tonnau radio AM neu FM). Os yw siâp y don yn newid pan fo'n cael ei thrawsyrru yna bydd y wybodaeth yn cael ei hystumio. Gyda phylsiau digidol y cyfan sydd ei angen yw'r gallu i wahaniaethu rhwng un pwls a'r nesaf a sicrhau nad yw absenoldeb pwls (sy'n dynodi gwerth deuaidd 0) yn cael ei gymysgu â phwls go iawn (sy'n dynodi gwerth deuaidd 1).

Mae un pwls, sy'n cael ei gynrychioli fel plot o arddwysedd yn erbyn amser, yn edrych fel toriad o don sgwâr (Ffigur 23.27), ac nid fel toriad o don sin. Fodd bynnag, ni fydd proffil mor sgwarog gan y pwls sy'n cyrraedd pen arall y ffibr: po hiraf yw'r ffibr, lleiaf sgwarog y bydd.

Ffigur 23.27
Pwls, neu ddid, ag ymylon sgwarog.

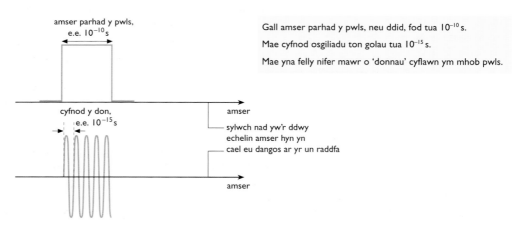

amser parhad y pwls, e.e. 10^{-10} s

cyfnod y don, e.e. 10^{-15} s

amser

Gall amser parhad y pwls, neu ddid, fod tua 10^{-10} s.

Mae cyfnod osgiliadu ton golau tua 10^{-15} s.

Mae yna felly nifer mawr o 'donnau' cyflawn ym mhob pwls.

amser

sylwch nad yw'r ddwy echelin amser hyn yn cael eu dangos ar yr un raddfa

Os yw'r golau a ddefnyddir i drawsyrru yn cynnwys amrediad o donfeddi yna bydd y pwls a geir ar ddiwedd ffibr optig digidol yn lletach ac yn fwy crwn, gan wneud y pwls yn aneglur. Mae golau fioled yn teithio'n arafach na golau coch drwy wydr, felly mae'r golau fioled yn cyrraedd yn hwyrach na'r golau coch ac mae'r gwahaniaeth yn yr amser rhwng y golau cyntaf i gyrraedd a'r olaf yn cynyddu (Ffigur 23.28). Gall y broblem hon gael ei datrys yn hawdd drwy ddefnyddio golau monocromatig – golau laser neu olau o **ddeuod allyrru golau (*light emitting diode* LED)** y gellir ei gynnau a'i ddiffodd yn gyflym iawn. Gan ddefnyddio laser neu LED fel ffynhonnell, y 'golau' a ddefnyddir i delathrebu yw pelydriad isgoch mewn gwirionedd, gyda thonfedd o oddeutu 1.5 µm. Ar y donfedd hon, mae llai o olau yn cael ei amsugno gan y gwydr ei hun.

Ffigur 23.28
Mae indecs plygiant absoliwt y gwydr yn fwy ar gyfer golau fioled nag ar gyfer golau coch. Mae pwls coch yn teithio'n gyflymach na phwls o olau fioled ar hyd y ffibr optig.

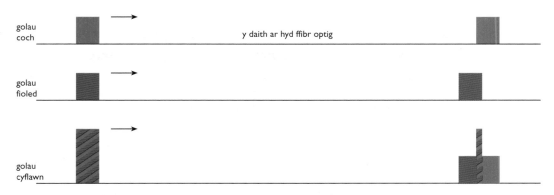

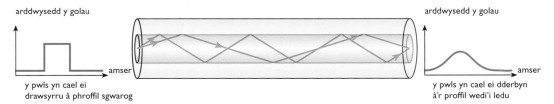

Yr ail reswm dros ledu proffil y pwls yw hydoedd gwahanol y gwahanol lwybrau sydd ar gael i'r golau, ac felly y gwahanol amseroedd a gymer i deithio ar hyd y ffibr. Bydd rhywfaint o'r golau yn cymryd y llwybr mwyaf syth posibl ar hyd y ffibr, tra bydd y gweddill yn cymryd llwybr hirach o lawer gan fynd drwy sawl adlewyrchiad mewnol cyflawn yn ystod y daith (Ffigur 23.29).

Ffigur 23.29
Mae hyd gwahanol i lwybrau neu foddau gwahanol ac felly mae'r amser a gymer yn wahanol. Mae hyn yn cynyddu amser parhad y pwls ac yn achosi pylu ar y dechrau a'r diwedd. Yr enw ar hyn yw lledu'r pwls.

Gelwir y dulliau gwahanol hyn o deithio yn foddau, a gelwir y ffibrau sy'n cynnwys nifer o fathau gwahanol o foddau yn **ffibrau amlfodd**. Dros bellter byr, nid yw'r cynnydd yn lledaeniad yr amserau cyrraedd yn ddigon i bylu un pwls i mewn i un arall, ond dros bellter hir y mae'n fwy o broblem. Gall yr effaith gael ei lleihau drwy ddefnyddio ffibr cul iawn, sy'n agos at fod yn **ffibr monofodd** gyda dim ond un llwybr syth. Ond mae'n fwy anodd cynhyrchu ffibrau o'r fath ac maent yn torri'n haws. Ateb arall, sy'n dal i fod yn ddrud, yw defnyddio ffibrau indecs graddedig (gweler tudalen 213), gyda'r defnydd yn y canol â'r dwysedd optegol mwyaf, gyda hyn yn lleihau yn raddol wrth nesáu at ymylon allanol y ffibr. Dyma ateb clyfar i'r broblem oherwydd er bod yna lwybrau o hyd gwahanol, gyda'r byrraf yn syth ar hyd y canol, y golau sy'n cymryd y llwybr byrraf hwn sydd fwyaf araf i deithio.

Mae ffibr optig amlfodd nodweddiadol wedi'i wneud o graidd gwydr â radiws o ryw 60 μm, gyda haen o **gladin** gwydr o drwch tebyg. Mae hyn yn lleihau'r broblem all godi gyda golau yn 'gollwng' lle bo nam ar hyd y ffiniau oherwydd gall y ffin rhwng gwydr a gwydr gael ei chynhyrchu i fod yn hynod o wastad ac ni fydd crafiadau'n digwydd fel sy'n gallu digwydd rhwng gwydr ac aer. Hefyd, drwy ddefnyddio dau fath o wydr ag indecs plygiant sy'n debyg ond nid yr un fath, gall yr ongl gritigol gael ei gwneud yn eithaf mawr. Mae hyn yn lleihau faint o igam-ogamu y gall y golau ei wneud ac felly yn lleihau hyd macsimwm y llwybr. Mae'r gwahaniaeth yn yr indecsau plygiant hyn yn bwysig iawn oherwydd os ydynt yn rhy debyg yna nid oes modd plygu'r cebl rhyw lawer heb i olau ollwng ohono.

Ffibrau optig yw priffyrdd y chwyldro gwybodaeth. Mae ceblau ffibr optig (Ffigur 23.30) yn ysgafnach ac yn gulach na chebl copr. Ni allant gael eu 'tapio' yn anghyfreithlon oherwydd, yn annhebyg i geryntau trydanol sy'n creu maes magnetig yn y gofod o'u hamgylch, ni ellir eu canfod y tu allan i'r cebl. Yn bwysicach na hynny, fodd bynnag, oherwydd y cyfraddau did arbennig o uchel, gall cebl gario miloedd o alwadau ffôn ar yr un pryd.

Ffigur 23.30
Gall nifer o ffibrau optig gael eu ffitio i mewn i un cebl.

Gall pob ffibr o fewn y cebl gario sawl ffrwd wahanol o ddata ar yr un pryd, drwy amlblecsio rhannu amser. Mae pob galwad ffôn, er enghraifft, yn cael ei rhannu'n gyfres fer o bylsiau, ac mae'r cyfresi yn cymryd eu tro i deithio ar hyd y ffibr (Ffigur 23.31).

Ffigur 23.31
Amlblecsio rhannu amser signalau digidol.

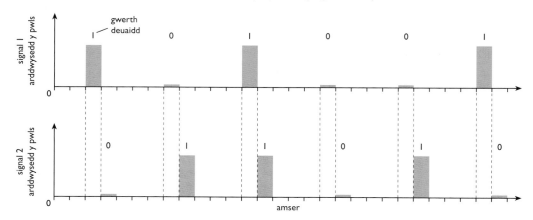

Os yw'r cyfarpar derbyn yn 'darllen' y pylsiau ar gyfyngau amser rheolaidd penodol, bydd yn derbyn signal 1.

Os yw'r cyfarpar derbyn pellach yn darllen y pylsiau ar adegau *gwahanol*, ond wedi'u gwahanu gan gyfyngau amser cyfatebol, bydd yn derbyn signal gwahanol, sef signal 2.

Felly, gall dwy set o gyfarpar ddarllen signalau gwahanol o'r *un* ffibr optig. Dyma egwyddor amlblecsio rhannu amser.

21 a O wybod mai indecs plygiant absoliwt y gwydr a ddefnyddir mewn ffibr optig ar gyfer golau coch a golau fioled yw 1.51 a 1.53 yn y drefn honno, cyfrifwch faint o amser y bydd golau coch a golau fioled yn ei gymryd i deithio 10 km ar hyd ffibr o'r fath.
b Dangoswch hyn fel cynrychioliad o bwls coch a phwls fioled wrth iddynt gychwyn ar eu taith ac ar ddiwedd eu taith gan ddefnyddio echelin amser wedi'i labelu a'i rhifo.
c Sut y mae'r broblem wahanu hon yn cael ei datrys?

22 Dychmygwch system ffibr optig syml sy'n defnyddio ffibrau heb gladin.
a Lluniwch fraslun i ddangos pelydryn golau yn teithio ar hyd echelin ffibr a phelydryn golau sy'n cael ei adlewyrchu dro ar ôl tro oddi ar waliau'r ffibr ar ongl drawiad o 45°.
b Ar eich braslun, marciwch y pellter, *x*, ar hyd y ffibr, rhwng adlewyrchiadau cyfagos oddi ar un ochr o'r ffibr.

c Yn nhermau *x* a'r ongl 45°, beth yw'r pellter y mae'r golau yn ei deithio rhwng y ddau adlewyrchiad hyn?
d Beth yw cyfanswm y pellter teithio trwy ffibr 10 km o hyd, yn y modd hwn?
e Faint o amser mae golau'n ei gymryd i deithio ar hyd y ffibr 10 km yn y modd hwn os buanedd golau yn y cebl yw 1.95×10^8 m s^{-1}?
f Faint o amser y mae golau yn ei gymryd i deithio 10 km ar hyd echelin y ffibr? Cymharwch yr amser ar gyfer y ddau fodd. Lluniwch fraslun i ddangos sut y gallai hyn ddylanwadu ar broffil pwls.
g Esboniwch sut y gall cladin leihau'r gwahaniaeth amser hwn.
h Pa fanteision eraill sydd i gladin?
i Esboniwch, gyda chymorth diagram, sut y gall ffibrau indecs graddedig ddatrys problem pwls yn lledu.

Cwestiynau arholiad

1 a Gyda chymorth diagramau wedi'u labelu'n glir, eglurwch ystyr y termau:
   i 'indecs plygiant' (2)
   ii 'ongl gritigol' (2)
   iii 'adlewyrchiad mewnol cyflawn'. (2)

b Defnyddiwch ddiagram anodedig i ddangos sut y mae damcaniaeth tonnau golau yn egluro plygiant golau ar ffin rhwng dau gyfrwng gwahanol. (2)

c Amledd paladr paralel o olau monocromatig mewn dŵr yw 5.0×10^{14} Hz. Mae'n mynd drwodd i'r aer gydag ongl drawiad o $45°$ ar y ffin rhwng y dŵr a'r aer. Indecs plygiant y dŵr yw 1.33. Beth yw
   i buanedd y paladr o olau yn y dŵr (2)
   ii amledd y paladr yn y dŵr (2)
   iii tonfedd y paladr yn yr aer ac yn y dŵr (3)
   iv yr ongl gritigol (2)

d Mae myfyriwr yn nofio o dan ddŵr heb wisgo gogls. Mae'n ei chael hi'n anodd ffocysu ar bethau sydd wrth ei ymyl o dan y dŵr. Esboniwch pam. (3)

Y Fagloriaeth Ryngwladol, Ffiseg, Safon Atodol, Tachwedd 1997

2 Mae pelydryn o olau coch yn taro wyneb AB prism gwydr ABC fel y dangosir yn y ffigur.

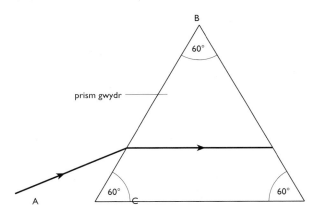

a i Ar y ffigur, marciwch yr ongl drawiad *i* a'r ongl blygiant *r* ar arwyneb AB.
ii Diffiniwch indecs plygiant yn nhermau *i* ac *r*. (2)

b i Indecs plygiant gwydr y prism ar gyfer golau coch yw 1.60. Ongl drawiad y pelydryn ar wyneb BC yw $30°$. Dangoswch y caiff y pelydryn ei blygu yn hytrach na'i adlewyrchu'n fewnol yn gyfan ar wyneb BC.
ii Heb gyfrifo ymhellach, brasluniwch ar y ffigur lwybr y pelydryn wrth iddo ddod allan o'r wyneb BC. (3)

OCR, Gwyddoniaeth, Ffiseg, Sylfaenol, Mawrth 1999

3 a Rhowch dair priodwedd delwedd gwrthrych fel y'i gwelir mewn drych plân. (3)

b Pan fo golau yn taro'r ffin rhwng aer a gwydr, mae rhywfaint o'r golau yn cael ei blygu a rhywfaint ohono'n cael ei adlewyrchu. Mae'r ffigur yn dangos pelydryn o olau o wrthrych O yn taro drych gwydr trwchus.

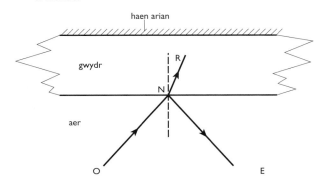

   i Ar y ffigur, cwblhewch lwybr y pelydryn NR hyd nes y bydd wedi dod allan i'r aer unwaith eto.
   ii Awgrymwch ac esboniwch beth y gellir ei weld gan rywun yn gwylio wrth bwynt E. (4)

c Buanedd golau mewn gwydr yw 2.03×10^8 m s^{-1} ac mewn dŵr ei fuanedd yw 2.26×10^8 m s^{-1}. Ar gyfer pelydryn o olau yn mynd o wydr i ddŵr, cyfrifwch
   i yr indecs plygiant
   ii yr ongl drawiad fwyaf sy'n caniatáu i'r pelydryn gael ei blygu. (4)

OCR, Gwyddoniaeth, Ffiseg, Sylfaenol, Mehefin 1999

4 Mae'r diagram yn dangos llwybr pelydryn o olau monocromatig drwy brism gwydr.

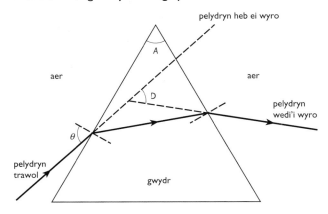

a i Disgrifiwch sut y byddech yn mesur ongl *A* y prism fel y bo o fewn ±0.5%, h.y. i ryw chwarter gradd.
ii Awgrymir y byddai'r pelydryn yn dilyn yr un llwybr yn union petai ei gyfeiriad yn cael ei gildroi.
   Disgrifiwch sut y byddech yn profi'r awgrym hwn drwy wneud arbrawf. (6)

b Wrth i'r ongl drawiad θ gael ei hamrywio, mae'r ongl wyriad D hefyd yn amrywio. Pan oedd A yn hafal i 60.0°, canfuwyd cyfres o werthoedd cyfatebol ar gyfer θ a D gyda'r canlyniadau canlynol:

θ/gradd	D/gradd
32.5	44.8
35.0	42.4
37.5	40.5
40.0	39.0
45.0	37.5
50.0	37.3
55.0	37.9
60.0	39.0
65.0	40.6

i Plotiwch graff D yn erbyn θ.

Ysgrifennwch werth y gwyriad minimwm D_m a gwerth cyfatebol yr ongl drawiad.

ii Pan fo'r gwyriad yn finimwm, mae'r pelydryn yn mynd drwy'r prism yn gymesur. Yna rhoddir indecs plygiant n gwydr y prism gan

$$n \sin\left(\frac{A}{2}\right) = \sin\left(\frac{A + D_m}{2}\right)$$

lle saif A, sydd yma yn 60.0°, am yr ongl ar ben ucha'r prism.

Defnyddiwch yr hafaliad i gyfrifo gwerth ar gyfer n.

(10)

c **i** Pan yw ongl A y prism yn llai nag oddeutu 10°, lletem denau o wydr yw'r prism. Y mae'r gwyriad D wedi hynny yn fach ac mae'n gyson dros amrediad eang o werthoedd yr ongl drawiad.

Defnyddiwch yr hafaliad yn **b ii**, ynghyd â'r brasamcan ar gyfer ongl fach sin $x \approx x$ (mewn radianau) i ragfynegi sut y mae D ($= D_m$) yn dibynnu ar n ac A ar gyfer prismau tenau.

ii Mae'r gwyriad sy'n cael ei greu gan brism tenau, er ei fod yn annibynnol ar θ, yn ddibynnol ar indecs plygiant n y gwydr. Mae gwerth n yn dibynnu yn ei dro ar donfedd (lliw) y golau.

Mae'r tabl isod yn rhoi gwerthoedd n pedwar lliw ar gyfer prism lle bo $A = 5.00°$.

lliw	n
coch	1.520
gwyrdd	1.526
glas	1.531
fioled	1.538

Lluniwch dabl o werthoedd cyfatebol n a D ar gyfer y prism hwn. Plotiwch graff D yn erbyn n. (8)

Edexcel (Llundain), Ffiseg, Modiwl PH5, Mehefin 1999

5 Mae'r ffigur yn dangos arbrawf lle mae'r ffynhonnell yn allyrru un pwls byr o olau i mewn i ddarn syth o ffibr optig ag indecs gris.

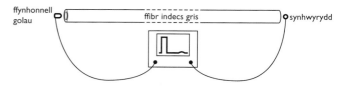

Mae'r synwyryddion sydd ar naill ben y ffibr yn caniatáu i bwerau mewnbwn ac allbwn y pwls golau gael eu monitro. Mae'r graff isod yn dangos amrywiad y pŵer golau sy'n mynd i mewn ac allan o'r ffibr yn erbyn amser.

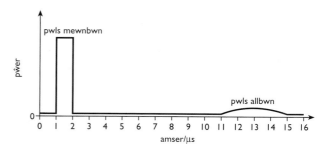

a Esboniwch yr arsylwadau canlynol.

i Mae arwynebedd y pwls allbwn ar y graff yn llai nag arwynebedd y pwls mewnbwn.

ii Mae'r pwls allbwn yn para am gyfnod hirach o amser na'r pwls mewnbwn. (4)

b Defnyddiwch y graff i benderfynu ar y cyfnod byrraf o amser y mae golau yn ei gymryd i deithio drwy'r ffibr hwn. Esboniwch eich ateb. (2)

c Hyd y ffibr yw 2.0 km. Cyfrifwch

i fuanedd y golau yn y ffibr

ii indecs plygiant y craidd. (4)

d Esboniwch pam na chaiff ffibrau indecs gris eu defnyddio mwyach yn y diwydiant telathrebu i drosglwyddo signalau â lled band uchel dros bellter hir. (3)

OCR, Gwyddoniaeth, Telathrebu, Tachwedd 1999

24 Lensiau, delweddau ac offer

Y CWESTIYNAU MAWR
- Beth y mae lensiau yn ei wneud a sut?
- Beth y mae cyfuniadau o lensiau yn ei wneud a sut?
- Sut y mae offer optegol wedi newid y ffordd mae pobl yn deall y byd?

GEIRFA ALLWEDDOL
agorfa   confensiwn 'real yn bositif'   cydraniad   cydrannu (pwyntiau cyfagos)
cymhwysiad normal   chwyddhad llinol   chwyddhad onglog   delwedd real
egwyriant cromatig   egwyriant sfferig   golwg byr   golwg hir   gwrthrychiadur
hyd ffocal   lens acromatig   lens cydgyfeirio   lens dargyfeirio   lens sfferig
maen prawf Rayleigh   microsgop cyfansawdd   microsgop syml   plân ffocal   prif echelin
prif ffocws   pŵer chwyddo   radian   rhith ddelwedd   sylladur   telesgop adlewyrchu
telesgop Galileo   telesgop plygiant seryddol   ymgymhwysiad

Y CEFNDIR
Ar ambell noson glir gallwch edrych i'r awyr a gweld Iau yn union fel seren, hyd yn oed os yw'n edrych braidd yn ddisglair. Dyna'r cyfan y gallai pobl ei wneud hyd nes y cafodd y telesgop ei ddyfeisio. O edrych arno'n fanwl, sylweddolwyd nad oedd Iau fel y sêr eraill o gwbl; roedd ganddo fandiau ar yr arwyneb a lleuadau mewn orbit. Mae 'lleuadau Iau' yn ymadrodd y bydd pobl yn ei ddefnyddio weithiau i gyfleu ymddangosiad tystiolaeth newydd sy'n newid popeth y credai pobl ynddo o'r blaen. Darganfod y lleuadau hyn a'u gweld yn symud o noson i noson oedd y dystiolaeth gyntaf i gefnogi damcaniaeth chwyldroadol Copernicus nad oedd popeth yn yr wybren mewn orbit o gwmpas y Ddaear.

Galileo oedd yr un cyntaf i wylio'r lleuadau hyn, yn 1610. Yn ogystal â darganfod y mynyddoedd ar ein Lleuad ni, sylweddolodd Galileo o wylio lleuadau Iau nad oedd y cyrff wybrennol yn sfferau perffaith mewn orbit o gwmpas y Ddaear fel yr oedd y llyfrau hynafol yn ei honni. Bu'n rhaid rhoi o'r neilltu felly yr hyn y credai pobl ynddo ers dwy fil o flynyddoedd. Cafodd y telesgop ei ddyfeisio a gwnaeth Galileo ei arsylwadau ar yr un adeg ag y symudodd y byd o'r oesoedd canol i'r cyfnod modern.

Felly os byth y cewch chi gyfle i edrych ar Iau yng nghanol cae ganol nos gydag ychydig o help gan delesgop, gwnewch hynny, da chi. Byddwch chi'n siŵr o deimlo'n nes at y Bydysawd ar ôl y profiad!

Ffigur 24.1
Iau a'i leuadau drwy delesgop.

Lensiau trwchus, lensiau tenau a'r prif ffocws

Gallwn ddangos sut y mae lens yn gweithio drwy ei ddarlunio fel cyfres o brismau (Ffigur 24.2).

Ffigur 24.2
Gweithrediad
a lens cydgyfeirio
b lens dargyfeirio

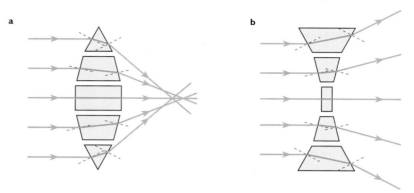

Mae'r prismau sydd yn Ffigur 24.2a yn newid llwybrau'r pelydrau, sy'n baralel cyn eu plygu, ac yn achosi iddynt gydgyfeirio. **Lens cydgyfeirio** yw'r enw ar lens sy'n gwneud hyn. Mae **lens dargyfeirio** (Ffigur 24.2b) yn achosi i belydrau paralel ddargyfeirio.

Gwyddom fod prismau yn achosi i olau gael ei wasgaru; mae hyn yn digwydd gyda lensiau hefyd. Mae'r indecs plygiant ar gyfer golau fioled yn fwy nag ar gyfer golau coch, felly mae llwybr y golau fioled yn cael ei blygu mwy. Gyda thelesgop, bydd yn achosi rhywfaint o wahaniad yn lliw y ddelwedd ac, o ganlyniad i hynny, rhywfaint o bylu. Yr enw a roddir ar yr effaith hon yw **egwyriant cromatig** ac roedd hon yn broblem a gâi seryddwyr gyda'u telesgop o'r cychwyn cyntaf. Ceisiodd Newton ddatrys y broblem ond ychydig o lwyddiant a gafodd – ond yn y broses daeth i'r casgliad fod golau gwyn yn gymysgedd o liwiau. Erbyn hyn mae gennym systemau lensiau cymhleth sy'n defnyddio haenau o wahanol fathau o wydr er mwyn lleihau egwyriant cromatig. Gelwir y lensiau hyn yn **lensiau acromatig**.

Nid yw'r lensiau, wrth gwrs, wedi'u gwneud o flociau na phrismau ond mae ganddynt arwynebau crwm. Y ffordd hawsaf o'u gwneud yw llyfnhau gwydr fel bo arwynebau'r lensiau wedi'u siapio fel yr arwyneb y byddech yn ei ddal pe baech yn torri cylch bychan allan o arwyneb pêl fawr (Ffigur 24.3). Oherwydd hyn, caiff y lensiau hyn eu galw'n **lensiau sfferig**. Yn y bennod hon, byddwn yn astudio lensiau sydd ag arwynebau sfferig cymesur; mae lensiau anghymesur yn bosibl hefyd (Ffigur 24.4).

Ffigur 24.3
Mae gan lens sfferig arwyneb sydd â'r un siâp â rhan o arwyneb sffêr.

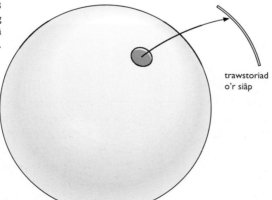

trawstoriad o'r siâp

Yn anffodus, nid yw lens cydgyfeirio sfferig yn cael effaith geometrig syml ar belydrau. Ystyriwch y ffordd symlaf y gallwn ddisgleirio golau ar lens – fel paladr o olau lle bo'r holl belydrau yn baralel i'w gilydd a hefyd yn baralel i **brif echelin** y lens. (Y brif echelin yw'r llinell sy'n mynd drwy ganol lens yn berpendicwlar i blân y lens.) Mae paladr o'r fath yn cael ei gydgyfeirio gan y lens ond, yn anffodus, ni chaiff y golau ei gydgyfeirio i un pwynt taclus ar y brif echelin, fel y gwelwch yn Ffigur 24.2a. Gelwir yr effaith hon yn **egwyriant sfferig**.

Ffigur 24.4
Gall arwynebau lensiau sfferig fod naill ai'n gymesur neu'n anghymesur.

lens sfferig cymesur

lens sfferig anghymesur

Bydd mwy o egwyriant sfferig yn digwydd gyda lensiau trwchus na lensiau tenau. Ar gyfer lensiau tenau, mae'n fwy rhesymol i anwybyddu effeithiau egwyriant sfferig – hynny yw, 'delfrydu' er mwyn cadw pethau'n syml a thybio bod y lens yn ffocysu paladr paralel i bwynt sengl. Os yw'r paladr trawol yn baralel i'r brif echelin yna saif yr un pwynt sengl ar y brif echelin a chaiff ei alw'n **brif ffocws**. Rhaid i hyn gael ei fynegi ar ffurf diffiniad ffurfiol – gweler Ffigur 24.5.

Os nad yw'r paladr trawol yn baralel i brif echelin y lens, yna saif y pwynt sengl hwn ar bellter penodol o'r lens yn yr hyn a alwn yn **blân ffocal** (Ffigur 24.6).

Ffigur 24.5
Diffiniad ffurfiol o brif ffocws lens cydgyfeirio tenau.

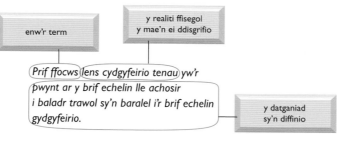

Ffigur 24.6
Ffocysu paladr paralel o olau a'r termau a ddefnyddir.

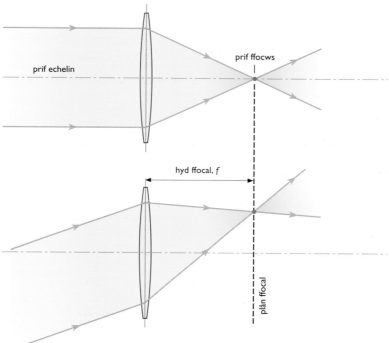

1 Esboniwch pam y mae'n rhaid i bob un o'r geiriau hyn fod yn rhan o'r diffiniad ar gyfer y prif ffocws: *tenau, pwynt, trawol, paralel*.

Sylwch y byddai rhoi ffynhonnell fach ond disglair o olau ar brif ffocws lens yn cynhyrchu paladr paralel o olau ar ôl plygiant gan y lens. Mae hyn yn gyson â'r egwyddor cildroadedd (tudalen 207). Sylwch hefyd fod gan lens ddau brif ffocws, ar y naill ochr a'r llall, ac ar gyfer lensiau cymesur y mae'r ddau ffocws yr un pellter o ganol y lens. Gelwir y pellter hwn yn **hyd ffocal**, *f*, y lens. Mae'r hyd ffocal yn dibynnu ar ddau beth – y defnydd y gwnaed y lens ohono, wedi'i feintioli gan ei indecs plygiant, a siâp y lens. Yn gyffredinol, wrth i lensiau o ddefnydd arbennig fynd yn fwy trwchus mae eu hyd ffocal yn lleihau.

Ffigur 24.7
Prif ffocws lens dargyfeirio.

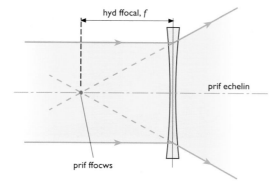

2 Beth yw'r gwahaniaeth rhwng *prif ffocws, hyd ffocal a phlân ffocal?*

Ar gyfer lens dargyfeirio, rhaid i ni newid ein diffiniad o'r prif ffocws. Dyma bellach y pwynt ar y brif echelin lle bydd paladr trawol paralel yn dargyfeirio ohono (Ffigur 24.7).

Diagramau pelydrol ar gyfer lensiau cydgyfeirio tenau

At nifer o ddibenion ymarferol mae'r rhan fwyaf o lensiau yn ddigon tenau i ni allu anwybyddu'r egwyriant sfferig. Ond mae un ffactor arall sy'n cymhlethu'r sefyllfa a gallai hyn ei gwneud hi'n anodd i greu diagramau pelydrol sy'n ddigon syml i fod yn ddefnyddiol, sef bod plygiant yn digwydd ar ddau arwyneb crwm y lens. Gallwn symleiddio hyn drwy ddelweddu plân canolog ar gyfer y lens a fydd yn ymddangos fel y llinell ganol pan fyddwn yn braslunio trawstoriad o lens. Yn ein darluniau, byddwn wedyn yn tybio bod yr holl blygiant yn digwydd ar y plân hwn. Mae hyn wedi'i wneud yn Ffigurau 24.6 a 24.7.

Diolch i'r hyn a wyddom am ymddygiad paladr o olau sy'n teithio, cyn ac ar ôl plygiant, yn baralel i'r brif echelin, mae gennym bellach gryn dipyn o wybodaeth am lwybrau golau drwy lensiau cydgyfeirio cymesur tenau.

A Os yw pelydryn trawol o olau yn baralel i'r brif echelin yna caiff ei blygu fel y bo'n mynd drwy'r prif ffocws.

B Os yw pelydryn trawol yn teithio i ffwrdd o'r prif ffocws, yna caiff ei blygu fel y bo'n baralel i'r brif echelin.

Gallwn ychwanegu hefyd:

C Os yw pelydryn trawol yn teithio tua chanol lens tenau yna mae crymedd y lens yn rhy fach i gael unrhyw effaith sylweddol, ac mae'r pelydryn yn teithio mewn llinell syth fel petai'n cael ei blygu gan wydr plân tenau iawn. Brasamcan yw'r syniad hwn ond mae'n un dilys a defnyddiol iawn.

Ceir yn A, B ac C dri llwybr hysbys y gallwn eu defnyddio i ragfynegi ymddygiad. Tybiwch fod tri phelydryn yn lledu allan o'r un pwynt, ac yn dilyn y llwybrau A, B ac C (Ffigur 24.8). Mae manylion y llwybrau hyn yn dibynnu ar safle'r gwrthrych. Yn dilyn plygiant, ar gyfer y rhan fwyaf o safleoedd posibl y gwrthrych (er nad pob un), mae'r pelydrau yn cyfarfod eto ar bwynt arall. Lledaeniad pelydrau o un pwynt, drwy lens, a'u cydgyfeiriad unwaith eto yn un pwynt, sy'n arwain at greu delwedd real (gweler tudalen 227).

Wrth gwrs, mae pelydrau yn lledu o bwynt ar wrthrych i gyfeiriadau eraill yn ogystal ag ar hyd llwybrau A, B ac C, ac mae rhai yn mynd drwy'r lens. Yn dilyn plygiant, mae'r rhain eto yn cyfarfod ar yr un pwynt, ond mae'r pelydrau hyn yn fwy anodd eu rhagfynegi a byddai'n cymhlethu'r sefyllfa'n ormodol i'w cynnwys yn ein diagramau. Yr hyn y gallwn ei wneud, fodd bynnag, yw dangos côn cyfan o olau yn lledaenu o bwynt ar wrthrych, a chôn golau tebyg yn cydgyfeirio i greu pwynt cyfatebol ar y ddelwedd (Ffigur 24.9).

Ffigur 24.8
Gallwn ddefnyddio llwybrau hysbys i ragfynegi'r ddelwedd a gaiff ei chreu.

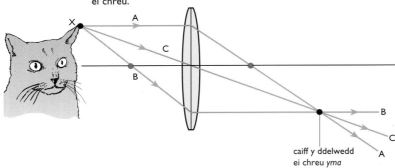

caiff y ddelwedd ei chreu *yma*

Ffigur 24.9
Côn cyfan o olau yn lledaenu o wrthrych, yn mynd drwy lens, ac yn cydgyfeirio i un pwynt.

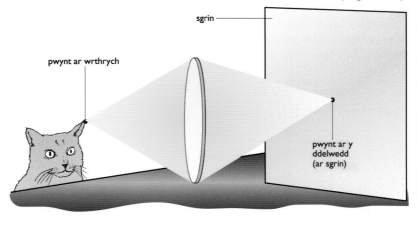

sgrin

pwynt ar wrthrych

pwynt ar y ddelwedd (ar sgrin)

Mae'n bosibl gosod sgrin fel bo pwynt cydgyfeirio'r côn golau arni. Mae golau hefyd yn lledaenu o bwyntiau eraill ar y gwrthrych, ac ar gyfer pob pwynt ar y gwrthrych mae un pwynt cyfatebol ar y sgrin. Mae delwedd o'r gwrthrych yn ymddangos ar y sgrin. (Mae'n bosibl y bydd y ddelwedd yn amhosibl i'w gweld oherwydd y golau amgylchynol ar y sgrin oni bai bod y gwrthrych wedi'i oleuo'n llachar.)

Delweddau real a rhith ddelweddau

Delwedd real (Ffigur 24.10) yw delwedd a gaiff ei ffurfio gan groestoriad gwirioneddol pelydrau; gall gael ei thaflunio ar sgrin. **Rhith ddelwedd** (Ffigur 24.11) yw delwedd a gaiff ei ffurfio gan groestoriad ymddangosol pelydrau a dim ond drwy edrych i mewn i'r drych neu'r lens y gellir ei gweld.

Ffigur 24.10
Mae'r ddelwedd ar sgrin sinema yn real. Caiff ei chreu gan belydrau yn cydgyfeirio o un pwynt (neu ran fechan iawn) ar y ffilm i un pwynt (neu ran fach iawn) o'r sgrin.

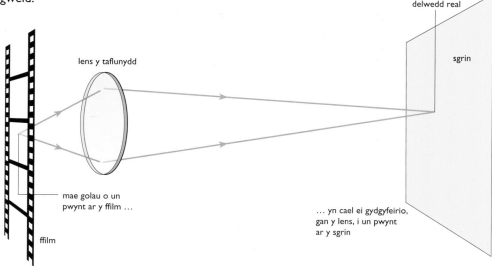

delwedd real

sgrin

lens y taflunydd

mae golau o un pwynt ar y ffilm …

ffilm

… yn cael ei gydgyfeirio, gan y lens, i un pwynt ar y sgrin

Ffigur 24.11
Rhith yw'r ddelwedd mewn drych plân. Mae'n rhaid i chi edrych ar y drych i'w gweld – ni all fodoli ar sgrin. Sylwch hefyd, er mwyn darganfod ble yn union mae'r ddelwedd ar ddiagram pelydrol, fod yn rhaid dilyn llwybrau'r pelydrau i ffwrdd o'r llygad er mwyn dod o hyd i'r pwynt lle mae'n ymddangos y daeth y pelydrau ohono.

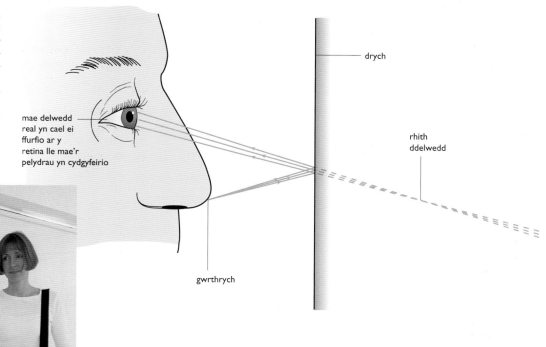

mae delwedd real yn cael ei ffurfio ar y retina lle mae'r pelydrau yn cydgyfeirio

drych

rhith ddelwedd

gwrthrych

Delweddau sy'n cael eu creu gan lensiau cydgyfeirio

Gall y pellter o'r gwrthrych i'r lens amrywio o sero i anfeidredd. Mae'r pellter hwn, sy'n cael ei ddynodi fel arfer gan y symbol u, yn gwneud gwahaniaeth mawr i'r ddelwedd. Mae nid yn unig yn effeithio ar bellter y ddelwedd o'r lens ond ar natur y ddelwedd hefyd – a yw'n real neu'n rhith, wedi'i chwyddo neu ei lleihau, â'i phen i fyny neu â'i phen i lawr. Caiff y pellter o'r ddelwedd i'r lens ei ddynodi fel arfer gan y symbol v. Mae hyn yn gwneud synnwyr gan fod u yn dod o flaen v yn yr wyddor Saesneg ac mae'r gwrthrych bob amser yn dod o flaen y ddelwedd.

Mae Ffigur 24.12 yn defnyddio llwybrau y gellir eu rhagfynegi A, B ac C (gweler tudalen 226) i ddangos y gwahanol ddelweddau a gynhyrchir pan fo'r gwrthrych wedi'i osod ar wahanol bellteroedd, u, mewn perthynas â'r hyd ffocal, f.

Ffigur 24.12
Gwahanol fathau o ddelweddau yn cael eu cynhyrchu gan lensiau cydgyfeirio.

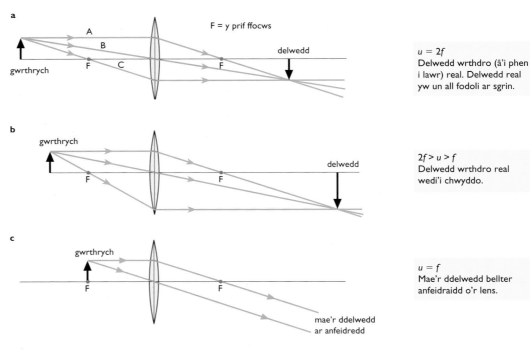

$u = 2f$
Delwedd wrthdro (â'i phen i lawr) real. Delwedd real yw un all fodoli ar sgrin.

$2f > u > f$
Delwedd wrthdro real wedi'i chwyddo.

$u = f$
Mae'r ddelwedd bellter anfeidraidd o'r lens.

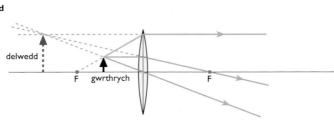

$u < f$
Rhith ddelwedd unionsyth (â'i phen i fyny) wedi'i chwyddo. Rhith ddelwedd yw delwedd sy'n amhosibl ei gweld ar sgrin. Rhaid i chi edrych drwy lens i'w gweld. Yna bydd eich llygad yn creu'r ddelwedd ar y pwynt lle mae'n ymddangos bod y pelydrau yn lledaenu ohono (yn union fel y bydd yn creu delwedd o unrhyw belydrau yn lledaenu o bwynt.) Lens cydgyfeirio a gaiff ei ddefnyddio yn y ffordd hon yw chwyddwydr.

6 **a** Brasluniwch ddiagram i ddarganfod safle a natur y ddelwedd pan fo pellter y gwrthrych, u, ychydig yn fwy na'r hyd ffocal, f.
b Pa un o'r diagramau **a–e** yn Ffigur 24.12 sy'n dangos orau sut y mae eich llygad yn ffurfio delwedd ar eich retina?

7 Ar gyfer lens cydgyfeirio o hyd ffocal 50 cm, disgrifiwch y delweddau a gaiff eu creu pan fo
a $u = 20$ cm
b $u = 70$ cm
c $u = 120$ cm.

$u \gg 2f$
Delwedd wrthdro real wedi'i lleihau. Mae'r gwrthrych ymhell o'r lens ac mae'r pelydrau sy'n cyrraedd y lens bron yn baralel i'w gilydd. Mae safle'r ddelwedd yn agos at y plân ffocal. Noder: petai'r gwrthrych bellter anfeidraidd o'r lens yna byddai'r ddelwedd yn y plân ffocal.

Delweddau sy'n cael eu creu gan lensiau dargyfeirio

Mae pob delwedd sy'n cael ei chreu gan lens dargyfeirio yn rhith ddelwedd (Ffigur 24.13), beth bynnag yw'r pellter rhwng y gwrthrych a'r lens.

Ffigur 24.13
Delwedd sy'n cael ei chreu gan lens dargyfeirio.

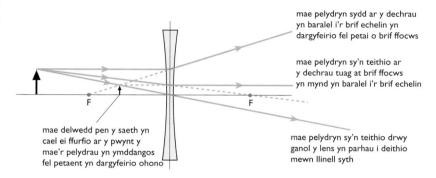

mae pelydryn sydd ar y dechrau yn baralel i'r brif echelin yn dargyfeirio fel petai o brif ffocws

mae pelydryn sy'n teithio ar y dechrau tuag at brif ffocws yn mynd yn baralel i'r brif echelin

mae pelydryn sy'n teithio drwy ganol y lens yn parhau i deithio mewn llinell syth

mae delwedd pen y saeth yn cael ei ffurfio ar y pwynt y mae'r pelydrau yn ymddangos fel petaent yn dargyfeirio ohono

Model mathemategol i ddangos sut y mae lens yn gweithio

Nid oes raid i ni ddibynnu ar ddiagramau pelydrol yn unig i ragfynegi pellteroedd cymharol gwrthrychau, *u*, a phellteroedd delweddau, *v*. Maent yn gydgysylltiedig â'i gilydd ac â'r hyd ffocal drwy:

$$\frac{1}{f} = \frac{1}{u} + \frac{1}{v}$$

Ar gyfer lens cydgyfeirio gallwn gymhwyso hyn i'r sefyllfa a ddangosir yn Ffigur 24.12a, b a d, gan ddefnyddio rhai ffigurau enghreifftiol ynghyd â mesuriadau mewn centimetrau ac yna gyfrifo pellteroedd y ddelwedd. Yn gyffredinol, gan fod 1/*f* = 1/*u* + 1/*v*, yna

$$\frac{1}{v} = \frac{1}{f} - \frac{1}{u}$$

Sefyllfa a	Ar gyfer $u = 2f$ ($u = 40$ cm, $f = 20$ cm): $1/v = 1/20 - 1/40 = 2/40 - 1/40 = 1/40$ $v = 40$ cm
Sefyllfa b	Ar gyfer $2f > u > f$ ($u = 30$ cm, $f = 20$ cm): $1/v = 1/20 - 1/30 = 3/60 - 2/60 = 1/60$ $v = 60$ cm Mae'r ddelwedd yn gymharol bell o'r lens.
Sefyllfa d	Ar gyfer $f > u$ ($u = 10$ cm, $f = 20$ cm): $1/v = 1/20 - 1/10 = 1/20 - 2/20 = -1/20$ $v = -20$ cm Nid yw'r arwydd negatif hwn yn gamgymeriad. Mae'n dweud wrthym fod y ddelwedd ar yr un ochr o'r lens â'r gwrthrych. Rhith ddelwedd ydyw felly.

8 Ar gyfer lens cydgyfeirio o hyd ffocal 50 cm, cyfrifwch bellteroedd y ddelwedd o'r lens pan fo
a *u* = 20 cm
b *u* = 70 cm
c *u* = 120 cm
A yw eich atebion yn gyson â'r atebion i gwestiwn 7?

9 Cyfrifwch bellter y ddelwedd ar gyfer lens dargyfeirio *f* = -20 cm, lle bo pellter y gwrthrych yn 15 cm.

Gellir cymhwyso'r fformiwla ar gyfer lensiau dargyfeirio yn ogystal â lensiau cydgyfeirio; yn yr achos hwn rhaid bod gwerth negatif i'r hyd ffocal.

Y confensiwn cyffredinol yw dweud bod arwydd negatif yn dynodi rhith ddelwedd neu hyd ffocal lens dargyfeirio. Gelwir hyn yn gonfensiwn arwydd **'real yn bositif'**. Mae Tabl 24.1 yn crynhoi arwyddocâd yr arwydd i werthoedd pellter y gwrthrych, pellter y ddelwedd a'r hyd ffocal.

Tabl 24.1

	Mae gwerth positif yn golygu	Mae gwerth negatif yn golygu
u	gwrthrych real	rhith wrthrych (ni fyddwn yn ystyried hyn yn awr)
v	delwedd real	rhith ddelwedd
f	lens cydgyfeirio	lens dargyfeirio

Chwyddhad llinol ac onglog

Mae gan lensiau y gallu i wneud delweddau yn fwy neu'n llai na'r gwrthrych (Ffigur 24.14). Gall y ddau fod yn ddefnyddiol. Mae delweddau mwy o faint yn dangos mwy o fanylder. Mae delweddau llai yn dangos maes gweld mwy o faint.

Y ffordd symlaf o gymharu delwedd â'i gwrthrych yw drwy lunio cymhareb o'u meintiau. Gelwir y gymhareb hon yn **chwyddhad llinol**:

$$\text{chwyddhad llinol, } m_L = \frac{\text{maint y ddelwedd}}{\text{maint y gwrthrych}}$$

$$= \frac{d}{g}$$

Ffigur 24.14
Delweddau wedi'u chwyddo a'u lleihau.

Gallwch weld o Ffigur 24.15 fod y gymhareb maint y ddelwedd i faint y gwrthrych yr un fath â'r gymhareb pellter y ddelwedd i bellter y gwrthrych. Felly, gallwn hefyd ddweud bod

$$\text{chwyddhad llinol, } m_L = \frac{\text{pellter y ddelwedd}}{\text{pellter y gwrthrych}}$$

Gan ddefnyddio u ar gyfer pellter y gwrthrych a v ar gyfer pellter y ddelwedd,

$$m_L = \frac{v}{u}$$

Ffigur 24.15

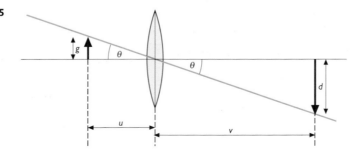

$$\tan \theta = \frac{g}{u} = \frac{d}{v}$$

lle saif g am 'faint y gwrthrych' a d am 'faint y ddelwedd'

$$\frac{d}{g} = \frac{v}{u} = \text{chwyddhad llinol}$$

O ganlyniad i chwyddhad optegol mae gwrthrych yn dod yn geometregol agosach. Mae gwrthrych agos yn llenwi cyfran fwy o'r maes gweld ac mae ei ddelwedd yn gorchuddio cyfran fwy o'r retina. Gellir mynegi'r gwahaniaeth ym maint y delweddau sy'n cael eu ffurfio ar y retina gan ddau wrthrych unfath, y naill yn agos a'r llall ymhell i ffwrdd, yn nhermau'r onglau a wnânt ar y llygad (Ffigur 24.16).

Ffigur 24.16
Pan fo'n agosach at y llygad, mae'r gwrthrych yn gwneud ongl fwy o faint ar y llygad ac felly yn ffurfio delwedd fwy o faint ar y retina.

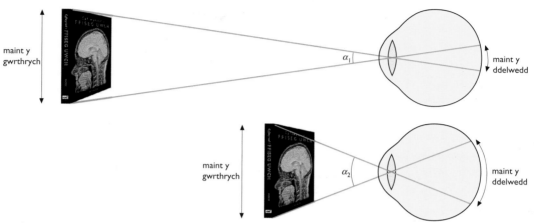

Os yw gwrthrych a gaiff ei weld gan y llygad noeth yn gwneud ongl alffa, α, ar y llygad, ond yn gwneud ongl beta, β, pan gaiff ei weld gyda chymorth optegol, yna caiff y **chwyddhad onglog** ei ddiffinio yn nhermau cymhareb yr onglau hyn:

chwyddhad onglog, $M = \dfrac{\beta}{\alpha}$

Cymhareb dau wahanol bellter yw chwyddhad llinol ac felly mae'n ddiddimensiwn. Cymhareb dwy ongl yw chwyddhad onglog, sydd hefyd yn cael ei alw'n **bŵer chwyddo** offeryn optegol, ac mae'n ddiddimensiwn hefyd.

Y radian

Ffigur 24.17

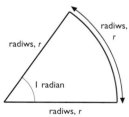

Gan mai cymhareb dwy ongl yw chwyddhad onglog, cawn yr un gymhareb beth bynnag yw'r unedau a ddefnyddiwn i fesur yr onglau (cyn belled wrth gwrs ag y defnyddiwn yr un unedau ar gyfer α a β). Gallem ddefnyddio graddau. Un radd yw 1/360 yr ongl mewn cylchdro cyflawn. Nid oedd unrhyw reswm penodol dros ddewis y ffigur 360 – cafodd y penderfyniad ei wneud ymhell bell yn ôl. Y mae yna, fodd bynnag, ffordd sy'n well ac yn haws o fesur onglau. Cymerwch arc cylch – cyfran o'r cylchyn – sydd o'r un hyd â'r radiws. Gelwir yr ongl a gynhelir gan yr arc hon yng nghanol y cylch yn **radian** (Ffigur 24.17). Gan mai 2π lluosi'r radiws yw hyd cylchyn cyflawn, mae 2π radian mewn cylch cyflawn:

yr ongl a gynhwysir mewn un cylchdro cyflawn = $360° = 2\pi$ radian

Mae diffiniad radian yn sylfaenol gysylltiedig â geometreg cylch.

---

10 Copiwch a chwblhewch Dabl 24.2.

11 Beth yw'r chwyddhad llinol ar bob un o bellteroedd y gwrthrych ar gyfer y lens o hyd ffocal $f = 50$ cm yng nghwestiwn 8? Os yw'r gwrthrych yn mesur 5 m ar draws, beth yw maint cyfatebol y ddelwedd ym mhob achos?

12 Rydych yn dal cyfrifiannell, sy'n mesur 6 cm ar draws, hyd braich, 75 cm o'ch llygad.
   a Beth yw maint yr ongl y mae lled y cyfrifiannell yn ei wneud ar eich llygad?
   b Beth yw lled y ddelwedd y mae'n ei ffurfio ar eich retina (gan gymryd mai pellter y ddelwedd yw 3 cm)?
   c Beth yw meintiau'r ongl ar eich llygad a'r ddelwedd ar eich retina os byddwch yn dal y cyfrifiannell 10 cm o'ch llygad?
   d Beth yw'r 'chwyddhad onglog' sy'n cael ei gynhyrchu wrth symud y cyfrifiannell o 75 cm i 10 cm o'ch llygad?
   e A yw'r cyfrifiannell yn *edrych* gymaint â hynny'n fwy i chi?

Tabl 24.2

Yr ongl mewn cylchdroeon	0.25	0.5	?	1	$0.16 = \dfrac{1}{2\pi}$
Yr ongl mewn graddau	90	?	270	?	?
Yr ongl mewn radianau	$\dfrac{\pi}{2}$	π	$\dfrac{3\pi}{2}$	?	1

Cofiwch fod π yn rhif: 3.14 (i dri ffigur ystyrlon)

Lens cyfunol – y telesgop plygiant seryddol

Câi sbectol ei defnyddio mor bell yn ôl â 1300 ond bu'n rhaid aros rhyw 300 mlynedd arall cyn i'r dechneg o lyfnhau gwydr wella digon i gynhyrchu delweddau cyson pan gâi un lens ei roi o flaen y llall. Mae gan **delesgop plygiant seryddol** syml ddau lens cydgyfeirio – y **gwrthrychiadur** (sydd agosaf at y gwrthrych) a'r **sylladur** (sydd agosaf at y llygad).

Mae pelydrau o wrthrychau pell yn baralel i'w gilydd i bob pwrpas – nid yw'r pelydrau yn lledaenu rhyw lawer pan gânt eu hystyried yn nhermau hyd byr y telesgop mewn perthynas â'r pellter hir y maent wedi teithio. Felly mae lens y gwrthrychiadur yn creu delwedd sydd wedi'i lleoli yn ei blân ffocal. Pan fo telesgop yn ei **gymhwysiad normal**, mae'r sylladur wedi'i leoli fel bo ei blân ffocal yn yr un lle (Ffigur 24.18). Mae'r ddelwedd a gynhyrchir gan y gwrthrychiadur yn gweithredu fel y gwrthrych ar gyfer y sylladur. Gan fod y gwrthrych hwn ar blân ffocal y sylladur, mae'r pelydrau sy'n dod o'r telesgop yn baralel eto. Ond mae'r ongl rhwng y pelydrau ac echelin y system gwrthrych-telesgop-llygad wedi cynyddu.

Ffigur 24.18
Cymhwysiad normal telesgop plygiant seryddol.

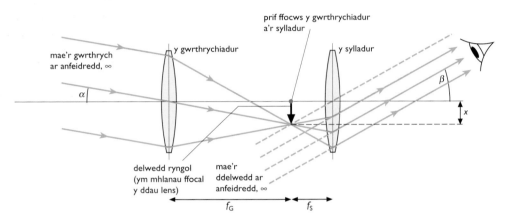

Mae'r chwyddhad onglog $M = \beta/\alpha$, lle saif β ac α am yr onglau a ddangosir yn Ffigur 24.18.

13 a Cyfrifwch chwyddhad onglog telesgop plygiant seryddol ac iddo gymhwysiad normal pan fo'r ongl, α, a gynhelir ar y gwrthrychiadur yn 0.05° a'r ongl, β, a gynhelir wrth y llygad yn 0.90°.
b Beth yw gwerthoedd tan β, tan α, a'u cymhareb? Sut y mae hyn yn cymharu â chymhareb yr onglau a fesurir mewn graddau? A yw'r brasamcan bod y cymarebau hyn yn hafal yn rhesymol? A ellir cyfiawnhau dweud bod $M = f_G/f_S$?
c Os hyd ffocal y gwrthrychiadur yw 500 mm, rhowch ffigur ar gyfer hyd ffocal y sylladur.

14 Mewn telesgop seryddol pa lens, y gwrthrychiadur neu'r sylladur, ddylai fod
a â'r hyd ffocal hiraf
b fwyaf trwchus (hynny yw, sydd â'r trwch mwyaf mewn perthynas â'r diamedr)?

15 Mae'r blaned Iau yn gwneud ongl o x radian wrth y llygad noeth.
a Pa ongl y mae'n ei gwneud pan gaiff ei gweld drwy delesgop plygiant ac iddo gymhwysiad normal wedi'i wneud o lensiau o hyd ffocal 100 cm a 20 cm?
b Beth yw hyd y telesgop?

16 Brasluniwch ddiagram pelydrol i ddangos pelydrau yn mynd drwy delesgop pan gaiff ei ddefnyddio 'tu ôl ymlaen', gyda'r sylladur yn pwyntio tuag at y gwrthrych.

17 Pam y mae lensiau o ansawdd gwael yn ddigon da i'w defnyddio i wneud sbectol ond yn anobeithiol i wneud telesgop?

18 Tybiwch fod telesgop plygiant seryddol yn cael ei ddefnyddio i edrych ar long sy'n hwylio tuag atoch. Beth sy'n digwydd i'r ddelwedd a gaiff ei chynhyrchu gan y gwrthrychiadur? Beth sy'n digwydd o ganlyniad i hynny i'r ddelwedd a gynhyrchir gan y sylladur?

Sylwch fod
$$\tan \beta = \frac{cyferbyn}{cyfagos} = \frac{x}{f_S}$$

lle saif x am uchder y ddelwedd a gynhyrchir gan y gwrthrychiadur a f_S am hyd ffocal y sylladur, a bod
$$\tan \alpha = \frac{cyferbyn}{cyfagos} = \frac{x}{f_G}$$

lle saif f_G am hyd ffocal y gwrthrychiadur. Felly, mae
$$\frac{\tan \beta}{\tan \alpha} = \frac{x/f_S}{x/f_G} = \frac{f_G}{f_S}$$

Ar gyfer onglau bach, $\beta/\alpha \approx \tan \beta/\tan \alpha$, felly mae
$$\frac{\beta}{\alpha} \approx \frac{f_G}{f_S}$$

ac felly mae
$$M \approx \frac{f_G}{f_S}$$

Felly ar gyfer chwyddhad mawr dylai'r sylladur fod yn lens â hyd ffocal lawer yn fyrrach na hyd ffocal y gwrthrychiadur.

Cydrannu

Mae'n iawn i ddelwedd gael ei chwyddo ond nid yw delwedd sy'n aneglur yn dda i ddim. Prawf ar offeryn optegol yw ei allu i gynhyrchu delweddau, neu **gydrannu**, dau bwynt sy'n agos at ei gilydd ar wrthrych. Os bydd y delweddau hyn yn gorgyffwrdd yna byddant yn aneglur.

Ffigur 24.19
Effeithiau diffreithiant ar ymddangosiad y ddelwedd o darddle pwynt.

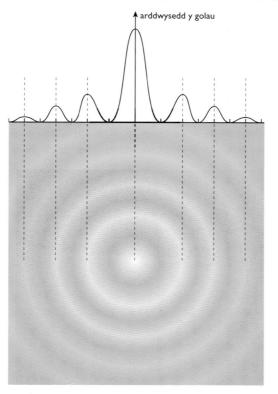

Bydd gallu offeryn i gydrannu, neu ei **gydraniad**, yn cael ei effeithio gan unrhyw ystumiau neu gamosod y lensiau (neu ddrychau) yn y system optegol. Ond hyd yn oed os yw'r system optegol yn berffaith, mae yna gyfyngiadau ar allu'r offeryn i gydrannu. Diffreithiant golau sy'n gyfrifol am hyn (gweler Pennod 2). Mae gan unrhyw offeryn **agorfa** – yr agoriad lle mae'n rhaid i'r golau fynd drwyddo – ac iddi faint penodol. Cylch yw'r agorfa fel arfer. Mewn telesgop plygiant seryddol y gwrthrychiadur yw'r agorfa i bob pwrpas. Mae diffreithiant yn digwydd fel y byddai wrth unrhyw fwlch lle bo tonnau yn mynd drwyddo. Mae pob pwynt ar y gwrthrych yn cynhyrchu patrwm diffreithiant bychan ar y ddelwedd (Ffigur 24.19).

Mae pwyntiau cyfagos ar y gwrthrych yn cynhyrchu patrymau diffreithiant sy'n gorgyffwrdd. Dangosir yn Ffigur 24.20 **faen prawf Rayleigh** a ddefnyddir i benderfynu a yw dau bwynt ar wrthrych wedi'u cydrannu.

Ffigur 24.20
Maen prawf Rayleigh.

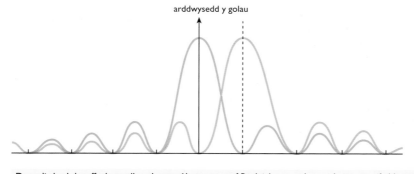

Dywedir bod dwy ffynhonnell o olau, yn ôl maen prawf Rayleigh, yn cael eu cydrannu pan fydd macsimwm canolog y patrwm diffreithiant a achosir gan un ohonynt yn cyd-daro â minimwm cyntaf y patrwm diffreithiant a achosir gan y llall. Mewn agorfa cylch mae hyn yn digwydd pan fo

$$\theta = \frac{1.22\lambda}{d}$$

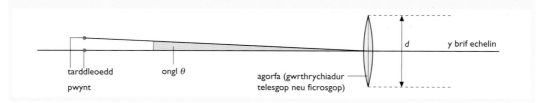

19 Pam y mae hi o fantais i ddiamedr lens y gwrthrychiadur fod yn fawr?

Mewn gwrthrychiadur neu agorfa sy'n gylch, os θ yw gwahaniad onglog dau darddle pwynt o olau o donfedd λ sy'n cael eu gwylio, ac os d yw diamedr y gwrthrychiadur, yna mae'r delweddau'n uno o ganlyniad i ddiffreithiant ac ymyriant wrth yr agorfa os yw

$$\theta < \frac{1.22\lambda}{d}$$

Os ysgrifennwn:

$$\theta = \frac{1.22\lambda}{d}$$

yna θ yw'r ongl finimwm sy'n gwahanu dau bwynt ar wrthrych er mwyn iddynt gael eu cydrannu gan yr offeryn. Sylwch mai gwerth *bychan* sydd fwyaf dymunol ar gyfer θ.

Edrychwch ar Ffigur 24.21. Mae'n dangos delwedd microsgop o ran o goes pryfyn. Ar gyfer gwrthrychau sydd lawer yn llai na hyn, mae'r prosesau diffreithiant ac ymyriant yn ei gwneud hi'n amhosibl i gynhyrchu unrhyw fath o ddelwedd o gwbl, pa mor dda bynnag yw'r microsgop.

Ffigur 24.21
Dyma ddelwedd wedi'i chwyddo o goes pryfyn. Mae'n bosibl y bydd delweddau dau flewyn sy'n agos iawn at ei gilydd heb eu cydrannu.

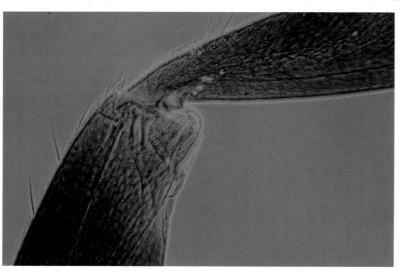

Y llygad fel system optegol

● **Deall a chymhwyso**

Mae'r llygad dynol yn cynnwys system blygiant a allai gael ei galw'n system lens oni bai, yn achos y llygad, bod y gair lens yn golygu'r disg bychan siâp lens sy'n un gydran o'r system. Indecs plygiant absoliwt rhan ganol y lens yw 1.40 ac mae hyn yn lleihau i 1.38 yn yr haenau allanol (Ffigur 24.22).

Ffigur 24.22
System blygiant y llygad.

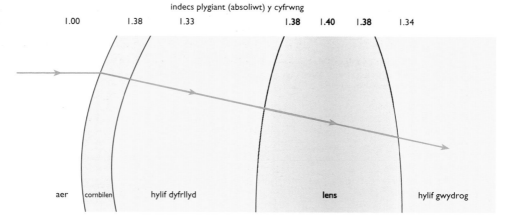

indecs plygiant (absoliwt) y cyfrwng

1.00   1.38   1.33   1.38   1.40   1.38   1.34

aer   cornbilen   hylif dyfrllyd   lens   hylif gwydrog

Mae llwybr y pelydryn wedi'i symleiddio fan hyn. Mae'r plygiant mwyaf yn digwydd fel y dangosir ar arwyneb y cornbilen, ond mae plygiant hefyd yn digwydd ar y ffiniau eraill.

Mae gan y llygad dynol bellter delwedd sefydlog – o'r system blygiant i'r retina. Ar y retina y bydd y system yn cynhyrchu delwedd real. Rhaid i'r ddelwedd fod yn ddelwedd wedi'i lleihau – llai o faint na'r gwrthrychau yn y byd y tu allan; mae'n rhaid i'n llygaid ffitio'r byd cyfan ar yr arwynebau bychan hynny. Mae hefyd yn ddelwedd wrthdro – mae'r ddelwedd sydd ar y retina â'i phen i lawr o'i chymharu â'r gwrthrych – problem y mae'n rhaid i'n hymennydd ei datrys er mwyn troi'r byd yn ôl ar ei draed.

Ar y ffin rhwng yr aer a'r cornbilen y mae'r newid mwyaf yn digwydd yn yr indecs plygiant absoliwt, felly mae'r rhan fwyaf o'r plygiant a welir yn digwydd ar yr arwyneb hwnnw. Fodd bynnag, mae digon o blygiant yn digwydd ar arwynebau'r 'lens' er mwyn i'w siâp fod yn bwysig. Mae'n rhaid i'r llygad gynhyrchu delweddau clir ar gyfer ystod eang o bellteroedd gwrthrychau, er na all pellter y ddelwedd newid. Drwy newid siâp y lens, mae'r llygad yn amrywio ei hyd ffocal. Gelwir y gallu i wneud hyn yn **ymgymhwysiad**.

Mae gan y llygad a'r camera lawer yn gyffredin rhyngddynt fel systemau optegol. Mae'r ddwy system yn cynhyrchu delweddau ar sgrin – ar y retina ac ar ffilm. Mae'r delweddau nid yn unig yn real ond maent hefyd wedi'u gwrthdroi ac wedi'u lleihau. Yn y ddau, mae'r system blygiant yn gweithredu fel lens cydgyfeirio. Digwydd yr ymgymhwyso, fodd bynnag, mewn dwy ffordd. Tra bo'r llygad yn amrywio hyd ffocal y system blygiant, mae'r camera yn amrywio pellter y ddelwedd – mae lens y camera yn symud yn ôl ac ymlaen. Y fformiwla ar gyfer yr hyd ffocal, *f*, pellter y gwrthrych, *u*, a phellter y ddelwedd, *v*, yw:

$$\frac{1}{f} = \frac{1}{u} + \frac{1}{v}$$

Diamedr pelen y llygad o'r tu blaen i'r tu cefn yw tua 3 cm. Gall gael ei gyfrif yn bellter y ddelwedd.

Dim ond pan fo golau o ran fechan o'r gwrthrych yn disgyn ar ran fechan o'r retina y mae'r ddelwedd ar y retina yn glir. Pan fo golau o ddau bwynt cyfagos ar y gwrthrych yn gorgyffwrdd, mae hynny'n pylu'r ddelwedd. Mae pylu o'r fath yn digwydd pan yw'r ddelwedd yn cael ei ffurfio nid ar y retina ond yn union y tu blaen iddo. Bydd golau o ran fach o'r gwrthrych yn glanio felly ar ran fawr o'r retina. Dyma beth yw **golwg byr** a bydd yn digwydd gan fod y system blygiant yn plygu gormod ar y golau. Mae'n digwydd ar gyfer gwrthrychau pell ond nid rhai agos. Ar gyfer gwrthrychau agos, mae plygiant mawr yn beth da. Gall person â golwg byr weld gwrthrychau agos ond ni all greu delweddau clir o wrthrychau pell. Yr ateb yw rhoi lens dargyfeirio o flaen y llygad (Ffigur 24.23).

Ffigur 24.23
Golwg byr a'r ffordd i'w gywiro.

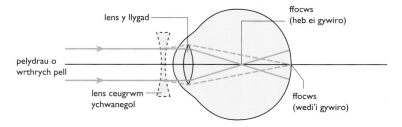

Ni all llygaid person â **golwg hir** greu digon o blygiant i ffurfio delwedd o wrthrych sy'n agos. Mae'r pelydrau o'r gwrthrych yn tueddu i ffocysu ymhell o'r system blygiant, y tu ôl i'r retina. Unwaith eto, mae golau o ran fechan o'r gwrthrych yn glanio ar ran fawr o'r retina ac yn achosi i'r ddelwedd bylu. Mae angen help ar y llygad â golwg hir er mwyn cydgyfeirio'r pelydrau. Gall rhoi lens cydgyfeirio o flaen y llygaid helpu (Ffigur 24.24).

Ffigur 24.24
Golwg hir a'r ffordd i'w gywiro.

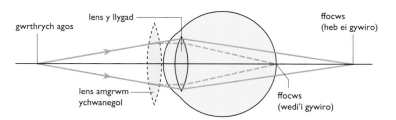

20 Ar gyfer golau sy'n mynd i mewn i'r llygad, ble y mae'r rhan fwyaf o'r plygiant yn digwydd?

21 Mae gan y 'lens' dynol indecs plygiant graddedig, gyda'r indecs plygiant absoliwt macsimwm yn y canol. Brasluniwch belydryn golau sy'n teithio o'r hylif dyfrllyd, gan daro ar arwyneb y 'lens' ar ongl drawiad fawr ac allan i'r hylif gwydrog.

22 Gall triniaeth laser ar y cornbilen newid ei siâp a chywiro diffygion ar y golwg. Pa newid yn y siâp a fydd yn cywiro:
  a golwg byr
  b golwg hir?

23 Mae gan y llygad bellter delwedd sefydlog o ryw 3 cm.
  a Pa hyd ffocal sydd ei angen arno i gynhyrchu delwedd o wrthrych
    i ar anfeidredd
    ii ar bellter o 20 cm?
  b Sut y mae'r llygad yn amrywio ei hyd ffocal?
  c Beth yw'r gwahaniaeth rhwng dulliau ymgymhwyso llygad a chamera?

24 Mae Steffan yn 17 oed a hyd ffocal minimwm ei ddau lygad yw 2.45 cm.
  a Beth yw pellter y gwrthrych agosaf y gall weld delwedd glir ohono (gan dybio pellter delwedd cyson o 3 cm)?
  b 40 mlynedd yn ddiweddarach hyd ffocal minimwm

ei lygaid yw 2.82 cm. Sut y mae Steffan yn darllen ei bapur newydd erbyn hyn? Rhowch fanylion.
  c Pa gydrannau o lygaid Steffan sydd wedi dirywio?

25 a Os yw eich golwg yn normal ac os byddwch yn edrych drwy un llygad ar wrthrych ymhell i ffwrdd, beth fydd yn digwydd os byddwch, heb addasu eich llygad,
    i yn rhoi lens cydgyfeirio yn union o flaen y llygad,
    ii yn rhoi lens dargyfeirio yn union o flaen y llygad? Lluniwch ddiagramau pelydrol i ddangos y sefyllfaoedd hyn.
  b A fydd modd i chi addasu eich llygad i greu delwedd glir yn y naill achos a'r llall?

26 Ychydig o effaith a gaiff egwyriant sfferig ar lygaid dynol. Y rheswm am hyn yw siâp y cornbilen. Lluniwch ddiagram pelydrol i ddangos sut y mae angen i siâp y cornbilen fod yn wahanol i siâp sfferig.

27 a Beth yw'r pŵer cydrannu mwyaf posibl, yn nhermau'r ongl finimwm a gynhelir wrth eich llygad gan ddau bwynt ar wrthrych, pan fo diamedr cannwyll eich llygad yn 3 mm a thonfedd y golau yn 5×10^{-7} m?
  b Beth sy'n digwydd i'r pŵer cydrannu hwn pan fydd hi'n dechrau tywyllu o'ch amgylch?
  c Pam y gallai pŵer cydrannu gwirioneddol eich llygad fod yn waeth na'r hyn a gyfrifwyd yn a?

● **Deall a chymhwyso**

Gwell telesgop a'r microsgop cyfansawdd

Galileo sy'n cael y clod am wella'r telesgop plygiant seryddol drwy roi sylladur dargyfeirio ynddo yn lle'r un cydgyfeirio. Gelwir yr addasiad hwn yn **delesgop Galileo** (Ffigur 24.25).

Y fantais, mewn telesgop sydd o'r un hyd, yw y ceir chwyddhad dipyn yn fwy. Mae hefyd yn cynhyrchu delwedd unionsyth, sy'n bwysig wrth edrych ar wrthrychau ar y ddaear fel llongau yn y pellter. Profodd yn ddatblygiad defnyddiol felly at ddibenion masnachol a milwrol, yn arbennig yn Fenis lle'r oedd Galileo yn byw, a oedd ar y pryd yn ddinas bwerus iawn â'i llongau yn teyrnasu ar y Môr Canoldir.

Ffigur 24.25
Telesgop Galileo.

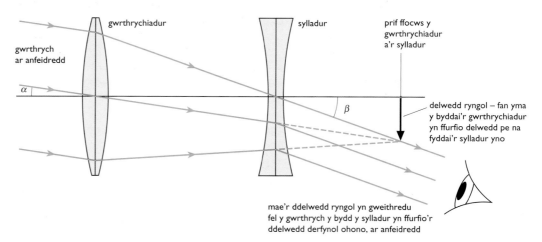

Fel gyda'r telesgop seryddol, mae'r pelydrau sy'n mynd i mewn i'r telesgop ac yn mynd allan ohono yn baralel, ond maent yn gadael ar ongl fwy o faint, β, i'r echelin. Y chwyddhad onglog, fel o'r blaen, yw β/α. Ac eto, gyda chymhwysiad normal, mae planau ffocal y ddau lens yn yr un lle ac mae'r ddelwedd sy'n cael ei chreu gan y gwrthrychiadur yn gweithredu fel gwrthrych ar gyfer y sylladur.

$$M = \frac{\beta}{\alpha} \approx \frac{x/f_S}{x/f_G} = \frac{f_G}{f_S} \quad \text{lle saif } x \text{ am uchder y ddelwedd ryngol.}$$

Gan fod y ddelwedd ryngol yn gweithredu fel rhith wrthrych ar gyfer y sylladur, mae ei bellter gwrthrych, fel ei hyd ffocal, yn negatif. Hefyd, mae ei bellter gwrthrych a'r hyd ffocal yn hafal, a phan ddefnyddir y rhifau yn y fformiwla $1/f_s = 1/u + 1/v$ cawn fod $1/v$ yn sero a bod pellter y ddelwedd v yn anfeidraidd. Dyna'r hyn y byddem yn ei ddisgwyl, gan fod y pelydrau yn baralel, fel y byddent ar gyfer unrhyw wrthrych ar bellter anfeidraidd i ffwrdd.

Ffigur 24.26
Telesgop adlewyrchu.

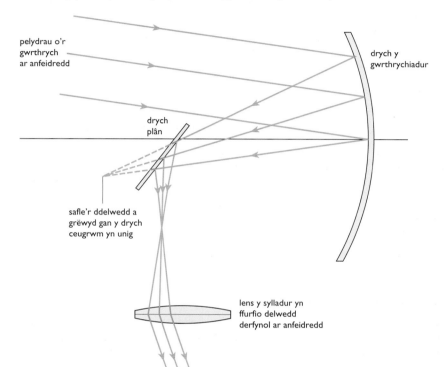

pelydrau o'r gwrthrych ar anfeidredd

drych y gwrthrychiadur

drych plân

safle'r ddelwedd a grëwyd gan y drych ceugrwm yn unig

lens y sylladur yn ffurfio delwedd derfynol ar anfeidredd

Mae **telesgop adlewyrchu** (Ffigur 24.26) yn defnyddio drych ceugrwm yn lle gwrthrychiadur. Gall y drych fod yn fawr iawn — mwy o lawer nag sy'n bosibl ar gyfer lens — ac felly gall gasglu mwy o olau o ffynonellau gwan. Dywedwn fod gan y drych agorfa fawr, sydd hefyd yn gwella ei bŵer cydrannu. Gall telesgopau adlewyrchu gael eu cynhyrchu'n weddol fyr, ond mantais bwysig arall yw eu bod yn llai tueddol o gael eu heffeithio gan egwyriant. Nid yw egwyriant cromatig yn cael ei gynhyrchu o gwbl ar arwyneb sy'n adlewyrchu yn hytrach na phlygu. Gellir cynhyrchu llai o egwyriant sfferig hefyd drwy wneud y drych yn barabolig yn hytrach nag yn sfferig. Mae hon yn broses ddrud ac nid yw mor ddefnyddiol ar gyfer telesgopau amatur bach, ond mae'n ddefnyddiol iawn ar gyfer telesgop at ddibenion ymchwil seryddol.

Gelwir lens cydgyfeirio syml weithiau yn **ficrosgop syml**. Gall gynhyrchu rhith ddelweddau wedi'u chwyddo o wrthrychau agos. Mae'r ffaith bod y ddelwedd yn rhith ddelwedd yn golygu y gall y llygad gael ei symud yn ôl ac ymlaen a bydd y ddelwedd yn aros 'mewn ffocws'. Mae gan **ficrosgop cyfansawdd** ddau lens ac mae'n cynhyrchu delwedd sydd unwaith eto'n rhith ddelwedd ond sydd wedi'i chwyddo mwy. Yn debyg i'r telesgop plygiant seryddol, mae'r microsgop cyfansawdd yn defnyddio dau lens cydgyfeirio, ond mae eu hydoedd ffocal cymharol wedi'u gwrthdroi. Mae gan y gwrthrychiadur hyd ffocal byrrach. Gwahaniaeth arall yw nad yw planau ffocal y lensiau yn yr un lle ac nid yw'r ddelwedd ryngol ym mhlân ffocal y naill lens na'r llall (Ffigur 24.27).

Ffigur 24.27
Microsgop cyfansawdd.

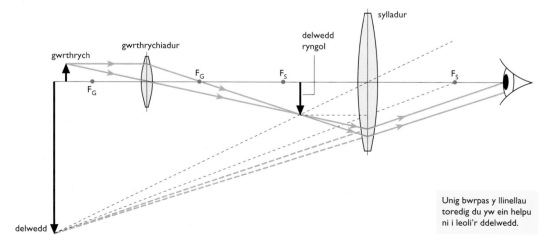

gwrthrych

gwrthrychiadur

sylladur

delwedd ryngol

F_G

F_G

F_S

F_S

delwedd

Unig bwrpas y llinellau toredig du yw ein helpu ni i leoli'r ddelwedd.

28 Beth yw'r prif wahaniaeth yng ngwneuthuriad telesgop plygiant seryddol a thelesgop Galileo?

29 Ystyriwch bâr o delesgopau o'r fath sy'n rhoi'r un chwyddhad onglog o 8, ac sydd â'r un gwrthrychiaduron o hyd ffocal 100 cm. Beth fydd gwerth hyd ffocal y sylladur ym mhob achos? Sut y gallech ddweud, hyd yn oed cyn codi'r telesgopau, pa un oedd p'un?

30 Mae llong yn hwylio yn nes ac yn nes at delesgop Galileo. Beth sy'n digwydd i'r ddelwedd?

31 **a** Esboniwch pam y mae telesgop adlewyrchu yn well am gydrannu na thelesgop plygiant seryddol.
   b Sut y mae telesgopau adlewyrchu yn ateb problemau egwyriant cromatig ac egwyriant sfferig (yn rhannol o leiaf)?

32 **a** Pam y mae'n bosibl symud chwyddwydr yn ôl ac ymlaen a dal i weld delwedd glir?
   b Er mwyn cynyddu'r chwyddhad, a ddylai'r chwyddwydr gael ei symud tuag at y gwrthrych neu i ffwrdd oddi wrtho?

(Gwnewch fraslun o ddiagram pelydrol i'ch helpu.)
   c Beth yw'r pellter gwrthrych macsimwm mewn perthynas â'r hyd ffocal?

33 I ba raddau y mae'n rhesymol dweud bod microsgop cyfansawdd yn delesgop adlewyrchu seryddol sy'n cael ei ddefnyddio tu chwith?

34 Os yw microsgop cyfansawdd yn cael ei wneud â gwrthrychiadur o hyd ffocal 0.50 cm a sylladur o hyd ffocal 6.25 cm, gyda phellter o 9.60 cm yn eu gwahanu, beth yw'r chwyddhad llinol ar gyfer gwrthrych 0.56 cm o'r gwrthrychiadur?

35 **a** A gawsoch chi unrhyw fudd o ddefnyddio lensiau artiffisial heddiw? Ble a sut?
   b Pe na bai lensiau artiffisial yn bod, ym mha ffordd y byddai eich diwrnod heddiw wedi bod yn wahanol? Meddyliwch sut y mae offerynnau optegol wedi newid ein ffordd o edrych ar y byd. Peidiwch ag anghofio am y camera (er mwyn creu lluniau llonydd a lluniau sy'n symud).

Cwestiynau arholiad

1 Mae ffibr optig yn cludo gwybodaeth wedi'i chodio ar ffurf pylsiau o olau. Mae'r ffibr optig yn cynnwys edefyn o wydr y mae ei graidd wedi'i amgylchynu gan wydr o indecs plygiant gwahanol sy'n cael ei alw'n gladin.

Mae'r cwestiwn hwn yn ymwneud â'r hyn sy'n digwydd wrth i olau fynd drwy lens ac i'r ffibr.

a Beth a olygir wrth *hyd ffocal lens*? (1)

Ffynhonnell y golau fel arfer yw deuod sy'n allyrru pelydriad isgoch.

Mae'r deuod, sy'n gweithredu fel y ffynhonnell bwynt, yn cael ei roi 5 cm o lens cydgyfeirio o hyd ffocal 5 cm.

b Lluniwch ddiagram pelydrol i ddangos beth sy'n digwydd i'r pelydrau golau wrth iddynt fynd drwy'r lens ac i'r ffibr. (2)

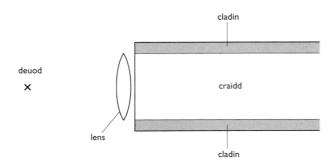

c Dywedwch beth sy'n digwydd i fuanedd, amledd a thonfedd y golau wrth iddo fynd i mewn i'r ffibr. (3)

d Wrth i'r ffibr blygu, bydd y golau yn dal i deithio mewn llinell syth hyd nes y bydd yn cyrraedd ochr y craidd lle dylai adlewyrchiad mewnol cyflawn ddigwydd iddo ar y ffin â'r cladin. Esboniwch beth a olygir wrth y term *ongl gritigol* ar gyfer ffin rhwng dau gyfrwng. (2)

e Indecs plygiant y craidd yw 1.48. Awgrymwch werth addas ar gyfer indecs plygiant y cladin. (1)

f Esboniwch pam, o bosibl, na fydd adlewyrchiad mewnol cyflawn yn digwydd i'r golau os bydd rhan o'r ffibr wedi'i blygu'n sydyn fel y dangosir isod. (1)

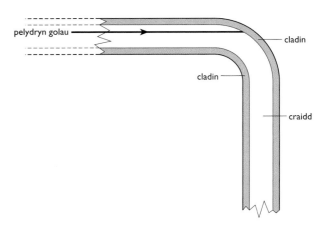

Edexcel (Llundain), Ffiseg, PSA 1, Mehefin 1999

2 a Mae telesgop wedi'i wneud o ddau lens cydgyfeirio o hydoedd ffocal 2.50 m a 0.020 m.

i Dangoswch, gyda chymorth diagram wedi'i labelu, sut y byddai'r lensiau hyn yn cael eu gosod ar gyfer cymhwysiad normal. Dangoswch ar y diagram brif ffocws y ddau lens.

ii Mae'r telesgop yn cael ei ddefnyddio i wylio planed sy'n cynnal ongl o 5.0×10^{-5} rad ar y gwrthrychiadur. Cyfrifwch yr ongl a gynhelir ar y llygad gan y ddelwedd derfynol. (4)

b Dywedwch beth a olygir gan egwyriant cromatig ac esboniwch yr effaith a gâi ar y ddelwedd mewn telesgop plygiant heb ei gywiro. (3)

AQA (NEAB), Ffiseg Uwch, Papur 1, Mehefin 1999 (rhan o'r cwestiwn)

3 Caiff ffotograff o system seren ddwbl ei weld drwy lens cydgyfeirio a ddefnyddir fel chwyddwydr.

a Yn y diagram, mae AB yn cynrychioli'r ffotograff. Marciwch ar y diagram safleodd bras y prif ffocysau a rhowch y pelydrau i ddangos sut y caiff rhith ddelwedd wedi'i chwyddo ei chynhyrchu gan y lens.

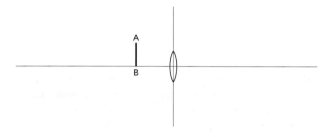

b Os 100 mm yw hyd ffocal y lens a $\times 5$ yw'r chwyddhad llinol, cyfrifwch bellter y ffotograff o'r lens. (4)

AQA (NEAB), Seryddiaeth ac Opteg, Mehefin 1999

4 a Mae gwrthrych bach yn cael ei roi ar brif echelin lens dargyfeirio o hyd ffocal 100 mm ac ar bellter 150 mm oddi wrtho.

i Ar y diagram isod lluniwch belydrau i ddangos sut y caiff delwedd ei ffurfio gan y lens.

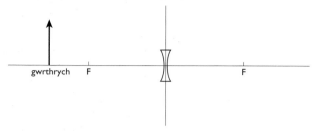

ii Cyfrifwch bellter y ddelwedd o'r lens. (4)

b Mae lens cydgyfeirio, sydd hefyd o hyd ffocal 100 mm, yn cael ei roi yn lle'r lens dargyfeirio yn rhan **a**. Mae'r gwrthrych yn aros yn yr un safle ac fe ffurfir delwedd gan y lens cydgyfeirio. Cymharwch *ddwy* briodwedd y ddelwedd hon â phriodweddau'r ddelwedd a ffurfir gan y lens dargyfeirio yn rhan **a**. (2)

AQA (NEAB), Seryddiaeth ac Opteg, Mawrth 1999

5 Dim ond gwrthrychau sydd ymhellach i ffwrdd na 100 cm y gall merch eu gweld. Nid yw gwrthrychau sy'n agosach na hynny yn glir o gwbl.

a Beth yw'r enw ar y diffyg hwn ar ei golwg? (1)

b Esboniwch pam, yn ei hachos hi, nad yw'n gallu gweld yn glir wrthrychau sy'n agos ati. Dangoswch eich ateb drwy lunio diagram o'r llygad. (3)

c Mae angen sbectol ar y ferch er mwyn gweld yn glir wrthrychau sydd 25 cm i ffwrdd, h.y. ar agosbwynt normal golwg.

i A oes angen lensiau cydgyfeirio neu ddargyfeirio arni? (1)

ii Lluniwch ddiagram i esbonio sut y gallai'r lens priodol gywiro problem y ferch, drwy roi iddi ddelwedd y gall ei gweld, ar bellter o 100 cm o'i llygaid. Dylai eich diagram gynnwys y ddelwedd a gâi ei ffurfio 100 cm o'i llygaid. (3)

iii Cyfrifwch hyd ffocal y lens sydd ei angen i gynhyrchu delwedd 100 cm o'i llygaid pan fo'r gwrthrych 25 cm o'i llygaid. (3)

Y Fagloriaeth Rynglwadol, Ffiseg, Safon Uwch, Mai 1998

25 Golau'n ymddwyn fel tonnau

Y CWESTIWN MAWR

● Pa ymddygiad golau y gallwn ei ddehongli, ei ragfynegi a'i gymhwyso drwy ddefnyddio'r model tonnau?

GEIRFA ALLWEDDOL

cromlin sin   cydwedd   cyfanrif   cyfnodedd   dadansoddiad diriant optegol
eddïau   egwyddor arosod   ffynhonnell anghydlynol   ffynhonnell gydlynol
gratin diffreithiant   gwahaniad eddïau   gwahaniaeth gwedd   gwahaniaeth llwybr
gweithgaredd optegol   monocromatig   ongl wedd   osgled   plân-bolareiddiad
plân ardraws   tonellau   tonnau ardraws   ymyriant adeiladol   ymyriant dinistriol

Y CEFNDIR

Mae ymddygiad golau sy'n dibynnu ar ei donfedd – megis plygiant, diffreithiant a pholareiddiad – yn cynhyrchu lliw o olau gwyn gan greu effeithiau trawiadol yn aml iawn fel y gwelir yn y llun isod o risialau fitamin (Ffigur 25.1). Mae lluniau o'r fath nid yn unig yn dda i edrych arnynt ond hefyd yn rhoi llawer o wybodaeth i ni. Defnyddiwn ddiffreithiant, er enghraifft, i greu sbectrwm o olau ac felly i edrych am linellau allyrru ac amsugno. Byddai ein hastudiaeth o olau'r sêr, ac felly ein gwybodaeth am sêr, yn ddiffygiol iawn heb dechnegau o'r fath. Mae effeithiau polareiddiad sy'n ddibynnol ar ddonfeddi yn ein helpu i ddadansoddi patrymau diriant mewn defnyddiau ac i archwilio grisialau tebyg i'r rhain.

Ffigur 25.1
Mae'r patrymau lliwgar hyn yn cael eu cynhyrchu o ganlyniad i olau'n ymddwyn fel tonnau. Mae'r grisialau fitamin wedi cylchdroi plân polareiddiad y tonnau golau ac mae maint y cylchdro yn dibynnu ar donfedd (lliw) y golau.

Polareiddiad

Mae lens sbectol haul Polaroid yn amsugno rhywfaint o belydrau. Pan fo dau lens o'r fath yn cael eu rhoi, y naill y tu ôl i'r llall, â'u cyfeiriad yn gyfatebol i'r hyn sydd yn y sbectol haul, mae cyfanswm yr amsugniad sy'n digwydd yn rhyfeddol o fach. Os caiff un lens ei gylchdroi, fodd bynnag, mae lefel yr amsugniad yn cynyddu'n gyflym ac yn y pen draw yn gyflawn. Dyma effaith polareiddiad. Er mwyn dadansoddi beth sy'n digwydd gallwn ddefnyddio disgrifiad James Clerk Maxwell o belydriad electromagnetig.

Pan fo crychdonnau yn teithio ar draws dŵr mae'r dirgryniad ar yr arwyneb yn fertigol i bob pwrpas. (Mae'r dŵr sydd o dan yr wyneb yn symud mewn ffordd fwy cymhleth ond nid yw hynny o bwys yn y bennod hon.) Mae'r dirgryniad arwyneb yn berpendicwlar i gyfeiriad teithio'r don ac mae tonnau o'r fath yn cael eu galw'n **donnau ardraws**. Awgrymodd Maxwell mai parau o feysydd trydanol a magnetig yn dirgrynu yw pelydriad electromagnetig, a bod y parau hyn o ddirgryniadau nid yn unig yn berpendicwlar i gyfeiriad teithio'r don ond hefyd yn berpendicwlar

Ffigur 25.2
Cynrychioliad syml o ddirgryniadau ardraws sy'n ffurfio ton electromagnetig.

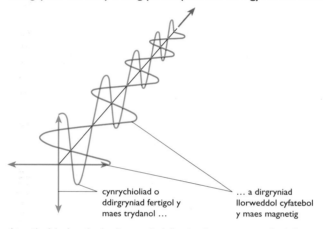

cynrychioliad o ddirgryniad fertigol y maes trydanol …

… a dirgryniad llorweddol cyfatebol y maes magnetig

i'w gilydd. Am bob dirgryniad fertigol y maes trydanol mae dirgryniad llorweddol cyfatebol yn digwydd yn y maes magnetig, er enghraifft (Ffigur 25.2).

Ond mae'r darlun cyflawn yn fwy cymhleth. Mae sampl penodol o olau amholar, fel y golau a ddaw o'r Haul, yn cynnwys dirgryniadau'r maes trydanol nad ydynt yn teithio i un cyfeiriad yn unig, dyweder i fyny ac i lawr, fel y bydd yn digwydd gyda chrychdonnau, ond i unrhyw gyfeiriad mewn plân sy'n berpendicwlar i gyfeiriad teithio'r don – y **plân ardraws** (Ffigur 25.3). Ar gyfer pob dirgryniad y maes trydanol, boed yn ddirgryniad fertigol, yn ddirgryniad llorweddol neu unrhyw bosibiliadau yn y canol, mae dirgryniad cyfatebol yn y maes magnetig.

Ffigur 25.3
Gall dirgryniad y maes trydanol ddigwydd i bob cyfeiriad yn y plân ardraws.

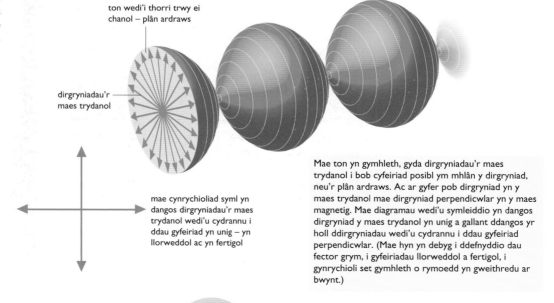

ton wedi'i thorri trwy ei chanol – plân ardraws

dirgryniadau'r maes trydanol

mae cynrychioliad syml yn dangos dirgryniadau'r maes trydanol wedi'u cydrannu i ddau gyfeiriad yn unig – yn llorweddol ac yn fertigol

Mae ton yn gymhleth, gyda dirgryniadau'r maes trydanol i bob cyfeiriad posibl ym mhlân y dirgryniad, neu'r plân ardraws. Ac ar gyfer pob dirgryniad yn y maes trydanol mae dirgryniad perpendicwlar yn y maes magnetig. Mae diagramau wedi'u symleiddio yn dangos dirgryniad y maes trydanol yn unig a gallant ddangos yr holl ddirgryniadau wedi'u cydrannu i ddau gyfeiriad perpendicwlar. (Mae hyn yn debyg i ddefnyddio dau fector grym, i gyfeiriadau llorweddol a fertigol, i gynrychioli set gymhleth o rymoedd yn gweithredu ar bwynt.)

Er mwyn gallu meddwl am y tonnau mae angen i ni ddod o hyd i ffordd o gyflwyno'r syniadau mor syml â phosibl. Y peth cyntaf i'w symleiddio yw gadael dirgryniadau'r maes magnetig allan o'r diagram. Gwyddom eu bod yno yn cyfateb i ddirgryniadau'r maes trydanol, felly does dim rhaid eu dangos bob tro. Yn ail, gallwn gynrychioli holl ddirgryniadau'r maes trydanol fel un dirgryniad ac iddo ddwy gydran berpendicwlar o ddirgryniad. Gallwn lunio'r cydrannau hyn i gyfeiriadau llorweddol a fertigol yn union fel y byddem yn ei wneud wrth lunio cydrannau grym (gweler Ffigur 25.3).

Dyma ni'n barod yn awr i weld sut y mae hyn yn cyd-fynd ag arsylwadau'r lensiau Polaroid yn cylchdroi. Mae damcaniaeth Maxwell yn dweud nad yw lensiau Polaroid yn amsugno ar hap ond yn hytrach yn amsugno un gydran y dirgryniad ardraws ac yn trawsyrru'r llall. Bydd ail lens wedi'i osod y tu ôl i un arall gyda'r un gyfeiriadaeth yn trawsyrru'r un gydran o'r pelydriad. Ychydig y bydd yn ei amsugno neu ni fydd yn amsugno dim mwy oherwydd mae'r pelydriad y gall ei amsugno eisoes wedi'i dynnu oddi yno. Ond os caiff y lens hwn ei droi yna bydd yn gallu dechrau amsugno golau o gydran arall y dirgryniad. Pan fydd wedi troi 90° gall amsugno'r golau yn gyfan gwbl.

Gelwir y broses o dynnu allan un gydran o ddirgryniad yn **blân-bolareiddiad** (Ffigur 25.4). Mewn golau plân-bolar, mae dirgryniad y maes trydanol yn digwydd i bob pwrpas mewn un plân sy'n rhedeg ar hyd cyfeiriad teithio'r don. (Mae'r don wedi mynd yn fwy tebyg i don ar raff lle mae'r dirgryniadau i gyd mewn un plân.)

Ffigur 25.4
Mae lens Polaroid yn amsugno un gydran o ddirgryniad y maes trydanol (ac, ar yr un pryd, gydran gyfatebol dirgryniad y maes magnetig). Mae'r golau mae'n ei drawsyrru wedi'i blân-bolaru.

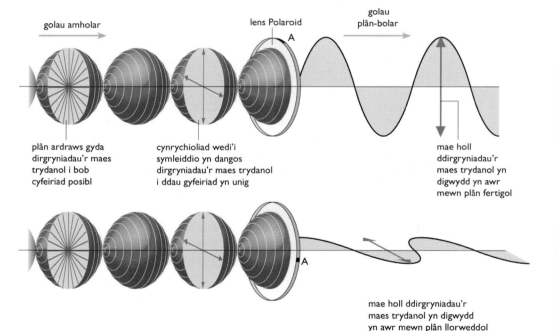

golau amholar

lens Polaroid

golau plân-bolar

plân ardraws gyda dirgryniadau'r maes trydanol i bob cyfeiriad posibl

cynrychioliad wedi'i symleiddio yn dangos dirgryniadau'r maes trydanol i ddau gyfeiriad yn unig

mae holl ddirgryniadau'r maes trydanol yn digwydd yn awr mewn plân fertigol

Mae'r lens wedi amsugno holl gydrannau llorweddol dirgryniadau'r maes trydanol ac wedi trawsyrru'r cydrannau fertigol.

mae holl ddirgryniadau'r maes trydanol yn digwydd yn awr mewn plân llorweddol

Pan fo'r lens yn cael ei droi drwy 90° (fel y gwelir ym mhwynt A) cydrannau fertigol dirgryniadau'r maes trydanol sy'n cael eu hamsugno tra bo'r cydrannau llorweddol yn cael eu trawsyrru.

Hidlydd yw lens Polaroid mewn gwirionedd. Nid dyma'r unig ffordd y gall golau gael ei bolaru. Mae golau sy'n cael ei adlewyrchu oddi ar arwynebau yn cael ei bolaru'n rhannol o leiaf. Golyga hyn y gall hidlydd Polaroid yn y gyfeiriadaeth gywir fod yn effeithiol iawn ar gyfer amsugno golau adlewyrchedig. Mae hidlyddion Polaroid yn gwella'n sylweddol yr olwg a geir oddi uchod ar y byd dan y dŵr; byd a fyddai fel arall o'r golwg o ganlyniad i'r golau a gâi ei adlewyrchu oddi ar wyneb y dŵr.

Mewn golau rhannol-bolar mae osgled un o gydrannau dirgryniad y maes trydanol yn cael ei leihau, ond nid i sero (Ffigur 25.5). Mae arwynebau gwydr a dŵr fel arfer yn achosi polareiddiad rhannol.

1 Ym mha ffordd y mae golau plân-bolar yn debycach i grychdon nag yw golau amholar?
2 Mae paladr o olau yn teithio i gyfeiriad llorweddol yn olau plân-bolar fel y bo dirgryniad ei faes magnetig mewn plân sy'n 40° i'r fertigol. Disgrifiwch gyfeiriadaeth plân dirgryniad y maes trydanol. Lluniwch fraslun i ddangos hyn.
3 Mae un hidlydd polaru yn lleihau arddwysedd y golau sy'n disgyn arno 50%. Os caiff ail hidlydd polaru ei roi yn y paladr sydd wedi'i wanhau er mwyn lleihau arddwysedd y golau sy'n cael ei drawsyrru 50% eto, sawl cyfeiriadaeth gymharol sy'n bosibl lle gellir rhoi trydydd hidlydd yn ei le er mwyn lleihau arddwysedd y golau 100%? (Bydd angen i chi lunio diagram i'ch helpu i feddwl am hyn. Mae gwneud brasluniau i'ch helpu i feddwl ac esbonio yn syniad da!)
4 Wrth nofio o dan ddŵr sut y gallai lens Polaroid newid yr hyn y gallwch ei weld?

Ffigur 25.5
Cydrannau maes trydanol ar gyfer golau amholar, golau rhannol-bolar a golau plân-bolar cyflawn.

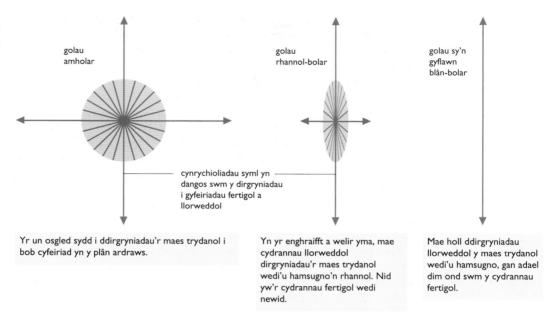

golau amholar

golau rhannol-bolar

golau sy'n gyflawn blân-bolar

cynrychioliadau syml yn dangos swm y dirgryniadau i gyfeiriadau fertigol a llorweddol

Yr un osgled sydd i ddirgryniadau'r maes trydanol i bob cyfeiriad yn y plân ardraws.

Yn yr enghraifft a welir yma, mae cydrannau llorweddol dirgryniadau'r maes trydanol wedi'u hamsugno'n rhannol. Nid yw'r cydrannau fertigol wedi newid.

Mae holl ddirgryniadau llorweddol y maes trydanol wedi'u hamsugno, gan adael dim ond swm y cydrannau fertigol.

Actifedd optegol

Bydd nifer o ddefnyddiau, cyfansoddion organig yn arbennig, yn effeithio ar gyfeiriad dirgryniad maes teithiol pelydriad electromagnetig. Yn nhermau dirgryniad y maes trydanol, gallwn ddweud bod y defnydd yn cylchdroi cyfeiriad y dirgryniad (Ffigur 25.6). Gelwir y ffenomen hon yn **actifedd optegol**. Gyda golau amholar, nid yw'r effaith i'w gweld – yn union fel nad yw cylchdroi silindr sy'n hollol llyfn, megis rhoden fetel, i'w weld yn amlwg. Ond os yw'r golau'n olau polar, yna gellir canfod y newid yng nghyfeiriad y polareiddiad. Po bellaf y mae'r golau'n teithio drwy'r defnydd, y pellaf y mae'r dirgryniad yn cael ei gylchdroi. Mae'n bosibl y bydd y cylchdro'n ddibynnol ar donfedd felly gall y golau a fydd yn ymddangos gael ei wahanu'n wahanol liwiau (gweler Ffigur 25.1, tudalen 240).

Ffigur 25.6
Mae defnydd sy'n optegol actif yn cylchdroi plân y polareiddiad.

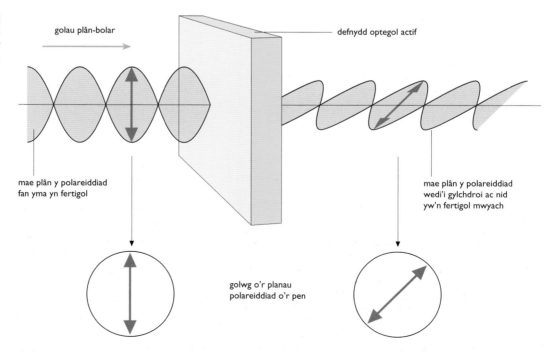

golau plân-bolar

defnydd optegol actif

mae plân y polareiddiad fan yma yn fertigol

mae plân y polareiddiad wedi'i gylchdroi ac nid yw'n fertigol mwyach

golwg o'r planau polareiddiad o'r pen

Mae actifedd optegol plastig a gwydr yn ddibynnol ar ddiriant. Lle bo'r diriant fwyaf, mae cylchdro'r dirgryniad fwyaf. Mae bandiau tywyll a golau yn cael eu cynhyrchu pan fo golau polar yn cael ei ddisgleirio drwy'r defnydd ac yn cael ei weld drwy hidlydd polaru (Polaroid). Am y rheswm hwn, mae peirianwyr yn adeiladu modelau plastig o adeiladweithiau er mwyn eu helpu i weld ble mae'r diriant mwyaf a ble mae'r diriant lleiaf. Gelwir y dull hwn yn **ddadansoddiad diriant optegol** (Ffigur 25.7).

Ffigur 25.7
Dadansoddi diriant yn optegol mewn model o adeiladwaith peirianyddol.

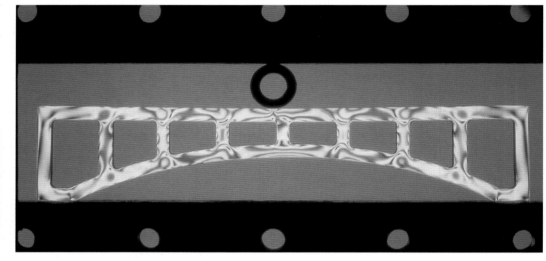

5 a Sut y gallwch chi ddweud bod diriant yn newid actifedd optegol defnydd fel persbecs?
b Pam y mae patrymau lliw mewn delwedd sy'n ddadansoddiad diriant optegol?

Tonnau polar ac erialau radio

Mewn erial drosglwyddo radio, mae gwahaniaeth potensial eiledol o amledd arbennig yn achosi i electronau osgiladu â'r un amledd. Mae'r egni sy'n cael ei roi i'r electronau yn cael ei drosglwyddo i'r gofod o gwmpas yr erial ar ffurf ton electromagnetig sy'n teithio tuag allan ar fuanedd golau. Os yw'r erial yn rhoden (neu rodenni) fertigol, yna mae osgiliad yr electronau yn fertigol ac mae'r don radio yn cael ei pholaru'n fertigol. Hynny yw, mae osgiliad y maes trydanol (*E*) yn fertigol ac mae osgiliad y maes magnetig (*B*) yn llorweddol (Ffigur 25.8).

Ffigur 25.8
Mewn erial drosglwyddo fertigol, mae osgiliad fertigol yr electronau yn arwain at don radio blân-bolar fertigol. Ceir yr osgiliad electron macsimwm yn yr erial dderbyn pan fo'r erial yn cael ei halinio i fod yn baralel i faes trydanol osgiliadu'r don.

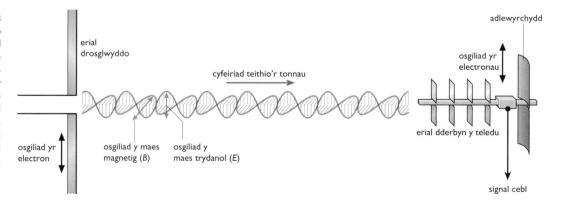

Yn yr erial dderbyn, mae'r tonnau radio sy'n cyrraedd yn anwytho osgiliad electronau. Gall arddwysedd y tonnau radio sy'n cyrraedd fod yn fach a phwrpas yr erial yw sicrhau'r ymateb mwyaf posibl yn yr electronau. Mae osgiliad yr electronau ar ei fwyaf os yw aliniad yr erial dderbyn yn baralel i osgiliad maes trydanol y don. Felly dylai'r erial dderbyn gael ei gosod yn fertigol. (Mae tonnau radio yn cyrraedd ar nifer o amleddau felly mae osgiliad yr electronau yn gymhleth iawn. Gall cynllun yr erial effeithio ar ba mor sensitif ydyw i amrediad arbennig o donfeddi. Fodd bynnag, mae angen cylched diwnio i 'hidlo'r band amledd sydd i'w gasglu, a gellir hefyd ei fwyhau, fel sy'n digwydd mewn radio neu deledu.)

Cipolwg graffigol a mathemategol ar donnau

Mae toriad fertigol drwy arwyneb dŵr sydd wedi'i aflonyddu'n ysgafn yn dangos patrwm tonnau cyfarwydd. Gall gael ei blotio ar graff gyda'r echelinau x ac y arferol. Mae'r echelin x yn cynrychioli'r pellter ar hyd cyfeiriad teithio'r tonnau ar draws arwyneb y dŵr ac mae'r echelin y yn cynrychioli dadleoliad fertigol arwyneb y dŵr. Mae'r graff yn rhoi i ni 'gipolwg' ar y don – mae'n dangos ei siâp ar ennyd penodol o amser, t. Ar ôl ychydig mwy o amser, δt, mae'r gromlin wedi symud i'r dde (Ffigur 25.9).

Ffigur 25.9
Yr un don ar ddwy adeg wahanol – amser t ac amser $t + \delta t$.

— ton ar amser t
— ton ar amser $t + \delta t$

Yr enw ar y gromlin hon yw'r **gromlin sin** oherwydd y berthynas fathemategol rhwng x ac y sy'n ffurfio siâp o'r fath. Ar gyfer ton lle bo $y = 0$ ac sy'n cynyddu pan fo $x = 0$, fel yn y gromlin las a welir yn Ffigur 25.9, gallwn ysgrifennu'r berthynas hon fel a ganlyn:

$$y = a \sin \frac{2\pi x}{\lambda} \quad \text{(gyda'r ongl wedi'i mesur mewn radianau)}$$

Dim ond ongl all gael sin (neu gosin neu dangiad). Defnyddiwn onglau a mathemateg cylchoedd wrth drin tonnau oherwydd, yn debyg i fudiant cylch, mae ton yn ffenomen sy'n ailadrodd ei hun yn union drosodd a thro. Mae mathemateg cylchoedd yn gyfatebol i fathemateg patrymau ailadroddus unfath, neu **gyfnodedd**. Sylwch, ar gyfer cylchred gyflawn ton, x yw'r donfedd, λ, ac mae'r ongl yn y fformiwla uchod felly yn 2π radian (neu $360°$) – aeth yr ongl drwy un cylchdro cyflawn, neu un gylchred gyflawn o fudiant ton. (Gallwch ddarllen am fudiant mewn cylch ac osgiliadau yn *Ffiseg Safon Uwch*.)

Mae radianau yn llawer mwy defnyddiol (ac yn haws ar ôl i chi gyfarwyddo â nhw) na graddau wrth fesur onglau pan fyddwch yn trin mudiant mewn cylch neu fudiant ailadroddus arall. Mae Tabl 25.1 yn trosi graddau yn radianau (gweler hefyd dudalen 231).

Tabl 25.1

Yr ongl mewn graddau	0	57.3	90	180	270	360	450	540	630	720
Yr ongl mewn radianau	0	1	$\pi/2$	π	$3\pi/2$	2π	$5\pi/2$	3π	$7\pi/2$	4π
Nifer y cylchdroeon	0	$1/(2\pi)$	1/4	2/4 = 1/2	3/4	4/4 = 1	5/4	6/4 = 3/2	7/4	8/4 = 2
Sin yr ongl	0	0.84	1.00	0	−1.00	0	1.00	0	−1.00	0

Mae gwerth sin ongl yn amrywio rhwng −1 ac 1. Golyga hyn felly, lle bo $y = a \sin (2\pi x/\lambda)$, fod gwerth y yn amrywio rhwng $-a$ ac a (Ffigur 25.10). Ar gyfer mudiant ton, gwerth macsimwm y dadleoliad yw **osgled** y don:

$$a = \text{osgled}$$

Ffigur 25.10
Cipolwg ar don. Gallwn gymhwyso syniadau ynghylch y radian a'r ffwythiant sin i'r graff hwn sy'n dangos y don, ac i batrymau ailadroddus y dadleoliad, y, ar bwyntiau, x, ar hyd y don.

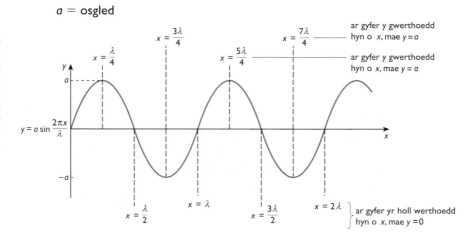

6 Brasluniwch graffiau dadleoliad-pellter, *y* yn erbyn *x*, ar gyfer ton ar amser *t* ac ar amser (*t* − δ*t*), gan dybio bod y don yn teithio i'r dde.

7 Ar gyfer y ffwythiant *y* = sin (2π*x*/λ), gwnewch dabl o werthoedd *y* pan fo *x* yn hafal i:
λ/4, λ/2, 3λ/4, λ, 5λ/4, 3λ/2, 2λ.

8 Mynegwch 5 cylchdro (5 cylch cyflawn) mewn
a radianau
b graddau.

9 Mae llinyn â'i hyd yn hafal i ddiamedr silindr yn cael ei lapio o gwmpas cylchyn y silindr. Pa mor fawr yw'r ongl gyfatebol yng nghanol y cylch?

10 Rhowch y canlynol mewn
a graddau
b nifer y cylchdroeon:
π/2 radian, 2π radian, 4π radian, 5π radian, 6π radian, 1 radian, 2 radian.

11 Rhowch y canlynol mewn
a radianau
b nifer y cylchdroeon:
60°, 180°, 270°, 720°.

12 Dyma ddisgrifiad o ddwy don:
$y_1 = a \sin (2\pi x/\lambda)$ a $y_2 = a \sin (2\pi z/\lambda)$,
lle bo *z* = 2*x*.
Lluniwch fraslun o'r ddwy don ar yr un echelinau.

Graffiau dadleoliad-amser ar gyfer mudiant ton

Mae sbecyn o lwch ar arwyneb dŵr yn mynd i fyny ac i lawr dro ar ôl tro wrth i'r tonnau fynd heibio iddo. Mae'r dadleoliad yn fertigol a gallwn ddefnyddio *y* i'w gynrychioli. Mae hefyd yn gyfnodol, hynny yw mae'n ailadrodd ei hun ar gyfyngau rheolaidd ac, unwaith eto, gallwn ddefnyddio ffwythiannau sin i'w ddisgrifio:

$$y = a \sin \frac{2\pi t}{T}$$

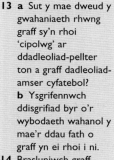

13 a Sut y mae dweud y gwahaniaeth rhwng graff sy'n rhoi 'cipolwg' ar ddadleoliad-pellter ton a graff dadleoliad-amser cyfatebol?
b Ysgrifennwch ddisgrifiad byr o'r wybodaeth wahanol y mae'r ddau fath o graff yn ei rhoi i ni.

14 Brasluniwch graff dadleoliad-amser ar gyfer:
$$y = a \sin \left(\frac{2\pi t}{T} + \frac{\pi}{2}\right)$$

Nid yw'n bwysig i ni wybod beth sy'n digwydd mewn mannau eraill ar arwyneb y dŵr felly nid yw *x* i'w weld yma. Yr hyn sydd o bwys i ni yw amrywiad *y* gydag amser, *t*, mewn un safle penodol. Nid yn unig y mae *t* wedi cymryd lle *x*, ond mae *T*, y cyfnod neu'r amser mae'n ei gymryd i wneud un gylchred gyflawn, wedi cymryd lle λ, y donfedd neu bellter un don gyflawn.

Tybiwch fod ail sbecyn o lwch ar wyneb y dŵr, gerllaw, sydd hefyd yn llwybr y tonnau. Mae'r sbecyn hwn eto yn mynd i fyny ac i lawr ond mae oediad yn yr amser rhwng mudiannau'r ddau sbecyn. Mae'n dal i fod yn bosibl i ni ysgrifennu fformiwla ar gyfer dadleoliad yr ail sbecyn hwn ar yr un amser, *t*, â'r sbecyn cyntaf:

$$y' = a \sin \left(\frac{2\pi t}{T} + \varphi\right)$$

φ yw ongl ychwanegol a adiwyd, o'r enw **ongl wedd**, fel y bo *y* ac *y'* yn unfath heblaw, beth bynnag y bo gwerth *y*, bod i *y'* yr un gwerth ychydig ynghynt (Ffigur 25.11). Dywedwn fod **gwahaniaeth gwedd** rhwng mudiant y ddau sbecyn o lwch.

Pan fo φ yn sero, mae'r ddau osgiliad yn cyrraedd osgled macsimwm, sero a minimwm ar yr un adeg. Maent yn **gydwedd**.

Ffigur 25.11
Mae osgled a chyfnod y ddau fudiant yr un fath ond mae iddynt wahaniaeth amser sy'n cael ei feintioli yn nhermau ongl wedd, φ.

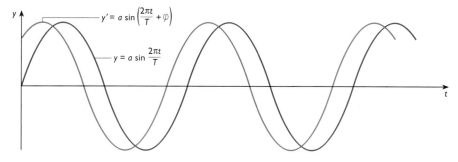

Arosodiad tonnau

Gall dwy don fodoli yn yr un lle ar yr un adeg. Os ydynt yn teithio i'r un cyfeiriad, x, yna gallwn arosod cipolwg o'r ddwy don. Dyma ddwy enghraifft syml:

- dwy don unfath sy'n gydwedd (Ffigur 25.12) neu
- dwy don unfath lle bo un don yn arwain y llall o hanner tonfedd mewn perthynas â'i gilydd, fel eu bod yn anghydwedd o hanner cylchred neu π radian (Ffigur 25.13).

Ffigur 25.12
Dwy don unfath sy'n gydwedd – mae'r dadleoliad y yn cael ei ddyblu ym mhob man.

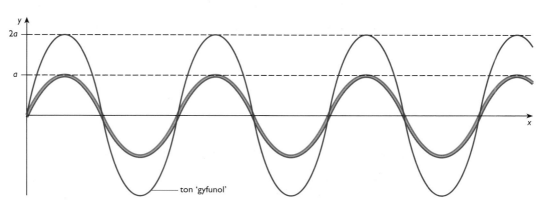

Ffigur 25.13
Dwy don unfath sydd â gwahaniaeth gwedd o π radian – mae dadleoliad y yn sero ym mhob man.

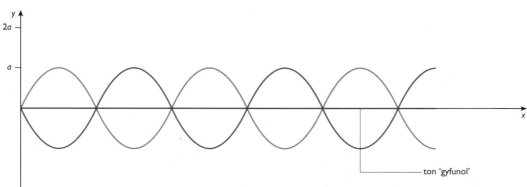

Yn y ddwy enghraifft uchod, y dadleoliad cyflawn yw swm y dadleoliadau unigol. Yn gyffredinol (Ffigur 25.14) gallwn ddweud bod:

$$y_{\text{cyflawn}} = y_1 + y_2$$

Y datganiad hwn bod dadleoliad cyflawn ar unrhyw ennyd o amser yn hafal i swm eu dadleoliadau unigol yw'r **egwyddor arosod**. Mae'r egwyddor hon yn dal i fod yn gymwys, pa mor gymhleth bynnag yw'r adio o ganlyniad i wahaniaethau yn y donfedd a'r amledd, yr osgled neu'r wedd.

Ffigur 25.14
Ar gyfer pob ton a arosodwyd, mae'r dadleoliad cyflawn, y_{cyflawn}, ar unrhyw ennyd o amser yn hafal i swm eu dadleoliadau unigol.

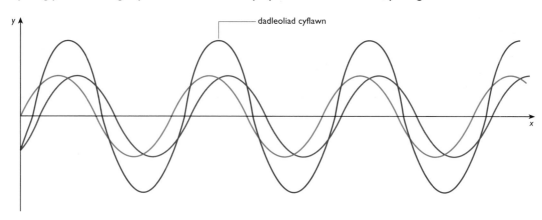

Nid yn unig ar gyfer graffiau dadleoliad-pellter (y yn erbyn x), sy'n gipolwg yn dangos amrywiad y ar hyd cyfeiriad x ar un ennyd o amser, y mae'r egwyddor arosod yn gymwys. Mae hefyd yn gymwys i fudiant un pwynt yn llwybr y tonnau dros gyfnod o amser. Unwaith eto, gallwn gynrychioli mudiant un pwynt fel graff dadleoliad-amser, gydag y wedi'i blotio yn erbyn t yn hytrach nag yn erbyn x (Ffigur 25.15).

Ffigur 25.15
Y dadleoliad cyflawn $y_{cyflawn}$ ar unrhyw gyfnod yw swm y dadleoliadau unigol.

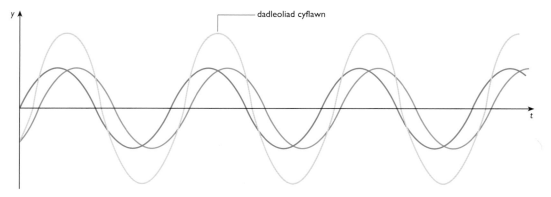
dadleoliad cyflawn

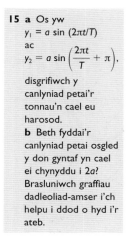

15 a Os yw
$$y_1 = a \sin (2\pi t/T)$$
ac
$$y_2 = a \sin\left(\frac{2\pi t}{T} + \pi\right),$$
disgrifiwch y canlyniad petai'r tonnau'n cael eu harosod.
b Beth fyddai'r canlyniad petai osgled y don gyntaf yn cael ei chynyddu i $2a$? Brasluniwch graffiau dadleoliad-amser i'ch helpu i ddod o hyd i'r ateb.

Ar gyfer pwynt ar don y mae ei mudiant yn cael ei ddisgrifio gan y graff dadleoliad-amser hwn, pan fydd dwy don yn cael eu harosod yna bydd

$$y_{cyflawn} = y_1 + y_2$$

Hynny yw, mae'r egwyddor arosod yn gymwys i ddadleoliad pwynt pan fo'r tonnau'n cael eu harosod.

Gallwch ddod o hyd i $y_{cyflawn}$ drwy gyfrifo ond mae'r adio yn gymhleth. Gallwch gael syniad o werth $y_{cyflawn}$ ar unrhyw adeg t drwy fraslunio graffiau y_1 ac y_2 yn erbyn amser.

Ymyriant o ffynhonnell ddwbl

Mae tonnau'n lledaenu o darddleoedd pwynt, gyda blaendonnau sfferig. Oni bai y bo eu cyflymder yn newid, mae ganddynt donfedd gyson ac mae'r blaendonnau yn sfferau cydganol. Mewn dau ddimensiwn yn unig – naill ai mewn cynrychioliad 2D o donnau 3D neu mewn tonnau arwyneb dŵr – y gallwn feddwl am donnau'n lledaenu mewn cylchoedd yn hytrach na sfferau. Mae'r tonnau cylch hyn yn ffurf syml ar geometreg, felly nid yw'n syndod, pan fydd dwy set unfath o gylchoedd cydganol yn cael eu harosod, y bydd patrwm clir yn cael ei greu. Mewn rhai mannau, canlyniad yr arosod yw atgyfnerthu'r tonnau er mwyn cynyddu osgled y dirgryniad. Mewn mannau eraill, mae'r arosod yn arwain at ddileu'r dirgryniad ac yn rhoi osgled sero. Caiff patrwm o osgled yn cynyddu ac yn lleihau, neu'n atgyfnerthu a chanslo, ei alw'n batrwm ymyriant.

Ystyriwch ddau darddle pwynt, yn dirgrynu'n gydwedd ac yn cynhyrchu setiau unfath o donnau sy'n teithio tuag allan ac yn ymyrryd (Ffigur 25.16).

Ffigur 25.16
Arosodiad yn digwydd mewn mannau o ymyriant mwyaf a lleiaf mewn patrwm ymyriant.

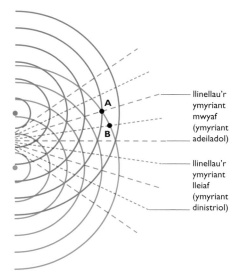

llinellau'r ymyriant mwyaf (ymyriant adeiladol)

llinellau'r ymyriant lleiaf (ymyriant dinistriol)

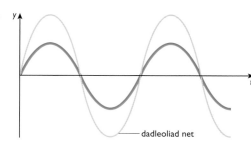
A
dadleoliad net

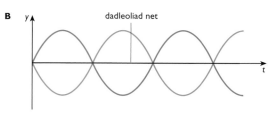
B
dadleoliad net

Ar bwynt A yn Ffigur 25.16, mae atgyfnerthiad neu **ymyriant adeiladol** yn digwydd, fel y bo A yn lleoliad ar gyfer yr osgled fwyaf. Mae hyn yn digwydd oherwydd bod brig tonnau o'r ddwy ffynhonnell yn cyrraedd ar yr un amser, ac mae cafnau tonnau hefyd yn cyrraedd ar yr un amser. Ond ni adawodd y ddau frig sy'n cyrraedd A eu ffynonellau ar yr un amser ac nid ydynt wedi teithio'r un pellter. Mae **gwahaniaeth llwybr**, l rhyngddynt. Mae perthynas rhwng hyn a gwahaniad, d, y ddwy ffynhonnell:

$$\sin \theta = \frac{\text{cyferbyn}}{\text{hypotenws}} = \frac{l}{d}$$

neu

$$l = d \sin \theta$$

lle bo θ fel y dangosir yn Ffigur 25.71.

Ffigur 25.17
Cyfrifo'r gwahaniaeth llwybr.

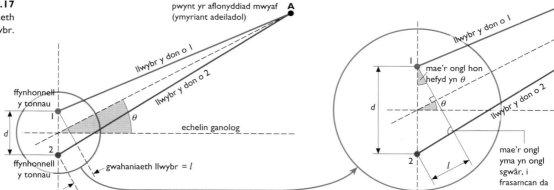

Ar gyfer yr ymyriant macsimwm, rhaid i l fod yn hafal i nifer cyfan o donfeddi, hynny yw $l = n\lambda$, lle bo n yn rhif cyfan, neu **gyfanrif**. Felly gall n fod yn 1, 2, 3, 4, 5 ac yn y blaen. Ceir ymyriant macsimwm hefyd pan fo'r gwahaniaeth llwybr yn sero – yna bydd y tonnau o'r ddwy ffynhonnell wedi teithio'r un pellter ac mae'n rhaid eu bod yn gydweddol os bu iddynt gychwyn yn gydweddol. Pan fo'r gwahaniaeth llwybr yn sero, mae n yn sero. I grynhoi felly, ar gyfer ymyriant adeiladol:

$$n\lambda = d \sin \theta \quad \text{lle bo } n = 0, 1, 2, 3, \text{ ac yn y blaen}$$

Ar bwynt B yn Ffigur 25.16, mae brig o un ffynhonnell yn cyrraedd ar yr un pryd â chafn ton arall. Rhaid i'r gwahaniaeth llwybr l fod yn hanner tonfedd, neu $1\frac{1}{2}$, neu $2\frac{1}{2}$ tonfedd (ac yn y blaen). Sylwch fod $1\frac{1}{2} = \frac{3}{2}$, $2\frac{1}{2} = \frac{5}{2}$, $3\frac{1}{2} = \frac{7}{2}$, ac ati. Ar gyfer **ymyriant dinistriol** llwyr, hynny yw, cynhyrchu'r osgled leiaf, mae angen i $l = (n + \frac{1}{2})\lambda$, felly:

$$(n + \tfrac{1}{2})\lambda = d \sin \theta \quad \text{lle bo } n = 0, 1, 2, 3, \text{ ac yn y blaen}$$

Y pellter rhwng macsima cyfagos

Wrth deithio ar draws y patrwm ymyriant i gyfeiriad yn baralel i linell sy'n uno'r ddwy ffynhonnell, rydym yn mynd drwy facsima a minima bob yn ail. Gallwn gyfrifo'r pellter rhwng dau facsimwm cyfagos, er enghraifft. Ar gyfer patrwm ymyriant golau, gelwir y macsima a'r minima eiledol yn **eddïau**, a gelwir y pellter hwn yn **wahaniad eddïau** neu led eddi.

Ffigur 25.18
Cyfrifo'r gwahaniad eddïau.

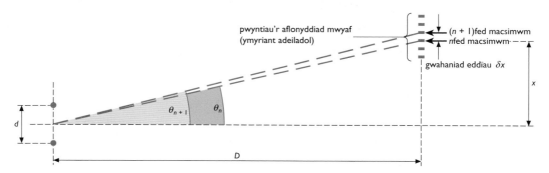

16 Mae dwy ffynhonnell sain 0.8 m oddi wrth ei gilydd yn allyrru tonnau â thonfedd 0.2 yn gydwedd â'i gilydd.

a Ar ba ongl o echelin y system y disgwyliech weld y trydydd minimwm ymyriant o'r echelin?

b Beth yw'r gwahaniaeth llwybr ar gyfer y pumed macsimwm o echelin y system?

c Beth yw'r pellter rhwng macsima cyfagos ar bellter 0.8 m o'r ffynonellau?

Ar gyfer yr $n$fed macsimwm, o Ffigur 25.18 (ar y dudalen flaenorol),

$$n\lambda = d \sin \theta_n = \frac{dx}{D}$$

ac ar gyfer yr $(n + 1)$fed macsimwm,

$$(n + 1)\lambda = d \sin \theta_{n+1} = \frac{d(x + \delta x)}{D}$$

Felly

$$(n + 1)\lambda - n\lambda = \frac{d(x + \delta x)}{D} - \frac{dx}{D}$$

sy'n symleiddio'n

$$\lambda = \frac{d\,\delta x}{D}$$

Dyma'r sail ar gyfer dull defnyddiol o fesur tonfedd tonnau, fel y gwelwn cyn hir.

Ymyriant o ganlyniad i ddiffreithiant wrth ddau fwlch

Gall pâr o fylchau cul mewn barier achosi i un ffynhonnell o donnau gynhyrchu patrwm ymyriant (Ffigur 25.19). Mae'r tonnau'n diffreithio wrth fynd drwy'r bylchau ac mae pob bwlch yn gweithredu fel ffynhonnell o donnau cylch. Os yw'r ddwy set o donnau wedi'u diffreithio yn gydwedd (ac mi fyddant os yw'r blaendonnau sy'n cyrraedd y barier yn baralel iddo), yna mae'r patrwm ymyriant yr un fath ag ar gyfer dwy ffynhonnell ar wahân, a gellir defnyddio'r un egwyddorion mathemategol i'w cyfrifo.

Ffigur 25.19
Gall dau fwlch greu patrwm ymyriant sy'n debyg i'r patrwm a geir o ddwy ffynhonnell.

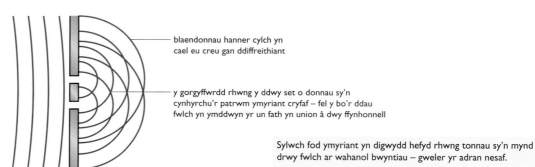

blaendonnau hanner cylch yn cael eu creu gan ddiffreithiant

y gorgyffwrdd rhwng y ddwy set o donnau sy'n cynhyrchu'r patrwm ymyriant cryfaf – fel y bo'r ddau fwlch yn ymddwyn yr un fath yn union â dwy ffynhonnell

Sylwch fod ymyriant yn digwydd hefyd rhwng tonnau sy'n mynd drwy fwlch ar wahanol bwyntiau – gweler yr adran nesaf.

Diffreithiant ac ymyriant wrth un bwlch

Ffigur 25.20
Gall diffreithiant wrth un bwlch arwain at ymyriant.

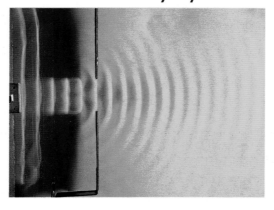

Os oes rhwystr ar draws un o'r bylchau yn Ffigur 25.19, mae'n bosibl i batrwm ymyriant ddatblygu o hyd (Ffigur 25.20). Gellir meddwl am bob pwynt ar y don sy'n mynd drwy'r un bwlch fel ffynhonnell newydd o donnau, ac mae ymyriant yn digwydd rhwng y tonnau sy'n lledaenu o'r 'ffynonellau' newydd hyn. Mae'r syniad o bwyntiau ar don yn gweithredu fel ffynonellau eilaidd o **donellau** y mae'r don newydd yn cael ei chreu ohonynt, yn mynd yn ôl i Christiaan Huygens.

17 Brasluniwch, ar yr un echelinau, graffiau dadleoliad-amser (y yn erbyn t) ar gyfer y mudiant ton:
a ar facsimwm canolog patrwm ymyriant wrth un bwlch
b ar y minimwm cyntaf
c ar y macsimwm cyntaf.

Y ffordd symlaf o ddechrau dadansoddi'r sefyllfa yw dychmygu'r bwlch yn cael ei rannu'n ddau hanner. Yna, ar gyfer pob pwynt yn hanner y bwlch, mae pwynt yn yr hanner arall lle mae tonellau o'r ddau bwynt yn ymyrryd yn ddinistriol ar hyd llinell sy'n ymestyn o'r bwlch. Yn yr un modd, mae gan y bwlch bedwar chwarter, ac ar ongl benodol mae ymyriant dinistriol yn digwydd rhwng 'tonellau' o chwarteri cyfagos. Gallwn fynd ymlaen i rannu'r bwlch dro ar ôl tro, gan ddarganfod rhagor o onglau lle mae ymyriant dinistriol yn digwydd.

Sylwch hefyd, pa ffordd bynnag y caiff y bwlch ei rannu, mae tonellau sy'n teithio ar hyd yr echelin ganolog bob amser yn gydwedd. Felly, dylem ddisgwyl ymyriant adeiladol ag osgled arbennig o uchel ar hyd y llinell ganolog hon. Mae gan y patrwm diffreithiant/ymyriant facsimwm canolog cryf (Ffigur 25.21).

Ffigur 25.21
Patrwm diffreithiant/ymyriant yn cael ei ddangos gan graff arddwysedd yn erbyn pellter. θ, θ' a θ'' yw'r onglau sy'n cyfateb i'r minimwm cyntaf, yr ail finimwm a'r trydydd minimwm, yn y drefn honno.

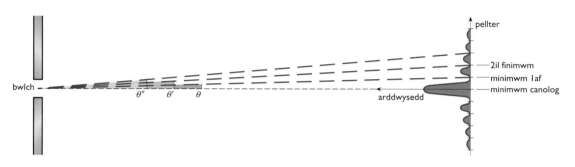

Diffreithiant a thonfedd

Ffigur 25.22
Mae effeithiau diffreithiant i'w gweld ar eu cryfaf pan fo'r donfedd neu'r rhwystrau neu'r bylchau sy'n achosi'r ddiffreithiant yn debyg o ran maint.

Mae pobl sy'n byw mewn dyffrynoedd dwfn yn aml yn cael problemau derbyn radio FM ond nid radio tonfedd ganol, er bod y ddau signal yn cael eu cludo gan donnau radio. Mae'r tonfeddi oddeutu 3 m a 300 m yn y drefn honno. Mae'r ddau fath o don yn cael eu diffreithio gan gyfuchlinniau'r dirwedd ond, gyda'r tonnau 3 m sydd wedi'u diffreithio, mae'r arddwysedd yn disgyn lawer yn gynt wrth iddynt ledaenu (Ffigur 25.22).

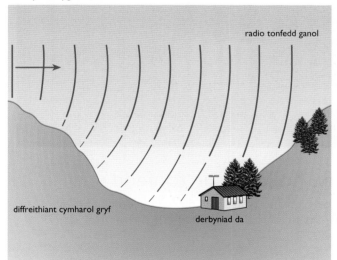

diffreithiant cymharol gryf

radio tonfedd ganol

derbyniad da

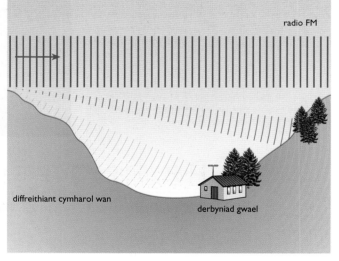

diffreithiant cymharol wan

radio FM

derbyniad gwael

18 Amrediad amledd lleferydd yw rhwng 100 a 1000 Hz, a buanedd sain mewn aer yw 330 m s^{-1}. Esboniwch pam y mae lleferydd yn 'teithio o amgylch corneli' yn well o lawer na golau.

Lle bo'r rhwystrau yn llai na bryniau a dyffrynoedd – adeiladau a choed, dyweder – mae'r tonnau FM yn cael eu diffreithio mwy ac felly mae'r derbyniad yn dda.

Anaml y gwelwn lawer o effeithiau diffreithiant yn ein bywydau bob dydd. Ond os edrychwch ar olau stryd sodiwm melyn drwy haen o wlybaniaeth ar ffenestr bws, neu drwy rwyll neilon fel ambarél (gweler Ffigur 6.9, tudalen 51) neu hyd yn oed drwy flew'r amrannau, byddwch yn dechrau gweld golau'n cael ei ddiffreithio a'r patrymau ymyriant a gaiff eu hachosi gan arosodiad (canslo ac atgyfnerthu) tonnau wedi'u diffreithio. Mae rhwyll neilon a blew'r amrannau yn rhwystrau a bylchau cymharol fach – yn fwy na thonfedd y golau ond yn ddigon bach i gynhyrchu effeithiau diffreithiant gweladwy.

● Ymyriant tonnau golau – ffenomen anodd ei gweld

Hyd yma, wrth drafod arosodiad, buom yn trafod tonnau yn gyffredinol. Y math hawsaf o don y gallwn feddwl amdano yw'r math y gallwn ei weld – tonnau ar ddŵr. Fodd bynnag, mae pwysigrwydd diffreithiant ac ymyriant yn seiliedig ar yr hyn y gallant ei ddweud wrthym am olau. Mae'r ffaith y gall tonnau golau brofi effeithiau diffreithiant ac ymyriant yn cefnogi defnyddio modelau tonnau wrth astudio golau. Ond gall problemau godi wrth geisio gwneud arsylwadau o'r effeithiau hyn gyda golau:

- Mae tonfedd golau gweladwy yn fach ac felly dim ond lle bo'r rhwystrau a'r bylchau hefyd yn fach y gwelwn effeithiau diffreithiant. Er mwyn gwneud arsylwadau o effeithiau diffreithiant ac ymyriant rhaid i ni ddefnyddio ffynonellau bach neu agorfeydd bach. Er mwyn cael y golau mwyaf disglair rhaid peidio â defnyddio tarddleoedd pwynt bach nac agorfeydd crwn ond holltau hir o fewn rhwystrau.
- Mae golau gwyn gweladwy wedi'i wneud o amrediad o donfeddi, ac mae diffreithiant a'r effeithiau ymyriant sy'n dilyn yn ddibynnol ar donfedd. Mae macsima a minima tonfeddi gwahanol yn digwydd ar onglau gwahanol, ac felly nid yw'r patrwm cyffredinol yn glir oni bai y defnyddiwn ffynhonnell o olau **monocromatig** – ffynhonnell sy'n allyrru un donfedd (neu liw) yn unig.
- Os oes gwahaniaeth gwedd yn perthyn i ddwy ffynhonnell gyfagos o olau byddant yn dal i gynhyrchu patrwm ymyriant penodol (wedi'i ddadleoli rywfaint o ganol yr echelin ganolog, er mai ychydig o wir ddylanwad a gâi hynny ar yr hyn y gallwn ei weld). Mae ffynonellau cyffredin o olau fodd bynnag yn allyrru eu pelydriad gyda newidiadau mewn gwedd yn digwydd yn aml ac ar hap – maent yn **anghydlynol**. Pryd bynnag y mae'r tonnau o un ffynhonnell neu'r llall yn newid gwedd mae'r patrwm ymyriant yn newid. Mae'r newidiadau yn digwydd lawer yn rhy gyflym i ni fedru gweld y patrwm ymyriant. Er mwyn gweld ymyriant tonnau golau o ddwy ffynhonnell (Ffigur 25.23), rhaid defnyddio golau o ffynonellau **cydlynol** lle bo'r newidiadau gwedd sy'n digwydd ar hap yn unfath. Mae laser yn darparu pâr o ffynonellau cydlynol pan gaiff ei ddefnyddio gyda threfniant â dau hollt. Gall lamp sodiwm wneud hyn hefyd os caiff un hollt cul ei roi o flaen ffynhonnell y golau, ac mae golau yn teithio o'r fan hon i'r trefniant dau hollt.

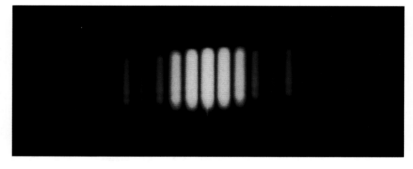

Ffigur 25.23
Patrwm ymyriant dau hollt yn cael ei gynhyrchu gan olau **monocromatig** a **chydlynol** o ddau hollt sy'n agos at ei gilydd.

19 Esboniwch beth sy'n digwydd i'r patrwm ymyriant sy'n cael ei greu gan ffynonellau unfath os yw gwedd y tonnau o un ffynhonnell yn newid.

● Defnyddio ymyriant dau hollt i fesur tonfedd

Gwelsom eisoes ar gyfer pâr o ffynonellau o donnau sydd â'r un donfedd ac sydd hefyd yn gydwedd, fod geometreg y patrwm ymyriant yn caniatáu i'r donfedd gael ei chyfrifo ar sail:

$$\lambda = \frac{d\,\delta x}{D}$$

Mae hyn yn gymwys i batrwm ymyriant golau yn ogystal ag unrhyw un arall. Rhaid i'r golau o'r ddwy ffynhonnell fod yn fonocromatig ac yn gydlynol. Gall golau monocromatig gael ei ddarparu gan lamp sodiwm sydd, yn ei hanfod, yr un fath â golau stryd melyn. (Nid yw'r golau yn hollol fonocromatig – mae wedi'i wneud o ddwy donfedd o olau sydd ar wahân i'w gilydd ac eto'n debyg i'w gilydd ac sy'n ymddangos yn felyn i ni, ynghyd â thonfeddi eraill nad ydynt mor ddisglair. Y mae, fodd bynnag, yn ddigon tebyg i ffynhonnell fonocromatig i gynhyrchu patrwm ymyriant da.) Mae un hollt yn cael ei roi o flaen un lamp sodiwm ac mae'r ddau lwybr sydd eu hangen i greu'r ymyriant yn cael eu darparu gan drefniant dau hollt sy'n gweithredu fel pâr o ffynonellau cydlynol.

20 Ar gyfer holltau y mae eu canol 0.2 mm oddi wrth ei gilydd, wedi'u goleuo gan lamp sodiwm o donfedd 5.9×10^{-7} m, beth yw'r gwahaniad eddïau ar bellter 0.1 m o'r holltau?

21 Esboniwch pam y mae gan gyfeiliornad o 100 µm wrth fesur gwahaniad eddïau, δx, fwy o effaith ar werth tonfedd a gyfrifwyd na chyfeiliornad o 100 µm wrth fesur y pellter o blân yr holltau i blân yr eddïau.

Gelwir bandiau disglair a thywyll y golau y gallwch eu gweld naill ai ar sgrin neu drwy ficrosgop yn eddïau ymyriant. Y pellter rhwng bandiau tywyll cyfagos neu fandiau disglair cyfagos yw δx. Er mwyn mesur δx defnyddiwn ficrosgop teithiol sydd â chroeswifren weladwy ac a all, o roi un tro i'r sgriw, deithio wysg ei hochr ar draws y patrwm ymyriant o eddi i eddi. Mae symudiad y microsgop hefyd yn symud graddfa Vernier ar hyd rhoden ddur ar ffrâm sefydlog y microsgop. Gall y gwahaniaethau rhwng y darlleniadau cychwynnol a therfynol ar y raddfa hon gynnig i ni y mesuriadau ar gyfer y pellter a deithiwyd. Mae'n anodd barnu canol band disglair neu fand tywyll a gall hyn arwain at gyfeiliornad mawr wrth fesur y gwahaniad rhwng un pâr o eddïau. Yr ateb yw mesur y pellter ar gyfer mwy o eddïau – cynifer ag sy'n bosibl – a rhannu'r pellter hwn â nifer yr eddïau.

Gall gwahaniad canolau'r ddau hollt, d, gael ei fesur hefyd drwy ddefnyddio'r microsgop teithiol. Yma, nid yw'n bosibl gwneud nifer o fesuriadau felly mae'n bosibl y bydd y cyfeiliornad yn un mawr. Gall ail-wneud y mesuriadau dro ar ôl tro, a chymryd pob gofal posibl, leihau maint y cyfeiliornad.

Gellir mesur D, sef y pellter o blân y ddau hollt i blân y patrwm arsylwadwy, hynny yw y plân neu'r sgrin y mae'r microsgop wedi ffocysu arno, drwy ddefnyddio pren mesur syml. Gan fod y pellter hwn yn fwy, mae unrhyw gyfeiliornad sy'n debygol o ddigwydd mewn cyfrannedd lawer yn llai o'i gymharu â chyfanswm y pellter na phan fydd d neu δx yn cael ei fesur.

Yn olaf, gallwn ddefnyddio'r fformiwla $\lambda = d\,\delta x/D$ i ddod o hyd i donfedd y golau.

Ymyriant tonnau golau o un agorfa

Ffigur 25.24
Patrwm diffreithiant/ymyriant a gynhyrchwyd gan olau monocromatig o un hollt.

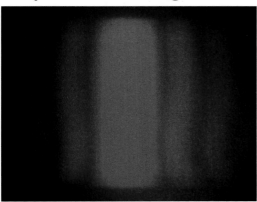

Mae patrwm ymyriant (Ffigur 25.24) sy'n cael ei gynhyrchu gan ddiffreithiant wrth un agorfa (neu agoriad sy'n cael ei oleuo mewn barier a allai fod yn hollt hir neu'n dwll crwn) ar gyfer golau yn debyg mewn egwyddor i'r hyn a gynhyrchir gan unrhyw fath arall o don. Mae yna facsimwm canol a chyfres o eddïau sy'n gwanhau fel y rhagfynegwyd yn Ffigur 25.21.

Mae cydraniad offeryn optegol, sy'n gweithredu fel agorfa gron, yn cael ei benderfynu gan ymyriant tonnau wedi'u diffreithio sy'n dechrau ar bwyntiau agos at ei gilydd ar wrthrych (gweler Pennod 24).

Ymyriant tonnau golau o nifer o holltau – y gratin diffreithiant

Ar gyfer pâr o holltau, mae lleoliadau macsima ymyriant yn ufuddhau i'r rheol bod

$$n\lambda = d \sin \theta_n = \frac{dx}{D} \qquad \text{(gweler tudalen 250)}$$

Ar gyfer y macsimwm cyntaf yn y patrwm, $n = 1$ a

$$\lambda = d \sin \theta_1 = \frac{dx_1}{D}$$

Gall θ_1 a x_1 gael eu gwneud yn fwy, ar gyfer yr un donfedd o olau, drwy wneud gwahaniad yr holltau, d, yn llai. Gall gwahaniad yr holltau gael ei wneud lawer yn llai dim ond drwy wneud lled pob hollt yn llai. Ond yna, mae arddwysedd y golau sy'n mynd drwy'r holltau yn cael ei leihau ac ni fydd y patrwm ymyriant mor ddisglair. Yr ateb yw defnyddio nifer mawr o holltau yn agos iawn at ei gilydd, drwy grafu llinellau paralel ysgafn ar arwyneb. Mae'n bosibl gwneud miloedd neu hyd yn oed degau ar filoedd o linellau o'r fath am bob centimetr ar haen o wydr. Dyma beth yw **gratin diffreithiant** (Ffigurau 25.25 a 25.26, drosodd). Gyda'r holltau wedi'u gwahanu'n gyfartal, mae'r amod uchod ar gyfer macsima yn gymwys ar gyfer pob pâr o holltau cyfagos ac felly ar gyfer y gratin cyfan.

Ffigur 25.25
Mae rhwystrau a bylchau sy'n gymharol â'r donfedd o ran eu maint yn creu diffreithiant. Mae'r tonnau sydd wedi'u diffreithio yn gorgyffwrdd, gan greu ymyriant. Lle bo arae drefnus o rwystrau neu fylchau, mae hyn yn cynhyrchu arddwysedd uchel i rai cyfeiriadau yn unig, lle bo'r tonnau yn cyfuno i gynhyrchu 'blaendonnau' syth. Fan yma gallwch weld blaendonnau o'r fath drwy edrych arosgo, o bwynt yn agos at y dudalen, ar hyd cyfeiriadau EC, OB, OC ac OD.

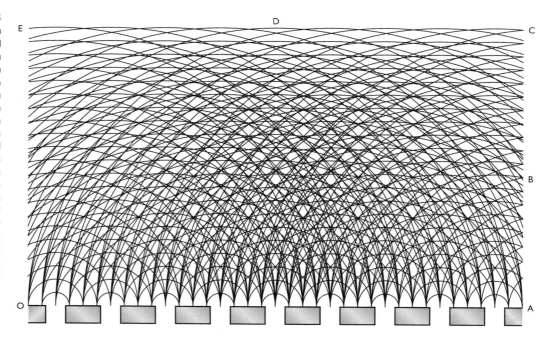

Ffigur 25.26
Edrych ar facsima ymyriant o gratin diffreithiant.

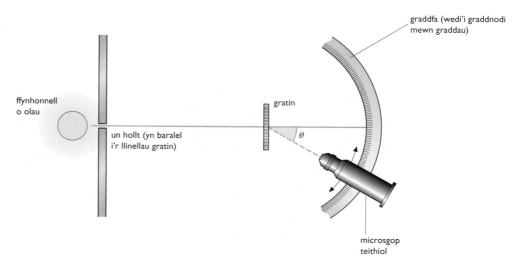

Gall gwahaniad yr holltau fod mor fach, dyweder, â 10^{-6} m (sy'n cyfateb i 10 000 o linellau bob centimetr). Golyga hyn, ar gyfer golau melyn llachar lamp sodiwm â thonfedd o 5.890×10^{-7} m,

$$\sin \theta_1 = \frac{\lambda}{d} = \frac{5.890 \times 10^{-7}}{10^{-6}} = 0.5890$$

felly

$$\theta_1 = 36.09°$$

Mae'r macsimwm *cyntaf* ar gyfer y golau hwn felly yn gwneud ongl fawr ag echelin ganol y system ffynhonnell-gratin. Petai'r donfedd yn 5.896×10^{-7} m, yna byddai θ yn 36.12°. Felly mae newid bach yn y donfedd yn achosi newid yn yr ongl sy'n ddigon mawr i'w weld wrth edrych ar batrwm diffreithiant trwy ficrosgop. 5.890×10^{-7} m a 5.896×10^{-7} m yw dwy donfedd debyg iawn golau melyn nodweddiadol lamp sodiwm; gellir cydrannu'r macsima disglair ar gyfer y rhain yn gymharol dda gyda gratin diffreithiant (Ffigur 25.27).

Ffigur 25.27
Mae gratin diffreithiant yn achosi i sbectrwm nodweddiadol elfen fod yn weladwy ar ffurf llinellau sy'n baralel i'r llinellau sydd ar y gratin. Dangosir yma sbectrwm llinellau sodiwm, o'i gymharu â sbectrwm di-dor.

a Sbectrwm di-dor o ffynhonnell o olau gwyn

b Sbectrwm llinellau sodiwm

22 **a** Ar gyfer gwahaniad gratin o 10^{-6} m, beth yw'r ongl rhwng y macsima cyntaf a gynhyrchir gan y ddwy donfedd debyg o olau sodiwm melyn?
b Beth yw gwahaniad llinol, mewn mm, y ddwy linell weladwy ar bellter o 0.2 m o'r gratin?

23 Os 3.9×10^{-7} m a 7.0×10^{-7} m yw tonfeddi dau ben eithaf y sbectrwm gweladwy, beth fyddai cyfanswm yr ongl a gymerai macsimwm cyntaf y sbectrwm o olau gwyn a gâi ei greu gan ratin â 5000 o linellau y centimetr?

24 Cyfrifwch yr ongl lle disgwyliech weld ail facsimwm golau sodiwm melyn llachar, â thonfedd 5.890×10^{-7} m, gan ddefnyddio gratin â 4000 o linellau y centimetr.

25 Pam y mae tonfeddi nodweddiadol elfen, fel sodiwm, yn cael eu galw'n 'llinellau' yn aml?

Mae'r sodiwm mewn lamp yn allyrru tonfeddi eraill hefyd, er nad ydynt mor llachar. Er enghraifft, un o donfeddi nodweddiadol sodiwm yw lliw glas/fioled ar 4.20×10^{-7} m. Ar gyfer hyn felly,

$$\sin \theta_1 = \frac{\lambda}{d} = \frac{4.20 \times 10^{-7}}{10^{-6}} = 0.420$$

felly

$$\theta_1 = 24.8°$$

Felly mae gratin diffreithiant yn lledaenu'r sbectrwm golau o lamp sodiwm, neu unrhyw ffynhonnell arall, dros ongl eang. Mae'n rhoi cyfle i ni ddadansoddi sbectra yn fwy manwl.

● **Deall a chymhwyso**

Ymyriant ffilm sebon

Ffigur 25.28
Mae'r effaith gyffredin hon yn cael ei hegluro gan ymyriant tonnau golau a adlewyrchir oddi ar ffilm sebon.

26 Defnyddiwch y darn ar dudalen 256 i'ch helpu chi i greu brasluniau i ddangos y canlynol:
a gwahanol effeithiau dau arwyneb swigen o sebon ar wedd y tonnau sy'n cael eu hadlewyrchu. (Dangoswch 'yr hanner tonfedd a gollir' mae William Bragg yn sôn amdano.)
b pam y mae ymyriant dinistriol ac nid ymyriant adeiladol yn digwydd pan fo trwch y ffilm sebon yn fach o'i gymharu â thonfedd y golau
c pam y mae gwahanol donfeddi golau yn cynhyrchu macsima ymyriant ar wahanol onglau adlewyrchu.

27 O ddarllen y testun, beth allwch chi ei gasglu am drwch yr haenau ocsid ar ddur sydd wedi'i drin â gwres?

28 A yw Bragg yn cynnig esboniad sy'n dweud bod yr 'egwyddor ymyriant' yr un fath â'r egwyddor arosod, ai peidio?

29 Rhowch enghreifftiau o ffenomenau sy'n ddibynnol ar donfeddi (megis enfys, ffilm sebon, egwyriant cromatig, sbectrosgopeg) o dan y penawdau *Effeithiau gwasgariad* ac *Effeithiau arosodiad*.

When Thomas Young, lecturing at the Royal Institution in the first years of the nineteenth century, enunciated the principle of interference and applied it to explain certain remarkable optical effects his genius seized hold of an effect which any one may see at any time.

Let us take as an example of the effects of interference the colours of the soap film [Figure 25.28]. Young himself chose the same example, and gave its explanation in his book on Natural Philosophy.

The soap film is a thin layer of water held together by the mutual attractions of the molecules of which soap is composed. It is transparent to light. When a ray of light falls upon the film, a portion is reflected at the first surface it encounters, and another portion at the second. The two subsequently move away together and they interfere. There is a peculiar regularity in the soap film reflection. The set of waves reflected from the first surface is added to the second set which has traversed the film twice, and has therefore lagged behind a little. The two necessarily overlap: and where crest meets crest there is a double effect and so on.

Now the lag of one reflected system behind the other depends upon how much ground is lost in crossing the film twice: and this again depends upon the thickness of the film and the direction in which it is crossed. The lag may be reckoned in wavelengths of the particular quality of light. Suppose that it amounts to a whole number of wavelengths, one, two, three or more. Then the two sets of waves run absolutely together, crest and crest, trough and trough. They add together and make a wave of double the extent of movement up and down.

It must now be observed that it is necessary to add half a wavelength to the lag calculated geometrically. This is due to a certain physical effect. One reflection takes place in air at the surface of water, and the other in water at the surface of air. The two differ in character: the latter loses half a wavelength in the act of reflection. The effect is the same as that which has similar results in the case of organ pipes: where the reflections of the sound wave from open and closed ends show a like difference.

The half wavelength loss accounts perfectly for the absence of any reflection when the film is very thin, because it throws the two exactly out of step: the crests of one reflection fitting into the hollows of the other reflection, mutual interference and destruction being the result. It is a matter of ordinary observation that a very thin soap film reflects no colour: this part of the film is generally described as the black spot, though with care it can be made so large that the term 'spot' is quite inadequate.

If therefore all the causes of lag amount in all to a whole number of wavelengths there is a strong reflection. But the same lag will, in respect to some other wavelengths, amount to a whole number and a half. In that case the two reflected pencils [thin beams] destroy each other entirely, and there is no reflection of the light of that particular wavelength; all the energy involved in it passes on unchecked. Thus the film sorts out the various colours, reflecting some and transmitting others: it is coloured when looked at from either side. The colour reflected at a particular angle of reflection depends, as we have seen, upon the thickness of the film.

We do not see on a great scale the simple colour effects of the thin film, but in minor ways they occur often enough. They account for the colours of tempered steels which are coated with thin films of iron oxides. They make the bright colours which appear when petrol or other oils spread in thin sheets over water surfaces. We see them in cracks of glass or other transparent substances: and they are prettily shown in a form known as Newton's rings when a lens is laid upon a sheet of glass so that there is a thin film of air between the two bodies, and, as the thickness of the film increases from the centre outwards the colours appear in the form of concentric rings, the centre being at the point of contact.

The principle of interference appears again in a different part of our field when it explains the X-ray effects by which the structures of crystalline structures are determined. And yet again it is of importance to the electrical engineers who have to deal with the summation of alternating currents of electricity, which surge like waves along the conducting wires. The principle has a very strong application to acoustics accounting for beats and other phenomena of musical sounds.

(Addasiad o *Universe of Light*, William Bragg, G. Bell a'i Feibion (1933) tt. 138–145)

● **Tasg sgiliau ychwanegol** **Technoleg Gwybodaeth**

Datblygwch raglen taenlen all ragfynegi effaith arosod dwy don. Dylech allu amrywio osgled pob un a'u gwahaniaeth gwedd. Dylai eich rhaglen lunio, ar graff, y don a fydd yn cael ei chreu.

Cwestiynau arholiad

1 a Mae'r ffigur yn cynrychioli amrywiad dadleoliad *y* â phellter *x* ar hyd ton ar ennyd penodol o amser.

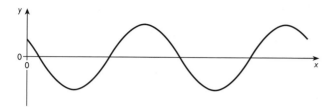

i Gan gyfeirio at natur mudiant gronynnau mewn tonnau ardraws a thonnau hydredol, esboniwch pam y gallai'r ffigur gael ei ddefnyddio i gynrychioli'r ddau fath o don.

ii Dywedwch sut y mae cael dwy eitem o wybodaeth feintiol am y don o'r ffigur. (5)

b i Dywedwch sut y mae cael eitem ychwanegol o wybodaeth feintiol o graff o'r amrywiad, yn erbyn amser *t*, o ddadleoliad un pwynt yn y don a ddangosir yn y ffigur.

ii Enwch un nodwedd sydd yr un fath yng ngraffiau **a** a **b i**. Esboniwch sut y gall gwybodaeth o'r graffiau gael ei defnyddio i gyfrifo buanedd y don. (5)

c Mae terfan uchaf i amledd sain all gael ei chlywed ac mae'r terfan hwn yn wahanol ar gyfer gwahanol bobl. Gan ddefnyddio ffynhonnell sain ag amledd newidiol ond anhysbys, osgilosgop pelydrau catod a microffon, disgrifiwch sut y mae'r terfan hwn wedi'i bennu ar gyfer unigolyn penodol. (7)

d Dengys y ffigur hwn amrywiad dadleoliadau dwy don A a B gydag amser *t*.

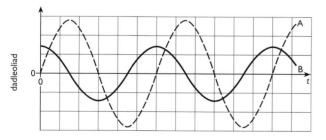

Defnyddiwch y ffigur i ddweud beth yw'r gwahaniaeth gwedd rhwng y tonnau. Awgrymwch pam, pan fydd gan ddwy don amleddau gwahanol, nad yw'r gwahaniaeth gwedd yn gyson. (4)

OCR, Gwyddoniaeth, Ffiseg, Sylfaenol, Mehefin 1999

2 a Pan fyddwch yn edrych ar ddŵr ar ddiwrnod heulog, byddwch yn aml yn gweld yr arwyneb yn disgleirio am fod y golau adlewyrchedig yn llachar. Bydd arddwysedd y golau llachar yn diflannu os gwisgwch sbectol haul Polaroid ac yna fe allwch weld y pysgod yn nofio o dan y dŵr.

i Dywedwch beth yw'r gwahaniaeth rhwng golau polar a golau amholar. (1)

ii Beth welwch chi os edrychwch ar ffynhonnell o olau drwy ddau hidlydd Polaroid paralel sydd wedi'u gosod fel bo eu planau polareiddiad 90° i'w gilydd (Polaroidau croes)? (1)

iii Mae golau haul yn cael ei bolaru'n rhannol pan gaiff ei adlewyrchu oddi ar arwyneb y dŵr. Sut y gall sbectol haul Polaroid gael gwared ag arddwysedd y golau llachar gan ganiatáu i'r pysgod gael eu gweld? (1)

b Wrth i'r ongl drawiad newid, mae cyfran y golau sy'n cael ei bolaru yn newid hefyd. Mae un ongl arbennig, θ, lle bo polaru'r pelydryn adlewyrchedig yn gyflawn. Gwelir hefyd, ar yr ongl hon fod y pelydryn adlewyrchedig a'r pelydryn plyg ar onglau sgwâr.

($_a\mu_d$, indecs plygiant o aer i ddŵr = 1.33)

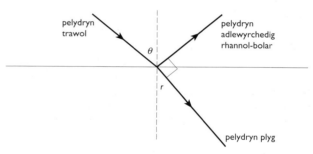

i Esboniwch pam y mae'r ongl blygiant $r = 90° - \theta$.

ii Dangoswch fod θ oddeutu 53°. (3)

Edexcel (Llundain), Modiwl PSA2, Mehefin 1999

3 a Esboniwch, gyda help diagramau, ganlyniad arosodiad tonnau yn yr achosion canlynol.

i Dwy seindon â'r un amledd ac osgled, ond sydd 180° yn anghydwedd â'i gilydd, yn cyrraedd eich clust gyda'i gilydd.

ii Seindon amledd isel ag osgled mawr a seindon amledd uchel ag osgled bychan yn cyrraedd eich clust gyda'i gilydd. (5)

b Esboniwch, gyda help diagramau, sut y mae patrwm ymyriant yn cael ei greu o ganlyniad i arosodiad pan fydd tonnau o ddwy ffynhonnell yn gorgyffwrdd. Yn eich ateb, nodwch yn glir sut y mae'r amodau sy'n ofynnol er mwyn gallu gweld patrwm ymyriant gyda thonnau dŵr mewn tanc crychdonnau a gyda golau yn cael eu bodloni. (7)

c Esboniwch yr amodau sy'n angenrheidiol er mwyn i don sefydlog gael ei ffurfio wrth ddefnyddio microdonnau a disgrifiwch arbrawf i ddangos ton o'r fath. Awgrymwch sut y gellid defnyddio'r arbrawf hwn i fesur tonfedd y microdonnau. (9)

OCR, Gwyddoniaeth, Sylfaenol 1, Mehefin 1999

4 Mae arbrawf lle caiff microdonnau eu defnyddio yn cael ei osod fel a ganlyn.

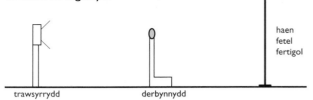

Wrth i'r derbynnydd gael ei symud yn araf i gyfeiriad yr haen fetel, mae nifer o facsima a minima yn cael eu canfod gan y derbynnydd. Eglurwch yr arsylwadau hyn.

(4)

Edexcel (Llundain), Ffiseg, Modiwl PH2, Mehefin 1999

5 a Mae'r golau o fath newydd o laser yn ymddangos yn felyn. Mae'r golau melyn, mewn gwirionedd, yn gymysgedd o olau coch a golau gwyrdd, y naill a'r llall ag un donfedd yn unig.
   i Disgrifiwch sut y gallai gratin diffreithiant gael ei ddefnyddio i wneud cyfrifiadau manwl gywir o donfeddi'r golau coch a'r golau gwyrdd. (8)
   ii Trafodwch yn feintiol briodweddau perthnasol y gratin. (4)
   iii Esboniwch pam na fyddai dull dau hollt yn addas i wneud cyfrifiadau manwl gywir o'r tonfeddi hyn. (4)
  b Ton electromagnetig yw golau gweladwy. Cymharwch briodweddau tonnau golau a phriodweddau tonnau isgoch ac uwchfioled. (5)

OCR, Gwyddoniaeth, Ffiseg Bellach, Mawrth 1999

6 a Nodwch *ddau* debygrwydd rhwng telesgop radio a thelesgop adlewyrchu optegol. (2)
  b Mae tyllau â diamedr 20 mm yn agos at ei gilydd ar arwyneb adlewyrchu dysgl telesgop radio er mwyn lleihau pwysau'r ddysgl. Esboniwch pam y bydd perfformiad y telesgop hwn lawer yn fwy boddhaol pan fydd yn derbyn signalau o amledd 7.5×10^8 Hz na phan fydd yn derbyn signalau o amledd 1.5×10^{10} Hz. (3)
  c Esboniwch pam y mae pŵer cydrannu telesgop radio ag un ddysgl fel arfer lawer yn llai na phŵer cydrannu telesgop optegol. (2)

AQA (NEAB), Seryddiaeth ac Opteg, Mehefin 1999

7 Dyma gwestiwn am briodweddau tonnau gwahanol a'u hymddygiad mewn sefyllfaoedd gwahanol.
  a Ar blaned Gwener, mae pelydrau isgoch o bwynt ar yr arwyneb S yn teithio drwy haen drwchus o atmosffer (lle bo'r indecs plygiant yn n_1). Byddant yn dod yn erbyn ffin o haen lai trwchus o atmosffer (lle bo'r indecs plygiant yn n_2).
Mae'r diagram (uchod ar y dde) yn dangos llwybr pelydryn unigol R_1, a chyfeiriadau tri phelydryn arall. Y pelydryn canol yw'r pelydryn critigol.

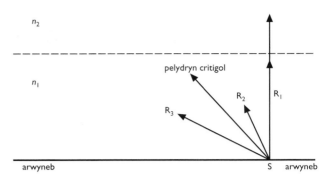

Ar y diagram,
  i Lluniwch lwybrau'r tri phelydryn arall. (3)
  ii Os 1.02 yw'r indecs plygiant cymharol rhwng y ddau ranbarth, n_1 ac n_2, cyfrifwch yr ongl gritigol. (3)

  b Pan fo stribyn o olew di-liw yn arnofio ar wyneb dŵr, gellir gweld nifer o liwiau ar yr arwyneb.
   i Gyda help diagramau addas, esboniwch y ffenomen hon. (5)
   ii Pan fo pelydryn o olau yn taro arwyneb lens camera, mae rhan ohono'n cael ei hadlewyrchu a rhan ohono'n cael ei thrawsyrru. Mae'r golau sy'n cael ei adlewyrchu yn ddiangen. Er mwyn lleihau faint o olau sy'n cael ei adlewyrchu oddi ar lens y camera, mae haen dryloyw denau yn cael ei rhoi ar flaen y lens. *Pylu* yw'r enw a roddir ar hyn.

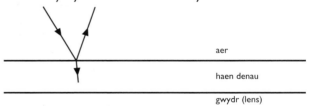

Ar gyfer lliw arbennig o olau, sut y gall *pylu* leihau arddwysedd y golau sy'n cael ei adlewyrchu oddi ar arwyneb y lens? (2)

  c Mewn arbrawf mae dwy *seindon*, sy'n teithio i gyfeiriadau dirgroes, yn cyfarfod ac mae *ton unfan* yn cael ei chreu.
   i Gyda help diagramau addas, esboniwch beth a olygir gan y term *ton unfan*. (2)
   Disgrifir un o'r seindonnau gwreiddiol gan yr hafaliad

$$dadleoliad = A\sin(\omega t + kx)$$

lle bo $A = 2.0$ mm, $\omega = 4100$ rad s^{-1}, $k = 13$ m^{-1}

   ii Cyfrifwch amledd y don hon. (2)
   iii Cyfrifwch fuanedd y don hon. (2)
   iv Rhowch hafaliad posibl ar gyfer y don wreiddiol arall. (1)
   v Lluniwch hafaliad ar gyfer y don unfan. (3)
   vi Cyfrifwch y pellter rhwng nodau ar y don unfan. (2)

Y Fagloriaeth Ryngwladol, Ffiseg, Safon Uwch, Tachwedd 1998
(rhan o'r cwestiwn)

26 Deuoliaeth tonnau-gronynnau

Y CWESTIYNAU MAWR

● O'r holl ymddygiad y gallwn ei ganfod, beth y gallwn ni ei ddweud i egluro beth yw electronau mewn gwirionedd?

● O'r holl ymddygiad y gallwn ei ganfod, beth y gallwn ni ei ddweud i egluro beth yw golau mewn gwirionedd?

GEIRFA ALLWEDDOL

allyriant ffotodrydanol   amledd trothwy   cysonyn Planck   cwanteiddiedig (amledd, egni)
cwantwm   deuoliaeth tonnau-gronynnau   ffoton   ffwythiant gwaith   ffwythiant ton
gronynnau masfawr   gwn electron   (gwerthoedd) arwahanol   gwrthrych du
mecaneg cwantwm   perthynas de Broglie   potensial/foltedd stopio   trychineb uwchfioled

Y CEFNDIR

Ar ddechrau'r 1890au roedd hi'n ymddangos bod sylfaen gadarn o wybodaeth a oedd wedi hen ennill ei phlwy am natur arsylwadwy ffiseg. Yr enw a roddir fel rheol ar y fframwaith hwn o wybodaeth yw ffiseg 'glasurol'. Roedd deddfau mecaneg Newton wedi'u derbyn. Roedd Young a Fresnel wedi bodloni eu cyd-wyddonwyr bod golau'n teithio fel ton ac nid fel gronynnau. Cafodd rhagfynegiadau Maxwell ynglŷn â damcaniaethau pelydriad electromagnetig eu cefnogi gan ddarganfyddiad tonnau radio. Roedd hi'n ymddangos bellach bod fframwaith ffiseg yn ei le ac mai'r cyfan oedd angen ei wneud yn awr oedd adeiladu ar hynny. Un maes yr oedd angen gweithio arno oedd creu damcaniaeth a allai esbonio sbectra atomig. Maes arall oedd ceisio sefydlu a oedd pelydrau catod – ffenomen oedd i'w gweld mewn tiwbiau gwactod (gweler Pennod 7) – yn donnau neu'n ronynnau.

Yna, yn ystod yr 20 mlynedd nesaf, darganfuwyd ymbelydredd, gwelwyd pelydrau catod yn ymddwyn fel llif gronynnau, aed ati i archwilio adeiledd atomau gan gynnwys yr awgrym ynglŷn â bodolaeth niwclysau atomig, cyflwynwyd y ddamcaniaeth perthnasedd arbennig, a sylweddolwyd bod ffenomenau arbennig – trychineb uwchfioled ac allyriant ffotodrydanol – oll yn herio'r hen ddamcaniaethau. Roedd hi'n bryd datgymalu fframwaith ffiseg glasurol, ailgodi'r sylfeini a dechrau eto.

● Dod o hyd i gefnogaeth ar gyfer damcaniaeth gronynnau pelydrau catod

Pan gawsant eu darganfod gyntaf, nid oedd neb yn gwybod a oedd y llif a ddeuai o'r catod – pelydrau catod – yn rhyw fath newydd o don, ar ffurf pelydriad electromagnetig efallai, neu'n llif o ronynnau. Bu dadlau mawr ynghylch hyn ymhlith ffisegwyr tua diwedd y 19eg ganrif. Rhagfynegai'r dybiaeth mai llif o ronynnau oedd y pelydrau catod, ac felly y byddent yn ufuddhau i ddeddfau mecaneg. Byddent yn cael eu heffeithio gan rym a'r cyflymiad cyfatebol yn yr un modd ag unrhyw wrthrych arall.

Gwyddai'r gwyddonwyr y gallent roi grym magnetig i'r pelydrau catod a gwneud iddynt deithio mewn cylchoedd (Ffigur 26.1a). Gallai coiliau yn gweithredu fel electromagnetau ddarparu'r maes

Ffigur 26.1
Allwyro pelydrau catod mewn meysydd **a** magnetig a **b** trydanol.

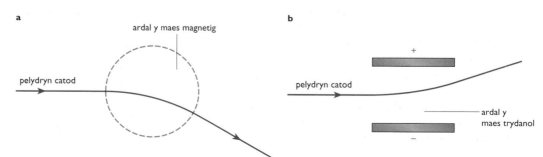

magnetig. Petai pelydrau catod yn llif o wrthrychau â màs *m* a gwefr *e*, yna gan fod y grym mewngyrchol a gynhyrchai'r mudiant cylchol yn cael ei ddarparu gan faes magnetig,

grym magnetig = grym mewngyrchol

$$Bev = \frac{mv^2}{r}$$

lle saif *B* am gryfder y maes magnetig neu'r dwysedd fflwcs magnetig, *v* am fuanedd y 'gronynnau' ac *r* am radiws y llwybr cylchol. Nid oes angen poeni am fanylion yr hafaliad hwn fan yma (ymdrinnir â chreu'r fformiwlâu ar gyfer grym magnetig a grym mewngyrchol yn *Ffiseg Safon Uwch*) – yr hyn sy'n bwysig yw ei fod yn perthnasu priodweddau gronynnau, màs a gwefr, i gyflymder. Gallwn symleiddio'r hafaliad ychydig:

$$Be = \frac{mv}{r}$$

a'i aildrefnu i roi:

$$\frac{e}{m} = \frac{v}{Br}$$

Gall *B* ac *r* gael eu mesur. Petaem yn gwybod beth yw buanedd y 'gronynnau' byddai'n bosibl cyfrifo gwerth cymhareb eu gwefr i'w màs. Byddai hyn yn dangos bod defnyddio deddfau mecaneg yn rhoi gwerth real i briodweddau unedau unigol, neu 'ronynnau' y pelydrau catod. Ond sut y mae mesur buanedd gronynnau, yn arbennig os nad ydych yn sicr eu bod yn bodoli o gwbl? Roedd gormod o 'anhysbysion' yn perthyn i'r hafaliad ac nid oedd modd ei ddatrys. Felly, nid oedd bodolaeth y mudiant cylchol o dan rym magnetig yn ddigon o dystiolaeth, ynddo'i hun, mai llif o ronynnau oedd pelydrau catod.

Gellid rhoi grym trydanol hefyd i belydrau catod, gan ddefnyddio dau blât metel â gwahaniaeth potensial rhyngddynt (Ffigur 26.1b). Roedd modd diffodd y maes magnetig a chynnau maes trydanol. Nid oedd hyn, fodd bynnag, yn cynhyrchu mudiant cylchol ac nid oedd hi'n bosibl ysgrifennu hafaliad defnyddiol ar ei gyfer a allai gael ei gyfuno ag *e*/*m* = *v*/*Br* er mwyn cael gwared â'r term *v*.

Datrys y broblem

Tra oedd J.J. Thomson yn gweithio yng Nghaergrawnt yn 1897, cafodd y syniad o ddefnyddio meysydd magnetig a meysydd trydanol gyda phelydrau catod ar yr un pryd, ac addasu'r meysydd fel y byddai eu heffeithiau yn canslo ei gilydd. O ganlyniad, roedd y pelydrau catod yn teithio mewn llinellau syth heb unrhyw allwyriad (Ffigur 26.2).

Ffigur 26.2
Gallai'r meysydd trydanol a magnetig gael eu haddasu er mwyn canslo'r grym ar y pelydrau catod.

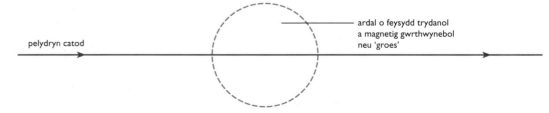

pelydryn catod

ardal o feysydd trydanol a magnetig gwrthwynebol neu 'groes'

Petai'r pelydrau catod wedi'u gwneud o ronynnau yna mae'n rhaid eu bod yn profi grym sy'n hafal ac i gyfeiriadau dirgroes. Golygai hyn y byddai

grym magnetig = grym trydanol

$$Bev = \frac{eV}{d}$$

lle saif *V* am y gwahaniaeth potensial rhwng y platiau a *d* am y pellter rhyngddynt. Gallai'r ddau gael eu mesur. Mae'r hafaliad yn cael ei symleiddio ychydig:

$$Bv = \frac{V}{d}$$

ac felly

$$v = \frac{V}{Bd}$$

Sidebar:

1. Pam yr oedd hi'n amhosibl astudio pelydrau catod cyn bod tiwbiau gwactod yn cael eu datblygu?
2. Nodwch effaith meysydd magnetig ar
   a belydrau X
   b golau gweladwy.
   Beth y mae hyn i gyd yn ei awgrymu ynglŷn â phelydrau catod?
3. Pam nad yw allwyriad pelydrau catod gan feysydd magnetig yn ein hargyhoeddi'n llwyr o'r syniad mai pelydr o ronynnau yw'r pelydrau?

4 a Beth yw gwefr, mewn coulombau (C), cilogram o electronau?
b Beth yw gwefr, mewn coulombau (C), un electron?
c Beth fyddai'n digwydd i baladr o belydrau catod â'u cyflymderau'n amrywio'n fawr?
d Beth yw'r berthynas rhwng y fformiwla a ddefnyddiwyd ar gyfer grym trydanol, eV/d, a chryfder maes trydanol? (Gweler Pennod 18.) ($m = 9.1 \times 10^{-31}$ kg)

Roedd gan Thomson yn awr ddull o ddarganfod buanedd y gronynnau, neu ei ddileu o'r cyfrifiadau. Gan amnewid hwn yn yr hafaliad sydd ond yn gymwys pan fo'r maes magnetig wedi'i gynnau (gweler tudalen 260):

$$\frac{e}{m} = \frac{V/Bd}{Br} = \frac{V}{B^2rd}$$

Llwyddodd Thomson felly i ddarganfod cymhareb y wefr i'r màs – gan gefnogi'r syniad mai gronynnau (electronau) yw pelydrau catod, nid pelydriad di-fàs.

Gelwir y gymhareb gwefr electron i'w fàs yn wefr sbesiffig yr electron. Mae'n rhif mawr iawn:

$$\frac{e}{m} = -1.76 \times 10^{11} \text{ C kg}^{-1}$$

Mae'r arwydd minws yno oherwydd bod gan electronau wefr negatif. Mae'r rhif mawr yn awgrymu bod gan electronau lawer o wefr wedi'i phacio'n dynn mewn màs bach iawn. Mae màs electron yn fach iawn, dim ond 9.11×10^{-31} kg.

Diffreithiant pelydr electronau

Rhwydwaith neu ddelltwaith o atomau yw grisial sy'n cynnwys gronynnau a bylchau rhwng y gronynnau. Nid oes dim yn annisgwyl ynghylch diffreithiant pelydrau X gan risialau (gweler tudalen 52) gan eu bod yn belydriadau electromagnetig a byddem yn disgwyl iddynt ymddwyn fel tonnau.

Mab J.J. Thomson, George P. Thomson, oedd un o'r gwyddonwyr a arsylwodd gyntaf y gallai grisial achosi i baladr o electronau ddangos ymddygiad tebyg i don – sef diffreithiant (Ffigur 26.3). Roedd J.J. Thomson wedi darganfod bod electronau yn ronynnau ac roedd hi'n ymddangos ei fod hefyd wedi tanseilio'r syniad arall y gallai pelydrau catod ymddwyn yn debyg i donnau. Eto i gyd, gwnaeth ei fab y darganfyddiad bod electronau, er eu bod yn meddu ar briodweddau gronynnog eu natur ar gyfer màs a gwefr, yn gallu ymddwyn fel tonnau hefyd.

Digwyddodd hyn yn 1927, 30 mlynedd ar ôl abrawf 'meysydd croes' enwog J.J. Thomson a roddodd y gymhareb gwefr/màs ar gyfer electronau. Roedd George Thomson, ynghyd â gwyddonwyr eraill gan gynnwys yr Americanwyr Clinton Davisson a Lester Germer, wedi dangos **deuoliaeth tonnau-gronynnau** electronau, sef eu gallu i ymddwyn yn debyg i donnau ac yn debyg i ronynnau.

Ffigur 26.3
Mae diffreithiant electronau yn dangos y gall paladr o electronau sydd ag un cyflymder neu egni weithredu fel tonnau o un donfedd arbennig.

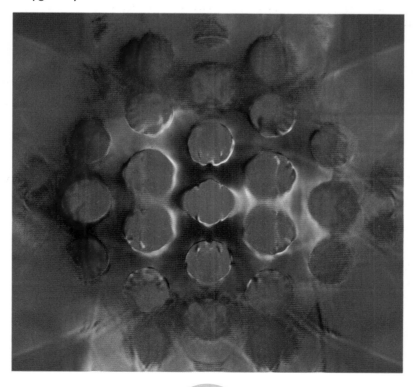

Diffreithiant ac ymyriant – un electron ar y tro

Mae canfod diffreithiant electronau yn awgrymu eu bod yn teithio fel tonnau, ond yn cyrraedd y sgrin ac yn rhyngweithio â'r sgrin fel gronynnau. Os byddant yn cyrraedd y sgrin ar ôl mynd drwy drefniant â dau hollt, fel yr holltau dwbl sy'n cynhyrchu'r patrwm ymyriant â golau, yna pan na fydd ond ychydig o electronau wedi cyrraedd ac wedi eu canfod gan eu rhyngweithiad â'r sgrin, prin bod patrwm amlwg i'w weld o gwbl (Ffigur 26.4a). Ond wrth i ragor o electronau gyrraedd, mae'n amlwg eu bod wedi'u clystyrru ar hyd eddïau ymyriant – llinellau â dwysedd electronau macsimwm a minimwm (Ffigur 26.4b).

Ffigur 26.4
Mae electronau'n cynhyrchu pwyntiau ar sgrin ganfod, ond nid ydynt yn teithio fel 'pwyntiau' a'u safleoedd wedi'u diffinio'n bendant. Maent fwy 'ar wasgar' pan fyddant yn teithio, fel ton debygolrwydd neu ffwythiant ton.

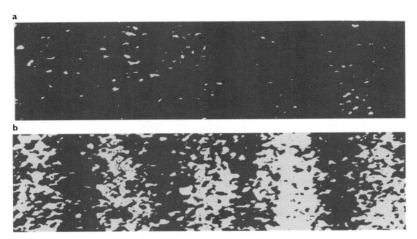

Ceir yr un patrwm ymyriant p'un ai a ydyw'r electronau yn mynd drwy drefniant â dau hollt mewn niferoedd mawr gyda'i gilydd neu un ar y tro. Ar sail y ffaith ryfeddol hon aeth gwyddonwyr ati i feddwl am ddefnyddio cysyniad 'tebygolrwydd' wrth ddisgrifio safle electron. Er bod electron yn cyrraedd y sgrin fel gronyn ac yn creu olin ar y sgrin mewn safle penodol – sef dot – dim ond yn nhermau tebygolrwydd y gallwn ni ddisgrifio ei daith tuag at y sgrin. Nid oes modd i ni wybod ei union safle yn ystod ei daith, a'r gorau y gallwn ei wneud yw disgrifio'r tebygolrwydd y bydd yn cyrraedd y cyfarpar canfod ac yn rhyngweithio ag ef mewn safle penodol. Y tebygolrwydd hwn sy'n ymddwyn fel ton. Er mai dim ond un dot y gall pob electron ei wneud ar y sgrin, mae'n ymddangos fel petai'n teithio drwy'r trefniant â'r ddau hollt fel 'ton debygolrwydd', ac felly ni ellir dweud ei fod yn teithio drwy'r naill hollt na'r llall. Mae'r 'don debygolrwydd' yn mynd drwy'r *ddau* hollt, ac mae'r electronau yn cyrraedd y sgrin ac yn ffurfio patrwm fel y byddem yn disgwyl i don ei wneud. Gall y 'don debygolrwydd' gael ei ddisgrifio'n fathemategol yn nhermau **ffwythiant ton**, Ψ, yr electron (Ffigur 26.5).

Ffigur 26.5
Mae'r ffwythiant ton, Ψ, yn rhoi cipolwg i ni ar don/gronyn ar ennyd penodol.

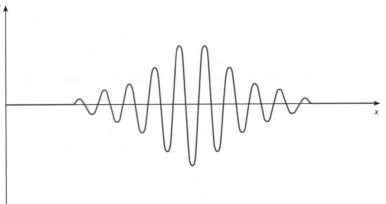

Rhoddir y tebygolrwydd o ganfod gronyn ar un pwynt penodol gan $[\Psi]^2$, sef sgwâr gwerth absoliwt Ψ.

Mae cynrychioliad electron yn nhermau ffwythiant ton yn nodwedd o **fecaneg cwantwm** – ffiseg y pethau bychan a ddatblygwyd ddechrau'r 20fed ganrif yn bennaf. Mae a wnelo nodwedd arall ohono â natur golau, sef y maes y byddwn yn ei ystyried nesaf.

Allyriant ffotodrydanol electronau

Ffigur 26.6
Tiwb ffotodrydanol.

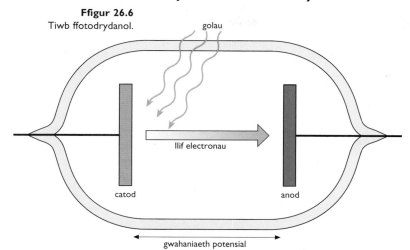

golau

llif electronau

catod

anod

gwahaniaeth potensial

Darganfuwyd ffenomen newydd pan gafodd egni ei gyflenwi i'r catod mewn tiwb gwactod, nid drwy ei wresogi ond drwy ddisgleirio golau arno. Roedd yr **allyriant ffotodrydanol** newydd hwn yn sicr yn werth ei astudio'n ofalus. Defnyddiwyd tiwb ffotodrydanol yn rhan o'r astudiaethau – tiwb wedi'i wacáu ac ynddo anod a chatod. Disgleiriwyd y golau ar y catod er mwyn ysgogi allyriant ffotodrydanol electronau (Ffigur 26.6).

Allyrrwyd yr electronau ag egni cinetig a allai gael ei fesur drwy wrthdroi'r gwahaniaeth potensial – gan wneud y catod sydd wedi'i oleuo yn bositif a'r anod yn negatif – er mwyn gwneud i'r electronau a oedd yn dianc arafu. Gyda gwahaniaeth potensial gwrthdro oedd yn ddigon mawr, gallai'r electronau gael eu stopio'n gyfan gwbl ac nid oedd unrhyw gerrynt rhwng yr electrodau (Ffigur 26.7).

Ffigur 26.7
Gallai'r cerrynt ffotodrydanol gael ei stopio drwy roi gwahaniaeth potensial gwrthdro.

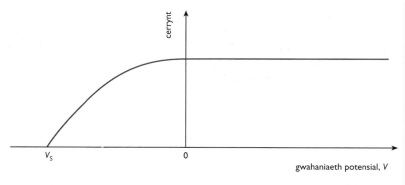

cerrynt

V_S

0

gwahaniaeth potensial, V

Golyga gwahaniaeth potensial negatif neu wrthdro fod yr anod yn negatif mewn perthynas â'r catod, felly mae'r electronau'n cael eu harafu. Mae gan yr electronau fuaneddau cychwynnol gwahanol felly mae rhai yn haws eu stopio na'i gilydd. Wrth i'r gwahaniaeth potensial negatif gynyddu, mae mwy a mwy o electronau'n cael eu stopio. Pan fo $V = V_s$ mae *pob* electron, gan gynnwys y rheiny a oedd gyflymaf pan gawsant eu hallyrru, yn cael eu stopio.

Ni wnaeth y cerrynt ostwng i sero yn sydyn pan newidiwyd polaredd y folted ond yn hytrach, yn raddol, gan awgrymu bod rhai electronau yn haws eu stopio. Mae'n amlwg nad oedd gan bob un o'r electronau yr un egni – roedd ganddynt amrediad o egnïon hyd at werth macsimwm. Roedd perthynas rhwng maint y gwahaniaeth potensial a oedd yn ddigon mawr i stopio *pob* electron, y rhai cyflym yn ogystal â'r rhai araf, a lleihau'r cerrynt i sero, ac egni macsimwm yr electronau, a'r enw a roddwyd arno oedd y **potensial stopio** neu **foltedd stopio**, V_s.

Gwyddom mai foltedd yw'r egni a drosglwyddir am bob uned gwefr, felly rhoddir y foltedd sydd ei angen i stopio electron â'r egni macsimwm gan:

$$\text{foltedd stopio} = \frac{\text{egni cinetig macsimwm electron}}{\text{gwefr electron}}$$

Gan ddefnyddio symbolau:

$$V_S = \frac{E_C(\text{macs})}{e}$$

neu

$$eV_S = E_C(\text{macs})$$

Mae'r berthynas rhwng foltedd stopio ac egni cinetig macsimwm electron yn un syml.

Allyriant ffotodrydanol ac amledd golau

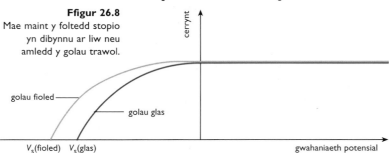

Ffigur 26.8
Mae maint y foltedd stopio yn dibynnu ar liw neu amledd y golau trawol.

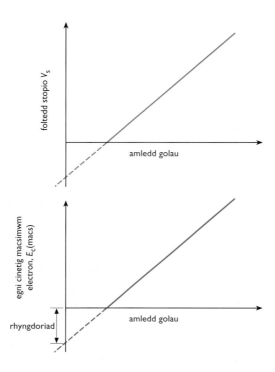

Ffigur 26.9
Gan fod foltedd stopio yn gweithredu fel mesur o egni cinetig macsimwm electron, mae gan graff E_c(macs) yn erbyn amledd yr un siâp â graff V_s yn erbyn amledd.

Un ymchwiliad amlwg i'w wneud oedd amrywio amledd y golau a ddisgleiriai ar y catod a gwylio'r effaith ar y foltedd stopio ac felly, ar egni cinetig macsimwm electron. Roedd gwahanol liwiau, neu amleddau, golau yn cynhyrchu graffiau o gerrynt yn erbyn gwahaniaeth potensial gyda folteddau stopio gwahanol (Ffigur 26.8). Roedd angen foltedd stopio uwch ar olau ag amledd uwch, hyd yn oed os nad oedd y golau mor ddisglair.

O wneud ymchwiliad systematig pellach i'r berthynas rhwng foltedd stopio ac amledd y golau yn disgyn ar y catod, gwelwyd bod perthynas glir rhyngddynt, fel y gwelir yn Ffigur 26.9. Gallwn ddweud bod cynyddu amledd y golau sy'n disgyn ar y catod yn cynyddu'r foltedd stopio ac felly yn cynyddu egni cinetig macsimwm electron. Nid yw'r berthynas yn gyfrannedd syml fodd bynnag, ond un ar ffurf $y = mx + c$ (gyda gwerth negatif i'r rhyngdoriad, c). Hefyd, islaw amledd penodol, nid oes allyriant ffotodrydanol o gwbl.

Mae'r berthynas a ddangosir ar ffurf $y = mx + c$ gyda'r rhyngdoriad, c, yn negatif. O ganlyniad i'r esboniad am y berthynas syml hon fe chwyldrowyd ein syniadau am olau.

Allyriant ffotodrydanol ac arddwysedd golau

Ymchwiliad arall oedd y berthynas rhwng foltedd stopio ac arddwysedd y golau'n disgleirio. Gwelwyd *nad* oedd perthynas yn bod – nid oes gan arddwysedd golau ddim dylanwad ar egni macsimwm electron (Ffigur 26.10).

Ffigur 26.10
Ymchwiliad â chanlyniad negatif – y darganfyddiad nad oes perthynas rhwng egni macsimwm electron ac arddwysedd golau. Gall canlyniadau negatif fod yr un mor bwysig â rhai positif; mae hynny'n sicr yn wir yn yr achos hwn.

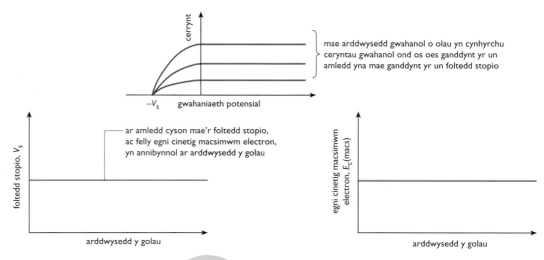

5 a Disgrifiwch, mewn un frawddeg, y gwahaniaeth rhwng allyriant thermionig (Pennod 7) ac allyriant ffotodrydanol.

b Lluniwch frasluniau syml i gynrychioli'r ddau fath o allyriant o gatod.

6 Gyda'r effaith ffotodrydanol, mae egni golau'n cael ei drosglwyddo i'r electronau ar arwyneb, sydd wedyn yn gallu dianc. Ym mha gyfarpar yn y cartref y mae egni paladr o electronau'n cael ei drosglwyddo i arwyneb sydd wedyn yn creu golau?

7 a Brasluniwch ddau graff o gerrynt ffotodrydanol yn erbyn gwahaniaeth potensial, ar yr un echelinau, gan ddangos beth sy'n digwydd os yw golau gwyrdd a golau fioled o'r un arddwysedd yn cael eu defnyddio i oleuo arwyneb metel.

b Ar yr un echelinau, brasluniwch y llinell a geid petai'r golau fioled lawer yn fwy disglair.

c Brasluniwch siâp graffiau foltedd stopio yn erbyn

i amledd golau, a **ii** arddwysedd golau.

8 Esboniwch pam nad yw'r cerrynt mewn tiwb ffotodrydanol yn sero pan yw'r gwahaniaeth potensial yn sero.

Y canlyniadau mwyaf annisgwyl sy'n cael yr effaith fwyaf, ac roedd y canlyniad hwn yn annisgwyl. Mae golau mwy disglair neu o arddwysedd uwch yn cyflenwi egni i arwyneb metel yn gyflymach na golau o arddwysedd isel. Byddai disgwyl i don syml ddarparu llif di-dor o egni ar yr arwyneb, a byddai disgwyl i egni sy'n cyrraedd ar gyfradd uwch arwain at electronau'n cael eu rhyddhau ar gyfradd uwch *ac* electronau cyflymach. Dangosodd yr ymchwiliadau fod golau mwy disglair yn cynhyrchu mwy o electronau, i'w canfod fel cerrynt mwy o faint rhwng yr electrodau. Ond *nid oedd* golau mwy disglair yn cynhyrchu electronau cyflymach. Dim ond drwy gynyddu'r *amledd* y gellid cael electronau cyflymach. Ni allai damcaniaeth tonnau egluro hyn, na pham na allai golau o amledd islaw gwerth minimwm anwytho allyriant ffotodrydanol, pa mor danbaid bynnag y bo'r golau.

Einstein, â'i ffordd wreiddiol o feddwl, a lwyddodd i drosi'r canfyddiadau hyn yn ddarlun mwy dealladwy o'r hyn oedd yn digwydd. Roedd yn esboniad syml iawn, er y defnyddiai syniad a oedd eisoes wedi'i awgrymu gan Max Planck. Mae'r hanes yn dechrau gydag anghysondeb rhwng damcaniaeth ac arsylwadau mewn maes arall o ffiseg – astudiaeth o belydriad electromagnetig a allyrrir gan wrthrychau poeth neu belydriad thermol. Mae'r hanes yn cael ei adrodd yn y tudalennau nesaf.

Pelydriad gwrthrych du a'r drychineb uwchfioled

Mae golau yn ymddwyn yn debyg i donnau pan fo'n teithio, gan ufuddhau i reolau adlewyrchiad, plygiant, diffreithiant, ymyriant a pholareiddiad. Ar ddechrau'r 20fed ganrif awgrymai popeth mai ffenomen tonnau oedd golau a dim mwy na hynny. Ond roedd yna broblem.

Mae pob gwrthrych yn allyrru pelydriad electromagnetig oherwydd hapryngweithiadau trydanol eu gronynnau egnïol. Mae'r gronynnau yn symud, yn dirgrynu, ym meysydd trydanol ei gilydd. Mae cynnydd yn y dirgryniad hwn, fel sy'n digwydd o ganlyniad i gynnydd yn y tymheredd, yn cynyddu'n gyffredinol gyfradd trosglwyddo egni i'w amgylchedd ar ffurf pelydriad electromagnetig. Gelwir allyrrydd pelydriad delfrydol, gyda'r gallu i allyrru pelydriadau unfaint ar bob amledd, yn **wrthrych du**. Dangosir graff o sbectrwm arsylwedig gwrthrych du poeth nodweddiadol yn Ffigur 26.11a. Mae graff sydd wedi'i ragfynegi ar y dybiaeth bod mater yn allyrru pelydriad fel llif di-dor tebyg i don yn edrych fel y graff sydd yn Ffigur 26.11b.

Mae'n amlwg bod anghysondeb mawr rhwng y rhagfynegiadau a'r arsylwadau ar donfeddi byr. **Trychineb uwchfioled** oedd yr enw a roddwyd ar hyn ac, o ganlyniad, bu'n rhaid edrych ar y ddamcaniaeth yn ofalus iawn. Llwyddodd dau wyddonydd i ddatrys y broblem mewn dau gam. Max Planck ac Albert Einstein oedd y ddau ac roedd eu gwaith yn hollol chwyldroadol.

Ffigur 26.11
Mae gan sbectrwm arsylwedig gwrthrych du poeth frig o arddwysedd nad yw'n cael ei ragfynegi gan ffiseg glasurol.

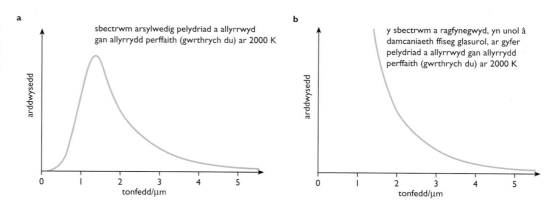

a sbectrwm arsylwedig pelydriad a allyrrwyd gan allyrrydd perffaith (gwrthrych du) ar 2000 K

b y sbectrwm a ragfynegwyd, yn unol â damcaniaeth ffiseg glasurol, ar gyfer pelydriad a allyrrwyd gan allyrrydd perffaith (gwrthrych du) ar 2000 K

(echelin-y: arddwysedd; echelin-x: tonfedd/µm)

Rhagdybiaeth Planck

Gwnaeth Max Planck ragdybiaeth nad oedd gronynnau mewn mater yn dirgrynu ag amleddau a amrywiai'n ddi-dor ond ar rai amleddau penodol yn unig, fel amleddau penodol tannau offerynnau cerdd yn dirgrynu. Dywedir bod gan amleddau, a mesurau eraill, sy'n newid yn sydyn o un gwerth i'r llall ond na allant amrywio'n ddi-dor, werthoedd **arwahanol** (Ffigur 26.12).

Ffigur 26.12
Ystyr mesurau sy'n amrywio'n arwahanol ac yn ddi-dor.

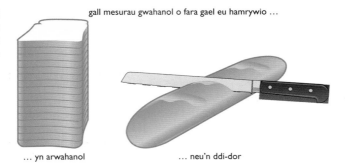

gall mesurau gwahanol o fara gael eu hamrywio …

… yn arwahanol   … neu'n ddi-dor

Canfu Planck, ar sail y tybiaethau hyn, y gallai ddangos na fyddai cymaint o ddirgryniadau egni uchel ac amledd uchel ag a ddisgwylid fel arall. Byddai hyn yn arwain at dipyn yn llai o belydriad amledd uchel nag a gâi ei ragfynegi gan ddamcaniaeth ton ddi-dor syml. Nid oedd y syniad bod gronynnau'n dirgrynu â gwerthoedd o amledd arwahanol penodol yn unig, fel tannau feiolin neu gitâr, yn gwneud rhyw lawer o synnwyr, ond roedd y fathemateg yn gywir. Defnyddiodd Planck y syniad hwn i gynhyrchu graff arddwysedd a oedd yn cyd-fynd â sbectrwm arsylwedig gwrthrych du.

Roedd y syniad nad oedd amledd ac egni yn newid yn ddi-dor ond mai gwerthoedd penodol yn unig a allai fod iddynt yn sylfaen i fecaneg cwantwm. Roedd amledd ac egni'r gronynnau a oedd yn dirgrynu mewn solid, yn ôl Planck, wedi'u **cwanteiddio**.

Syniadau Einstein ynglŷn ag allyriant ffotodrydanol

Dangosodd Planck y gellid egluro sbectrwm pelydriad a allyrrir gan wrthrych du poeth petai'r gronynnau yn y gwrthrych ond yn gallu dirgrynu ar amleddau cwanteiddiedig ac egnïon cysylltiedig. Defnyddiodd Einstein syniad Planck a'i gymhwyso i'r broblem oedd heb ei datrys ynglŷn ag effaith ffotodrydanol.

Aeth ymhellach na Planck ac awgrymu bod golau'n gadael ei ffynhonnell fel 'unedau arwahanol' a'i fod hefyd yn cyrraedd mater ac yn rhyngweithio ag ef yn yr un modd cwanteiddiedig. Awgrymodd Einstein fod perthynas rhwng egni un uned, neu **gwantwm**, ac amledd y golau:

$$E = h\nu$$

lle saif ν am amledd a h am gysonyn, a elwir yn awr yn **gysonyn Planck**, ac iddo werth 6.626×10^{-34} J s. Yn ôl ei dybiaeth ef, pan fo un cwantwm, neu **ffoton**, o olau yn taro arwyneb metel gall achosi i un electron ddianc. Mae'r ffoton yn cael ei amsugno – mae'n peidio â bod fel ffoton – ond mae ei egni ar gael ar gyfer yr arwyneb metel a'r electron.

Ffigur 26.13
Os ydych wedi cael eich gwthio i waelod pwll dwfn yna mae'n rhaid i chi gael egni potensial i ddianc. Mae faint o egni sydd ei angen arnoch chi yn dibynnu ar ba mor ddwfn i lawr y twll rydych chi. Os oes gennych rywfaint o egni ar ôl wedi hynny yna gallwch redeg i ffwrdd.

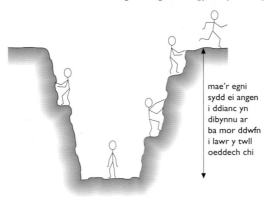

mae'r egni sydd ei angen i ddianc yn dibynnu ar ba mor ddwfn i lawr y twll oeddech chi

Yna aeth Einstein yn ei flaen i esbonio siâp graff egni macsimwm electron yn erbyn amledd golau (Ffigur 26.9) drwy dybio bod dwy effaith i'r egni o'r ffoton a ddylai gael eu trin yn hollol wahanol yn fathemategol. Yn gyntaf, gallai'r electron gael ei ryddhau o'r metel, gan ennill egni potensial (ac mae faint o egni sydd ei angen ar electron i ddianc yn dibynnu ar ba mor gryf y mae ynghlwm wrth y metel). Yn ail, gallai unrhyw egni sydd dros ben gael ei droi'n egni cinetig yr electron, fel y gwelir yn y gyfatebiaeth yn Ffigur 26.13.

Ffigur 26.14
Mae rhywfaint o'r egni o'r ffoton wedi'i drosglwyddo i'r electron i'w alluogi i ddianc, yna mae unrhyw egni sydd 'dros ben' ar gael fel egni cinetig.

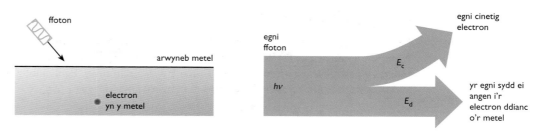

Felly gallwn ddweud, yn gyffredinol (Ffigur 26.14):

egni ffoton = egni sydd ei angen i'r electron ddianc + egni cinetig yr electron

Wrth i'r ddau werth hyn o egni electron gael eu cynrychioli gan E_d a E_c, yna mae

$$h\nu = E_d + E_c$$

Bydd gan electron nad oes angen ond ychydig o egni arno i ddianc ddigon o'r egni a gymerodd o'r ffoton ar gyfer ei egni cinetig. Hynny yw, pan fo E_d ar y lefel isaf y gall fod, yna mae E_c ar y lefel uchaf y gall fod:

$$h\nu = E_d(\text{min}) + E_c(\text{macs})$$

ac felly

$$E_c(\text{macs}) = h\nu - E_d(\text{min})$$

sef hafaliad ar ffurf $y = mx + c$ lle bo gwerth negatif i c. Dyma'r union ffurf a gawn pan fyddwn yn plotio $E_c(\text{macs})$ yn erbyn ν, fel y gwelsom eisoes (Ffigur 26.9). Graddiant y graff felly yw cysonyn Planck, h.

Mae gan graffiau egni cinetig macsimwm yn erbyn amledd golau trawol ar gyfer metelau gwahanol oll yr un graddiant, h, fel y mae hafaliad Einstein (Ffigur 26.15) yn ei ragfynegi. Ond mae ganddynt ryngdoriadau gwahanol. Mae'r egni minimwm sydd ei angen i electron ddianc, $E_d(\text{min})$, yn wahanol ar gyfer defnyddiau gwahanol. Galwodd Einstein hyn yn **ffwythiant gwaith**, Φ, y defnydd. Hynny yw, mae $E_d(\text{min}) = \Phi$.

$$E_c(\text{macs}) = h\nu - \Phi$$

Ffigur 26.15
Egni cinetig macsimwm electron yn erbyn amledd golau, yn dangos arwyddocâd y rhyngdoriadau a'r graddiant yn namcaniaeth ffotodrydanol Einstein.

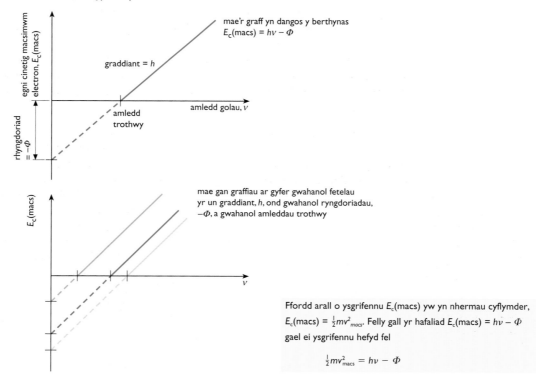

Amledd trothwy

Mae amledd minimwm i olau a all anwytho allyriant o arwyneb penodol. Mae perthynas rhwng hyn a'r ffwythiant gwaith. Mae ffoton sydd â'r amledd minimwm hwn ond yn darparu'r egni minimwm absoliwt ar gyfer dianc sef E_d(min) = Φ a dim mwy. Egni cinetig yr electron a ryddhawyd yw sero. Gelwir yr amledd minimwm, a roddir gan

$$h\nu(\text{min}) = E_d(\text{min}) = \Phi$$

yn **amledd trothwy** (ν (min)). Os yw amledd ffoton yn llai na hyn, ni fydd modd i'r electron ddianc o gwbl (Ffigur 26.16).

Ffigur 26.16
Os nad yw'r ffoton yn darparu digon o egni yna ni fydd modd dianc.

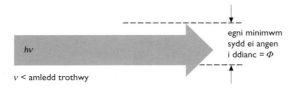

egni minimwm sydd ei angen i ddianc = Φ

$h\nu$

ν < amledd trothwy

Un o briodweddau metel yw ei amledd trothwy. Mae Tabl 26.1 yn rhoi rhai gwerthoedd.

Tabl 26.1

Metel	Ffwythiant gwaith/eV	Amledd trothwy/Hz
sodiwm	2.28	5.50×10^{14}
alwminiwm	4.08	9.84×10^{14}
haearn	4.50	10.85×10^{14}
platinwm	6.35	15.32×10^{14}

$1 \text{ eV} = 1.6 \times 10^{-19} \text{ J}$

Modelau golau

Golygai'r dadansoddiad hwn o'r effaith ffotodrydanol fod angen meddwl am olau mewn ffordd gwbl newydd a gwahanol – nid oedd yn cyrraedd mewn llif di-dor fel y gellid disgwyl ar gyfer ton syml, ond yn hytrach mewn unedau arwahanol o egni. Gofynnodd Einstein i ni symud ymlaen o feddwl am olau fel ton yn unig. Mae'n iawn i ni feddwl o hyd bod golau'n teithio fel ton, ond mae hefyd yn rhyngweithio â mater mewn cwanta o egni, neu ffotonau. Mae'n ymddangos, felly, y gall golau ymddwyn fel gronynnau. Fel electronau, mae gan olau ddeuoliaeth tonnau-gronynnau.

Felly mae damcaniaeth tonnau golau wedi'i gwrthbrofi fel damcaniaeth gyflawn all gael ei defnyddio i egluro sut y mae golau'n ymddwyn. Ond mae meddwl am olau fel ton wedi ein helpu ni i ddeall mwy am olau: adlewyrchiad, plygiant, diffreithiant, ymyriant a pholareiddiad a bodolaeth sbectrwm eang o belydriadau. Mae'n dal i fod yn fodel hynod ddefnyddiol. Ni allwn ddweud mwyach ein bod yn derbyn damcaniaeth tonnau golau gan fod damcaniaeth dda yn cydymffurfio â'r *holl* arsylwadau a wnaed, ond gallwn barhau i ddefnyddio *model* ton golau. Yr unig beth sy'n ofynnol gyda model yw ei fod yn ddefnyddiol ar rai adegau.

9 Brasluniwch ddiagramau trosglwyddo egni i ddangos sut y mae egni ffoton yn cael ei rannu pan fo **a** $h\nu < \Phi$ **b** $h\nu = \Phi$ **c** $h\nu > \Phi$.

10 Ffwythiant gwaith potasiwm yw 2.9×10^{-19} J.
a Beth yw amledd minimwm golau sydd ei angen i anwytho allyriant ffotodrydanol o'i arwyneb? (Cymerwch fod $h = 6.6 \times 10^{-34}$ J s.)
b Cyfrifwch y ffwythiant gwaith mewn eV a'i gymharu â'r rhai ar gyfer y metelau yn Nhabl 26.1.

11 **a** Brasluniwch graffiau ar ffurf $y = mx + c$ ar gyfer:
i m positif ac $c = 0$
ii m positif ac c positif
iii m negatif ac c positif
iv m positif ac c negatif
v m negatif ac c negatif
b Esboniwch pam y mae hyn yn berthnasol i allyriant ffotodrydanol ac, yn arbennig, i:
i gysonyn Planck
ii ffwythiant gwaith
iii amledd trothwy.

12 Gwnewch fraslun o'r sbectrwm electromagnetig gan ddangos gwerthoedd amledd nodweddiadol pelydrau radio, isgoch, gweladwy, uwchfioled a phelydrau X. Ychwanegwch hefyd y gwerthoedd egni ffoton cyfatebol.

13 **TRAFODWCH** bob un o'r datganiadau hyn:
a dehongliad Einstein o'r effaith drydanol a wrthbrofodd y ddamcaniaeth tonnau.
b dehongliad Einstein o'r effaith ffotodrydanol a arweiniodd at israddio damcaniaeth tonnau golau yn fodel tonnau golau.
c Mae golau yn ymddwyn fel ffenomen tonnau pan fo'n teithio ond fel ffenomen gronynnau pan fo'n rhyngweithio â mater.

Perthynas de Broglie

Yn 1923, ychydig flynyddoedd cyn i George Thomson, Clinton Davisson a Lester Germer (tudalen 261) wneud eu gwaith arbrofol, aeth myfyriwr o Ffrainc o'r enw Louis de Broglie (a gafodd hefyd y teitl Tywysog de Broglie – sy'n cael ei ynganu fel 'de Broi') ati i ysgrifennu ei draethawd er mwyn ennill y cymhwyster Doethur mewn Athroniaeth, PhD. Ynddo, cyflwynodd syniad newydd ond syml sef, os gallai golau ymddwyn fel tonnau a hefyd fel gronynnau, fel y dangosodd Einstein, yna efallai y gallai gronynnau, megis electronau, ymddwyn weithiau fel tonnau. Mewn geiriau eraill, efallai y gallai'r ddeuoliaeth tonnau-gronynnau fod yn wir am electronau yn ogystal â golau.

Ar y pryd, roedd y syniad yn ymddangos braidd yn wirion am ei fod mor syml, a dyna oedd barn yr arholwyr a oedd yn marcio gwaith de Broglie. Er hynny, anfonodd de Broglie ei waith at Einstein a bu yntau'n gefnogol iawn iddo. Fe gafodd de Broglie ei ddoethuriaeth a phan gadarnhawyd ei syniadau bedair blynedd yn ddiweddarach o ganlyniad i arsylwadau ar ddiffreithiant electronau (gweler tudalen 261), enillodd ei le yn y llyfrau hanes. Yn ddiweddarach, byddai deuoliaeth tonnau-gronynnau electronau yn helpu i egluro lefelau egni electronau mewn atomau (gweler Pennod 27).

Mae **perthynas de Broglie** yn dangos bod perthynas syml rhwng tonfedd electron a momentwm electron, p. Canfuwyd bod tonfedd electron mewn cyfrannedd gwrthdro â'i fomentwm, lle safai cysonyn Planck, h, am y cysonyn cyfrannedd:

$$\lambda = \frac{h}{p}$$

Felly, gall electronau ymddwyn fel gronynnau ac fel tonnau. Hynny yw, gallwn ddefnyddio gronynnau fel modelau, yn ein meddyliau, o electronau ar rai adegau. Ar adegau mae defnyddio tonnau fel modelau yn fwy priodol. Ni ellir dweud a yw electronau yn donnau neu'n ronynnau.

Gellir dweud yr un peth yn union am ffotonau. Ni allwn weld llun ffotonau yn ein meddyliau ond fe allwn weld tonnau a gronynnau felly mae defnyddio tonnau a gronynnau mewn modelau yn ddefnyddiol. Nid yw ffotonau yn donnau nac yn ronynnau, ond weithiau maent yn ymddwyn yn debyg i donnau a, dro arall, maent yn ymddwyn yn debyg i ronynnau.

Yn union fel y mae perthynas de Broglie yn gymwys i electronau, mae hefyd yn gymwys i ffotonau. Caiff hyn ei gefnogi gan y rhyngweithiadau rhwng ffotonau a **gronynnau masfawr**. (Golyga masfawr yn y cyd-destun hwn bod iddynt fàs, pa mor fach bynnag y bo'r màs hwnnw. Mae electronau yn fasfawr, ond nid yw ffotonau.) Mae momentwm yn cael ei gyfnewid rhwng y gronynnau masfawr a'r ffotonau (Ffigur 26.17). Hynny yw, gall ffotonau ennill momentwm o electronau neu golli momentwm iddynt a gall electronau ennill momentwm o ffotonau neu golli momentwm iddynt. Dywed hyn wrthym y gall ffotonau gael momentwm, hyd yn oed os nad oes ganddynt fàs. Mae perthynas rhwng eu momentwm a'u tonfedd yn unol â pherthynas de Broglie:

$$p = \frac{h}{\lambda}$$

14 Mae electronau yn cael eu rhyddhau gan allyriant thermionig, yn cael eu cyflymu gan wn electron, yn mynd drwy drefniant dau hollt ac yn taro sgrin sy'n eu canfod yn unigol drwy gynhyrchu fflachennau neu ddotiau o olau. Ar ba adegau y mae'n gwneud mwy o synnwyr i esbonio eu hymddygiad yn nhermau tonnau ac ar ba adegau y mae'n well defnyddio syniadau yn seiliedig ar ronynnau?

Ffigur 26.17
Mewn gwrthdrawiad ffoton-electron, mae'r ffoton yn rhoi egni a momentwm i'r electron.

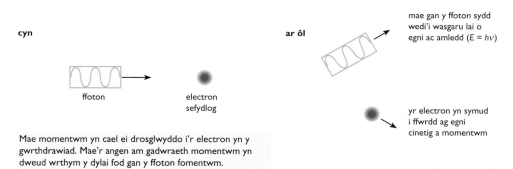

cyn

ffoton

electron sefydlog

ar ôl

mae gan y ffoton sydd wedi'i wasgaru lai o egni ac amledd ($E = h\nu$)

yr electron yn symud i ffwrdd ag egni cinetig a momentwm

Mae momentwm yn cael ei drosglwyddo i'r electron yn y gwrthdrawiad. Mae'r angen am gadwraeth momentwm yn dweud wrthym y dylai fod gan y ffoton fomentwm.

Pelydr niwtronau a diffreithiant niwtronau

Mae defnyddio pelydriad wedi'i dargedu ar gelloedd canser yn gallu eu lladd. Er hynny gall rhai o'r celloedd hyn oroesi cael eu peledu gan belydrau X a byddant yn dal i rannu ac i gynhyrchu mwy fyth o gelloedd a fydd yn y pen draw yn troi'n dyfiant. Gall paladr o niwtronau, fodd bynnag, wthio ei hun i mewn i niwclysau yn DNA celloedd, gan daflu allan brotonau a gronynnau alffa. Maent yn egnïol a gallant achosi ïoneiddiad o gwmpas eu ffynhonnell, gan niweidio'r DNA fel na all y celloedd rannu mwyach. Felly gall y pelydr niwtronau fod yn ddefnyddiol i drin canser.

Nodwedd ddiddorol ar baladr o niwtronau yw bod iddo briodweddau tonnau yn ogystal â phriodweddau gronynnau. Gall niwtron, fel electron, gael ei ddisgrifio gan ffwythiant ton. Gall paladr o niwtronau brofi diffreithiant. Yn union fel electronau, mae perthynas rhwng tonfedd a momentwm niwtron yn unol â pherthynas de Broglie.

> **15** Mae niwtron bron 2000 o weithiau'n fwy masfawr nag electron.
> **a** Cymharwch donfedd niwtron a thonfedd electron ar yr un buanedd.
> **b** Cymharwch felly allu cydrannu paladr o niwtronau cyflym a gallu cydrannu paladr o electronau cyflym fel y defnyddir mewn microsgop electron.
> **c** Pa rwystrau ymarferol sy'n atal defnyddio pelydr niwtronau i greu delweddau defnyddiol?

● **Deall a chymhwyso**

Y microsgop electron

Yn union fel teledu, mae microsgop electron yn cynnwys **gwn electron** sy'n cynnwys catod wedi'i wresogi, y bydd electronau'n cael eu rhyddhau ohono drwy allyriant thermionig, a gwahaniaeth potensial catod-anod i ddarparu cyflymiad. Mae hefyd yn cynnwys coiliau sy'n gweithredu fel lensiau magnetig er mwyn ffurfio paladr cul iawn o electronau, a mwy o goiliau i chwyddo'r ddelwedd o'r sbesimen sydd wedi'i osod yn llwybr y paladr.

Rhaid i'r sbesimen gael ei roi yn y gwactod y mae'r electronau yn teithio ynddo. Mewn microsgop electron trawsyrru mae'r electronau'n mynd drwy'r sbesimen cyn cyrraedd sgrin (Ffigur 26.18). Caiff 'cysgodion' eu creu lle bydd y sbesimen yn amsugno neu'n allwyro'r electronau. Er mwyn trawsyrru'r paladr o gwbl rhaid i'r sbesimen fod yn denau iawn – 100 nm ar y mwyaf.

Ffigur 26.18 (i'r chwith) Llwybrau electronau drwy ficrosgop electron trawsyrru.

Ffigur 26.19 (i'r dde) Llwybrau electronau mewn microsgop electron sganio.

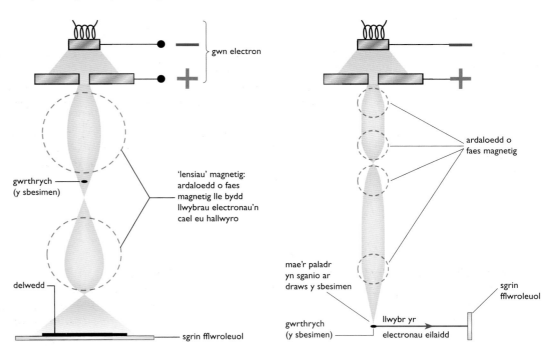

Mewn microsgop electron sganio, electronau 'eilaidd' sy'n cael eu canfod a hyn sy'n ei gwneud hi'n bosibl i ddelweddau 3D gael eu creu. Mae electronau egnïol prif baladr yr offeryn yn peledu'r sbesimen, gan ryddhau electronau eilaidd o'r atomau arwyneb (Ffigur 26.19). Y canlyniad yw delwedd o arwyneb y gwrthrych sy'n edrych fel petai wedi'i gynhyrchu gan olau adlewyrchedig, ond wedi'i chwyddo'n anferthol (Ffigur 26.20). Mae microsgop electron trosglwyddo yn dangos yr adeiledd mewnol tra bo microsgop electron sganio yn dangos y manylion ar yr arwyneb.

Ffigur 26.20
Delwedd microsgop electron sganio yn dangos rhan o blât argraffu (×200).

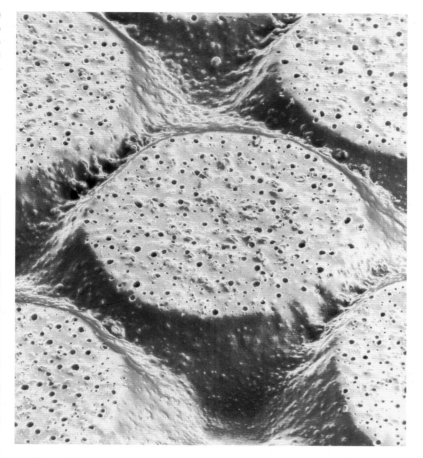

16 a Beth yw momentwm
  i electron â thonfedd 5×10^{-12} m
  ii ffoton â thonfedd 5×10^{-7} m?
  b Beth yw egni'r ffoton
  i mewn jouleau
  ii mewn electronfoltiau?
  (Cymerwch fod $h = 6.6 \times 10^{-34}$ J s.)

17 Pam y mae microsgop electron sy'n defnyddio electronau cyflym yn cynhyrchu delweddau cliriach nag un sy'n defnyddio paladr o electronau araf?

18 Ar ba momentwm electron y byddai cydraniad microsgop electron mor wael â chydraniad microsgop golau? Rhowch frasamcan o fuanedd yr electronau.

Gall y llygad dynol, heb ddefnyddio unrhyw gymhorthion, gydrannu pwyntiau sydd oddeutu degfed ran o filimetr oddi wrth ei gilydd. Gall microsgop â chwyddhad o ×1000 gydrannu pwyntiau sydd filfed ran o filimetr oddi wrth ei gilydd neu oddeutu 10^{-6} m. Nid oes pwrpas ceisio adeiladu gwell offer optegol oherwydd byddai'r diffreithiant o amgylch gwrthrychau sydd lawer yn llai na 10^{-6} m oddi wrth ei gilydd yn pylu'r delweddau (gweler tudalen 233). Ni ellir gwella'r cydraniad chwaith. Ond mae microsgopau electron yn defnyddio tonnau electronau â thonfedd sydd, fel rheol, tua 5×10^{-12} m. Ar donfedd mor fach, nid yw diffreithiant yn pylu delweddau hyd nes y bo'r gwrthrychau yn debyg o ran eu maint i foleciwlau; gall chwyddhad microsgop electron trosglwyddo fod yn glir hyd at ×500 000.

Cwestiynau arholiad

1 a Yn unol â'r effaith ffotodrydanol, mae ffotonau yn achosi i electronau rhydd gael eu hallyrru'n sydyn o arwynebau metel.
  i Beth yw ffoton? (1)
  ii Beth yw electron *rhydd*? (1)
b Esboniwch pam na ellir defnyddio model tonnau golau i esbonio'r allyriant sydyn a amlinellwyd yn **a**. (2)
c Mae ffoton golau o donfedd 4.00×10^{-7} m yn trosglwyddo ei holl egni i electron rhydd sefydlog mewn arwyneb metel.
  Y cysonyn Planck yw 6.63×10^{-34} J s
  Buanedd golau mewn gwactod yw 3.00×10^{8} m s^{-1}

Cyfrifwch:
  i fomentwm y ffoton (2)
  ii yr egni a enillir gan yr electron rhydd. (2)
    OCR, Defnyddiau a Thonnau, Mehefin 1999

2 a Cyfrifwch fuanedd electronau sydd â thonfedd de Broglie o 1.5×10^{-10} m. (2)
b A fyddech chi'n disgwyl i'r electronau yn rhan **a** gael eu diffreithio gan risialau lle byddai'r bwlch rhwng yr atomau yn 0.10 nm? Esboniwch eich ateb. (2)
    AQA (NEAB), Gronynnau a Thonnau, Mehefin 1999

3 a Mae'r ffigur yn dangos, ar ffurf diagram, drefniant ar gyfer cynhyrchu eddïau ymyriant gan ddefnyddio dau hollt.

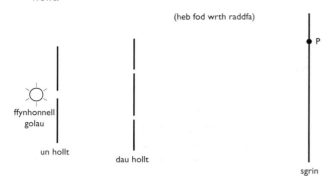

(heb fod wrth raddfa)

ffynhonnell golau

un hollt

dau hollt

P

sgrin

Mae eddi tywyll (arddwysedd minimwm) i'w weld ar y pwynt sydd wedi'i labelu â **P**.

i Dangoswch yn glir ar y diagram y pellter sy'n hafal i'r *gwahaniaeth llwybr* rhwng y pelydrau golau o'r ddau hollt i'r pwynt **P**. (1)

ii Esboniwch sut y mae'r gwahaniaeth llwybr yn pennu bod arddwysedd y golau ar bwynt **P** yn finimwm. (3)

iii Esboniwch yn gryno rôl diffreithiant yn cynhyrchu'r patrymau ymyriant. (Cewch lunio braslun i'ch helpu i esbonio, os mynnwch.) (2)

b Mewn un arbrawf y gwahaniad rhwng yr holltau yw 4.0×10^{-4} m. Y pellter o'r holltau i'r sgrin yw 0.60 m.

Cyfrifwch y pellter rhwng canol dau eddi tywyll cyfagos pan ddefnyddir golau o donfedd 5.5×10^{-7} m. (2)

c Mae myfyriwr wedi dysgu bod electronau'n ymddwyn fel tonnau ac mae'n penderfynu ceisio dangos hyn gan ddefnyddio'r trefniant yn y ffigur uchod. Defnyddia ffynhonnell o electronau yn lle'r lamp ac mae'r system yn cael ei gwacáu.

Mae'r myfyriwr yn cyflymu'r electronau i gyflymder o 1.4×10^6 m s^{-1}. Yna mae'r paladr o electronau yn taro ar y ddau hollt. Mae'r electronau yn cynhyrchu golau pan fyddant yn taro ar y sgrin.

màs electron $= 9.1 \times 10^{-31}$ kg
cysonyn Planck $= 6.6 \times 10^{-34}$ J s

i Cyfrifwch y donfedd de Broglie sy'n gysylltiedig â'r electronau. (3)

ii Esboniwch yn gryno, gan ddefnyddio'r cyfrifiadau priodol, pam y byddai'r myfyriwr yn methu dangos ymyriant arsylwadwy gan ddefnyddio gwahaniad o 4.0×10^{-4} m yn yr holltau. (2)

AQA (AEB), Ffiseg Papur 1, Mehefin 1999

4 a Disgrifiwch egwyddorion yr effaith ffotodrydanol. Dylai eich ateb gynnwys:
  i beth a olygir wrth ffoton a sut i gyfrifo ei egni
  ii arwyddocad amledd trothwy
  iii ystyr egni ffwythiant gwaith
  iv tystiolaeth sy'n dangos natur ronynnog pelydriad electromagnetig. (14)

b Mae'r ffigur yn dangos sut mae egni cinetig macsimwm E_{macs} ffotoelectronau a allyrrir o sodiwm a sinc yn amrywio gyda'r amledd f.

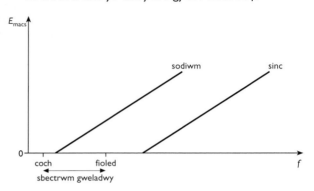

E_{macs}

sodiwm

sinc

coch

fioled

sbectrwm gweladwy

f

i Cymharwch ymddygiad ffotodrydanol sodiwm a sinc.

ii Awgrymwch sut y mae canfod cysonyn Planck o'r ffigur. (7)

OCR, Gwyddoniaeth, Sylfaenol 1, Mawrth 1999

5 Dyma gwestiwn am natur ddeuol golau.

Yn hanes ffiseg, bu natur golau yn destun cryn ddadlau ac ymchwilio. Yn arbrawf Young, cafodd golau ei daro ar ddau hollt agos at ei gilydd a gwelwyd patrwm o eddïau disglair a rhai heb fod mor ddisglair ar sgrin y tu hwnt.

a Esboniwch pam y rhoddodd arbrawf Young dystiolaeth am natur golau yn nhermau *tonnau*. (2)

b Pa batrwm a gâi ei weld ar y sgrin, os byddai yna batrwm o gwbl, petai golau yn ymddwyn yn debyg i *lif o fân ronynnau nad ydynt yn ymddwyn fel tonnau o gwbl*? Esboniwch yn gryno. (2)

c Os yw arddwysedd y golau trawol yn *isel iawn*, caiff dotiau unigol eu gweld yn ymddangos ar y sgrin, un ar y tro, mewn gwahanol safleoedd. Mae patrwm eddïau yn cael ei adeiladu'n raddol o ganlyniad i'r dotiau'n crynhoi, a gellir cofnodi hyn ar ffilm ffotograffig. Esboniwch sut y mae'r arbrawf hwn ar arddwysedd isel yn darparu tystiolaeth ar gyfer golau yn ymddwyn yn debyg i ronynnau ac yn debyg i donnau. (4)

Y Fagloriaeth Ryngwladol, Ffiseg, Safon Uwch, Tachwedd 1998

27 Sbectra ac atomau

● Sut y mae golau'n rhyngweithio ag atomau?
● Beth y mae'r rhyngweithiad hwn yn ei ddweud wrthym am atomau?

GEIRFA ALLWEDDOL
allyriant wedi'i ysgogi   atom Bohr   cyflwr cynhyrfol   cyflwr isaf
cyfnodedd (ymddygiad cemegol)   effaith Doppler   egni ïoneiddio   egwyddor eithrio Pauli
electronfolt   gwrthdroad poblogaeth   laser   lefelau egni arwahanol   llinellau amsugno
llinellau Fraunhöfer   pelydriad thermol   prif rif cwantwm   rhuddiad   sbectrwm amsugno
sbectrwm llinell allyriant   tabl cyfnodol   trosiad

Y CEFNDIR   Mae'r llinell amser isod yn dangos dilyniant syniadau am natur atomig mater.

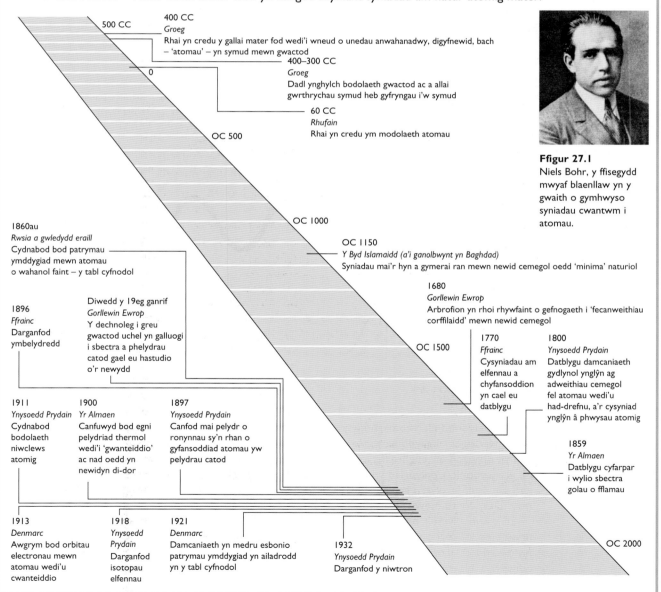

500 CC

400 CC
Groeg
Rhai yn credu y gallai mater fod wedi'i wneud o unedau anwahanadwy, digyfnewid, bach
– 'atomau' – yn symud mewn gwactod

0

400–300 CC
Groeg
Dadl ynghylch bodolaeth gwactod ac a allai
gwrthrychau symud heb gyfryngau i'w symud

60 CC
Rhufain
Rhai yn credu ym modolaeth atomau

OC 500

OC 1000

OC 1150
Y Byd Islamaidd (a'i ganolbwynt yn Baghdad)
Syniadau mai'r hyn a gymerai ran mewn newid cemegol oedd 'minima' naturiol

1680
Gorllewin Ewrop
Arbrofion yn rhoi rhywfaint o gefnogaeth i 'fecanweithiau
corffilaidd' mewn newid cemegol

1860au
Rwsia a gwledydd eraill
Cydnabod bod patrymau
ymddygiad mewn atomau
o wahanol faint – y tabl cyfnodol

1896
Ffrainc
Darganfod
ymbelydredd

Diwedd y 19eg ganrif
Gorllewin Ewrop
Y dechnoleg i greu
gwactod uchel yn galluogi
i sbectra a phelydrau
catod gael eu hastudio
o'r newydd

1770
Ffrainc
Cysyniadau am
elfennau a
chyfansoddion
yn cael eu
datblygu

1800
Ynysoedd Prydain
Datblygu damcaniaeth
gydlynol ynglŷn ag
adweithiau cemegol
fel atomau wedi'u
had-drefnu, a'r cysyniad
ynglŷn â phwysau atomig

OC 1500

1859
Yr Almaen
Datblygu cyfarpar
i wylio sbectra
golau o fflamau

1911
Ynysoedd Prydain
Cydnabod
bodolaeth
niwclews
atomig

1900
Yr Almaen
Canfuwyd bod egni
pelydriad thermol
wedi'i 'gwanteiddio'
ac nad oedd yn
newidyn di-dor

1897
Ynysoedd Prydain
Canfod mai pelydr o
ronynnau sy'n rhan o
gyfansoddiad atomau yw
pelydrau catod

1913
Denmarc
Awgrym bod orbitau
electronau mewn
atomau wedi'u
cwanteiddio

1918
Ynysoedd Prydain
Darganfod
isotopau
elfennau

1921
Denmarc
Damcaniaeth yn medru esbonio
patrymau ymddygiad yn ailadrodd
yn y tabl cyfnodol

1932
Ynysoedd Prydain
Darganfod y niwtron

OC 2000

Ffigur 27.1
Niels Bohr, y ffisegydd
mwyaf blaenllaw yn y
gwaith o gymhwyso
syniadau cwantwm i
atomau.

Allyriant pelydriad electromagnetig gan fater

Mae pelydriad electromagnetig yn cael ei allyrru o fater gan gario egni i ffwrdd ohono. Rydych chi, a'r holl ddefnyddiau o'ch cwmpas, yn allyrru ac yn amsugno pelydriad ag amrediad o donfeddi (Ffigur 27.2). Mae tonfedd gymedrig y pelydriad rydych chi'n ei allyrru yn llai na thonfedd gymedrig y pelydriad y mae'r waliau yn ei allyrru. Petai eich tymheredd yn cynyddu yna byddai'r donfedd gymedrig hon yn mynd hyd yn oed yn llai a byddai cyfanswm arddwysedd y pelydriad a allyrrir yn cynyddu. Yn y pen draw, pe na bai newidiadau cemegol a ffisegol mawr yn digwydd yn gyntaf, byddech yn dechrau tywynnu'n goch.

Ffigur 27.2
Pelydriad yn cael ei allyrru gan wrthrychau poeth ar wahanol dymereddau.

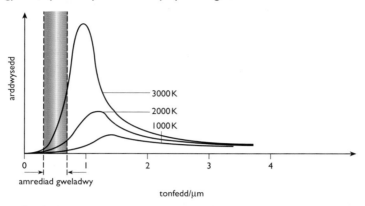

Digwydd y broses hon, **pelydriad thermol**, o ganlyniad i hapgyflymiad a haparafiad gronynnau wedi'u gwefru ym meysydd trydanol ei gilydd. Y cyflymu a'r arafu hwn yw effeithiau'r grymoedd rhwng y gronynnau sy'n symud ar hap. Mae'r natur afreolus hon yn esbonio amrediad eang tonfeddi'r pelydriad thermol y mae gwrthrych yn ei allyrru.

Mae prosesau eraill hefyd. Er enghraifft, caiff tonnau radio canfyddadwy eu hallyrru pan fydd nifer mawr o ronynnau wedi'u gwefru mewn defnydd yn dirgrynu gyda'i gilydd (Ffigur 27.3).

Ffigur 27.3
Tonnau radio yn cael eu cynhyrchu.

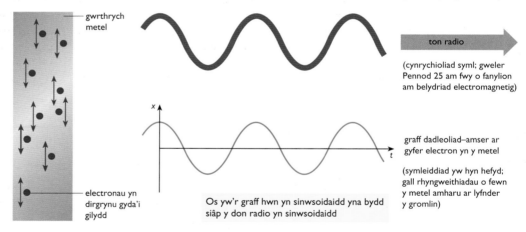

Mae pelydriad electromagnetig yn cael ei allyrru hefyd gan atomau, nid drwy eu hap-ddylanwadau ar ei gilydd na thrwy ddirgrynu gyda'i gilydd, ond drwy ffordd arall (Ffigur 27.4). Mae hyn yn digwydd, er enghraifft, mewn golau stryd melyn sodiwm a'r tu mewn i diwbiau fflwroreuol. Ni ellir esbonio'r pelydriad yn nhermau hapryngweithiadau rhwng gronynnau a'u cymdogion – yn hytrach, caiff ei allyrru gan atomau yn ymddwyn yn annibynnol ar ei gilydd, fel sy'n digwydd mewn nwy. Daw o'r tu mewn i'r atomau unigol.

Er mwyn allyrru'r pelydriad hwn, rhaid i'r atom fod yn egnïol. Gall egni gael ei roi i atomau drwy eu gwresogi ond gallant hefyd allyrru llawer o belydriad thermol o ganlyniad i ryngweithiadau, oni bai eu bod mor bell oddi wrth ei gilydd na all fawr ddim rhyngweithiad ddigwydd. Mewn lled-wactod gall egni gael ei roi i faint bach o ddefnydd a'r pelydriad a geir wedi hynny yw'r pelydriad a allyrrir gan atomau unigol. Dim ond yn dilyn y gwelliannau mewn technoleg gwactod ar ddiwedd y 19eg ganrif y bu modd astudio allyriant pelydriad o'r math hwn.

Ffigur 27.4
Rhai gwahanol fathau o allyriannau electromagnetig.

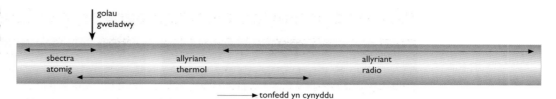

golau gweladwy

sbectra atomig

allyriant thermol

allyriant radio

tonfedd yn cynyddu

1 Sut y mae modd cynhyrchu tonnau radio ar amledd penodol tra bo pelydriad thermol yn cael ei allyrru ag amrediad eang o amleddau?

2 Buanedd pelydriad electromagnetig mewn gwactod ac mewn aer ar bob tonfedd yw 3.0×10^8 m s^{-1}.

a Beth yw amledd y tonnau radio a drosglwyddir gan orsaf radio os yw eu tonfedd yn 300 m?

b Defnyddiwch y fformiwla $E = h\nu$ i gyfrifo egni ffoton sy'n rhyngweithio (ynghyd â nifer o rai eraill) ag erial eich radio er mwyn ei gwneud hi'n bosibl i chi wrando ar yr orsaf.

c O ba ffactor y mae hyn yn llai nag egni minimwm ffoton a allai gynhyrchu allyriant ffotodrydanol o'r erial? (Ar gyfer metel yr erial, $\Phi = 6.4 \times 10^{-19}$ J.)
(Mae cysonyn Planck $h = 6.6 \times 10^{-34}$ J s)

Mae pelydriad electromagnetig a allyrrir drwy brosesau thermol (hapallyriant) yn gorgyffwrdd o ran ei donfedd â phelydriad o ffynonellau radio ac â sbectra allyriant atomig (nad ydynt yn digwydd ar hap).

Sbectra llinell allyriant

Mae atomau sy'n ymddwyn yn annibynnol, mewn nwy ar wasgedd isel iawn fel y bônt ymhell oddi wrth ei gilydd, yn allyrru patrymau golau all gynnwys amleddau isgoch, gweladwy ac uwchfioled. Yn gyntaf, fodd bynnag, rhaid iddynt gael eu 'cynhyrfu' drwy roi iddynt egni ychwanegol. Gellir gwneud hyn drwy wresogi neu drwy effeithiau gwahaniaeth potensial uchel.

Nid yw'r golau y mae'r atomau sydd wedi'u cynhyrfu yn ei allyrru yn gymysgedd di-dor o amleddau. Yn hytrach, mae wedi'i wneud o nifer o liwiau pendant iawn neu arwahanol. Mae gan bob elfen gemegol ei phatrwm ei hun o liwiau arwahanol. Gellir canfod y patrymau orau drwy ddefnyddio gratin diffreithiant (gweler Pennod 25), sy'n creu macsima ar safleoedd onglog sy'n ddibynnol iawn ar donfeddi. Saif y macsima yn baralel i'r llinellau sydd wedi'u hysgythru ar y gratin, felly maent yn ymddangos fel llinellau (Ffigur 27.5). Gelwir y patrwm o linellau a gynhyrchir gan elfen benodol yn **sbectrwm llinell allyriant**. Mae sbectrwm llinell allyriant elfen yn nodwedd benodol iawn, yn yr un modd ag y mae olion bysedd neu broffil DNA yn nodweddion unigryw. (Ffigur 27.6, drosodd).

3 Rhestrwch gynifer o wahaniaethau ag y gallwch rhwng allyriant tonnau radio ac allyriant sbectra llinell gan fater.

Ffigur 27.5
Mae'r diagram hwn yn dangos sut y mae sbectrwm llinell allyriant yn cael ei gynhyrchu.

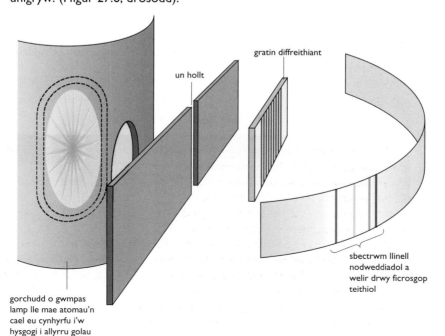

gratin diffreithiant

un hollt

sbectrwm llinell nodweddiadol a welir drwy ficrosgop teithiol

gorchudd o gwmpas lamp lle mae atomau'n cael eu cynhyrfu i'w hysgogi i allyrru golau

Ffigur 27.6 a
Gellir adnabod pob elfen yn ôl ei sbectrwm llinell allyriant nodweddiadol. Mae'r sbectra ar gyfer **a** hydrogen a **b** sodiwm yn cael eu dangos yma.

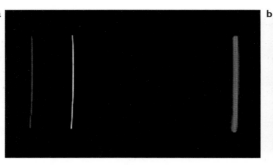

Ffigur 27.7
Tiwbiau gwactod cynnar mewn llun yn dyddio'n ôl i 1903.

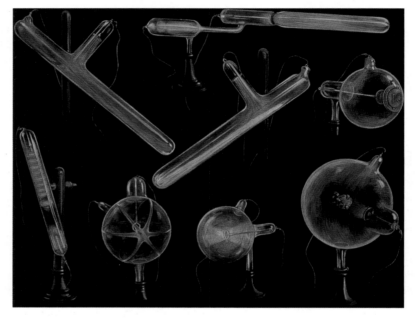

Fe ddaeth yn bosibl i ymchwilio i sbectra elfennau unwaith y datblygwyd y dechnoleg i greu gwactod uchel y tu mewn i diwbiau gwydr. Bellach gallai elfennau fodoli ar ddwysedd isel y tu mewn i diwbiau gwactod a gallai egni gael ei roi iddynt, neu gallent gael eu cynhyrfu, gan feysydd trydanol cryf drwy ddefnyddio platiau metel.

Sbectra amsugno

Mae atomau unigol yn amsugno pelydriad yn ogystal â'i allyrru. Pan fo golau gwyn yn disgleirio drwy sampl digon mawr o elfen yn ei gyflwr nwyol, mae'n ymddangos gyda thonfeddi nodweddiadol yr elfen ar goll. Mae llinellau neu fandiau tywyll yn y sbectrwm di-dor. Mae safleoedd y bandiau tywyll hyn yr un fath â safleoedd y llinellau yn y sbectrwm allyriant (Ffigur 27.8). Dyma'r **llinellau amsugno**. Llinellau neu amleddau nodweddiadol elfen sy'n ffurfio ei **sbectrwm amsugno**.

Wrth greu sbectrwm amsugno, mae'r tonfeddi sy'n cael eu hamsugno yn cael eu hailallyrru, ond i bob cyfeiriad, fel bo arddwysedd y golau yn y paladr gwreiddiol o olau gryn dipyn yn llai (ond heb fod yn sero) ar y tonfeddi hyn.

Ffigur 27.8 a
a Sbectrwm allyrru heliwm a **b** sbectrwm amsugno'r Haul.

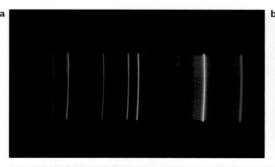

4 Petaech yn archwilio golau gwyn ar ôl iddo fynd drwy anwedd sodiwm, beth fyddech chi'n disgwyl ei weld?

Mae sbectrwm golau o'r Haul yn dangos yr un bandiau tywyll â sbectrwm golau a aeth drwy heliwm mewn labordy yma ar y Ddaear. O ganlyniad felly, mae'n rhaid bod heliwm yn bodoli yn haenau allanol yr Haul.

Egni arwahanol yn cael ei gludo gan olau

Albert Einstein oedd y cyntaf i awgrymu nad yw egni pelydriad electromagnetig yn rhyngweithio â mater fel llif di-dor ond mewn unedau arwahanol, neu gwanta. Seiliwyd hyn ar syniadau Max Planck fod egni dirgryniad thermol mewn defnydd yn amrywio fesul naid, neu'n arwahanol, yn hytrach nag yn ddi-dor. Dywedir bod mesur sydd yn amrywio'n arwahanol wedi'i 'gwanteiddio' (gweler tudalen 266). Mae perthynas rhwng cwantwm o egni ac amledd, ν, ffoton o olau yn ôl y fformiwla syml:

$$E = h\nu$$

lle saif h am gysonyn Planck.

Mae ffotonau'n rhyngweithio â'r retinâu yn eich llygaid wrth i chi ddarllen y geiriau hyn. Mae yno lawer o ffotonau, ond mae egni pob un yn fach. Mae cysonyn Planck yn rhif bychan iawn, tua 6.6×10^{-34} J s. Er mwyn mesur meintiau mor fach o egni mae'r **electronfolt** (eV) yn fwy defnyddiol na'r joule. (1 eV = 1.6×10^{-19} J. Dyma'r egni a gaiff ei drosglwyddo i electron pan fydd yn profi gwahaniaeth potensial o 1 folt ac yn cael ei gyflymu ganddo.)

5 a Cyfrifwch egni, mewn J, ffoton ag amledd o 10^{16} Hz.
b Cyfrifwch amledd ffoton sy'n cario 10^{-20} J o egni.
c Nodwch egnïon **a** a **b** mewn eV.

Atomau a lefelau egni

Yn 1913 awgrymodd Niels Bohr, gwyddonydd o Denmarc, fod gan yr electronau mewn atomau egnïon cwanteiddiedig; hynny yw, dim ond petai ganddynt werthoedd penodol o egni, ac felly radiysau penodol, y gallent orbitio'r niwclews. Dyma oedd yr ateb i'r cwestiwn mwyaf ym maes ffiseg ar yr adeg honno – pam na fyddai electronau mewn atomau yn sbiralu tuag at y niwclews ac yn allyrru egni yn ddi-dor wrth wneud hynny? Ni allent wneud hynny, yn ôl Bohr, am na allai eu hegni amrywio'n ddi-dor, dim ond drwy neidio. Dyma estyniad arall ar syniadau Max Planck ddeuddeng mlynedd ynghynt sef na allai gronynnau ddirgrynu ac allyrru pelydriad thermol ond ag egni penodol ac amleddau penodol. Cymerodd Bohr y syniad hwn ynglŷn â chwanteiddio a'i gymhwyso'n benodol i'r electronau a oedd yn orbitio mewn atomau ac, wrth wneud hynny, eglurodd bresenoldeb sbectra nodweddiadol elfennau.

Cyflwynodd Bohr y syniad ynglŷn â **lefelau egni arwahanol** ar gyfer electronau mewn atomau (Ffigur 27.9), a'r syniad bod symud electron o lefel egni uwch i lefel yn is, gan golli egni, yn arwain at allyrru un ffoton o olau. Mae'r egni sy'n cael ei gludo o'r atom gan y ffoton yn hafal i faint y gwahaniaeth egni rhwng y lefelau.

Ffigur 27.9
Cynrychioliad syml o'r lefelau egni mewn atom.

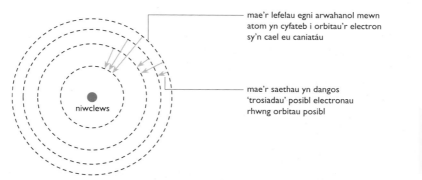

mae'r lefelau egni arwahanol mewn atom yn cyfateb i orbitau'r electron sy'n cael eu caniatáu

mae'r saethau yn dangos 'trosiadau' posibl electronau rhwng orbitau posibl

niwclews

Mae'r model hwn wedi'i symleiddio, er enghraifft, gan ei fod yn awgrymu bod orbitau electronau yn gylchoedd syml.

Aeth yr electron, ac felly'r atom, drwy **drosiad** egni. Os E_2 yw egni'r electron ar y lefel egni uwch, ac E_1 ar y lefel is, yna'r egni a gâi ei golli gan yr electron yw $E_2 - E_1$. Os $h\nu$ yw egni'r ffoton sy'n cael ei greu yna gallwn ysgrifennu'r hafaliad:

y newid yn egni'r electron = egni'r ffoton newydd
$$E_2 - E_1 = h\nu$$

Mae gan atomau elfen arbennig eu trefniant eu hunain o lefelau egni a dyma'r rheswm y maent yn allyrru eu hamrediad arbennig eu hunain o amleddau golau, gan gynhyrchu sbectrwm allyriant sy'n nodweddiadol o'r elfen.

Trosiadau egni ac amsugno golau

Yn ei hanfod, mae'r un fformiwla yn gymwys pan fo ffoton yn colli ei egni i electron mewn atom. Mae'r electron yn ennill egni ac yn neidio yn bellach oddi wrth y niwclews. Gallwn ysgrifennu felly bod:

y newid yn egni'r electron = egni'r ffoton sydd wedi'i amsugno

Mae'r electron wedi ennill egni ac mae'r ffoton wedi colli egni a pheidio â bod. Mae'r electron yn dechrau ag egni E_1 ac yn gorffen ag egni E_2 (Ffigur 27.10):

$$E_2 - E_1 = h\nu$$

Er mwyn i amsugniad ddigwydd mae'n rhaid bod gan y ffoton yr union egni cywir. Felly pan fo golau ag amrediad o amleddau, megis golau gwyn, yn mynd drwy sylwedd, dim ond ffotonau â'r 'union egni cywir' a gaiff eu hamsugno. Mae paladr o olau yn dod o'r defnydd gyda'r egnïon ffoton penodol hynny, ac felly amleddau penodol, ar goll (neu â'u harddwysedd wedi'i leihau gryn dipyn).

Ffigur 27.10
Egni electron yn cael ei gyfnewid ag egni ffoton. Mae gan atomau elfennau gwahanol batrymau gwahanol o lefelau egni ac felly sbectra gwahanol.

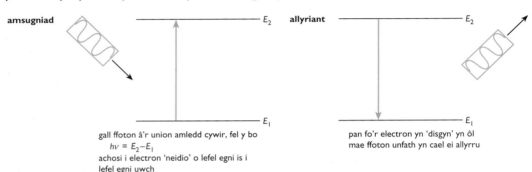

amsugniad

gall ffoton â'r union amledd cywir, fel y bo
$h\nu = E_2 - E_1$
achosi i electron 'neidio' o lefel egni is i lefel egni uwch

allyriant

pan fo'r electron yn 'disgyn' yn ôl mae ffoton unfath yn cael ei allyrru

---

6 Mae Ffigur 27.11 yn dangos pedair lefel egni isaf atom hydrogen.
   a Beth yw'r gwahaniaeth egni, mewn eV, rhwng lefelau A a B?
   b Beth fydd amledd y ffoton a allyrrir pan fo electron yn 'disgyn' o lefel B i lefel A?
   (Mae cysonyn Planck $h = 6.6 \times 10^{-34}$ J s)
7 Nodwch y trosiad (yn nhermau lefelau egni fel y labelwyd yn Ffigur 27.11) sy'n cyfateb i ffoton a allyrrir ag amledd 4.6×10^{14} Hz.
8 **a** Esboniwch pam y mae gan elfennau gwahanol sbectra allyriant gwahanol.
   b Beth yw'r berthynas rhwng eu sbectra amsugno a'u spectra allyriant?
9 Cynrychioliad o atom yw Ffigur 27.11. A yw'n fwy neu'n llai
   a defnyddiol
   b ystyrlon
   na Ffigur 27.9?

Ffigur 27.11
Lefelau egni is mewn atom hydrogen yn dangos rhai trosiadau posibl sy'n arwain at allyriant golau.

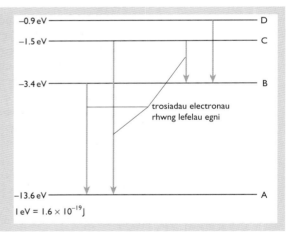

trosiadau electronau rhwng lefelau egni

1 eV $= 1.6 \times 10^{-19}$ J

Atom Bohr

Ar yr olwg gyntaf, mae syniad Bohr o ddweud mai dim ond egnïon penodol 'a ganiateir' sydd gan electronau mewn atom yn ymddangos yn esboniad annigonol wrth geisio egluro pam nad yw'r electronau yn sbiralu i mewn i'r niwclews. Y mae'r syniad yn un sy'n argyhoeddi, fodd bynnag, am ei fod yn gwेddu cystal i'r arsylwadau a wnaed. Yn bennaf oll, mae'n esbonio'r sbectra llinell a gynhyrchir pan fo atomau'n allyrru neu'n amsugno pelydriad electromagnetig. Mae **atom Bohr**, â'i orbitau o electronau arwahanol, â lefelau penodol o egni, fel y dangosir yn Ffigur 27.9, yn fodel da. Mae'n dangos mai'r amleddau a welir mewn sbectra atomig yw amleddau'r ffotonau sydd â'r union lefel briodol o egni i gyfateb â'r naid egni y mae'r electronau yn ei wneud rhwng orbitau.

Mae ymddygiad ton electronau yn cynnig rhyw fath o eglurhad pam mai orbitau penodol yn unig 'a ganiateir' ar gyfer electronau mewn atomau. Fel yr awgrymodd de Broglie, ac fel y canfuwyd ar sail arsylwadau a wnaed o ddiffreithiant electronau, os yw electronau'n ymddwyn fel tonnau a bod ganddynt, felly, donfedd, dim ond patrymau penodol o donnau all ffitio yn yr orbitau o gwmpas y niwclews atomig (Ffigur 27.12).

Ffigur 27.12
Orbit 'a ganiateir' ar gyfer 'ton' electron.

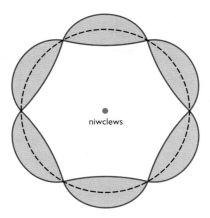

niwclews

Bu'n rhaid mireinio syniadau Niels Bohr ers iddo eu hawgrymu'n gyntaf oll. Er enghraifft, mae nifer o linellau sbectrol yn dod mewn parau. Er mwyn egluro hyn, cyflwynodd ffisegwyr y syniad o electronau'n sbinio – fel y mae'r Ddaear yn sbinio ar ei hechelin ei hun. Gall electronau sbinio'r naill ffordd neu'r llall, gyda lefelau egni ychydig yn wahanol. Hefyd, gall siâp a chyfeiriadaeth orbitau electronau fod yn wahanol, ac mae hyn hefyd yn effeithio ar y lefelau egni. Yn bwysicaf oll, o bosibl, gwyddom ei bod hi'n amhosibl canfod union safle electron. Mae electronau'n bethau anodd dod o hyd iddynt a bydd yn rhaid defnyddio syniadau cwantwm am y ffwythiant tonnau (gweler tudalen 262) er mwyn cynnig esboniad llawn. Atom syml Bohr, fodd bynnag, yw sylfaen yr holl syniadau hyn a ddatblygwyd yn ddiweddarach.

Y cyflwr isaf ac atomau cynhyrfol

Yn union fel y mae pêl yn disgyn tuag at y Ddaear ac yn stopio pan fo ganddi'r egni potensial disgyrchiant isaf posibl, felly mae electron yn 'disgyn' tuag at y niwclews, cyn belled ag y bo ganddo rywle i ddisgyn iddo. Pan fo egni yr holl electronau mewn atom ar y lefel isaf posibl yna dywedir bod yr atom yn ei **gyflwr isaf**. Mae bron yr holl atomau yn y defnyddiau o'ch cwmpas chi yn eu cyflwr isaf.

Mae gan rai atomau egni ar lefel uwch na'u cyflwr isaf. Dywedir eu bod yn y **cyflwr cynhyrfol**. Ni fyddant yn aros yn y cyflwr cynhyrfol hwn am amser hir fel arfer. Mae'r electronau yn 'disgyn', fel y bêl, ac wrth wneud hynny, mae'r atom yn allyrru un ffoton ar gyfer pob electron a fydd yn cael ei drosi (Ffigur 27.13).

Gall atomau gael eu cynhyrfu gan faes trydanol, fel gwreichionen neu fellten. Gall ffotonau â'r amledd cywir gynhyrfu atomau hefyd, fel yn wir y gallant gael eu cynhyrfu trwy gael eu peledu gan ronynnau egni uchel eraill. Gallant gael eu cynhyrfu â gwres hefyd – y golau cryf a allyrrir gan atomau sodiwm wrth iddynt ddisgyn o'u cyflwr cynhyrfol i'w cyflwr isaf sy'n gyfrifol am liw melyn fflam. (Mae sodiwm ar gael yn weddol helaeth yn yr amgylchedd. Mae elfennau eraill yn y fflam hefyd, ond mae lliw melyn nodweddiadol sodiwm yn arbennig o amlwg o'i gymharu â lliwiau eraill.)

Ffigur 27.13
Lefelau egni mewn atom o lithiwm.

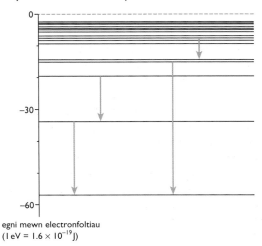

egni mewn electronfoltiau
$(1\ eV = 1.6 \times 10^{-19}\ J)$

Gall atom gael ei gynhyrfu fel bo un electron (neu fwy) yn gallu bodoli ar lefelau egni uwch.

Pan fo egni'n cael ei drosi, wedi'i gynrychioli fan yma gan y saethau, mae electron yn disgyn yn ôl i lefel egni is ac mae ffoton yn cael ei allyrru. Mae amledd y ffoton yn dibynnu ar faint y trosiad egni (a gynrychiolir gan hyd y saethau). Oherwydd bod gan yr atom 'set benodol' o lefelau egni, dim ond 'set benodol' o amleddau ffoton y gall ei allyrru.

● Ïoneiddiad

Mae ïoneiddiad yn debyg i gynhyrfu gan ei fod yn golygu cynnydd yn lefel egni electron. Gall gael ei achosi gan olau ag amledd digon uchel, peledu gan baladr o ronynnau egnïol, maes trydanol neu gyflenwad thermol o egni. Er mwyn i ïoneiddiad ddigwydd, mae electron yn cael digon o egni er mwyn iddo ddianc yn rhydd o'r atom (Ffigur 27.14). Os yw'n dianc *a* bod ganddo ddigon o egni dros ben, yna gall ddianc ar fuanedd uchel – mae'r egni 'dros ben' yn rhoi egni cinetig i'r electron rhydd. Er mwyn i atom fynd o'i gyflwr isaf arferol i gyflwr wedi'i ïoneiddio, mae angen y swm lleiaf o egni, sydd yr un fath ar gyfer holl atomau elfen ond yn wahanol ar gyfer elfennau gwahanol. Fe'i gelwir yn **egni ïoneiddio** elfen.

Ffigur 27.14
Lefelau egni ac egni ïoneiddio ar gyfer atom hydrogen.

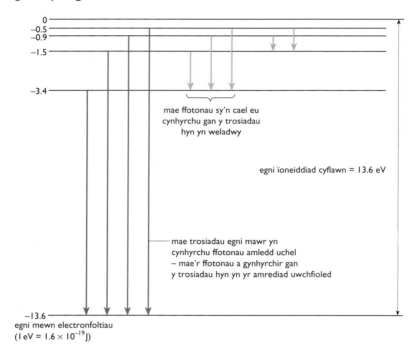

mae ffotonau sy'n cael eu cynhyrchu gan y trosiadau hyn yn weladwy

egni ïoneiddiad cyflawn = 13.6 eV

mae trosiadau egni mawr yn cynhyrchu ffotonau amledd uchel – mae'r ffotonau a gynhyrchir gan y trosiadau hyn yn yr amrediad uwchfioled

−13.6
egni mewn electronfoltiau
($1\,eV = 1.6 \times 10^{-19}$ J)

Os yw atom hydrogen yn ei gyflwr isaf yn cael 13.6 eV neu fwy, gall ei electron ddianc.

10 Mae atom hydrogen yn ei gyflwr isaf ac yn cael egni. Beth sy'n digwydd os yw'r egni:
a yn llai na'r egni ïoneiddio
b yn hafal i'r egni ïoneiddio
c yn fwy na'r egni ïoneiddio?

● Rhifau cwantwm

Gall y lefelau egni yn atom Bohr gael eu rhifo yn ôl eu radiysau. Rhoddir y **prif rif cwantwm**, *n*, yn 1 ar gyfer electron ar y pellter lleiaf o'r niwclews ac â'r lefel egni isaf. Rhoddir y prif rif cwantwm yn 2 ar gyfer electron ar y radiws nesaf sydd ar gael (Ffigur 27.15).

Ond mae atomau real yn fwy cymhleth na hyn. Gall fod siapiau gwahanol i orbitau, gall electronau sbinio i un cyfeiriad neu'r llall. Mae angen nid un ond set o bedwar rhif cwantwm i ddisgrifio'n llawn statws electron mewn atom. Ni all dau electron mewn unrhyw atom gael yr un set o bedwar rhif. Dyma **egwyddor eithrio Pauli**.

Ffigur 27.15
Pedair lefel egni isaf atom hydrogen â'u prif rifau cwantwm.

−0.9 eV ————————————	*n* = 4
−1.5 eV ————————————	*n* = 3
−3.4 eV ————————————	*n* = 2
−13.6 eV ————————————	*n* = 1

11 Beth yw amledd ffoton a allyrrir pan fo electron yn trosi rhwng lefelau egni y prif rifau cwantwm 3 ac 1 mewn atom hydrogen?
($1\,eV = 1.6 \times 10^{-19}$ J; $h = 6.6 \times 10^{-34}$ J s)

Atom Bohr a'r tabl cyfnodol

Cyn darganfod yr electron, roedd gwyddonwyr wedi creu tabl o'r elfennau yn seiliedig ar eu hymddygiad cemegol. Mae pob colofn fertigol o'r tabl yn dangos teulu neu grŵp o elfennau lle mae rhyw debygrwydd yn eu priodweddau cemegol. **Cyfnodedd** yw'r enw a roddir ar ailadrodd yr ymddygiad hwn a thrwy drefnu'r elfennau yn ôl y teuluoedd hyn, caiff y **tabl cyfnodol** ei ffurfio (Ffigur 27.16). Roedd atom Bohr, yn ogystal â'r syniad na allai dau electron yn yr un atom gael yr un set o bedwar rhif cwantwm, yn fodd i egluro'r patrymau hyn yn rhannol o leiaf.

Ffigur 27.16
Rhan o dabl cyfnodol yr elfennau, sy'n dangos nifer yr electronau sydd â phob un o'r prif rifau cwantwm, *n*, ar gyfer atom yn ei gyflwr isaf. Sylwch ar y patrymau sydd i'w gweld yn y rhifau hyn.

$_1$H — nifer yr electronau lle bo $n=1$: 1, nifer yr electronau lle bo $n=2$: 0, nifer yr electronau lle bo $n=3$: 0 (pan fo'r atom yn ei gyflwr isaf)					rhif proton (rhif atomig)		$_2$He 2 0 0
$_3$Li 2 1 0	$_4$Be 2 2 0	$_5$B 2 3 0	$_6$C 2 4 0	$_7$N 2 5 0	$_8$O 2 6 0	$_9$F 2 7 0	$_{10}$Ne 2 8 0
$_{11}$Na 2 8 1	$_{12}$Mg 2 8 2	$_{13}$Al 2 8 3	$_{14}$Si 2 8 4	$_{15}$P 2 8 5	$_{16}$S 2 8 6	$_{17}$Cl 2 8 7	$_{18}$Ar 2 8 8

Sbectra pelydrau X

Mae ffynhonnell y pelydrau X a ddefnyddir gan radiograffyddion meddygol i dynnu lluniau pelydrau X cyffredin mewn ysbytai yn cynnwys gwn electron foltedd uchel sy'n cyflymu'r electronau tuag at darged twngsten (Ffigur 27.17). Mae gan dwngsten rif proton, Z, uchel fel y gall grymoedd mawr fodoli rhwng niwclysau twngsten a'r electronau egnïol. Mae ganddo ymdoddbwynt uchel hefyd a gall wrthsefyll tymereddau mawr o ganlyniad i'r peledu.

Mae arafiad sydyn iawn electronau ym maes trydanol niwclysau twngsten yn arwain at allyrru pelydrau X. Mae'r rhyngweithiadau rhwng electronau unigol a niwclysau unigol yn amrywio gan ddibynnu, er enghraifft, ar lwybr pob electron o'i gymharu â'r niwclews. Felly mae pelydrau X yn cael eu hallyrru ag amrediad di-dor o egnïon ffoton.

Mae rhai electronau, fodd bynnag, nid yn unig yn rhyngweithio â'r niwclysau ond hefyd yn achosi i'r atomau twngsten gynhyrfu. Mae electronau'r atomau yn cael eu cynhyrfu i lefelau egni uwch, ac yna maent yn disgyn yn ôl i'r cyflwr isaf. O ganlyniad i hyn mae ffoton yn cael ei allyrru ag egni sy'n cyfateb i'r gwahaniaeth yn y lefelau egni. Felly mae egnïon ffoton penodol sy'n nodweddiadol o'r elfen darged yn cael eu harosod ar sbectrwm di-dor y pelydriad a ddaw o'r targed.

Ffigur 27.17
Egwyddor tiwb pelydr X a sbectrwm nodweddiadol egnïon ffoton pelydr X.

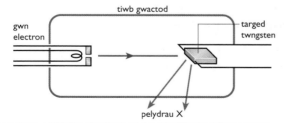

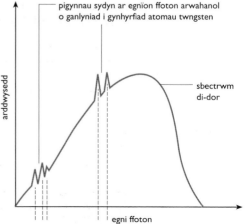

12 Pam y mae cyn lleied o electronau yn dilyn llwybrau sy'n arwain yn syth at niwclews?

13 Pam y mae angen i foltedd gwn electron mewn tiwb pelydr X fod yn uwch na'r foltedd sydd mewn teledu?

14 a Esboniwch pam y mae gan y sbectrwm o egnïon ffoton a roddir gan diwb pelydr X gydrannau di-dor ac arwahanol.
   b Petai defnydd tebyg o ran ei faint niwclear a'i ymdoddbwynt yn cael ei roi yn lle'r targed twngsten, pa wahaniaethau y byddech yn disgwyl eu gweld yn y sbectrwm?

● **Deall a**
chymhwyso

Golau seren

Gallwn ddadansoddi sbectrwm amsugno elfen mewn labordy. Mae'r egwyddor yn ddigon syml. Byddwn yn disgleirio golau ag amrediad llawn o donfeddi drwy'r elfen, yn ei chyflwr nwyol, ac yna yn disgleirio'r golau drwy ratin diffreithiant i weld pa donfeddi sydd wedi'u lleihau dipyn o ran eu harddwysedd, sef y llinellau tywyll yn y sbectrwm. Gallwn hefyd bwyntio gratin diffreithiant at seren (mae'r union drefniant arbrofol ychydig yn fwy cymhleth, ond mae'r egwyddor yn syml) a gweld pa donfeddi sydd ar goll o olau'r seren.

Yna gallwn gymharu'r tonfeddi coll yng ngolau'r seren â sbectra amsugno elfennau. Byddai tebygrwydd yn y patrymau yn awgrymu bod y golau o'r seren wedi mynd drwy'r elfennau cyfatebol.

Mae rhywfaint o amsugniad yn digwydd, wrth gwrs, yn atmosffer y Ddaear, ond rydym yn gyfarwydd â sbectra amsugno defnyddiau yn yr atmosffer. Lle bo llinellau eraill yn sbectrwm amsugno golau'r seren, rhaid dod i'r casgliad bod haenau allanol y seren, y bydd yn rhaid i'r golau sy'n ymddangos fynd drwyddynt, yn cynnwys yr elfennau cyfatebol. Gelwir y llinellau amsugniad cyfatebol yn sbectrwm golau'r Haul (y sbectrwm solar, Ffigur 27.18) yn **llinellau Fraunhöfer**. Joseph von Fraunhöfer, dyn a oedd yn gwneud offer optegol ar ddechrau'r 19eg, oedd yn gyfrifol am eu darganfod.

Ffigur 27.18
Sbectrwm amsugno solar.
Mae llinellau tywyll yn
sbectra golau sêr eraill
hefyd.

Ar y pryd, nid oedd heliwm wedi'i ddarganfod ar y Ddaear, ond roedd set anesboniadwy o linellau yn y sbectrwm solar a ysgogodd y cemegwyr i fynd ati i chwilio am elfen a feddai ar yr un llinellau cyfatebol. Cafwyd hyd i elfen nwyol a chafodd ei henwi ar ôl Helios, y gair Groeg am yr Haul.

Yn sgil yr astudiaethau a wnaed ar sbectra amsugno golau sêr roedd astudiaethau pellach ar y sêr yn bosibl – eu dosbarthu a datblygu damcaniaethau i esbonio'r prosesau sy'n digwydd oddi mewn iddynt. Sbectra amsugno yw sylfaen astroffiseg.

Mae un nodwedd bwysig i sbectra sêr pellennig a pho bellaf y bo'r sêr, y cryfaf y bo'r nodwedd honno. Nid yw safle'r llinellau yn y sbectra yn cyfateb yn union i sbectra sêr cyfagos, na sbectra sydd i'w gweld mewn labordai ar y Ddaear. Mae'r llinellau i gyd wedi'u symud tuag at ben coch y sbectrwm. Dyma'r **rhuddiad** enwog (Ffigur 27.19), a dyma'r brif dystiolaeth ein bod yn rhan o Fydysawd sy'n ehangu.

Ffigur 27.19
Mae'r rhuddiad yn y golau
o alaethau pell yn dweud
wrthym bod y Bydysawd
yn ehangu.

Mae'r galaethau hyn yn bell iawn iawn i ffwrdd. Mae eu golau yn gochach nag a fyddai pe na baent mewn mudiant cymharol â ni, sy'n edrych arnynt. Gellir canfod hyn o'r dadleoliad yn y llinellau yn sbectrwm amsugno sêr, yn gymharol ag amleddau llinellau amsugniad elfennau a arsylwir mewn labordai ar y Ddaear. Mae'r golau'n cael ei ddadleoli tua'r coch oherwydd **effaith Doppler**, sy'n digwydd o ganlyniad i fudiant cymharol rhwng ffynhonnell tonnau a'r sylwedydd. Po bellaf y mae galaeth oddi wrthym, y mwyaf yw'r rhuddiad fel arfer. Felly, nid yn unig y mae gwrthychau yn y gofod yn symud i ffwrdd oddi wrthym ond po bellaf y maent, y cyflymaf yw eu buanedd cymharol. Mae'n ymddangos bod galaethau yn ufuddhau i gysyniad syml am gyfrannedd – sef bod y buanedd y mae galaeth yn ymbellhau mewn cyfrannedd â'i phellter oddi wrthym. Mae hyn yn cael ei fynegi gan $v = Hd$, lle saif v am y buanedd cymharol ymddangosol a d am y pellter y mae oddi wrthym. Gelwir y cysonyn cyfrannedd, H, yn gysonyn Hubble.

Yr effaith Doppler

Mewn cyfrwng unffurf mae tonnau yn lledaenu o ffynhonnell â blaendonnau sfferigol – neu flaendonnau crwn ar gyfer tonnau ar arwyneb dau ddimensiwn. Os yw'r ffynhonnell yn symud, nid yw'r tonnau i gyd yn lledaenu o'r un pwynt, felly nid oes gan bob un o'r sfferau (neu gylchoedd) yr un canol. O ganlyniad, mae'r donfedd i gyfeiriad mudiant y ffynhonnell yn llai nag yw ar gyfer ffynhonnell ddisymud, ac mae tonfedd fwy gan y tonnau sydd 'y tu ôl' i'r ffynhonnell sy'n symud (Ffigur 27.20). Pan fo'r newidiadau hyn yn digwydd yn y donfedd mae newidiadau cyfatebol yn digwydd yn yr amledd (Ffigur 27.21).

Ffigur 27.20
Effaith Doppler ar gyfer ffynhonnell sy'n symud.

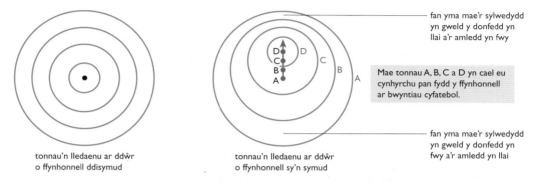

tonnau'n lledaenu ar ddŵr o ffynhonnell ddisymud

tonnau'n lledaenu ar ddŵr o ffynhonnell sy'n symud

fan yma mae'r sylwedydd yn gweld y donfedd yn llai a'r amledd yn fwy

Mae tonnau A, B, C a D yn cael eu cynhyrchu pan fydd y ffynhonnell ar bwyntiau cyfatebol.

fan yma mae'r sylwedydd yn gweld y donfedd yn fwy a'r amledd yn llai

Ffigur 27.21
Mae'r gostyngiad yn amledd y sain a glywn wrth i gerbyd cyflym fynd heibio yn enghraifft o'r effaith Doppler.

Os yw sylwedydd yn nesáu at ffynhonnell ddisymud o donnau daw i gwrdd â'r blaendonnau yn fwy aml nag a wnâi petai'n aros yn llonydd. Os yw'n symud i ffwrdd o'r ffynhonnell mae'n mynd drwy'r blaendonnau yn llai aml (Ffigur 27.22).

Ffigur 27.22
Effaith Doppler ar gyfer sylwedydd sy'n symud.

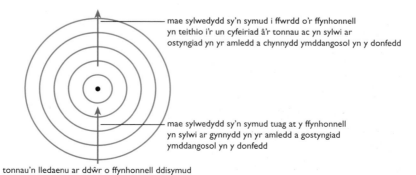

mae sylwedydd sy'n symud i ffwrdd o'r ffynhonnell yn teithio i'r un cyfeiriad â'r tonnau ac yn sylwi ar ostyngiad yn yr amledd a chynnydd ymddangosol yn y donfedd

mae sylwedydd sy'n symud tuag at y ffynhonnell yn sylwi ar gynnydd yn yr amledd a gostyngiad ymddangosol yn y donfedd

tonnau'n lledaenu ar ddŵr o ffynhonnell ddisymud

Ar gyfer y sylwedydd sy'n symud, mae ei fudiant ei hun yn newid amledd y tonnau. Mae *buanedd* y tonnau yn dibynnu ar natur y tonnau a'r cyfrwng, nid ar yr hyn mae'r sylwedydd yn ei wneud. Mae'r buanedd yn aros yr un fath tra bo'r amledd yn newid. Gan fod $c = f\lambda$, lle saif c am fuanedd y tonnau, f am yr amledd a λ am y donfedd, mae'n dilyn felly y bydd unrhyw newid yn yr amledd yn arwain at newid y donfedd. I'r sylwedydd felly, mae'r donfedd yn ymddangos yn fyrrach pan fo'n symud at y ffynhonnell ac yn hirach pan fo'n symud oddi wrthi.

Ar gyfer *pob* math o don, ac os naill ai'r ffynhonnell neu'r sylwedydd sy'n symud, rhoddir y dadleoliad yn amledd mesuradwy tonnau, Δf, gan:

$$\frac{\Delta f}{f} = \frac{v}{c}$$

lle saif f am amledd allyriant y ffynhonnell, v am fuanedd mudiant *cymharol* y ffynhonnell-sylwedydd, ac c am fuanedd y tonnau yn y cyfrwng perthnasol. (Gallwch ddarllen mwy am effaith Doppler ar dudalen 453).

15 Gwelir bod sbectrwm amsugno seren benodol yn dangos tystiolaeth o bresenoldeb haearn.
   a Ar ba ffurf y bydd y dystiolaeth hon?
   b Sut y gallwn ni fod yn sicr nad yw'r dystiolaeth hon yn deillio o'r hyn sy'n digwydd yn atmosffer y Ddaear?
16 Esboniwch sut y bu'n bosibl tybio bod elfen nad oedd wedi'i darganfod gynt yn bod drwy edrych ar y sbectrwm solar.
17 **TRAFODWCH**
   Mae seren yn ymddangos fel fflachennau o olau (pwyntiau o olau yn disgleirio). Sut y mae sefydlu syniadau am natur seren pan yw'n ymddangos bod cyn lleied o ddata o'r seren ei hun?
18 a Cyfrifwch y tonfeddi a gaiff eu hallyrru (a'u hamsugno) gan atomau strontiwm, sy'n gysylltiedig â'r trosiadau i'r lefel egni isaf (neu o'r lefel honno) fel y dangosir yn Ffigur 27.23.
   b Beth fydd effaith y rhuddiad ar y tonfeddi a gaiff eu hamsugno gan yr elfen hon mewn seren bellennig a'c a gaiff eu canfod ar y Ddaear?
19 Esboniwch pam y mae amledd sain canfyddadwy yn *gostwng* wrth i gerbyd fynd heibio.
20 Edrychwch ar gwestiwn 6 ar dudalen 278 sy'n ymwneud â'r trosiad rhwng lefelau A a B yn Ffigur 27.11. Pa ddadleoliad Doppler o'r amledd hwn a welir mewn golau o seren bellennig, a fydd yn cynnwys dwysedd uchel o hydrogen yn ei haenau allanol, os yw'n teithio
   a tuag atom ar fuanedd o 0.1% o fuanedd golau
   b i ffwrdd oddi wrthym ar fuanedd o 10% o fuanedd golau?

Ffigur 27.23
Rhai lefelau egni mewn atom o strontiwm, ^{38}Sr, gyda rhai trosiadau electron posibl.

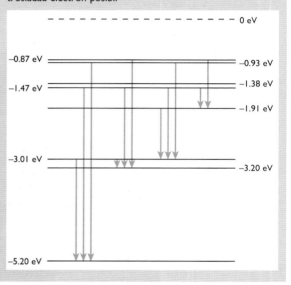

Deall a chymhwyso

Laserau

Mae **laserau** ym mhob man: mewn chwaraewyr CD, mewn archfarchnadoedd, mewn systemau teleffon. Ceir ganddynt belydr cul o olau monocromatig. Ystyr monocromatig yw un lliw, ac mae un lliw yn golygu un amledd.

Ceir un amledd drwy drosiadau electronau rhwng yr un lefelau egni mewn atomau sydd o'r un elfen i gyd. Mae trosiadau unfath yn cynhyrchu ffotonau unfath.

Wrth gwrs, er mwyn allyrru egni, rhaid i'r electronau 'ddisgyn' o lefel egni uwch i lefel is. Nid oes problem fan yna – pan roddir mwy o egni i'r electronau ac y caiff yr atomau eu 'cynhyrfu' yna bydd yr electronau fel rheol yn disgyn yn gyflym iawn, a chaiff ffotonau eu hallyrru. Ond yn y rhan fwyaf o ddefnyddiau, ychydig o atomau sydd yn y cyflwr cynhyrfol.

Mae gan rai elfennau gyflyrau cynhyrfol sy'n para yn hirach nag arfer. Mae gan neon, er enghraifft, gyflwr cynhyrfol sy'n gymharol sefydlog. Gall nifer mawr o atomau neon gael eu cynhyrfu i'r cyflwr hwn drwy roi egni iddynt. Os yw hyn yn cynhyrchu mwy o atomau yn y cyflwr cynhyrfol nag yn y cyflwr isaf, golyga hynny fod y sefyllfa arferol wedi'i gwrthdroi. Mae'r neon felly mewn cyflwr o **wrthdroad poblogaeth**. Cyfeiria'r 'boblogaeth' at yr atomau neon; y 'gwrthdroad' at y ffaith bod mwy o atomau yn y cyflwr cynhyrfol nag yn y cyflwr heb eu cynhyrfu (y cyflwr isaf).

21 Yng nghyd-destun laserau, esboniwch ystyr y canlynol:

  a golau   **d** mwyhad

  b ysgogi   **e** pelydriad.

  c allyriant

22 a O'r trosiad egni a ddangosir yn Ffigur 27.24, cyfrifwch amledd golau o laser neon.

  (1 eV = 1.6×10^{-19} J; $h = 6.6 \times 10^{-34}$ J s)

  b Beth yw lliw y golau hwn?

  (Mae amrediad tonfeddi gweladwy tua 400–700 nm.)

23 a Beth yw ystyr 'monocromatig'?

  b Sut y mae modd cynhyrchu pelydr laser â lliwiau gwahanol?

24 Pa gefnogaeth y mae technoleg laser yn ei rhoi i ddamcaniaeth atom Bohr?

Er bod cyflwr cynhyrfol yr atomau neon hyn yn gymharol sefydlog, mae'r tebygolrwydd y bydd electron yn disgyn i lefel is gryn dipyn yn fwy ym mhresenoldeb ffotonau â'r union amledd cywir sydd heb eu hamsugno. Mae 'union gywir' yn y cyd-destun hwn yn golygu'r un amledd yn union â'r amledd a allyrrir pan fo'r electron yn disgyn (Ffigur 27.24). Gall pelydriad felly ysgogi'r atomau neon hyn yn eu cyflwr cynhyrfol i allyrru pelydriad o'r un amledd. Gelwir hyn yn **allyriant wedi'i ysgogi**.

Mewn laser heliwm-neon, mae'r nwyon yn cael eu dal mewn tiwb. Mae ffotonau â'r amledd cywir yn symud yn ôl ac ymlaen rhwng drychau ar bob pen o'r tiwb gan luosi yn eu nifer wrth iddynt ysgogi electronau mewn mwy o atomau i ddisgyn yn ôl i'r cyflwr egni isaf. Mae'r golau yn ei fwyhau ei hun. Mae'r drych yn un pen yn lled-dryloyw, gan ganiatáu i'r paladr laser ddianc. Mae'r enw 'laser' yn gwneud synnwyr yn Saesneg – acronym ydyw am *light amplification by stimulated emission of radiation* sef 'mwyhad golau o ganlyniad i ysgogi allyriant pelydriad'.

Ffigur 27.24
Y trosiad a achosir gan effaith laser mewn neon.

$\Delta E = 1.95$ eV

Cyfathrebu

Tasg sgiliau ychwanegol

Gyda'ch grŵp tiwtorial, trafodwch ddeuoliaeth tonnau-gronynnau a damcaniaeth cwantwm. Dylai pawb gyfrannu at y drafodaeth drwy wneud gwaith ymchwil annibynnol gyda phob un yn cyflwyno 'tystiolaeth arbenigol' ar un neu ragor o'r testunau canlynol:

- trychineb uwchfioled
- gwaith Max Planck
- allyriant ffotodrydanol fel tystiolaeth ar gyfer cwanta golau
- rôl Einstein yn natblygiad damcaniaeth cwantwm
- atom Bohr
- Schrödinger a'r atom
- pwysigrwydd rhifau cwantwm atomig
- Egwyddor Ansicrwydd Heisenberg
- diffreithiant electronau
- microsgop electron
- tonfedd de Broglie
- amrywiad patrymau diffreithiant ag arddwysedd paladr
- ffwythiant ton.

Wrth wneud eich ymchwil gallech ddefnyddio rhai o'r llyfrau gwyddoniaeth poblogaidd ar yr atom a damcaniaeth cwantwm fel ffynonellau i'ch helpu. Yn eich trafodaeth, ceisiwch sefydlu:

a o dan ba amgylchiadau y mae'n fwy priodol i ddefnyddio modelau tonnau

b o dan ba amgylchiadau y mae'n fwy priodol i ddefnyddio modelau gronynnau

c a all model byth gynnig disgrifiad cyflawn o'r agwedd ar y byd ffisegol y mae'n ei chynrychioli

d pam y mae llawer o bobl yn teimlo'n anghyfforddus â bodolaeth modelau gwahanol i ddisgrifio'r un nodwedd ar y byd ffisegol

e a ydynt yn iawn i deimlo'n anghyfforddus.

Cwestiynau arholiad

1 Mae'r diagram yn cynrychioli rhai o lefelau egni atom wedi'i harunigo. Mae gwrthdrawiad anelastig yn digwydd rhwng electron ag egni cinetig o 2.0×10^{-18} J ac atom yn y cyflwr isaf.

$E = 0$ —————————————— lefel ïoneiddiad

$E_2 = -2.42 \times 10^{-19}$ J —————————————— lefel 2

$E_1 = -5.48 \times 10^{-19}$ J —————————————— lefel 1

$E_0 = -2.18 \times 10^{-18}$ J —————————————— y cyflwr isaf

a Cyfrifwch fuanedd yr electron yn union cyn y gwrthdrawiad. (2)

b i Dangoswch y gall yr electron gynhyrfu'r atom i lefel 2.

ii Cyfrifwch donfedd y pelydriad a fydd yn cael ei gynhyrchu pan fydd atom ar lefel 2 yn disgyn i lefel 1 a nodwch i ba ran o'r sbectrwm y mae'r pelydriad hwn yn perthyn. (6)

c Cyfrifwch y gwahaniaeth potensial minimwm y bydd yn rhaid i electron gael ei gyflymu iddo o ddisymudedd er mwyn medru ïoneiddio atom yn ei gyflwr isaf â'r adeiledd lefelau egni uchod. (2)

AQA (NEAB), Gronynnau a Thonnau, Mehefin 1999

2 Mae'r ffigur yn dangos pedair lefel egni ar gyfer electronau mewn atom hydrogen. Mae'n dangos un trosiad a fydd yn arwain at allyrru golau â thonfedd o 486 nm.

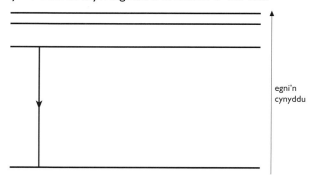

egni'n cynyddu

a Ar y ffigur, lluniwch saethau i ddangos
i trosiad arall sy'n arwain at allyrru golau â thonfedd fyrrach (labelwch y trosiad hwn yn L)
ii trosiad sy'n arwain at allyrru pelydriad isgoch (labelwch y trosiad hwn yn R)
iii trosiad sy'n digwydd o ganlyniad i amsugniad (labelwch y trosiad hwn yn A). (4)

b Cyfrifwch y newid egni y bydd yn rhaid i electron fynd drwyddo er mwyn cynhyrchu golau â thonfedd o 486 nm. (4)

OCR, Ffiseg, Papur 2, Mehefin 1999

3 Miwon yw gronyn sydd â'r *un wefr* ag electron ond mae ei *fàs* 207 gwaith yn fwy na màs electron.

Mae atom anarferol, tebyg i hydrogen, wedi'i greu ac mae'n cynnwys miwon yn orbitio un proton. Dyma ddiagram o'r lefelau egni ar gyfer yr atom hwn.

0 eV —————————————————
–312 eV —————————————————

–703 eV —————————————————

–2810 eV ————————————— y cyflwr isaf

a i Nodwch beth yw egni ïoneiddio'r atom hwn.
ii Cyfrifwch donfeddi mwyaf posibl ffoton a fyddai, o'u hamsugno, yn medru ïoneiddio'r atom hwn.
iii I ba ran o'r sbectrwm electromagnetig y mae'r ffoton hwn yn perthyn? (5)

b Cyfrifwch donfedd de Broglie miwon yn teithio ar 11% o fuanedd golau. (3)

Edexcel (Llundain), Ffiseg PH2, Mehefin 1999

4 Mewn model o atom hydrogen, mae'r un electon sydd ganddo fel arfer yn orbitio'r niwclews mewn lefel egni isel (y cyflwr isaf). Mewn atom hydrogen wedi'i gynhyrfu, mae gan yr electron lefel uwch o egni ac mae'n orbitio ymhellach i ffwrdd o'r niwclews. Mae diagram o'r model isod.

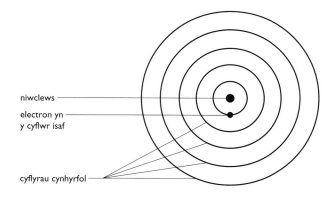

niwclews
electron yn y cyflwr isaf
cyflyrau cynhyrfol

Dangoswch sut y mae'r model yn cael ei ddefnyddio i egluro
a sbectrwm llinell hydrogen atomig (3)
b y gwahaniaeth rhwng sbectra allyriant ac amsugniad. (2)

OCR, Gwyddoniaeth, Sylfaenol 1, Mehefin 1999

5 a i Nodwch ddau osodiad mae'r model Bohr yn eu gwneud ar gyfer yr atom hydrogen. (4)

ii Disgrifwch ddau o gyfyngiadau model Bohr. (2)

b Dangosir isod dair lefel egni isaf atom ffug.

—————————————————————— −1.8 eV

—————————————————————— −4.0 eV

—————————————————————— −16.0 eV

i Cyfrifwch yr egni lleiaf sydd ei angen mewn jouleau i ryddhau electron yn y cyflwr isaf o'r atom. (3)

ii Gan dybio bod gan lefel egni n egni k/n^2, cyfrifwch egni lefel $n = 4$ mewn electronfoltiau. (3)

iii Cyfrifwch donfedd y pelydriad sy'n gysylltiedig â throsiad o lefel $n = 2$ i lefel $n = 3$. (3)

iv Enwch y rhan o'r sbectrwm electromagnetig lle ceir y pelydriad hwn. (1)

v Mae tiwb sy'n cynnwys yr elfen ffug hon ar ffurf nwyol yn cael ei roi rhwng paladr o olau gwyn a phrism. Mae'r sbectrwm sy'n cael ei gynhyrchu yn cael ei groesi gan linellau tywyll. Esboniwch bresenoldeb y linellau hyn. (4)

Y Fagloriaeth Ryngwladol, Ffiseg, Safon Atodol, Tachwedd 1997

28

Sefydlogrwydd niwclear a dadfeiliad

GEIRFA ALLWEDDOL

allyriant niwcleonau   cromlin dadfeiliad   cyd-ddifodi   cyflwr cynhyrfol (niwclews) cyflwr isaf (niwclews)   dadfeiliad esbonyddol   dal electronau   gronyn alffa gronyn beta⁻   gronyn beta⁺   grym niwclear cryf   gwerth Q gwrthbroton   gwrthfater gwrthniwtrino   hafaliad differol   hanner oes   hapbroses   niwclid   niwtron-gyfoethog niwtrino   positron   proton-gyfoethog   rheolau cadwraeth   rhif gwefr rhyngweithiad niwclear gwan   ymasiad   ymholltiad

Y CEFNDIR

Nid oes dim yn newydd am ddefnyddiau ymbelydrol. Maent wedi bodoli yn ein hamgylchedd naturiol erioed ac mae defnyddiau ymbelydrol yn ein cyrff ni ein hunain hyd yn oed, gyda nifer mawr o ddadfeiliadau yn digwydd bob eiliad. Byddai tu mewn y Ddaear wedi oeri amser maith yn ôl oni bai am yr egni sy'n cael ei ryddhau o ganlyniad i allyriant ymbelydrol gan y defnydd y mae'r blaned wedi'i gwneud ohono. Beth sy'n gymharol newydd yw ein gallu i ganfod y pelydriadau ïoneiddio ac i ddefnyddio defnyddiau ymbelydrol oherwydd eu galluoedd ïoneiddio a threiddio.

Ffigur 28.1
Rydym yn byw ar blaned ymbelydrol. Egni a ddarparwyd gan brosesau ymbelydrol sy'n cadw tu mewn y Ddaear ar dymheredd uchel ac sydd, yn y pen draw, yn arwain at weithgaredd folcanig.

Grym niwclear cryf

Mewn byd lle na fyddai dim ond grymoedd disgyrchiant a thrydan yn bodoli, ni fyddai niwclysau yn bod. Mae grym disgyrchiant lawer yn rhy wan i gydbwyso'r gwrthyriad trydanol mawr rhwng protonau ac felly ni allai ddal y niwcleonau yn agos at ei gilydd. Mae hyn ynddo'i hun yn ddigon i awgrymu bod math arall o rym yn gyfrifol am yr atyniad sydd rhwng niwcleonau a'i gilydd. Mae'n rhaid ei fod yn rym cryf i wrthsefyll y gwrthyriad trydanol. Mae'r enw arno yn ddigon syml a synhwyrol – **grym niwclear cryf**.

Mae'r enw'n awgrymu y gall y grym fod yn gryfach na'r grym trydanol, fel yn wir y gall, ond mae'n rym sy'n gweithredu dros bellter bach iawn – tua 10^{-15} m neu I fm (ffemtometr). Ar bellterau mwy na hyn mae'r grym yn lleihau'n gyflym felly nid oes niwclysau â diamedrau mwy nag ychydig ffentometrau. Ni fyddwn yn profi'r grym niwclear cryf hwn yn uniongyrchol yn ein bywydau bob dydd, a hyd yn oed ar raddfa'r atom a'i electronau'n orbitio, mae'r grym i bob pwrpas yn absennol.

Modelau o effeithiau'r grym niwclear cryf

Mae felcro yn rym cymharol gryf rhwng dau arwyneb. Dim ond dros bellter byr y mae'r grym hwn yn gweithredu, felly gall y felcro fod yn fodel syml sy'n darlunio'r grym sy'n gweithredu rhwng dau niwcleon (Ffigur 28.2). Nid oes llawer o werth i'r model fodd bynnag am nad yw niwclews yn ymddwyn fel casgliad o beli wedi'u gorchuddio â felcro. Mae gan niwcleonau mewn niwclews egni – fel petaent mewn mudiant cyson, fel y moleciwlau mewn diferyn bach o hylif. Mae'r diferyn hylif yn fodel mwy defnyddiol ar gyfer y niwclews. Mae'n ein helpu ni i feddwl am sefydlogrwydd niwclear, allyriant niwclear a dadfeiliad ymbelydrol, yn ogystal ag ymholltiad ac ymasiad niwclear, fel y gwelwn yn yr adrannau canlynol.

1 Beth yw'r gwahaniaeth, ar wahân i'r raddfa, rhwng ymddygiad clwstwr o beli sydd wedi'u gorchuddio â felcro ac ymddygiad niwclews?

Ffigur 28.2
Modelau o'r niwclews: mae'r model 'felcro' yn ffordd ddefnyddiol o lunio niwclysau i ddangos eu hadeiledd niwtronau a phrotonau, ond mae niwclysau yn ymddwyn yn debycach i ddiferion o hylif.

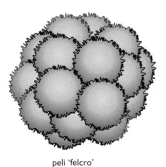

peli 'felcro'

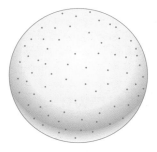

moleciwlau hylif – gronynnau mewn hapfudiant di-dor

Niwclidau

Defnyddir y term 'isotop' mewn perthynas ag elfen (gweler tudalen 72). Gallwn siarad am isotopau carbon neu isotopau haearn, er enghraifft. Mae **niwclid** yn derm sy'n disgrifio *unrhyw* adeiledd niwclear posibl, nid adeiledd elfen benodol yn unig (Ffigur 28.3).

Ffigur 28.3
Enghreifftiau o niwclidau.

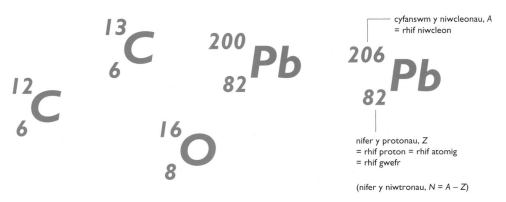

$^{13}_{6}\text{C}$ $^{200}_{82}\text{Pb}$ $^{206}_{82}\text{Pb}$

cyfanswm y niwcleonau, A = rhif niwcleon

$^{12}_{6}\text{C}$ $^{16}_{8}\text{O}$

nifer y protonau, Z = rhif proton = rhif atomig = rhif gwefr

(nifer y niwtronau, $N = A - Z$)

Allyriant alffa a newid niwclear

Mae trefniant lle ceir dau broton a dau niwtron yn arbennig o sefydlog. Mae niwclews heliwm yn glwstwr o'r fath. Mewn niwclews mwy o faint lle mae niwcleonau yn symud fel moleciwlau diferyn o hylif, gall dau broton a dau niwtron fodoli fel clwster am o leiaf gyfnod byr o fewn y niwclews. Bron bob tro, ni fydd gan grŵp o niwcleonau o'r fath ddigon o egni i ddianc o ddylanwad y grym niwclear cryf. Ond weithiau, mae'r clwster yn dianc (Ffigur 28.4). Mae'n cyflymu i'r byd y tu allan i'r niwclews lle, os bydd yn digwydd dod ar draws cyfarpar canfod dynol (sy'n annhebygol iawn), fe allwn ei adnabod a'i alw'n **ronyn alffa**. Yn syml iawn, mae'r niwclews gwreiddiol wedi colli dau broton a dau niwtron ac, fel gwn yn saethu bwled, mae'n adlamu.

Ffigur 28.4
Cynrychioliad o ddadfeiliad alffa.

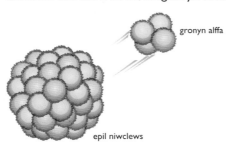

gronyn alffa

epil niwclews

Dyma enghraifft o ddadfeiliad alffa:

$$^{220}_{86}\text{Rn} \longrightarrow \; ^{216}_{84}\text{Po} + \; ^{4}_{2}\alpha + Q$$

niwclid gwreiddiol   epil niwclid

2 A oes proses i'w chymharu ag allyriant alffa yn ymddygiad diferion hylif?

3 Mae $^{238}_{92}\text{U}$, isotop wraniwm, yn dadfeilio drwy allyriant alffa. Nodwch epil niwclid y broses hon.

Nodwch fod allyriant gronyn alffa gan niwclews yn achosi lleihad o 4 yn ei rif niwcleon a lleihad o 2 yn ei rif proton.

Mesur o egni yw Q, sef **gwerth Q** y dadfeiliad. Hwn yw'r egni sy'n cael ei gludo i ffwrdd ar ffurf egni cinetig y gronyn alffa a'r niwclews sy'n adlamu. Mae rhai dadfeiliadau alffa hefyd yn cynnwys allyrru pelydrau gama (gweler tudalen 294), ac yna mae ffotonau'r pelydrau gama yn cludo rhywfaint o'r egni gwerth Q i ffwrdd. Mae perthynas rhwng yr egni hwn a'u hamledd, ν, sef $E = h\nu$.

Sbectrwm egni dadfeiliadau alffa

Mae gwerth Q dadfeiliad niwclid penodol sy'n allyrru gronynnau alffa yr un fath ar gyfer pob dadfeiliad. Mae dadfeiliad alffa syml yn cynnwys dau ronyn yn unig – y niwclews a'r gronyn alffa. Mae'r dadfeiliad yn rhoi egni cinetig i'r ddau. Y gronyn alffa, sef y gwrthrych lleiaf, sydd â'r buanedd uchaf a dywedwn fod y niwclews yn adlamu. Gan mai dau ronyn yn unig sydd yno, sydd o'r un maint ym mhob dadfeiliad ac sydd bob amser â'r un faint o egni i'w rannu, maent bob amser yn rhannu'r egni yn yr un ffordd. Felly, mae gan yr holl ronynnau alffa a allyrrir yn rhan o broses o'r fath yr un egni.

Mae sbectrwm egni yn dangos nifer y gronynnau alffa a allyrrir wedi'i blotio yn erbyn eu hegni. Ar gyfer y broses syml hon â dau ronyn, mae'r graff yn un syml (Ffigur 28.5).

Ffigur 28.5
Sbectrwm egni dadfeiliad alffa radon-220.

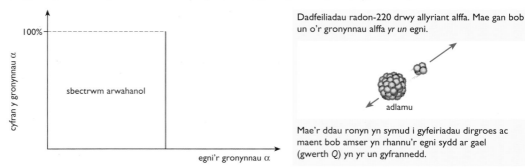

Dadfeiliadau radon-220 drwy allyriant alffa. Mae gan bob un o'r gronynnau alffa *yr un* egni.

adlamu

Mae'r ddau ronyn yn symud i gyfeiriadau dirgroes ac maent bob amser yn rhannu'r egni sydd ar gael (gwerth Q) yn yr un gyfrannedd.

(Pan fo pelydrau gama yn cael eu hallyrru ar yr un pryd â gronynnau alffa, mae'r sefyllfa ychydig bach yn fwy cymhleth.)

Sbectrwm egni dadfeiliad beta

Mae'r gwerthoedd Q sy'n perthyn i ddadfeiliadau niwclidau sy'n allyrru gronynnau beta hefyd yn nodweddiadol o bob niwclid a'i ddadfeiliad. Hynny yw, wrth i niwclid penodol ddadfeilio mae maint penodol o egni ar gael ar gyfer cynnyrch y dadfeiliad. Ond mae'r sbectrwm egni ar gyfer dadfeiliad beta yn wahanol iawn i'r un ar gyfer dadfeiliad alffa. Nid yw'r gronynnau beta i gyd yn cludo'r un faint o egni cinetig i ffwrdd; mae ganddynt amrediad di-dor o egnïon cinetig hyd at yr uchafswm posibl, sef cyfanswm gwerth Q y dadfeiliad (Ffigur 28.6).

Ffigur 28.6
Sbectrwm egni nodweddiadol ar gyfer dadfeiliad beta.

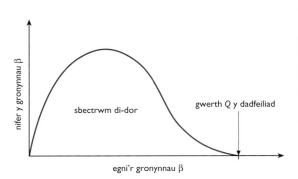

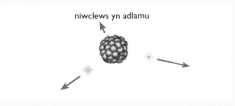

Gall tri gronyn symud i ffwrdd oddi wrth ei gilydd mewn unrhyw gyfuniad o gyfeiriadau a rhannu'r egni sydd ar gael (gwerth Q) mewn amrediad di-dor o ffyrdd gwahanol.

Canfuwyd y sbectrwm hwn ar ddechrau'r 1930au a chafodd ateb ei awgrymu gan ffisegydd o Awstria, Wolfgang Pauli. Ei awgrym ef oedd bod yna drydydd gronyn yn hyn i gyd, gronyn nad oedd neb wedi'i ddarganfod am ei bod hi'n anodd dod o hyd iddo. Gan y gall y tri gronyn deithio i ffwrdd o safle'r dadfeiliad mewn pob cyfuniad posibl o gyfeiriadau, maent yn rhannu'r momentwm (gweler Pennod 14) a'r egni ym mhob ffordd bosibl. Weithiau, y gronyn beta sy'n cludo'r rhan fwyaf o'r egni cinetig i ffwrdd ac weithiau y niwclews neu'r trydydd gronyn sy'n cludo'r rhan fwyaf o'r egni i ffwrdd, gan adael fawr ddim ar ôl ar gyfer y gronyn beta. Yr enw a roddwyd ar y trydydd gronyn yw **gwrthniwtrino** a'r symbol a roddwyd ar ei gyfer yw $\bar{\nu}$.

Allyriant beta⁻ a newid niwclear

Nid yw allyriant beta yn ymddangos mor syml ag allyriant alffa am reswm arall hefyd. Mae'r allyriant yn digwydd o'r niwclews ond, tra bo gronyn alffa wedi'i wneud o niwcleonau, a thra bo yn union yr un fath â niwclews bach, electron yw'r gronyn beta sydd dan sylw yma. Gallwn eu galw'n electronau neu ronynnau beta wedi'u gwefru'n negatif, **gronynnau beta⁻**, er mwyn gwahaniaethu rhyngddynt a'r gronynnau llai cyffredin sydd wedi'u gwefu'n bositif sef gronynnau beta⁺ (gweler yr adran nesaf). Nid yw adeiledd niwclysau yn cynnwys electronau felly rhaid i ni gydnabod bod gronynnau beta⁻ wedi'u creu y tu mewn i'w niwclews ar adeg y dadfeiliad.

Ychydig o niwtronau rhydd sydd yn y Bydysawd. Y rheswm am hynny yw bod niwtronau yn ansefydlog. Oes niwtron rhydd ar gyfartaledd yw ychydig funudau. Maent yn dadfeilio, gan greu proton, electron a gwrthniwtrino. Dim ond y tu mewn i niwclysau y mae niwtronau'n gymharol sefydlog. Mewn niwclysau rhai defnyddiau, maent mor sefydlog ag y mae'n bosibl iddynt fod ond, mewn defnyddiau eraill, nid ydynt yn sefydlog. Yn y defnyddiau hynny caiff pelydriad beta⁻ ei allyrru. Ac ynghyd â'r electron neu'r gronyn beta⁻, mae niwclews defnydd o'r fath hefyd yn allyrru gwrthniwtrino.

Y tu mewn i'r niwclews ansefydlog, niwtron unigol sy'n dadfeilio. Mae'r proton sydd newydd ei greu yn aros yn ei le. Nid oes modd canfod y gwrthniwtron yn uniongyrchol (gweler Ffigur 28.7 drosodd). Yr hyn y gallwn ei ganfod, fodd bynnag, oherwydd ei effaith ïoneiddio yn y byd maint llawn, yw'r electron egni uchel, neu ronyn beta⁻:

$$^1_0n \rightarrow {}^1_1p + {}^0_{-1}e + \bar{\nu} + Q$$

Ffigur 28.7
Canfodydd niwtrino.

Roedd hi'n amhosibl canfod niwtrinoeon a gwrthniwtrinoeon yn y 1930au pan awgrymodd Pauli eu bod yn bodoli a, hyd yn oed nawr, nid yw fawr gwell.

Yn Los Alamos, yn ne-orllewin UDA, mae'r canfodydd hwn yn cynnwys 200 tunnell fetrig o olew mwynol pan fo'n llawn. Mae presenoldeb niwtrinoeon yn yr olew yn creu fflachennau glas o olau 'Cerenkov' all gael ei ganfod gan y 1220 o ffotoluosyddion o amgylch waliau'r siambr.

Mae presenoldeb trydydd gronyn yn nadfeiliad beta, y gwrthniwtrino, yn arwain at hollt tair ffordd amrywiol yn yr egni sydd ar gael, neu yn y gwerth Q, sy'n arwain at sbectrwm di-dor o egnïon gronynnau beta.

4 Beth yw rhif gwefr niwtron?

5 Pryd y mae niwtron yn fwy sefydlog – pan fo'n rhydd neu pan fo'n rhan o niwclews carbon-12? (Nid yw carbon-12 yn ddefnydd ymbelydrol.)

6 Mae carbon-14, $^{14}_{6}C$, yn dadfeilio drwy allyriant beta⁻. Ysgrifennwch y newid er mwyn canfod yr epil ddefnydd.

Nodwch fod gronynnau cynnyrch dadfeiliad niwtron yn egnïol. Mae gwerth Q positif i'r newid. Ni ellir esbonio proses dadfeiliad niwtron drwy rym disgyrchiant, trydanol na grym niwclear cryf. Unwaith eto, mae natur yn ein gorfodi i ddyfeisio ffordd newydd o ddisgrifio sut y mae mater yn rhyngweithio â mater. Dyma'r **rhyngweithiad niwclear gwan**.

Dyma enghraifft o ddadfeiliad beta⁻:

$$^{40}_{19}K \rightarrow {}^{40}_{20}Ca + {}^{0}_{-1}e + \bar{\nu} + Q$$

Pan fo niwclews yn allyrru gronyn beta⁻ yna, y tu mewn i'r niwclews, mae niwtron yn troi i bob pwrpas yn broton; mae hyn yn achosi cynnydd o un yn y rhif proton, tra bo cyfanswm nifer y niwcleonau yn aros yr un fath.

Mae'n ymddangos bod gan y gronyn beta⁻ rif proton o −1. Nid yw hyn ynddo'i hun yn gwneud rhyw lawer o synnwyr. Mae'n well gan rai pobl ei alw'n **rhif gwefr** yn hytrach nag yn rhif proton. Gan fod gwefr negatif i'r electron sydd yr un faint â gwefr proton, mae'r gwerth −1 yn gwneud synnwyr.

Rhai dulliau egsotig o ddadfeilio

Mae rhai niwclidau yn dadfeilio drwy allyrru gronyn sy'n debyg i electron ond sydd â gwefr bositif. Yr enw arno yw **gronyn beta⁺**, neu **bositron**. Mae'n enghraifft o ronyn **gwrthfater** – yr electron yw'r mater, y positron yw'r gwrthfater (Ffigur 28.8).

Ffigur 28.8
Electron a phositron wedi'u creu gyda'i gilydd o egni ffoton. Mae siâp eu llwybrau mewn siambr swigod yn debyg yn gyffredinol ond maent yn crymu i gyfeiriadau dirgroes yn y maes magnetig, fel y byddem yn ei ddisgwyl ar gyfer dau ronyn â'r un màs ond â gwefr ddirgroes.

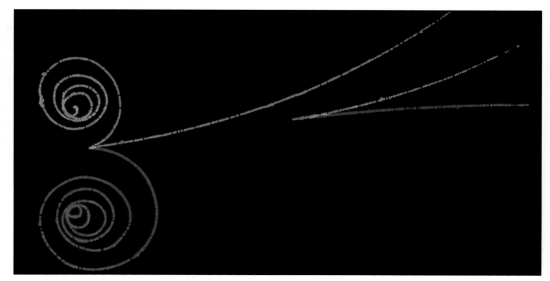

Rydym yn byw mewn Bydysawd lle mae dau fath o ddefnydd yn bosibl. Un ohonynt yw'r defnydd bob dydd, neu 'fater'. Mae gan bob gronyn o fater ronyn sy'n 'ddrychddelwedd' ohono sef y gwrthfater. Mae parau mater-gwrthfater o ronynnau yn cynnwys yr electron a'r positron, y proton a'r **gwrthbroton**, a'r niwtrino a'r gwrthniwtrino. Mae cryn dipyn mwy o fater na gwrthfater yn y Bydysawd y gallwn ni ei ganfod. Mae'n ymddangos bod mwy o lawer o electronau na phositronau, mwy o lawer o brotonau na gwrthbrotonau. Mae gwyddonwyr yn dal i geisio deall y rheswm am hynny, ond byddai'r Bydysawd yn lle gwahanol iawn i'r un rydym ni'n rhan ohono petai'r symiau o fater a gwrthfater yr un fath.

Dyma enghraifft o ddadfeiliad beta$^+$, neu bositron:

$$^{15}_{8}O \rightarrow {}^{15}_{7}N + {}^{0}_{1}e + \nu + Q$$

Mae rhif proton y niwclid wedi gostwng ond mae'r rhif niwcleon wedi aros yr un fath. Mae proton wedi newid yn niwtron drwy allyrru positron:

$$^{1}_{1}p \rightarrow {}^{1}_{0}n + {}^{0}_{1}e + \nu + Q$$

Nodwch fod gan bositron rif gwefr 1, yr un fath â phroton. Nodwch hefyd, pan grëwyd positron, y crëwyd **niwtrino**, ν, yn hytrach na gwrthniwtrino, lle defnyddiwn y symbol $\bar{\nu}$.

Mae niwclysau, wrth gwrs, yn cael eu hamgylchynu gan electronau fel arfer. Gall ambell niwclews amsugno un o'r electronau sydd mewn orbit o'i gwmpas. Yr enw ar y broses hon yw **dal electron**. Er enghraifft:

$$^{55}_{26}Fe + {}^{0}_{-1}e \rightarrow {}^{55}_{25}Mn + \nu + Q$$

Dyma enghraifft arall o ddal electron:

$$^{81}_{36}Kr + {}^{0}_{-1}e \rightarrow {}^{81}_{35}Br + \nu + \gamma + Q$$

Yn yr achos hwn, nodwch fod allyriant gama hefyd yn digwydd.

Yn y ddwy sefyllfa, mae'r rhif niwcleon wedi aros yr un fath, ond mae'r rhif proton wedi gostwng. Mae'r electron wedi mynd i mewn i'r niwclews lle mae wedi peidio â bod i bob pwrpas ond mae wedi uno â phroton i greu niwtron niwtral:

$$^{1}_{1}p + {}^{0}_{-1}e \rightarrow {}^{1}_{0}n + \nu + Q$$

Mae yna ychydig o niwclysau all allyrru niwcleonau unigol. Dyma enghraifft o **allyriant niwcleon**:

$$^{16}_{6}C \rightarrow {}^{15}_{6}C + {}^{1}_{0}n + Q$$

Nodwch fod patrwm pwysig i *bob* dadfeiliad. Mae gan y rhif niwcleon a'r rhif gwefr yr un *cyfansymiau* cyn ac ar ôl y newid. Dywedwn fod y rhif niwcleon a'r rhif gwefr yn ufuddhau i **reolau cadwraeth**.

Rhagor o enghreifftiau o'r broses dadfeilio ynghyd â'u gwerthoedd Q

Dadfeiliad carbon-11 drwy allyriant β$^+$:

$$^{11}_{6}C \rightarrow {}^{11}_{5}B + {}^{0}_{1}e + \nu + Q \ (= 0.97 \ \text{MeV})$$

Dadfeiliad ocsigen-13 drwy allyriant β$^+$ ac allyriant proton:

$$^{13}_{8}O \rightarrow {}^{12}_{6}C + {}^{0}_{1}e + {}^{1}_{1}p + \nu + Q \ (= 6.97 \ \text{MeV})$$

Dadfeiliad thaliwm-207 drwy allyriant β$^-$ a gama:

$$^{207}_{81}Tl \rightarrow {}^{207}_{82}Pb + {}^{0}_{-1}e + \bar{\nu} + \gamma + Q \ (= 2.32 \ \text{MeV})$$

Dadfeiliad radon-222 drwy allyriant α:

$$^{222}_{86}Rn \rightarrow {}^{218}_{84}Po + {}^{4}_{2}\alpha + Q \ (= 5.49 \ \text{MeV})$$

Allyriannau gama ac egni

Mae rhai niwclysau wedi'u cynhyrfu. Mae bron y cyfan o'r niwclysau sydd o'n hamgylch heb eu cynhyrfu. Ond daw tystiolaeth i brofi bodolaeth cyflyrau cynhyrfol o allyriant pelydrau gama. Nid yw allyriant gama yn newid yr adeiledd niwclear o ran niferoedd y protonau a niwtronau ond y mae'n cludo egni i ffwrdd. Yr egni sy'n cael ei gludo i ffwrdd yw egni'r ffoton, a roddir gan $E = hf$ (neu $E = h\nu$, ond byddwn yn osgoi defnyddio ν fan yma gan i ni ei ddefnyddio i gynrychioli'r niwtrino).

Wedi iddo allyrru ffoton pelydryn gama o'r fath, nid yw niwclews yn ailadrodd yr un broses yn union. Os yw wedi colli'r holl egni a oedd ganddo dros ben y mae yn awr yn aros yn anactif. Mae'n ymddangos bod y broses o allyrru'r ffotonau wedi tynnu'r niwclews i lawr o'i **gyflwr cynhyrfol** i gyflwr mwy sefydlog lle nad oes ganddo unrhyw ormodedd o egni i'w golli – ei **gyflwr isaf**.

Mae'r termau a ddefnyddir yma yn debyg i'r termau a ddefnyddiwyd wrth sôn am lefelau egni atomau cyflawn a'r newidiadau egni sy'n digwydd pan fo electronau'n trosi rhwng gwahanol lefelau. Yn y ddau achos mae'r 'cyflwr isaf' yn golygu bod heb ddim egni i'w golli, ac mae'r 'cyflwr cynhyrfol' yn golygu bod ag egni i'w golli. Ond cymerwch ofal – peidiwch â drysu rhwng y prosesau atomig a'r prosesau niwclear! Mae niwclews yn fach iawn o'i gymharu â maint yr atom â'i electronau mewn orbit, ond mae maint y newidiadau egni a fydd yn digwydd mewn prosesau niwclear fel arfer lawer yn fwy na'r newidiadau a fydd yn digwydd wrth i electronau drosi rhwng gwahanol lefelau. O ganlyniad i hyn, mae ffotonau sy'n cael eu hallyrru gan niwcleonau yn cludo mwy o egni na ffotonau a allyrrir o ganlyniad i drosiadau electronau ac mae eu hamleddau'n uwch.

Mae gan rai niwclysau nifer o gyflyrau cynhyrfol posibl. Mae'n anarferol i niwclews fynd yn uniongyrchol o'i gyflwr isaf i gyflwr cynhyrfol – byddai'n rhaid iddo gael llawer o egni i hyn ddigwydd. Er hynny, gall allyriant pelydrau alffa a beta adael yr epil niwclews mewn cyflwr cynhyrfol. Felly, yn dilyn yr allyriant alffa neu beta, daw'r allyriant pelydrau gama (Ffigur 28.9).

7 Pam y mae pelydrau gama mewn rhan wahanol o'r sbectrwm o'i gymharu â bron y cyfan o'r pelydriad electromagnetig sy'n cael ei allyrru gan atomau o ganlyniad i drosiadau electronau?

Ffigur 28.9
Gall dadfeiliad niwclews carbon-15 gan allyriant beta⁻ adael yr epil niwclews, nitrogen-15, mewn cyflwr cynhyrfol.

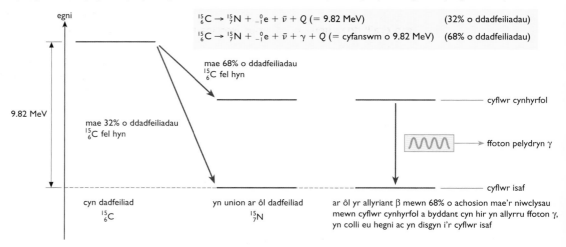

Ymasiad a newid niwclear

Yr enw ar y broses o gyfuno parau o niwclysau yw **ymasiad** niwclear. Mae'n broses anodd i'w dechrau, oherwydd mae dau niwclews yn gwrthyrru ei gilydd o ganlyniad i rym trydanol. Fodd bynnag, os oes ganddynt ddigon o egni yna gallant oresgyn y gwrthyriad hwn a dod yn ddigon agos at ei gilydd i'r grym niwclear cryf gymryd meddiant ar y sefyllfa. Pan fo niwclysau bach yn ymasio yna mae egni yn cael ei drosglwyddo tuag allan. Dyma'r broses sy'n digwydd mewn sêr ac mae'n ymddangos mai dyma'r broses a roddodd fod i'r holl niwclysau mawr (mwy na hydrogen a heliwm) yn y Bydysawd. Enghreifftiau o adweithiau ymasiad mewn sêr (gan anwybyddu newidiadau egni) yw ymasiad niwclysau dau isotop hydrogen i greu heliwm, ac ymasiad hydrogen a charbon i greu nitrogen:

$$^{1}_{1}H + ^{2}_{1}H \rightarrow ^{3}_{2}He$$

$$^{1}_{1}H + ^{13}_{6}C \rightarrow ^{14}_{7}N$$

Ymholltiad a newid niwclear

Mae pob un o'r niwclysau mawr iawn – sydd â mwy nag oddeutu 200 niwcleon – yn ansefydlog. Mae rhai yn allyrru pelydriad ïoneiddio. Gall rhai grynu ac yna disgyn yn ddarnau, gan ffurfio dau epil niwclews a chan ryddhau ychydig o niwtronau ar yr un pryd. Dyma **ymholltiad** niwclear. Yn debyg i ymasiad niwclysau bach, mae ymholltiad niwclysau mawr yn trosglwyddo egni i'r amgylchedd.

Ymholltiad yw'r broses sy'n cael ei defnyddio gan orsafoedd pŵer niwclear. Problem sy'n parhau i amharu ar werth pŵer niwclear yw'r ffaith bod yr epil niwclysau bron bob amser yn ansefydlog ac felly yn ymbelydrol. Maent yn rhan drafferthus iawn o wastraff niwclear. Dyma adwaith ymholltiad nodweddiadol mewn adweithydd niwclear:

$$^{235}_{92}U + ^{1}_{0}n \rightarrow ^{236}_{92}U \rightarrow ^{141}_{56}Ba + ^{92}_{36}Kr + 3^{1}_{0}n$$

Y tanwydd niwclear fan yma yw wraniwm-235. Nodwch nad yw'n ymhollti'n uniongyrchol; mae'r ymholltiad yn digwydd o ganlyniad i niwtron yn cael ei amsugno gan ei droi felly yn wraniwm-236. Dim ond am gyfnodau byr iawn y mae'r rhan fwyaf o niwclysau wraniwm-236 yn goroesi cyn ymhollti. Y bariwm, Ba, a'r crypton, Kr, yw'r epil niwclidau fan yma. Mae'r ymholltiad yn digwydd yn gyflym iawn ac ni fydd amser i'r niwcleonau ddidoli eu hunain yn drefniannau penodol, felly mae nifer o epil niwclidau gwahanol yn cael eu creu mewn adweithyddion niwclear a bomiau. Y duedd yw eu bod yn **niwtron-gyfoethog** – hynny yw mae ganddynt gyfran uchel o ran nifer y niwtronau mewn perthynas â nifer y protonau o'u cymharu â niwclidau sefydlog o'r un maint. Mae niwclidau sy'n niwtron-gyfoethog fel arfer yn allyryddion beta⁻.

Patrymau sefydlogrwydd ac ansefydlogrwydd

Gallwn ysgrifennu rhestr o'r holl niwclidau sefydlog – hynny yw, yr holl niwclidau nad ydynt yn profi unrhyw ddadfeiliad ymbelydrol mesuradwy. Nid yw'r rhestr yn un hir iawn. Dim ond rhyw 80 elfen sydd ag isotopau sefydlog. Mae gan y rhan fwyaf o'r elfennau hyn un isotop sefydlog; mae gan eraill ddau neu dri. Nid oes isotopau sefydlog gan elfennau sydd â niwclysau mawr, er enghraifft wraniwm.

Gallwn fynd gam ymhellach na rhestr syml ac edrych am batrymau yn yr adeiledd o ran sefydlogrwydd. Gallwn wneud hyn drwy blotio nifer y niwtronau N yn erbyn y rhif proton Z. Mae pob niwclid yn cynrychioli pwynt ar y siart ac mae'r pwyntiau yn ffurfio llinell hynod o gul (Ffigur 28.10).

8 Gwnewch restr o'r hyn sy'n debyg a'r hyn sy'n wahanol rhwng ymasiad ac ymholltiad.

9 Defnyddiwch reolau cadwraeth i gwblhau'r canlynol a nodwch yr epil niwclidau:

$^{1}_{1}H + ^{14}_{7}N \rightarrow ^{15}_{?}?$

$^{236}_{92}U \rightarrow ^{120}_{?}? + ^{?}_{50}Sn + 3^{1}_{0}n$

10 Ni fyddwn byth yn gweld dafnau glaw sy'n fwy na maint pys. Beth fyddai'n digwydd i ddafnau glaw mwy o faint? Sut y mae hyn yn cymharu ag ymddygiad niwclysau?

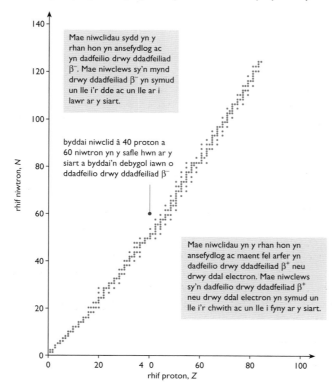

Ffigur 28.10
Siart yn dangos y niwclidau sefydlog. Dim ond y niwclidau a gynrychiolir gan ddotiau coch sy'n sefydlog. Mae'r ffaith bod llinell mor gul yn cael ei ffurfio ar y siart yn awgrymu bod y cydbwysedd rhwng nifer y protonau a nifer y niwtronau yn bwysig i sefydlogrwydd niwclews.

Gallwn ddechrau perthnasu siâp y llinell â'r hyn a wyddom yn barod. Mae gan niwclysau sefydlog bach nifer mwy cytbwys o brotonau a niwtronau na niwclysau sefydlog mawr. Yn ôl y llinell, nid yw niwclysau mawr sydd â mwy neu lai yr un nifer o brotonau a niwtronau, yn sefydlog. Mewn niwclysau mwy o faint, mae gwrthsefyll gwrthyriad trydanol y protonau yn fwy o broblem i'r grym niwclear cryf sydd ond yn gweithredu dros bellterau byr iawn yn unig. Mae'n ymddangos bod yn rhaid i'r cyfuniad o niwcleonau gael ei wanedu gryn dipyn gan niwtronau er mwyn creu niwclysau sefydlog.

Gallem fynd ymhellach â'n siart o niwclidau ac ychwanegu'r rhai ansefydlog. Byddai hyn yn rhoi mwy o ddotiau o lawer ar y siart. Yn wir, gallem roi dot ar unrhyw bwynt ar y siart i gynrychioli niwclid posibl – ond os yw'r dot ymhell o'r gromlin sefydlogrwydd yna mae'n annhebygol y gallai niwclews o'r fath fodoli am fwy na chyfnod byr iawn o amser. Yn gyffredinol, po bellaf yw'r dot o'r llinell sefydlogrwydd, yna mwyaf ansefydlog yw'r niwclid.

Nid yw niwclidau sy'n disgyn yn ddarnau cyn y gallwn eu canfod yn ddiddorol iawn ynddynt eu hunain. Ond mae nifer o niwclidau ansefydlog sy'n para'n ddigon hir i ni eu canfod. Dyma'r niwclidau ymbelydrol (neu radioniwclidau) sydd wedi'u rhestru mewn tablau mewn llyfrau data. Gallem eu hychwanegu at ein siart, ond mae llawer mwy ohonynt na niwclidau sefydlog felly byddai'n cymryd gormod o amser. Fodd bynnag, da o beth yw edrych ar y patrymau sy'n ymddangos pan edrychwn ar ddwy ran o'r siart yn unig ac ychwanegu'r niwclidau ansefydlog (Ffigur 28.11).

Mae yna batrymau clir. Mae'r niwclidau sydd uwchben y llinell sefydlogrwydd ac i'r chwith yn niwtron-gyfoethog ac yn tueddu i ddadfeilio drwy broses sy'n gostwng nifer y niwtronau. Dadfeiliad beta⁻ yw hyn fel arfer. Mae niwclidau sydd o dan y llinell ac i'r dde iddi yn **broton-gyfoethog** ac yn tueddu i ddadfeilio drwy brosesau sy'n cynyddu'r gymhareb niwtronau i brotonau – megis dadfeiliad beta⁺, dal electron a dadfeiliad alffa.

11 Defnyddiwch y siart niwclidau (Ffigur 28.10) i egluro pam y mae epil niwclidau ymholltiad yn tueddu i fod yn niwtron-gyfoethog.

12 Darganfyddwch adeiledd isotopau sefydlog bariwm a chrypton.
   a A yw'r wybodaeth yn awgrymu y bydd epil niwclidau ymholltiad wraniwm-236, fel y dangosir ar dudalen 295, ychydig yn ansefydlog neu'n ansefydlog iawn?
   b Brasluniwch ran o siart o niwclidau yn dangos safleoedd chwe isotop sefydlog crypton.

13 Esboniwch pam y mae tanwydd niwclear sydd wedi darfod yn ffynhonnell gref o belydriad beta⁻.

14 Awgrymwch pa fath o ddadfeiliad sy'n debygol ar gyfer y niwclidau canlynol:
   $^{216}_{84}$Po $^{13}_{8}$O $^{131}_{53}$I (ïodin-131)

15 Awgrymwch pam y mae gan niwclidau mawr gymhareb niwtronau : protonau uwch na rhai llai.

16 Nodwch a ydyw'r canlynol yn cynyddu neu'n lleihau cymhareb niwtronau : protonau niwclid:
   a allyriant beta⁻   **c** allyriant alffa
   b allyriant beta⁺   **d** dal electron.

Ffigur 28.11
Patrymau ansefydlogrwydd ar gyfer niwclysau **a** mawr a **b** bach.

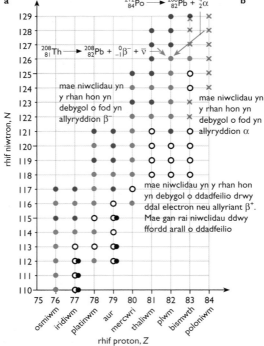

Lefelau ansefydlogrwydd a hap-ddadfeiliad

Mae'r defnyddiau sydd o'ch amgylch wedi'u gwneud yn bennaf (er nad yn gyfan gwbl) o atomau â niwclysau sefydlog. Mewn sêr crëwyd niwclysau ansefydlog gan yr un prosesau o ymasiad â niwclysau sefydlog, ond mae'r rhan fwyaf o'r niwclysau ansefydlog a oedd yng Nghysawd yr Haul pan gafodd ei greu wedi dadfeilio ac wedi troi'n niwclysau sefydlog amser maith yn ôl. Mae'r Ddaear yn dal i fod yn ymbelydrol ond nid yw mor ymbelydrol ag y bu ar un adeg.

Ystyriwch wraniwm-238 $^{238}_{92}U$. Mae ei niwclysau ychydig yn ansefydlog. Maent yn newid, neu'n dadfeilio, trwy'r broses ganlynol:

$$^{238}_{92}U \rightarrow {}^{234}_{90}Th + {}^4_2\alpha + Q$$

Ond mae'n amhosibl rhagweld dadfeiliad niwclews penodol. Petaech yn medru gwylio un niwclews mae'n bosibl y byddai'n dadfeilio mewn ennyd, neu fe allai aros heb newid am biliynau o flynyddoedd. Dywedir felly mai siawns, sef **hapbroses**, yw ei ddadfeiliad.

Ystyriwch boloniwm-212, sy'n dadfeilio fel a ganlyn:

$$^{212}_{84}Po \rightarrow {}^{208}_{82}Pb + {}^4_2\alpha + Q$$

Unwaith eto, petaech yn gallu gwylio un niwclews yn fanwl, fe allai ddadfeilio mewn byr o dro neu fe allai beidio â digwydd am amser hir iawn. Ond mae niwclysau poloniwm-212 lawer yn fwy ansefydlog na niwclysau wraniwm-238, felly mae'n debygol na fyddai'n rhaid i chi aros mor hir.

A bod yn fwy realistig, petaech yn gwylio sampl bach o'r poloniwm, sy'n ddigon mawr i'w weld, yna byddai digon o'r niwclysau yn dadfeilio bob eiliad i'r sampl fod yn ymbelydrol iawn. Byddai sampl â'r un nifer o atomau wraniwm-238 lawer yn llai ymbelydrol.

Er mwyn cymharu ansefydlogrwydd neu lefel ymbelydredd niwclidau gwahanol rhaid i ni ystyried samplau o'r fath yn hytrach na niwclysau unigol gan fod eu hymddygiad yn amhosibl i'w arsylwi a'i ragfynegi. Felly, ystyriwch sampl o niwclid penodol sy'n cynnwys poblogaeth, neu nifer, o niwclysau unfath N sydd heb ddadfeilio eto. Mewn defnydd sy'n ymbelydrol, mae'r boblogaeth hon yn newid gydag amser. Mae'r boblogaeth yn newid o ganlyniad i ddadfeiliad y niwclysau – maent yn newid yn fathau newydd o niwclysau (yr epil niwclysau) ac er y byddant yn aros yn y sampl ni fyddwn yn eu cyfrif yn rhan o'r boblogaeth wreiddiol. Cyfradd newid y boblogaeth wreiddiol yw dN/dt a gellir ei fesur mewn becquerelau, Bq. Mae iddo werth negatif oherwydd mae N yn lleihau yn hytrach na chynyddu gydag amser, t. Actifedd y sampl, sydd â gwerth positif, yw (–dN/dt) (gweler tudalen 73). Defnyddir y becquerel i fesur actifedd hefyd.

Mae dadfeiliadau yn digwydd ar hap – mae'n amhosibl rhagfynegi yn union pryd y bydd niwclews penodol yn dadfeilio. Ond mae gan bob niwclews ymbelydrol *debygolrwydd* penodol o ddadfeilio o fewn amser penodol ac, mewn poblogaeth fawr, y *mae* yna batrymau y gellir eu rhagfynegi ar gyfer ei ddadfeiliad. Po fwyaf yw'r boblogaeth, y mwyaf o'r niwclysau a fydd yn dadfeilio mewn cyfwng penodol o amser, felly mae'r actifedd –dN/dt yn fwy pan fo N yn fwy. Mewn gwirionedd, mae'r berthynas fathemategol rhwng y mesurau hyn yn weddol syml ac yn seiliedig ar gyfrannedd (Ffigur 28.12):

$$-\frac{dN}{dt} \propto N$$

neu

$$\frac{dN}{dt} = -\lambda N$$

Ffigur 28.12
Ni fydd poblogaethau tebyg o wraniwm-238 a pholoniwm-212 yn profi'r un gyfradd newid. Bydd niwclysau'r poloniwm-212 mwy ansefydlog yn dadfeilio yn gyflymach a bydd poblogaeth y sampl yn disgyn yn fwy sydyn. Ar gyfer y ddau ddefnydd, mae cysonyn cyfrannedd y berthynas yn wahanol.

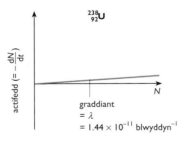

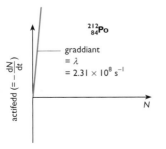

Nodwch fod graddfeydd gwahanol i'r ddau graff yn Ffigur 28.12 – mae graddiannau'r ddwy linell yn wahanol iawn. Petaent wedi'u llunio wrth yr un raddfa ni fyddai modd gwahaniaethu y naill linell na'r llall oddi wrth ei hechelin gyfagos.

17 Daliant o ronynnau lliw o ddefnydd mewn hylif yw inc. Cymerwch sampl o inc a'i wanedu, dyweder, 50%. Cymerwch y sampl wedi'i wanedu a'i wanedu eto. Gwnewch hyn dro ar ôl tro, gan ei wanedu 50% bob tro.

a Beth fydd yn digwydd i ymddangosiad yr inc?

b A fydd ymddangosiad yr inc yn newid mwy y tro cyntaf y byddwch yn ei wanedu, neu'r degfed tro?

c A yw poblogaeth y gronynnau lliw am bob mililitr, N, yn newid fwyaf y tro cyntaf y byddwch yn ei wanedu, neu'r degfed tro?

d Os yw amser, t, yn cael ei fesur yn ôl nifer y gwanediadau, a fyddech yn disgwyl i'r broses ufuddhau i'r berthynas $dN/dt \propto -N$?

18 **TRAFODWCH**

Yn ystod yr 20fed ganrif bu cynnydd ym mhoblogaeth y byd o ryw 1 biliwn o bobl i ryw 6 biliwn.

a A oedd cyfradd y newid ym mhoblogaeth y byd yn fwy ar ddechrau'r ganrif neu ar ddiwedd y ganrif?

b A fyddech yn disgwyl i gyfradd y newid ym mhoblogaeth y byd fod mewn cyfrannedd â maint y boblogaeth: bob amser, weithiau neu byth?

Ar gyfer unrhyw sampl ymbelydrol, mae cyfradd y newid yn y boblogaeth mewn cyfrannedd â'r boblogaeth ei hun. Y cysonyn cyfrannedd yw $-\lambda$. λ yw'r cysonyn dadfeiliad (gweler tudalen 74) ac mae'n nodwedd sy'n perthyn i'r niwclid.

Nodwch fod N yn rhif syml ac felly mae'n ddiddimensiwn, ac mae gan dN/dt unedau s^{-1}. Felly, er mwyn i'r hafaliad fod yn homogenaidd, mae gan λ unedau SI s^{-1} hefyd. Ar un o'r graffiau ar dudalen 297 defnyddiwyd blwyddyn^{-1}, yn hytrach nag uned SI, ond un sydd er hynny yn hawdd ei deall.

Dadfeiliad esbonyddol

Yn ystod dadfeiliad ymbelydrol, mae cyfradd y newid yn y boblogaeth bob amser mewn cyfrannedd â'r boblogaeth. Mae cyfrannedd yn berthynas syml, ond pan ysgrifennwn y berthynas hon ar ffurf

$$\frac{dN}{dt} = -\lambda N$$

gwelwn mai **hafaliad differol** ydyw – sy'n cynnwys calcwlws. Yn ffodus, mae hwn yn hafaliad differol cymharol syml, ac mae gan hafaliadau o'r math hwn hafaliad ategol annifferol safonol. (Gelwir yr hafaliad ategol hwn yn 'ddatrysiad' i'r hafaliad differol.) Tybiwch fod gennym boblogaeth gychwynnol o N_0 ar amser $t = 0$, sy'n troi'n N ar ôl amser t. Os yw $dN/dt = -\lambda N$, yna gallwn ddweud bod

$$N = N_0\, e^{-\lambda t}$$

Gelwir 'e' yn 'fôn logarithmau naturiol' ac mae iddo werth 2.718. Y berthynas yw'r berthynas **dadfeiliad esbonyddol**. Gallwn ei chynrychioli fel graff poblogaeth yn erbyn amser. Mae hyn yn dangos y boblogaeth yn lleihau ac fe'i gelwir yn **gromlin dadfeiliad** (Ffigur 28.13). Graddiant y gromlin dadfeiliad ar unrhyw adeg t yw cyfradd y newid yn y boblogaeth, dN/dt, ar yr adeg honno.

Ffigur 28.13 Dadfeiliad esbonyddol poblogaeth o samplau wraniwm-238 a pholoniwm-212. Newid esbonyddol yw canlyniad anochel unrhyw berthynas gyfraneddol sy'n cysylltu cyfradd newid mesur â'i werth ei hun.

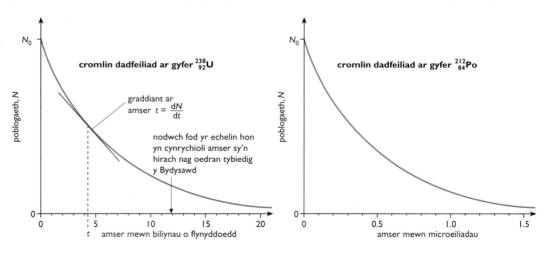

Mae cromliniau esbonyddol yn cael eu creu o ganlyniad i gyfrannedd cychwynnol syml sy'n cysylltu mesur â'i gyfradd newid ei hun. Oherwydd hyn, mae cromliniau esbonyddol yn gyffredin – fe'u gwelwch mewn cemeg, bioleg, daearyddiaeth, economeg ac yn y blaen yn ogystal â ffiseg.

19 Dychmygwch neuadd ac ynddi 500 o fyfyrwyr, pob un â dis i'w daflu. Mae pawb yn talu eu dis ar yr un pryd. Mae pawb sydd â chwech yn gadael yr ystafell. Mae'r rhai sydd â rhifau eraill yn aros ac yn taflu eto, ac unwaith eto mae'r myfyrwyr sy'n taflu chwech yn gadael. Maent yn gwneud hyn hyd nes bod neb ar ôl yn yr ystafell.

a Brasluniwch graff yn dangos nifer y myfyrwyr sydd ar ôl yn yr ystafell (poblogaeth yr ystafell) ar yr echelin y yn erbyn nifer y tafliadau ar yr echelin x.

b Defnyddiwch y graff i amcangyfrif sawl gwaith y bydd yn rhaid taflu'r dis cyn y bydd hanner y myfyrwyr wedi gadael.

c A yw'n bosibl rhagfynegi sawl tafliad yn union y bydd ei angen i wacáu'r neuadd?

Nodwch, gan fod actifedd ($-dN/dt$) mewn cyfranedd â'r boblogaeth, mae gan graff actifedd yn erbyn amser (Ffigur 28.14) yr un siâp â graff poblogaeth, N, yn erbyn amser.

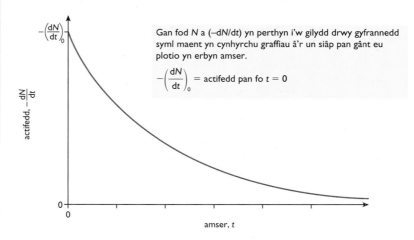

Gan fod N a ($-dN/dt$) yn perthyn i'w gilydd drwy gyfrannedd syml maent yn cynhyrchu graffiau â'r un siâp pan gânt eu plotio yn erbyn amser.

$$-\left(\frac{dN}{dt}\right)_0 = \text{actifedd pan fo } t = 0$$

Ffigur 28.14
Actifedd sampl yn disgyn yn esbonyddol.

Hanner oes

Ffigur 28.15
Ar gyfer niwclid penodol mae'r amser y mae poblogaeth yn ei gymryd i haneru bob amser yr un fath, sef ei hanner oes, $T_{1/2}$.

Os yw amser wedi'i blotio ar echelin x a phoblogaeth niwclysau heb ddadfeilio ar echelin y yna mae'r amser a gymer i'r boblogaeth newid mewn rhyw gyfranedd penodol bob amser yr un fath. Mae hyn yn nodwedd o gromlin dadfeiliad esbonyddol. **Hanner oes** yw'r amser y mae poblogaeth gychwynnol niwclid ymbelydrol yn ei gymryd i haneru (Ffigur 28.15) ac mae'n nodwedd sy'n perthyn i'r niwclid. Gallwn dalfyrru hanner oes yn $T_{1/2}$.

Dangosir hanner oes rhai niwclidau ansefydlog yn Nhabl 28.1.

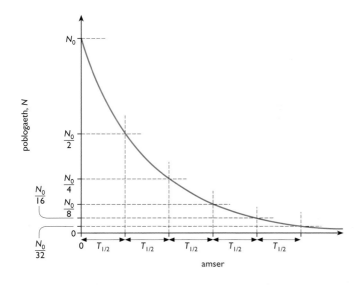

Tabl 28.1
Dulliau dadfeilio a hanner oes rhai niwclidau.

Niwclid	Dull dadfeilio	Hanner oes, $T_{1/2}$
$^{14}_{6}C$	beta$^-$	5730 mlynedd
$^{15}_{6}C$	beta$^-$	2.4 s
$^{13}_{8}O$	beta$^+$	8.7 ms
$^{15}_{8}O$	beta$^+$	2.06 munud
$^{19}_{8}O$	beta$^-$	27 s
$^{40}_{19}K$	amrywiol	1.3×10^9 mlynedd
$^{55}_{26}Fe$	dal electron	2.6 mlynedd
$^{90}_{37}Rb$	beta$^-$	2.6 munud
$^{212}_{84}Po$	alffa	3×10^{-7} s
$^{216}_{84}Po$	alffa	0.15 s
$^{228}_{90}Th$	alffa	1.9 mlynedd
$^{235}_{92}U$	alffa	1.6×10^5 mlynedd
$^{238}_{92}U$	alffa	4.5×10^9 mlynedd

Hanner oes a chysonyn dadfeiliad – perthynas wrthdro

Y cysonyn dadfeiliad yw'r cysonyn cyfrannedd λ yn y berthynas:

$$-\frac{dN}{dt} = \lambda N$$

Mae niwclid â chysonyn dadfeiliad mwy o faint yn fwy ansefydlog. Mae gan niwclid o'r fath hanner oes byrrach hefyd. Mae perthynas wrthdro rhwng y cysonyn dadfeiliad a hanner oes. Mae'n rhaid i ni edrych ar hyn yn fwy manwl i weld union natur y berthynas.

Hanner oes yw'r amser mae poblogaeth sydd heb ddadfeilio (heb newid) yn ei gymryd i haneru. Os N_0 yw'r boblogaeth gychwynnol yna ar ôl un hanner oes mae hyn yn troi'n $N_0/2$. Hynny yw, pan fo $t = T_{1/2}, N = N_0/2$. Gan eu hamnewid yn y fformiwla gyffredinol (tudalen 298):

$$N = N_0\, e^{-\lambda t}$$

cawn:

$$\frac{N_0}{2} = N_0\, e^{-\lambda T_{1/2}}$$

felly:

$$\frac{1}{2} = e^{-\lambda T_{1/2}}$$

a, chan gymryd y gwrthdro:

$$2 = e^{\lambda T_{1/2}}$$

Mae mathemateg logarithmau yn dweud wrthym:

$$\log_e 2 = \lambda T_{1/2}$$

Mae logarithm rhif i'r bôn 'e' yn ddim ond rhif arall; $\log_e 2$ yw 0.693, er enghraifft. Mae'n bosibl y bydd eich cyfrifiannell yn caniatáu i chi gyfrifo mwy o logarithmau. Nodwch y gall $\log_e x$ hefyd gael ei ysgrifennu yn y ffurf ln x, felly os oes gan eich cyfrifiannell fotwm ln x, dyna'r un y dylech ei ddefnyddio fan yma. Ar gyfer eich ffiseg, nid oes angen i chi ddeall y cam olaf hwn lle bo

$$2 = e^{\lambda T_{1/2}} \quad \text{yn troi'n} \quad \log_e 2 = \lambda T_{1/2}$$

oni bai eich bod am astudio'r fathemateg ymhellach.[1] Er hynny *bydd* angen i chi wybod a medru defnyddio'r berthynas rhwng y cysonyn dadfeiliad a hanner oes:

$$\lambda = \frac{\log_e 2}{T_{1/2}}$$

$\log_e 2$ yw rhif, 0.693, ac felly:

$$\lambda = \frac{0.693}{T_{1/2}}$$

Nodwch fod gan λ yr uned s^{-1} a chaiff hanner oes ei fesur mewn eiliadau, s. Mae'r hafaliad yn homogenaidd.

---

20 Cyfrifwch gysonion dadfeiliad pob un o'r niwclidau yn Nhabl 28.1.

21 Mae gan isotopau sefydlog ocsigen rifau màs 16, 17 a 18. Pam nad yw'n syndod bod gan ocsigen-13 hanner oes byrrach o lawer nag ocsigen-15?

22 a Mae hanner oes wraniwm-238 yn debyg iawn i oedran tybiedig y Ddaear. Pa gyfran o'r wraniwm-238 oedd yn bresennol pan ffurfiwyd y Ddaear sydd yma o hyd?

b Mae tua 99.3% o wraniwm y Ddaear yn wraniwm-238 ac mae'r gweddill yn wraniwm-235. A fyddai'r ffigur hwn o 99.3% yn fwy neu'n llai pan ffurfiwyd y Ddaear?

23 a Brasluniwch graff o gysonyn dadfeiliad yn erbyn hanner oes ar gyfer amrediadau o hanner oes o 0 i 30 s. Marciwch safleoedd y niwclidau carbon-15 ac ocsigen-19 ar y llinell (gweler Tabl 28.1).

b Beth fydd graddiant graff λ yn erbyn $1/T_{1/2}$?

---

[1] Logarithm rhif yw'r pŵer y bydd yn rhaid codi'r bôn, sef 'e' fan yma (sy'n hafal i 2.718), i roi'r rhif (gweler *Ffiseg Safon Uwch*)

● **Deall a chymhwyso**

Darganfod oedran creigiau drwy ddulliau ymbelydrol

Rwbidiwm–strontiwm

Mae tua 90 elfen yn y Ddaear ac arni. Mae gan nifer o'r rhain ddau neu ragor o isotopau sefydlog, tra bo gan eraill ddim ond un. Mae unrhyw sampl o ddefnydd daearol – craig, aer neu feinwe dynol – wedi'i wneud bron yn gyfan gwbl o niwclidau sefydlog. Ond mae niwclidau ansefydlog yn bresennol. Dyma'r rhai sydd naill ai â hanner oes hir iawn (cannoedd o filiynau o flynyddoedd neu fwy) neu sy'n cael eu cynhyrchu'n barhaus ar y Ddaear, er enghraifft gan ddadfeiliad ymbelydrol defnyddiau eraill.

Metel meddal, ymbelydrol iawn yw rwbidiwm a geir yng nghyfansoddion creigiau yng nghramen y Ddaear (Ffigur 28.16). Mae'r rhan fwyaf o'r rwbidiwm ar y Ddaear yn rwbidiwm-85,

Ffigur 28.16
Mae gwenithfaen yn cynnwys mesurau bach ond arwyddocaol o gyfansoddion rwbidiwm. Mae mesuriadau o'r rwbidiwm-strontiwm sydd yn y graig yn dweud pa mor hen yw'r graig.

ac mae'r gweddill yn rwbidiwm-87. Gan fod y ddau isotop yn gemegol unfath, maent bob amser yn bodoli gyda'i gilydd. Mae rwbidiwm-87 yn ymbelydrol, ond i ryw raddau yn unig. Mae ganddo hanner oes hir iawn o 47 biliwn o flynyddoedd ac felly mae ei actifedd yn isel iawn. Mae'n dadfeilio i ffurfio strontiwm-87 drwy ddadfeiliad beta⁻:

$$^{87}_{37}\text{Rb} \rightarrow \,^{87}_{38}\text{Sr} + \,^{0}_{-1}\text{e} + \bar{\nu} + Q$$

Mae rwbidiwm yn dadfeilio i strontiwm yn yr un modd yn union mewn craig dawdd ag mewn solid. Bydd hylif sy'n cynnwys rwbidiwm yn cynnwys rhywfaint o strontiwm hefyd. Ond, pan gaiff ei risialu, mae'r cyfansoddion rwbidiwm a strontiwm yn gwahanu, felly dim ond ychydig iawn o strontiwm fydd mewn craig rwbidiwm sydd newydd ei chreu. Mae'r rwbidiwm yn dal i ddadfeilio ac mae niwclysau strontiwm newydd yn cael eu creu o fewn y graig. Mae'r gymhareb strontiwm-87 i rwbidiwm-87 mewn sampl o graig yn dangos am ba hyd y bu'r strontiwm yn cronni (Ffigur 28.17). Mae'n dangos am ba hyd y bu'r graig yn solid.

Ffigur 28.17
Cromlin dadfeiliad rwbidiwm-87.

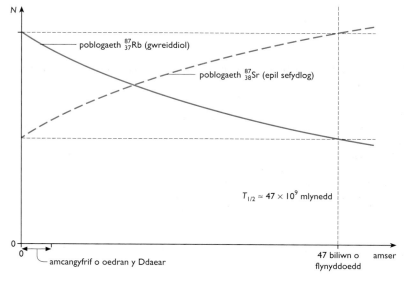

poblogaeth $^{87}_{37}$Rb (gwreiddiol)

poblogaeth $^{87}_{38}$Sr (epil sefydlog)

$T_{1/2} \approx 47 \times 10^9$ mlynedd

amcangyfrif o oedran y Ddaear

47 biliwn o flynyddoedd

amser

Dim ond ychydig yn ymbelydrol yw rwbidiwm-87 ac mae ganddo hanner oes hir all gael ei fesur o actifedd sampl sy'n cynnwys nifer hysbys o niwclysau:

$$\text{actifedd} = \lambda N = \frac{0.693N}{T_{1/2}}$$

$$T_{1/2} = \frac{0.693N}{\text{actifedd}}$$

Er hynny, mewn craig solet mae poblogaeth niwclysau rwbidiwm-87 yn lleihau ac mae niwclysau strontiwm-87 yn cynyddu. Mae gan graig sy'n 'hŷn' gyfran uwch o niwclysau strontiwm na chraig a ddaeth yn solet yn fwy diweddar.

Wraniwm–plwm

Silicon ac ocsigen yw'r elfennau mwyaf cyffredin yng nghramen y Ddaear. Mae eu hisotopau, y rhai y gallwn ddod o hyd iddynt yn awr, yn sefydlog. Nid yw'n ymddangos bod amser yn effeithio arnynt. Nid yw'r cyflenwadau ohonynt wedi newid fawr ddim ers i'r Ddaear gael ei ffurfio felly ni allant ddweud dim wrthym am oedran y Ddaear.

Mae cyfran dau isotop wraniwm, wraniwm-235 ac wraniwm-238, fodd bynnag, wedi newid gryn dipyn gydag amser. Mae'r ddau yn ymbelydrol ond mae wraniwm-238 yn fwy sefydlog ac mae iddo hanner oes hirach. Nid yw'n syndod felly fod mwy o wraniwm-238 (99.27% o'r holl wraniwm) nag wraniwm-235 (0.72%) yng nghramen y Ddaear. Yn anffodus, heb wybod oedran y Ddaear nid oes modd i ni wybod faint o bob un o'r isotopau hyn oedd yn bresennol ar y dechrau. Felly, nid oes gan y cyfrannau sy'n bod heddiw, all gael eu darganfod drwy ddefnyddio sbectromedr màs (Ffigur 28.18), ddim i'w ddweud sy'n ddibynadwy am oedran y Ddaear nac oedran creigiau arbennig.

At ddibenion dyddio daearegol, mae hynny'n gadael y posibilrwydd o fesur cyfrannedd niwclid megis wraniwm-238 i'w gynnyrch dadfeiliad sydd wedi'i ddal yn y graig, fel y gwneir ar gyfer rwbidiwm a strontiwm. Ond, yn yr achos hwn, mae'r sefyllfa'n fwy cymhleth oherwydd nad yw wraniwm-238 yn dadfeilio'n niwclid sefydlog. Yn wir, rhaid i niwclews wraniwm fynd drwy 14 o ddadfeiliadau o leiaf cyn y bydd yn troi'n blwm-206, niwclews sefydlog. Gelwir y gyfres hon o ddadfeiliadau yn gadwyn dadfeiliadau (Ffigur 28.19).

Wrth feddwl am niwclews unigol, gellir meddwl am hanner oes fel yr amser y bydd gan niwclews debygolrwydd o 50% o ddadfeilio. Mae gan y rhan fwyaf o'r niwclidau sydd yn y gadwyn dadfeiliadau sy'n mynd o wraniwm-238 i blwm-206 hanner oes o ychydig eiliadau, ychydig funudau neu ychydig ddyddiau. Mae gan y mwyaf sefydlog ohonynt hanner oes sydd tua 10 000 gwaith yn fyrrach na hanner oes wraniwm-238. Felly dim ond cyfran fach iawn o'r niwclidau hyn sydd mewn craig sy'n cynnwys wraniwm. Mae'r broses yn gyffredinol yn golygu gostyngiad araf yng nghyfrannedd wraniwm-238 i blwm-206. Felly gellir ei grynhoi fel a ganlyn:

$$^{238}_{92}U \rightarrow {}^{206}_{82}Pb + 8\,{}^{4}_{2}\alpha + 6\,{}^{0}_{-1}e + 6\bar{\nu} + Q$$

Felly mae dyddio drwy ddulliau ymbelydrol gydag wraniwm a phlwm yn ei hanfod yn debyg i ddyddio gyda rwbidiwm a strontiwm. Cafodd llawer o greigiau ar y Lleuad a meteoritau eu dyddio drwy ddefnyddio'r dull wraniwm-plwm. Mae'r un canlyniad yn ymddangos dro ar ôl tro: mae'n ymddangos y bu'r graig yn solet am 4.6 biliwn o flynyddoedd. Os bu i'r Lleuad, y meteoritau a'r Ddaear oll ffurfio o ddisg yn troelli tua'r un adeg, yna mae'r Ddaear hefyd tua 4.6 biliwn o flynyddoedd oed.

24 Yn fras, beth yw màs 10^{18} atom o rwbidiwm-87:
 a mewn unedau màs atomig
 b mewn kg?
 (Mae'r uned màs atomig, u, yn ddefnyddiol i gymharu masau niwclidau. Y mae *yn fras* (gweler Pennod 34) yr un fath â màs un niwcleon:
 1 u = 1.66 × 10^{-27} kg.)

25 a Beth yw rhif atomig strontiwm-90?
 b Beth yw rhif màs (rhif niwcleon) isotop mwyaf cyffredin rwbidiwm?
 c Beth yw rhif niwtron rwbidiwm-87?
 d Beth yw'r gwahaniaeth sylfaenol rhwng rwbidiwm-87 a strontiwm-87?

26 Esboniwch pam y mae'r dadfeiliadau canlynol yn anaddas i fesur oedran craig solet:
 a rwbidiwm-90 i strontiwm-90
 b thoriwm-228 i radiwm-224.
 (Edrychwch ar Dabl 28.1, tudalen 299.)

27 Mae crypton-90 yn dadfeilio drwy ddadfeiliad β⁻ i ffurfio rwbidiwm-90, gyda hanner oes o 33 s.
 a Ysgrifennwch yr adwaith niwclear gan ddefnyddio symbolau safonol.
 b Petai'n bosibl cael sampl pur o grypton-90, beth fyddai'r gymhareb ar gyfer nifer yr atomau crypton-90 i nifer yr atomau rwbidiwm-90 ar ôl
 i 11 munud
 ii 1 eiliad?
 c Pam nad oes crypton-90 naturiol ar y Ddaear?

28 Un rheswm pam y mae mwy o wraniwm-238 nag wraniwm-235 ar y Ddaear yw mai wraniwm-238 yw'r niwclid mwyaf sefydlog. Allwch chi awgrymu rheswm posibl arall?

29 a Brasluniwch graff sy'n dangos y newid yn y cyflenwad o wraniwm-238 mewn craig gydag amser.
 b Ar yr un echelinau, brasluniwch graff i ddangos y newid yn y cyflenwad plwm-206 gydag amser, gan dybio nad oedd plwm-206 yn bresennol pan risialodd y graig y tro cyntaf.

30 'Ni cheir niwclidau ansefydlog â hanner oes o lai na 100 miliwn o flynyddoedd ar y Ddaear oni bai eu bod yn cael eu cynhyrchu'n ddi-dor.'
 a Pa brosesau ar y Ddaear a allai gynhyrchu niwclidau â hanner oes byr yn ddi-dor?
 b A yw'r datganiad yn cynnig unrhyw dystiolaeth sy'n berthnasol i'r ddadl ar oedran y Ddaear?
 c A ydych chi'n credu bod y Ddaear ychydig o filoedd o flynyddoedd oed, 4.6 biliwn o flynyddoedd oed neu rywbeth rhwng y ddau?

Ffigur 28.18
Mae allbrint y sbectromedr màs yn dangos cyflenwadau cymharol isotopau plwm mewn un sampl o graig. Gall y graig gael ei dadansoddi yn yr un modd i ddarganfod cyflenwadau cymharol isotopau wraniwm.

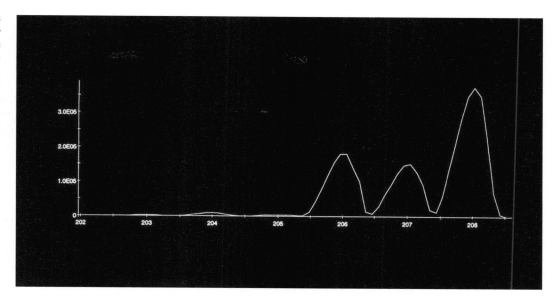

Ffigur 28.19
Ers i'r Ddaear ffurfio, y mae tua hanner ei niwclysau wraniwm-238 wedi dechrau ar 'daith' ar hyd y gadwyn dadfeiliadau. Unwaith y bydd wedi dechrau ar y gadwyn dadfeiliadau, mae tebygolrwydd mawr y bydd niwclews yn cyrraedd y pen arall ac yn troi'n blwm-206, yn gymharol gyflym.

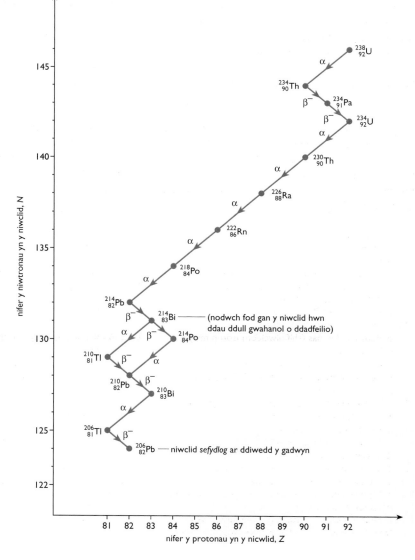

Mae gan y rhan fwyaf o'r prosesau dadfeilio a ddangosir yma hanner oes byr, wedi'i fesur mewn eiliadau, munudau neu ddiwrnodau.

● **Deall a chymhwyso**

Radioisotopau meddygol

Yn ystod sgan tomograffeg allyriant positron (*positron emission tomography* – PET) (gweler tudalen 312), mae niwrowyddonwyr, sy'n arbenigo ar sut y mae ein hymennydd yn gweithio, yn gallu gweld pa rannau o'r ymennydd sydd fwyaf actif ar adegau gwahanol – felly gallant weld pa rannau o'r ymennydd sy'n cael eu defnyddio at weithgareddau gwahanol, o weithgareddau echddygol syml fel gwasgu botwm i weithgareddau mwy soffistigedig fel gwrando ar jôc.

Pelydriad gama sy'n dod o'r pen yn ystod sgan PET a gall canfodyddion mewn arae o amgylch y pen ymateb i'r ffotonau sy'n dod ohono. Ond nid yw'r niwrowyddonwyr yn defnyddio radioisotop allyrru gama syml gan nad oes allyryddion gama sydd â phriodweddau addas. Un o brif ofynion sgan PET yw y dylai'r radioisotop gronni yn naturiol mewn mannau lle mae yna weithgaredd mawr yn yr ymennydd. Priodwedd allweddol arall radioisotopau yw eu hanner oes. Nid oes gan niwclidau â hanner oes o rai eiliadau fawr ddim defnydd meddygol – erbyn i sampl o ddefnydd gael ei roi i glaf a lledaenu drwy ei gorff mae lefel yr actifedd wedi disgyn yn sydyn. Byddai'n bosibl gwneud iawn am hyn yn syml iawn drwy ddefnyddio sampl mwy o ddefnydd sydd â lefel uwch o actifedd. Golygai hynny y byddai'n rhaid defnyddio dôs uwch o ymbelydredd ar y claf ac mae'n hanfodol fod y dôs yn cael ei gadw'n isel. Ar y llaw arall, os defnyddir niwclid â hanner oes hir, mae ei actifedd yn isel felly mae'n rhaid defnyddio mwy o'r defnydd er mwyn sicrhau lefel ganfyddadwy o allyriant. Os yw'r defnydd yn aros yn y corff am amser hir yna mae'r corff yn agored i lefel uchel o ymbelydredd.

Mae'r radioisotop ar gyfer canfod gweithgaredd meddyliol yn teithio i'r mannau lle mae'r ymennydd yn gweithio galetaf a lle mae angen egni fwyaf, felly o'r mannau hynny mae mwy o allyriant canfyddadwy. Mae ocsigen yn elfen a geir fel arfer mewn glwcos ac mae crynodiad uchel o glwcos yn y rhannau hynny sydd fwyaf gweithredol. Mae'n bosibl 'labelu' moleciwlau glwcos ag ocsigen ymbelydrol ac fel mae'n digwydd mae yna isotop ocsigen sy'n ddelfrydol: ocsigen-15.

Ffigur 28.20

Gall sgan gama gael ei ddefnyddio i fonitro'r galon. Mae'r camera sensitif yn gallu canfod allyriannau o'r galon a throsglwyddo delweddau i'r sgrin. Gall cyhyr y galon gael ei weld fel cylch neu bedol porffor/oren, yn ddibynnol ar ongl y sgan, a'r siambrau fel lliw du neu las tywyll yng nghanol y cylchoedd hyn.

Mae ocsigen-15 yn allyrrydd beta$^+$. Hynny yw, mae'n allyrru positronau. Mae ganddo hanner oes o ychydig dros ddwy funud – digon hir i glwcos gael ei roi i'r corff a lledaenu, gan gynnwys i'r ymennydd sydd erbyn hyn angen egni. Mae'r positronau yn dod o niwclysau'r ocsigen ac yn rhyngweithio ag electronau. Mae gwrthfater yn dod ar draws mater ac maent yn **cyd-ddifodi** ei gilydd gan arwain at greu pâr o ffotonau pelydrau gama sy'n teithio i gyfeiriadau dirgroes, drwy'r ymennydd, allan drwy'r penglog ac at ganfodyddion y gwyddonwyr – gan ddangos y mannau hynny yn yr ymennydd lle mae glwcos wedi'i grynodi fwyaf.

Mewn egwyddor, gall radioisotopau gael eu targedu at dyfiant er mwyn lladd celloedd canser, er bod celloedd iach yn cael eu lladd hefyd, a bydd dôs uchel o ymbelydredd yn cael ei roi i'r claf. Y defnydd mwyaf a wneir o ddefnyddiau ymbelydrol o bell ffordd, fodd bynnag, yw fel olinyddion. Mae'r ocsigen-15 mewn sgan PET yn gweithio fel olinydd, er ei bod yn anarferol oherwydd nid yr allyriant yn uniongyrchol o niwclysau'r ocsigen sy'n cael ei ganfod ond yr allyriant gama eilaidd sy'n deillio o'r cyd-ddifodiant.

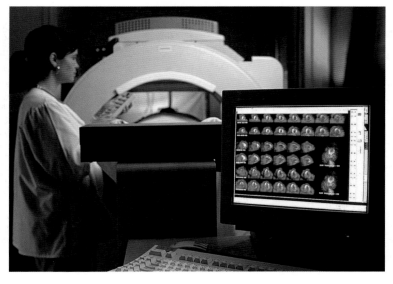

Mae technetiwm-99m yn olinydd meddygol pwysig; mae'n allyrru pelydriad gama yn uniongyrchol. Saif yr 'm' am metasefydlog. Caiff ei gynhyrchu o ganlyniad i ddadfeiliad molybdenwm-99, drwy allyriant beta$^-$. Mae'r epil niwclews mewn dadfeiliad o'r fath, y technetiwm, mewn cyflwr metasefydlog – mae ganddo ormodedd o egni mewn perthynas â'i gyflwr isaf niwclear, ond ni fydd yn colli'r egni hwn yn union ar ôl dadfeiliad y molybdenwm gwreiddiol. Mae'r technetiwm yn 'disgyn' i'w gyflwr isaf, ar ôl ychydig o amser, gyda hanner oes o chwe awr i bob pwrpas. Felly mae'n ddelfrydol at ddibenion meddygol oherwydd mae'n allyrrydd gama sydd â hanner oes sy'n caniatáu iddo gael ei roi yng nghorff y claf ar lefelau sy'n gymharol fach a gall gael ei gynhyrchu yn gymharol syml mewn ysbyty drwy ddefnyddio cyflenwad o folybdenwm.

Dangosir rhai radioisotopau meddygol eraill yn Nhabl 28.2.

Tabl 28.2
Radioisotopau meddygol.

Radioisotop	Dull dadfeilio	Hanner oes
ocsigen-15	β^+	2.06 munud
technetiwm-99m	γ	6 awr
hydrogen-3 (tritiwm)	β^-	12.3 mlynedd
sodiwm-24	β^- a γ	15 awr
ffosfforws-32	β^-	14.3 diwrnod
ïodin-131	β^- a γ	8 diwrnod

31 a Pam y mae hanner oes hir yn golygu bod defnydd yn anaddas i'w ddefnyddio fel olinydd meddygol?
b Pam y mae hanner oes byr iawn yn golygu bod defnydd yn anaddas i'w ddefnyddio fel olinydd meddygol?
c Pam y mae hanner oes technetiwm-99m yn golygu ei fod yn addas iawn i'w ddefnyddio fel radioisotop meddygol?
32 Awgrymwch pam y gallai un o isotopau hydrogen fod yn ddefnyddiol fel radioisotop meddygol er bod ganddo hanner oes cymharol hir.
33 Pam, mewn radioisotop meddygol, y mae niwclid sy'n allyrru pelydriad gama yn unig (fel technetiwm-99m) yn rhoi dôs is o belydriad i gorff claf nag allyrrydd beta â'r un lefel o actifedd?
34 Pam nad yw allyryddion alffa yn addas fel olinyddion meddygol?
35 Mae sampl o sodiwm-24 yn cael ei gynhyrchu a'i arunigo mewn gorsaf pŵer niwclear gyda lefel actifedd cychwynnol cyflawn o 10^{14} Bq, a'i gludo i ysbyty, gan gyrraedd 10 awr yn ddiweddarach.
a i Beth yw cysonyn dadfeiliad sodiwm-24?
ii Beth oedd màs cychwynnol y sampl? (Màs 1 atom o sodiwm-24 yw 24.0 u, ac 1 u = 1.66×10^{-27} kg.)
iii Brasluniwch graff llinell syth sy'n dangos y berthynas rhwng yr actifedd a phoblogaeth y sampl.
iv Brasluniwch graff yn dangos y berthynas rhwng yr actifedd ac amser.
b Amcangyfrifwch actifedd y sampl pan fydd yn cyrraedd. Esboniwch y dull ddefnyddioch chi.
c Os yw mesur o sodiwm-24 â lefel actifedd cyflawn o 10^8 Bq i'w roi i glaf mewn diod, pa fàs o'r defnydd ddylai gael ei ddefnyddio?

Tasg sgiliau ychwanegol — **Technoleg Gwybodaeth a Chymhwyso Rhif**
Datblygwch raglen gyfrifiadur all gynhyrchu cromlin dadfeiliad ar gyfer sampl sy'n dadfeilio. Dylai eich galluogi chi i gynhyrchu cromliniau ar gyfer samplau o wahanol faint (poblogaethau) a gwahanol gysonyn dadfeiliad.

Cwestiynau arholiad

1 Mae niwclysau $^{218}_{84}$Po yn dadfeilio drwy allyriant gronyn α i ffurfio isotop sefydlog elfen X. Gallwch dybio nad oedd unrhyw allyriant γ yn rhan o'r dadfeiliad.
a i Rhowch rif proton a rhif niwcleon X.
ii Enwch elfen X. (2)
b Mae pob niwclews Po sy'n dadfeilio yn rhyddhau 8.6×10^{-13} J o egni.
i Nodwch ym mha ffurf y mae'r egni hwn yn ymddangos *yn y lle cyntaf*.
ii Gan ddefnyddio'r wybodaeth a roddwyd yn y cwestiwn *yn unig*, cyfrifwch y gwahaniaeth mewn màs rhwng yr atom $^{218}_{84}$Po gwreiddiol a chyfanswm màs yr atom X a'r gronyn α. (Mae buanedd golau mewn gwactod = 3.0×10^8 m s^{-1}) (3)
AQA (NEAB), Gronynnau a Thonnau, Mawrth 1999

2 a Diffiniwch y termau canlynol:
i 'rhif atomig' (1)
ii 'rhif màs' (1)
iii 'isotop' (2)
iv 'hanner oes ymbelydrol' (2)

b Mae gan isotop ymbelydrol hanner oes o 6 awr. Mae gan sampl o'r isotop actifedd cychwynnol o 1000 dadfeiliad yr eiliad.
i Lluniwch graff i ddangos sut y mae'r actifedd yn amrywio gydag amser dros bedwar hanner oes. (3)
ii A yw'r tebygolrwydd y bydd un atom yn dadfeilio yn lleihau gydag amser yn y modd hwn? Esboniwch. (2)
c Gall yr isotop ^{215}Po ddadfeilio drwy allyrru naill ai gronyn alffa neu ronyn beta.
i Ysgrifennwch yr hafaliad ar gyfer pob un o'r dilyniannau dadfeiliad hyn. (5)
ii Gwyddom y gall gronyn alffa o'r dadfeiliad hwn ïoneiddio tua miliwn o atomau. Amcangyfrifwch egni'r gronyn alffa. (2)
d Disgrifiwch yn gryno un defnydd o isotopau ymbelydrol. (2)
Y Fagloriaeth Ryngwladol, Ffiseg, Safon Atodol, Tachwedd 1997

3 Mae dadfeiliad defnyddiau ymbelydrol yn hapbroses. Ar gyfartaledd, mae niwclidau sy'n dadfeilio'n gyflym yn bodoli am gyfnod byrrach na niwclidau sy'n dadfeilio'n araf. Wrth wneud cyfrifiadau ynglŷn â dadfeiliad, mae'n arferiad i ddefnyddio hanner oes niwclid. Un anhawster sy'n codi gyda'r cyfrifiadau hyn yw pan fydd y defnydd ymbelydrol yn gymysgedd o ddau niwclid neu fwy. Mae'r cwestiwn hwn yn ymwneud â sefyllfa lle bo cymysgedd o ddau niwclid ymbelydrol. Wrth ddadgomisiynu gorsaf bŵer niwclear, caiff yr anhawster hwn ei gymhlethu gan bresenoldeb cyflenwadau mawr o ryw gant o niwclidau ymbelydrol gwahanol.

a Esboniwch beth mae'n ei olygu i ddweud bod dadfeiliad ymbelydrol yn *hapbroses*. (2)

b Nodwch ddau fesur ffisegol sy'n achosi newid yng nghyflwr mater ond nad ydynt yn achosi newid yng nghyfradd dadfeilio defnydd ymbelydrol. (2)

c Mae'r tabl yn rhoi amrywiad gydag amser actifedd cyflawn A_{cym} cymysgedd o gobalt a nicel ynghyd ag actifeddau A_C ac A_N ar wahân o ganlyniad i'r cobalt a'r nicel.

Amser/blwyddyn	A_C/Bq	A_N/Bq	A_{cym}/Bq	$\ln(A_{cym}$/Bq)
0	6900	250	7150	8.87
5	3540	241	3781	8.24
10	1820	232	2052	7.63
20	479	215	694	6.54
30	126	199	325	5.78
40	33.3	185	218	5.38
50	8.79	172	181	5.20
60	2.32	159	161	5.08
70	0.611	147	148	5.00
80	0.161	137	137	4.92
90	0.0425	127	127	4.84
100	0.0112	118	118	4.77

Mae'r graff sy'n dangos sut y mae $\ln(A_{cym}$/Bq) yn amrywio gydag amser wedi ei blotio isod.

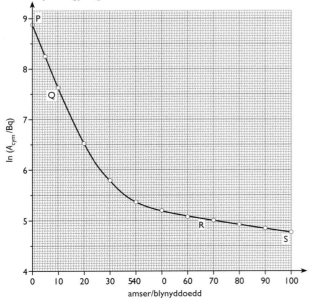

amser/blynyddoedd

i Esboniwch y canlynol
 1 Mae PQ ar y graff yn cyfateb yn bennaf i ddadfeiliad cobalt.
 2 Mae RS ar y graff yn cyfateb yn bennaf i ddadfeiliad nicel.
 3 Cromlin yw siâp QR.

ii Ewch ati i ddarganfod y graddiannau canlynol.
 1 graddiant PQ
 2 graddiant RS

iii O wybod bod deddf gyffredinol dadfeiliad yn y ffurf $x = x_0$esb$(-\lambda t)$, defnyddiwch y graddiannau a geir yn **ii** i *amcangyfrif* gwerthoedd y cysonion dadfeiliad ar gyfer niwclidau cobalt a nicel.

iv Defnyddiwch eich ateb i **iii** i gyfrifo hanner oes y cobalt. (10)

d Awgrymwch a fyddai unrhyw berygl yn deillio o'r ddau niwclid hyn, â'r actifeddau hyn, petaent yn cael eu darganfod wrth ddadgomisiynu adweithydd niwclear. (2)

e Mewn adweithydd go iawn, gall actifeddau defnyddiau ymbelydrol fod 10^{12} gwaith yn fwy yn aml iawn na'r rhai a roddir yn y tabl. Esboniwch pryd a pham y byddai'r perygl o bob un o'r ddau niwclid hyn ar ei fwyaf. (4)

OCR, Ffiseg, Papur 2, Mehefin 1999

4 a i Rhowch *ddau* wahaniaeth rhwng proton a phositron.
 ii Mae paladr cul o brotonau a phositronau yn teithio ar yr un buanedd ac yn mynd i mewn i faes magnetig unffurf. Fe welwch lwybr y positronau drwy'r maes yn y ffigur.

Marciwch y llwybr y byddech yn disgwyl i'r protonau ei ddilyn.

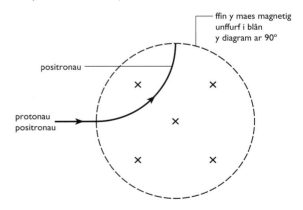

iii Esboniwch pam y mae'r protonau yn dilyn llwybr gwahanol i lwybr y positronau. (5)

b Mae'r ffigur nesaf yn dangos pum isotop carbon wedi'u plotio ar grid lle mae'r echelin fertigol yn cynrychioli'r rhif niwtron N a'r echelin lorweddol yn cynrychioli'r rhif proton, Z. Mae dau isotop yn sefydlog, mae un yn allyrrydd beta minws ac mae dau yn allyryddion positron.

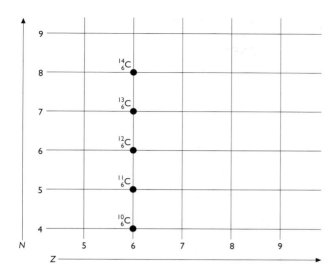

i Pa isotop yw'r allyrrydd beta minws?

ii Pa un o'r ddau allyrrydd positron sydd â'r hanner oes byrraf? Rhowch reswm am eich dewis. (3)

c Mae positron ag egni cinetig 2.2 MeV ac electron sy'n llonydd yn cyd-ddifodi ei gilydd. Cyfrifwch egni cyfartalog pob un o'r ddau ffoton gama a gynhyrchir o ganlyniad i'r cyd-ddifodiad hwn. (2)

AQA (NEAB), Ffiseg Gronynnau, Mawrth 1999

5 a Gall niwclews atom o aur gael ei gynrychioli gan

$$^{197}_{79}Au$$

Disgrifiwch yn llawn fodel o atom aur niwtral, gan gyfeirio at rifau proton, niwtron ac electron, a'u masau a'u gwefrau cymharol. (9)

b Rhoddodd yr arbrawf gwasgaru gronynnau α dystiolaeth ar gyfer y model o'r atom yn **a**. Disgrifiwch yr arbrawf hwn, gan gyfeirio'n arbennig at

i y cyfarpar a'r arsylwadau a wnaed

ii y dehongliad a wnaed o'r arsylwadau. (8)

c Mae sampl o nwy neon naturiol yn cael ei ddadansoddi. Awgrymwch pam y gwelir mai rhif cyfan yw'r rhif proton (rhif atomig) (10) er nad yw cyfartaledd rhifau niwcleon (rhifau màs) y niwclysau (20.2) yn rhif cyfan. (4)

OCR, Gwyddoniaeth, Ffiseg, Sylfaenol, Mawrth 1999

6 Mae gan un o isotopau potasiwm, $^{40}_{19}K$, hanner oes o 1.4×10^9 o flynyddoedd ac mae'n dadfeilio i ffurfio argon, $^{40}_{18}Ar$, sy'n sefydlog. Mae sampl o graig a gymerwyd o'r Môr Tawelwch ar y Lleuad yn cynnwys potasiwm ac argon yn y gymhareb

$$\frac{\text{nifer yr atomau potasiwm-40}}{\text{nifer yr atomau argon-40}} = \frac{1}{7}$$

a Diffiniwch *hanner oes*. (2)

b Mae niwclews potasiwm sy'n dadfeilio yn allyrru gronyn X.

i Ysgrifennwch yr hafaliad niwclear sy'n cynrychioli'r dadfeiliad hwn.

ii Awgrymwch pa elfen yw X. (2)

c Tybiwch, pan ffurfiwyd y graig, nad oedd argon-40 yn bresennol yn y sampl ac na wnaeth dim ddianc wedi hynny.

i Amcangyfrifwch oedran y graig.

ii Nodwch, gan roi rheswm, a yw eich ateb i **i** yn fwy nag oedran y graig, neu'n llai, os yw rhywfaint o'r argon wedi dianc. (5)

OCR, Ffiseg, Papur 2, Tachwedd 1999

29 Ffiseg gronynnau

Y CWESTIYNAU MAWR
- O beth y mae popeth wedi'i wneud?
- Sut y mae dweud o beth y mae rhywbeth wedi'i wneud?
- Beth yw ystyr y cwestiwn 'O beth y mae popeth wedi'i wneud?'

GEIRFA ALLWEDDOL

baryon   boson cyfnewid   boson Higgs   cromodynameg cwantwm   cwarc gwrthlepton   cynhyrchu pâr   diagram Feynman   disgyrchonau   electrodynameg cwantwm   gliwonau   gronyn sylfaenol   gwefr lliw   gwrthgwarc   hadron   hynodrwydd   lepton   llwybr wythplyg   mater tywyll   meson   model safonol   Prif Ddamcaniaeth Unedig   rhif baryon   rhif lepton   syfliad paradeim   uwchgymesuredd   uniad grymoedd

Y CEFNDIR

Dywedir bod i bob stori dda ddechrau, canol a diwedd ond nid, o reidrwydd, yn y drefn honno. Er mwyn adrodd stori ffiseg gronynnau felly edrychwn yn gyntaf oll ar y canol; hynny yw y sefyllfa yn awr. Yna gallwn fynd yn ôl i weld sut y daethom ni yma a gallwn hefyd fynd yn ôl i'r dechreuad cyntaf oll – y glec fawr. Gan fod y stori'n dal i ddatblygu mae'n amhosibl i ni ddod i unrhyw gasgliad ynglŷn â'r diwedd ond fe allwn edrych ymlaen i weld pa broblemau mae ffisegwyr gronynnau yn gobeithio eu datrys yn y dyfodol a pham. Y **model safonol** yw'r enw a roddir ar y cyfnod presennol.

Gronynnau a'u rhyngweithiadau – y model safonol

Mae'r model safonol yn disgrifio yr hyn a wyddom am egni a rhyngweithiadau mater ar raddfa fach, fach iawn. Mae'r model safonol wedi'i seilio, mewn gwirionedd, ar dri math o ronyn sydd mor fach y gellir eu galw'n ronynnau **sylfaenol**, sy'n golygu nad oes ganddynt adeiledd mewnol. Gelwir y tri math hyn o ronynnau sylfaenol yn **lepton, cwarc** a **boson cyfnewid**.

Os gofynnir i ni 'o beth mae gronynnau sylfaenol mater wedi'i wneud?' gallem fethu sôn am y bosonau cyfnewid. Nid ydynt yn cyfuno gyda'i gilydd fel blociau adeiladu parhaol o ronynnau mwy. Beth mae'n ymddangos y maent yn ei wneud yw teithio rhwng gronynnau sylfaenol eraill – y leptonau a'r cwarciau – gan ganiatáu iddynt ryngweithio â'i gilydd. Mae'r leptonau a'r cwarciau fel petaent yn taflu bosonau yn ôl ac ymlaen. Dyna pam y mae'r gair 'cyfnewid' yn cael ei ddefnyddio. Mae gan nifer o fosonau oes fer, ac maent yn cael eu creu a'u dinistrio yn ystod y prosesau cyfnewid, fel y gwelwn yn y man. Heb y bosonau, ni fyddai yna ryngweithio – dim grymoedd rhwng gronynnau. (Mae hyn yn cynnnwys y grymoedd atynnu rhwng y moleciwlau a'r atomau, ac o fewn y niwclysau, sydd yn eich corff. Bosonau sy'n eich dal chi at eich gilydd! Yn y bennod hon cewch gyfle i weld y byd o safbwynt hollol newydd!)

Gwyddom fod mathau gwahanol o rymoedd ar waith mewn natur. Gwyddom fod grym disgyrchiant a grym trydanol, er enghraifft, yn ymddwyn yn wahanol. Maent yn gweithredu ar raddfeydd gwahanol, ac mae'r naill yn gweithredu rhwng masau tra bo'r llall yn gweithredu rhwng gwefrau trydan. Gwyddom hefyd fod niwclysau yn cael eu dal at ei gilydd gan rym niwclear cryf – digon cryf i oresgyn gwrthyriad trydanol protonau. Ac o fewn niwclysau, mae gronynnau yn rhyngweithio mewn ffordd arall nad yw grymoedd disgyrchiant, trydanol na grym niwclear cryf yn gallu ei hesbonio. Yr enw a roddwn ar hyn yw grym niwclear gwan, neu ryngweithiad gwan.

---

1 A oes gan y
a moleciwl
b atom
adeiledd mewnol?
Ai gronynnau sylfaenol ydynt?

Y pedwar grym a'r model safonol

Ar gyfer pob math o rym mae math arbennig o foson cyfnewid. Y ffoton yw'r math mwyaf cyffredin. Ar lefel gronynnau sylfaenol, trwy gyfnewid ffotonau y mae gronynnau yn rhoi grym trydanol ar ei gilydd. Dim ond gronynnau sydd â'r briodwedd a elwir yn wefr drydanol all wneud hyn. Gelwir astudiaeth cyfnewid ffotonau a'r rhyngweithiadau trydanol rhwng gronynnau yn **electrodynameg cwantwm** neu QED (*quantum electrodynamics*). Gallwn dynnu diagramau syml a elwir yn **ddiagramau Feynman** i gynrychioli rhyngweithiadau o'r fath (Ffigurau 29.1 a 29.2).

Ffigur 29.1
Diagram Feynman yn dangos y rhyngweithiad trydanol rhwng dau ronyn wedi'u gwefru.

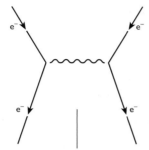

gwrthyriad dau electron, a wnaed yn bosibl gan ffoton cyfnewid sy'n bodoli am gyfnod byr yn unig

Mae grym trydanol (a magnetig) yn digwydd o ganlyniad i gyfnewid bosonau. Ffotonau yw'r bosonau sy'n 'cludo' y grym trydanol. Heb y cyfnewid hwn, ni fyddai yna rym trydanol. Mae atomau eich corff yn cael eu dal at ei gilydd gan y ffotonau hyn.

Ffigur 29.2
Enghreifftiau o ryngweithiadau **a** gwan a **b** cryf rhwng gronynnau yn cael eu dangos gan ddiagramau Feynman. Caiff y rhyngweithiadau rhyngddynt a'r hyn a fydd yn rhan ohonynt, megis y bosonau a chwarciau, eu hegluro ymhellach ar y tudalennau canlynol.

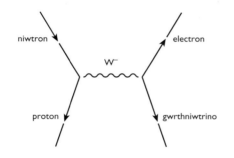

a Dadfeiliad niwtron – a elwir yn ddadfeiliad β^- pan fo'n digwydd y tu mewn i niwclews. Mae tri gronyn yn teithio 'tuag allan'. Dim ond am gyfnod byr iawn y mae'r boson cyfnewid, W^-, yn bodoli.

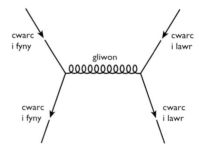

b Mae cwarciau yn rhyngweithio drwy gyfnewid bosonau a elwir yn gliwonau. Dim ond yn ystod y rhyngweithiad y bydd y gliwon yn bodoli.

Yn y 1970au, datblygodd ffisegwyr damcaniaethol – pobl sy'n defnyddio pensil a phapur i astudio'r byd ac sy'n defnyddio syniadau a chanlyniadau ffisegwyr a fu'n gwneud arbrofion – y syniad bod y grym trydanol a'r grym gwan yn ddau ddehongliad o'r un peth. Yn ôl y ffisegwyr hyn, yn achos gronynnau ag egnïon uchel iawn, dylid disgwyl i ymddygiad y ddau rym hyn fod yr un fath, hyd yn oed os ydynt yn edrych yn wahanol ar lefelau egni 'normal'. Mae **uniad** dau rym yn rhan o draddodiad mewn ffiseg. Dangosodd Isaac Newton mai'r un math o rym yw'r disgyrchiant a deimlwn ar y Ddaear â'r grym sy'n cadw'r Lleuad mewn orbit a'r planedau mewn orbit o gwmpas yr Haul. Yng nghanol y 19eg ganrif, dangosodd James Clerk Maxwell mai un ffenomen oedd trydan a magnetedd.

Awgrymodd y ffisegwyr a awgrymodd uniad rhyngweithiadau trydanol a gwan – a elwir weithiau yn awr yn ddamcaniaeth electro-gwan – nad ffotonau oedd y bosonau cyfnewid ar gyfer y rhyngweithiad gwan ond gronynnau 'newydd' anhysbys ac iddynt oes fer. Fe'u gelwid yn fosonau W a bosonau Z a rhagfynegwyd faint o fàs yn union y dylai fod ganddynt. Aeth y ffisegwyr arbrofol ati i ffrwydro protonau gyda'i gilydd er mwyn ceisio canfod gronynnau o'r fath. Fe lwyddwyd i ddod o hyd iddynt ac o ganlyniad i hynny gwelwyd llawer o ffisegwyr yn cefnogi'r ddamcaniaeth electro-gwan.

Mae'r grym niwclear cryf yn rym â chyrhaeddiad byr – dim ond dros bellter byr y bydd yn gweithredu – a dim ond rhwng cwarciau y bydd yn gweithredu. Dim ond cwarciau all deimlo'r grym cryf. Gelwir yr hyn sy'n eu galluogi i deimlo'r grym yn **wefr lliw**. (Ar gyfer grym trydanol, yr hyn sydd ei angen yw'r wefr drydanol ac ar gyfer grym disgyrchiant, màs sydd ei angen.) Gan mai dros bellter bach y bydd y rhyngweithiad cryf yn gweithio mae'n anodd ei astudio, er hynny datblygwyd damcaniaeth resymegol ar ei gyfer. Yr enw arni yw **cromodynameg cwantwm** neu QCD (*quantum chromodynamics*). Yn ôl y ddamcaniaeth hon mae'r grym yn cael ei gludo unwaith eto gan ronynnau'n cyfnewid. Effaith y gronynnau cyfnewid hyn yw bod cwarciau'n glynu wrth ei gilydd yn ronynnau ansylfaenol mwy o faint. Gelwir y gronynnau cyfnewid hyn yn **gliwonau**.

Trown yn awr at ddisgyrchiant. Mae yna gwestiynau dwys i'w datrys a achosai ychydig o benbleth i Newton hyd yn oed. Sut y mae disgyrchiant yn gweithredu o bell? Sut y mae'r Lleuad yn 'gwybod' bod y Ddaear yn bodoli? Beth sy'n digwydd yn y gofod rhyngddynt? Ceisiodd Einstein ateb y cwestiynau hyn yn ei ddamcaniaeth ar berthnasedd cyffredinol trwy honni bod presenoldeb màs yn newid siâp gofod-amser. Felly mae orbit y Lleuad yn fudiant 'llinell syth' syml mewn gofod-amser sydd wedi'i anffurfio gan ddisgyrchiant y Ddaear. Mae hyn yn herio rhai tybiaethau am ffiseg Newton ac i'r rheiny ohonom sydd wedi ein magu ar egwyddorion Newton mae'n dipyn o ymdrech i ddechrau ei ddeall. Ond mae yna broblem arall. Nid yw perthnasedd cyffredinol Einstein a'r ddamcaniaeth cwantwm sy'n seiliedig ar y pethau bychan yn cydweddu'n dda iawn gyda'i gilydd. Mae rhywbeth ar goll ac mae'n rhaid ei fod yn rhywbeth dwys iawn. Efallai y bydd rhyw athrylith ifanc newydd yn gweld drwy'r problemau na all rhai o'r to hŷn weld drwyddynt. (Dyma o bosibl eich cyfle mawr – Galileo, Newton, Maxwell, Einstein, *a'ch enw chi!*) Yn y cyfamser, er cysondeb, mae ffisegwyr gronynnau wedi awgrymu bod disgyrchiant, fel rhyngweithiadau eraill, yn cael ei gludo gan foson cyfnewid. Maent wedi eu galw, cyn bod tystiolaeth uniongyrchol wedi'i darganfod i brofi eu bodolaeth, yn **ddisgyrchonau**.

2 Brasluniwch dabl i grynhoi'r tebygrwydd rhwng grymoedd disgyrchiant, grymoedd trydanol a grymoedd cryf a'r gwahaniaethau rhyngddynt.

Gronynnau sylfaenol mater

Dyna'r cyfan am y tro am ronynnau cyfnewid. O ran gronynnau sylfaenol mater ei hun – y cwarciau a'r leptonau – maent yn dod mewn nifer o feintiau (masau). Ymddengys bod chwe math o gwarciau wedi'u paru mewn tair 'cenhedlaeth', a byddwn yn edrych ar rywfaint o'r dystiolaeth am hyn yn y tudalennau canlynol. Mae angen enwau arnynt, a'r enwau a ddewiswyd yw *i fyny* ac *i lawr* (y genhedlaeth gyntaf), *swynol* a *hynod* (ail genhedlaeth), *copa* a *gwaelod* (y drydedd genhedlaeth). Mae'n ymddangos mai dim ond y cwarc i fyny a'r cwarc i lawr sydd mewn defnyddiau cyffredin (cwarciau'r genhedlaeth gyntaf). Dyma'r cwarciau mwyaf ysgafn. Mae yna hefyd chwe math o lepton ac mae'n ymddangos eu bod nhw hefyd yn dod mewn parau. Y pâr cyntaf yw'r electron a'r niwtrino cyfatebol (sef yr un sy'n rhan o'r dadfeiliad beta$^+$), sef yr electron-niwtrino, v_e. A hefyd, er mwyn pwysleisio'r ffaith bod y Bydysawd yn lle diddorol, mae chwe **gwrthgwarc** gwahanol a chwe **gwrthlepton** gwahanol. Awn yn ein blaen i weld sut y mae'r darlun hwn yn cael ei greu ond yn y cyfamser mae Tabl 29.1 yn crynhoi'r model safonol.

Tabl 29.1
Gronynnau sylfaenol a'u rhyngweithiadau yn ôl y model safonol.

Y math o rym	Boson cyfnewid
cryf	gliwon
trydanol	ffoton
gwan	bosonau W a Z
disgyrchiant	disgyrchonau

Gronynnau mater sylfaenol

cwarciau			
i fyny, u	swynol, c	copa, t	Mae'r grym cryf yn effeithio ar y rhain.
i lawr, d	hynod, s	gwaelod, b	

leptonau			
electron, e	miwon, µ	tau, τ	Nid yw'r grym cryf yn effeithio ar y rhain.
niwtrino, v_e	niwtrino, v_μ	niwtrino, v_τ	

Mae'n ymddangos, felly, bod cwarciau yn rhyngweithio drwy'r grym cryf ond nid yw hynny'n wir am leptonau. Mae'n bosibl mai nawr yw'r amser i edrych yn ôl i weld sut y datblygwyd y model safonol.

Ffiseg gronynnau hyd at ddechrau'r ugeinfed ganrif

Gallwn olrhain syniadau am ronynnau yn ôl i wareiddiadau Dwyrain y Môr Canoldir, tua 2500 o flynyddoedd yn ôl. Trafodwyd bryd hynny syniadau am natur ddwys mater, y tu hwnt i'r hyn y gallwn ei weld yn uniongyrchol. Ond nid oedd y dechnoleg yn bod i archwilio byd cuddiedig y pethau bach ac nid oedd y broses o brofi rhagdybiaethau drwy gynnal arbrofion yn rhan o'r diwylliant.

Nid tan y cyfnod 'modern', a ddechreuodd tua 400 o flynyddoedd yn ôl, yr ailymddangosodd esboniadau gronynnau ar gyfer ymddygiad megis cywasgadwyedd nwy. A dim ond rhyw 100 mlynedd sydd ers i'r gymuned wyddonol dderbyn damcaniaeth gronynnau mater.

Yn y 1890au y daeth y darganfyddiad ynglŷn ag ymbelydredd ac yna arbrawf J.J. Thomson a ddangosai fod màs a gwefr yn perthyn i belydrau catod. Roedd y 'pelydrau' yn cael eu gweld fel gronynnau (electronau) yn dod o atomau. Ar sail hyn oll, felly, roedd yn rhaid dod i'r casgliad nad oedd atomau yn sylfaenol ynddynt eu hunain ond bod ganddynt adeiledd mewnol. Pethau bach oedd atomau oedd â phethau llai byth y tu mewn iddynt.

Yn 1910, tua 15 mlynedd ar ôl darganfod ymbelydredd, aeth y Tad Theodor Wulf, offeiriad, i fyny Tŵr Eiffel i brofi presenoldeb ymbelydredd ïoneiddio (fel y mae'n cael ei alw yn awr). Canfu bod mwy yno nag oedd yn ei ddisgwyl a rhagdybiodd fod peth pelydriad wedi dod o'r gofod. Ei awgrym ar gyfer profi'r rhagdybiaeth hon oedd mesur arddwysedd pelydriad gan ddefnyddio balwnau uchel. Gwnaed hyn gan eraill yn ystod y blynyddoedd i ddod. Roedd eu canfyddiadau yn cefnogi syniad Wulf. Mae arddwysedd pelydriad hyd at bum gwaith yn fwy ar uchder o 5000 m nag yw ar lefel y môr.

Ychydig yn ddiweddarach, darganfu Rutherford a'i gyd-weithwyr y niwclews drwy wylio beth a ddigwyddai i ronynnau alffa a gâi eu saethu at darged tenau. Gwelwyd mai niwclysau hydrogen oedd y symlaf a thybiwyd eu bod yn ronynnau sylfaenol ac fe'u galwyd yn brotonau. Am nifer o flynyddoedd – hyd at ddatblygu damcaniaeth cwarc a chromodynameg cwantwm – tybiwyd bod protonau yn sylfaenol.

Roedd y cyfan hyn, ynghyd â'r defnydd cyntaf a wnaeth Bohr o ddamcaniaeth cwantwm i ddisgrifio atomau ac yna egwyddor eithrio Pauli (gweler Pennod 27), yn cyd-fynd yn berffaith â phob ymddygiad cemegol. Mae atomau'n dod mewn gwahanol feintiau (masau) ac mae eu hadeiledd electronol yn cael ei adeiladu yn ôl rheolau cymharol syml. Adweithiau cemegol defnyddiau oedd rhyngweithiadau eu hadeileddau electronol.

Ar ôl llwyddiant Rutherford yn peledu defnydd â gronynnau alffa, ceisiodd nifer o wyddonwyr eraill wneud pethau tebyg. Un ymgais oedd peledu targed beryliwm â phelydriad alffa. Câi hyn yr effaith ryfedd o gynhyrchu llif o brotonau, nid o'r beryliwm ond o gwyr paraffin gerllaw. Derbyniwyd yn y pen draw bod y protonau yn cael eu gwthio allan o'r paraffin – lle'r oeddent yn bodoli fel niwclysau hydrogen y paraffin – gan ryw ronynnau eraill a oedd yn cael eu hallyrru gan y beryliwm. Ni chafodd y gronynnau eraill hyn eu canfod yn uniongyrchol, ond mae'n amlwg eu bod yn ddigon mawr a/neu yn ddigon cyflym i roi momentwm sylweddol i brotonau. Nid oedd ganddynt unrhyw wefr. Cawsant eu cydnabod yn gydrannau o niwclysau atomau, gan gyfrannu llawer at fàs niwclysau oedd yn fwy na rhai hydrogen. Dyma, wrth gwrs, y niwtronau.

Yn y 1930au, llwyddwyd i weld llwybrau electronau mewn llestri niwl. Drwy roi llestr niwl mewn maes magnetig cryf, gellid gweld y llwybrau yn crymu. Gwelwyd bod y llwybrau hyn yn crymu'r 'ffordd anghywir' (Ffigur 29.3). Hynny yw, roedd yn edrych fel petaent yn cael eu gwneud gan ronynnau tebyg i electronau, ond â gwefr bositif. Ychydig cyn hynny roedd y ffisegydd damcaniaethol Paul Dirac wedi rhagfynegi bod yna ar gyfer pob math o ronyn sylfaenol o fater ronyn â'r un màs ond â gwefr ddirgroes. Disgrifiwyd y gronynnau 'dirgroes' hyn yn ronynnau gwrthfater. Cafodd yr 'electronau newydd' hyn eu cydnabod yn ronynnau gwrthfater – gwrthelectronau neu bositronau.

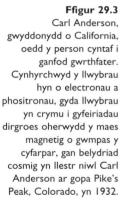

3 Pam y mae criw awyren yn derbyn lefelau uwch o belydriad ïoneiddio na'r rhan fwyaf o bobl eraill?

Ffigur 29.3
Carl Anderson, gwyddonydd o California, oedd y person cyntaf i ganfod gwrthfater. Cynhyrchwyd y llwybrau hyn o electronau a phositronau, gyda llwybrau yn crymu i gyfeiriadau dirgroes oherwydd y maes magnetig o gwmpas y cyfarpar, gan belydriad cosmig yn llestr niwl Carl Anderson ar gopa Pike's Peak, Colorado, yn 1932.

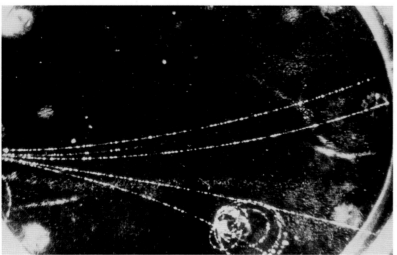

Mewn arsylwadau mwy diweddar, gwelwyd y gall gronynnau a gwrthronynnau newydd ymddangos pan fo cyflenwad digon mawr o egni. Mae'n bosibl mai'r egni fydd egni ffoton a fydd yn peidio â bod felly yr hyn a welwn yw pâr electron-positron, fel y gwelir yn Ffigur 28.8, tudalen 292. Mae'r berthynas rhwng yr egni sydd ar gael a'r màs y gellir ei greu ohono yn cael ei chynrychioli gan yr hafaliad:

$$E = mc^2$$

Gelwir y broses o greu electron a phositron yn **gynhyrchu pâr**. Y gwrthwyneb i gynhyrchu pâr yw cyd-ddifodiant, lle bydd gronyn a gwrthronyn yn peidio â bod fel y cyfryw (Ffigur 29.4). Yna gall eu màs ddiflannu ond ni fydd yr egni yn peidio â bod – mae ffotonau yn cael eu creu. Rhoddir y berthynas rhwng cyfanswm egni'r ffotonau a gynhyrchir a màs y gronynnau sydd wedi'u difodi gan $E = mc^2$.

Ffigur 29.4
Cyd-ddifodiant yn yr ymennydd – defnyddio ffiseg gronynnau i astudio sut y mae'r ymennydd yn gweithio.

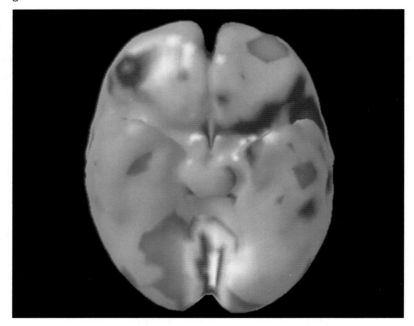

Dyma sgan PET ymennydd. Mae PET (*positron emission tomography*) yn golygu tomograffeg allyrru positron. Mae ffynhonnell ymbelydrol, olinydd, sy'n allyrru gronynnau β⁺, neu bositronau, yn cael ei gludo i'r ymennydd mewn diod. Mae positronau ac electronau yn cyd-ddifodi ei gilydd, gan allyrru parau o ffotonau all gael eu canfod y tu allan i'r pen. Felly, gellir gweld sut mae'r olinydd wedi'i ddosbarthu drwy'r ymennydd.

Tua'r un adeg ag y gwnaed yr arsylwadau cyntaf o wrthfater, roedd sbectrwm egni di-dor gronynnau beta yn awgrymu nad oedd y broses yn cynnwys dau ronyn ond tri. Ond nid oedd y trydydd gronyn mewn dadfeiliad beta yn hawdd ei ganfod. Rhoddwyd yr enw 'niwtrino' iddo, er mwyn awgrymu ei fod yn drydanol niwtral a'i fod yn fach iawn, heb fawr ddim màs neu ddim màs o gwbl.

Ni fydd hi'n syndod i chi wybod y dylai 'gronyn' heb ddim gwefr a fawr ddim neu ddim màs o gwbl fod yn anodd ei ganfod. Yn wir, mae niwtrinoeon o'r Haul yn mynd drwy eich corff wrth i chi ddarllen a hynny ar arddwysedd uchel. Nid oes angen i chi fod allan yn yr haul i hyn ddigwydd. Maent yn mynd drwy eich corff wrth i chi gysgu yn y nos, gyda'r un arddwysedd, ar ôl teithio drwy'r Ddaear ac allan yr ochr arall. Nid yw niwtrinoeon yn rhyngweithio rhyw lawer gyda gronynnau eraill. Eto i gyd, nid oes gwefr na màs gan ffoton ond rydych yn cario pâr o ganfodyddion ffoton effeithiol gyda chi. Mae ffotonau yn fosonau cyfnewid ac yn dda am ryngweithio.

Un o'r problemau y mae gwyddonwyr yn ymchwilio iddi ar hyn o bryd yw'r anghysondeb rhwng y rhagfynegiadau damcaniaethol ar gyfer cyfradd allyrru niwtrinoeon gan yr Haul a chyfradd ganfyddadwy yr allyriad. Mae anghysondeb rhwng damcaniaeth ac arsylwadau bob amser yn ddiddorol oherwydd maent yn awgrymu bod angen naill ai addasu'r ddamcaniaeth neu ei dileu a dod o hyd i ddamcaniaeth newydd. Mae gwaredu un ddamcaniaeth a datblygu un newydd bob amser yn her anodd. Mewn ffiseg, neu unrhyw faes astudiaeth arall, gellir galw'r newid sydd ei angen yn y dull sylfaenol o feddwl er mwyn ystyried damcaniaeth newydd yn **syfliad paradeim**. Dim ond y rheiny sydd â meddwl agored sy'n gallu profi syfliad paradeim. Mae'n debyg y bydd ymchwiliadau pellach yn dangos y gall y ddamcaniaeth gyfredol gael ei datblygu ddigon i ymgorffori esboniad ar allyriant niwtrinoeon gan yr Haul ond ni all neb ddweud ar ba lefel y bydd y syniadau newydd yn ymddangos.

4 TRAFODWCH

Pa newidiadau mawr – neu 'syfliad paradeim' personol – ydych chi wedi'u profi drwy astudio ffiseg ôl-16?

5 Yn ôl y crynodeb o'r model safonol, pa fath o ronynnau yw niwtrinoeon?

Cyflymyddion

Mae gan y rhan fwyaf o bobl gyflymydd gronynnau mewn cornel ystafell yn eu cartref. Nid oes ganddynt fawr o ddiddordeb yn y gronynnau eu hunain, fodd bynnag. Y patrymau y mae niferoedd mawr o'r gronynnau cyflym yn eu creu wrth daro yn erbyn sgrin wedi'i gorchuddio â haen arbennig sydd o ddiddordeb i'r rhan fwyaf o bobl. Patrymau ffotonau yw'r patrymau. Mae pobl wedi treulio oriau lawer yn edrych ar y patrymau hyn.

Electronau yw'r gronynnau sydd wedi'u cyflymu a chânt eu hallyrru o gatod poeth gan allyriant thermionig ac mae grym trydanol yn gweithredu arnynt o ganlyniad i wahaniaeth potensial, o ryw 1 kV, rhwng y catod ac anod. Mae amrywiadau yn y grym trydanol yn amrywio arddwysedd y pelydr electronau, tra bydd grymoedd magnetig yn gwneud i'r pelydr sganio ar draws y sgrin. Mae microsgop electron ychydig yn fwy soffistigedig gyda gwahaniaeth potensial ychydig yn fwy – hyd at ryw 25 kV.

Caiff gronynnau wedi'u gwefru eu cyflymu pan fyddant mewn ardaloedd lle mae'r potensial yn newid; hynny yw, lle mae gwahaniaeth potensial rhwng un pwynt ac un arall. Mae gwahaniaeth potensial yn cael ei ddiffinio yn nhermau'r gwaith a wneir am bob uned o wefr, fel a ganlyn:

y gwahaniaeth potensial rhwng dau bwynt = gwaith a wneir (neu egni a drosglwyddir) am bob uned o wefr wrth drosglwyddo'r wefr rhyngddynt

$$\Delta V = \frac{\Delta W}{Q}$$

Felly
$$\Delta W = Q \, \Delta V$$

Yr electronfolt yw'r egni, ΔW, a roddir i electron (neu ronyn arall o wefr $\pm 1.6 \times 10^{-19}$ coulomb) pan gaiff ei gyflymu gan wahaniaeth potensial o 1 folt. Yr electronfolt felly yw lluoswm 1 V ac 1.6×10^{-19} C, sef 1.6×10^{-19} J.

Ffigur 29.5
Mathau o gyflymyddion.

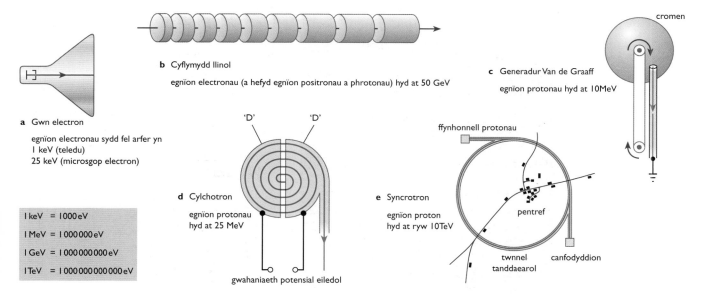

a Gwn electron

egnïon electronau sydd fel arfer yn
1 keV (teledu)
25 keV (microsgop electron)

b Cyflymydd llinol

egnïon electronau (a hefyd egnïon positronau a phrotonau) hyd at 50 GeV

c Generadur Van de Graaff

egnïon protonau hyd at 10MeV

d Cylchotron

egnïon protonau hyd at 25 MeV

gwahaniaeth potensial eiledol

e Syncrotron

egnïon proton hyd at ryw 10TeV

pentref

twnnel tanddaearol

canfodyddion

ffynhonnell protonau

cromen

1 keV	= 1000 eV
1 MeV	= 1 000 000 eV
1 GeV	= 1 000 000 000 eV
1 TeV	= 1 000 000 000 000 eV

6 Beth yw
  a 10 MeV
  b 1 GeV
  mewn jouleau?

7 a Beth yw cyfanswm yr egni a gaiff ei gludo gan 5×10^{17} o electronau sydd wedi'u cyflymu gan wahaniaeth potensial o 1 kV,
  i mewn eV   **ii** mewn J?
  b Beth yw'r gyfradd, mewn watiau, trosglwyddo egni i sgrin teledu os yw 5×10^{17} electron yn ei daro bob eiliad?
  c Sut y mae hyn yn cymharu â phŵer bwlb golau yn y cartref?

Mae egnïon electronau mewn setiau teledu a microsgopau electron felly tua 1 keV a 25 keV yn y drefn honno. Dangosir mathau eraill o gyflymyddion yn Ffigur 29.5.

Gall cyflymydd llinol roi egni cymaint â 50 GeV (= 50×10^9 eV) i bob electron a fydd yn teithio ar ei hyd.

Mae egni pob proton mewn paladr sy'n cael ei gyflymu mewn syncrotron crwn yn mynd yn fawr iawn – hyd at 1 TeV (10^{12} eV) – ac felly mae ffiseg gronynnau arbrofol yn cael ei alw weithiau'n 'ffiseg egni uchel'.

Pam cyflymu gronynnau?

Mewn teledu mae electronau'n cael eu cyflymu fel y gallant achosi i ffotonau gael eu creu drwy wrthdrawiadau mewn sgrin fflwroleuol. Mewn microsgop electron rhoddir egni uchel a momentwm uchel i electronau fel y bo eu tonfedd yn fach, fel y disgrifir gan y berthynas de Broglie, a bydd pylu'r delweddau o ganlyniad i ddiffreithiant yn cael ei leihau (gweler Pennod 26).

Gall generadur Van de Graaff a chylchotron ill dau gyflymu protonau, ac ïonau bychan eraill, ddigon i achosi newidiadau mewn niwclysau y byddant yn gwrthdaro â hwy. Mae hyn yn creu niwclysau niwclidau, neu radioisotopau, sydd â dibenion fel olinyddion meddygol. Datblygwyd y cylchotron cyntaf yn 1930 gan EO Lawrence yn California. Ei gymhelliad cyntaf oedd astudio rhyngweithiadau protonau, ond yn ddiweddarach cafodd ei gylchotron ei ddefnyddio hefyd i greu isotopau at ddibenion meddygol mewn ysbytai gerllaw. Yn yr ysbytai hyn y defnyddiwyd sylweddau ymbelydrol at ddibenion meddygol am y tro cyntaf.

Ar ôl darganfod pionau a miwonau mewn pelydriadau cosmig eilaidd, darganfu gwyddonwyr y gallent astudio rhyngweithiadau eraill rhwng gronynnau yn fwy uniongyrchol drwy ddarparu'r egni yn artiffisial. Ac felly y dechreuwyd ar y broses o adeiladu cyflymyddion mwy a mwy. Er mwyn astudio'r rhyngweithiadau, roedd angen canfodydd gronynnau da. Daeth i fod yn 1952 ar ffurf y siambr swigod. Llestr amgaeedig o hylif yn agos at ei ferwbwynt yw siambr swigod, felly yn ystod y cyfnodau o ehangu sydyn a byr bydd swigod yn dechrau ffurfio, gyda'r broses hon yn dechrau hawsaf wrth ymyl y gronynnau wedi'u gwefru. Gall siamberi swigod roi cipolwg i ni ar weithgareddau gronynnau (Ffigurau 29.6 a 29.7) (gweler hefyd Ffigurau 9.5, 17.2 a 28.8).

Gwelsom y gall egni ffoton gael ei 'ailbecynnu' fel màs electron a phositron. Nid egni ffoton yn unig all gael ei ad-drefnu. Gall gronynnau newid yn fathau gwahanol o ronynnau. Po gyflymaf y mae'r gronyn yn teithio, mwyaf o egni sydd ganddo i greu gronynnau newydd. Mae egni yn trawsnewid yn fàs ar sail $E = mc^2$. Felly mae'n bosibl y gall fod gan y gronynnau newydd fwy o fàs na'r gronyn dechreuol. Gall un gronyn 'droi' yn nifer o ronynnau, pob un â'r un faint o fàs ag yr oedd ganddo. Neu gall diwedd un gronyn arwain at greu un arall â mwy o fàs. Yn y mathau hyn o brosesau y gall ffisegwyr gronynnau weld ffonomenau newydd a phrofi eu damcaniaethau.

Ffigur 29.6 (i'r chwith) Crëwyd y Siambr Swigod Fawr Ewropeaidd yn CERN yn 1971. Tynnai ffotograffau o'r llwybrau a gynhyrchwyd gan ronynnau a gyflymwyd i lefel uchel o egni.

Ffigur 29.7 (i'r dde) Ffotograff nodweddiadol o lwybrau isatomig mewn siambr swigod.

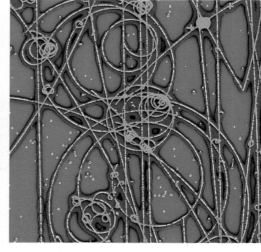

Am fwy na hanner canrif, mae gwyddonwyr wedi cyflymu protonau ac electronau er mwyn eu gwrthdaro â gronynnau eraill ac arsylwi eu canlyniadau. Drwy wylio gwrthdrawiadau protonau egnïol y canfuwyd bod cydrannau atomau – protonau, niwtronau ac electronau – ynghyd ag ychydig o ronynnau eraill a oedd yn hysbys fel antiniwtrinoeon a phionau, yn ddim ond cyfran fach o gyfanswm y gronynnau isatomig sy'n bodoli.

Edrych am batrymau – màs

Canolbwynt ymchwil a syniadaeth ffiseg gronynnau fu'r ymgais i chwilio am batrymau ymhlith yr holl fathau gwahanol o ronynnau. Y cam cyntaf oedd didoli gronynnau yn ôl eu màs. Fe'u rhannwyd yn dri grŵp – y **baryonau**, y **mesonau** a'r **leptonau**. Dechreuwyd yr arfer o roi 'on' ar ddiwedd yr enw am ronynnau gan y ffisegydd o Iwerddon, Johnstone Stoney, pan awgrymodd yr enw ar gyfer cludwyr negatif gwefr drydanol – 'electronau' – yn y 1890au. Reodd hi'n arfer a barhaodd drwy gydol yr 20fed ganrif, er nad oedd hynny'n wir am bob gronyn newydd. Erbyn y 1960au roedd modd didoli'r gronynnau a welir yn Nhabl 29.2. Roedd yna hefyd, wrth gwrs, wrthronynnau.

Tabl 29.2
Y tri grŵp o ronynnau isatomig wedi'u dosbarthu yn ôl eu màs yn y 1960au.

Dosbarth y gronynnau	Enghreifftiau	Màs/MeV	
baryon	xi, Ξ^-	1321	
	xi, Ξ^0	1315	
	sigma, Σ^-	1197.3	
	sigma, Σ^0	1192.5	
	sigma, Σ^+	1189.4	
	lamda, Λ	1115.6	
	niwtron, n	939.6	Mae'r rhain i gyd yn teimlo'r grym cryf.
	proton, p	938.3	
meson	caon, K^0	497.7	
	caon, K^+	493.7	
	pion, π^+	139.6	
	pion, π^0	135.0	
lepton	miwon, μ	105.7	Nid yw'r rhain yn teimlo'r grym cryf.
	electron, e	0.511	
	niwtrino, ν	0	

Noder: mae gwefr drydanol gronynnau â'r un enw yn cael ei nodi gan +, − neu 0 mewn uwchysgrifen.

Edrych am batrymau – rheolau cadwraeth

Y cam nesaf yn yr ymgais i ddod o hyd i batrymau oedd archwilio'r rheolau cadwraeth y mae gwrthdrawiadau gronynnau yn eu dilyn. Ym Mhennod 28 gwelsom yn y newidiadau niwclear fod cadwraeth yn y rhif gwefr ac yn y rhif niwcleon. Maent yr un fath cyn ac ar ôl pob newid niwclear.

Tra bo protonau a niwtronau yn rhan o newidiadau niwclear (a hefyd electronau a niwtrinoeon a'u gwrthronynnau, yn achos dadfeiliad beta), rydym yn awr yn ymwneud â nifer mwy o ronynnau gwahanol na'r proton a'r niwtron yn unig. Roedd yn rhaid i'r syniad am gadwraeth y rhif niwcleon gael ei newid i gadwraeth yr holl faryonau gan gynnwys y lamda, y sigma a'r xi. Mae gan bob baryon **rif baryon** sydd yn 1, ac mae gan eu gwrthronynnau rif baryon o −1 (gweler Tabl 29.3, tudalen 316). Mae'r rhif baryon, fel y rhif gwefr, yn ufuddhau i reol cadwraeth.

Canfu'r ffisegwyr nad oedd rhyngweithiad yn bod oni bai ei fod yn cadw rhif gwefr neu rif baryon. Mae'r canlynol yn enghraifft o ryngweithiad all ddigwydd, cyn belled ag y bo'r naill neu'r llall o'r gronynnau gwreiddiol, neu'r ddau, yn symud yn ddigon cyflym:

$$p + n \rightarrow p + p + n + \bar{p}$$

rhifau gwefr, C	1	0	1	1	0	−1
cyfanswm rhif gwefr	1	=	1			
rhifau baryon, B	1	1	1	1	1	−1
cyfanswm rhif baryon	2	=	2			

Nid yw'r rhyngweithiad canlynol, ar y llaw arall, byth yn cael ei weld. Nid yw natur fel petai yn ei 'ganiatáu'.

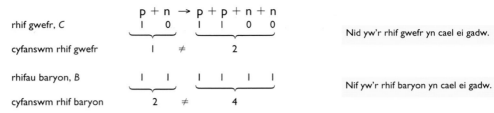

	$p + n$	$\rightarrow$	$p + p + n + n$	
rhif gwefr, C	1 0		1 1 0 0	
cyfanswm rhif gwefr	1	$\neq$	2	Nid yw'r rhif gwefr yn cael ei gadw.
rhifau baryon, B	1 1		1 1 1 1	
cyfanswm rhif baryon	2	$\neq$	4	Nif yw'r rhif baryon yn cael ei gadw.

Wrth edrych ar electronau a niwtrinoeon, daeth yn glir bod rheol cadwraeth debyg yn gymwys – cadwraeth **rhifau lepton**, L (gweler Tabl 29.3). Mae holl ryngweithiadau'r gronynnau yn cadw'r rhif lepton. Os nad yw rhyngweithiad yn cadw'r rhif lepton yna ni all ddigwydd. Mae dadfeiliad β^- yn enghraifft o ryngweithiad sy'n cael ei ganiatáu:

	n	$\rightarrow p + e^- + \bar{\nu}_e$
C	0	1 -1 0
cyfanswm rhif gwefr	0 =	0
B	1	1 0 0
cyfanswm rhif baryon	1 =	1
L	0	0 1 -1
cyfanswm rhif lepton	0 =	0

Tabl 29.3
Rhai rhifau baryon a lepton.

Gronyn	Gwrthronyn	Rhif baryon, B	Rhif lepton, L	
proton, p		1	0	
	gwrthbroton, $\bar{p}$	-1	0	
niwtron, n		1	0	
	gwrthniwtron, $\bar{n}$	-1	0	baryonau
lamda, Λ^0		1	0	
xi$^-$, Ξ^-		1	0	
	xi$^+$, Ξ^+	-1	0	
pion, π^+		0	0	mesonau
	pion, π^-	0	0	
electron, e^-		0	1	
	positron, e^+	0	-1	
niwtrino, ν_e		0	1	
	gwrthniwtrino, $\bar{\nu}_e$	0	-1	leptonau
miwon, μ^-		0	1	
	miwon, μ^+	0	-1	
niwtrino, ν_μ		0	1	
	gwrthniwtrino, $\bar{\nu}_\mu$	0	-1	

8 Esboniwch pam mae'n rhaid i un neu ddau o'r gronynnau gwreiddiol symud yn gyflym er mwyn i'r rhyngweithiad

$$p + n \rightarrow p + p + n + \bar{p}$$

ddigwydd.

9 Cyfrifwch y rhifau gwefr a'r rhifau baryon i benderfynu a fydd ffisegwyr gronynnau byth yn gallu darganfod y rhyngweithiadau hyn:

a $p + p \rightarrow p + n$
b $p + p \rightarrow p + p + \bar{n} + p$

10 Cyfeiriwch yn ôl at y disgrifiad o ddadfeiliad β^+ ym Mhennod 28 a dangoswch fod dadfeiliad o'r fath yn ufuddhau i gadwraeth gwefr, rhif baryon a rhif lepton.

11 A ydyw'r broses o gynhyrchu pâr

$$\gamma \rightarrow e^- + e^+$$

yn ufuddhau i reolau cadwraeth gwefr, rhif baryon a rhif lepton?

Digwyddiadau hynod

Ni allai hyd yn oed set o reolau cadwraeth, a ddyfeisiwyd yn ôl pob golwg gan natur ac nid gan ffisegwyr, egluro pam nad oedd rhai o'r rhyngweithiadau yr oedd y ffisegwyr yn disgwyl eu gweld, yn digwydd. Câi'r rhyngweithiad canlynol ei ganiatáu, yn unol â'r rheolau cadwraeth rhif gwefr, rhif baryon a rhif lepton:

$$\pi^- + p \rightarrow K^0 + n$$

	π^-	p	K^0	n
G	−1	1	0	0
B	0	1	0	1
L	0	0	0	0

ond ni châi byth ei weld. Roedd hyn yn ymddangos yn rhyfedd. Er mwyn ceisio egluro pam nad oedd digwyddiadau tebyg i hyn byth yn digwydd, ceisiodd ffisegwyr briodoli priodwedd newydd i'r gronynnau, gan dybio y byddai'r briodwedd newydd hon yn dilyn rheol cadwraeth newydd. Yr enw a ddewiswyd ganddynt ar gyfer y briodwedd newydd hon oedd **hynodrwydd**. Ni ddylech boeni am ddefnyddio geiriau o'r fath. Yr hyn a wna ffisegwyr gronynnau yw ceisio darganfod agweddau newydd ar realiti, mae'n rhaid felly y bydd angen iddynt ddefnyddio geiriau cyfarwydd mewn ffyrdd newydd o bryd i'w gilydd. Roedd geiriau fel 'gwefr' yn newydd ar un adeg ond erbyn hyn maent yn gyfarwydd i ni.

Roedd ffisegwyr gronynnau wedi dyfalu nad oedd rhai rhyngweithiadau neu ddigwyddiadau yn digwydd am nad oeddent yn cadw hynodrwydd. Rhoesant rif ar bob gronyn – ei hynodrwydd, S. Nid yw nifer o ronynnau yn hynod, fodd bynnag, felly dywedir bod ganddynt hynodrwydd o 0. Ymhlith y gronynnau hynny sy'n hynod, mae eu rhyngweithiadau yn dangos nad yw gwerth eu hynodrwydd bob amser yn 1. Mae Tabl 29.4 yn rhestru rhifau hynodrwydd y gronynnau isatomig.

Sylwch nad oes hynodrwydd yn perthyn i'r leptonau o gwbl a dim ond rhai mesonau a rhai baryonau sydd yn hynod.

Mae'r rhyngweithiadau canlynol yn digwydd:

$$\pi^- + p \rightarrow K^0 + \Lambda^0$$

	π^-	p	K^0	Λ^0
G	−1	1	0	0
B	0	1	0	1
L	0	0	0	0
H	0	0	1	−1

$$\pi^0 + n \rightarrow K^+ + \Sigma^-$$

	π^0	n	K^+	Σ^-
G	0	0	1	−1
B	0	1	0	1
L	0	0	0	0
H	0	0	1	−1

Tabl 29.4 Rhifau hynodrwydd.

Gronynnau	Hynodrwydd, S	
ffoton	0	
electron, e	0	
niwtrino, ν	0	leptonau
miwon, μ	0	
pion, π^+	0	
pion, π^0	0	
pion, π^-	0	mesonau
caon, K^+	1	
caon, K^0	1	
caon, K^-	−1	
proton, p	0	
niwtron, n	0	
lamda, Λ^0	−1	
sigma, Σ^+	−1	
sigma, Σ^0	−1	baryonau
sigma, Σ^-	−1	
xi, Ξ^0	−2	
xi, Ξ^-	−2	
omega, Ω^-	−3	

Natur sy'n gwneud y rheolau. Mae natur fel petai yn dweud wrthym pan fydd gronynnau yn newid, yna mewn rhai mathau o newidiadau o leiaf, ni all eu hynodrwydd cyflawn newid a rhaid iddo beidio â newid (ond gweler hefyd dudalennau 319-320). Mae'r rhesymau am hyn yn ddwfn iawn a, hyd yn hyn, yn anhysbys. Gwyddom fod hynodrwydd – fel gwefr, rhif baryon a rhif lepton – yn cael ei gadw mewn rhai rhyngweithiadau, ond ni wyddom pam. Mae yna ddigon o waith ffiseg ar ôl i'w wneud!

12 A yw'r rhain yn cael eu caniatáu?
a $\Lambda^0 \rightarrow p + \pi^-$
b $\Xi^0 \rightarrow p + \pi^+$
c $\pi^+ + p \rightarrow \Sigma^+ + K^+$

13 Pa reolau cadwraeth sy'n dangos nad yw pob un o'r rhain yn cael eu caniatáu?
a $\Lambda^0 \rightarrow \pi^+ + \pi^-$
b $\gamma + p \rightarrow n + \pi^0$
c $p + p \rightarrow \pi^+ + \pi^+$

14 a Ysgrifennwch y digwyddiadau sydd wedi'u dangos yn Ffigur 29.8 fel 'hafaliadau' a dywedwch a ydynt yn digwydd ai peidio.
b Beth y mae'r llinell igam-ogam yn ei gynrychioli ym mhob achos?

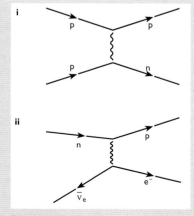

Ffigur 29.8

Chwilio am ronynnau – sylfeini newydd

A yw hanes yn ailadrodd ei hun? Yn y 19eg ganrif trefnodd Mendeleev yr elfennau cemegol yn batrymau taclus ac aeth mor bell â thybio bod yna elfennau nad oedd neb wedi'u darganfod eto. Gadawodd fylchau yn y patrymau taclus. Mewn gwirionedd, dim ond drwy adael bylchau y gallai gael y patrymau i wneud synnwyr. Ond roedd synnwyr ynddynt ac roedd hyd yn oed yn gallu rhagfynegi rhai o briodweddau'r elfennau coll. Pan ddarganfu cemegwyr yr elfennau newydd, roedd hi'n anodd peidio â derbyn patrymau Mendeleev – sy'n cael ei alw yn awr yn dabl cyfnodol. Digwyddodd rhywbeth tebyg ym maes ffiseg gronynnau yn yr 20fed ganrif.

Yn y 1940au a'r 1950au canfuwyd mwy a mwy o ronynnau mewn arsylwadau o belydrau cosmig ac mewn pelydr cyflymyddion. Roedd hi'n ymddangos mai ychydig o drefn oedd ar y cychwyn, ond ei bod hi'n bosibl dosbarthu rhai gronynnau yn ôl màs ac yn ôl mesurau cadwedig gwefr, rhif baryon, rhif lepton a hynodrwydd. Fodd bynnag, canfu ffisegwyr petaent yn plotio hynodrwydd yn erbyn gwefr, ar gyfer baryonau a mesonau, yna roedd rhai patrymau taclus yn ymddangos (Ffigur 29.9). Y **llwybr wythplyg** oedd y term a gâi ei ddefnyddio i ddisgrifio'r patrymau, term sy'n dod o grefydd Bwdhaeth. Ac yn union fel ymgais gyntaf Mendeleev i lunio tabl cyfnodol o elfennau, roedd yna fylchau. O'r patrwm cyffredinol, roedd modd rhagfynegi priodweddau'r gronynnau coll. Pan ddarganfu gwyddonwyr ronynnau â'r union briodweddau hyn, roedd y llwybr wythplyg yn ymddangos yn ddull ystyrlon o drefnu'r gronynnau.

Ffigur 29.2
Patrymau'r llwybr wythplyg.

Sylwch fod y cynrychioladau hyn yn graffiau hynodrwydd yn erbyn gwefr, gyda'r echelin hynodrwydd yn cael ei llunio ar ongl ansafonol er mwyn i batrymau'r gronynnau edrych yn ddeniadol i'r llygad.

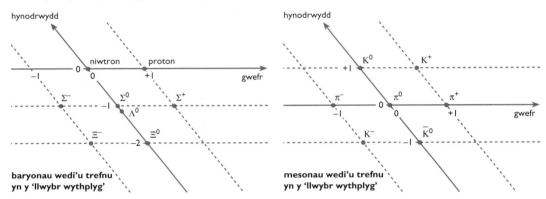

Mae bodolaeth patrwm yn awgrymu bod yna reswm sylfaenol. Os gallai'r gronynnau gael eu trefnu'n batrymau taclus, efallai bod patrymau yn y gronynnau eu hunain – yn union fel y mae patrymau mewn atomau (nifer y protonau yn arbennig) yn pennu eu hymddygiad. Yr her oedd darganfod *pam* yr oedd y baryonau a'r mesonau yn dilyn patrymau.

Roedd y ffisegydd Murray Gell-Mann yn un o nifer o wyddonwyr a oedd yn edrych am yr ateb i bos y llwybr wythplyg. Gwnaeth awgrym dewr iawn. Yr awgrym oedd nad oedd baryonau a mesonau yn 'sylfaenol' o gwbl ond eu bod wedi'u gwneud o ronynnau llai o faint sy'n dod bob yn ddau i greu mesonau, neu bob yn dri i greu baryonau. Yr hyn a oedd yn ddewr am yr awgrym, am ei fod yn hollol groes i brofiadau blaenorol, oedd yr awgrym nad oes gan y gronynnau newydd hyn rifau gwefr sy'n rhifau cyfan, ond gwefrau sy'n dod mewn unedau o ± 1/3 neu ± 2/3 o wefr y proton. Hefyd, yn ôl Gell-Mann, mae'n amhosibl iddynt fodoli, neu gael eu harsylwi, ar eu pen eu hunain. *Dim ond* bob yn ddau neu dri y byddant yn dod. Mae'r cyfan yn swnio'n hollol annhebygol – ond bod y cyfan yn cyd-fynd â'r arsylwadau. Ychydig flynyddoedd ar ôl i Gell-Mann wneud ei awgrym, cafwyd y dystiolaeth a gefnogai'r syniad bod gan fesonau a baryonau adeiledd mewnol yn sgil yr allwyriad a welwyd o lif o electronau a niwtronau o fewn niwclysau. Gyda'i ddychymyg am bethau hynod a rhyfedd, rhoddodd Murray Gell-Mann enw rhyfedd ar y gronyn newydd – cwarc.

Gan dybio bod tri math o gwarc, llwyddodd Gell-Mann i lunio'r llwybr wythplyg ar gyfer baryonau a mesonau, gan ddangos sut y mae pob un wedi'i wneud o wahanol gyfuniadau o gwarciau (Ffigur 29.10). Galwyd y tri math o gwarc yn *i fyny, i lawr* a *hynod*, ac ar gyfer pob cwarc roedd gwrthgwarc â phriodweddau gwrthgyferbyniol. Gwyddom yn awr fod tri chwarc arall ond maent yn fwy masfawr a dim ond pan fydd egnïon uchel ar gael y byddant yn cael eu creu. Nid ydym yn gweld y cwarciau trwm hyn mewn mater cyffredin. Mae Tabl 29.5 yn dangos priodweddau'r cwarciau ar i fyny (u), ar i lawr (d) a hynod (s) a'u gwrthgwarciau.

Ffigur 29.10
Y llwybr wythplyg ac adeiledd cwarciau yr hadronau.

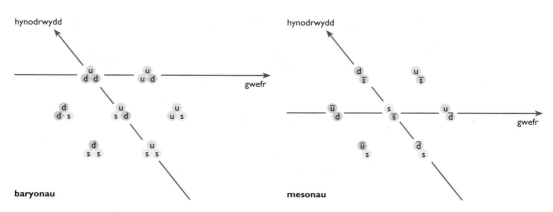

Mae damcaniaeth Gell-Mann yn awgrymu bod baryonau wedi'u gwneud o dri chwarc a bod mesonau wedi'u gwneud o bâr o gwarc a gwrthgwarc.

Tabl 29.5
Priodweddau cwarc.

Cwarc	Gwrthgwarc	Rhif baryon, B	Rhif gwefr, G	Hynodrwydd, S
u		$\frac{1}{3}$	$\frac{2}{3}$	0
	$\bar{u}$	$-\frac{1}{3}$	$-\frac{2}{3}$	0
d		$\frac{1}{3}$	$-\frac{1}{3}$	0
	$\bar{d}$	$-\frac{1}{3}$	$\frac{1}{3}$	0
s		$\frac{1}{3}$	$-\frac{1}{3}$	-1
	$\bar{s}$	$-\frac{1}{3}$	$\frac{1}{3}$	1

Nid oes rhif lepton wedi'i gynnwys. Mae gan bob cwarc rif lepton sy'n sero.

Felly nid yw baryonau a mesonau yn sylfaenol ynddynt eu hunain ond wedi'u gwneud o gyfuniadau o nifer cymharol fechan o wahanol gwarciau sydd, fe dybiwn, *yn sylfaenol*. Gelwir y gronynnau sydd wedi'u gwneud o gwarciau – pob baryon a phob meson – gyda'i gilydd yn **hadronau**. Mae pob hadron yn teimlo'r grym cryf.

Y rhyngweithiad gwan – cwarciau'n newid a thorri rheol

Mae cadwraeth gwefr, rhif baryon a rhif lepton yn digwydd yn *holl* newidiadau gronynnau, neu ryngweithiadau. Y mae yna ryngweithiadau, fodd bynnag, lle nad yw hynodrwydd yn cael ei gadw. Mae'r rhain i gyd yn rhyngweithiadau gwan – hynny yw mae bosonau W a Z yn rhan ohonynt fel gronynnau cyfnewid. (Mae rhyngweithiadau sy'n cynnwys gliwonau fel gronynnau cyfnewid yn rhyngweithiadau cryf ac maent oll yn cadw hynodrwydd.)

Rhaid i ni edrych unwaith eto ar ryngweithiad gwan. Mae dadfeiliad β^- yn enghraifft y gellir ei grynhoi fel a ganlyn:

$$n \rightarrow p + \beta^- + \bar{\nu}_e$$

Ond gwelsom fod niwtronau a phrotonau yn hadronau. Hynny yw, mae ganddynt adeileddau cwarc. Mae gan y niwtron dri chwarc, un i fyny a dau i lawr – *udd*. Mae gan broton adeiledd o ddau i fyny ac un i lawr – *uud*. Nid hadronau yw'r electron a'r antiniwtrino ond leptonau; ac nid

Ffigur 29.11
Diagram Feynman o ddadfeiliad β^-, yn dangos adeiledd cwarc y niwtron a'r proton.

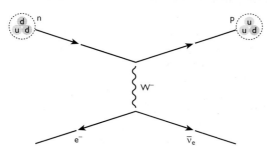

oes ganddynt adeileddau cwarc. Felly, wrth i niwtron ddadfeilio'n broton, mae cwarc i lawr yn troi'n gwarc i fyny (Ffigur 29.11). Mae nifer y cwarciau yn aros yr un fath, ond bydd un cwarc wedi newid. Wrth wraidd y broses mae oes fer boson W, sy'n arwydd o ryngweithiad gwan. Nid yw dadfeiliad β^- yn cynnwys unrhyw ronyn hynod, felly nid yw'n torri unrhyw reol cadwraeth hynodrwydd fan yma.

Ffigur 29.12
Dadfeiliad π^-.

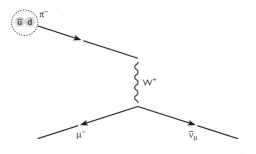

Ffigur 29.13
Dadfeiliad Λ^0, rhyngweithiad gwan sy'n mynd yn groes i gadwraeth hynodrwydd.

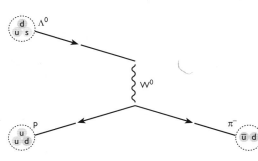

Ffigur 29.14
Dyma lun siambr swigod gyda lliw wedi'i ychwanegu ato er mwyn gweld y gwahanol ronynnau. Mae proton yn y siambr swigod yn cael ei daro gan π^- (gwyrdd, ar waelod y llun), gan greu Λ^0 a K^0. Nid yw'r gronynnau niwtral hyn yn gadael olion ond mae'r Λ^0 yn dadfeilio yn broton (coch) a π^- (gwyrdd), tra bo'r K^0 yn dadfeilio yn π^+ (melyn) a π^- (gwyrdd).

Pion yw hadron ag adeiledd cwarc a gwrthgwarc. Mae gan y π^-, er enghraifft, adeiledd gwrthgwarc i fyny a chwarc i lawr — $\bar{u}d$. Mae'n dadfeilio'n ddau lepton, un miwon a gwrthniwtrino sydd heb gwarciau o gwbl:

$$\pi^- \rightarrow \mu^- + \bar{\nu}_\mu$$

Oherwydd bod gan y pion gwarc a gwrthgwarc, cyfanswm y rhif cwarc effeithiol yw sero, a sero yw nifer y cwarciau ar ôl y dadfeiliad. Gellir dweud bod cyfanswm nifer y cwarciau yn aros yr un fath, ond nid oes gwadu y bu newidiadau i natur y cwarc cychwynnol a'r gwrthgwarc. Ac mae'r rhyngweithiad yn cynnwys creu, am gyfnod byr, boson W (Ffigur 29.12). Felly mae dadfeiliad y pion yn enghraifft arall o ryngweithiad gwan. Eto, fel oedd yn wir am ddadfeiliad β^-, nid oes hynodrwydd yn perthyn i hyn. Ond mae rhyngweithiadau gwan eraill yn digwydd lle mae yna ronynnau hynod.

Mae dadfeiliad y gronyn lamda yn broton a phion yn rhyngweithiad gwan arall:

$$\Lambda^0 \rightarrow p + \pi^-$$

Noder: tra bo'r gronyn lamda yn cynnwys cwarc hynod o fewn ei adeiledd, nid oes cwarc hynod mewn proton na phion (Ffigur 29.13). Nid oes cadwraeth hynodrwydd yn y dadfeiliad lamda. Mewn rhyngweithiadau gwan, gellir peidio ag ufuddhau i gadwraeth hynodrwydd.

Mae Ffigur 29.14 yn dangos dadfeiliad y gronynnau hynod Λ^0 a K^0 drwy ryngweithiadau gwan.

Ffrydiau a chwarciau

Mewn maes megis ffiseg gronynnau, mae damcaniaethwyr yn aml yn datblygu syniadau newydd am natur sylfaenol pethau ac mae ffisegwyr ymarferol wedi hynny yn dyfeisio'r arbrofion a fydd yn profi'r rhagdybiaethau hyn. Mewn rhai achosion, fodd bynnag, y data sy'n dod yn gyntaf cyn y syniadau. Roedd hynny'n wir am ddatblygiad cyffredinol model safonol ffiseg gronynnau. Darganfuwyd llwyth o ronynnau newydd, ac yna datblygodd y ffisegwyr damcaniaethol ragdybiaethau i'w profi a allai arwain at ddamcaniaeth gydlynus o'r berthynas rhyngddynt i gyd. Canfuwyd patrymau yn ymddygiad hadronau. Yn sgil y llwybr 'wythplyg' cafwyd y rhagdybiaeth nad oedd yr hadronau eu hunain yn ronynnau sylfaenol ond bod iddynt adeileddau mewnol a bod yr adeiledd yn seiliedig ar gwarciau. Felly, dechreuodd ffisegwyr ymarferol chwilio am yr adeiledd ymarferol ac am y cwarciau eu hunain.

15 **a** Pa fath o ryngweithiadau sy'n torri rheol cadwraeth hynodrwydd?
  b A yw'r rhyngweithiad rhwng y proton a'r π^- a ddangosir yn Ffigur 29.14 yn cydymffurfio â chadwraeth hynodrwydd?
  c Ar sail adeileddau cwarc y gronynnau sydd yn nadfeiliadau Λ^0 a K^0 yn Ffigur 29.14, dangoswch sut y mae'n rhaid i'r dadfeiliadau fod yn rhyngweithiadau gwan.

16 **TRAFODWCH**
  Pa debygrwydd a gwahaniaethau a welir wrth chwilio am batrymau sylfaenol yn ymddygiad cemegol elfennau ac ymddygiad gronynnau sylfaenol?

O fewn rhai blynyddoedd, llwyddodd arbrofion gwasgaru, a olygai beledu protonau ag electronau egnïol, i gadarnhau nad sfferau caled syml oedd protonau ond bod iddynt adeiledd mewnol actif. Ond os gall cwarciau rhydd fodoli, ymddengys mai am gyfnod byr iawn yn unig y gallant wneud hynny.

Mae gwrthdrawiadau electron-positron yn arwain at gyd-ddifodiant, gan greu ffotonau pelydrau gama. Po uchaf yw egni'r electronau a'r positronau pan fyddant mewn gwrthdrawiad â'i gilydd, yr uchaf yw egnïon y pelydrau gama. Mae tuedd i'r ffotonau egni uchel hyn beidio â phara yn hir ynddynt eu hunain ond mae eu hegni yn troi'n fàs unwaith eto, ar ffurf parau o ronynnau. Mae pob un ohonynt yn cynhyrchu 'ffrwd' o ragor o ronynnau eto. Po uchaf yw egni'r ffoton, y mwyaf o fàs a'r mwyaf o ronynnau all gael eu creu (Ffigur 29.15).

Ffigur 29.15
Dyma gynrychioliad ar sgrin cyfrifiadur o ganlyniad gwrthdrawiad ar lefel egni uchel iawn rhwng electron a phositron a ddigwyddodd yn y canfodydd ALEPH yn CERN. Mae'r llinellau o ddotiau melyn a glas yn dangos ffrydiau o ronynnau ac mae'r barrau melyn yn cynrychioli eu hegnïon.

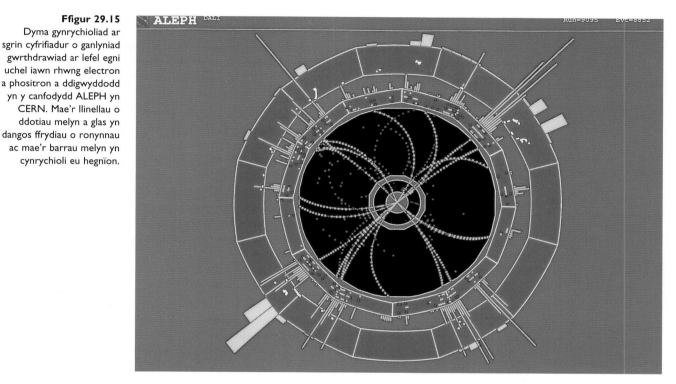

Ni ellir esbonio creu ffrydiau o ronynnau o'r fath ond drwy fodolaeth gronynnau byrhoedlog rhwng y gwrthdrawiad gwreiddiol a chreu'r ffrwd. Dim ond am ryw 10^{-23} s yn unig y byddant yn para, rhwng eu creu o egni'r ffoton gama a'u dadfeiliad yn ffrydiau. Dim ond os yw'r gronynnau byrhoedlog hyn yn gwarciau a gliwonau y gellir esbonio'r prosesau hyn.

---

17 TRAFODWCH

Pam y mae'n anochel y bydd angen i faes astudiaeth megis ffiseg gronynnau ddyfeisio ei eirfa newydd ei hun? A yw'r eirfa yn eich synnu? Ym mha feysydd eraill o weithgarwch dynol y mae geirfa newydd yn cael ei chreu yn gyflym?

18 a Dangoswch fod cyd-ddifodiant pâr electron-positron yn cydymffurfio â'r canlynol:
  i cadwraeth gwefr
  ii cadwraeth lepton.
  b Sut y gall gydymffurfio â chadwraeth egni?

19 Pam y gall gronynnau megis electronau a chwarciau gael eu galw'n sylfaenol ond na ellir galw gronynnau fel protonau a phionau yn sylfaenol?

20 Esboniwch sut y gall gwrthdrawiadau electron-positron gynnig tystiolaeth o fodolaeth cwarciau.

21 Yn y ffotograff o'r ffrwd yn Ffigur 29.15, esboniwch
  a pam y mae llwybrau'r gronynnau wedi crymu
  b sut y gall cynifer o ronynnau gael eu cynhyrchu o ganlyniad i un digwyddiad.

Deall a chymhwyso

Cwestiynau ar gyfer ymchwil egni uchel yn y dyfodol

Bydd ffisegwyr gronynnau yn ymdrin â chwestiynau dyrys. Astudiant natur mater, egni, golau, gan ofyn un o'r cwestiynau mwyaf oll – 'pam y mae'r byd fel y mae?' Dyma rai o'r posau y maent wrthi yn gweithio arnynt ar hyn o bryd:

O ble y daw màs?

Mae màs gwrthrych yn gysylltiedig â'r rhyngweithiadau disgyrchol ac â'i inertia; yn ôl damcaniaeth perthnasedd cyffredinol Einstein maent yr un fath â'i gilydd. Mae gwyddonwyr heddiw yn ceisio datrys y broblem fwyaf oll ym maes ffiseg ddamcaniaethol – sut y mae cydweddu syniadau Einstein â'r hyn a wyddom ni am ronynnau bach iawn. Mae'n bosibl bod yr ateb i'w ganfod wrth astudio màs a'r hyn sy'n ei achosi. Yn ôl y model safonol, mae gan ronynnau fàs oherwydd eu bod yn rhyngweithio â gronyn sy'n cael ei alw'n **foson Higgs**. Nid oes unrhyw dystiolaeth uniongyrchol ar gael eto i gefnogi'r rhagdybiaeth fod y gronyn arbennig hwn yn bodoli. Un o'r rhesymau y mae ffisegwyr am gyflymu gronynnau i lefelau uwch ac uwch o egni yw er mwyn chwilio am y dystiolaeth hon.

Beth yw uwchgymesuredd? A yw'n bod?

Yn y 1980au, datblygodd Abdus Salam a Stephen Weinberg ddamcaniaeth a ddangosai fod y grym gwan sy'n gweithredu y tu mewn i niwclysau a'r grym trydanol, yn eu hanfod, yr un fath, er nad ydynt yn edrych yn debyg iawn ar yr olwg gyntaf. Roedd darganfod gronynnau megis boson W, a ragfynegwyd gan y ddamcaniaeth, yn dystiolaeth gref. Mae ffisegwyr gronynnau yn awr yn sôn am y 'grym electro-gwan'. Cam nesaf fydd ceisio gweld a ellir olrhain y grym niwclear cryf a'r grym electro-gwan yn ôl i'r un tarddiad. Gelwir yr ymgais i ddod o hyd i hyn yn **Brif Ddamcaniaeth Unedig**. Damcaniaeth sy'n boblogaidd ond sy'n dal i fod yn ei dyddiau cynharaf yw **uwchgymesuredd**. Mae hyn yn cysylltu'r gronynnau mater sylfaenol, cwarciau a leptonau, â'r gronynnau grym, neu'r bosonau cyfnewid. Mae'r ddamcaniaeth yn rhagfynegi bod uwchronynnau trwm yn bod ond ni fu modd ceisio eu creu hyd yma oherwydd byddai'n rhaid i'r gronynnau gael eu cyflymu i lefelau uwch o egnïon nag sy'n bosibl gyda'r cyflymyddion sy'n bod ar hyn o bryd.

Beth yw mater tywyll?

Mae'r rhan fwyaf o fàs galaethau – cymaint â 90% ohono – yn anweladwy. Hynny yw, nid yw'n bod ar ffurf sêr felly nid yw'n allyrru golau. Eto i gyd gwyddom o fesur cylchdro galaethau bod yn rhaid i'r màs fod yno. Gelwir y mater hwn yn **fater tywyll**.

Rhaid cyfaddef, ar ôl canrifoedd o astudio gwyddoniaeth, na wyddom o beth mae 90% o'r Bydysawd wedi'i wneud. Ni allwn hyd yn oed ei weld na'i ganfod yn uniongyrchol mewn unrhyw fodd. Mae nifer o wahanol ddamcaniaethau'n bod i egluro natur y mater tywyll hwn. Un ohonynt yw ei fod yn bod ar ffurf mathau newydd o ronynnau, uwchronynnau trwm o bosibl, sy'n cael eu dal ynghlwm wrth y galaethau gan ddisgyrchiant.

Pam y mae tair cenhedlaeth o gwarciau a leptonau?

Rydych chi a phopeth o'ch cwmpas wedi eu gwneud o gwarciau o un genhedlaeth yn unig, ac un math o lepton. Ond mae gwyddonwyr, gyda'u cyflymyddion a'u canfodyddion, wedi darganfod bod tri math o gwarc a thri math o lepton (Ffigur 29.16). Y cwestiwn yw, pam *tair* cenhedlaeth?

Ffigur 29.16
Mae cwarciau a leptonau'r ail genhedlaeth a'r drydedd genhedlaeth yn drymach na'r rhai mwy cyfarwydd. Mae angen llawer o egni i greu gronynnau o'r fath.

cwarciau	i fyny **u**	360 MeV		swynol **c**	1500 MeV		copa **t**	100 GeV
	i lawr **d**	360 MeV		hynod **s**	540 MeV		gwaelod **b**	5 GeV

leptonau	e^-	511 keV		μ^-	106 MeV		τ^-	1784 MeV
	ν_e	0??		ν_μ	??		ν_τ	??

Pam y mae'r Bydysawd yn anghytbwys?

Gwyddom fod mater yn bod. Gwyddom fod gwrthfater yn bod. Yr hyn nad ydym yn ei wybod yw pam y mae'r byd wedi'i wneud o fater yn hytrach na gwrthfater, neu gymysgedd cyffrous o swm cyfartal o'r ddau yn cyd-ddifodi'n barhaus. Mewn gwirionedd, mae un ddamcaniaeth yn honni mai dyna fel yr oedd y Bydysawd, ond bod ychydig bach mwy o fater na gwrthfater. Pan ddaeth yr holl gyd-ddifodi i ben, y mater a oedd dros ben a adawyd ar ôl. Efallai bod a wnelo hyn â'r tair cenhedlaeth o gwarciau a leptonau ...

Chwilio am atebion mewn ymchwil egni uchel

Ffigur 29.17
Mae'r ffisegydd Alison Wright yn gweithio yn CERN, y ganolfan ffiseg gronynnau Ewropeaidd yng Ngenefa, y Swistir.

Yn CERN mae'r Gwrthdrawydd Electron-Positron Mawr, neu'r LEP (*Large Electron-Positron Collider*), sef cyflymydd gronynnau anferth â chylchedd o 27 km, mwy na 100 m o dan ddaear. Y tu mewn i'r LEP, mae pelydr o electronau a'u gwrthronynnau, positronau, yn cael eu cyflymu i egnïon o 100 GeV – dyna pam y mae Alison Wright (Ffigur 29.17) yn ei galw ei hun yn ffisegydd egni uchel. Mae electronau a phositronau yn gwrthdaro mewn pedwar man o amgylch y cylch. Ar bob pwynt lle digwydd gwrthdrawiad, mae canfodydd anferth yn aros i gofnodi beth fydd yn digwydd pan fydd mater a gwrthfater yn cyfarfod â'i gilydd.

Mae Alison yn perthyn i dîm rhyngwladol o bron i 500 o ffisegwyr sy'n gyfrifol am yr arbrawf ALEPH yn yr LEP, gan rannu'r cyfrifoldeb am ofalu am y cyfarpar sy'n ymestyn dros 750 m³ a dadansoddi data o filiynau o wrthdrawiadau. Mae'r canfodydd ALEPH yn casglu gwybodaeth fanwl gywir am y gronynnau sy'n cael eu creu o ganlyniad i'r gwrthdrawiadau electron-positron (gweler Ffigur 29.15) – gwybodaeth fel pa fath o ronynnau sydd yno, eu cyfeiriadau teithio a'u hegnïon. Drwy roi'r holl wybodaeth hon at ei gilydd, mae Alison a'i chyd-weithwyr yn dod i ddeall gronynnau sylfaenol, megis y bosonau W a Z, yn well, neu deuluoedd o gwarciau a sut y maent yn rhyngweithio â'i gilydd.

Mae nifer o gwestiynau heb eu hateb o hyd ac mae'r ffisegwyr yn CERN eisoes yn cynllunio'r genhedlaeth nesaf o arbrofion – gyda'r Gwrthdrawydd Hadron Mawr, neu'r LHC (*Large Hadron Collider*) 14 000 GeV a ddangosir yn Ffigur 29.18. Mae angen canfodyddion newydd ar y cyflymydd newydd hwn. Mae cynllunio system arbennig i ganfod a mesur miwonau yn cadw Alison yn brysur.

Ffigur 29.18
Y tu mewn i'r twnnel 27 km yn CERN.

Tasg sgiliau ychwanegol

Cyfathrebu

Roedd damcaniaeth atom Bohr yn cyd-fynd â rhai arsylwadau, ond nid oedd y darlun yn gyflawn; roedd damcaniaethau Einstein ynglŷn â pherthnasedd arbennig a chyffredinol yn ddadleuol pan gawsant eu cyhoeddi. Mae ffiseg gronynnau yn gangen gymharol newydd o ffiseg. Mae llawer o ddamcaniaethau a modelau newydd yn bod, megis y Brif Ddamcaniaeth Unedig, electrodynameg cwantwm, cromodynameg cwantwm, uwchgymesuredd ac ati. Ar gyfer pob un o'r damcaniaethau hyn, mae gwyddonwyr wedi cynhyrchu syniadau newydd a dadleuol.

Ymchwiliwch i un ddamcaniaeth o'ch dewis o faes ffiseg dros gyfnod o ryw 100 mlynedd yn ôl. Archwiliwch y dystiolaeth o ysgrifau a phapurau a ysgrifennwyd ar y pryd ac o gyfnod yn ddiweddarach yn ogystal â ffynonellau eilaidd. Ysgrifennwch adroddiad byr yn dangos enghreifftiau o'r farn wyddonol, yn disgrifio'r dadlau a fu ac yn nodi unrhyw ragfarn o safbwynt yr ymchwilydd neu'r sawl sy'n ei adolygu.

Cwestiynau arholiad

1. Rhagfynegwch ac esboniwch sut y bydd cyfansoddiad y cwarciau mewn niwclews yn newid, os bydd yn newid o gwbl, yn ystod
   a. allyriant β^+ (2)
   b. allyriant γ (2)
   OCR, Ffiseg Niwclear, Mehefin 1999

2. Mae niwclews carbon-14 yn profi dadfeiliad β^-, gan ffurfio niwclews newydd, gan ryddhau gronyn β^- ac un gronyn arall sy'n anodd ei ganfod.
   a. Ysgrifennwch rif proton a rhif niwcleon y niwclews newydd.
   b. Enwch y gronyn sy'n anodd ei ganfod.
   c. Enwch y baryonau a'r leptonau sy'n rhan o'r dadfeiliad.
   d. i Rhowch adeiledd cwarc y niwtron a'r proton.
      ii Yn dilyn hynny nodwch y trawsffurfiad cwarc sy'n digwydd yn ystod dadfeiliad β^-. (7)
   AQA (NEAB), Ffiseg Uwch, Papur 1, Mehefin 1999 (rhan o'r cwestiwn)

3. Mae'n bosibl y bydd y ddau ddadfeiliad isod yn dangos cadwraeth egni a momentwm.

   $$\mu^+ \rightarrow e^+ + \nu_e$$
   $$\mu^+ \rightarrow e^+ + \nu_e + \overline{\nu}_\mu$$

   Ni all y cyntaf ddigwydd ond fe all yr ail.
   a. Nodwch ddeddf gadwraeth arall y mae'r *ddau* ddadfeiliad yn cydymffurfio â hi.
   b. Pa ddeddf gadwraeth sy'n gwahardd y dadfeiliad cyntaf?
   c. Dangoswch sut y mae'r ddeddf gadwraeth yn caniatáu ail ddadfeiliad. (4)
   Edexcel (Llundain), Ffiseg PH4, Mehefin 1999 (rhan o'r cwestiwn)

4. a. Esboniwch pam y mae siambr swigod yn fwy effeithiol na llestr niwl ar gyfer canfod gronynnau egni uchel. (2)
   b. Mae dau bion π^+ a π^0 yn teithio ar yr un buanedd i mewn i siambr swigod. Nodwch ac esboniwch pa bion sy'n fwy tebygol o gael ei ganfod, gan roi *dau* reswm am eich dewis. (3)

   oes π^+ yw 2.6×10^{-8} s
   oes π^0 yw 0.8×10^{-16} s

   c. Esboniwch pam y mae'r llwybrau sy'n cael eu cynhyrchu mewn siambr swigod gan electronau yn sbiralau o ran eu ffurf. (2)
   AQA (NEAB), Ffiseg Gronynnau (PH06), Mehefin 1999 (rhan o'r cwestiwn)

5. Mae'r diagram yn dangos prif nodweddion ffotograff siambr swigod lle mae pion wedi gwrthdaro â phroton sefydlog (adwaith A), gyda dau ddadfeiliad dilynol (adweithiau B ac C).

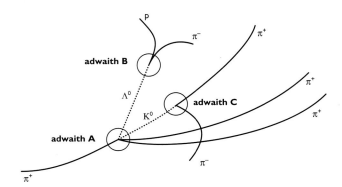

   Gall y wybodaeth ganlynol fod yn ddefnyddiol:

gronyn	rhif baryon	hynodrwydd
π	0	0
Λ^0	1	-1
P	1	0
K^0	0	1

   a. Ysgrifennwch hafaliad ar gyfer adwaith A. (1)
   b. Dangoswch fod cadwraeth gwefr, rhif baryon a hynodrwydd yn adwaith A. (3)
   c. Sut y mae'n bosibl cael mwy o bionau ar ddiwedd yr adweithiau nag ar y dechrau? O ble y daethant? (2)
   d. Yn ogystal â'r mesurau a nodwyd uchod, cadwraeth beth arall sy'n rhaid ei gael ym mhob un o'r tri adwaith? (1)
   Y Fagloriaeth Ryngwladol, Ffiseg Safon Uwch, Mai 1998

VIII
MUDIANT A GRYM I SAFON UWCH

30 Grymoedd mewn cydbwysedd

Y CWESTIWN MAWR

● Mewn byd lle mae cymaint o rymoedd yn gweithredu, sut y mae'n bosibl i wrthrychau fod mewn cydbwysedd?

GEIRFA ALLWEDDOL

adlyniad   adwaith normal   craidd disgyrchiant   craidd màs   cwpl syml
cydbwysedd cylchdro   cydbwysedd trawsfudol   cyflymiad cylchdro   egwyddor momentau
ffrithiant dynamig   ffrithiant statig   grymoedd cymhlan   iro   moment
polygon grymoedd   stateg

Y CEFNDIR

Mae pob gwrthrych statig yn profi grymoedd sy'n gytbwys. Mae hyn yn cynnwys popeth yn amrywio ohonoch chi yn eistedd neu'n sefyll i beilon yn sefyll mewn corwynt, pyramid neu fynydd. Yr enw ar yr astudiaeth o rymoedd cytbwys o'r fath yw **stateg** a hyn yw sylfaen peirianneg sifil (Ffigur 30.1).

Ffigur 30.1
Mae'r grymoedd ar bob pwynt o'r adeiladwaith hwn yn gytbwys.

Adwaith normal

Rhaid diolch i ddisgyrchiant fod gan fàs gwrthrych, gan gynnwys pobl, bwysau. Mae'r pwysau yn rym 'ar i lawr' (hynny yw, mae'n gweithredu tuag at ganol y Ddaear). Mae grym sy'n hafal i'r pwysau yn gweithredu ar unrhyw arwyneb y saif y gwrthrych arno. Mae'r arwyneb yn profi grym. Mae unrhyw wrthrych sy'n profi grym yn rhoi grym hafal a dirgroes. Mae hyn yn digwydd yn unol â Thrydedd Ddeddf Newton (gweler Pennod 11).

Ffigur 30.2
Nid yw'r codwr pwysau yn disgyn drwy'r llawr cyn codi'r masau ychwanegol nac wedyn.

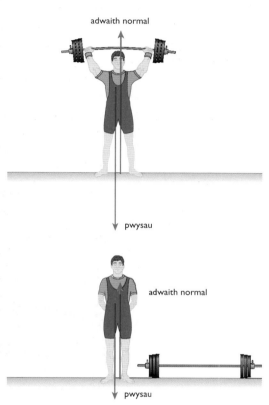

Yn achos y codwr pwysau a'r llawr (Ffigur 30.2), mae pwysau'r codwr pwysau yn gweithredu ar i lawr ar y llawr, ac mae'r llawr yn rhoi grym hafal a dirgroes. Gelwir y grym hwn yn **adwaith normal**. Mae'n gweithredu ar ongl o 90° i'r arwyneb.

Pan fo'r codwr pwysau yn codi'r masau mae'r grym sy'n gweithredu *ar* y llawr yn cynyddu. Mae'r grym a roir *gan* y llawr yn cynyddu i gyd-fynd â hyn. Mae'n 'adweithio' i'r newid yn y pwysau.

Tarddiad adwaith normal

Yn ein profiadau bob dydd teimlwn rymoedd disgyrchiant a thrydanol. Weithiau, byddwn yn ymwybodol hefyd o rym magnetig (sy'n rym â tharddiad trydanol).

Gall disgyrchiant 'weithredu o bell' – mae'r Ddaear a'r Lleuad yn atynnu ei gilydd heb fod angen iddynt fod yn agos at ei gilydd. Mae'r un peth yn wir am fagnetau – gallwn deimlo'r grymoedd rhyngddynt tra byddant ychydig o bellter oddi wrth ei gilydd. Mae grymoedd atynnu a gwrthyrru trydanol hefyd yn gweithredu rhwng gwrthrychau sydd ar wahân, ac mae'r grymoedd yn cynyddu wrth i'r gwrthrychau nesáu at ei gilydd.

Nid gronynnau syml mo atomau a moleciwlau ond casgliad o ronynnau. Gall y grymoedd cydeffaith rhyngddynt fod yn rymoedd atynnu pan fyddant ychydig oddi wrth ei gilydd ond pan fydd eu gronynnau wedi'u gwefru yn agos iawn at ei gilydd y cydeffaith fydd grym gwrthyrru. Po fwyaf y cânt eu gwthio at ei gilydd, y cryfaf fydd y grym gwrthyrru. Dyna sy'n digwydd pan fo'r codwr pwysau yn codi'r masau. Mae'r gronynnau yn sodlau ei esgidiau yn cael eu gwthio'n nes at ronynnau arwyneb y llawr gan y pwysau cynyddol. Mae'r grym gwrthyrru rhyngddynt yn cynyddu yn yr un modd – gan gynyddu'r adwaith normal. Mae cyfanswm y pwysau a'r adwaith normal yn aros mewn cydbwysedd.

1 a Beth yw tarddiad y grymoedd sy'n gweithredu pan fyddwch yn cyffwrdd arwyneb bwrdd â blaen eich bys?
b Brasluniwch y sefyllfa hon gan ddefnyddio saethau fector i gynrychioli'r grymoedd hafal a dirgroes hyn.
c Pam y mae'r grymoedd yn cynyddu wrth i chi wasgu'n galetach?

Ffrithiant

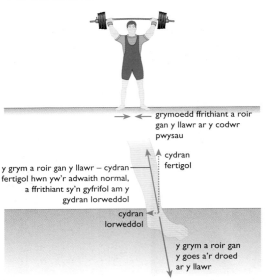

grymoedd ffrithiant a roir gan y llawr ar y codwr pwysau

y grym a roir gan y llawr – cydran fertigol hwn yw'r adwaith normal, a ffrithiant sy'n gyfrifol am y gydran lorweddol

cydran fertigol

cydran lorweddol

y grym a roir gan y goes a'r droed ar y llawr

2 Ysgrifennwch frawddeg i ddisgrifio cyfeiriadau cymharol yr adwaith normal a'r grym ffrithiant a roir gan arwyneb.

3 Esboniwch swyddogaeth ffrithiant wrth:

a eich cadw ar eich eistedd (gall ceisio dychmygu sedd hollol ddiffrithiant eich helpu)

b pwyso yn erbyn wal (dychmygwch wal a llawr diffrithiant).

4 a Pam y mae gwrthrych trwm yn dechrau symud yn gyflym pan gaiff ei wthio ar draws llawr?

b Unwaith y byddant yn symud ar fuanedd cyson, a fydd y grymoedd ar y gwrthrych yn gytbwys neu'n anghytbwys? Esboniwch.

5 a Gwnewch fraslun o floc brêc beic wedi ei gysylltu ag ymyl yr olwyn wrth frecio. Ychwanegwch saethau i ddangos grymoedd adwaith normal a'r ffrithiant sy'n gweithredu.

b Yn nhermau natur yr arwynebau, esboniwch pam y mae cynyddu grym adwaith normal yn cynyddu grym ffrithiant.

Gall y llawr roi grym ffrithiant, yn ogystal ag adwaith normal, ar draed y codwr pwysau. Mae grymoedd ffrithiant yn bwysig er mwyn ei gadw ar ei draed. Maent yn gweithredu i gyfeiriadau a fydd yn ei atal rhag llithro ac yn baralel i'r llawr bob amser (Ffigur 30.3).

Ffrithiant statig

Mae grymoedd ffrithiant sy'n gweithredu ar wrthrych statig – grymoedd **ffrithiant statig** – fel arfer yn cydbwyso'r grymoedd sy'n tueddu i wneud iddo lithro. Fodd bynnag, gellir cyrraedd y pwynt lle bo'r grym sy'n tueddu i achosi iddo lithro yn fwy na'r grym ffrithiant mwyaf sy'n bosibl. Yna mae'r gwrthrych yn dechrau llithro. Mae'n amlwg bod hyn yn beryglus i'r codwr pwysau felly rhaid i arwyneb y man lle bydd yn codi'r pwysau fod yn weddol arw.

Ffrithiant dynamig

Gall fod yn anodd gwneud i wrthrych ddechrau symud. Mae dau reswm am hyn. Inertia'r gwrthrych yw'r rheswm cyntaf – mae angen grym anghytbwys er mwyn cyflymu'r gwrthrych o'i gyflwr o ddisymudedd. Yn ail, mae ffrithiant yn gwrthsefyll mudiant ond yn lleihau unwaith y bo'r gwrthrych yn symud. Mae ffrithiant statig yn gweithredu ar wrthrych disymud ond mae **ffrithiant dynamig** yn gweithredu ar wrthrych sy'n symud. Mae hyn yn esbonio pam y bydd mudiant un arwyneb ar draws arwyneb arall yn dechrau'n sydyn. Mae'r gwrthiant ffrithiannol i fudiant yn fwy pan fydd yr arwynebau yn llonydd na phan fyddant yn dechrau llithro.

Tarddiad grym ffrithiant

Gellir meddwl am ffrithiant rhwng arwynebau yn cael ei achosi gan y rhannau afreolaidd ar yr arwyneb yn cyd-gloi a hefyd gan y grymoedd atynnu, neu **adlyniad**, rhwng yr arwynebau. Mae hyn yn gyson â'r arsylwadau canlynol

- bod ffrithiant rhwng arwynebau garw (â llawer o rannau afreolaidd) yn tueddu i fod yn fwy na rhwng arwynebau llyfn (heb lawer o rannau afreolaidd),
- gall hylifau gael eu defnyddio i lenwi'r pantiau mewn arwynebau a gwthio'r arwynebau ychydig i ffwrdd oddi wrth ei gilydd, gan felly leihau lefel y cyd-gloi – hynny yw, mae hylifau yn gallu **iro** (Ffigur 30.4).

Mae ffrithiant yn golygu rhyngweithiad rhwng defnyddiau ar lefel gronynnau. Y mae felly yn bwnc hynod o gymhleth nad ydym yn ei ddeall yn iawn. Mae'n dal i fod yn destun gwaith ymchwil.

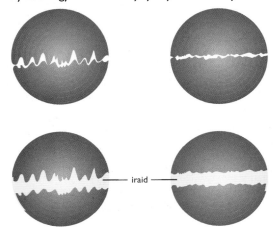

iraid

Mae ffrithiant a gwaith ireidiau yn feysydd astudiaeth cymhleth ond yn bwysig yn fasnachol oherwydd y rhan y mae ffrithiant yn ei chwarae ym mudiant cymharol arwynebau. Mae'r diagramau hyn yn cynnig esboniad syml.

Adwaith normal a gwrthdrawiadau diffrithiant

Mewn gwrthdrawiad rhwng gwrthrych megis cnapan hoci iâ a wal, mae'r wal yn rhoi grym ar y cnapan ac mae'r cnapan yn rhoi grymoedd hafal a dirgroes ar y wal. Mae dau fath o rym yma – grym ffrithiant sydd ond yn gallu gweithredu i gyfeiriad sy'n baralel i'r arwynebau y mae mewn cysylltiad â hwy, ac adwaith normal sydd ond yn gallu gweithredu yn normal (ar ongl sgwâr) i'r arwynebau (Ffigur 30.5).

O ran y cnapan, mae'r grym ffrithiant fel arfer lawer yn llai na'r grym normal. Felly mae'n werth meddwl am yr hyn sy'n digwydd mewn sefyllfa 'ddelfrydol', pryd y gall ffrithiant gael ei anwybyddu (Ffigur 30.6). Yn awr, mae'r unig rym sy'n gweithredu yn berpendicwlar i'r wal. Golyga hyn fod cyflymiad y cnapan hefyd yn berpendicwlar i'r wal. (Gan fod perthynas rhwng cyflymiad a grym yn ôl $F = ma$, rhaid i'r cyflymiad bob amser fod i'r un cyfeiriad â'r grym cydeffaith.) Nid oes unrhyw gydran o'r cyflymiad sy'n baralel i'r wal oherwydd nid oes grym yn gweithredu'n baralel i'r wal. Nid yw cydran y cyflymder sy'n baralel i'r wal yn newid felly. Mae'r gydran sy'n berpendicwlar i'r wal yn newid.

Ffigur 30.5
Y grymoedd a roir gan wal ar gnapan hoci iâ.

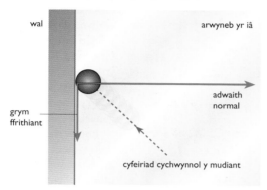

Ffigur 30.6
Gwrthdrawiad diffrithiant 'delfrydol'.

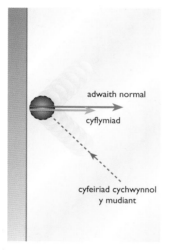

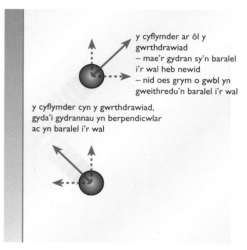

Cydbwysedd trawsfudol

Gall gwrthrych symud o fan i fan gan brofi mudiant *trawsfudol*. Neu gall fynd mewn cylch gan brofi mudiant *cylchdro*.

Gall gwrthrych brofi nifer o rymoedd yn gweithredu ar yr un pryd. Gall hyn fod yn wir am follt sy'n dal cydrannau pont at ei gilydd, er enghraifft. Dywedir bod gwrthrych tebyg i'r bollt mewn **cydbwysedd trawsfudol** os nad oes iddo gyflymiad llinol. Golyga 'llinol' yn y cyd-destun hwn mewn llinell syth, a dywed y gair wrthym nad ydym yn ymwneud ag effeithiau cylchdroi.

Er mwyn bod mewn cydbwysedd trawsfudol – heb gyflymiad llinol – rhaid bod cyfanswm y grym ar y gwrthrych yn sero. Os oes llawer o rymoedd yn gweithredu rhaid bod eu *cydeffaith* ar y mudiant trawsfudol yn sero. Gallwn ysgrifennu hyn yn gryno ar ffurf y datganiad canlynol, sef yr amod ar gyfer cydbwysedd trawsfudol:

ar gyfer cydbwysedd trawsfudol gwrthrych rhaid bod $\sum F = 0$

Mae dwy ffordd o ddarganfod a yw nifer o rymoedd yn gweithredu ar wrthrych yn arwain at gydbwysedd – drwy wneud lluniad wrth raddfa a thrwy gyfrifo.

Os gellir llunio'r grymoedd, wrth raddfa ac i'r cyfeiriadau priodol, fel polygon cyflawn yna bydd y gwrthrych mewn cydbwysedd (Ffigur 30.7a). Fe'i gelwir yn **bolygon grymoedd**. Fodd bynnag, os gwelir nad yw 'pennau' y polygon yn cyfarfod ar ôl rhoi cynnig ar hyn, yna bydd y grym cydeffaith yn cael ei roi gan fector yn cysylltu'r pennau hyn (Ffigur 30.7b).

Er mwyn cyfrifo grym cydeffaith nifer o rymoedd rhaid yn gyntaf ddewis dau gyfeiriad cyd-berpendicwlar. Nid yw o bwys pa ddau gyfeiriad a ddefnyddiwn, felly mae'n gwneud synnwyr i ddefnyddio cyfeiriad *x* (llorweddol) a chyfeiriad *y* (fertigol). Gallwn wedyn gyfrifo cydrannau'r grymoedd ar hyd y ddau gyfeiriad hyn (a ddisgrifiwyd ym Mhennod 12), ac adio'r setiau o gydrannau yn y ddau gyfeiriad. Bydd y gwrthrych mewn cydbwysedd os yw swm cydrannau'r holl rymoedd ar hyd pob un o'r ddau gyfeiriad yn sero (Ffigur 30.8).

Mewn rhai sefyllfaoedd, gall fod yn fwy defnyddiol i ddewis pâr gwahanol o gyfeiriadau. Er enghraifft, ar gyfer car ar oledd gallem edrych ar gydrannau'r grymoedd sy'n baralel ac yn berpendicwlar i arwyneb y ffordd.

Ffigur 30.7
Polygon grymoedd – dim ond polygon caeedig sy'n arwain at rym cydeffaith sero neu gydbwysedd.

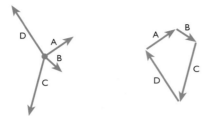

a Mae gwrthrych â set o rymoedd sy'n gweithredu arno mewn cydbwysedd trawsfudol os gellir llunio'r grymoedd fel polygon caeedig.

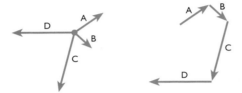

b Nid yw'r gwrthrych mewn cydbwysedd o ganlyniad i'r grymoedd hyn.

Ffigur 30.8
Gan ddefnyddio cyfrifiadau i edrych am gydbwysedd – os yw cyfanswm y grymoedd sy'n gweithredu i unrhyw ddau gyfeiriad cyd-berpendicwlar yn sero, yna mae'r gwrthrych mewn cydbwysedd.

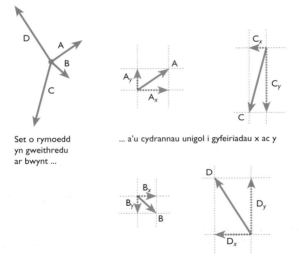

Set o rymoedd yn gweithredu ar bwynt ...

... a'u cydrannau unigol i gyfeiriadau *x* ac *y*

Os yw swm y cydrannau i gyfeiriad *x* yn sero,

$$A_x + B_x + C_x + D_x = 0$$

ac os yw swm y cydrannau i gyfeiriad *y* yn sero,

$$A_y + B_y + C_y + D_y = 0$$

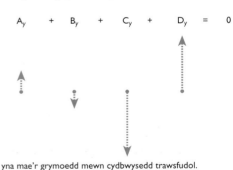

yna mae'r grymoedd mewn cydbwysedd trawsfudol.

● Momentau

Mae **moment** grym o gwmpas pwynt sefydlog yn fesur o'i effaith droi o amgylch y pwynt hwnnw. Maint moment yw lluoswm y grym a'r pellter byrraf o'r pwynt sefydlog i linell gweithredu'r grym.

Mae hefyd yn hafal i luoswm pellter pwynt gweithredu'r grym o'r pwynt sefydlog, wedi'i luosi â chydran y grym sy'n berpendicwlar i linell yn cysylltu'r ddau bwynt hyn.

Mae'r iaith a ddefnyddir i ddisgrifio'r ddwy ffordd hyn o gyfrifo moment braidd yn dechnegol a chymhleth. Mae'n haws ei weld gyda help diagramau (Ffigur 30.9).

Moment yw lluoswm grym a phellter. Golyga hynny mai ei uned SI yw'r newton metr, N m. Nodwch fod newton metr yn gywerth â joule, uned egni. Mae gan foment ac egni yr un dimensiynau. Ni fyddai defnyddio'r joule fel uned moment yn anghywir, ond y confensiwn yw defnyddio'r newton metr.

6 Pam na fyddai'n ddigon i ddweud yn syml 'moment grym o amgylch colyn yw'r grym wedi'i luosi â'r pellter o'r colyn'?

Ffigur 30.9
Cyfrifo moment grym F o gwmpas pwynt P. Nodwch fod y ddau ddull yn rhoi'r un ateb.

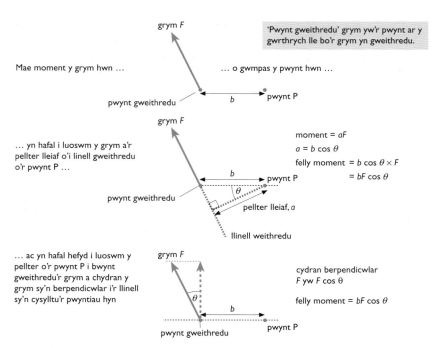

grym F

'Pwynt gweithredu' grym yw'r pwynt ar y gwrthrych lle bo'r grym yn gweithredu.

Mae moment y grym hwn … … o gwmpas y pwynt hwn …

pwynt gweithredu b pwynt P

grym F

… yn hafal i luoswm y grym a'r pellter lleiaf o'i linell gweithredu o'r pwynt P …

moment = aF
$a = b \cos \theta$
felly moment = $b \cos \theta \times F$
$= bF \cos \theta$

b pwynt P
θ
pwynt gweithredu
pellter lleiaf, a
llinell weithredu

… ac yn hafal hefyd i luoswm y pellter o'r pwynt P i bwynt gweithredu'r grym a chydran y grym sy'n berpendicwlar i'r llinell sy'n cysylltu'r pwyntiau hyn

grym F
cydran berpendicwlar F yw $F \cos \theta$
felly moment = $bF \cos \theta$
θ
b
pwynt gweithredu pwynt P

Mae'n bosibl cyfrifo moment grym o gwmpas unrhyw bwynt o'ch dewis. Os dewiswch bwynt yn agos at linell weithredu'r grym yna bydd ei effaith droi o amgylch y pwynt hwnnw yn gymharol fach. Bydd ganddo foment mwy o gwmpas pwynt sydd ymhellach i ffwrdd (Ffigur 30.10).

Ffigur 30.10
Mae gan yr un grym effaith droi sy'n fwy o gwmpas pwynt pan gaiff ei weithredu ymhellach i ffwrdd o'r pwynt.

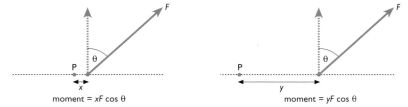

moment = $xF \cos \theta$

moment = $yF \cos \theta$

Cydbwysedd cylchdro

7 Mae grym 40 N yn gweithredu'n berpendicwlar i lawr ar drawst unffurf ar bellter o 2 m o golyn canolog. Ar ba bellter o'r colyn y bydd yn rhaid i un grym 44 N ar i lawr weithredu er mwyn i'r trawst fod mewn cydbwysedd cylchdro?

Gall yr effaith droi fod yn glocwedd neu'n wrthglocwedd. Mae effaith momentau clocwedd ac effaith momentau gwrthglocwedd yn groes i'w gilydd. Os ydynt yn hafal i'w gilydd o ran eu maint, bydd cyfanswm y moment yn sero. Ni fydd felly unrhyw **gyflymiad cylchdro** – ni fydd yn cylchdroi'n gynt ac yn gynt. Mae'r momentau mewn cydbwysedd ac mae'r gwrthrych y maent yn gweithredu arno mewn **cydbwysedd cylchdro**.

Mae'n rhaid i ddau fesur sy'n hafal o ran eu maint adio i sero os yw un yn bositif a'r llall yn negatif. Mae'n rhaid bod gan fomentau clocwedd a gwrthglocwedd arwyddion sy'n groes i'w gilydd. Nid yw o bwys mawr pa rai sy'n bositif a pha rai sy'n negatif. Y confensiwn fodd bynnag yw dweud bod y momentau gwrthglocwedd yn bositif.

Bydd cydbwysedd cylchdro (hynny yw, dim cyflymiad cylchdro) yn digwydd pan fydd

cyfanswm momentau clocwedd = $-$(cyfanswm momentau gwrthglocwedd)

Dyma'r amod ar gyfer cydbwysedd cylchdro (Ffigur 30.11), a elwir hefyd yn **egwyddor momentau**.

Ffigur 30.11
Yr amod ar gyfer cydbwysedd cylchdro.

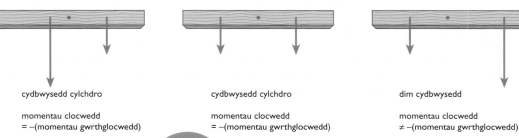

cydbwysedd cylchdro

momentau clocwedd
= $-$(momentau gwrthglocwedd)

cydbwysedd cylchdro

momentau clocwedd
= $-$(momentau gwrthglocwedd)

dim cydbwysedd

momentau clocwedd
$\neq -$(momentau gwrthglocwedd)

Craidd màs

Fel rheol, un grym a fydd yn gweithredu ar wrthrych fydd ei bwysau. Mae grym disgyrchiant yn gweithredu ar bob rhan o'r gwrthrych ond, o ran symlrwydd, gallwn lunio un saeth yn gweithredu ar bwynt penodol. Dyma'r pwynt lle gellir dweud bod holl bwysau'r gwrthrych fel petai yn gweithredu ynddo. Dyma'r **craidd disgyrchiant**.

Ym maes disgyrchiant y Ddaear, mae pwysau gwrthrych, o facteriwm i dancer olew, mewn cyfrannedd â'i fàs. Mae gan y gwrthrych **graidd màs** – y pwynt lle gellir dweud, yn syml, y mae ei holl fàs. Gellir cymryd bod craidd màs yn yr un man â'r craidd disgyrchiant.

Fodd bynnag, nid oes gan y craidd disgyrchiant a chraidd màs yr un lleoliad bob amser. Mewn maes disgyrchiant lle bo cryfder y maes yn newid o un lle i'r llall dros bellter byr mewn perthynas â maint y gwrthrych, nid yw dosbarthiad pwysau'r gwrthrych yn union yr un fath â dosbarthiad ei fàs. Mae'r craidd disgyrchiant yn cael ei symud oddi wrth y craidd màs (Ffigur 30.12).

Ffigur 30.12
Mewn maes disgyrchiant anunffurf nid yw craidd disgyrchiant a chraidd màs gwrthrych yn cyd-daro.

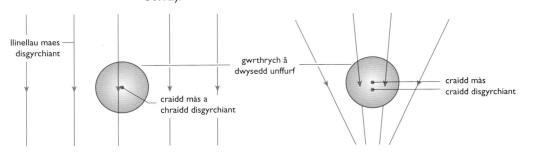

llinellau maes disgyrchiant

gwrthrych â dwysedd unffurf

craidd màs a chraidd disgyrchiant

craidd màs
craidd disgyrchiant

Mae hanner 'isaf' y gwrthrych hwn yn profi mwy o rym disgyrchiant – hynny yw, mae iddo fwy o bwysau – na'r hanner 'uchaf'. Nid yw'r craidd disgyrchiant yn ganolog yn y gwrthrych.

Ffigur 30.13 (isod)
Os yw'r pwysau a'r grym tuag i fyny yn gydlinol yna ni fydd cyflymiad cylchdro.

Ni fydd gwrthrych sy'n cael ei hongian yn nisgyrchiant y Ddaear wrth ei graidd màs, neu wrth unrhyw bwynt yn uniongyrchol uwchlaw neu islaw, yn dangos tuedd i gylchdroi. Mae'r grym hongian, sydd tuag i fyny, yn gydlinol – yn yr un llinell syth – â'r pwysau (Ffigur 30.13). Dyma ffordd hawdd o leoli craidd màs gwrthrych.

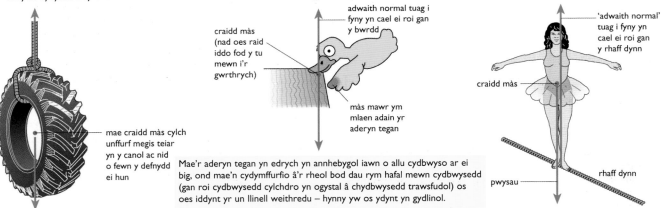

mae craidd màs cylch unffurf megis teiar yn y canol ac nid o fewn ei ddefnydd ei hun

craidd màs (nad oes raid iddo fod y tu mewn i'r gwrthrych)

adwaith normal tuag i fyny yn cael ei roi gan y bwrdd

màs mawr ym mlaen adain yr aderyn tegan

Mae'r aderyn tegan yn edrych yn annhebygol iawn o allu cydbwyso ar ei big, ond mae'n cydymffurfio â'r rheol bod dau rym hafal mewn cydbwysedd (gan roi cydbwysedd cylchdro yn ogystal â chydbwysedd trawsfudol) os oes iddynt yr un llinell weithredu – hynny yw os ydynt yn gydlinol.

'adwaith normal' tuag i fyny yn cael ei roi gan y rhaff dynn

craidd màs

rhaff dynn

pwysau

8 Esboniwch, yn nhermau momentau a chraidd màs, pam y mae angen llai o gryfder yn y breichiau i wneud byrfreichiau (gwthio i fyny ar y breichiau) pan yw eich pengliniau ar y llawr yn hytrach na byseddd eich traed.

9 Esboniwch pam y mae un trefniant yn Ffigur 30.14 yn ansefydlog tra bo'r llall yn sefydlog.

10 Mae person sy'n cael ei ddysgu i gerdded ar raff dynn yn cario polyn â bwced o ddŵr yn hongian wrth raff hir ar bob pen.

a Esboniwch sut y gallai'r trefniant hwn wneud y perfformiwr yn fwy sefydlog.

b Pa gyngor y byddech yn ei roi i'r perfformiwr am y ffordd orau o ddefnyddio'r trefniant (hynny yw, y gwerthoedd gorau ar gyfer hyd y polyn, hyd y rhaff, màs y dŵr ym mhob bwced, a sut a ble y dylai'r polyn gael ei ddal)?

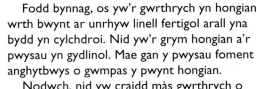

a F
b F
F
colyn yn y canol
bloc pren
F
F

Ffigur 30.14

Fodd bynnag, os yw'r gwrthrych yn hongian wrth bwynt ar unrhyw linell fertigol arall yna bydd yn cylchdroi. Nid yw'r grym hongian a'r pwysau yn gydlinol. Mae gan y pwysau foment anghytbwys o gwmpas y pwynt hongian.

Nodwch, nid yw craidd màs gwrthrych o reidrwydd o fewn defnydd y gwrthrych. Mae craidd màs teiar, er enghraifft, yng nghanol y cylch. Mae'n bosibl hongian teiar wrth un rhaff sydd ynghlwm wrth unrhyw bwynt fel y bo'r teiar yn hongian mewn plân fertigol, ond nid oes modd ei hongian mewn plân llorweddol wrth ddefnyddio un rhaff yn unig.

Cyplau syml

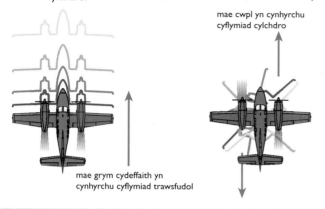

mae cwpl yn cynhyrchu cyflymiad cylchdro

mae grym cydeffaith yn cynhyrchu cyflymiad trawsfudol

Gwelsom fod grymoedd hafal a dirgroes sy'n gweithredu ar wrthrych yn 'gytbwys' – y grym cydeffaith yw sero, nid oes cyflymiad yn digwydd, ac mae'r gwrthrych mewn cydbwysedd. Fodd bynnag, y *mae'n* bosibl i'r grymoedd fod yn hafal o ran eu maint ac yn ddirgroes o ran eu cyfeiriad ond hefyd gael effaith ar fudiant. Mae hyn yn digwydd pan nad yw'r grymoedd yn gydlinol. Gelwir pâr o rymoedd hafal a dirgroes o'r fath yn **gwpl syml**.

Ni all cwpl syml achosi i wrthrych gyflymu ar hyd unrhyw linell syth – ni all gynhyrchu cyflymiad llinol. Nid oes ganddo unrhyw ddylanwad ar fudiant trawsfudol. Er hynny fe all gynhyrchu cyflymiad cylchdro (Ffigur 30.15), gan wneud i'r gwrthrych fynd o amgylch yn gynt ac yn gynt.

Ni fydd cwpl syml yn gweithredu ar hyd un llinell syth ond bydd yn gorwedd mewn un plân. Mae'r ddau rym yn rymoedd **cymhlan**.

---

11 Nodwch
  a un peth sy'n debyg
  b un peth sy'n wahanol
  rhwng cyflymiad llinol a chyflymiad cylchdro.
12 Mae'r grymoedd sy'n ffurfio'r cwpl syml yn gymhlan ond nid ydynt yn gydlinol. A yw hi'n bosibl i ddau rym fod yn gydlinol heb fod yn gymhlan? (Rhowch gynnig ar hyn â dau bensil.)

---

13 Mae dau rym 25 N yn gweithredu i gyfeiriadau dirgroes ar bwyntiau 0.8 m oddi wrth ei gilydd. Beth yw moment y cwpl?

14 Mae dau rym, y ddau yn hafal i *F*, yn gweithredu ar ddau bwynt ar wrthrych sydd bellter *x* oddi wrth ei gilydd.
  a Beth yw moment un o'r grymoedd o gwmpas pwynt gweithredu'r llall?
  b Beth yw swm momentau'r ddau rym o gwmpas pwynt ¾*x* o un ohonynt?

15 Esboniwch sut y gall merch yn deifio o uchder ddefnyddio cwpl i wneud i'w chorff droelli wrth ddisgyn. Unwaith y bydd yn dechrau disgyn, a oes modd iddi stopio troelli? Sut y gallai'r ferch ei hatal ei hun rhag troelli?

Moment cwpl syml

Mae'n amlwg bod gan gwpl effaith droi gyfunol a moment cyfunol. Gallwn gyfrifo moment y naill rym a'r llall ar wahân, petaem yn dymuno gwneud hynny. Neu fe allwn gyfrifo swm eu momentau. Wrth wneud hyn rhaid cyfrifo eu momentau o amgylch yr *un* pwynt ac yna eu hadio gyda'i gilydd. Cyn belled ag y byddwn yn defnyddio'r un pwynt ar gyfer y ddau rym gallwn ddewis unrhyw bwynt a fynnwn. Un opsiwn yw ystyried y momentau o gwmpas y pwynt ar y gwrthrych hanner ffordd rhwng eu llinellau gweithredu. Os labelwn y grymoedd F_1 ac F_2 a'u bod ill dau bellter *x*/2 o'r pwynt hanner ffordd hwn, yna:

moment F_1 o gwmpas y pwynt hanner ffordd $= F_1 \dfrac{x}{2}$

moment F_2 o gwmpas y pwynt hanner ffordd $= F_2 \dfrac{x}{2}$

cyfanswm moment y cwpl $= F_1 \dfrac{x}{2} + F_2 \dfrac{x}{2}$

Mae F_1 ac F_2 yn hafal, a gellir eu galw'n syml yn *F*, felly

cyfanswm moment y cwpl $= F \dfrac{x}{2} + F \dfrac{x}{2}$
$= Fx$

lle saif *F* am werth y naill rym a'r llall ac *x* yw'r pellter rhwng eu pwyntiau gweithredu (Ffigur 30.16). Nodwch: gwelir mai moment cwpl yw *Fx* pa le bynnag y bo'r pwynt y byddwn yn dewis cyfrifo'r moment o'i gwmpas.

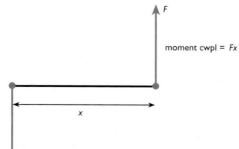

F

moment cwpl = *Fx*

x

F

Ffigur 30.16
Moment cwpl sengl.

Cyplau mwy cymhleth

Mae'r ddau rym yn Ffigur 30.17 hefyd yn gwneud cwpl. Er mwyn cyfrifo eu moment mae gennym ddau opsiwn sydd wedi'u dangos yn **a** a **b**.

Ffigur 30.17
Cyfrifo moment cwpl nad yw'n gwpl syml. Mae'r ddau ddull yn rhoi'r un ateb.

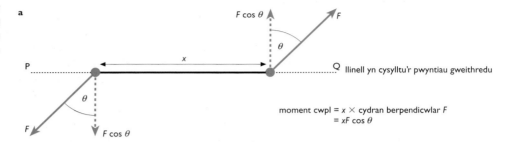

a

moment cwpl = $x \times$ cydran berpendicwlar F
= $xF \cos\theta$

Mae cydrannau'r grymoedd sy'n *baralel* i'r llinell PQ yn hafal i $F \sin\theta$. Maent yn hafal, yn ddirgroes ac yn gydlinol, ac felly yn gytbwys.

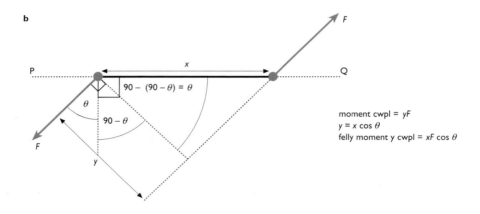

b

moment cwpl = yF
$y = x \cos\theta$
felly moment y cwpl = $xF \cos\theta$

• •

● **Deall a chymhwyso**

Grymoedd ar ysgol

Pwrpas yr ysgol yw cynnal pwysau mewn mannau lle nad oes cynhaliad fel arfer. Rhaid i'r ysgol roi grym tuag i fyny er mwyn cydbwyso'r pwysau.

Pan fyddwch yn uchel uwchlaw'r ddaear, mae'n gysur meddwl y bydd yr ysgol yn aros mewn cydbwysedd trawsfudol a chylchdro. Er mwyn i gyflymiad beidio â digwydd, rhaid i'r holl rymoedd fod mewn cydbwysedd perffaith. Er mwyn gweld sut mae hyn yn bosibl rhaid ystyried y grymoedd sy'n gweithredu. Gallwn ddechrau gyda'r grymoedd sy'n gweithredu'n fertigol (Ffigur 30.18a).

Ffigur 30.18
Y grymoedd sy'n gweithredu ar ysgol.

a

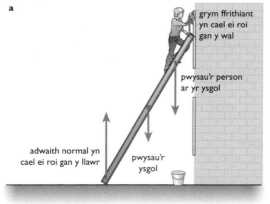

Y grymoedd fertigol sy'n gweithredu ar ysgol.

b

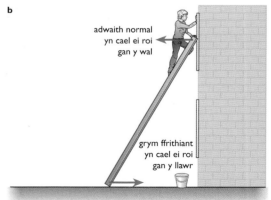

Y grymoedd llorweddol sy'n gweithredu ar ysgol.

Y grymoedd ar i lawr sy'n gweithredu ar yr ysgol yw pwysau'r person a phwysau'r ysgol. Os yw'r ysgol am osgoi cyflymiad fertigol (i fyny neu i lawr) rhaid i'r grymoedd hyn fod mewn cydbwysedd â'r grymoedd sy'n gweithredu tuag i fyny. Yr adwaith normal a fydd yn cael ei roi gan y llawr ar waelod yr ysgol fydd yn rhoi'r grymoedd hyn a hefyd grym ffrithiant tuag i fyny yn gweithredu'n baralel i arwyneb y wal gynnal.

Mae posibilrwydd y bydd effaith droi gyfunol y grymoedd hyn yn sero. Ond mae hyn hefyd yn annhebygol. Yn y sefyllfa a ddangosir yn Ffigur 30.18 (lle bo'r grym ffrithiant yn fach o'i gymharu â chyfanswm y pwysau), mae effaith droi glocwedd net, o ba bwynt bynnag y caiff cyfanswm y momentau eu cyfrifo. (Nodwch, er mwyn cyfrifo'r momentau rhaid ystyried cydrannau'r grym sy'n gweithredu'n berpendicwlar i hyd yr ysgol. Ni all fod gan gydrannau sy'n gweithredu'n baralel i'r ysgol effaith droi gan fod eu llinell weithredu bellter sero o unrhyw golyn sy'n bosibl.)

Yn ffodus, mae yna rymoedd llorweddol all wneud iawn am y moment clocwedd hwn. Mae yna ddau rym, y naill yn gweithredu ar ddau ben yr ysgol, sy'n gweithredu fel cwpl gwrthglocwedd. Y grymoedd hyn yw'r ffrithiant sy'n gweithredu'n baralel i arwyneb y llawr wrth waelod yr ysgol, a'r adwaith normal sy'n gweithredu ar frig yr ysgol (Ffigur 30.18b). Gan mai dim ond dau rym llorweddol sydd, mae'n rhaid eu bod yn hafal ac i gyfeiriadau dirgroes neu byddai'r ysgol yn cyflymu'n llorweddol.

Mae cydbwysedd yr ysgol yn dibynnu ar gyfuniad o adweithiau normal a ffrithiant, a phwysau'r ysgol a'i llwyth.

Ffigur 30.19

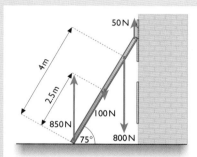
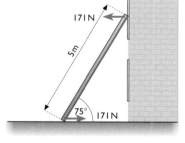

16 Beth yw
  a cyfanswm y grymoedd tuag i fyny sy'n gweithredu ar yr ysgol yn Ffigur 30.19
  b cyfanswm y grym ar i lawr
  c cyfanswm y grym sy'n gweithredu i'r dde
  d cyfanswm y grym sy'n gweithredu i'r chwith
  e maint a chyfeiriad y grym cydeffaith a roir gan y wal ar frig yr ysgol
  f maint a chyfeiriad y grym cydeffaith a roir gan frig yr ysgol ar y wal
  g y momentau clocwedd sy'n gweithredu o amgylch gwaelod yr ysgol
  h y momentau gwrthglocwedd sy'n gweithredu o amgylch gwaelod yr ysgol?

17 a Beth fyddai'n digwydd pe na fyddai grymoedd ffrithiant yn gweithredu naill ai ar frig yr ysgol nac wrth ei gwaelod? Esboniwch hyn yn nhermau'r grymoedd eraill sy'n gweithredu.
  b Pam y mae gan rai ysgolion 'draed' rwber?

18 Mae'r grymoedd llorweddol sy'n gweithredu ar ysgol yn gyfystyr â chwpl. Ar gyfer ysgol hyd l sy'n goleddu ar ongl θ i'r llorwedd, ysgrifennwch fynegiad ar gyfer moment y cwpl os yw'r grymoedd, ill dau, yn F.

19 a Pa amgylchiadau a fyddai'n achosi i'r ysgol ddisgyn i'r ochr? Esboniwch hyn yn nhermau grymoedd.
  b Sut y gallech chi leihau'r risg i'r ysgol ddisgyn i'r ochr drwy
  i gymryd camau arbennig wrth ddefnyddio ysgol gyffredin
  ii cynllunio eich ysgol 'ddiogel' eich hun?
  c Ydych chi'n credu bod yna farchnad i ysgol 'ddiogel' o'r fath?

20 Lluniwch fraslun i ddangos y grym cydeffaith sy'n gweithredu ar waelod yr ysgol.

Cwestiynau arholiad

Mae Cwestiynau 1 a 2 yn berthnasol i Bennod 5.

1 a Mae angen i wyddonydd defnyddiau fedru mesur nifer o briodweddau gwahanol mewn defnydd newydd. Dyma rai o'r priodweddau hyn:

   i dwysedd

   ii modwlws Young

   iii y diriant tynnol mwyaf.

   Esboniwch ystyr pob un o'r termau hyn ac amlinellwch sut y gellid mesur modwlws Young a'r diriant tynnol mwyaf. (12)

b Mae'r ffigur yn dangos y graffiau grym-estyniad ar gyfer darn o ddur a darn o ddefnydd newydd sy'n union yr un siâp.

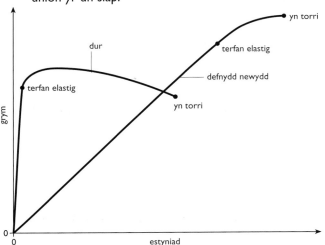

Cymharwch ymddygiad y ddau sbesimen.

Awgrymwch, gan roi dau reswm, pa un o'r ddau ddefnydd a fyddai fwyaf addas i'w ddefnyddio i wneud bymper car. (9)

OCR, Gwyddoniaeth, Sylfaenol 1, Mawrth 1999

2 Yn rhan o'r broses o wirio ansawdd lein bysgota, mae'r gwneuthurwr yn cynnal prawf tynnol arni. Hyd y lein sy'n cael ei phrofi yw 2.0 m a 0.50 mm yw diamedr ei thrawstoriad crwn cyson. Bodlonir deddf Hooke hyd at y pwynt lle bo'r lein wedi'i hestyn 52 mm ar ddiriant tynnol o 1.8×10^8 Pa.

Y llwyth mwyaf y gall y lein ei gynnal cyn torri yw 45 N ar estyniad o 88 mm.

a Cyfrifwch

   i werth modwlws Young

   ii y diriant torri (gan dybio bod yr arwynebedd trawstoriadol yn aros yn gyson)

   iii y straen torri. (5)

b Brasluniwch graff i ddangos sut y byddech yn disgwyl i ddiriant tynnol amrywio yn ôl y straen. Marciwch werth y diriant a'r straen cyfatebol fel a ganlyn

   i ar derfan deddf Hooke

   ii ar y pwynt torri. (4)

AQA (NEAB), Mecaneg a Thrydan, Mawrth 1999

3 Mae athletwr yn dadansoddi ei dechneg taflu siot er mwyn gwella ei berfformiad. Mae'n darganfod ei fod yn perfformio ar ei orau pan fydd ei goes yn ffurfio ongl o 57° â'r ddaear yn union cyn taflu'r siot. Y grym mwyaf y gall ei roi ar y ddaear yw 650 N ar ongl o 57° i'r ddaear.

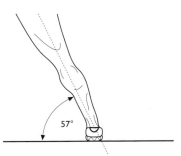

a Rhowch saethau wedi'u labelu ar y diagram uchod i gynrychioli'r canlynol

   i T, y grym y bydd y droed yn ei roi ar y ddaear

   ii N, adwaith normal y ddaear ar y droed

   iii F, grym ffrithiant y ddaear ar y droed. (3)

b Cyfrifwch faint

   i y grym ffrithiant F

   ii adwaith normal y ddaear N. (2)

AQA (NEAB), Mecaneg a Thrydan, Mehefin 1999

4 a Esboniwch ystyr

   i moment grym

   ii trorym cwpl. (4)

b Dyma ddiagram o lamp ddesg.

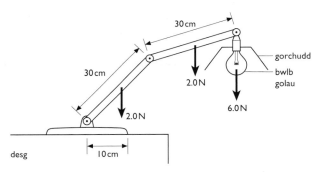

Rhaid i'r lamp gael ei hadeiladu fel na fydd yn disgyn drosodd pan gaiff ei hestyn yn llawn fel y dangosir isod. Mae gwaelod y lamp yn grwn a'i radiws yn 10 cm. Mae mesuriadau eraill wedi'u dangos ar y ffigur. Cyfanswm pwysau'r bwlb a'r gorchudd yw 6.0 N a phwysau pob un o'r ddwy fraich unffurf yw 2.0 N.

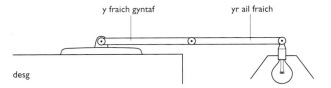

i Ar yr ail ffigur, rhowch saeth i gynrychioli pwysau gwaelod y lamp.

ii Bydd y lamp yn cylchdroi o gwmpas pwynt os nad yw'r gwaelod yn ddigon trwm. Marciwch y pwynt hwn a'i labelu P.

iii Cyfrifwch y momentau canlynol o amgylch P.
1 moment y fraich gyntaf
2 moment yr ail fraich
3 moment y bwlb golau a'r gorchudd

iv Defnyddiwch egwyddor momentau i gyfrifo pwysau lleiaf y gwaelod y byddai ei angen i atal y lamp rhag disgyn drosodd. (7)

OCR, Ffiseg, Papur 2, Mehefin 1999

5 Mae ysgol unffurf AC o bwysau 400 N a hyd 3.5 m yn cael ei dal yn llorweddol gan ddau berson. Mae un yn dal yr ysgol ym mhen A a'r llall yn ei dal ym mhwynt B, bellter 1.0 m o C, fel y dangosir isod.

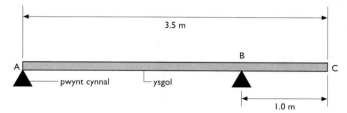

a Ar y ffigur, rhowch y tri grym sy'n gweithredu ar yr ysgol. (2)

b Cyfrifwch y grym cynnal sy'n cael ei ddarparu gan y person
i ym mhen A
ii yn B. (5)

c Mae'r person ym mhen A yn gollwng ei afael ar yr ysgol. Cyfrifwch y moment y bydd yn rhaid i'r person ym mhwynt B ei roi er mwyn cadw'r ysgol yn llorweddol. (3)

OCR, Gwyddoniaeth, Ffiseg Sylfaenol, Mawrth 1999

6 Mae'r diagram yn dangos diagram grym ar gyfer awyren sy'n hedfan ar hyd llwybr syth ac sy'n dringo ar gyflymder cyson.

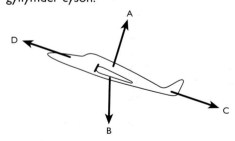

a Enwch bob un o'r pedwar grym a nodwch, ar gyfer pob un ohonynt, beth sy'n rhoi'r grym. (4)

b Nodwch a yw'r grym cydeffaith yn sero ai peidio. Esboniwch eich ateb. (2)

Edexcel (Llundain), Ffiseg PH3, Mehefin 1999

7 a Esboniwch sut y mae llafnau hofrennydd yn cynhyrchu grym codi. (3)

b i Ar y figur isod, marciwch a rhowch enwau ar y grymoedd fertigol sy'n gweithredu ar yr hofrennydd pan yw'n hofran yn ddisymud.

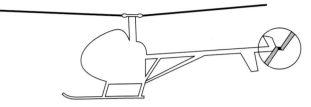

ii Nodwch beth yw'r cysylltiad rhwng y grymoedd hyn. (2)

c Er mwyn gwneud i'r hofrennydd symud ymlaen, mae'r peilot yn gwyro'r hofrennydd fel y dangosir ar y diagram.

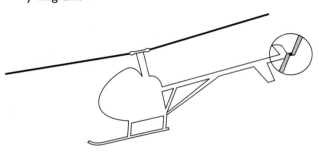

i Esboniwch pam y mae'r hofrennydd yn symud ymlaen.

ii Mae'r peilot am hedfan ar uchder cyson. Awgrymwch pam y mae'n rhaid iddo gyflymu buanedd y llafnau. (4)

OCR, Gwyddoniaeth, Ffiseg Cludiant, Mehefin 1999

31 Mudiant mewn llinell syth

● Sut y mae mathemateg, cynrychioliadau graffigol ac algebraidd yn arbennig, yn ein helpu i ddeall teithiau a wneir mewn llinell syth?

GEIRFA ALLWEDDOL

ffrâm gyfeirio inertia   hafaliadau mudiant cyflymiad unffurf

Y CEFNDIR

Dydy ffilmiau ddim yr un fath heddiw! A wnaiff y trên stopio cyn cyrraedd Madeleine druan sydd wedi'i chlymu'n sownd i'r cledrau gan ei hewythr creulon? Darllenwch isod i gael yr ateb.

Ffigur 31.1

● Dadleoliad a chyflymder – y stori hyd yn hyn

Dadleoliad yw'r newid yn safle'r gwrthrych o'i gymharu â'i safle cychwynnol penodol wedi'i fesur i gyfeiriad penodol. Fector ydyw â'r un dimensiynau a'r un unedau â phellter. Mae dadleoliad y gwrthrych a'r pellter a deithiwyd yr un fath yn rhifiadol ar gyfer mudiant llinell syth (neu linol), er y gall y dadleoliad fod yn bositif neu'n negatif yn ddibynnol ar ei gyfeiriad. Ar gyfer mudiant aflinol, *nid* yw dadleoliad a phellter yr un fath yn rhifiadol (Ffigur 31.2).

Ffigur 31.2
Pan nad yw'r mudiant mewn llinell syth, nid yw'r dadleoliad yn hafal i'r pellter a deithiwyd.

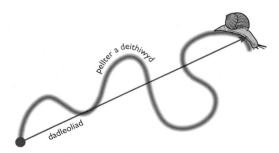

pellter a deithiwyd

dadleoliad

338

I Sut y gallwch chi ddweud o'r diagram yn Ffigur 31.3 fod cyflymiad yn digwydd?

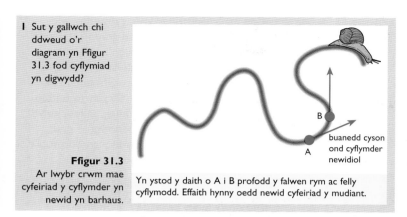

Ffigur 31.3
Ar lwybr crwm mae cyfeiriad y cyflymder yn newid yn barhaus.

buanedd cyson ond cyflymder newidiol

A   B

Yn ystod y daith o A i B profodd y falwen rym ac felly cyflymodd. Effaith hynny oedd newid cyfeiriad y mudiant.

Defnyddiwn y llythyren s ar gyfer dadleoliad. Mae cyflymder, v, yn ymwneud â dadleoliad fel y mae buanedd yn ymwneud â phellter. Cyflymder yw cyfradd newid dadleoliad ac mae'n fesur fector. Buanedd yw cyfradd newid pellter ac mae'n fesur sgalar. Gall fod gan wrthrych sy'n symud ar hyd llwybr crwm fuanedd cyson ond ni all fod ganddo gyflymder cyson. Mae grym yn gweithredu arno sy'n newid ei fudiant – mae'n cyflymu.

Ar gyfer mudiant llinol, mae buanedd a chyflymder yn rhifiadol unfath, ond unwaith eto gyda chyfeiriad y cyflymder yn cael ei nodi gan arwydd positif neu negatif, tra bo buanedd bob amser yn bositif.

Cyflymder perthynol

Ffigur 31.4
Mae cyflymder gwrthrych yn dibynnu ar ffrâm gyfeirio inertia y gwyliwr.

Ni fydd dau berson bob amser yn rhoi'r un disgrifiad ar gyfer yr un digwyddiad. Dychmygwch fachgen ar drên sy'n teithio ar gyflymder cyson yn gollwng pêl ac yn disgrifio ei mudiant drwy ddweud iddi ddisgyn yn fertigol i'r ddaear. Mae bachgen arall, sy'n sefyll wrth y trac, yn gweld y bêl yn disgyn. Bydd eu disgrifiadau o'r hyn sy'n digwydd i'r bêl yn hollol wahanol (Ffigur 31.4).

Dywedwn fod y sawl sy'n teithio ar y trên a'r sawl sy'n sefyll ar y trac mewn dwy **ffrâm gyfeirio inertia** wahanol (ystyr 'inertia' yw nad yw'n cyflymu). Mae gan y naill gyflymder sy'n berthynol i'r llall.

Efallai y bydd synnwyr cyffredin yn dweud wrthym mai'r ffrâm gyfeirio sy'n cynnwys mwy o ofod neu fwy o fater yw'r un fwyaf dylanwadol. Mae ffrâm gyfeirio'r bachgen ar y trac yn cynnwys y dirwedd a phopeth sydd o'i amgylch ond dim ond y trên sydd yn ffrâm gyfeirio'r teithiwr ar y trên. Ymddengys bod synnwyr cyffredin yn dweud mai'r mwyaf yw'r gorau. Gall synnwyr cyffredin fod yn anghywir. (Gweler *Ffiseg Safon Uwch*.)

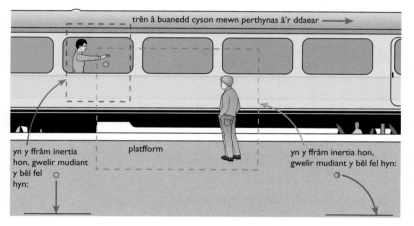

trên â buanedd cyson mewn perthynas â'r ddaear

platfform

yn y ffrâm inertia hon, gwelir mudiant y bêl fel hyn:

yn y ffrâm inertia hon, gwelir mudiant y bêl fel hyn:

Cynrychioliad graffigol mudiant mewn llinell syth

Dadleoliad a chyflymder sy'n cynrychioli mudiant yn fectoraidd. Awgryma arwydd positif ddadleoliad neu gyflymder i un cyfeiriad ac awgryma arwydd negatif fudiant i'r cyfeiriad dirgroes. Hynny yw, lle bo mudiant, dyweder, yn ôl ac ymlaen neu i fyny ac i lawr yna bydd angen i'n mathemateg fedru gwahaniaethu rhwng y naill gyfeiriad a'r llall. Gall wneud hyn drwy ddefnyddio arwyddion. Byddwn felly yn defnyddio'r confensiwn Cartesaidd safonol, fel y defnyddir wrth blotio graffiau. Mae gan fectorau â chyfeiriadau i'r dde ac i fyny arwyddion positif ac mae gan fectorau â chyfeiriadau i'r chwith ac i lawr arwyddion negatif (Ffigur 31.5).

Ffigur 31.5
Y confensiwn sy'n cael ei ddefnyddio i ddangos cyfeiriad y mudiant.

positif

negatif ← → positif

negatif

cyn

$30\,\mathrm{m\,s^{-1}}$

ar ôl

$-30\,\mathrm{m\,s^{-1}}$

Gall mudiant llinol penodol gwrthrych penodol gael ei gynrychioli ar graff dadleoliad yn erbyn amser. Mae siâp y graff dadleoliad-amser yn adrodd hanes y daith. Mae sawl taith yn bosibl a sawl graff dadleoliad-amser. Fel arfer, dywedwn mai amser cychwyn y daith yw sero (er mae'n bosibl cynhyrchu graffiau sy'n dangos rhannau o'r daith yn unig felly nid oes raid i'r graff ddechrau ar amser $t = 0$ bryd hynny).

Ffigur 31.6

Mae'r graddiant yn hafal i'r cyflymder, v, a hefyd i ds/dt.

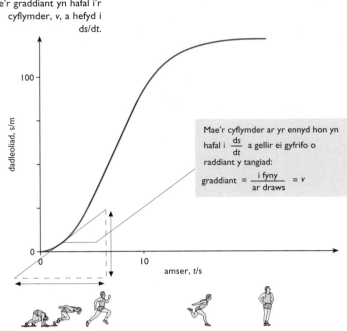

Mae'r cyflymder ar yr ennyd hon yn hafal i $\dfrac{ds}{dt}$ a gellir ei gyfrifo o raddiant y tangiad:

$$graddiant = \dfrac{\text{i fyny}}{\text{ar draws}} = v$$

dadleoliad, s/m

amser, t/s

Gan mai'r cyflymder yw'r gyfradd newid dadleoliad gallwn gymryd bod graddiant y graff dadleoliad-amser yn cynrychioli'r cyflymder. Mae hyn hawsaf ar gyfer graff llinell syth syml – un lle mae'r dadleoliad mewn cyfrannedd ag amser, sy'n golygu bod y gwrthrych yn teithio ar gyflymder cyson. Fodd bynnag, gallwn hefyd fesur y graddiant ar bwynt penodol ar graff cromlin. Yn yr achos hwn bydd y graddiant, a'r cyflymder, yn newid yn ystod y daith.

Rhoddir y graddiant felly gan $\dfrac{ds}{dt}$, a gellir ei gyfrifo drwy lunio tangiad i'r gromlin a defnyddio'r llinell syth hon er mwyn darganfod gwerthoedd cyfatebol addas y newid mewn s a'r newid mewn t (Ffigur 31.6).

Yn gyffredinol, ar gyfer rhan o'r daith yn ystod y cyfnod amser Δt lle saif Δs am y newid cyfatebol mewn dadleoliad,

$$v \text{ cyfartalog} = \dfrac{\Delta s}{\Delta t}$$

Lle bo Δs a Δt yn fach iawn, gallwn ddewis eu hysgrifennu fel δs a δt. Yna, dros gyfnod byr o amser δt,

$$v \text{ cyfartalog} = \dfrac{\delta s}{\delta t}$$

Dyma'r cyflymder cyfartalog yn ystod cyfnod byr o amser.

Mewn nodiant calcwlws, lle bo δs a δt mor fach fel eu bod yn agosáu at sero, gallwn ysgrifennu:

$$v = \dfrac{ds}{dt}$$

Nid yw hyn yn rhoi gwerth y cyflymder cyfartalog i ni ond yn hytrach y cyflymder enydaidd.

Yn achos syml graff llinell syth sy'n dechrau yn y tarddbwynt – sy'n dangos teithio ar fuanedd cyson – os mesurwn Δs fel y dadleoliad o ddechrau'r daith yna gallwn ei ysgrifennu fel s, ac os Δt yw'r amser ers cychwyn ar y daith yna mae'n hafal i'r union amser a aeth heibio sef, yn syml, t. Yna:

$$v = \dfrac{s}{t}$$

lle saif v nid yn unig am y cyflymder cyfartalog ond y cyflymder ar bob ennyd yn yr achos penodol hwn o fudiant syml iawn.

(Dylem gofio mai taith ddelfrydol, yn syml, yw taith ar gyflymder sy'n berffaith gyson. Ni all cyflymder godi'n enydaidd ar gychwyn taith na disgyn mewn ennyd ar y diwedd.)

2 Mae gan ddwy bêl fagnel gyflymderau v a –v. Beth yw'r gwahaniaeth rhwng
a eu buanedd
b eu cyflymder?

3 Graff dadleoliad-amser sydd yn Ffigur 31.7 yn dangos dadleoliad s ar amser t.

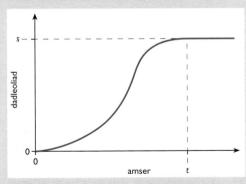

dadleoliad

amser   t

Ffigur 31.7

a Beth yw'r cyflymder ar amser t?
b A yw'n hafal i'r mesur s/t?
c A yw'r mesur s/t yn rhoi unrhyw wybodaeth ddefnyddiol i ni am y daith?

Graffiau gwahanol i gyfleu mudiant

Ym Mhennod 10 ymdriniwyd â graffiau dadleoliad-amser, sef dull defnyddiol iawn o gynrychioli mudiant yn weledol. Mae graddiant graff dadleoliad-amser yn hafal i gyflymder y gwrthrych sy'n symud – felly gallwn weld, er enghraifft, dim ond drwy edrych ar y graff, a yw'r cyflymder yn gyson, yn cynyddu neu'n lleihau.

Os gallwn blotio graffiau dadleoliad yn erbyn amser yna nid oes reswm pam na allwn blotio graffiau cyflymder yn erbyn amser. Gallwn blotio'r ddau fath gwahanol o graff am yr un mudiant (Ffigur 31.8). Ni ddylem synnu, er bod taith y gwrthrych yr un fath, bod y ddau graff yn edrych braidd yn wahanol.

Ffigur 31.8
Yr un digwyddiad yn cael ei gynrychioli mewn dwy ffordd wahanol.

Pan ddangoswn y wybodaeth mewn dwy ffordd wahanol mae'n werth cofio, ar bob ennyd o amser, bod gwerth y cyflymder yn hafal i werth graddiant y graff dadleoliad-amser.

4 Gwnewch frasluniau sy'n dangos sut mae mudiant â
i chyflymder sero
ii cyflymder positif cyson
iii cyflymder negatif cyson
yn cael eu cynrychioli ar
a graff dadleoliad-amser
b graff cyflymder-amser.

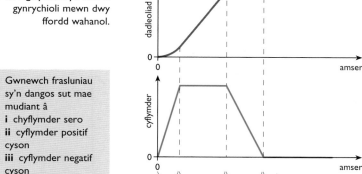

Dwy ffordd o ddangos yr un peth – graff dadleoliad-amser a graff cyflymder-amser ar gyfer ras 100 m.
Ar unrhyw amser penodol, *t*, mae graddiant y graff cyntaf yn rhoi *gwerth* y cyflymder a ddangosir ar yr ail graff.

Nodwch, er enghraifft, yn ystod y cyfnod lle bo'r cyflymder yn gyson, fod gan y graff dadleoliad-amser raddiant cyson.

Mae'r newidiadau o gyflymder newidiol i gyflymder cyson yn cael eu dangos yn syml fel 'corneli' ar y graff cyflymder-amser, gan dybio eu bod yn digwydd yn enydaidd. Mewn gwirionedd, byddai'r 'corneli' dipyn yn fwy crwn na hyn.

Cyflymiad

Cyflymiad yw cyfradd newid cyflymder. Am ran o'r daith o hyd Δt, gall y datganiad hwn gael ei ysgrifennu mewn iaith fathemategol fel a ganlyn:

$$a \text{ cyfartalog} = \frac{\Delta v}{\Delta t}$$

lle bo Δv a Δt yn werthoedd cyfatebol ar gyfer newid mewn cyflymder a newid mewn amser. Nodwch hefyd:

$$\text{gan fod } v \text{ cyfartalog} = \frac{\Delta s}{\Delta t}, \text{ yna } \Delta v = \Delta\left(\frac{\Delta s}{\Delta t}\right)$$

$$a \text{ cyfartalog} = \frac{\Delta(\Delta s/\Delta t)}{\Delta t}, \text{ y gallwn ei ysgrifennu fel } \frac{\Delta^2 s}{\Delta t^2}$$

Ffigur 31.9
Mae graddiant graff cyflymder-amser yn cynrychioli cyflymiad.

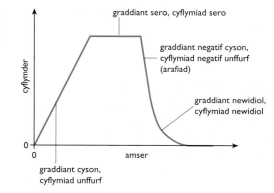

Uned cyflymiad yw m/s², sy'n cael ei ysgrifennu fel rheol yn y ffurf m s⁻². Mewn nodiant calcwlws, a enydaidd $= dv/dt = d^2s/dt^2$. Mae cyflymiad ar unrhyw ennyd yn hafal i raddiant y graff cyflymder-amser ar yr ennyd honno (Ffigur 31.9).

Mae cyflymiad yn newidyn. Mae'n gallu newid. Yn y bennod hon, byddwn yn ymwneud yn bennaf â chyflymiad sy'n aros yr un fath, am un rhan o'r daith o leiaf. Mae cyflymiad cyson hefyd yn cael ei alw'n gyflymiad unffurf.

Cynrychioliad graffigol cyflymiad unffurf a newidiol

Mae enghreifftiau o gyflymiad unffurf a chyflymiad newidiol yn cael eu dangos ar ffurf graffiau yn Ffigur 31.10.

Ffigur 31.10

a Graff cyflymder-amser ar gyfer gwrthrych sy'n cyflymu'n gyson – hynny yw gwrthrych sydd â chyflymiad unffurf. Gan fod cyflymiad = $\Delta v / \Delta t$, mae'n hafal i raddiant y llinell syth.

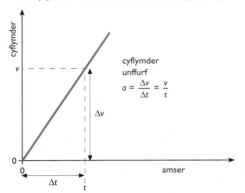

b Graff cyflymder-amser ar gyfer gwrthrych â chyflymiad newidiol. Mae'r cyflymiad yn dal i fod yn hafal i'r graddiant ar unrhyw adeg, ond y graddiant yn awr yw'r tangiad i'r gromlin.

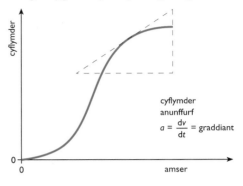

Cyflymiad cyfartalog ac enydaidd

Nodwch, fel ar gyfer cyflymder, y gallwn gyfeirio at werthoedd cyfartalog ac enydaidd cyflymiad. Mae'n helpu i ddarlunio'r syniadau'n weledol, e.e. ar ffurf graffiau cyflymder-amser.

Ffigur 31.11
Graffiau cyflymder-amser ar gyfer dau wrthrych â'r un cyflymder cychwynnol u a'r un cyflymder terfynol v ar ôl cyfnod o amser t.

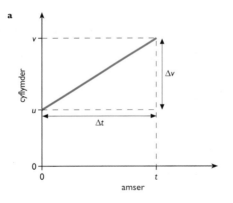

Ar gyfer gwrthrych â chyflymiad unffurf

$$a = \frac{\Delta v}{\Delta t} = \frac{v - u}{t}$$

Dyma'r cyflymiad cyfartalog ar gyfer y daith a'r cyflymiad ar bob ennyd yn ystod y cyfnod amser t.

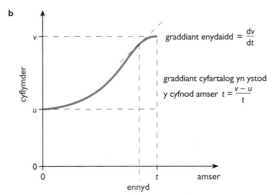

Ar gyfer y gwrthrych â chyflymiadau anunffurf gallwn ddweud o hyd bod

$$\text{cyflymiad } cyfartalog = \frac{v - u}{t}$$

Ond er mwyn cael y cyflymiad *enydaidd* rhaid mesur y graddiant ar yr ennyd dan sylw.

Dros amser t, mae gan y ddau wrthrych yn Ffigur 31.11 yr un cyflymiad cyfartalog. Mae hwn yn hafal i:

$$\frac{v - u}{t}$$

Ar gyfer y gwrthrych â chyflymiad unffurf, mae ei gyflymiad bob amser yn hafal i'w gyflymiad cyfartalog, felly gallwn ysgrifennu

$$a \text{ unffurf} = \frac{v - u}{t}$$

Ar gyfer gwrthrych â chyflymiad anunffurf, rhaid darganfod y cyflymiad enydaidd o raddiant pwynt ar y graff. Ar gyfer gwerthoedd bach Δv a Δt (gweler Ffigur 31.10b), ysgrifennwn $\Delta v = \delta v$ a $\Delta t = \delta t$. Yna

$$\text{cyflymiad cyfartalog yn ystod y cyfnod amser } \delta t = \frac{\delta v}{\delta t}$$

Er mwyn astudio cyflymiad ymhellach rhaid defnyddio calcwlws. Gwyddai Newton nad oedd hen fathemateg $+$, $-$, $\times$ a $\div$ yn ddigonol i drin gwerthoedd enydaidd mesurau newidiol. Felly dyfeisiodd ei fathemateg newydd ei hun yn seiliedig ar gysyniadau gorfychan a'i galw'n fathemateg 'darlifiadau'. Ychydig flynyddoedd yn ddiweddarach, aeth Gottfried Wilhelm von Leibnitz ati hefyd i ddatblygu math newydd o fathemateg er mwyn trin mesurau newidiol. Roedd egwyddorion sylfaenol y ddau fersiwn yr un fath, ond roedd fersiwn Leibnitz yn debycach o ran ei olwg i'r calcwlws a ddefnyddiwn heddiw. (Er bod Newton a Leibnitz yn gweithio ar feysydd tebyg, nid oeddent yn cytuno ar lawer o bethau, yn enwedig pwy ddylai gael y clod o ddyfeisio'r fathemateg newydd.)

Ar gyfer amser gorfychan, lle bo δv a δt yn ddiflannol o fach, defnyddiwn nodiant calcwlws:

$$a = \frac{dv}{dt}$$

Dyma gyflymiad enydaidd ac mae'r fformiwla yn gymwys ar gyfer cyflymiad unffurf a chyflymiad anunffurf. Y mae, felly, yn fformiwla sy'n fwy defnyddiol yn gyffredinol na'r fformiwla uchod ar gyfer cyflymiad unffurf.

Cyflymder cyfartalog a chyfanswm y dadleoliad

Mae'r cyflymder cyfartalog ar gyfer y daith gyfan yn cael ei ddiffinio fel cyfanswm y dadleoliad wedi'i rannu â chyfanswm yr amser:

$$\text{cyflymder cyfartalog} = \frac{\text{cyfanswm y dadleoliad}}{\text{cyfanswm yr amser}}$$

Golyga hyn fod:

$$\text{cyfanswm y dadleoliad} = \text{cyflymder cyfartalog} \times \text{cyfanswm yr amser}$$

Ym mhob achos, mae'r arwynebedd o dan y graff cyflymder-amser yn hafal i gyfanswm y dadleoliad, fel y dengys Ffigur 31.12.

Ffigur 31.12

Defnyddiwch $a = (v - u)/t$ ar gyfer y canlynol.
5 Beth yw cyflymiad cyfartalog beiciwr y mae ei gyflymder yn newid o sero i 5 m s^{-1} mewn 3 s?
6 Beth yw cyflymiad cyfartalog car y mae ei gyflymder yn newid o sero i 24 m s^{-1} mewn 18 s?

a Ar gyfer cyflymder cyson, cyfanswm y dadleoliad = cyflymder $\times$ amser = arwynebedd y petryal 'o dan y graff.

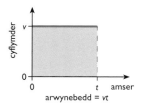

arwynebedd = vt

b Ar gyfer cyflymder sy'n cynyddu'n gyson o sero, cyfanswm y dadleoliad = cyflymder cyfartalog $\times$ amser = $\frac{1}{2}$(cyflymder terfynol + cyflymder cychwynnol) $\times$ amser = $\frac{1}{2}$(cyflymder terfynol $\times$ amser) = arwynebedd y triongl 'o dan y graff.

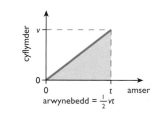

arwynebedd = $\frac{1}{2}vt$

c Ar gyfer cyflymder sy'n cynyddu'n gyson o werth cychwynnol ansero, cyfanswm y dadleoliad = cyflymder cyfartalog $\times$ amser = $\frac{1}{2}$(cyflymder terfynol + cyflymder cychwynnol) $\times$ amser = arwynebedd y trapesiwm 'o dan y graff.

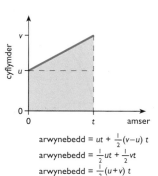

arwynebedd = $ut + \frac{1}{2}(v - u)t$
arwynebedd = $\frac{1}{2}ut + \frac{1}{2}vt$
arwynebedd = $\frac{1}{2}(u + v)t$

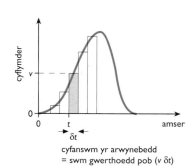

cyfanswm yr arwynebedd
= swm gwerthoedd pob ($v\,\delta t$)

d Ar gyfer cyflymder newidiol, mae'r dadleoliad mewn cyfnod byr o amser δt = (cyflymder ar amser t) $\times$ δt = arwynebedd y petryal bach a liwiwyd. Mae cyfanswm y dadleoliad ar amser t bron yn hafal i swm arwynebedd pob petryal o'r fath hyd at amser t. Wrth i δt agosáu at sero bydd y brasamcan yn dod yn fwy gwir.

Rhagor o gynrychioliadau graffigol ar gyfer cyflymiad unffurf

Ffigur 31.13
O Chaplin i Keaton – taith mewn tair rhan.

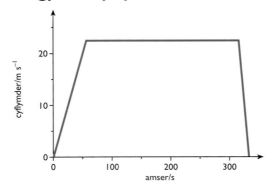

Mae trên A yn teithio o dref A, Chaplin, i dref B, Keaton. Mae'n cyflymu'n unffurf o orsaf Chaplin ar 0.4 m s^{-2} am 56 s. Wedi hynny mae'n teithio am 260 s ar y cyflymder cyson y mae wedi'i gyrraedd ac yna yn arafu'n unffurf, ar gyflymiad o −0.7 m s^{-2} am 16 s i orsaf Keaton. Gall yr holl wybodaeth hon gael ei dangos ar graff cyflymder-amser (Ffigur 31.13).

Ffigur 31.14
Mae'r cynrychioliad gweledol ar graff dadleoliad-amser ar gyfer y tair rhan o'r daith yn hollol wahanol.

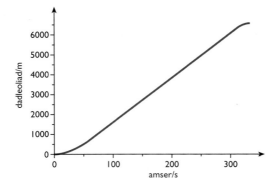

Gall yr un wybodaeth gael ei dangos ar graff dadleoliad yn erbyn amser (Ffigur 31.14). Mae'r graff yn edrych yn wahanol, ond yr un daith fydd yn cael ei chynrychioli.

7 Brasluniwch graffiau i ddangos sut y mae mudiant â chyflymiad o sero (cyflymder cyson) a chyflymiad unffurf positif yn cael eu cynrychioli ar
  a graffiau cyflymder-amser
  b graffiau dadleoliad-amser.
8 Mae Ffigur 31.15 yn dangos graff cyflymder-amser ar gyfer taith ar feic mewn dinas o un set o oleuadau traffig i set arall. Gwnewch fraslun o siâp y graff dadleoliad-amser cyfatebol.
9 Mae Ffigur 31.16 yn dangos graff dadleoliad-amser ar gyfer taith ar feic allan yn y wlad i fyny rhiw. Gwnewch fraslun o siâp cyffredinol y graff cyflymder-amser cyfatebol.
10 Mae saeth yn cael ei saethu o fwa, gan brofi grym sy'n lleihau wrth i'r tyniant yn y llinyn leihau.
  a A yw'r cyflymiad yn unffurf?
  b Gwnewch fraslun o siapiau cyffredinol y graffiau cyflymiad-amser a chyflymder-amser am y cyfnod y mae'n cyflymu.
11 **a** Beth yw cyflymder terfynol car sydd â chyflymder cychwynnol o 10 m s^{-1} ac sy'n cyflymu ar 2 m s^{-2} am 6 s?
  b Brasluniwch graff cyflymder-amser am y cyfnod y bydd y car yn cyflymu.
  c Brasluniwch graff dadleoliad-amser cyfatebol am yr un cyfnod o amser (gan dybio bod y dadleoliad cychwynnol yn sero).
12 Gyda'r un cyflymiad a chyflymder cychwynnol ag yng nghwestiwn 11, faint o amser a gymer y car i gyrraedd cyflymder o 32 m s^{-1}?

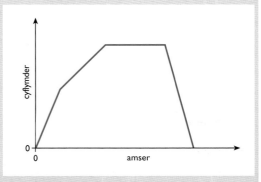

Ffigur 31.15

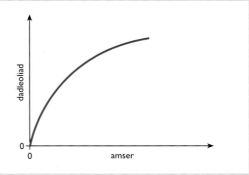

Ffigur 31.16

Mudiant lle bo'r cyflymiad yn digwydd oherwydd disgyrchiant

Gan anwybyddu effeithiau gwrthiant aer, mae pêl sy'n cael ei gollwng ac sy'n disgyn yn rhydd yn teithio ar gyflymiad unffurf ac mewn llinell syth. Fe welwch yn Ffigur 31.17 y graffiau dadleoliad-amser a chyflymder-amser ar gyfer taith y bêl.

Ffigur 31.17
Y graffiau dadleoliad-amser a chyflymder-amser ar gyfer y bêl sydd wedi'i gollwng. Nodwch fod y graffiau yn dilyn confensiwn Cartesaidd – gwerthoedd negatif sydd i'r fectorau sy'n gweithredu ar i lawr.

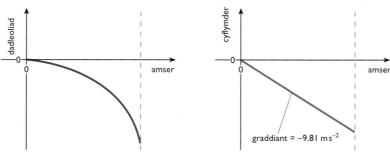

Gallwn fynd gam ymhellach ac ystyried y graffiau ar gyfer pêl sy'n cael ei thaflu'n fertigol i fyny (yn syml, gan anwybyddu y cyfnodau amser pan fo'r bêl yn cael ei chyflymu a'i harafu gan y dwylo sy'n ei thaflu ac yn ei dal).

Ffigur 31.18
Os yw'r bêl yn cael ei thaflu'n fertigol ar i fyny ac os yw'n cael ei dal unwaith eto gan y sawl sy'n ei thaflu yna y dadleoliad terfynol yw sero. Mae'r cyflymiad yr un fath ar gyfer yr holl bellter a deithiwyd.

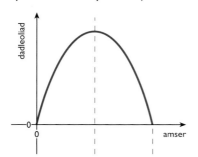
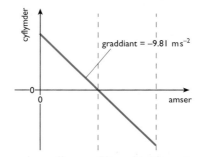

13 Mae merch yn taflu carreg yn fertigol ar i fyny 4 m s^{-1} ac mae'n cyrraedd y ddaear ar ôl 1.1 s. Gallwch dybio mai ei chyflymiad yw −10 m s^{-2}.
a Pam y mae'r cyflymiad hwn yn negatif?
b Ar ba gyflymder y mae'n taro'r ddaear?
c Brasluniwch y graffiau cyflymder-amser a dadleoliad-amser ar gyfer mudiant y garreg, gan dybio mai'r dadleoliad cychwynnol yw sero.

Rhyngddynt, mae'r graffiau yn Ffigur 31.18 yn dangos y newid mewn cyfeiriad, cyflymder sy'n lleihau i sero ac yna'n cynyddu eto, ond cyflymiad cyson ar i lawr – mae gan y graff cyflymder-amser raddiant cyson o −9.81 m s^{-2}, a digwydd y cyflymiad oherwydd disgyrchiant. Felly, ar gyfer pêl sy'n cael ei thaflu ar i fyny:

- mae dadleoliad yn cynyddu ac yn lleihau eto
- mae cyflymder yn lleihau i sero ac yna'n cynyddu i'r cyfeiriad negatif
- mae'r cyflymiad yn gyson ar −9.81 m s^{-2}.

Hafaliadau mudiant â chyflymiad unffurf

Mae'n ddefnyddiol i ni fedru trin sefyllfaoedd lle mae gan wrthrychau rywfaint o gyflymder cychwynnol ar amser sero, a'u bod yn cyflymu â chyflymiad unffurf i gyflymder newydd ar amser *t*. Defnyddiwn *u* i ddynodi'r cyflymder cychwynnol a *v* i ddynodi'r cyflymder terfynol. (Er mwyn cofio pa un yw p'un, nodwch fod *u* yn dod o flaen *v* yn yr wyddor Saesneg – mae'n rhaid bod cyflymder cychwynnol yn bod cyn cyflymder terfynol felly.) Gan dybio bod y cyflymiad yn bositif, y graff cyflymder-amser ar gyfer mudiant o'r fath yw'r graff a welir yn Ffigur 31.11a, ar dudalen 342. Gallwn weld o'r graff, ar gyfer y mudiant hwn, fod:

$$a = \frac{v - u}{t}$$

a gallwn ei aildrefnu fel a ganlyn

$$at = v - u$$

a

$$v = u + at$$

14 Esboniwch pam nad yw'r hafaliad
$$a = \frac{v - u}{t}$$
fawr o werth er mwyn cyfrifo cyflymiad enydaidd, ac eithrio lle bo'r cyflymiad yn unffurf.

Gelwir yr hafaliad olaf hwn yn **hafaliad mudiant â chyflymiad unffurf** ac mae'n un da i'w ddefnyddio i ddadansoddi'r pellter a deithiwyd. Mae ynddo bedwar newidyn, ond nid ydynt yn cynnwys dadleoliad. Nodwch fod tri o'r pedwar newidyn yn fectorau a gall eu gwerthoedd fod naill ai'n bositif neu'n negatif, yn dibynnu ar eu cyfeiriad.

Gallwn ddatblygu hafaliadau mudiant sy'n cynnwys dadleoliad, *s*, drwy feddwl am gyflymder cyfartalog. Gellir cyfrifo cyflymder cyfartalog mudiant â chyflymiad unffurf ar sail y cyflymderau cychwynnol a therfynol (Ffigur 31.19):

$$\text{cyflymder cyfartalog mudiant â chyflymiad unffurf} = \frac{u + v}{2}$$

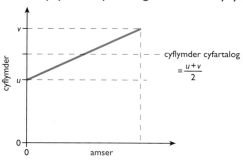

Ffigur 31.19
Lle bo cyflymder yn newid yn unffurf dim ond y gwerthoedd cyntaf ac olaf sydd angen i ni eu defnyddio i gyfrifo cyflymder cyfartalog.

cyflymder cyfartalog $= \dfrac{u+v}{2}$

Gwyddom hefyd mai cyflymder cyfartalog unrhyw daith yw cyfanswm y dadleoliad wedi'i rannu â chyfanswm yr amser:

$$\text{cyflymder cyfartalog unrhyw daith} = \frac{s}{t}$$

Felly

$$\frac{s}{t} = \frac{u + v}{2}$$

Gallwn aildrefnu hyn fel mai *v* yw'r testun, neu fel mai *t* yw'r testun:

$$\frac{2s}{t} = u + v$$
$$\frac{2s}{t} - u = v$$
$$v = \frac{2s}{t} - u$$

$$\frac{2s}{t} = u + v$$
$$2s = t(u + v)$$
$$t = \frac{2s}{(u + v)}$$

a gallwn amnewid y rhain yn hafaliad cyntaf mudiant, $v = u + at$:

$$\frac{2s}{t} - u = u + at$$

$$v = u + a\frac{2s}{(u + v)}$$

Mae angen tacluso ychydig ar y rhain:

$$\frac{2s}{t} = 2u + at$$
$$2s = 2ut + at^2$$
$$s = ut + \tfrac{1}{2}sat^2$$

$$v(u + v) = u(u + v) + 2as$$
$$vu + v^2 = u^2 + uv + 2as$$
$$v^2 = u^2 + 2as$$

15 Mae lori yn cyflymu o ddisymudedd ($u = 0$) wrth oleuadau traffig, â chyflymiad o 2.2 m s^{-2}. Pa mor bell y bydd wedi teithio mewn 2 s?

16 Mae dyn ar feic yn cychwyn o'r un goleuadau traffig ar yr un amser, ac yn teithio yr un pellter mewn dim ond 1.5 s, â chyflymiad unffurf.
  a Beth yw cyflymiad y dyn ar y beic?
  b Defnyddiwch $F = ma$ i'ch helpu i esbonio pam nad yw'n syndod mai'r dyn ar y beic sydd â'r cyflymiad mwyaf.

17 Mae trên yn teithio ar 20 m s^{-1}. Mae'n brecio ag arafiad unffurf o 1.6 m s^{-2} dros bellter o 80 m.
  a Os yw'r cyflymder cychwynnol yn bositif, a yw cyflymiad y trên yn bositif neu'n negatif?
  b Cyfrifwch gyflymder terfynol y trên.

18 Am faint o amser yr oedd y trên yng nghwestiwn 17 yn arafu?

19 Mae gan neidiwr bynji lond poced o arian mân sy'n disgyn allan ar wahanol adegau yn ystod y naid. Faint o amser a gymer darn arian i gyrraedd yr arwyneb 15 m islaw pan fo'r neidiwr:
  a yn teithio ar i lawr ar 4 m s^{-1} ar uchder o 15 m uwchlaw'r arwyneb?
  b yn teithio ar i fyny ar 4 m s^{-1} ar yr un uchder?

20 a Gollyngodd y ferch a daflodd y garreg yng nghwestiwn 13 ei gafael arni pan oedd yn lefel â'i chorun. Pa mor dal yw'r ferch?
  b Mae merch arall sy'n 1.85 m o daldra yn taflu carreg yn yr un modd. Faint o amser a gymer i daro'r ddaear?

Dyma felly ddau hafaliad arall ar gyfer mudiant – a dwy ffordd arall o ddadansoddi mudiant. Nodwch fod tri hafaliad mudiant yn ymwneud â phum newidyn, ond mae pob un o'r hafaliadau yn cynnwys dim ond pedwar newidyn. Byddai modd deillio dau hafaliad arall ar gyfer mudiant – un sydd heb gyflymder cychwynnol, *u*, ac un sydd heb gyflymiad, *a*. Fodd bynnag, gall tri hafaliad, naill ai ar eu pen eu hunain neu gyfuniad ohonynt, drin pob sefyllfa lle mae hyd at ddwy elfen anhysbys. Mae'r hafaliad $s = ut + \tfrac{1}{2}at^2$, er enghraifft, yn ddefnyddiol pan fo *v* yn anhysbys a bod angen cyfrifo *s*.

● **Deall a chymhwyso**

Ar drywydd y dihirod

Mae trên yn gadael gorsaf Arbuckle am 09.10 ac yn teithio i Keystone, gan alw yn Keaton a Chaplin.

Mae Jim Henchman, y dihiryn sy'n was i Algernon De Ville sy'n byw yn Bounder Hall, yn ceisio taflu gyrrwr y trên oddi ar y trên er mwyn cymryd meddiant ohono. Ar ôl ymladd yn ffyrnig, mae gyrrwr y trên yn llwyddo i daro Henchman yn anymwybodol ac yn cicio gwn Henchman yn llorweddol tuag yn ôl o'r cab o uchder o 3 m uwchlaw lefel y ddaear.

Mae Henchman yn rhan o'r cynllwyn i ddwyn oddi ar Madeleine ei hawl i etifeddu Bounder Hall. Mae'r ferch ifanc druan wedi'i chlymu ar y trac, hanner ffordd rhwng Keaton a Chaplin, gan ei hewythr dieflig, Algernon. Mae'r trên 80 m i ffwrdd, ac yn teithio ar fuanedd o 23 m s⁻¹, pan fo'r gyrrwr yn gweld y ferch ar y trac. Mae'n cymryd 0.7 s i'r gyrrwr (sef Roger, wrth gwrs, yr arwr dewr sydd ar ei ffordd i herio Algernon yn Bounder Hall) ymateb. Dechreua frecio er mwyn cynhyrchu arafiad cyson o 4.5 m s⁻¹.

Yn y cyfamser, mae Aunt Agatha yn eistedd fel brenhines yn y cerbyd dosbarth cyntaf. Mae'n cydio mewn wy o'r fasged fwyd ond mae'n disgyn i'r llawr. O'i ffenestr, roedd Aunt Agatha eisoes wedi sylwi ar wrthrych metel, gwn efallai, yn disgyn a glanio ar y ddaear gyferbyn â hi.

Ffigur 31.20
Amserlen y trên.

	Gadael	Cyrraedd
Arbuckle	09.10	
Keaton		09.25
Chaplin		09.35
Keystone		09.50

Ffigur 31.21

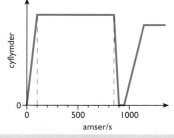

Ffigur 31.22

21 Plotiwch graff dadleoliad-amser ar gyfer y daith gyfan sydd ar yr amserlen (Ffigur 31.20). (Bydd angen i chi amcangyfrif crymedd y graff oherwydd cyflymiad ac arafiad pan fydd y trên yn cyrraedd ac yn gadael pob gorsaf.) Gallwch gymryd bod y trên yn aros am 1 funud ym mhob gorsaf.

22 Mae Ffigur 31.22 yn dangos graff cyflymder-amser ar gyfer cychwyn y daith sy'n rhoi'r fersiwn delfrydol ar gyfer hynt y daith, gan ddangos cychwyn a diwedd enydaidd i'r cyflymiadau a'r arafiadau.

a Beth sy'n digwydd rhwng 900 s a 960 s?
b Esboniwch sut y byddai graff mwy realistig yn wahanol.

23 Lluniwch ddiagramau o lwybr tafliad yr wy mewn perthynas ag Aunt Agatha:
a petai wedi disgyn pan oedd cyflymder y trên yn unffurf
b petai wedi disgyn fel yr oedd Roger yn brecio.

24 a Faint o amser mae'r gwn yn ei gymryd i daro'r llawr? (Tybiwch fod g = 10 m s⁻².)
b Gan ddiystyru gwrthiant aer, cyfrifwch y cyflymder llorweddol y ciciwyd y gwn mewn perthynas â'r trên os oedd Aunt Agatha yn eistedd 5 m y tu ôl i gaban y gyrrwr.

25 A yw Roger yn llwyddo i ryddhau Madeleine ac yn ei chysuro'n ddiogel yn ei freichiau neu a yw hi'n cael ei gwasgu i farwolaeth o dan bwysau'r trên?

● **Deall a chymhwyso**

Parasiwtio ar y Lleuad

Nid yw'n debygol y bydd parasiwtio ar y Lleuad yn datblygu'n gamp boblogaidd. Yn wir, mae'r diffyg atmosffer ar y Lleuad yn golygu bod y parasiwt braidd yn ddibwrpas. Ond gallwn eistedd yn gyrfforddus ar y Ddaear a dychmygu sut deimlad *fyddai* disgyn ar wyneb y Lleuad a meddwl ym mha ffordd y byddai'n wahanol i neidio â pharasiwt ar y Ddaear.

Y cyflymiad oherwydd disgyrchiant ar y Ddaear, gan ddiystyru gwrthiant aer, yw 9.8 m s^{-2}. Y cyflymiad oherwydd disgyrchiant ar y Lleuad yw 1.6 m s^{-2}. Mae'r graffiau yn Ffigur 31.23 yn dangos y berthynas rhwng cyflymiad ac amser ar gyfer pobl sy'n parasiwtio ar y Lleuad a'r Ddaear.

Ffigur 31.23
Graffiau cyflymiad-amser ar gyfer pobl yn parasiwtio **a** ar y Lleuad a **b** ar y Ddaear.

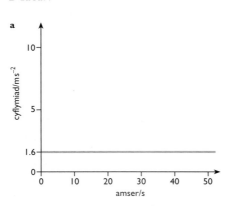
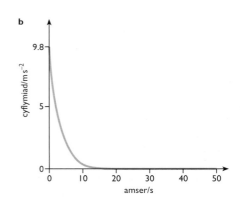

26 Esboniwch y gwahaniaeth yn ffurfiau'r graffiau yn Ffigur 31.23.

27 Brasluniwch y graffiau cyflymder-amser cyfatebol. Ar gyfer y Ddaear, marciwch eich graff â'r cyflymder terfynol.

28 Brasluniwch y graffiau dadleoliad-amser cyfatebol. Dangoswch yn ofalus sut y mae eich graffiau yn gwahaniaethu rhwng y gwahanol fathau o gyflymder wrth i'r parasiwtwyr nesáu at y ddau arwyneb.

29 Mae dyn sy'n disgyn yn rhydd i'r Ddaear yn cyrraedd cyflymder terfynol o 55 m s^{-1} ar ôl bod yn disgyn am ryw 12 s.
a Pryd, ar ôl dechrau disgyn, y bydd y dyn sy'n disgyn yn rhydd i'r Ddaear a dyn sy'n disgyn yn rhydd i'r Lleuad yn cyrraedd yr un buanedd?
b Pa mor bell mae pob un ohonynt wedi disgyn?

30 A fyddech felly yn cyrraedd y Ddaear ar fuanedd uwch – ar ôl neidio (heb barasiwt) o adeilad 30 llawr ar y Ddaear, neu o adeilad 30 llawr (heb ei adeiladu eto!) ar y Lleuad? (Gallwch gymryd bod 1 llawr ≈ 3 m.)

· · · · · · · · ·

● **Tasg sgiliau ychwanegol**

Technoleg Gwybodaeth a Chymhwyso Rhif

Datblygwch raglen taenlen sy'n gallu cynhyrchu graffiau cyflymiad-amser ar gyfer unrhyw faes disgyrchiant rydych yn dewis ei roi yn y rhaglen. Dylai'r rhaglen fedru cynhyrchu graffiau cyflymder-amser cyfatebol a graffiau dadleoliad-amser hefyd. Defnyddiwch eich rhaglen i gynhyrchu setiau o graffiau ar gyfer dewis o blanedau yng nghysawd yr Haul. Nodwch unrhyw dybiaethau angenrheidiol. Mireiniwch eich graffiau i ddangos effeithiau'r atmosffer planedol, fel y bo'n briodol, ar gyfer pob planed.

Cwestiynau arholiad

1 a Dywedir bod gwrthdrawiadau rhwng gwrthrychau naill ai'n *elastig* neu'n *anelastig*. Cwblhewch y tabl drwy roi tic (✔) yn y lle priodol er mwyn dangos pa fesurau sy'n cael eu cadw yn ystod y gwrthdrawiadau hyn. (3)

Gwrthdrawiad	Momentwm	Egni cinetig	Cyfanswm yr egni
elastig			
anelastig			

b i Mae niwtron cyflym â màs *m* mewn gwrthdrawiad benben ag atom disymud o hydrogen sydd hefyd â màs *m*, fel y gwelir yn y ffigur.

Mae'r niwtron yn cael ei ddal gan yr atom i ffurfio isotop 'trwm' o hydrogen â màs 2*m* sy'n symud i ffwrdd ar fuanedd o 3.0×10^7 m s^{-1}.

1 Dywedwch a yw'r gwrthdrawiad lle mae'r niwtron yn cael ei ddal yn un elastig neu anelastig.

2 Cyfrifwch fuanedd y niwtron cyn cael ei ddal.

ii Mae niwtron tebyg i'r un yn **i** yn awr mewn gwrthdrawiad benben ag atom nitrogen disymud â màs 14*m* i ffurfio isotop 'trwm' o nitrogen. Cyfrifwch fuanedd yr atom nitrogen 'trwm' hwn. (5)

OCR, Ffiseg, Papur 2, Tachwedd 1999

2 Mae peiriant tennis yn serfio peli tennis dros y rhwyd er mwyn i'r chwaraewr ymarfer dychwelyd y bêl.

Daw'r bêl allan yn llorweddol 2.50 m uwchlaw'r ddaear ar gyflymder *v* a tharo'r ddaear 21.0 m o'r peiriant fel y gwelir yn y diagram uchod.

a Gan anwybyddu gwrthiant aer dangoswch fod y bêl yn cymryd 0.714 s i gyrraedd y ddaear. (2)

b Cyfrifwch ar ba gyflymder *v* y gadawodd y bêl y peiriant. (2)

c Cyfrifwch gydran fertigol cyflymder y bêl pan fydd yn cyrraedd y ddaear. (1)

d Beth yw cydran lorweddol cyflymder y bêl pan fydd yn cyrraedd y ddaear? (1)

e Darganfyddwch ar ba ongl y bydd y bêl yn taro'r llawr. (3)

f Beth fyddai'r effaith ar yr ongl hon petaech yn cymryd gwrthiant aer i ystyriaeth? Esboniwch eich ateb. (1)

Edexcel (Llundain), PSA1, Mehefin 1999

3 a Mae dŵr yn llifo o ffroenell (blaen main piben) ar gyflymder cychwynnol o 5.8 m s^{-1} ar ongl o 45° i'r llorwedd, fel y gwelir isod.

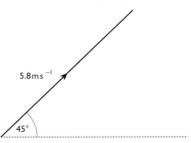

Ar gyfer y cyflymder hwn, defnyddiwch driongl fector neu gyfrifiad er mwyn

i dangos mai'r gydran lorweddol yw 4.1 m s^{-1}

ii esbonio pam y bo'r gydran fertigol yr un faint â'r gydran lorweddol. (3)

b Mae'r ffroenell yn rhan o chwistrell sy'n cael ei defnyddio i ddyfrhau lawnt. Mae'r chwistrell ar lefel y ddaear a phan fo'r dŵr yn gadael y ffroenell ar ongl o 45° i'r llorwedd, mae llwybr llif y dŵr fel hyn.

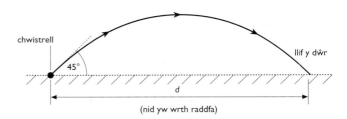

(nid yw wrth raddfa)

Buanedd cychwynnol y dŵr yw 5.8 m s^{-1} a gellir tybio bod y gwrthiant aer yn ddibwys. Gan ddefnyddio'r wybodaeth yn **a** cyfrifwch, ar gyfer un diferyn o ddŵr yn y llif,

i yr amser a gymer i gyrraedd ei uchder macsimwm

ii cyfanswm yr amser rhwng gadael y ffroenell a tharo'r ddaear

iii y pellter llorweddol *d* o'r ffroenell i'r pwynt lle mae'n taro'r ddaear. (5)

c Ar y figur uchod, brasluniwch lwybrau llif y dŵr pan ddaw'r dŵr o'r ffroenell ar gyflymder o 5.8 m s^{-1} ac ar ongl i'r llorwedd o

i 60° (rhowch y label H ar y llwybr hwn)

ii 30° (rhowch y label L ar y llwybr hwn). (3)

d Awgrymwch yr ongl â'r llorwedd lle bydd y ffroenell ar y chwistrell yn rhoi gwerth uchaf *d*. (1)

OCR, Gwyddoniaeth, Ffiseg Sylfaenol, Mawrth 1999

MUDIANT MEWN LLINELL SYTH

4 a Diffiniwch *gyflymiad*. (2)

b Mae gan wrthrych gyflymder cychwynnol *u* a chyflymiad *a*. Ar ôl cyfnod o amser *t*, mae'r gwrthrych wedi symud bellter *s* a'i gyflymder terfynol yw *v*. Caiff y mudiant hwn ei grynhoi yn yr hafaliadau

$v = u + at$

$s = \frac{1}{2}s(u + v)t$

i Nodwch y dybiaeth a wnaed ynglŷn â'r cyflymiad *a* yn yr hafaliadau hyn.

ii Defnyddiwch yr hafaliadau i fynegi *v* yn nhermau *u*, *a* ac *s*. (3)

c Mae ffotograffydd am weld am faint o amser y mae'r caead ar gamera yn aros ar agor pan fo ffotograff yn cael ei dynnu. Er mwyn gwneud hyn mae'n tynnu ffotograff o bêl fetel wrth iddi ddisgyn o ddisymudedd. Mae'n canfod bod y bêl yn disgyn 2.50 m o ddisymudedd cyn bod y caead yn agor ac, yn ystod yr amser y bydd y caead yn aros ar agor, mae'r bêl yn disgyn 0.12 m ymhellach, fel y dangosir.

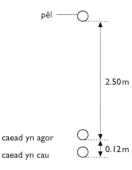

Gan dybio y gellir anwybyddu gwrthiant aer, cyfrifwch

i fuanedd y bêl ar ôl iddi ddisgyn 2.50 m

ii yr amser a gymer i ddisgyn yr 0.12 m ymhellach.

[Efallai y byddwch am ddefnyddio'r hafaliad

$x = \dfrac{-b \pm \sqrt{b^2 - 4ac}}{2a}$.]

iii Mae'r amser y bydd y caead yn aros ar agor wedi'i farcio ar y camera fel 1/60 s. Nodwch a yw'r prawf yn cadarnhau'r amser hwn. (6)

OCR, Ffiseg, Papur 2, Tachwedd 1999

5 Mae tîm rasio yn paratoi eu car ar gyfer ei yrru o amgylch y trac isod.

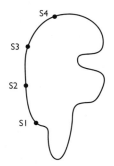

Mae dwy set wahanol o gerau yn cael eu hystyried, set A a set B. Mae'r ddwy set yn cael eu profi i weld pa set fydd orau ar gyfer y rhan 'gyflym' o'r trac, o safle S1 i S4. Mae'r safleoedd wedi'u gosod ar bellter cyfartal, 0.400 km, oddi wrth ei gilydd.

Mae buanedd y car rasio yn cael ei fesur wrth bob safle a rhoddir y mesuriadau yn y tabl isod.

Safle	Buanedd â set gerau A (km awr^{-1})	Buanedd â set gerau B (km awr^{-1})
S1	64	64
S2	144	162
S3	160	184
S4	192	188

a Gan dybio bod y cyflymiadau yn gyson rhwng y safleoedd a farciwyd, cyfrifwch y buanedd cyfartalog rhwng y safleoedd a chwblhewch y tabl isod. (2)

Cyfnod rhwng safleoedd	Buanedd cyfartalog â set gerau A (km awr^{-1})	Buanedd cyfartalog â set gerau B (km awr^{-1})
S1 → S2		
S2 → S3		
S3 → S4		

b Cyfrifwch y cyfyngau amser rhwng y safleoedd a farciwyd a chwblhewch y tabl isod. (2)

Cyfwng rhwng safleoedd	Amser â set gerau A (s)	Amser â set gerau B (s)
S1 → S2		
S2 → S3		
S3 → S4		

c Pa set o gerau y dylent ei defnyddio i gael yr amser byrraf rhwng S1 ac S4? (1)

d Lluniwch graff i ddangos sut y mae'r buanedd, fel y nodwyd yn y tabl sy'n dangos y data gwreiddiol, yn amrywio gydag amser. (4)

e Pa set o gerau sy'n rhoi'r cyflymiad mwyaf

i ar y cychwyn (h.y. rhwng S1 ac S2)?

ii ar y diwedd (h.y. rhwng S3 ac S4)? (2)

Y Fagloriaeth Ryngwladol, Lefel Atodol/Safonol, Mai 1998

32 Grym a mudiant ar y ffordd

Y CWESTIWN MAWR	● Sut y mae cymhwyso ein gwybodaeth am rym a mudiant ar gyfer ceir yn benodol?
GEIRFA ALLWEDDOL	ffrithiant rholio grym brecio grym gyrru perygl pŵer symud risg
Y CEFNDIR	P'un ai y byddwn yn eu defnyddio ein hunain ai peidio, mae cerbydau modur yn rhan fawr o'n bywydau bellach. Maent nid yn unig yn rhoi rhyddid ac annibyniaeth i bobl ond hefyd yn creu gwaith i bobl ym mhob cwr o'r byd. Er hynny, maent hefyd yn creu sŵn a llygredd ac yn beryg i ddiogelwch defnyddwyr cerbydau ac eraill fel ei gilydd. Yn y bennod hon byddwn yn edrych ar geir fel maes lle gellir cymhwyso syniadau am rym a mudiant ac, yn arbennig, ar ffyrdd o leihau'r risg.

● Symud o le i le – grym gyrru ceir

Ffigur 32.1
Trawsnewid mudiant llinol (y piston) yn fudiant cylchdro (y crancsiafft).

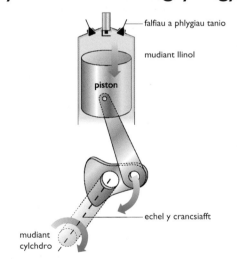

Ffigur 32.2
Trawsnewid mudiant cylchdro (olwyn) yn fudiant llinol (y car).

Mae pistonau peiriant car yn symud mewn llinellau syth o fewn y silindrau, gan gymryd egni o'r nwy sy'n ehangu. Mae'r egni'n cael ei roi o ganlyniad i hylosgiad, sef aildrefnu egnïon potensial y gronynnau o fewn y defnyddiau. Gall hyn gael dwy effaith – gwresogi a gwneud gwaith. Mae'n sicr bod gwresogi'n digwydd, ac mae angen system oeri ar y peiriant er mwyn trosglwyddo'r egni allan. Mae gwaith yn cael ei wneud hefyd – mae grym yn gweithredu ar y piston dros bellter ei symudiad neu strôc.

Mae mudiant llinol pistonau'r car – pedwar ohonynt fel rheol – yn cael ei drawsnewid yn fudiant cylchdro'r crancsiafft (Ffigur 32.1). Mae'r cogiau yn y gerau yn troi, felly mae'r olwynion gyrru yn troi. Mae mudiant cylchdro'r olwynion yn troi'n fudiant llinol unwaith eto – sef mudiant corff y car wrth iddo deithio ar hyd y ffordd (Ffigur 32.2).

Mewn 'byd delfrydol' – ac i'r ffisegydd mae hynny'n golygu byd syml – nid oes grymoedd gwrthiannol yn gweithredu ar gar. Mewn byd o'r fath gall car fynd ar hyd ffordd wastad ar fuanedd cyson heb ddefnyddio tanwydd. Ond yn y byd real rhaid i **rym gyrru**, neu rym symud, weithredu er mwyn goresgyn y grym gwrthiant allanol.

Pan fo'r grym gyrru a'r grym gwrthiant mewn cydbwysedd yna bydd y car yn parhau i deithio ar fuanedd cyson. Os yw'r grym gyrru yn fwy na'r grym gwrthiant yna bydd y car yn profi grym cydeffaith a bydd yn cyflymu. Bydd yn arafu pryd bynnag y bydd y grym gyrru yn llai na'r grym gwrthiant.

Ffigur 32.3
Grymoedd yn gweithredu
ar gar.

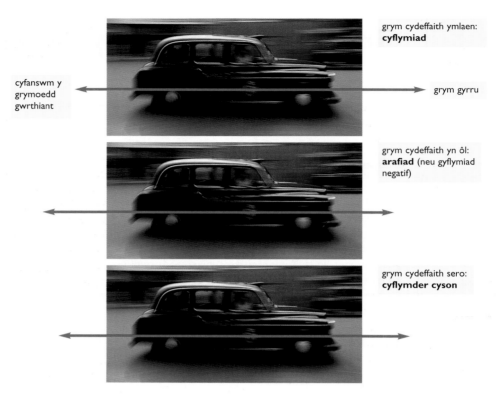

grym cydeffaith ymlaen:
cyflymiad

grym gyrru

cyfanswm y
grymoedd
gwrthiant

grym cydeffaith yn ôl:
arafiad (neu gyflymiad
negatif)

grym cydeffaith sero:
cyflymder cyson

Gallwn grynhoi'r sefyllfa yn Ffigur 32.3 fel a ganlyn:

grym cydeffaith = grym gyrru − grym gwrthiant
$$= F_{GY} - F_{GW}$$

lle saif F_{GY} a F_{GW} am feintiau syml y grymoedd.

Mae unrhyw rym cydeffaith yn achosi cyflymiad ac mae perthynas rhwng y naill a'r llall yn ôl yr hafaliad sylfaenol a chyfarwydd $F = ma$. Felly,

$$ma = F_{GY} - F_{GW}$$

Mae dau achos i'r grym gwrthiant allanol. Un yw grym llusgiad yr aer yn gweithredu ar gorff y car sy'n symud. Yr ail yw'r **ffrithiant rholio** neu'r gwrthiant rholio rhwng y teiars a'r ddaear oherwydd afluniad y teiar wrth iddo rolio a gwahanol rannau ohono yn dod i gysylltiad â'r ddaear. Ar gyflymder isel, mae'r grym llusgiad yn gymharol fychan ac mae'r ffrithiant rholio yn gwneud mwy o gyfraniad i gyfanswm y grym gwrthiant F_{GW}. Fodd bynnag, mae'r grym llusgiad mewn cyfrannedd â sgwâr y cyflymder, felly y grymoedd llusgo sydd â'r dylanwad mwyaf ar gyflymderau uwch.

Dringo i fyny bryn

Mae grym ychwanegol yn dylanwadu ar gar sy'n symud i fyny bryn neu i lawr bryn – grym disgyrchiant (Ffigur 32.4). Ar gyfer car yn dringo bryn mae grym ychwanegol sy'n gwrthwynebu'r mudiant ac mae perthynas rhwng y grym hwn a màs y car a goledd y bryn.

Ffigur 32.4
Effaith disgyrchiant ar gar
ar oledd.

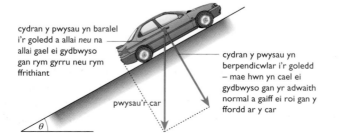

cydran y pwysau yn baralel i'r goledd a allai *neu* na allai gael ei gydbwyso gan rym gyrru neu rym ffrithiant

cydran y pwysau yn berpendicwlar i'r goledd – mae hwn yn cael ei gydbwyso gan yr adwaith normal a gaiff ei roi gan y ffordd ar y car

pwysau'r car

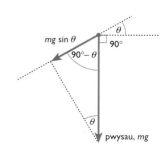

$mg \sin \theta$

$90° - \theta$

$90°$

θ

pwysau, mg

Ffigur 32.5
Y grymoedd ar gar sy'n mynd **a** i fyny bryn a **b** i lawr bryn.

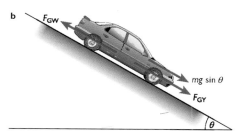

1 a Cyfrifwch gyflymiad car â màs o 1800 kg ar hyd ffordd wastad lle bo'r grym gyrru yn 1.6 kN a'r grym gwrthiant yn 2.0 kN.
b Beth fydd y cyflymiad hwn os yw'r grym gyrru a'r grym gwrthiant yn aros yr un fath ag ydynt yn rhan **a** a bod y car yn mynd i lawr bryn sy'n gwneud ongl o 3° i'r llorwedd?
c Ailysgrifennwch $ma = F_{GY} - mg \sin\theta - F_{GW}$ ac $ma = F_{GY} + mg \sin\theta - F_{GW}$ ar gyfer $a = 0$ ac felly dangoswch fod yr hafaliadau yn cytuno â'r syniad sy'n seiliedig ar y 'synnwyr cyffredin' bod angen mwy o rym gyrru i fynd i fyny bryn ar fuanedd cyson nag sydd ei angen i fynd lawr y bryn.
d Dychmygwch fod y car yn symud yn araf i fyny bryn fel y bo'r grym gwrthiant yn fach iawn o'i gymharu â'r grym gyrru a hefyd o'i gymharu â chydran ei bwysau i lawr y goledd. Os 10 kN yw gwerth macsimwm y grym gyrru, beth yw'r goledd mwyaf serth y gall y car ei ddringo ar gyflymder cyson (gan gymryd nad yw'r teiars yn llithro ar yr arwyneb)?

Os m yw màs y car yna rhoddir ei bwysau gan mg lle saif g am gryfder y maes disgyrchiant. Mae cydran y grym hwn sy'n berpendicwlar i arwyneb y ffordd yn cael ei gydbwyso gan yr adwaith normal sy'n cael ei roi gan y ffordd. Nid yw'r car yn cyflymu i mewn i arwyneb y ffordd nac oddi arno. Mae'r gydran sy'n baralel i arwyneb y ffordd yn gweithredu i lawr y bryn, a thuedda i achosi cyflymiad i'r cyfeiriad hwn.

Am gar sy'n teithio i fyny bryn (Ffigur 32.5a) mae'r gydran hon o bwysau'r car yn gweithredu i gyfeiriad dirgroes i'r grym gyrru fel y rhoddir y grym cydeffaith, ma, gan:

$$ma = F_{GY} - mg \sin\theta - F_{GW}$$

lle saif F_{GW}, fel cynt, am gyfuniad o rymoedd gwrthiant llusgo a ffrithiant rholio, θ am yr ongl rhwng y goledd a'r llorwedd, ac g am gryfder y maes disgyrchiant sef 9.8 N kg^{-1}.

Pan fo'r car yn mynd i lawr y bryn (Ffigur 32.5b) mae'r un gydran o bwysau'r car yn awr yn gweithredu i gyfeiriad y grym gyrru, gan wneud cyfraniad positif tuag at y grym i'r cyfeiriad y mae'n teithio:

$$ma = F_{GY} + mg \sin\theta - F_{GW}$$

Pŵer symud

2 a Brasluniwch graff pŵer symud yn erbyn cyflymder ar gyfer car â grym gyrru cyson.
b Brasluniwch graff grym llusgiad yn erbyn cyflymder (gweler tudalen 352).
c Mae grym gwrthiant yn cynyddu yn unol â chyflymder. Er mwyn cynnal cyflymder penodol, rhaid i rym gyrru car gynyddu i gyfateb â hyn. Felly mae'r graff yn rhan **a** yn cynrychioli sefyllfa sydd wedi'i gorsymleiddio. Brasluniwch graff sy'n dangos y berthynas gyffredinol rhwng pŵer symud a chyflymder car, gan gymryd i ystyriaeth grym gyrru anghyson.

Mae allbwn egni defnyddiol car yn hafal i'r gwaith a wna wrth symud ymlaen, wrth oresgyn grym gwrthiant ac wrth gyflymu. Mae'n hafal i'r grym cydeffaith cyfartalog ymlaen wedi'i luosi â'r pellter a deithiwyd. Mae'r mesur hwn, fodd bynnag, yn gymwys i ran benodol o daith benodol a rhaid i ni bennu hyd y rhan hon. Mae'n fwy defnyddiol yn gyffredinol i feddwl am yr hyn sy'n digwydd, fesul ennyd, a gallwn wneud hyn yn nhermau *pŵer*.

Gwyddom, yn gyffredinol, drwy ddiffiniad, mai pŵer yw cyfradd trosglwyddo egni:

$$P = \frac{dW}{dt} \text{ neu, os yw pŵer yn gyson dros amser } \Delta t, \; P = \frac{\Delta W}{\Delta t}$$

Ar gyfer car sy'n teithio ar hyd ffordd mewn llinell syth o dan effaith grym gyrru cyson, F_{GY}:

$$\Delta W = \text{grym gyrru } (F_{GY}) \times \text{pellter } (\Delta x)$$

Tybiwn fod grym gyrru a phellter yn baralel. Mae hyn yn wir am fudiant llinell syth. Felly, gan fod pŵer yn gyson,

$$P = \frac{F_{GY} \times \Delta x}{\Delta t}$$

A gan mai $\Delta x / \Delta t$ yw cyflymder cyson y car, v,

$$P = F_{GY}v$$

Nodwch fod y pŵer hwn yn gysylltiedig â'r grym gyrru, sef y gyfradd y bydd y car yn gwneud gwaith er mwyn symud. Dyma'r **pŵer symud**. Nid yw hyn yr un fath â'r pŵer a roddir allan gan y peiriant sy'n gysylltiedig â'r gyfradd y bydd y *peiriant* yn gwneud gwaith. Mae rhywfaint o'r egni yn cael ei afradloni yn system drosglwyddo'r car, felly nid yw'r holl egni sydd ar gael fel gwaith gan y peiriant yn cael ei drosglwyddo fel egni defnyddiol.

Ôl-gerbydau

Mae ôl-gerbyd yn copïo mudiant y cerbyd sy'n tynnu, os yw'r bar tynnu o hyd penodol fel y tybiwn. Mae'r grym tynnu sy'n gweithredu ar yr ôl-gerbyd yn cael ei roi gan y cerbyd tynnu, drwy'r bar tynnu. Mae'r ôl-gerbyd yn rhoi grym hafal a dirgroes ar y cerbyd tynnu (Ffigur 32.6).

Ffigur 32.6
Y grymoedd rhwng car ac ôl-gerbyd.

ôl-gerbyd
$m_ô$

grym yn cael ei roi gan yr ôl-gerbyd ar y car

car
m_c

grym tynnu yn cael ei roi gan y car ar yr ôl-gerbyd

3 Mae car â màs o 2000 kg yn tynnu carafán â màs o 800 kg ar hyd ffordd wastad, ac yn cyflymu ar 0.5 m s⁻².
a Beth yw'r grym cydeffaith sy'n gweithredu ar y garafán?
b Os yw'r garafán yn profi grymoedd gwrthiant o 5.6 kN, beth yw'r grym tynnu y bydd yn rhaid i'r car ei roi arni drwy'r bar tynnu?
c Beth yw'r grym y mae'r garafán yn ei roi ar y car?
d Defnyddiwch yr hyn a wyddom am ddibyniaeth grym gwrthiant ar gyflymder i esbonio pam y mae cyflymder macsimwm car yn cael ei leihau'n sylweddol pan fydd yn tynnu carafán.

$$m_{cyfanswm} = m_ô + m_c$$

Mae gan y car a'r ôl-gerbyd yr un cyflymiad, a.
Ar ffordd wastad, rhoddir y grym cydeffaith ar y car a'r ôl-gerbyd (a ystyrir fel un gwrthrych) gan

$$\text{grym cydeffaith} = \text{grym gyrru} - \text{cyfanswm y grym gwrthiant} = F_{GY} - F_{GW}$$

a hefyd

$$\text{grym cydeffaith} = m_{cyfanswm}a = m_ô a + m_c a$$

Felly

$$F_{GY} - F_{GW} = m_ô a + m_c a$$

ac

$$F_{GY} = F_{GW} + (m_ô + m_c)a$$

Wrth dynnu ôl-gerbyd, rhaid i gar roi mwy o rym gyrru er mwyn gwneud iawn am y grym gwrthiant mwy ac er mwyn cyflymu màs mwy o faint.

Defnyddio mathemateg i ddadansoddi mudiant car

4 a Ar gyfer y car yng nghwestiwn 1a, beth yw'r cyflymder terfynol os yw'r cyflymder cychwynnol yn 15 m s⁻¹ a'r cyflymiad yn parhau am 8 s?
b Beth yw'r newid ym momentwm y car? Sut y mae hyn yn gyson â'r egwyddor cadwraeth momentwm?
c Beth yw'r newid yn egni cinetig y car?

5 Pa un o'r hafaliadau a restrir sy'n dweud wrthych ar ffurf fathemategol fod cyflymder yn gyson pan fo grym cydeffaith yn sero?

6 Esboniwch pam nad yw cyflymder car sy'n symud yn gyson pan fo'r grym gyrru yn sero.

Gellir dadansoddi mudiant mewn nifer o ffyrdd:

- yn nhermau momentwm:

  momentwm, $p = mv$

- yn nhermau egni, egni cinetig fel arfer:

  $\text{egni cinetig} = \frac{1}{2}mv^2$

- yn nhermau'r berthynas rhwng grym a chyflymiad:

  $F = ma$

- yn nhermau hafaliadau mudiant â chyflymiad unffurf (Pennod 31):

  $v = u + at$

  $v^2 = u^2 + 2as$

  $s = ut + \frac{1}{2}at^2$

neu drwy gyfuniad o'r uchod! Er mwyn datrys nifer o broblemau, y sgìl sydd ei angen yw'r gallu i ddewis y ffordd orau.

Stopio

cyfeiriad teithio

grym ffrithiant yn gweithredu ar rimyn y teiar pan fo'r echel yn cael ei gyrru gan y peiriant

cyfeiriad teithio

grym gwrthiant, F_{GW}

grym ffrithiant yn gweithredu ar rimyn y teiar pan fydd y car yn brecio

grym brecio

Ffordd hawdd o stopio car yw drwy atal y grym gyrru a chaniatáu i'r grym gwrthiant weithredu ar ei ben ei hun. Mae'r car yn parhau i wneud gwaith yn erbyn y grymoedd gwrthiant hyn ac mae egni yn cael ei drosglwyddo ohono. Mae ei egni cinetig yn lleihau.

Ond nid yw ymddiried yn y grymoedd gwrthiant i arafu'r car yn ddigon yn aml iawn. Beth sydd ei angen bron bob tro yw **grym brecio**. Mae hyn yn gweithredu i gyfeiriad dirgroes i'r mudiant, ac fe ddaw o ganlyniad i'r ffrithiant rhwng y teiars a'r ffordd (Ffigur 32.7).

Er mwyn cael grym ffrithiant i'r cyfeiriad cywir, yn gweithredu ar rimyn teiar, rhaid gwrthwynebu cylchdro'r olwyn. Dyma'r hyn y bydd y padiau brêc yn ei wneud, drwy roi grym ffrithiant ar ddrwm neu ddisg a fydd yn cylchdroi gyda'r olwyn (Ffigur 32.8a a b).

Ffigur 32.8
Breciau drwm a breciau disg.

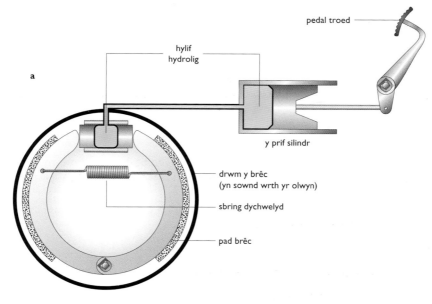

pedal troed

hylif hydrolig

a

y prif silindr

drwm y brêc
(yn sownd wrth yr olwyn)

sbring dychwelyd

pad brêc

7 Dychmygwch fod y bar tynnu yng nghwestiwn 3 yn dod yn rhydd pan fo'r cyflymder yn 22 m s^{-1}. Yna bydd gwerth cyfartalog y grym gwrthiant sy'n gweithredu ar y garafán yn aros yn 2.4 kN.
a Beth yw gwerth cyfartalog arafiad y garafán?
b Faint o amser mae'r garafán yn ei gymryd i stopio?
c Pa mor bell y bydd yn teithio cyn stopio?

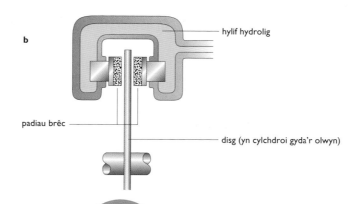

b

hylif hydrolig

padiau brêc

disg (yn cylchdroi gyda'r olwyn)

Trosglwyddiad egni pan fo car yn stopio

Rhaid i gar sy'n stopio golli ei egni cinetig. Er mwyn gwneud hyn rhaid iddo wneud gwaith ar rywbeth. Gallai wneud gwaith ar yr aer o'i amgylch hyd nes y bydd yn dod i ddisymudedd. Gallai wneud gwaith yn erbyn y grymoedd gwrthiant sy'n gweithredu ar ei ddarnau symudol ei hun. Gallai wneud gwaith ar wrthrych y bydd mewn gwrthdrawiad ag ef neu gallai wneud gwaith ar y ffordd drwy frecio. Mewn rhyw ffordd neu'i gilydd, mae egni'r car yn cael ei drosglwyddo i'r hyn sydd o'i amgylch – mae'n cael ei afradloni (Ffigur 32.9). Ond hefyd, gallai car wneud gwaith yn erbyn grym disgyrchiant drwy ddringo bryn hyd nes y bydd yn stopio. Yn yr achos hwn, gellid dweud bod rhywfaint o egni ar gael i'w ddefnyddio'n ddiweddarach a bod yr egni'n cael ei storio mewn ffordd ddefnyddiol yn hytrach na chael ei afradloni.

Ffigur 32.9
Trosglwyddiad egni car sy'n stopio ar ffordd wastad.

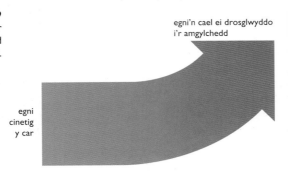

egni'n cael ei drosglwyddo i'r amgylchedd

egni cinetig y car

Pan fo car yn stopio, mae ei egni cinetig yn cael ei drosglwyddo i'w amgylchedd. Pan fo'n brecio, er enghraifft, mae ffrithiant yn y system frecio yn cynhyrchu gwres. Mae'r disgiau a'r blociau brêc yn mynd yn boeth yn gyntaf. Wrth oeri, mae eu hegni yn cael ei drosglwyddo i'r amgylchedd, i'r aer yn bennaf. Mae'r egni'n cael ei afradloni.

Pan fo car yn brecio, mae'r ffrithiant rhwng y ffordd a'r teiars yn cynhyrchu grym brecio, i gyfeiriad dirgroes i fudiant y car. Mae'r grym brecio yn gweithredu ar y car dros bellter penodol, x_b, sef pellter brecio'r car. Yn syml, gallwn dybio bod y grym, F, yn gyson. Yna mae'r

newid mewn egni cinetig = gwaith a wneir

$$\Delta E_c = -Fx_b$$

$$\tfrac{1}{2}m\,\Delta(v^2) = -Fx_b$$

Nodwch fod angen yr arwydd minws oherwydd bod y newid mewn egni cinetig yn negatif.

Os v yw cyflymder y car cyn brecio a sero yw ei gyflymder terfynol, yna

$$\Delta(v^2) = (\text{gwerth terfynol cyflymder})^2 - (\text{gwerth cychwynnol cyflymder})^2$$
$$= 0^2 - v^2$$
$$= -v^2$$

Ffigur 32.10
Nid yw'r berthynas rhwng pellter brecio a buanedd teithio cychwynnol car yn llinol.

felly

$$\tfrac{1}{2}m(-v^2) = -Fx_b \qquad \text{neu} \qquad \tfrac{1}{2}mv^2 = Fx_b$$

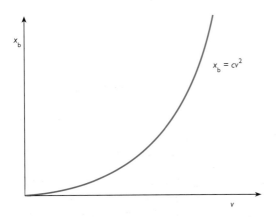

$x_b = cv^2$

Mae'r hyn a wyddom am y berthynas hon yn caniatáu i ni blotio graff o'r pellter brecio yn erbyn cyflymder teithio'r car, Ffigur 32.10. Y pellter brecio yw'r newidyn allbwn (y newidyn dibynnol) ac felly mae'n help i'w roi yn destun yr hafaliad:

$$x_b = \frac{mv^2}{2F}$$

Ar gyfer car â màs cyson yn profi grym brecio cyson gallwn symleiddio'r hafaliad drwy ysgrifennu

$$\frac{m}{2F} = \text{cysonyn, } c$$

Yna

$$x_b = cv^2$$

Nid yw'r graff yn rhoi i ni holl hanes y car yn stopio fodd bynnag. Wrth stopio mewn argyfwng, bydd y car yn teithio rhywfaint o bellter tra bo'r gyrrwr yn adweithio ac yn pwyso ar bedal y brêc. Yn ystod y cyfnod amser hwn ni fydd cyflymder y car yn newid fawr ddim a bydd y fformiwla

$$v = \frac{x_t}{t}$$

yn gymwys lle saif x_t am y pellter a deithiwyd yn ystod yr 'amser adweithio' hwn a t am yr amser adweithio ei hun. Felly,

$$x_t = vt$$

Mae hon yn berthynas symlach na'r un a fydd yn gymwys adeg y brecio ei hun. Mae'r pellter a deithiwyd yn ystod yr amser adweithio mewn cyfrannedd â'r amser, ac mae graff o'r 'pellter adweithio' yn erbyn cyflymder teithio'r car pan fydd y gyrrwr yn gweld y perygl gyntaf yn llinell syth syml. Perthynas linol sydd rhwng y pellter adweithio a'r cyflymder teithio. Graddiant y graff yw'r amser adweithio a all fod yn wahanol ar gyfer gyrwyr gwahanol a hefyd yn wahanol ar gyfer yr un gyrrwr pan fo'r lefelau blinder yn wahanol.

Mae llawlyfrau gyrru yn dangos gwybodaeth am bellter brecio, pellter adweithio a chyfanswm y pellter stopio ar ffurf diagramau tebyg i'r un yn Ffigur 32.11. Nodwch mai cyfanswm y pellter stopio yw'r pellter adweithio a'r pellter brecio, $x_t + x_b$. Mae cyflwyno'r wybodaeth ar ffurf mor weledol yn fwy pwerus na mynegi'r berthynas mewn geiriau neu symbolau algebraidd, yn arbennig i ddarllenwyr sydd heb lawer o wybodaeth am berthnasoedd mathemategol.

8 Faint o egni cinetig y mae'n rhaid i gar â màs o 1800 kg ei golli er mwyn stopio pan yw ei gyflymder teithio cychwynnol yn
   a 20 km awr^{-1}
   b 40 km awr^{-1}?

9 Mae tryc yn rhedeg yn rhydd i lawr ffordd ar un ochr dyffryn ac yn dechrau dringo bryn ar yr ochr arall.
   a Os 5 tunnell fetrig yw ei fàs, faint o egni potensial y mae'n ei golli wrth ddisgyn o uchder o 20 m i waelod y dyffryn? (1 dunnell fetrig = 1000 kg)
   b Petai'r holl egni hwn yn troi'n egni cinetig, beth fyddai ei gyflymder ar waelod y dyffryn?
   c Pam na fydd yn cyrraedd y cyflymder hwn?
   d Os bydd 60% o egni potensial cychwynnol y tryc wedi'i afradloni erbyn iddo gyrraedd ei fan uchaf ar ôl teithio ar hyd gwaelod y dyffryn a rholio i fyny'r ochr arall, pa uchder y bydd yn ei gyrraedd uwchlaw gwaelod y dyffryn?

10 Esboniwch pam y mae graff sy'n dangos cyflymder teithio cychwynnol yn erbyn pellter adweithio yn un llinol, ond nad yw graff sy'n dangos cyflymder teithio cychwynnol yn erbyn pellter brecio yn un llinol.

11 Brasluniwch graffiau o'r pellter adweithio yn erbyn cyflymder teithio cychwynnol car ar gyfer gyrrwr sy'n gwbl effro a gyrrwr sydd wedi yfed peint o gwrw. (Mae pobl sydd wedi yfed alcohol, hyd yn oed ychydig ohono, yn cymryd mwy o amser i adweithio.)

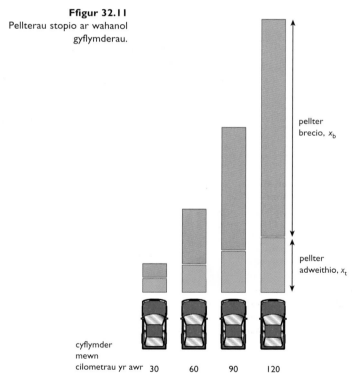

Ffigur 32.11
Pellterau stopio ar wahanol gyflymderau.

pellter brecio, x_b

pellter adweithio, x_t

cyflymder mewn cilometrau yr awr   30   60   90   120

Stopio'n rhy gyflym

Yn nyddiau cynnar y car modur, roedd yn rhaid i rywun gerdded y tu blaen iddo yn chwifio baner goch. Roedd hyn yn cael ei wneud am nad yw'r corff dynol wedi'i gynllunio i wrthsefyll effaith cael ei daro gan bethau trwm cyflym nac ychwaith i symud yn gyflym ei hun ac i wrthsefyll effaith cael ei daro gan bethau mawr disymud. Daeth y rhai a oedd yn gyfrifol am lunio deddfau i'r casgliad y gallai pobl gael eu lladd o ganlyniad i hyn. Roedden nhw'n iawn. Rydym ni i gyd yn gwybod bod ceir yn **berygl**, neu fod yna botensial i ddamweiniau ddigwydd. Yr hyn y gallwn ni ei wneud yw cydnabod y peryglon a lleihau'r **risg**, neu'r tebygolrwydd, o gael niwed. Yna gallwn benderfynu ein hunain a ydym am dderbyn y risg hwnnw. Rhaid i ni gofio hefyd fod ein presenoldeb ni ar y ffordd yn ychwanegu at y perygl i bobl eraill, gan gynnwys cerddwyr. Rhaid lleihau'r risg o achosi niwed i bobl eraill hefyd. Mae hyn yn golygu cymryd camau i sicrhau diogelwch ar y ffyrdd, e.e. pennu'r cyflymder uchaf, ynghyd â chynllunio ceir a fydd yn gallu ymateb yn well i'r peryglon a lleihau'r risg.

Y grym sy'n gwneud y difrod. Mae nodweddion diogelwch mewn ceir wedi'u cynllunio i leihau'r grym sy'n gweithredu ar gorff teithiwr yn ystod damwain. Un ffordd o leihau'r grym mwyaf y gallech ei brofi yn ystod gwrthdrawiad yw defnyddio gwregysau diogelwch. Bydd eich corff, fel unrhyw fàs arall, yn gwrthsefyll cyflymiad neu arafiad. Gelwir hyn yn inertia a chaiff ei fesur yn nhermau màs, lle bo $m = F/a$. Mewn damwain, bydd màs eich corff yn parhau i symud ymlaen hyd nes y caiff ei arafu gan rym priodol. Bydd gwregys yn eich stopio chi â grym sy'n llai nag y byddech yn ei brofi petai eich corff yn taro yn erbyn y ffenestr flaen neu gefn y sedd y tu blaen i chi.

Mae gwregysau diogelwch wedi'u cynllunio'n ofalus er mwyn lleihau effaith y grym hwn. Er y gall gwregys gael ei wisgo sawl gwaith, dim ond mewn un ddamwain y gall gael ei ddefnyddio. Mae'r webin wedi'i gynllunio i ddatod pan fydd y grym (hynny yw, y tyniant sy'n estyn y gwregys) yn cyrraedd lefel arbennig. Corff y teithiwr sy'n rhoi'r grym hwn tra bo'r gwregys yn rhoi grym hafal a dirgroes ar y teithiwr. Rhaid i'r gwregys beidio â datod ar lefelau grym a brofir o dan amgylchiadau arferol, ond rhaid iddo ddatod cyn y bydd y grym mor fawr nes ei gwneud hi'n debygol y bydd yr unigolyn yn cael ei anafu. Wrth i gorff y teithiwr achosi i'r webin ddatod, bydd yn gwneud gwaith arno ac yn colli egni cinetig:

gwaith y mae'n rhaid i chi ei wneud ar yr hyn sydd o'ch amgylch er mwyn stopio	=	yr egni cinetig y mae'n rhaid i chi ei golli

y grym cymedrig y byddwch chi'n ei roi ar yr hyn sydd o'ch amgylch	$\times$	y pellter a deithiwch wrth stopio	=	yr egni cinetig y mae'n rhaid i chi ei golli

Neu:

y grym cymedrig sy'n cael ei roi *gan yr hyn sydd o'ch amgylch arnoch chi*	$\times$	y pellter *a deithiwch chi wrth stopio*	=	yr egni cinetig y mae'n rhaid i chi ei golli

$$Fx = \tfrac{1}{2}mv^2$$

$$F = \frac{mv^2}{2x}$$

Mae lleihau'r grym sy'n cael ei roi yn golygu lleihau ochr dde'r hafaliad olaf hwn. Mae gyrru ar fuanedd isel, v, yn cael yr effaith fwyaf dramatig. Mae hefyd yn help i gael màs llai. Ond ffordd arall o leihau'r grym yw estyn y pellter x y byddwch yn ei deithio wrth stopio. Mae gwregysau diogelwch, metel sy'n crychu a bagiau aer oll wedi'u cynllunio i wneud hyn (Ffigur 32.12).

Ffigur 32.12
Nodweddion diogelwch sy'n lleihau'r grym sy'n gweithredu ar y person mewn damwain, drwy estyn y pellter a deithir tra bo'r grym yn gweithredu.

mae'r gwregys a'r corff yn rhoi grymoedd hafal a dirgroes

Mae gwregys sy'n datod yn cynyddu'r pellter a deithir tra bo'r corff yn arafu.

mae'r bag aer a'r pen yn rhoi grymoedd hafal a dirgroes

Mae'r bag aer yn cynyddu'r pellter a deithir tra bo'r pen yn arafu.

mae'r wal a'r car yn rhoi grymoedd hafal a dirgroes

Mae crychbarthau'r car yn cynyddu'r pellter a deithir tra bydd y car yn arafu.

12 a Cyfrifwch y gymhareb

(gwaith y mae'n rhaid i gar ei wneud ar ei amgylchoedd er mwyn stopio o gyflymder cychwynnol o 30 m s⁻¹)

(gwaith y mae'n rhaid i'r un car ei wneud er mwyn stopio o gyflymder cychwynnol o 15 m s⁻¹)

Defnyddiwch
gwaith sy'n rhaid ei wneud = egni cinetig a gollwyd

b Sut y mae'r canlyniad hwn yn cefnogi'r syniad bod cyfyngiadau cyflymder is yn golygu lleihau'r risg i bawb sy'n defnyddio'r ffyrdd?

13 Esboniwch pam y mae gosod bariau metel i addurno'r tu blaen i gerbydau yn cynyddu'r risg o anafu pobl sy'n cerdded ac yn beicio os bydd y cerbyd mewn gwrthdrawiad â nhw?

14 Dychmygwch eich bod chi a gwybedyn yn taro yn erbyn wal ar yr un cyflymder.
a Defnyddiwch yr hafaliad

$$F = \frac{mv^2}{2x}$$

i esbonio pam y byddwch chi wedi cael mwy o anafiadau na'r gwybedyn.
b Dangoswch fod yr hafaliad yn gyson â'r hafaliad $F = ma$ mwy cyfarwydd.

Effeithlonedd modur

Effeithlonedd yn gyffredinol (gweler Pennod 15) yw cymhareb allbwn pŵer defnyddiol i fewnbwn pŵer, sy'n cael ei luosi fel arfer â 100 a'i fynegi fel canran:

$$\text{effeithlonedd} = \frac{\text{allbwn pŵer defnyddiol}}{\text{mewnbwn pŵer}} \times 100\%$$

Ar gyfer car, gellir meddwl am ei bŵer symud fel yr allbwn pŵer defnyddiol (tudalen 353), a gellir mesur y mewnbwn pŵer yn nhermau'r tanwydd a ddefnyddir:

allbwn pŵer defnyddiol $= F_{GY}v$

mewnbwn pŵer = màs y tanwydd a $\quad \times \quad$ 'cynnwys egni' y tanwydd
ddefnyddir yr eiliad, dm/dt $\qquad$ mewn jouleau y cilogram, C

$$= \frac{dm}{dt} \times C$$

Mae cymhareb y rhain, wedi'i luosi â 100, yn rhoi i ni fesur ar gyfer effeithlonedd y car.

Wrth gwrs, canlyniad terfynol defnyddiol y defnydd a wneir o'r car yw'r pellter a deithiwyd, a'r mewnbwn yw swm y tanwydd a ddefnyddiwyd. Felly un mesur y gellir ei ddefnyddio i benderfynu a yw'r car 'werth yr arian' yw cymhareb y mewnbwn egni o danwydd i'r pellter a deithiwyd, mewn MJ km^{-1} (Ffigur 32.13).

Ffigur 32.13
Yn gyffredinol, mae'r mewnbwn egni am bob km yn cynyddu gyda buanedd, h.y. mae'r 'gwerth am arian' yn lleihau gyda'r buanedd.

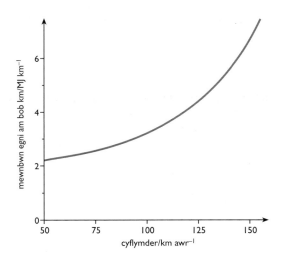

● **Deall a chymhwyso**

Breciau ABS

Mae ceir yn lladd pobl. Ledled y byd, mae cannoedd ar filoedd o yrwyr, teithwyr a cherddwyr diniwed yn cael eu lladd bob blwyddyn. Eto i gyd, mae'r rhan fwyaf ohonom yn teimlo'n ddiogel mewn car hyd nes y daw'r eiliad o banig pan fydd rhywbeth yn mynd o'i le. Fel arfer, y broblem yw camgymeriad ar ran y gyrrwr – methu gweld rhywbeth, methu ymateb mewn pryd, methu rhagweld beth allai fynd o'i le. Mae camgymeriadau o'r fath yn fwy tebygol o ddigwydd ac yn debygol o achosi anafiadau mwy difrifol po fwyaf yw buanedd y car. Mae diffyg mecanyddol yn digwydd yn llai aml, ond yn rhy aml er hynny, ac mae hyn yn fwy tebygol o ddigwydd pan nad yw'r cerbyd yn cael ei gynnal a'i gadw fel y dylai.

Rhaid i ni wneud penderfyniadau ynglŷn â risg felly. Mae'r rhan fwyaf ohonom yn penderfynu bod y risg yn dderbyniol o'i gymharu â manteision defnyddio ceir. Gall ceir gael eu hadeiladu i leihau risg anafiadau drwy gynnwys nodweddion megis breciau ABS, all helpu i atal gwrthdrawiad, a nodweddion eraill sy'n lleihau effaith gwrthdrawiad fel y crychbarthau, gwregysau diogelwch a bagiau aer.

Mae breciau ABS yn lleihau risg sgidio neu lithro. Gall llithro ddigwydd pan fydd yr olwynion yn 'cloi'. Hynny yw, mae'r olwynion yn stopio troi pan yw'r car yn dal i symud ac o ganlyniad yn llithro. Mae'n fwy tebygol o ddigwydd pan fydd yn rhaid brecio mewn argyfwng pryd y bydd greddf y gyrrwr yn dweud wrtho am wasgu mor galed ag y gall ar y brêc. Mewn system ABS mae synwyryddion ar yr olwyn sy'n synhwyro nad yw'r olwynion yn cylchdroi ac yn anfon neges i'r uned reoli. Mae hyn wedyn yn lleihau'r gwasgedd ar y brêc i'r olwynion yr effeithir arnynt. Gall pylsau o wasgedd hydrolig gael eu defnyddio i atal y car rhag llithro. Bydd ABS yn caniatáu i'r gyrrwr gadw rheolaeth ar y llyw.

Mae car â màs o 1.6 t yn teithio ar fuanedd o 72 km awr⁻¹ ar ffordd syth ac yn sydyn mae'r gyrrwr yn gweld cerbyd yn ddisymud 20 m o'i flaen. (1 t = 1 dunnell fetrig = 1000 kg)

15 Cyfrifwch fomentwm ac egni cinetig y car mewn unedau SI.

16 a Pa rym sydd ei angen i stopio'r car dros bellter llorweddol o 20 m?
   b Pa rym fyddai ei angen ar oledd sy'n codi 1 m am bob 10 m o'r pellter llorweddol?
   c Pa rym fyddai ei angen ar oledd sy'n disgyn 1.5 m am bob 10 m o'r pellter llorweddol?
   d Pa rym sy'n gweithredu ar berson â màs o 70 kg wrth i'r car stopio o fewn pellter llorweddol o 20 m?
   e Os yw'r ffordd yn llorweddol ond yn wlyb fel y bo'r grym brecio mwyaf posibl a all fod rhwng y ffordd a theiars y car yn 12 kN, beth sy'n digwydd?
   f Ar gyfer grym macsimwm, beth yw'r goledd lleiaf ar i fyny (yn nhermau cynnydd yn yr uchder am bob 10 m o'r pellter llorweddol) a fydd yn caniatáu i'r car stopio o fewn pellter o 20 m?

17 a Tybiwch fod gwrthdrawiad yn digwydd. A fydd hwn yn wrthdrawiad elastig neu anelastig? Esboniwch.
   b Mae pob gwrthdrawiad yn bodloni rheolau cadwraeth momentwm ond mae'r ddau gar yn dod i ddisymudedd yn fuan ar ôl y ddamwain. Esboniwch hyn, ac esboniwch pam y mae gwrthdrawiad rhwng ceir ar y ffyrdd yn wahanol iawn i wrthdrawiad rhwng awyrennau.

18 a Ni all system ABS wella cyflwr y ffyrdd na safonau gyrru pobl. Sut y gallai helpu i atal gwrthdrawiad yn yr achos uchod?
   b Gwnewch gynllun yn dangos y canlyniadau mwyaf tebygol gydag ABS a hebddo.

19 Brasluniwch ddiagram bloc i ddangos egwyddorion system ABS. Defnyddiwch flociau i gynrychioli'r olwyn, y brêc, y synhwyrydd a'r uned reoli. Dylech hefyd ddangos llif y wybodaeth rhyngddynt.

20 TRAFODWCH
   a I ba raddau y byddai nodweddion diogelwch megis gwregysau, sy'n lleihau risg anafiadau i'r bobl sydd yn y car, yn lleihau diogelwch pobl eraill?
   b I ba raddau y gallai nodweddion diogelwch fel ABS, sy'n lleihau risg damweiniau difrifol ar fuanedd penodol, danseilio diogelwch ar y ffyrdd?

● Tasg sgiliau ychwanegol

Cyfathrebu

Mae'r gyfraith yn gosod cyfyngiadau ar fuanedd modurwyr. Mae rhai dulliau yn ddigon amrwd: dal troseddwyr a'u dirwyo. Mae dulliau eraill yn cael eu defnyddio hefyd i atal modurwyr rhag goryrru yn y lle cyntaf. Mae nifer o sloganau, posteri a hysbysebion ar y teledu wedi'u cynllunio i berswadio gyrwyr y gall cynnydd bychan yn eu buanedd gael effaith andwyol ar eraill. Os gallwch, ewch ati i gael mwy o wybodaeth am raglenni ymgyrchu'r llywodraeth.

Nodwch ac esboniwch yr egwyddorion ffisegol sy'n golygu bod difrifoldeb damweiniau yn codi yn serth wrth i lefelau buanedd godi.

Cyflwynwch adroddiad i'r myfyrwyr eraill ar ffurf cyflwyniad llafar, gan ddefnyddio cymhorthion gweledol, er mwyn gwneud iddynt yrru'n fwy diogel. Gwnewch yn siŵr y byddwch yn llwyddo i ennyn a dal sylw eich cynulleidfa.

● Cwestiynau arholiad

1 a Disgrifiwch sut y gall olwynion gyrru cerbyd gynhyrchu grym ymlaen ar y ddaear. (3)
   b Mae beic a beiciwr gyda chyfanswm eu màs yn 70 kg yn teithio ar hyd ffordd lorweddol syth. Ar ennyd benodol o amser, y buanedd yw 8.8 m s⁻¹ a'r cyflymiad yw 0.12 m s⁻². Ar yr ennyd hon mae'r beiciwr yn profi grym llusgiad gwasgedd o 45 N a grym ffrithiant gwrthiant o 15 N ar y ddaear. Cyfrifwch
   i y grym cydeffaith sy'n angenrheidiol i roi'r cyflymiad hwn i'r beiciwr
   ii y pŵer y mae ei angen ar y beiciwr ar yr amser hwn, gan gymryd i ystyriaeth y grymoedd gwrthiannol. (6)

   c Mae'r beiciwr yn awr yn symud i fyny bryn ar oledd ag ongl o 6.0° i'r llorwedd fel y gwelir isod ac mae'n arafu i fuanedd cyson o 2.2 m s⁻¹. Gallwch dybio nad oes unrhyw newid yn wyneb y ffordd.

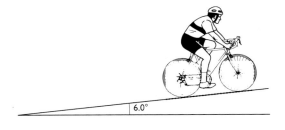

6.0°

i Dywedwch sut y mae grym llusgiad gwasgedd a grym ffrithiant gwrthiannol yn dibynnu ar fuanedd. (2)

ii Cyfrifwch

1 y grym llusgiad newydd, gan dybio bod $F = A\rho v^2$ (3)

2 y pŵer newydd y mae ei angen ar y beiciwr i symud ar fuanedd cyson o 2.2 m s^{-1}. (4)

OCR, Gwyddoniaeth, Ffiseg Cludiant, Tachwedd 1999

2 Mae a wnelo'r cwestiwn hwn â'r grym llusgiad sy'n cael ei roi ar gar.

Mae'r grym llusgiad yn cael ei achosi gan lif yr aer o amgylch y car ac mae perthynas rhyngddo â buanedd, v, y car yn ôl yr hafaliad canlynol:

$$F_{Ll} = KA\rho v^2$$

lle saif F_{Ll} am y grym llusgiad, A am arwynebedd trawstoriadol blaen y car, ρ am ddwysedd yr aer a lle bo K yn gysonyn. Mae'r hafaliad yn tybio nad oes gwynt yn chwythu.

Mae'r graff isod yn dangos sut y mae grym llusgiad yn amrywio â sgwâr y buanedd ar gyfer car penodol y mae ei arwynebedd trawstoriadol A yn 2.0 m^2. Dwysedd yr aer = 1.2 kg m^{-3}.

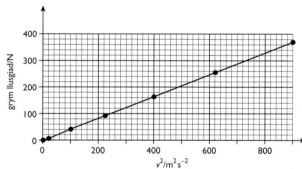

a O'r wybodaeth sydd ar y graff nodwch beth yw

i y grym llusgiad ar y car pan fo ei fuanedd yn 20 m s^{-1}. (1)

ii gwerth K. (3)

b Cyfrifwch y pŵer y mae ei angen ar beiriant y car i gadw buanedd cyson o 20 m s^{-1}. (2)

c O ba ffactor y byddai pŵer y peiriant yn cynyddu petai'r car yn teithio ar fuanedd o 20 m s^{-1} i mewn i wynt blaen â buanedd o 20 m s^{-1}. (2)

Y Fagloriaeth Ryngwladol, Lefel Atodol/Safonol, Tachwedd 1998

3 a Rhaid bod gan geir oleuadau rhybuddio yn y cefn (goleuadau stopio) er mwyn dangos pryd y mae'r gyrrwr yn brecio. Mae goleuadau stopio confensiynol yn cymryd 0.50 s i gyrraedd eu disgleirdeb mwyaf. Mae gwneuthurwyr ceir yn honni bod math newydd o oleuadau stopio yn 'cynnau 25 gwaith ynghynt' a bod hyn yn nodwedd arall ar ddiogelwch.

i Cyfrifwch

1 yr amser a gymer i'r math newydd o oleuadau stopio cynnau a chyrraedd ei ddisgleirdeb mwyaf

2 y gwahaniaeth ym mhellter symud car sy'n teithio ar fuanedd o 30 m s^{-1} yn ystod yr amser y bydd y ddau fath o oleuadau stopio yn cyrraedd eu disgleirdeb mwyaf.

ii Awgrymwch pam y gallai'r math newydd o oleuadau stopio wella diogelwch ar y ffyrdd. (4)

b Y cyfyngiad cyfreithiol ar fuanedd ar draffyrdd yw tua 30 m s^{-1}. Mewn digwyddiad ar y draffordd, mae car â màs o 900 kg yn gadael ôl llithro 75 m o hyd pan fydd yn stopio. Mae arafiad macsimwm y car pan fo'n llithro tua 10 m s^{-2}.

i Dangoswch sut y mae'n rhaid bod y car yn teithio ar fuanedd uwchlaw'r cyfyngiad cyfreithiol cyn y digwyddiad. (3)

ii Cyfrifwch, ar gyfer y llithriad, y grym brecio cyfartalog macsimwm rhwng pob un o'r pedwar teiar a'r ffordd. (2)

iii Pan fo'r draffordd yn wlyb, mae'r grym brecio a roddir gan bob olwyn yn cael ei leihau 50% i'r hyn a gyfrifwyd yn **ii**. Trafodwch yn feintiol effaith y grym brecio gostyngol hwn ar y pellter stopio. Yn eich trafodaeth, gallwch dybio mai yr un oedd buanedd y car, cyn brecio, ar ffordd sych a ffordd wlyb. (3)

OCR, Gwyddoniaeth, Ffiseg Sylfaenol, Mehefin 1999

4 Mae locomotif tegan ac iddo fâs o 0.50 kg yn ddisymud ar drac llorweddol. Mae'r locomotif yn cael ei bweru gan fand rwber wedi'i ddirwyn a fydd, wrth iddo gael ei ddad-ddirwyn, yn rhoi grym sy'n amrywio gydag amser fel y dangosir yn y tabl.

Amser/s	0.0	1.0	2.0	3.0	4.0	5.0	6.0	7.0	8.0
Grym/N	0.20	0.18	0.15	0.12	0.10	0.08	0.05	0.02	0.00

a i Plotiwch graff o'r grym yn erbyn amser ar gyfer y ffynhonnell bŵer band rwber.

ii Dywedwch beth a roddir gan yr arwynebedd rhwng y graff a'r echelin amser. (4)

b Mae'r band rwber yn cael ei ddirwyn a'i ryddhau i bweru'r locomotif. Defnyddiwch eich graff i ddangos mai buanedd y locomotif 8.0 s ar ôl i'r band rwber sydd wedi'i ddirwyn gael ei ryddhau, yw 1.6 m s^{-1}. Anwybyddwch effeithiau gwrthiant aer ac egni a gollwyd oherwydd ffrithiant. (2)

c 8.0 s ar ôl ei ryddhau, mae'r locomotif mewn gwrthdrawiad â thryc tegan, sy'n ddisymud ac â màs o 1.50 kg, ac mae'r ddau yn uno.

i Cyfrifwch fuanedd y tryc a'r locomotif sydd wedi cyplu ar ôl y gwrthdrawiad.

ii Cyfrifwch egni cinetig cyfunol y locomotif a'r tryc yn union ar ôl y gwrthdrawiad.

iii Dangoswch, gyda chymorth cyfrifiadau, a oedd y gwrthdrawiad yn elastig ai peidio. (5)

AQA (NEAB), Mecaneg a Thrydan (PH01), Mawrth 1999

5 Pan fydd peirianwyr yn dylunio car newydd, byddant yn mesur y grym gwrthiant sy'n gweithredu arno ar wahanol fuaneddau. Mae'r tabl yn dangos y canlyniadau ar gyfer un car yn arbennig.

Buanedd/m s^{-1}	Grym gwrthiant/N
10	140
20	260
30	460
40	740
50	1100

a Enwch ddau rym sy'n achosi'r gwrthiant hwn i'r mudiant. (2)

b Esboniwch pam y mae'r grym gwrthiant yn cynyddu wrth i'r car symud yn gyflymach. (2)

c Mae gan un fersiwn o'r car newydd fuanedd macsimwm o 40 m s^{-1} ar ffordd wastad. Cyfrifwch y pŵer a gaiff ei ddefnyddio i goresgyn y grymoedd gwrthiant ar y buanedd hwn. (2)

d Mae fersiwn drutach o'r car yn cael ei ddylunio a'i fuanedd uchaf yn 50 m s^{-1}. Cyfrifwch allbwn pŵer defnyddiol macsimwm y peiriant. Esboniwch eich ateb. (3)

OCR, Gwyddoniaeth, Ffiseg Cludiant, Mehefin 1999

6 Tybiwch mai gwerth g yw 9.8 m s^{-2} neu 9.8 N kg^{-1}.

a Esboniwch, yn gyffredinol, pam y mae rhan flaen car wedi'i dylunio i grychu os bydd mewn gwrthdrawiad o'r tu blaen. Yn eich ateb dylech sôn am y grymoedd sy'n rhan o'r gwrthdrawiad, yr egni a afradlonir, y newid yn hyd y crychbarth ac arafiad y car tra bo'r rhan sy'n crychu yn cael ei hanffurfio. (4)

b Mae car â màs o 2100 kg sy'n teithio ar fuanedd o 15 m s^{-1} mewn gwrthdrawiad â chefn car disymud â màs o 800 kg.

Mae'r ddau gerbyd yn crychu am gyfnod o 0.20 s o amser yn ystod y gwrthdrawiad ac yna'n symud fel un corff unedig. Anwybyddwch rymoedd allanol.

Cyfrifwch y cyflymiad cyfartalog sy'n cael ei brofi gan y car 800 kg yn ystod y gwrthdrawiad. (2)

c Mae gweddillion y ddau gar yn dod i ddisymudedd oherwydd ffrithiant â'r ffordd. Disgrifiwch, heb wneud rhagor o gyfrifiadau, y grymoedd sy'n gysylltiedig â'r gwrthdrawiad sydd wedi'i ddisgrifio yn **b** a'r arafiad canlynol sy'n cael ei brofi gan yrrwr y car 800 kg. Dylai eich ateb gael ei gyfyngu i waith:

i yr ateg pen (sy'n rhan o'r sedd ac yn atal y pen rhag symud yn ôl ymhell)

ii y gwregys diogelwch. (2)

OCR, Ffiseg, Cludiant, Mawrth 1999

IX
PROSESAU
THERMOL

Egni mewnol a throsglwyddiadau thermol egni

Y CWESTIYNAU MAWR

- Sut y mae egni'n cael ei drosglwyddo rhwng defnyddiau?
- Beth mae'r trosglwyddiadau egni hyn yn ei ddweud wrthym am **a** egni a **b** defnyddiau?

GEIRFA ALLWEDDOL

adborth negatif   agerbwynt   anweddol   celfin   cydbwysedd dynamig   cydbwysedd thermol   cynhwysedd gwres   cynhwysedd gwres sbesiffig   cyswllt thermol   damcaniaeth galorig   damcaniaeth ginetig   Deddf Gyntaf Thermodynameg   graddfa ganradd   graddfa Celsius   graddfa linol   graddfa dymheredd   graddfa dymheredd thermodynamig   graddnodi   gwres cudd anweddu   gwres cudd anweddu sbesiffig   gwres cudd ymdoddi   gwres cudd ymdoddi sbesiffig   nwy tŷ gwydr   pwynt sefydlog   pwynt triphlyg dŵr   rhewbwynt   sero absoliwt   Serofed Deddf Thermodynameg   trosglwyddiad thermol   ymddygiad nwy delfrydol

Y CEFNDIR

Ceir yn y bennod hon gyflwyniad i wyddor thermodynameg – sef astudiaeth o drosglwyddiadau egni sy'n cynnwys prosesau thermol yn ogystal â mecanyddol. Mae a wnelo thermodynameg â phrosesau mewn dyfeisiau fel peiriant, tyrbin ac oergell. Mae hefyd yn rhoi rhai syniadau pendant iawn i ni am yr hyn all ddigwydd yn y Bydysawd a'r hyn na all ddigwydd (Ffigur 33.1).

Ffigur 33.1
Prosesau thermol yn y Bydysawd.

Yn ystod crebachiad disgyrchol cwmwl anferth o nwy, mae gronynnau yn taro yn erbyn ei gilydd mor galed mae'r holl atomau yn cael eu hïoneiddio ac mae eu niwclysau yn dechrau ymasio. Os oes digon o ddefnydd ar gael mae'r ymasiad yn cadw'r tymheredd yn ddigon uchel i allu parhau i daflu gronynnau ynghyd yn ddigon cyflym, er mwyn i'r ymasiad barhau. Mae seren yn cael ei chreu ac, wedi hynny, mae'n taflu pelydriadau sy'n cludo egni allan i'r gofod rhyngserol oer. Mae trosglwyddiad thermol egni a'r prosesau sy'n digwydd oddi mewn i'r seren ei hun, hyd yn oed y rheiny sy'n rhan o'r trawsnewidiad màs-egni, yn ufuddhau i ddeddfau thermodynameg. Yn yr alaeth hon mae sêr newydd yn cael eu ffurfio, gyda'u pelydriadau cyntaf yn achosi i atomau hydrogen gael eu cynhyrfu a hyn sy'n cynhyrchu'r lliw pinc.

Systemau gweithredol a goddefol

Gall peiriant cerbyd drosglwyddo egni i'r hyn sydd o'i amgylch drwy brosesau thermol a mecanyddol, gan wneud gwaith ar y defnyddiau o'i gwmpas (Ffigur 33.2). Gall y peiriant gael ei alw'n system weithredol. Gall peth byw wneud gwaith, felly mae hefyd yn system weithredol.

Mae system ag un neu ragor o wrthrychau sy'n cyfnewid egni drwy brosesau thermol yn unig yn system oddefol. Gall bricsen, bwcedaid o ddŵr neu gerflun, ynghyd â'u hamgylchedd, oll gael eu hystyried yn systemau goddefol. Gallant wneud ychydig o waith ar y byd o'u hamgylch drwy ehangu, gan wthio defnyddiau eraill allan o'r ffordd, ond mae hyn yn fach iawn o'i gymharu â'r trosglwyddiadau thermol egni sy'n digwydd ar yr un pryd. Mae a wnelo'r bennod hon, yn bennaf, â systemau goddefol.

Ffigur 33.2
Gallwn ddefnyddio diagram trosglwyddiad egni i ddangos symiau cymharol yr egni sy'n cael ei drosglwyddo mewn amser penodol drwy wresogi a thrwy wneud gwaith.

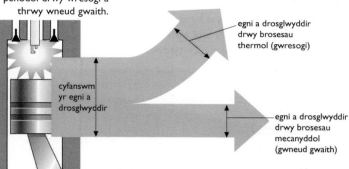

egni a drosglwyddir drwy brosesau thermol (gwresogi)

cyfanswm yr egni a drosglwyddir

egni a drosglwyddir drwy brosesau mecanyddol (gwneud gwaith)

Prif fecanweithiau trosglwyddiad thermol

Ffigur 33.3
Mae eich coffi yn oeri drwy brosesau trosglwyddiad thermol.

ceryntau darfudiad yn cael eu creu o ganlyniad i aer gerllaw yn cael ei wresogi

mae anweddiad, fel darfudiad, yn golygu symudiad ffisegol gronynnau egnïol

gall y tymheredd anghyson o fewn y ddiod gynhyrchu ceryntau darfudiad mewnol

mae egni'n cael ei gludo at y ddiod a'r cwpan ac i ffwrdd ohonynt drwy belydriad, ond nid ar gyfraddau hafal

dargludiad net yn digwydd i ffwrdd oddi wrth y ddiod a'r cwpan i'r defnyddiau cyfagos

Os yw dau wrthrych yn dod i gysylltiad â'i gilydd, gall eu gronynnau sy'n symud neu ddirgrynu roi grymoedd atynnu a gwrthyrru ar ei gilydd. O ganlyniad i hynny, gall **trosglwyddiad thermol** egni ddigwydd rhwng y gwrthrychau (Ffigur 33.3). Mae rhyngweithiad o'r fath rhwng gronynnau hefyd yn digwydd o fewn un gwrthrych unigol, wrth gwrs, a gall drosglwyddo egni o un rhan o'r gwrthrych i ran arall. Mae'r rhyngweithiadau yn arwain at y duedd i'r gronynnau mwy egnïol golli egni, tra bydd eraill yn ei ennill. Gelwir y broses hon o drosglwyddiad thermol yn ddargludiad.

Gall gronynnau sydd mewn dellten o ddefnydd solid ryngweithio'n fwy effeithiol na'r rheiny sydd mewn hylifau a nwyon. Mae'n bosibl mai'r gronynnau fydd yr atomau eu hunain, gyda'r grymoedd rhyngddynt yn peri i atom ddylanwadu ar un arall ac yn caniatáu i egni gael ei drosglwyddo rhyngddynt. Mewn metelau, mae'r electronau rhydd hefyd yn rhyngweithio â'i gilydd a chyda delltwaith yr ïonau y maent yn symud drwyddo. Gall electronau egnïol symud drwy fetel, gan fynd â'u hegni gyda nhw. Effaith yr electronau rhydd hyn yw'r rheswm bod metelau yn ddargludyddion mor dda.

Gall trosglwyddiad thermol egni o fan i fan ddigwydd o ganlyniad i symudiad defnyddiau. Mae'r defnydd yn mynd â'i egni mewnol gydag ef ar ei daith. Gall newidiadau yn nwysedd llifydd (hylif neu nwy), o ganlyniad i newid yn y tymheredd, arwain at ddefnydd yn symud yn y fath fodd. Mae ceryntau darfudiad yn digwydd o fewn y llifydd. Gall anweddiad hefyd drosglwyddo egni, ond gan ei fod yn golygu symudiad ffisegol y defnydd gall gael ei ystyried yn enghraifft arbennig o ddarfudiad.

Mae pob gwrthrych yn allyrru ac yn amsugno pelydriad electromagnetig. Mae'r gyfradd allyrru yn dibynnu'n fawr ar dymheredd y gwrthrych – po uchaf yw'r tymheredd, mwyaf dwys yw'r pelydriad a hefyd yr uchaf yw ei amledd cyfartalog. Mae pelydriad, fel prosesau trosglwyddo eraill, yn cludo egni i ffwrdd i amgylchedd y gwrthrych. Yn ystod amsugniad, mae egni'n cael ei drosglwyddo i'r gwrthrych o'i amgylchedd.

Dywedir bod unrhyw ddau wrthrych sy'n cyfnewid egni drwy un neu ragor o'r prosesau thermol hyn mewn **cyswllt thermol**. Mae egni'n cael ei drosglwyddo rhwng y gwrthrychau i'r ddau gyfeiriad.

1 Beth yw prif brosesau trosglwyddiad thermol
  a mewn simnai
  b pan fyddwch yn tostio bara
  c pan fyddwch yn ffrio wy?

2 A ydych chi'n allyrru pelydriad electromagnetig? Oes gwrthrychau o'ch amgylch nad ydynt yn allyrru pelydriad electromagnetig? A ydych chi'n amsugno pelydriad electromagnetig?

3 Disgrifiwch y nodweddion sy'n debyg ac yn wahanol rhwng pelydriad electromagnetig thermol a phelydriad electromagnetig ïoneiddio.

Gwahaniaeth tymheredd a throsglwyddiad thermol

Rydych mewn cyswllt thermol â'r hyn sydd o'ch amgylch – gall egni gael ei drosglwyddo rhyngoch chi a'r hyn sydd o'ch amgylch drwy brosesau thermol (dargludiad, darfudiad ac anweddiad, pelydriad). Rydych chi'n system weithredol sy'n gallu cadw'ch tymheredd yn gyson, sydd bron bob amser yn uwch na'r tymheredd o'ch amgylch. Felly mae'r trosglwyddiad egni net bron bob amser oddi wrthoch chi i'r amgylchedd.

Mae Angel y Gogledd (Ffigur 33.4) yn system symlach o lawer nag ydych chi. Gellir meddwl am yr Angel a'i amgylchedd fel system oddefol. Nid oes unrhyw brosesau ar waith sy'n dylanwadu'n sylweddol ar ei dymheredd heblaw am drosglwyddiad thermol egni rhwng y metel a'r amgylchedd. Yn wahanol i chi, nid yw ei dymheredd bob amser yn uwch na'r tymheredd o'i amgylch.

Ffigur 33.4
Angel y Gogledd – cerflun dur anferth yn Gateshead. Mae egni'n trosglwyddo'n ddi-dor i mewn ac allan ohono, yn dibynnu ar y gwahaniaeth yn y tymheredd rhwng y metel a'r tymheredd o'i amgylch.

Ffgur 33.5
Os yw tymheredd dau wrthrych goddefol yn wahanol, caiff egni ei drosglwyddo o'r gwrthrych sydd boethaf i'r gwrthrych sydd oeraf hyd nes y bydd cydbwysedd thermol.

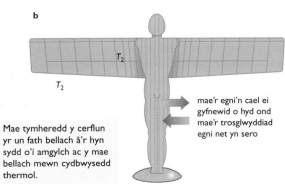

Mae'r cerflun a'r aer mewn cyswllt thermol ond nid ydynt mewn cydbwysedd thermol â'i gilydd. Mae trosglwyddiad egni net yn digwydd rhyngddynt. Mae tymheredd y gwrthrychau – y cerflun a'r amgylchedd – yn newid hyd nes y byddant yr un fath.

Mae tymheredd y cerflun yr un fath bellach â'r hyn sydd o'i amgylch ac y mae bellach mewn cydbwysedd thermol.

Ddydd a nos, mae egni'n cael ei drosglwyddo i mewn ac allan o'r Angel. Yn aml, yr un tymheredd fydd i'r Angel a'r hyn sydd o'i amgylch, yna caiff egni ei drosglwyddo allan ar yr un gyfradd ag a gaiff ei drosglwyddo i mewn. Mae yna gydbwysedd, er bod prosesau megis amsugno ac allyrru pelydriad yn trosglwyddo egni i mewn ac allan. Mae'r trosglwyddiad egni net yn sero. Gelwir cydbwysedd o'r fath, lle bo'r broses yn un ddwy-ffordd, yn enghraifft o **gydbwysedd dynamig**. Yn achos trosglwyddiad thermol egni, gelwir y cydbwysedd hefyd yn **gydbwysedd thermol** (Ffigur 33.5).

Ar noson o haf ar ôl diwrnod poeth, fodd bynnag, mae'n debyg y bydd tymheredd dur yr Angel yn uwch na'r aer o'i amgylch. Mae'r gwahaniaeth yn y tymheredd rhwng y metel a'r aer yn golygu bod trosglwyddiad egni net, o'r Angel i'r aer. Ar y llaw arall, pan fo tymheredd yr aer o amgylch yn uwch na thymheredd y metel mae trosglwyddiad egni net yn digwydd o'r aer i'r Angel. Mae yna berthynas felly sy'n cysylltu'r gwahaniaeth tymheredd rhwng yr Angel a'r aer o'i amgylch a throsglwyddiad net yr egni rhyngddynt.

Serofed Deddf Thermodynameg

Tybiwch, ar adeg pan fo'r Angel mewn cydbwysedd thermol â'r aer o'i amgylch, fod ymwelydd â'r Angel yn gadael can alwminiwm gwag wrth ei draed. Gall egni gael ei drosglwyddo rhwng y tri gwrthrych – rhwng yr Angel a'r aer, y can a'r aer a'r Angel a'r can.

Mae'n bosibl na fydd yr Angel a'r can mewn cydbwysedd thermol â'i gilydd ond, yn hytrach, bydd trosglwyddiad egni net yn digwydd o'r naill i'r llall. Gallai hyn ddigwydd petai'r can, pan gafodd ei daflu gyntaf, yn llawn diod oer ar dymheredd is na'r Angel a gweddill y pethau a oedd o'i amgylch. Bydd y can wedyn yn derbyn mwy o egni o'i amgylchedd nag y bydd yn ei roi allan. O ganlyniad bydd y can yn cyrraedd yr un tymheredd â'i amgylchedd ac ar yr adeg honno bydd cyfradd net trosglwyddo'r egni yn troi'n sero. Y maent felly mewn cydbwysedd thermol â'i gilydd. Mae trosglwyddiadau thermol yn tueddu i ddigwydd er mwyn dileu unrhyw wahaniaeth a chreu unffurfiaeth.

Sefyllfa fwy annhebygol, sy'n bosibl er hynny, fyddai bod y ddiod yn y can wedi'i gwresogi. Unwaith eto, mae egni'n cael ei drosglwyddo cyhyd ag y bo'r can ar dymheredd gwahanol i'w amgylchedd, sy'n cynnwys yr aer a'r Angel.

Ond tybiwch fod tymheredd cychwynnol y can yr un fath â thymheredd yr aer. Byddai mewn cydbwysedd thermol â'r aer. Mae'r Angel hefyd mewn cydbwysedd thermol â'r aer. Mae'n dilyn felly bod y can a'r Angel mewn cydbwysedd thermol â'i gilydd (Ffigur 33.6). Dyma ddatganiad sy'n diffinio **Serofed Deddf Thermodynameg**:

> Os yw dau wrthrych mewn cydbwysedd thermol â thrydydd gwrthrych, y maent hefyd mewn cydbwysedd thermol â'i gilydd.

Cafodd ei galw'n Serofed Deddf oherwydd pan sylweddolwyd pwysigrwydd sylfaenol y datganiad, roedd tair deddf thermodynameg arall eisoes yn bodoli – y ddeddf gyntaf, yr ail a'r drydedd.

Mae'r Serofed Deddf yn ein helpu ni i ddeall ystyr 'tymheredd'. Mae tymheredd yn fesur mesuradwy sy'n penderfynu a yw systemau goddefol mewn cydbwysedd thermol ai peidio. Mae gwahaniaeth tymheredd yn arwain at drosglwyddiad egni – o ddefnydd ar dymheredd yn uwch i ddefnydd ar dymheredd yn is.

Ffigur 33.6
Os gwyddom fod yr Angel a'r can diod ill dau mewn cydbwysedd thermol â'r aer, yna dywed Serofed Deddf Thermodynameg eu bod mewn cydbwysedd thermol â'i gilydd.

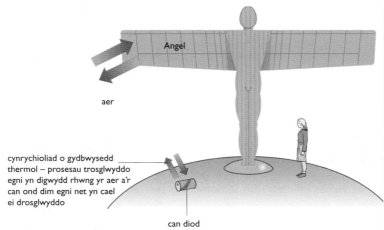

Angel

aer

cynrychioliad o gydbwysedd thermol – prosesau trosglwyddo egni yn digwydd rhwng yr aer a'r can ond dim egni net yn cael ei drosglwyddo

can diod

Gall yr Angel a'r can diod ill dau allyrru ac amsugno pelydriad. Ar yr un tymheredd, mae cyfraddau'r trosglwyddiad egni rhwng y ddau wrthrych yn hafal er bod eu maint yn wahanol iawn. Y gwahaniaeth yn nhymheredd y gwrthrychau, nid eu maint, sy'n penderfynu a fydd trosglwyddiad egni net.

egni'n cael ei allyrru gan yr Angel ac yn cael ei amsugno gan y can

egni'n cael ei allyrru gan y can ac yn cael ei amsugno gan yr Angel ar yr un pryd

4 I ba gyfeiriad y bydd trosglwyddiad thermol egni yn digwydd os byddwch yn cyffwrdd â'r Angel â'ch llaw:
   a ar ddiwrnod poeth iawn
   b ar ddiwrnod oer iawn?

5 Pa fath o drosglwyddiad egni fydd yn digwydd os rhowch diwb profi â dŵr oer ynddo mewn bicer o ddŵr poeth? Pryd bydd y trosglwyddiad egni net yn stopio?

6 Mae dau wrthrych â thymheredd o 200 K a 300 K yn cael eu gosod mewn cyswllt thermol â'i gilydd. Rhagfynegwch beth fydd yn digwydd rhyngddynt.

Os yw dau wrthrych goddefol ar yr un tymheredd yna maent mewn cydbwysedd thermol â'i gilydd, p'un ai a ydynt ill dau ar dymheredd uchel neu ar dymheredd isel.

Sero absoliwt tymheredd a'r celfin

Dychmwgwch wrthrych sydd ar dymheredd mor isel nes bod pob trosglwyddiad thermol egni yn digwydd *i mewn iddo*, beth bynnag yw'r gwrthrychau eraill y mae mewn cyswllt â nhw. Y mae ei dymheredd felly mor isel ag y gall tymheredd unrhyw wrthrych fod. Dyma **sero absoliwt** tymheredd.

Mae gwyddonwyr wedi gostwng tymheredd samplau o ddefnydd i bwynt yn agos iawn at sero absoliwt, ond nid i sero absoliwt ei hun. Rhaid i unrhyw ddefnydd ar dymheredd o sero absoliwt fod yn oerach na'r hyn sydd o'i amgylch, a bydd egni o reidrwydd yn cael ei drosglwyddo i mewn i'r gwrthrych gan arwain, yn ei dro, at ei dymheredd yn codi. Bydd cyfradd y trosglwyddiad tuag i mewn bob amser yn fwy na'r gyfradd y gallwn lwyddo i orfodi egni i drosglwyddo tuag allan.

Er mwyn mesur y tymheredd rhaid creu **graddfa dymheredd** gyflawn – system o rifo ag uned safonol. Er mwyn sefydlu hyn edrychwn ar ymddygiad mater er mwyn darganfod rhyw ffenomen sy'n digwydd ar dymheredd penodol ar wahân i sero absoliwt. Drwy hyn cawn **bwynt sefydlog** y gallwn ei ddefnyddio er mwyn sefydlu graddfa dymheredd.

Mae dŵr yn ddefnydd cyfleus i'w ddefnyddio. O dan rai amodau, gan gynnwys gwasgedd lawer yn is na gwasgedd atmosfferig, gall tri chyflwr dŵr fodoli mewn cyswllt â'i gilydd heb unrhyw newid net ym màs pob cyflwr. Mae'r tri chyflwr mewn un math o gydbwysedd. Hynny yw, mae meintiau cymharol o solid, hylif a nwy yn aros yr un fath. (Cydbwysedd dynamig ydyw gan fod y moleciwlau yn mynd i mewn ac allan o bob cyflwr yn barhaus, drwy anweddu a chyddwyso er enghraifft, ond bod y prosesau hyn mewn cydbwysedd â'i gilydd.) Dim ond ar un tymheredd ac un gwasgedd y gellir sicrhau'r cydbwysedd hwn. Dyma **bwynt triphlyg dŵr** (Ffigur 33.7). Diffinnir tymheredd y pwynt triphlyg yn 273.16 celfin.

Ffigur 33.7
Tri chyflwr dŵr. Bydd y pwynt triphlyg, lle bo'r tri chyflwr mewn cydbwysedd â'i gilydd, yn digwydd ar dymheredd unigryw.

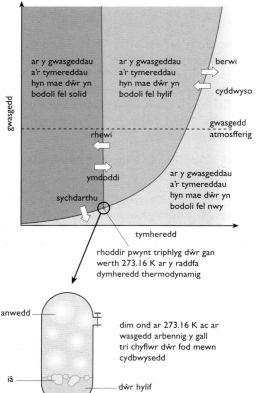

ar y gwasgeddau a'r tymereddau hyn mae dŵr yn bodoli fel solid

ar y gwasgeddau a'r tymereddau hyn mae dŵr yn bodoli fel hylif

berwi

cyddwyso

gwasgedd atmosfferig

gwasgedd

rhewi

ymdoddi

sychdarthu

ar y gwasgeddau a'r tymereddau hyn mae dŵr yn bodoli fel nwy

tymheredd

rhoddir pwynt triphlyg dŵr gan werth 273.16 K ar y raddfa dymheredd thermodynamig

anwedd

iâ

dŵr hylif

dim ond ar 273.16 K ac ar wasgedd arbennig y gall tri chyflwr dŵr fod mewn cydbwysedd

7 Pam y mae'n amhosibl gostwng tymheredd unrhyw wrthrych i sero absoliwt?

8 Beth yw'r gwahaniaeth yn y ffordd y byddwn yn ysgrifennu enw'r afon yn Glasgow a'r ffisegydd o'r 19eg a'r ffordd y byddwn yn ysgrifennu'r enw ar gyfer uned SI tymheredd? I ba unedau SI eraill y mae'r un confensiwn yn berthnasol?

Nid yw'r rhif sydd wedi'i ddewis, 273.16, yn rhif wedi'i dalgrynnu. Hanes hir a chymhleth sefydlu'r dull hwn o ddiffinio graddfa dymheredd sydd wrth wraidd hyn. Daw'r enw celfin yn wreiddiol o Afon Kelvin sy'n llifo drwy Glasgow. Benthycwyd yr enw gan William Thomson, ffisegydd amlwg o'r 19eg ganrif, pan gafodd ei urddo'n Arglwydd Kelvin. Enw ar afon felly yw Kelvin (ac yna enw ar berson). Y **celfin** (K) yw'r enw ar uned o dymheredd.

Felly sero absoliwt tymheredd yw 0 celfin, neu 0 K, a thymheredd pwynt triphlyg dŵr yw 273.16 K. Mae'r holl dymereddau eraill sy'n cael eu mesur mewn celfin yn seiliedig ar y pwyntiau sefydlog hyn (Ffigur 33.8), sy'n diffinio'r hyn a elwir yn **raddfa dymheredd thermodynamig**.

Ffigur 33.8
Sail y raddfa thermodynameg.

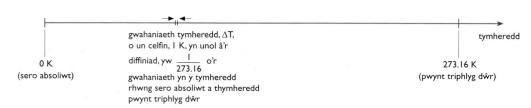

gwahaniaeth tymheredd, ΔT, o un celfin, 1 K, yn unol â'r diffiniad, yw $\dfrac{1}{273.16}$ o'r gwahaniaeth yn y tymheredd rhwng sero absoliwt a thymheredd pwynt triphlyg dŵr

0 K
(sero absoliwt)

273.16 K
(pwynt triphlyg dŵr)

tymheredd

Mesur tymheredd

Mae mesur yn broses ymarferol. Er mwyn mesur tymheredd rhaid edrych ar ymddygiad samplau o ddefnydd, a newidynnau sy'n ddibynnol ar dymheredd – megis hyd colofn o fercwri y tu mewn i diwb gwydr, gwrthiant gwifren neu thermistor, neu'r gwasgedd a roir gan gyfaint penodol o nwy mewn fflasg wedi'i selio (Ffigur 33.9).

Ffigur 33.9
Newidynnau sy'n ddibynnol ar dymheredd ac a ddefnyddir i fesur tymheredd.

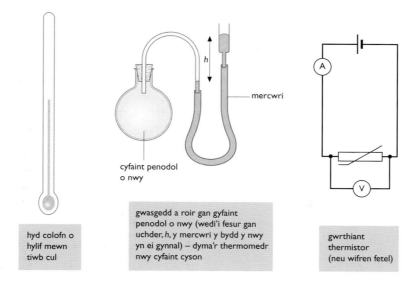

mercwri

cyfaint penodol o nwy

hyd colofn o hylif mewn tiwb cul

gwasgedd a roir gan gyfaint penodol o nwy (wedi'i fesur gan uchder, *h*, y mercwri y bydd y nwy yn ei gynnal) – dyma'r thermomedr nwy cyfaint cyson

gwrthiant thermistor (neu wifren fetel)

Er mwyn mesur tymheredd ar raddfa dymheredd thermodynamig mae'n gwneud synnwyr defnyddio newidyn a fydd yn dod yn sero ar sero absoliwt tymheredd. Mae'r gwasgedd a roir gan nwy yn newidyn o'r fath. Ar 0 K ni all y nwy drosglwyddo egni i'w amgylchedd – ni all oeri ymhellach. Nid oes gan ei foleciwlau egni mwyach ac maent wedi peidio â symud, felly ni allant roi gwasgedd. Sefyllfa ddychmygol yw hon i raddau gan na ellir cyrraedd sero absoliwt, felly cyfeiriwn at ymddygiad o'r fath **fel ymddygiad nwy delfrydol**.

Ffigur 33.10
Gwasgedd yn erbyn tymheredd ar gyfer nwy delfrydol.

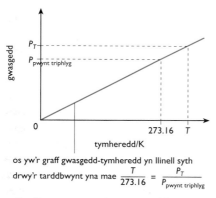

os yw'r graff gwasgedd-tymheredd yn llinell syth drwy'r tarddbwynt yna mae $\dfrac{T}{273.16} = \dfrac{P_T}{P_{\text{pwynt triphlyg}}}$

Mae'r gwasgedd a roir gan nwy yn cynyddu yn ôl y tymheredd, ac ar gyfer nwy delfrydol gallwn dybio bod gwasgedd mewn cyfranedd â'r tymheredd cyn belled nad yw cyfaint y nwy yn newid (gweler Ffigur 33.10). Gallwch ddarllen mwy am nwyon delfrydol yn y bennod nesaf.

Os $P_{\text{pwynt triphlyg}}$ yw'r gwasgedd a roir gan gyfaint amgaeedig nwy delfrydol ar bwynt triphlyg dŵr, 273.16 K, ac os P_T yw'r gwasgedd a roir gan yr un nwy ar ryw dymheredd arall, T, yna mae'r cyfrannedd syml yn caniatáu i ni ddweud:

$$\frac{T}{273.16} = \frac{P_T}{P_{\text{pwynt triphlyg}}}$$

Er mwyn rhoi gwerth i'r tymheredd anhysbys, T, byddwn yn aildrefnu hyn fel a ganlyn:

$$T = \frac{P_T}{P_{\text{pwynt triphlyg}}} \times 273.16$$

Dim ond ychydig o wahaniaeth sydd rhwng ymddygiad nwy real a chyfrannedd syml nwy delfrydol, felly mae'r berthynas hon yn rhoi i ni ddull defnyddiol o fesur tymheredd – drwy fesur gwasgedd cyfaint cyson o fàs penodol o nwy. Nid yw, fodd bynnag, yn ffordd berffaith o fesur tymheredd, yn anad dim oherwydd yr anhawster ymarferol o sicrhau nad yw cyfaint y nwy yn newid fel y gallai ddigwydd petai'r cynhwysydd yn ehangu wrth i'r tymheredd godi.

Graddfeydd Canradd a Celsius

Roedd **graddfa ganradd** tymheredd (na chaiff ei defnyddio mwyach gan wyddonwyr, er bod yr egwyddorion a ddefnyddiwyd wrth sefydlu'r raddfa o ddiddordeb o hyd) yn defnyddio ymdoddbwynt a berwbwynt – neu **rewbwynt** ac **agerbwynt** – dŵr fel y ddau bwynt sefydlog. Rhoddwyd y gwerthoedd *sero* gradd canradd a *chan* gradd canradd i'r tymheredd lle mae cymysgedd iâ-dŵr mewn cydbwysedd (yn meddu ar fâs digyfnewid o bob un o'r ddau gyflwr hyn) a lle mae cymysgedd dŵr-ager mewn cydbwysedd. Yn y ddau achos, rhaid i'r gwasgedd fod yn sefydlog ar wasgedd atmosfferig. Nid oedd rheswm penodol dros ddewis y rhifau 0 a 100 ond eu bod yn weddol hawdd i'w defnyddio.

Defnyddiwyd newidyn megis hyd colofn o fercwri mewn tiwb gwydr fel dangosydd tymheredd ar y raddfa ganradd (Ffigur 33.11). Arsylwyd gwerth y newidyn a ddewiswyd pan gafodd ei drochi mewn iâ a dŵr a oedd mewn cyflwr o gydbwysedd dynamig, ar wasgedd atmosfferig safonol. Defnyddiwn X_0 ar ei gyfer. Yna arsylwyd ei werth, X_{100}, pan oedd mewn cyswllt ag ager a dŵr mewn cydbwysedd ar wasgedd atmosfferig safonol. Cyfanswm y newid yn y newidyn felly yw $(X_{100} - X_0)$.

9 Pam y mae'n rhaid i ni bennu gwasgedd rhewbwynt y dŵr ond nad oes raid i ni bennu gwasgedd y pwynt triphlyg?

Ffigur 33.11
Y tymheredd a ddarllenir oddi ar raddfa'r thermomedr yw tymheredd yr amgylchedd y mae mewn cydbwysedd thermol ag ef.

Pan fo bwlb thermomedr mewn cydbwysedd thermol â'i amgylchedd, yna mae ar yr un tymheredd, sef yr hyn a ddarllenwn ar y raddfa a farciwyd ar y tiwb yn dilyn y broses graddnodi.

Mae cyfaint y mercwri yn y bwlb yn fawr o'i gymharu â'r cyfaint yn y tiwb cul. Ehangiad y mercwri yn y bwlb sy'n ei gwneud hi'n bosibl i'r tymheredd gael ei fesur.

Ar gyfer graddfa linol, rhaid bod gan y tiwb ddiamedr unffurf.

Gallai gwerth y newidyn gael ei arsylwi hefyd ar ryw dymheredd rhyngol, θ. (Mae'n arferol i ddynodi tymheredd ar y raddfa thermodynamig drwy ddefnyddio T, tymheredd ar y raddfa ganradd drwy ddefnyddio θ a thymheredd ar y raddfa Celsius drwy ddefnyddio t. Lle nad yw'r raddfa na'r uned yn cael eu pennu, yna defnyddiwn T fel rheol.) Gallwn alw gwerth y newidyn ar y tymheredd hwn yn X_θ. Mae gan hwn werth sydd $(X_\theta - X_0)$ yn fwy na X_0.

Yn achos hyd y golofn fercwri, gellir rhoi marciau ar y tu allan i'r tiwb gwydr a fyddai'n cyfateb i X_{100} a X_0 ac yna, petai angen, gellir gwneud graddfa i redeg hyd y tiwb. Os caiff ei gwneud yn **raddfa linol** – un lle bo rhaniadau hafal yn cynrychioli'r gwahaniaethau hafal yn y tymheredd – yna gwneir y dybiaeth bod y newid yn hyd y golofn mewn cyfrannedd â'r tymheredd. Rhaid cymryd gofal yma oherwydd mae'n bosibl na fydd hyn yn wir am bob newidyn sy'n ddibynnol ar dymheredd. **Graddnodi** yw'r gair a ddefnyddiwn i ddynodi'r broses o farcio graddfa.

Lle bo'r newid yng ngwerth y newidyn a ddewisir *mewn cyfrannedd* â'r newid yn y tymheredd uwchlaw 0 gradd canradd (Ffigur 33.12), yna gallwn ddweud

$$(X_\theta - X_0) = k\theta$$

a gallwn hefyd ddweud bod

$$(X_{100} - X_0) = k \times 100$$

Ffigur 33.12
Mae graddfa dymheredd linol yn seiliedig ar y dybiaeth bod perthynas gyfrannol yn bodoli rhwng $(X_\theta - X_0)$ a thymheredd θ.

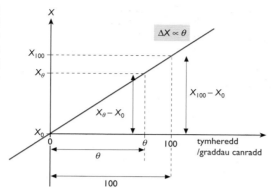

O rannu'r hafaliad cyntaf â'r ail, mae

$$\frac{(X_\theta - X_0)}{(X_{100} - X_0)} = \frac{k\theta}{k \times 100}$$

ac felly

$$\theta = \frac{(X_\theta - X_0)}{(X_{100} - X_0)} \times 100$$

Mae hyn yn diffinio tymheredd ar y raddfa ganradd.

Erbyn heddiw, defnyddiwn y **raddfa Celsius** yn hytrach na'r raddfa ganradd i fesur tymereddau bob dydd, a defnyddiwn y ffurf °C fel talfyriad.

Wrth ddatblygu'r raddfa dymheredd thermodynamig, dewiswyd maint ar gyfer y celfin a fyddai'n sicrhau bod gwahaniaeth tymheredd o 1 celfin yn cyfateb i wahaniaeth tymheredd o 1 radd canradd. Datblygwyd y raddfa Celsius o'r raddfa dymheredd thermodynamig fel y bo hyn hefyd yn rhoi'r un gwerth ar gyfer yr un *newid* mewn tymheredd. Felly mae gwahaniaeth tymheredd o 1 °C yn cyfateb i wahaniaeth tymheredd o 1 K ac 1 radd canradd. Ar gyfer unrhyw wahaniaeth tymheredd gallwn ddweud

$$\Delta T = x\,\text{K} = x\,°\text{C} = x\ \text{gradd canradd}$$

Mae tymheredd mewn graddau Celsius i bob pwrpas yr un fath â thymheredd mewn graddau canradd. Y gwahaniaeth rhyngddynt yw'r gwahaniaeth yn eu diffiniad (Ffigur 33.13). Diffiniwyd y raddfa ganradd yn nhermau rhewbwynt ac agerbwynt dŵr. Diffinnir y raddfa Celsius yn nhermau'r raddfa dymheredd thermodynamig, fel a ganlyn:

tymheredd mewn Celsius (°C) = tymheredd mewn celfin (K) − 273.15

all gael ei dalfyrru'n:

$$t = T - 273.15$$

Ffigur 33.13
Y tymereddau diffiniol ar y raddfa thermodynamig (celfin), y raddfa Celsius a'r raddfa ganradd.

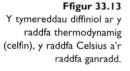

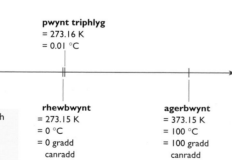

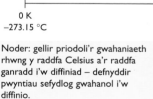
Noder: gellir priodoli'r gwahaniaeth rhwng y raddfa Celsius a'r raddfa ganradd i'w diffiniad – defnyddir pwyntiau sefydlog gwahanol i'w diffinio.

Felly, nid yw'r raddfa Celsius wedi'i seilio yn y bôn ar rewbwynt ac agerbwynt dŵr ond, yn anuniongyrchol, ar ei bwynt triphlyg. Nodwch mai 273.16 K yw pwynt triphlyg dŵr ond rhewbwynt dŵr ar wasgedd atmosfferig yw 273.15 K. Tymheredd y rhewbwynt ar raddfa Celsius yw 0.00 °C a thymheredd y pwynt triphlyg yw 0.01 °C.

---

10 Tymheredd y corff dynol yw 37 °C.
  a Beth yw'r tymheredd hwn mewn celfin?
  b Beth yw'r gwahaniaeth rhwng y tymheredd hwn a berwbwynt dŵr ar wasgedd atmosfferig mewn
  i °C
  ii graddau canradd
  iii K?
11 a Beth yw tymheredd pob un o'r canlynol mewn graddau canradd, °C a K?
  i sero absoliwt tymheredd
  ii rhewbwynt dŵr ar wasgedd atmosfferig

  iii pwynt triphlyg dŵr
  iv agerbwynt dŵr ar wasgedd atmosfferig.
  b Brasluniwch raddfa linol a marciwch y gwerthoedd hyn arni.
12 Ymdoddbwynt a berwbwynt mercwri yw 234 K a 630 K. Dyfeisiwch raddfa dymheredd, ag unedau °X, lle bo'r pwyntiau sefydlog hyn yn 0 °X a 100 °X. Ar y raddfa hon, beth yw
  a sero absoliwt tymheredd
  b tymheredd eich corff chi
  c berwbwynt dŵr?

Egni mewnol a throsglwyddiad thermol mewn systemau goddefol

Egni mewnol gwrthrych yw cyfuniad o gyfanswm egni potensial ac egni cinetig ei ronynnau. Mae'n amhosibl gwneud mesuriadau ar bob un o'r gronynnau unigol. Fe allwn, fodd bynnag, fesur faint o egni sy'n cael ei drosglwyddo i mewn i'r gwrthrych neu allan ohono drwy brosesau thermol. Gallwn ddefnyddio ΔQ i ddynodi'r egni a drosglwyddwyd:

ΔQ = yr egni a drosglwyddwyd *i mewn* i wrthrych drwy brosesau thermol

Nodwch, os yw egni'n cael ei drosglwyddo *allan* o wrthrych drwy brosesau thermol yna gwerth negatif sydd i ΔQ.

Ar gyfer gwrthrych goddefol (un nad yw'n gwneud gwaith na chwaith sy'n cael gwaith wedi'i wneud arno) mae'r egni thermol sy'n llifo i mewn iddo neu allan ohono yn hafal i'r newid mewn egni mewnol (Ffigur 33.14). Gallwn ddynodi newid mewn egni mewnol drwy ddefnyddio ΔU:

ΔU = newid mewn egni mewnol

Ar gyfer gwrthrych goddefol, megis Angel y Gogledd,

$$\Delta U = \Delta Q$$

Ffigur 33.14
Mae'r egni a drosglwyddir i mewn i wrthrych yn hafal i'r cynnydd yn egni mewnol y gwrthrych, cyn belled nad oes gwaith yn cael ei wneud arno na ganddo.

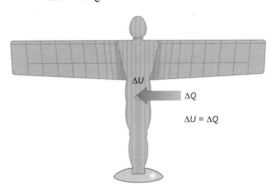

ΔU
ΔQ
$\Delta U = \Delta Q$

Rhaid bod yn ofalus gyda'r arwyddion hyn. Os bydd egni'n cael ei drosglwyddo allan o'r Angel yna mae gwerthoedd negatif i ΔU a ΔQ ill dau. (Nodwch fod rhai gwerslyfrau yn defnyddio confensiwn arwyddion arall, yn seiliedig ar werth positif ΔQ pan fo egni'n cael ei drosglwyddo *allan* o'r gwrthrych.)

Mae'r sefyllfa yn fwy cymhleth ar gyfer system weithredol (gwrthrych sy'n cyfnewid egni â'i amgylchedd drwy wneud gwaith). Cawn drafod hyn yn hwyrach.

Ar gyfer gwrthrych y mae ei egni mewnol, a'i dymheredd, yn cael eu dylanwadu gan hylosgiad neu brosesau eraill (megis ffotosynthesis neu ymasiad niwclear) y 'tu mewn' i'r gwrthrych, ystyriwn y trosglwyddiad egni o ganlyniad i'r hylosgiad fel llif egni *i mewn* i'r gwrthrych. Felly, mae'r egni a drosglwyddir i wrthrych gan brosesau thermol o ganlyniad i hylosgiad yn cael ei ddynodi gan ΔQ, yn union fel trosglwyddiadau egni thermol o'r tu allan. Yn achos resbiradaeth planhigion ac anifeiliaid, sef enghraifft o hylosgiad, mae'n ymddangos bod hyn yn herio synnwyr cyffredin, gan y byddai'r rhan fwyaf ohonom yn meddwl y gallem gyfrif bwyd (tanwydd) sydd wedi'i dreulio gennym yn rhan o'n cyrff ni ein hunain. Ond ystyriwn resbiradaeth yn y fan hon, yn syml, fel proses sy'n cynnwys ffynhonnell allanol o egni. Mae hyn yn gymwys hefyd i broses 'fewnol' arall, megis ymasiad niwclear. Am y rheswm hwn y defnyddiwyd Angel y Gogledd gennym i ddarlunio ymddygiad thermol yn hytrach na'r enghreifftiau eraill sef y corff dynol neu'r Haul, sydd lawer yn fwy anodd.

13 Wrth roi tiwb profi â dŵr oer ynddo mewn bicer o ddŵr poeth, a yw ΔQ yn hafal i ΔU
a ar gyfer y dŵr oer
b ar gyfer y dŵr poeth
c ar gyfer y tiwb profi?

Gweithio yn ogystal â gwresogi – Deddf Gyntaf Thermodynameg

Ffigur 33.15

Mae'r corff dynol yn fwy cymhleth na cherflun.

mae bwyd (tanwydd) yn cael ei ystyried yn allanol i'r corff

mae gan y corff dymheredd uwch na'i amgylchedd, felly mae egni'n trosglwyddo tuag allan drwy brosesau thermol

mae resbiradaeth (hylosgiad) yn arwain at drosglwyddo egni o'r bwyd (tanwydd) i'r corff

mae'r corff hefyd yn trosglwyddo egni i'r amgylchedd drwy wneud gwaith

Gwelsom y gall corff dynol gyfnewid egni â'i amgylchedd drwy brosesau thermol, a ddisgrifiwyd gennym fel trosglwyddiad egni goddefol, a hefyd drwy brosesau mecanyddol sy'n cynnwys gwaith a wneir, a ddisgrifiwyd gennym fel trosglwyddiad gweithredol. Ystyr 'gwaith' yn y fan hon yw lluoswm grym a phellter, fel y'i diffiniwyd ym Mhennod 15.

Gall gwrthrych – corff dynol fel enghraifft gymhleth (Ffigur 33.15) neu nwy yn ehangu fel enghraifft syml – wneud gwaith ar ei amgylchedd. Gall roi grym dros bellter. Rhaid i'r nwy sy'n ehangu wneud gwaith er mwyn gwthio'r aer o'r ffordd (gan dybio bod y broses yn digwydd ar arwyneb y Ddaear neu'n agos ato). Rhaid i'r nwy roi grym dros bellter, ac mae'r gwaith a wneir yn gysylltiedig â'r gwasgedd atmosfferig.

Ar gyfer silindr o nwy yn gwthio piston ag arwynebedd A drwy bellter Δx, yn erbyn gwasgedd allanol P, rhaid i'r gwaith allanol a wneir (Ffigur 33.16) fod fel a ganlyn:

$$\text{gwaith} = -\Delta W = \text{grym} \times \text{pellter} = PA\,\Delta x = P\,\Delta V$$

ΔV yw'r cynnydd yng nghyfaint y nwy a hefyd gyfaint yr aer allanol a ddadleolwyd. (Noder: grym = PA oherwydd, yn ôl y diffiniad, gwasgedd = grym/arwynebedd, $P = F/A$.)

Defnyddiwn yr arwydd negatif gan ein bod yn defnyddio'r confensiwn arwyddion bod gwerth negatif i waith a wneir *gan* y nwy. Mae'n bosibl hefyd y gall yr aer allanol neu ryw gyfrwng allanol arall – megis beiciwr yn achos pwmp beic – wneud gwaith *ar* y nwy. Yr hyn yr ydym yn ei ddweud yw bod gwaith o'r fath a wneir *ar* y gwrthrych yn bositif.

ΔW = gwaith a wneir *ar* y gwrthrych, sy'n tueddu i drosglwyddo egni *i'r* gwrthrych

Pan wneir gwaith *gan* y gwrthrych, sy'n tueddu i drosglwyddo egni *o'r* gwrthrych, yna gwerth negatif sydd i ΔW. (Nodwch unwaith eto bod rhai gwerslyfrau yn defnyddio confensiwn gwahanol.)

Ffigur 33.16

Mae gwaith yn cael ei wneud gan nwy yn ehangu.

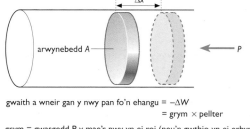

arwynebedd A

Δx

P

gwaith a wneir gan y nwy pan fo'n ehangu = $-\Delta W$
= grym × pellter

grym = gwasgedd P y mae'r nwy yn ei roi (neu'n gwthio yn ei erbyn) × arwynebedd A

pellter = Δx

Felly mae dwy broses a all drosglwyddo egni i wrthrych neu allan ohono – prosesau gwresogi goddefol, lle saif ΔQ am swm yr egni, a phrosesau gweithio gweithredol lle saif ΔW am swm yr egni. Bydd y ddau hyn yn effeithio ar y newidiadau yn egni mewnol gwrthrych, ΔU. Gan mai'r dulliau hyn yw'r *unig* ddulliau o newid egni mewnol, gallwn ysgrifennu swm syml:

newid yn egni mewnol gwrthrych =
yr egni a drosglwyddir i'r gwrthrych drwy wresogi + yr egni a drosglwyddir i'r gwrthrych drwy'r gwaith a wneir arno

Ar ffurf symbolau:

$$\Delta U = \Delta Q + \Delta W$$

Ar ffurf brawddeg:

Y newid mewn egni mewnol gwrthrych yw swm yr egni a drosglwyddir iddo drwy wresogi a'r egni a drosglwyddir iddo drwy'r gwaith a wneir arno.

Dyma **Ddeddf Gyntaf Thermodynameg**.

14 Rydych yn mynd i nofio ym Môr y Gogledd ym mis Chwefror ac mae egni'n cael ei drosglwyddo. A yw ΔQ yn hafal i ΔU? Esboniwch.

15 Nodwch a yw gwerthoedd ΔU, ΔQ a ΔW yn bositif neu'n negatif neu a ydynt yn sero ym mhob un o'r sefyllfaoedd hyn:
a Angel y Gogledd yn cael ei wresogi gan yr Haul
b aer yn cael ei gywasgu mewn pwmp beic
c hoelen yn cael ei tharo sawl gwaith gan forthwyl ac yn cynhesu
d balŵn yn ehangu (yn gwneud gwaith er mwyn estyn y rwber ac er mwyn gwthio aer o'r ffordd) pan gaiff ei symud o le oerach i le cynhesach
e chi eich hun yn gorwedd yn y gwely
f chi eich hun yn rhedeg i fyny bryn.

Newid mewn egni mewnol a chynnydd mewn tymheredd

Mae dau ganlyniad posibl i drosglwyddo egni i wrthrych a'r cynnydd mewn egni mewnol o ganlyniad i hynny. Gall y tymheredd godi, neu gall y defnydd newid cyflwr. Mae angen i ni drin y ddwy effaith hyn ar wahân.

Ar gyfer gwrthrych lle na fydd newid cyflwr yn digwydd, mae newid mewn egni mewnol, ΔU, yn arwain at newid tymheredd, ΔT. Gelwir cymhareb y rhain, $\Delta U/\Delta T$, yn **gynhwysedd gwres** y gwrthrych (Ffigur 33.17):

$$\text{cynhwysedd gwres gwrthrych } C = \frac{\Delta U}{\Delta T}$$

Gan fod ΔU yn cael ei fesur mewn J a ΔT mewn K, uned cynhwysedd gwres, $C = \Delta U/\Delta T$, yw J K^{-1}.

Ffigur 33.17
Mae cynhwysedd gwres yn briodwedd sy'n perthyn i *wrthrych.*

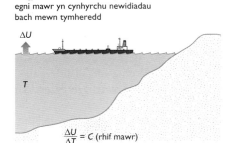

Ar gyfer cefnfor, mae trosglwyddiadau egni mawr yn cynhyrchu newidiadau bach mewn tymheredd

ΔU

T

$\frac{\Delta U}{\Delta T} = C$ (rhif mawr)

Ar gyfer diod mewn mwg, mae trosglwyddiadau gwres cymharol fach yn cynhyrchu newidiadau cymharol fawr mewn tymheredd

ΔU

T

$\frac{\Delta U}{\Delta T} = C$ (rhif cymharol fychan)

Gallwn fesur cynhwysedd gwres gwrthrych. Er mwyn gwneud hyn rhaid cael ychydig o ddefnydd er mwyn gweithio arno. Mae dŵr mewn cynhwysydd wedi'i lagio yn addas. Gallwn gyflenwi mesur o egni, ΔQ, wedi'i fesur gan ddefnyddio gwresogydd trydan (lle bo $\Delta Q = VIt$, lle saif V am foltedd, I am gerrynt a t am amser), a sylwi sut mae'r tymheredd yn newid.

Mae rhywfaint o ehangu yn digwydd a golyga hyn wthio defnydd o'r ffordd, ac felly, wneud gwaith. Felly,

$$\text{egni a gyflenwir gan y gwresogydd} = \Delta Q = \Delta U - \Delta W$$

Fodd bynnag, mae'r gwaith a wneir gan y dŵr a defnyddiau eraill yn ehangu yn fychan iawn, felly gallwn ddweud

$$\Delta Q \approx \Delta U$$

Mae'n sefyllfa fwy cymhleth na hynny, fodd bynnag, oherwydd ni allwn weithio gyda dŵr ar ei ben ei hun – rhaid iddo fod mewn cynhwysydd, a bydd rhywfaint o'r egni a gyflenwir gan y gwresogydd trydan yn trosglwyddo i'r cynhwysydd ac i'r amgylchedd. Rhaid cydnabod bod tair elfen i ΔU:

newid yn egni mewnol y dŵr, ΔU(dŵr)
newid yn egni mewnol y cynhwysydd, ΔU(cynhwysydd)
newid yn egni mewnol gweddill yr amgylchedd, ΔU(amgylchedd)

$$\Delta Q \approx \Delta U\text{(dŵr)} + \Delta U\text{(cynhwysydd)} + \Delta U\text{(amgylchedd)}$$

Er mwyn lleihau dylanwad yr egni a gymerwyd gan y cynhwysydd i godi ei dymheredd, y dull symlaf yw defnyddio màs mawr o ddŵr a chynhwysydd ac iddo fàs cymharol fychan. Mae'r defnydd lagio neu ynysu yn lleihau'r egni sy'n cael ei drosglwyddo o'r dŵr i'r amgylchedd. Yna

$$\Delta Q \approx \Delta U\text{(dŵr)}$$

Yn ôl y mesuriadau, ar gyfer màs penodol o ddefnydd, mae'r cynhwysedd gwres bron iawn â bod yn gyson. Mae graff ΔU ar gyfer y gwrthrych yn erbyn ΔT yn agos at fod yn llinell syth drwy'r tarddbwynt (Ffigur 33.18).

Ffigur 33.18
Mae cynhwysedd gwres gwrthrych bron iawn â bod yn gyson, cyn belled ag y bo'r màs yn gyson ac nad oes unrhyw newid yn y cyflwr.

Mewn gwirionedd, nid yw'r graddiant C yn *hollol* gyson, ond mae'n cynyddu ychydig gyda'r tymheredd ar gyfer y rhan fwyaf o wrthrychau.

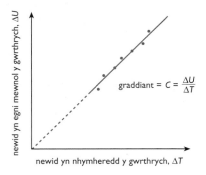

newid yn egni mewnol y gwrthrych, ΔU

graddiant $= C = \dfrac{\Delta U}{\Delta T}$

newid yn nhymheredd y gwrthrych, ΔT

Gallwn ymchwilio ymhellach. Gallwn ymchwilio i'r berthynas rhwng cynhwysedd gwres gwrthrych a'i fàs. Unwaith eto, cawn berthynas syml. Mae cynhwysedd gwres mewn cyfranedd â màs, ac mae gennym graff â graddiant cyson. Os ailadroddwn yr ymchwiliad hwn ar gyfer gwahanol ddefnyddiau, gwelwn yr un gyfranedd yn bodoli, ond bod defnyddiau gwahanol yn cynhyrchu graffiau â graddiannau gwahanol (Ffigur 33.19).

Figur 33.19
Mae cynhwysedd gwres sbesiffig defnydd bron â bod yn gyson.

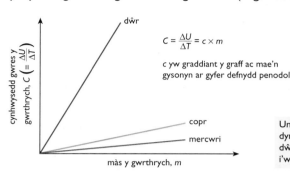

$$C = \frac{\Delta U}{\Delta T} = c \times m$$

c yw graddiant y graff ac mae'n gysonyn ar gyfer defnydd penodol

Unwaith eto, mae c yn ddibynnol i raddau ar dymheredd. Mae cynhwysedd gwres sbesiffig dŵr, er enghraifft, yn cynyddu oddeutu 1% wrth i'w dymheredd godi o 273 K i 373 K.

Mae graddiant graff cynhwysedd gwres yn erbyn màs yn briodwedd y *defnydd* ac nid y gwrthrych. Mae'r graddiant yn briodwedd ddefnyddiol sy'n perthyn i ddefnyddiau ac fe'i gelwir yn **gynhwysedd gwres sbesiffig**, sy'n cael ei dalfyrru'n c.

cynhwysedd gwres sbesiffig defnydd, $c = \dfrac{\Delta U}{m \Delta T}$

Gall fod yn ddefnyddiol ysgrifennu'r hafaliad hwn fel a ganlyn

$$\Delta U = mc \, \Delta T$$

Cynhwysedd gwres sbesiffig yw'r newid yn egni mewnol defnydd am bob uned màs am bob uned newid mewn tymheredd. Yn system unedau SI mae 'uned màs' yn golygu un cilogram ac mae 'uned newid mewn tymheredd' yn golygu un celfin. Mae cynhwysedd gwres sbesiffig yn cael ei fesur mewn jouleau y cilogram celfin, neu J kg^{-1} K^{-1}. Mae Tabl 33.1 yn cymharu cynwyseddau gwres sbesiffig rhai defnyddiau.

Tabl 33.1
Rhai cynwyseddau gwres sbesiffig.

Defnydd	Cynhwysedd gwres sbesiffig /J kg^{-1} K^{-1}	Cynnydd yn nhymheredd 1 kg o'r defnydd o ganlyniad i gynnydd o 1 J yn ei egni mewnol/K
dŵr	4170	2.4×10^{-4}
mercwri	140	7.1×10^{-3}
copr	387	2.5×10^{-3}
neilon	1600	6.3×10^{-4}
haearn	450	2.2×10^{-3}

16 Beth yw'r newid mewn egni mewnol pan fo cilogram o ddŵr yn cael ei wresogi drwy
   a 10 K
   b 10 °C?
17 Beth yw'r gwahaniaeth rhwng uned cynhwysedd gwres ac uned cynhwysedd gwres sbesiffig?
18 Petai masau hafal o ddŵr a mercwri, ill dau ar dymheredd ystafell, yn cael eu harllwys i diwbiau profi a'u rhoi mewn biceri iâ unfath, pam y byddai tymheredd y dŵr yn disgyn yn fwy araf?
   (**Peidiwch chi â gwneud hyn, da chi! Ni ddylai mercwri gael ei ddefnyddio.** Mae canlyniadau lefelau isel o wenwyn mercwri yn hynod o annymunol a gall lefelau uwch ladd.)
19 Beth fydd y cynnydd yn nhymheredd 1 cilogram o ddŵr pan fydd wedi derbyn 1000 J o egni?

Mae cynhwysedd gwres sbesiffig yn ddibynnol i raddau ar dymheredd. Mae'r gwerthoedd sydd yma yn gymwys ar 293 K.

Fe welwch o Dabl 33.1 fod gan ddŵr gynhwysedd gwres sbesiffig arbennig o uchel. Golyga hyn fod tymheredd dŵr yn newid llai na defnyddiau eraill yn y tabl pan fo newid penodol yn digwydd yn ei egni mewnol. Mae hyn yn cael sawl effaith a rhown sylw i'r effeithiau hyn yn y paragraffau canlynol.

- Pan fo môr a thir wrth ymyl ei gilydd ac yn derbyn egni o'r Haul ar yr un gyfradd yna (gan dybio eu bod yn amsugno ac yn adlewyrchu mewn cyfraneddau sydd bron â bod yn debyg i'w gilydd) bydd tymheredd y tir yn newid lawer yn gyflymach na thymheredd y môr. O ddydd i ddydd mae hyn yn achosi awelon o'r môr, sef ceryntau darfudiad sy'n cael eu creu gan y gwahaniaeth yn y tymheredd. O fis i fis golyga hyn fod yr amrywiadau tymhorol yn y tymheredd yn y môr, arno ac wrth ei ymyl, yn gymharol fach. Yn Kiev, sydd filoedd o gilometrau o'r cefnfor agosaf, mae'r hafau yn boeth iawn a'r gaeafau yn oer iawn. Mae Caerdydd, sydd ar yr un lledred i bob pwrpas (i'r gogledd) yn wynebu'r Iwerydd ac mae'r hinsawdd yno gryn dipyn yn fwynach. Mae gan gefnforoedd ran bwysig i'w chwarae yn yr amrywiadau lleol a phlanedol yn y tymheredd (Ffigur 33.20).

Ffigur 33.20
Storm nodweddiadol yn ardal ddeheuol y Cefnfor Tawel oherwydd El Niño – newidiadau yn ngheryntau cefnforoedd.

Sawl gwaith yn ystod y blynyddoedd diwethaf, gwelwyd 'tafod' o ddŵr oer yn lledaenu i fyny ac allan i'r Cefnfor Tawel o arfordir De America. Pan nad yw hyn yn digwydd dywedir bod El Niño ar waith. Mae'r newid yn nhymheredd y cefnfor yn effeithio ar y tywydd nid yn unig yn ardal y Cefnfor Tawel ond o gwmpas y byd i gyd.

20 Mae'r ddau wrthrych sydd yng nghwestiwn 6, ar 200 K a 300 K ar y dechrau, yn cael eu gosod mewn cysylltiad thermol â'i gilydd unwaith eto. Mae gan y gwrthrych cyntaf fàs o 0.400 kg a chynhwysedd gwres sbesiffig o 387 J kg^{-1} K^{-1} ac mae gan yr ail wrthrych fàs o 0.600 kg a chynhwysedd gwres sbesiffig o 4170 J kg^{-1} K^{-1}.

a Pa un sy'n colli egni?

b Pa un sy'n ennill egni?

c Beth allwch chi ei ddweud am y mesurau hyn o 'egni a gollwyd' ac 'egni a enillwyd'? Rhowch eich ateb mor gryno ag y bo modd.

d Tybiwch mai tymheredd terfynol y ddau wrthrych, pan fyddant yn cyrraedd cydbwysedd thermol, yw T. Ysgrifennwch y mynegiadau ar gyfer

i y newidiadau yn nhymheredd pob gwrthrych

ii yr egni a gollir gan un gwrthrych

iii yr egni mae'r gwrthrych arall yn ei ennill.

e Cyfrifwch werth T. (Defnyddiwch eich atebion i **c** a **d**.)

- Mae gwresogi dŵr drwy wahaniaeth tymheredd penodol 25 gwaith yn ddrutach na gwresogi mercwri drwy'r un gwahaniaeth tymheredd. Byddai ein biliau egni ar gyfer y cartref gryn dipyn yn llai pe gallem yfed, golchi a choginio gyda mercwri. Yn anffodus, mae mercwri yn wenwyn cryf iawn.

- Gall hyd yn oed màs bychan o ddŵr weithredu fel storfa effeithiol o egni. Mae potel dŵr poeth yn trosglwyddo egni i wely sydd bedair gwaith yn fwy na'r hyn y gallai talp o gopr o'r un màs a thymheredd ei roi.

Newid mewn egni mewnol a newid cyflwr

Rhaid bod cyflenwad net o egni, ΔQ, yn cael ei roi i solid er mwyn iddo ymdoddi. Gan dybio nad yw'r solid yn gwneud gwaith wrth ymdoddi, mae'r trosglwyddiad egni hwn yn cyfateb i newid yn egni mewnol y defnydd, ΔU. Hynny yw, $\Delta Q = \Delta U$. Dengys arsylwadau nad yw trosglwyddiad egni o'r fath sy'n arwain at newid mewn cyflwr yn cynhyrchu newid mewn tymheredd. Mae newid yn digwydd yn egni mewnol y defnydd ond ni all gael ei ganfod gan thermomedr. Gelwir trosglwyddiad egni i wrthrych nad yw'n arwain at gynnydd yn ei dymheredd ond sy'n achosi iddo ymdoddi yn **wres cudd ymdoddi** y gwrthrych:

$$\Delta Q = \Delta U = \text{gwres cudd ymdoddi}$$

Gan mai mesur o egni yw hwn caiff ei fesur mewn jouleau, J.

Pan fo gwrthrych hylif yn ymsolido mae'n colli egni mewnol ac mae egni'n cael ei drosglwyddo i'r amgylchedd. Yn yr achos hwn mae i ΔQ a ΔU werthoedd negatif ac maent yn hafal. Unwaith eto, nid yw'r newid hwn mewn egni mewnol yn cael ei arsylwi fel newid yn y tymheredd.

Ffigur 33.21
Y newidiadau yn egni mewnol sampl o ddŵr yn cyfateb i'r newidiadau yn y tymheredd. Mae'r berthynas yn gymharol gymhleth.

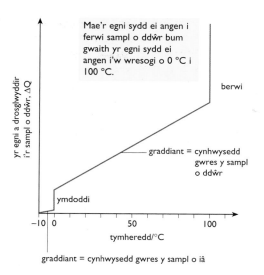

Ffigur 33.22
Mae gwres cudd anweddu sbesiffig defnydd yn gyson ar wasgedd cyson.

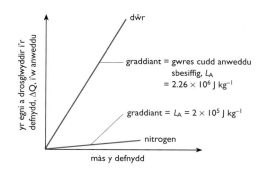

21 Esboniwch pam y mae ager ar 100 °C yn achosi llosgiadau mwy difrifol i'r croen na'r un màs o ddŵr ar 100 °C.

22 Ar ddiwrnod oer yn y gaeaf, mae aer cynhesach yn symud dros ddarn o dir oer moel a darn tebyg o eira oer. Mae'r tir moel a'r eira ill dau yn tueddu i oeri'r aer. Esboniwch pam y mae tymheredd yr aer yn aros yn is am gyfnod hirach yn y man lle mae'r eira.

Er mwyn i hylif droi'n nwy rhaid cael cynnydd mewn egni mewnol, ΔU. Gallwch weld hyn drwy wylio dŵr yn berwi a mesur ei dymheredd (Ffigur 33.21). Rhaid i egni gael ei drosglwyddo i'r dŵr yn ddi-dor (rhaid i ΔQ fod yn bositif) er mwyn parhau i ferwi. Lle bydd hylif yn troi'n nwy, mae gan y nwy gyfaint cryn dipyn yn fwy na'r hylif. Mae ehangiad mawr yn digwydd ac yn atmosffer y Ddaear rhaid i'r nwy wthio'r aer o'r neilltu. Rhaid i waith gael ei wneud gan y nwy ar yr aer er mwyn i hyn ddigwydd. Dywedir bod y nwy sy'n ehangu yn gwneud gwaith yn erbyn y gwasgedd allanol. Gelwir y newid mewn egni, ΔQ, yn **gwres cudd anweddu**. Ar gyfer berwi felly:

$$\Delta Q = \Delta U - \Delta W = \text{gwres cudd anweddu}$$

Gan mai gwerth negatif sydd i waith a wneir ar y gwrthrych, ΔW, mae'r gwaith a wneir yma yn gwneud cyfraniad positif at yr egni, ΔQ, y bydd yn rhaid ei drosglwyddo i'r defnydd pan fydd yn berwi. Nodwch fod maint y gwaith sy'n rhaid ei wneud yn dibynnu ar wasgedd yr aer y bydd y nwy yn ehangu iddo, felly mae gwres cudd anweddu yn ddibynnol iawn ar wasgedd allanol.

Mae cyfanswm yr egni sy'n rhaid ei drosglwyddo, dyweder, i ddŵr er mwyn ei ferwi, yn dibynnu ar fàs y dŵr. Gallwn ymchwilio i hyn drwy wneud arbrofion gan ddefnyddio gwresogydd trydan i drosglwyddo swm o egni wedi'i fesur i swm o ddŵr er mwyn ei ferwi. Unwaith eto, rhaid lleihau'r egni a drosglwyddir i'r cynhwysydd sy'n dal y dŵr a'r hyn sydd o'i amgylch. O wneud arbrofion manwl ar wasgedd allanol cyson gwelir bod yr egni sydd ei angen i droi màs o ddŵr yn ager mewn cyfrannedd â'r màs. Mae gan raddiant y graff yr uned joule y cilogram, J kg^{-1}, ac mae'n gyson ar gyfer defnydd penodol (Ffigur 33.22). Dyma **wres cudd anweddu sbesiffig**, L_A, y defnydd. Dyma swm yr egni a gyflenwir am bob uned màs i droi defnydd o hylif yn nwy.

Yn yr un modd, gelwir yr egni sydd ei angen i newid cilogram o solid penodol yn hylif, heb unrhyw newid yn y tymheredd, yn **wres cudd ymdoddi sbesiffig**. J kg^{-1} yw'r uned ar gyfer y mesur hwn hefyd.

Mae gan wahanol ddefnyddiau amrediad eang o wahanol wres cudd anweddu ac ymdoddi sbesiffig.

Anweddu

Mae berwi ac anweddu yn brosesau gwahanol. Berwi yw newid cyflwr defnydd ar dymheredd penodol ac mae hyn yn effeithio ar bob rhan o'r defnydd sydd â'r tymheredd hwn. Anweddu yw moleciwlau'n dianc bob yn un a gall ddigwydd ar unrhyw dymheredd oherwydd mudiant afreolus moleciwlau yn yr hylif.

Rhaid i egni – gwres cudd anweddu – gael ei gyflenwi i hylif er mwyn iddo droi'n nwy naill ai drwy ferwi neu anweddu. Gall yr egni angenrheidiol gael ei ddarparu gan ffynhonnell allanol o egni – drwy wresogi'r hylif. Pan fydd anweddiad yn digwydd yn gyflym, fodd bynnag, lle na all egni drosglwyddo i'r hylif yn ddigon cyflym i ddarparu egni ar gyfer anweddiad, gall egni gael ei gymryd o egni mewnol yr hylif ei hun (Ffigur 32.23). O ganlyniad, mae tymheredd yr hylif yn disgyn. Wrth chwysu, lle mae'r chwys yn anweddu, er enghraifft, mae egni'n cael ei drosglwyddo o'r croen i'r hylif ac mae'r croen o ganlyniad yn oeri. Mae'r effaith oeri i'w gweld gryfaf mewn awel sy'n cludo moleciwlau sydd wedi'u hanweddu i ffwrdd ac felly'n cynyddu'r gyfradd anweddu.

23 Pam y mae ethanol yn teimlo'n oerach pan gaiff ei rwbio ar eich croen na'r un màs o ddŵr â'r un tymheredd cychwynnol?

Gall oeri drwy anweddiad gael ei ystyried ar lefel gronynnau hefyd. Mae tuedd i'r gronynnau sy'n anweddu o hylif fod yn ronynnau mwy egnïol, felly mae anweddiad yn tueddu i dynnu'r egni o'r hylif a'i drosglwyddo i'r nwyon sydd o'i gwmpas.

Hylif **anweddol** yw hylif â berwbwynt isel. Mae ethanol a'r rhan fwyaf o gynhwysion petrol yn anweddol. Mae hylif o'r fath yn tueddu i anweddu'n gyflym. Mae presenoldeb anwedd petrol yn golygu ei bod hi'n bwysig peidio ag ysmygu, er enghraifft, wrth lenwi tanc tanwydd y car.

Ffigur 33.23
Mae angen cyflenwi egni er mwyn i hylif anweddu.

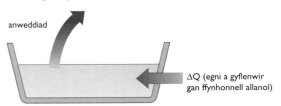

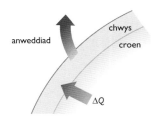

Mae'r defnydd sydd wedi anweddu mewn cyfnod penodol o amser wedi profi newid arwyddocaol yn ei egni mewnol a hefyd wedi ehangu i'r atmosffer, gan wneud gwaith. Gall yr egni sydd ei angen ar gyfer hyn gael ei gyflenwi naill ai gan egni a drosglwyddir i'r hylif o'r tu allan, ΔQ, ...

... neu o egni mewnol yr hylif ei hun, gan achosi gostyngiad yn egni mewnol yr hylif, ΔU.

Wrth chwysu, mae trosglwyddiad egni thermol yn digwydd o'r croen i'r chwys, gan gyflenwi'r egni sydd ei angen ar gyfer anweddiad.

● **Deall a chymhwyso**

Yr Haul, y Ddaear a'r gofod

Er mwyn estyn ein syniadau am gydbwysedd thermol cerflun, can diod a'r aer o'u hamgylch, gallem feddwl am yr Haul, y Ddaear a gweddill y gofod. Nid yw'r Haul mewn cydbwysedd thermol â gweddill y gofod ond mae'n trosglwyddo egni tuag allan. Mae'r prosesau trosglwyddo egni (adweithiau ymasiad niwclear) yn digwydd y tu mewn iddo felly mae ei egni mewnol – swm egnïon potensial a chinetig ei ronynnau – yn aros yn gyson.

Nid yw'r Haul mewn cydbwysedd thermol â'r Ddaear. Mae ganddynt wahanol dymereddau ond mae trosglwyddiad net o egni i'r Ddaear. Eto i gyd, bob dydd a hyd yn oed bob blwyddyn, mae tymheredd cyfartalog y Ddaear yn aros yr un fath. Er mwyn cadw'r tymheredd yn gyson rhaid i'r Ddaear drosglwyddo egni i ffwrdd oddi wrthi ar yr un gyfradd yn union ag y bydd yn ei dderbyn (Ffigur 33.24). Gan ei bod yn dderbynnydd net o egni o'r Haul rhaid iddi fod yn drosglwyddydd net o egni o weddill y gofod. Bydd yn gwneud hyn drwy allyrru pelydriad thermol.

Ffigur 33.24
Mae'r Ddaear yn pelydru egni ar yr un gyfradd ag y mae'n amsugno egni.

cyfradd trosglwyddo egni o'r Haul i'r Ddaear

cyfradd trosglwyddo egni o'r Ddaear i'r Haul (wedi'i gorbwysleisio)

cyfradd trosglwyddo egni o'r Ddaear i'r gofod

cyfradd trosglwyddo egni o'r gofod i'r Ddaear (wedi'i gorbwysleisio)

yn ymarferol, mae'r prosesau trosglwyddo hyn yn gymharol ddibwys felly fe wnawn eu hanwybyddu yn yr hyn sy'n dilyn

Mae'n bosibl y bydd yn ymddangos yn annhebygol y gall y Ddaear aros ar dymheredd cyson, ond mae **adborth negatif** ar waith yma. Mae'r gyfradd mae'r Ddaear yn pelydru egni i'r gofod yn dibynnu ar ei thymheredd. Os yw ei thymheredd yn codi mae'n tueddu i belydru egni yn fwy cyflym, gan golli egni ac felly oeri. Os yw ei thymheredd yn gostwng, mae'n pelydru egni yn fwy araf, felly bydd yn derbyn egni o'r Haul yn fwy cyflym nag y bydd yn trosglwyddo egni yn ôl i'r gofod. Effaith hyn fydd achosi gwresogi. Effaith adborth negatif yw cadw tymheredd cyfartalog y Ddaear yn gyson (Ffigur 33.25).

Ffigur 33.25
Mae unrhyw anghydbwysedd yn cael ei reoli gan adborth negatif.

Mae tymheredd y Ddaear yn sefydlog pan fo:
cyfradd trosglwyddo egni o'r Haul = cyfradd trosglwyddo egni i'r gofod

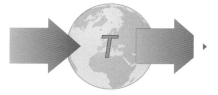

Ystyr adborth negatif yw'r duedd i rywbeth sy'n newid (megis cyfradd pelydriad) gyferbynnu'r hyn sy'n achosi'r newid (megis y gwahaniaeth tymheredd rhwng y Ddaear a'r gofod).

Os yw tymheredd y Ddaear yn codi mae'n pelydru yn gryfach ac mae'r anghydbwysedd hwn yn cynhyrchu effaith oeri:

mae tuedd naturiol i'r Ddaear sy'n boeth oeri

Os yw tymheredd y Ddaear yn disgyn mae'n pelydru llai ac mae'r anghydbwysedd yn tueddu i gynyddu ei thymheredd:

mae tuedd naturiol i'r Ddaear sy'n oer gynhesu

24 Mae gan yr Haul a'r blaned Gwener dymereddau arwyneb cyfartalog cyson (6000 °C a 400 °C yn y drefn honno). Mae'r ddau yn allyrru pelydriad thermol a gallant hefyd ei amsugno.
 a A ydynt mewn cydbwysedd thermol â'i gilydd?
 b Os yw Gwener yn derbyn trosglwyddiad net di-dor o egni o'r Haul, pam nad yw ei thymheredd yn codi'n barhaus?
 c Mae atmosffer Gwener yn cynnwys lefel uchel o nwyon tŷ gwydr. Gyda chymorth brasluniau, esboniwch sut y byddai tymheredd cyfartalog Gwener yn newid petai'r nwyon hyn yn cael eu tynnu o'r atmosffer.
25 Mae lefelau carbon deuocsid yn atmosffer y Ddaear yn codi o ganlyniad i weithgaredd dyn ac mae hinsawdd y Ddaear yn newid. Er hynny, mae rhai gwyddonwyr yn honni mai amrywiad naturiol yw'r newid yn yr hinsawdd.
 a Esboniwch yr 'effaith tŷ gwydr' y gall y carbon deuocsid yn yr atmosffer ei hachosi.
 b Gall cynnydd yn y tymheredd cyfartalog byd-eang arwain at
 i gynnydd yn y gorchudd cymylau (o ganlyniad i anweddiad uwch o'r cefnforoedd), a
 ii lleihad yn y gorchudd iâ (o ganlyniad i ymdoddi).
 Esboniwch ddylanwad **i** a **ii** ar y gyfradd y mae atmosffer ac arwyneb y Ddaear yn amsugno egni solar. Effaith pa un sydd fwyaf tebygol o fod gryfaf yn y tymor byr (dros ychydig flynyddoedd) ac yn y tymor hir (dros ddegawd neu fwy)?
 c Esboniwch pam y mae tymheredd cyfartalog y Ddaear bron iawn yn gyson drwy gydol y flwyddyn.
 d Esboniwch pam mai amrywiad naturiol bychan (ychydig o raddau C) yn unig sydd i'w weld yn nhymheredd cyfartalog y Ddaear dros filiynau o flynyddoedd.
26 **TRAFODWCH**
 A fydd y Ddaear yn troi'n blaned farw fel Gwener? A ddylem bryderu ynghylch hyn? A ddylem gymryd camau i atal hyn rhag digwydd? Pa fathau o gamau? Pa effaith a gâi camau o'r fath ar 'safon byw' gwledydd fel y Deyrnas Unedig lle bu diwydiannau datblygedig am flynyddoedd lawer (sydd o ganlyniad wedi llygru'r atmosffer), ac mewn gwledydd sy'n ceisio datblygu eu diwydiant er mwyn creu swyddi a chyfoeth newydd?

Mae gweithgaredd dyn yn newid atmosffer y Ddaear ac, yn arbennig, mae'n cynyddu'r lefelau carbon deuocsid. Dyma **nwy tŷ gwydr**. Mae'n caniatáu i belydriad yr Haul fynd drwodd yn haws nag y bydd yn caniatáu i belydriad y Ddaear, sydd â thonfedd hirach, fynd yn ôl i'r gofod. Mae'r cynnydd yn amsugniad y pelydriad hwn o'r Haul yn arafu'r gyfradd y mae'r Ddaear yn pelydru egni drwy'r atmosffer ac i'r gofod. Nid yw tymheredd y Ddaear yn codi yn gyflym, ond mae'r tymheredd cyfartalog yn codi yn araf hyd nes y bydd y gyfradd y caiff egni ei belydru i'r gofod yn cael ei hadfer i'r gyfradd y bydd egni'r Haul yn cyrraedd (gweler Ffigur 33.26, drosodd). Unwaith y sicrheir y cydbwysedd hwn, gall tymheredd y Ddaear fod yn sefydlog, ond yn uwch, unwaith eto.

Petaem yn peidio â chynhyrchu carbon deuocsid a nwyon tŷ gwydr eraill o hyn ymlaen, gallem gyrraedd lefel newydd o sefydlogrwydd nad yw'n wahanol iawn i'r lefel bresennol. Fel y mae, rydym yn dal i arllwys defnydd i mewn i'r atmosffer ac ni allwn ragfynegi dyfodol y blaned.

Ffigur 33.26
Effaith tŷ gwydr atmosffer y
Ddaear. Mae'r effaith yn
fwy oherwydd allyriant
carbon deuocsid.

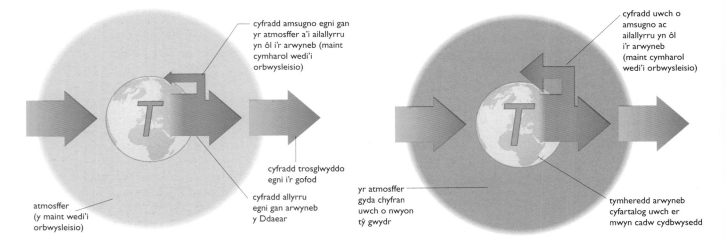

cyfradd amsugno egni gan
yr atmosffer a'i ailallyrru
yn ôl i'r arwyneb (maint
cymharol wedi'i
orbwysleisio)

cyfradd uwch o
amsugno ac
ailallyrru yn ôl
i'r arwyneb
(maint cymharol
wedi'i orbwysleisio)

cyfradd trosglwyddo
egni i'r gofod

cyfradd allyrru
egni gan arwyneb
y Ddaear

yr atmosffer
gyda chyfran
uwch o nwyon
tŷ gwydr

tymheredd arwyneb
cyfartalog uwch er
mwyn cadw cydbwysedd

atmosffer
(y maint wedi'i
orbwysleisio)

Er mwyn cael tymheredd sefydlog, rhaid i egni gael ei drosglwyddo o'r Ddaear i'r gofod ar yr un gyfradd gyfartalog ag y mae'n cyrraedd o'r Haul.

Mae'r atmosffer yn amsugno rhywfaint o'r egni sy'n cael ei allyrru gan arwyneb y Ddaear. Mae rhywfaint o'r egni hwn yn cael ei ailallyrru i'r gofod ond mae rhywfaint ohono'n cael ei ailallyrru yn ôl i arwyneb y Ddaear. Felly, er mwyn i arwyneb y Ddaear aros ar dymheredd cyfartalog sefydlog, rhaid iddo belydru yn gyflymach nag a fyddai heb atmosffer. Felly, rhaid i dymheredd cyfartalog y Ddaear fod yn uwch nag y byddai pe na bai atmosffer. Dyma'r effaith tŷ gwydr a hebddo byddai'r Ddaear bellach yn oer iawn.

Mae gweithgaredd dyn yn newid atmosffer y Ddaear, gan ei wneud yn fwy effeithiol yn amsugno'r pelydriad sy'n cael ei allyrru gan yr arwyneb. Felly, er mwyn sicrhau bod cydbwysedd yn cael ei gadw rhwng cyfradd gyfartalog yr egni sy'n cyrraedd o'r Haul a chyfradd yr egni a drosglwyddir i'r gofod, rhaid i dymheredd arwyneb y Ddaear godi. Gall tymheredd cyfartalog y Ddaear fod yn gyson o hyd ond bydd yn uwch. Hyn sy'n achosi newid yn hinsawdd y byd.

Bydd y tymheredd cyfartalog 'sefydlog' yn cynyddu'n raddol cyhyd ag y bydd y nwyon tŷ gwydr yn yr atmosffer yn parhau i gynyddu. Gall ffactorau eraill yn yr hinsawdd gymhleth achosi newid sydyn. Ni wyddom ddigon i wneud rhagfynegiadau dibynadwy.

● **Deall a chymhwyso**

Damcaniaeth galorig yn erbyn damcaniaeth ginetig

Ai sylwedd yw gwres all gael ei gynnwys mewn sylweddau eraill? A oes gronynnau o wres sy'n wahanol i ronynnau mater? Neu ai canlyniad mudiant o fewn defnydd yw gwres? Dyma rai o'r cwestiynau mawr yr oedd gwyddonwyr yn dadlau yn eu cylch 200 mlynedd yn ôl hyd nes y cafodd y syniadau eu derbyn yn ystod y 19eg ganrif. Tra bo gwyddonwyr heddiw yn dadlau o blaid ac yn erbyn ffiseg cwantwm, damcaniaethau disgyrchiant a manylion y 'glec fawr', am genedlaethau lawer roedd gwres yn bwnc trafod poeth iawn!

Yn ystod y 18fed ganrif, roedd llawer yn ffafrio'r cysyniad o wres fel sylwedd a rhoesant yr enw 'calorig' iddo. Credent y gallai'r calorig hwn lifo i mewn ac allan o ddefnydd gweladwy, er ei bod hi'n amlwg nad oedd ganddo fàs oherwydd bod gan wrthrychau poeth yr un màs â gwrthrychau oer. **Damcaniaeth galorig** oedd y term a roddwyd ar y ddamcaniaeth bod gwres fel sylwedd yn llifo ar wahân i'r defnydd y mae'n llifo drwyddo.

Y ddamcaniaeth arall yw **damcaniaeth ginetig**, sy'n cynnig esboniad o ymddygiad thermol y byd nid yn nhermau sylwedd sy'n llifo ar wahân ond fel cyflyrau gwahanol y defnydd ei hun, gyda'r gwahanol gyflyrau yn bosibl oherwydd bod y defnydd wedi'i wneud o ronynnau all fod â gwahanol gyflyrau mudiant. (Mae 'cinetig' yn golygu 'yn gysylltiedig â mudiant'.) Yn y 18fed ganrif nid oedd digon o dystiolaeth o blaid bodolaeth gronynnau i'r ddamcaniaeth hon ennill y ddadl.

Yng nghanol y 18fed ganrif daeth thermomedrau mercwri yn fwy cyffredin, gan ganiatáu i wyddonwyr fesur faint o 'wres' yr oedd angen ei gyflenwi i fasau gwahanol ddefnyddiau er mwyn achosi newid penodol yn y tymheredd. Datblygwyd cysyniad cynhwysedd gwres fel gallu defnydd i 'ddal gwres', er na wnaeth y datblygiad hwn ynddo'i hun fawr ddim i ddatrys y ddadl rhwng y ddamcaniaeth galorig a'r ddamcaniaeth ginetig.

Ffigur 33.27
Cartŵn y cyfnod o Iarll Rumford (1753-1814).

Ganed Rumford yn America ond ymunodd â charfan Prydain yn ystod Rhyfel Annibyniaeth America. Fe ddaeth yn y pen draw yn weinidog yn llywodraeth Bafaria. Tanseiliwyd y ddamcaniaeth galorig gan ei waith ar wresogi barilau magnelau a naddion haearn wrth dorri tyllau a rhoddodd fwy o gefnogaeth i'r ddamcaniaeth ginetig. Mae'r cartŵn yn ei ddangos (yn y gôt las) yn Sefydliad Brenhinol Llundain lle cynhelir y darlithoedd Nadolig blynyddol o hyd.

Yr oedd yn hysbys bod ffrithiant yn achosi gwresogi ac awgrymai'r rhai a ddadleuai o blaid y ddamcaniaeth galorig mai'r ffrithiant a achosai lif calorig. Aeth gwyddonydd o'r enw Iarll Rumford (Ffigur 33.27) ati i ymchwilio i hyn yn y 1790au gan edrych yn arbennig ar effaith wresogi tyllu barilau magnelau. Awgrymai gwyddonwyr a ffafriai'r ddamcaniaeth galorig fod y calorig yn llifo o'r naddion haearn llai a gynhyrchwyd, gan achosi i'r tymheredd godi. Golygai hyn y byddai gan y naddion lai o wres neu galorig na màs cyfatebol o haearn solet. Ni fyddai hyn ond yn bosibl petai cynhwysedd gwres sbesiffig is i'r naddion haearn na'r haearn solet. Aeth Rumford ati i wneud ei fesuriadau a darganfu bod cynhwysedd gwres sbesiffig y naddion yr un fath ag ar gyfer haearn solet. Defnyddiodd hefyd dyllydd pŵl nad oedd yn cynhyrchu fawr ddim naddion ond a lwyddai i gynhyrchu yr un effaith wresogi. Roedd hyn yn ei gwneud hi'n anodd i gefnogi'r syniad o wres fel sylwedd yn llifo.

Yn 1841 dangosodd James Joule fod perthynas uniongyrchol rhwng effaith wresogi ffrithiant a'r gwaith mecanyddol a wneir (wedi'i gyfrifo gan rym $\times$ pellter) – darganfyddiad sy'n cael ei alw o hyd yn 'gywerthedd mecanyddol gwres'. Unwaith eto, roedd hyn yn tanseilio'r cysyniad bod gwres fel sylwedd yn llifo ac yn cefnogi'r syniad bod gwneud gwaith *neu* wresogi *ill dau* yn newid cyflwr mewnol defnydd.

Cafwyd gan Ludwig Boltzmann, yn 1877, y fathemateg ystadegol a gefnogai esbonio ymddygiad thermol yn nhermau egni cyfartalog niferoedd enfawr o ronynnau nwy ag ystod eang o fuaneddau, mewn gwrthdrawiad â'i gilydd a chyda waliau eu cynwysyddion. Ond hyd yn oed ar ddechrau'r 20fed ganrif roedd yna ffisegwyr nad oeddynt yn derbyn bod perthynas rhwng egni mewnol gwrthrych ac egni cinetig ac egni potensial ei ronynnau unigol. Einstein a ddangosodd fod mudiant Brown, a welwyd gyntaf gan Robert Brown ar ddechrau'r 1800au, yn hollol gyson ag ystadegau Boltzmann. O ganlyniad i hyn, sefydlwyd y ddamcaniaeth ginetig fel y ffynhonnell a gynigiai well esboniadau ar gyfer ymddygiad thermol arsylwadwy mater ac yn wir sefydlwyd y ddamcaniaeth gronynnau mater ei hun.

Ymdrinnir â'r ddamcaniaeth ginetig yn fanylach yn y bennod nesaf.

---

27 Mae naddyn eiriasboeth o haearn yn gorffwys ar faril oer magnel.
  a Disgrifiwch y trosglwyddiadau egni a'r newidiadau mewn tymheredd a fydd yn digwydd. Tymheredd yr ystafell a thymheredd y magnel yw 10 °C.
  b Tymheredd cychwynnol y naddyn haearn yw 500 °C a'i fàs yw 0.55 g. Faint o egni y mae'n ei golli wrth iddo oeri? (Edrychwch ar Dabl 33.1.)

28 Dangoswch sut y mae'r newidiadau egni sy'n rhan o dyllu magnel yn gyson â Deddf Gyntaf Thermodynameg.

29 A ydych chi o blaid y ddamcaniaeth galorig neu'r ddamcaniaeth ginetig? Ewch ati i amddiffyn eich safiad. Pam y mae'n haws i chi wneud hyn nag ydoedd i wyddonwyr yn y 19eg ganrif?

30 a Pam y gwnaeth datblygwyr thermometreg gynnar ddatblygu'r raddfa ganradd yn hytrach na'r raddfa dymheredd thermodynamig?
  b Ymchwiliwch i seiliau'r raddfa dymheredd Fahrenheit.

31 TRAFODWCH
Mae datblygiad thermometreg yn enghraifft dda o dechnoleg ddefnyddiol yn deillio o awydd gwyddonwyr i ddarganfod yr ateb i gwestiynau sylfaenol am y Bydysawd. Mae gwyddonwyr sy'n gweithio yn awr ym maes ffiseg gronynnau, dyweder, hefyd yn chwilio am atebion i gwestiynau sylfaenol ac unwaith eto mae manteision technolegol yn deillio o'u gwaith er nad hynny oedd y cymhelliad gwreiddiol dros wneud y gwaith. (Datblygiad technoleg yw'r prif reswm y mae gwleidyddion yn barod i roi'r arian tuag at waith costus megis ymchwil ar ronynnau.) Pa dechnolegau sydd gennych yn eich cartref a wnaed yn bosibl fel sgil gynnyrch awydd gwyddonwyr i gael atebion i gwestiynau sylfaenol am natur y Bydysawd?

32 TRAFODWCH
Rhowch gyfrif am enghraifft arall o ddamcaniaethau a gystadleuai yn erbyn ei gilydd ac a gafodd eu datrys drwy arsylwadau. (Gallwch ddewis o blith astudiaeth o rym a mudiant, astudiaeth o olau, astudiaeth o agweddau ar y gofod.) Pa ymddygiad sylfaenol o'r Bydysawd yr oedd y damcaniaethau hyn yn ymdrin â hwy? Pa wahanol ragfynegiadau a wnaed gan y damcaniaethau hyn ynglŷn â sut y dylai'r Bydysawd ymddwyn? Sut y cafodd y rhagfynegiadau hyn eu profi? Pa dechnolegau sydd wedi datblygu o ganlyniad i hyn?

Cwestiynau arholiad

1 a Nodwch un tebygrwydd ac un gwahaniaeth rhwng dargludiad a darfudiad egni thermol. (2)

b Gan gyfeirio at drosglwyddiad egni thermol, esboniwch yr hyn a olygir wrth y canlynol:
i dau wrthrych â'r un tymheredd
ii tymheredd gwrthrych H yn uwch na gwrthrych C. (2)

c i Disgrifiwch yn gryno sut y gall priodwedd ffisegol gael ei defnyddio i fesur tymheredd ar ei raddfa ganradd empirig.
ii Esboniwch felly pam nad yw dau thermomedr sy'n mesur y tymheredd ar eu graddfeydd canradd empirig yn cytuno ar bob tymheredd. (5)

d Mae'r tabl yn dangos data ar gyfer ethanol.

dwysedd	0.79 g cm^{-3}
cynhwysedd gwres sbesiffig ethanol hylif	$2.4 \text{ J g}^{-1} \text{ K}^{-1}$
gwres cudd ymdoddi sbesiffig	110 J g^{-1}
gwres cudd anweddu sbesiffig	840 J g^{-1}
ymdoddbwynt	-120 °C
berwbwynt	78 °C

Defnyddiwch y data i gyfrifo'r egni thermol sydd ei angen i drawsnewid 1.0 cm^3 o ethanol ar 20 °C yn anwedd ar ei ferwbwynt normal. (6)

e i Mynegwch *ddeddf gyntaf thermodynameg*.
ii Awgrymwch pam y mae gwahaniaeth sylweddol mewn maint rhwng gwres cudd ymdoddi sbesiffig a gwres cudd anweddu sbesiffig. (5)

OCR, Ffiseg, Papur 3, Mehefin 1999

2 a Disgrifiwch y broses sydd ynghlwm wrth y canlynol:
i dargludiad thermol
ii darfudiad thermol. (3)

b

Mae gwresogydd yn cael ei roi wrth un pen tiwb gwydr hir yn llawn dŵr oer a thermomedr wrth y pen arall, fel y gwelir yn y diagram. Yn ystod y cyfnod yn union ar ôl i'r gwresogydd gael ei gynnau, disgrifiwch ac esboniwch sut y byddai darlleniad y thermomedr yn newid petai'r tiwb
i yn llorweddol
ii yn fertigol, gyda'r thermomedr uwchben y gwresogydd
iii yn fertigol, gyda'r thermomedr o dan y gwresogydd. (5)

AQA (NEAB), Ffiseg (PH03), Mehefin 1999

3 a Diffiniwch *gynhwysedd gwres sbesiffig*. (2)

b Mae gan bwll nofio awyr agored arwynebedd arwyneb o 60 m^2 a dyfnder unffurf o 1.5 m ac mae'n cael ei wresogi gan yr Haul. Y gyfradd y mae egni yn cyrraedd o'r Haul am bob uned o arwynebedd arwyneb y dŵr yw 800 W m^{-2}. O'r egni hwn, mae 20% yn cael ei adlewyrchu ac mae'r gweddill yn cael ei amsugno gan y dŵr. Cynhwysedd gwres sbesiffig dŵr yw $4200 \text{ J kg}^{-1} \text{ K}^{-1}$ a'i ddwysedd yw 1000 kg m^{-3}. Cyfrifwch
i y gyfradd y mae egni yn cael ei amsugno gan y pwll (2)
ii màs y dŵr i'w wresogi (2)
iii cyfradd gymedrig y cynnydd yn nhymheredd y dŵr (3)
iv yr amser a gymer i dymheredd y dŵr godi 3.0 K. (2)

c Awgrymwch dri rheswm pam, mewn hinsoddau oer, y mae'n anodd cadw tymheredd dŵr yn uchel os caiff ei wresogi'n uniongyrchol gan yr Haul yn unig. (3)

OCR, Gwyddoniaeth Sylfaenol 1, Mehefin 1999

4 Mae tegell trydan â 230 V 8.0 A yn cynnwys rhywfaint o ddŵr. Mae'n cael ei roi ar glorian.

Mae'r tegell yn cael ei gynnau a, phan fo'r dŵr yn berwi, gwelir bod y darlleniad ar y glorian wedi lleihau 8.1 g mewn 10 s.
a Cyfrifwch
i gyfradd pŵer y tegell
ii gwres cudd anweddu sbesiffig dŵr (4)
b i Mynegwch un ffynhonnell cyfeiliornad yn y cyfrifiad hwn o wres cudd anweddu sbesiffig.
ii Awgrymwch yn gryno sut y gellid lleihau'r cyfeiliornad. (2)

OCR, Ffiseg, Papur 2, Tachwedd 1999

382

5 Cynhwysedd thermol thermomedr yw 1.3 J K^{-1}. Tymheredd cychwynnol y thermomedr yw 20 °C. Pan gaiff ei ddefnyddio i fesur tymheredd 40 g o ddŵr, mae'n mesur 37 °C.

a **i** Cyfrifwch yr egni a amsugnir gan y thermomedr pam gaiff ei roi yn y dŵr. (2)

ii Cyfrifwch y newid yn nhymheredd y dŵr o ganlyniad i gyflwyno'r thermomedr. (cynhwysedd gwres sbesiffig y dŵr = 4.2 × 10^3 kg^{-1} K^{-1}) (2)

b Mae'r thermomedr yn cynnwys bwlb ac ynddo fercwri â chyfaint o 9.8 ×10^{-8} m^3. Pan fo tymheredd 1.0 m^3 o fercwri yn newid 1 K, mae'r mercwri yn ehangu 1.8 × 10^{-4} m^3.

i Cyfrifwch y newid yng nghyfaint y mercwri pan roddir y thermomedr yn y dŵr. (2)

ii Arwynebedd trawstoriad tyllfedd tiwb y thermomedr yw 3.1 × 10^{-8} m^2. Cyfrifwch y pellter y mae'r mercwri yn symud i fyny'r thermomedr ar gyfer cynnydd o 17 K yn y tymheredd. (2)

iii Mae ehangiad mercwri am bob celfin o gynnydd yn y tymheredd yn fwy ar dymereddau uwch. Mynegwch ac esboniwch yr effaith y bydd y newid hwn yn ei gael ar gywirdeb y thermomedr mercwri. (3)

AQA (AEB), Ffiseg, Papur 1, Mehefin 1999

6 Mae tŷ bychan yn defnyddio tanc sy'n dal 1.2m^3 o ddŵr fel storfa thermol. Yn ystod y nos mae ei dymheredd yn codi i 98 °C. Yn ystod y dydd mae ei dymheredd yn disgyn wrth i'r dŵr gael ei bwmpio o amgylch rheiddiaduron y tŷ i gadw'r tŷ yn gynnes.

a Dwysedd y dŵr yw 1000 kg m^{-3} a'i gynhwysedd gwres sbesiffig yw 4200 J kg^{-1} K^{-1}. Cyfrifwch yr egni a roddir allan gan y dŵr ar ddiwrnod pan fydd y tymheredd yn disgyn o 98 °C i 65 °C. (3)

b Mae'r chwe rheiddiadur yn y tŷ yn rhoi allan bŵer o 1.5 kW yr un. Am ba hyd y gallant hwy i gyd weithio ar y pŵer hwn cyn y bydd tymheredd y dŵr yn disgyn i 65 °C? (3)

c Esboniwch pam y mae'r system wresogi hon yn gweithio'n fwy effeithiol yn gynnar yn y bore nag yn hwyrach y nos. (2)

Edexcel, Ffiseg PH3, Mehefin 1999

7 Mae a wnelo'r cwestiwn hwn â damcaniaeth galorig gwres.

a Disgrifiwch 'ddamcaniaeth galorig gwres' a chyfeiriwch at **ddwy** agwedd ar ymddygiad thermol yr oedd hi'n ymddangos y gallai eu hesbonio. (4)

b Esboniwch sut y cyfrannodd arbrofion Iarll Rumford ar dyllu magnelau at danseilio'r ddamcaniaeth galorig. (3)

Y Fagloriaeth Ryngwladol, Ffiseg, Lefel Uwch, Tachwedd 1998

34 Nwyon – damcaniaeth ginetig a pheiriannau gwres

Y CWESTIYNAU MAWR

- Pa batrymau syml sydd i'w canfod yn ymddygiad nwyon?
- Pa syniadau y gallwn eu defnyddio i ystyried nwyon yn y ffordd symlaf bosibl?
- Sut y mae ein symleiddiadau yn cydweddu ag ymddygiad real?
- Pam y mae deall trosglwyddiadau egni i nwyon ac o nwyon yn hynod o bwysig i fywyd yn y 21ain ganrif?

GEIRFA ALLWEDDOL

cyflymder isc (isradd sgwâr cymedrig)   cyflymder sgwâr cymedrig   cylchred Carnot   cysonyn Avogadro   cysonyn Boltzmann   Deddf Boyle   Deddf Charles   Deddf Gwasgedd   deddfau nwy   dosraniad Boltzmann   ehangiad adiabatig   ehangiad isobarig   ehangiad isothermol   empirig   grymoeddd Van der Waals   hafaliad cyflwr nwy delfrydol   hafaliad nwy delfrydol   hafaliad Van der Waals   màs atomig cymharol   màs molar   màs moleciwlaidd cymharol   môl   nwy delfrydol   peiriant gwres   swm sylwedd   uned màs atomig

Y CEFNDIR

Un o ddadleuon mawr gwyddoniaeth ar ddechrau'r 1600au oedd a allai gwactod fodoli. Nid oedd modd i bobl ar yr adeg honno wybod bod y lle gwag, uwchlaw ein hatmosffer, yn lled-wactod.

Gwyddai pobl ei bod hi'n amhosibl pwmpio dŵr drwy bibell fertigol sy'n fwy nag oddeutu 10 metr o uchder. Gwnaed abrawf yn yr Eidal lle adeiladwyd pibell blwm i fyny ochr tŵr, mwy na 10 metr o uchder, gyda fflasg wydr yn y pen uchaf a thwb o ddŵr ar y gwaelod. Gyda gwaelod y bibell ynghau, fe'i llanwyd o'r pen uchaf. Yna, caewyd y pen uchaf ac agorwyd y gwaelod. Disgynnodd y lefel ac ymddangosodd lle gwag yn y fflasg wydr.

Yn 1643, gwnaeth Vincenzo Viviani ac Evangelista Torricelli ragdybiaeth bod y golofn o ddŵr yn cael ei dal yn y tiwb gan wasgedd yr atmosffer yn gweithredu ar y dŵr yn y tiwb. Eu hawgrym oedd mai gwactod oedd y lle gwag yn y fflasg wydr. Rhagfynegwyd ganddynt y byddai'n bosibl gwneud colofn debyg o fercwri, ond oherwydd bod dwysedd yr hylif lawer yn fwy byddai'r atmosffer yn cynnal colofn lai o faint.

Cynhaliodd Torricelli yr arbrawf a fyddai'n profi'r rhagdybiaeth hon, gan droi tiwb gwydr o fercwri â'i ben i lawr dros ddysgl o'r hylif. Fel y rhagfynegwyd, cynhyrchwyd colofn o fercwri oddeutu 75 cm o uchder, gyda lle gwag uwch ei phen. Dair blynedd yn ddiweddarach, defnyddiodd Blaise Pascal diwbiau mercwri o'r fath i gymharu'r gwasgedd ar gopa mynydd ac wrth ei odre, gan ddarganfod gwahaniaeth real yn y gwasgedd. Awgrymai hyn y byddai gwasgedd yn parhau i leihau gydag uchder a bod yr atmosffer yn fôr o aer a oedd â therfyn i'w ddyfnder.

● Darganfod deddf

Yn 1660, cyhoeddodd gwyddonydd o Wyddel a oedd yn gweithio yn Rhydychen, yr Anrhydeddus Robert Boyle, lyfr yn dwyn y teitl *New Experiments Physico-mechanical Touching the Spring of the Air*. Dywedodd iddo ddarganfod bod '*electric and magnetic attractions go unimpeded in the void*', a bod hylifau yn berwi ar dymereddau is pan oedd y gwasgedd yn isel. Aeth ati hefyd i fesur y berthynas rhwng cyfaint nwy a'r gwasgedd sy'n gweithredu arno. (Noder: mae'r gwasgedd sy'n cael ei roi ar nwy – ac eithrio yn ystod cywasgiad ac ehangiad cyflym – yr un fath â'r gwasgedd a roir gan y nwy ei hun. Mae'r term 'gwasgedd nwy' yn cael ei ddefnyddio weithiau i olygu'r gwasgedd sy'n gweithredu ar nwy ac, weithiau, y gwasgedd a roir ganddo.)

Roedd Robert Hooke (a ddangosodd fod perthynas gyfrannol rhwng y diriant a'r straen mewn defnyddiau sydd wedi eu hanffurfio, e.e. gwifrau, trawstiau a sbringiau) yn gweithio fel cynorthwy-ydd Boyle. Hooke a ddatblygodd y pwmp aer a gâi ei ddefnyddio gan Boyle i wneud arbrofion.

Cyfeiriai Boyle at 'sbring yr aer' wrth sôn am allu aer i ehangu i wactod a hefyd yr hyn y gallwn ei deimlo pan fyddwn yn cywasgu aer, e.e. drwy wasgu balŵn neu chwistrell. Darganfu Boyle, fel Hooke, gyfrannedd – yn ei achos ef y cyfrannedd rhwng cyfaint nwy a gwasgedd nwy. Dyma eiriau Boyle:

> *'This observation does both very well agree with and confirm our hypothesis that the greater the weight is, that leans upon the air, the more forcible is its endeavour of dilation and consequently its power of resistance (as other springs are stronger when bent by greater weight).'*

Gelwir y cyfrannedd hwn yn **Ddeddf Boyle** a chaiff ei fynegi yn ffurfiol ac yn ein hiaith ni heddiw fel a ganlyn:

> Mae cyfaint màs penodol o nwy ar dymheredd cyson mewn cyfrannedd gwrthdro â'i wasgedd.

Sylwch ar y defnydd gofalus o eiriau – mae'n amlwg nad yw'r ddeddf yn gymwys pan fo màs y nwy yn newid, er enghraifft os oes nwy yn gollwng i mewn i'r sampl dan astudiaeth neu allan ohono, neu pan fo'r tymheredd yn newid.

Golyga'r cyfrannedd gwrthdro y gallwn ddweud:

$$PV = \text{cysonyn}$$

Ond nodwch y bydd gwerth y 'cysonyn' hwn yn newid os yw màs neu dymheredd y nwy yn newid.

Mae deddfau Hooke a Boyle yr un mor bwysig yn ein dealltwriaeth gyffredinol o ffiseg gan eu bod yn enghreifftiau cynnar o'r gydnabyddiaeth a roddir i batrymau cymharol syml o ymddygiad (cyfrannedd) mewn byd naturiol sy'n ymddangos yn gymhleth. Gweithient gan greu eu cyfarpar eu hunain megis pwmpiau aer, fflasgiau gwydr a gafodd eu disgrifio gan Boyle '*of pretty bigness*' i wrthsefyll y gwahaniaethau mewn gwasgedd, a '*slender glass pipe about the bigness of a swan's quill*' a gafodd ei graddnodi a'i defnyddio i fesur cyfeintiau aer. Mae eu llwyddiant wedi'i ailadrodd sawl gwaith yn ystod y 300 mlynedd neu ragor ers y cyfnod yr oeddent yn byw ac yn gweithio ynddo.

1 Defnyddiwch iaith heddiw i gyfleu yr hyn yr oedd Boyle yn ei olygu gan y canlynol:
   a *the weight ... that leans upon the air*
   b *its endeavour of dilation*
2 Brasluniwch graffiau i ddarlunio Deddf Hooke a Deddf Boyle.
3 **TRAFODWCH**
   Dychmygwch y gallai Boyle a Hooke gael eu cludo drwy amser o'r 1660au i'r 21ain ganrif. Beth fyddai'r Cwestiynau Mawr yn eu meddwl hwy? Pa atebion y byddent yn eu canfod? Beth fyddai yn eu syfrdanu fwyaf? A yw'r holl gynnydd a wnaed ym myd ffiseg, y byddent hwy yn ei weld, wedi gwneud mwy o dda neu ddrwg? A ydyw'r gair 'cynnydd' yn air da i'w ddefnyddio yn y cyswllt hwn?

Effeithiau tymheredd ar nwyon

Ni welwyd canlyniad yr astudiaeth ar effeithiau tymheredd ar wasgedd a chyfaint nwy am ryw gan mlynedd yn rhagor ar ôl gwaith Boyle. Roedd modd gweld y canlyniadau bryd hynny o ganlyniad i ddatblygiad gwell thermomedrau yn seiliedig ar ehangiad hylifau mewn tiwbiau gwydr.

Canfu Alessandro Volta, Joseph Gay-Lussac a Jacques Charles, yn annibynnol ar ei gilydd, fod y newid yng nghyfaint nwy mewn cyfrannedd â'r newid tymheredd, cyn belled nad oedd y gwasgedd yn newid. Gan fod gennym bellach raddfa dymheredd absoliwt neu thermodynamig – ac iddi'r fantais, yn annhebyg i raddfeydd tymheredd eraill, o osod sero ar y tymheredd isaf posibl – gallwn fynegi **Deddf Charles** fel a ganlyn:

> Ar gyfer màs penodol o nwy ar wasgedd cyson, mae'r cyfaint mewn cyfrannedd union â'r tymheredd wedi'i fesur mewn celfin.

Unwaith eto, gallwn ysgrifennu'r cyfrannedd fel hafaliad:

$$V = \text{cysonyn} \times T$$

Bydd y 'cysonyn' newydd hwn yn newid os bydd newid yn naill ai màs y nwy neu ei wasgedd.

Felly, os gallwn gael deddf sy'n disgrifio'r berthynas rhwng gwasgedd a chyfaint, ac un sy'n disgrifio'r berthynas rhwng tymheredd a chyfaint, yna gallwn gwblhau'r gyfres o **ddeddfau nwy** drwy ymchwilio i'r berthynas rhwng y gwasgedd a roir gan fàs penodol o nwy a'i dymheredd, pan fo'r cyfaint yn gyson. Yn debyg i'r deddfau nwy eraill, ac yn union fel unrhyw ddeddf arall, dim ond drwy brosesau **empirig** y gallwn ddarganfod y berthynas – hynny yw, drwy arsylwi.

4 Wrth ymchwilio i Ddeddf Boyle mewn labordy ysgol neu goleg, beth sy'n cyfyngu ar amrediad y gwasgedd y gellir gwneud mesuriadau ar ei gyfer?

5 Yn yr un modd, wrth edrych ar Ddeddf Charles a'r Ddeddf Gwasgedd, beth sy'n ei gwneud hi'n amhosibl i wneud y mesuriadau dros amrediad tymheredd ehangach?

6 Yn yr ymchwiliad ar gyfer y Ddeddf Gwasgedd a ddangosir yn Ffigur 34.1, a yw cyfaint y nwy yn y fflasg yn berffaith gyson?

7 Wrth ymchwilio i Ddeddf Charles (Ffigur 34.1), mae diferyn bach o asid sylffwrig crynodedig yn selio'r aer i'r tiwb gwydr. Mae anweddiad yr asid i'r lle gwag yn cael llai o effaith nag anweddiad dŵr, dyweder. Er hynny, mae'n cael rhywfaint o effaith ac mae cyfanswm màs y nwy yn y tiwb yn cynyddu wrth i'r tymheredd godi. Pa effaith y byddech yn disgwyl ei gweld ar siâp y graff?

Unwaith eto, mae yna gyfrannedd a elwir yn **Ddeddf Gwasgedd**:

Mae'r gwasgedd a roir gan fàs penodol o nwy ar gyfaint cyson mewn cyfrannedd union â'r tymheredd wedi'i fesur mewn celfin.

Fel hafaliad, mae

$$P = \text{cysonyn} \times T$$

gan gofio unwaith eto bod y 'cysonyn' yn ddibynnol ar gyfaint a màs y nwy. Mae'r tair deddf nwy wedi'u crynhoi yn Ffigur 34.1. Y Ddeddf Gwasgedd yw sylfaen mesuriadau tymheredd ymarferol wrth ddefnyddio **thermomedr nwy cyfaint cyson** (Ffigur 34.2).

Ffigur 34.1
Crynodeb o'r tair deddf nwy gan ddangos dulliau ymarferol o'u hastudio ar waith a'r perthnasoedd ar ffurf graff.

Deddf Nwy	Deddf Boyle	Deddf Gwasgedd	Deddf Charles
Newidyn mewnbwn (annibynnol)	P	T	T
Newidyn allbwn (dibynnol)	V	P	V
Wedi eu cadw'n gyson	m, T	m, V	m, P
Egwyddorion mesur	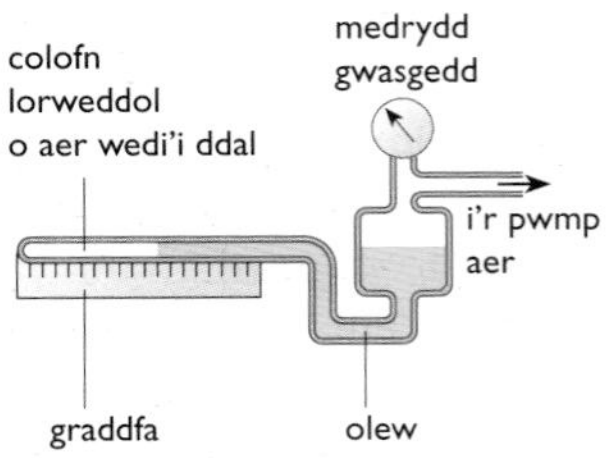	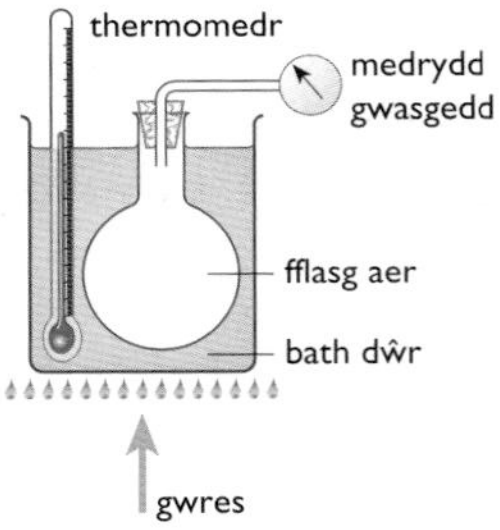	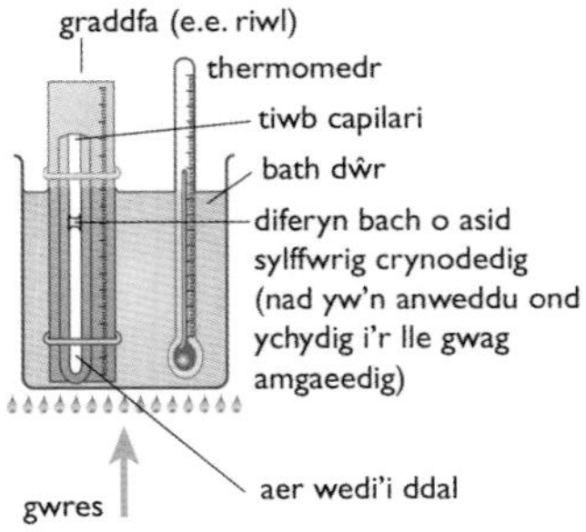
Cynrychioliad graffigol a mathemategol	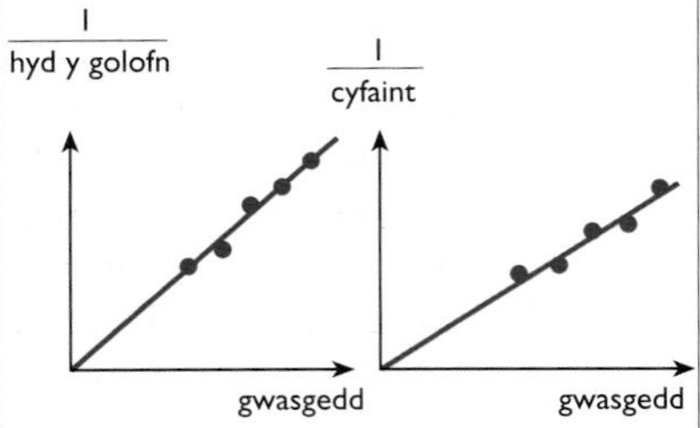 $\frac{1}{V} \propto P$ $PV = \text{cysonyn}$ 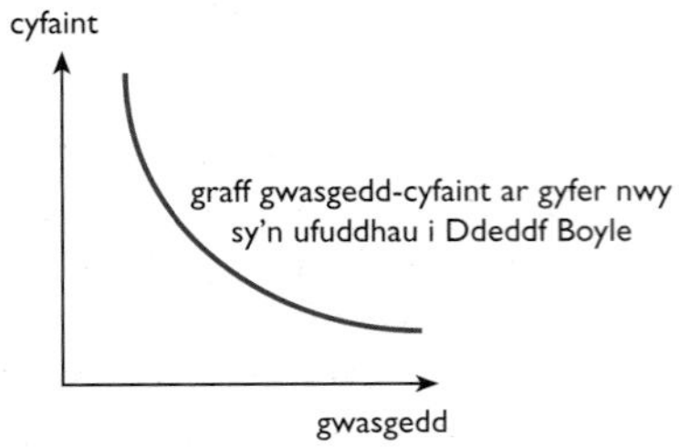	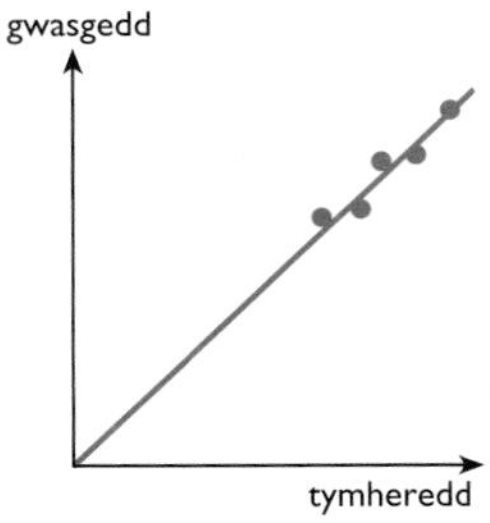 $P \propto T$ $\frac{P}{T} = \text{cysonyn}$	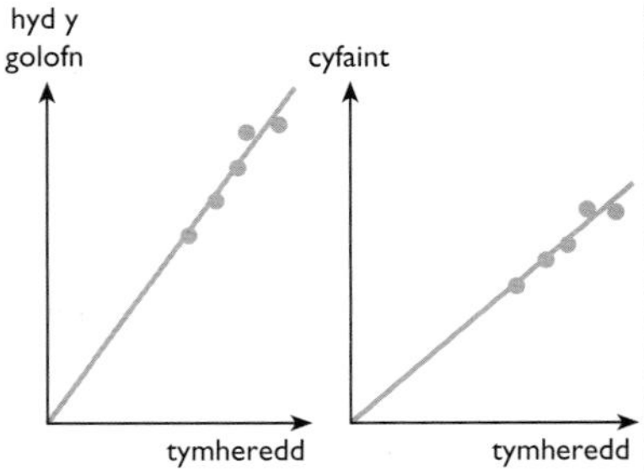 $V \propto T$ $\frac{V}{T} = \text{cysonyn}$

Ffigur 34.2
Egwyddor thermomedr nwy cyfaint cyson. Gall y thermomedr gael ei raddnodi gan ddefnyddio pwyntiau sefydlog. Ar gyfer pwyntiau sefydlog ac eithrio sero absoliwt, mae hyn yn cynnwys trochi'r fflasg mewn defnydd y mae ei dymheredd yn hysbys.

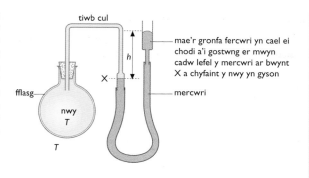

tiwb cul

mae'r gronfa fercwri yn cael ei chodi a'i gostwng er mwyn cadw lefel y mercwri ar bwynt X a chyfaint y nwy yn gyson

h

fflasg

X

mercwri

nwy
T

T

mae'r thermomedr yn mesur tymheredd amgylchedd y fflasg

mae'r uchder h yn mesur y gwasgedd sy'n gweithredu ar y nwy a'r gwasgedd a roir ganddo

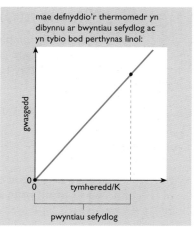

mae defnyddio'r thermomedr yn dibynnu ar bwyntiau sefydlog ac yn tybio bod perthynas linol:

gwasgedd

0

0   tymheredd/K

pwyntiau sefydlog

Mesur swm sylwedd

Mae gan gemegwyr ffordd hwylus o fesur **swm sylwedd**. Yr hyn a wnânt yw mesur nifer y gronynnau sydd mewn sampl. Mae'n ddull arbennig o ddefnyddiol oherwydd mae adweithiau cemegol yn digwydd fesul gronyn felly gall gwybod faint o ronynnau sydd mewn sampl o ddefnydd fod yr un mor bwysig â gwybod ei fàs. Mae cemegwyr yn mesur swm y sylwedd sy'n adweithio drwy ddefnyddio'r **môl**. Mae'r uned hon hefyd yn ddefnyddiol wrth ystyried ymddygiad nifer mawr o foleciwlau nwy (Ffigur 34.3). Mae un môl yn cynnwys 6.02×10^{23} o ronynnau (e.e. moleciwlau, atomau neu ïonau). Dyma ddiffiniad ffurfiol môl:

> Môl yw swm y sylwedd sy'n cynnwys yr un nifer o ronynnau (fel arfer moleciwlau, atomau neu ïonau) ag sydd o atomau mewn 12 g o garbon-12.

Mae'r môl yn uned sylfaenol sy'n perthyn i'r system SI. Caiff ei dalfyrru'n aml yn *mol*.

Ffigur 34.3
Mae môl o sylwedd yn cynnwys 6.02×10^{23} o ronynnau, ym mha ffurf bynnag y mae gronynnau'r sylwedd yn bodoli.

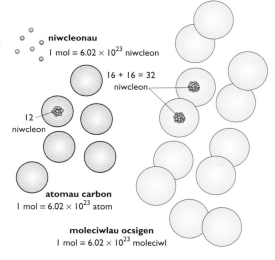

niwcleonau
1 mol ≡ 6.02×10^{23} niwcleon

16 + 16 = 32 niwcleon

12 niwcleon

atomau carbon
1 mol ≡ 6.02×10^{23} atom

moleciwlau ocsigen
1 mol ≡ 6.02×10^{23} moleciwl

Ar gyfer nwyon fel ocsigen a nitrogen, mae'r sefyllfa ychydig yn fwy cymhleth oherwydd er eu bod yn elfennau cemegol ac nid cyfansoddion, maent fel arfer yn bodoli fel moleciwlau, pob un ohonynt â dau atom, ac nid fel atomau sengl. Wrth sôn am nwyon, cyfeiriwn at eu gronynnau fel moleciwlau. Felly, er bod bron 16 g union o ocsigen-16 yn cynnwys 6.02×10^{23} o atomau, mae angen bron 32 g union i roi cyfanswm o 6.02×10^{23} o foleciwlau (Ffigur 34.3). **Màs molar** (màs un môl) ocsigen-16 felly yw 32 g mol^{-1}.

Mae nwyon sy'n gyfansoddion, fel methan a charbon deuocsid, hefyd yn bodoli fel moleciwlau, wrth reswm.

Gelwir y rhif 6.02×10^{23} yn **gysonyn Avogadro**. Gellir ei dalfyrru'n N_A. Gan mai dyma nifer y gronynnau mewn un môl gallwn ei ysgrifennu fel a ganlyn:

$$N_A = 6.02 \times 10^{23} \, mol^{-1}$$

Amedeo Avogadro oedd y cyntaf i awgrymu bod cyfeintiau hafal o nwyon, ar yr un tymheredd a gwasgedd, yn cynnwys yr un nifer o foleciwlau. Yn 1811 y gwnaeth ei awgrymiadau ond ni chawsant eu derbyn am flynyddoedd lawer ar ôl i nifer o arsylwadau gael eu gwneud o nwyon mewn adweithiau cemegol.

8 Sawl moleciwl sydd mewn
 a 1 mol o nitrogen
 b 14 g o nitrogen?
9 Esboniwch pam y mae màs molar carbon deuocsid yr un fath ar gyfer y cyflwr solet ag ar gyfer y cyflwr nwyol.

Màs molar carbon-12 yw 12.000 g mol^{-1}. Mae pob atom yn cynnwys 12 niwcleon. Mae môl carbon-12 yn cynnwys $12 \times 6.02 \times 10^{23}$ niwcleon yn ei niwclysau.

Gellir ysgrifennu màs molar ocsigen-16 fel 32 g mol^{-1} ond nid fel 32.000 g mol^{-1}. Er bod pob moleciwl yn cynnwys 32 niwcleon, mae masau niwcleonau yn amrywio yn ôl nifer y niwcleonau eraill y maent wedi casglu gyda hwy. Mae a wnelo hyn â ffiseg niwclear ac fe'i disgrifir ymhellach yn *Ffiseg Safon Uwch*.

Mae màs molar ocsigen sy'n digwydd yn naturiol yn wahanol eto i 32.000 g, oherwydd presenoldeb isotopau heblaw am ocsigen-16 (er mai hwn yw'r isotop ocsigen mwyaf niferus yn yr amgylchedd o bell ffordd).

Masau atomau a moleciwlau

Mae atomau a moleciwlau yn fach iawn ac mae eu masau mewn cilogramau, yn yr un modd, yn rhifau bach iawn. Er enghraifft, gwyddom o'r diffiniad ar gyfer y môl fod 12.000 g o garbon-12 yn cynnwys 6.02×10^{23} atom a gallwn ddefnyddio hyn i ddarganfod màs, mewn cilogramau, un atom o garbon-12:

$$\text{màs un atom o garbon-12} = \frac{12.000}{6.02 \times 10^{23}} \text{ g}$$

$$= 1.993 \times 10^{-23} \text{ g}$$

$$= 1.993 \times 10^{-26} \text{ kg}$$

Er mwyn gwneud pethau'n haws, drwy ddefnyddio rhifau sy'n haws i ni, gallwn ddiffinio'r màs hwn fel 12 **uned màs atomig**, u:

$$12 \text{ u} = 1.993 \times 10^{-26} \text{ kg}$$

$$1 \text{ u} = \frac{1.993 \times 10^{-26}}{12} \text{ kg}$$

$$= 1.66 \times 10^{-27} \text{ kg}$$

Mae uned màs atomig, yn ôl ei diffiniad, yn hafal i un deuddegfed o fàs atom carbon-12. Nodwch fod atom carbon-12 yn cynnwys deuddeg niwcleon – chwe phroton a chwe niwtron. Felly mae un uned màs atomig *bron* yr un fath â màs niwcleon. Dywedir eu bod bron â bod yn hafal oherwydd:

- nid oes gan niwtronau a phrotonau fàs unfath
- mae cyfanswm màs niwclews yn agos iawn at gyfanswm masau unigol ei niwcleonau, ond nid yn unfath (mae màs yn cael ei 'golli' pan fydd niwcleonau yn crynhoi mewn niwclysau – gweler *Ffiseg Safon Uwch*)
- mae 1 u yn un deuddegfed o fàs *atom* carbon-12 ac mae'r atom yn cynnwys electronau.

Màs atomig cymharol elfen yw màs cyfartalog ei hatomau o'i gymharu ag un deuddegfed o fàs atom carbon-12, wedi'i fesur mewn unedau màs atomig. Mae gan isotop penodol elfen atomau unfath a màs atomig penodol. Gallai'r elfen gael ei darganfod ym myd natur fodd bynnag fel cymysgedd o sawl isotop, felly mae màs atomig cymharol elfen sy'n digwydd yn naturiol yn cymryd i ystyriaeth gyfrannau cymharol ei hisotopau.

Mae nwyon yn bodoli fel moleciwlau ac nid fel atomau annibynnol, felly, ar gyfer nwyon cyfeiriwn at **fàs moleciwlaidd cymharol**. Màs moleciwlaidd cymharol nwy yw màs cyfartalog ei foleciwlau o'i gymharu ag un deuddegfed màs atom carbon-12.

Mae Tabl 34.1 yn crynhoi'r ddwy adran ddiwethaf.

10 Beth yw màs, mewn cilogramau ac unedau màs atomig, y canlynol?
  a 1 mol carbon-12
  b 1.4 mol carbon-12
  c 2.8 mol ocsigen
  d 4.2 mol carbon deuocsid

11 Os 1.15×10^{-3} kg m^{-3} yw dwysedd ocsigen ar 298 K a gwasgedd atmosfferig, faint fydd cyfaint
  a 1.15×10^{-3} kg
  b 1 kg
  c 0.032 kg
  d 1 mol
  e 1 moleciwl?

Tabl 34.1
Masau rhai atomau a moleciwlau.

Sylwedd	Y math o ronyn y mae'r sylwedd wedi'i wneud ohono fel arfer	Nifer y gronynnau mewn un môl	Màs molar /g mol^{-1}	Màs molar i'r rhif cyfan agosaf /g mol^{-1}	Màs atomig cymharol neu fàs moleciwlaidd cymharol/u
carbon-12	atom	6.02×10^{23}	12.000	12	12.000
carbon sy'n bodoli yn naturiol	atom	6.02×10^{23}	12.011	12	12.011
hydrogen	moleciwl	6.02×10^{23}	2.058	2	2.058
nitrogen	moleciwl	6.02×10^{23}	28.014	28	28.014
ocsigen	moleciwl	6.02×10^{23}	31.998	32	31.998
sodiwm	atom	6.02×10^{23}	22.989	23	22.989
carbon deuocsid	moleciwl	6.02×10^{23}	44.009	44	44.009
wraniwm-238	atom	6.02×10^{23}	238.051	238	238.051
wraniwm a echdynnwyd yn uniongyrchol o'r mwyn	atom	6.02×10^{23}	238.029	238	238.029

Y nwy delfrydol

Mae gennym broblem. Mae nwyon yn dangos cymhlethdodau yn eu hymddygiad. Un cymhlethdod amlwg yw eu bod yn troi'n hylifau ac mae nwy ym mhresenoldeb ei hylif ei hun yn ymddwyn ychydig yn wahanol i nwy ar ei ben ei hun oherwydd prosesau newid cyflwr a gwrthdrawiadau gronynnau. A hyd yn oed mewn nwy mae grymoedd trydanol, a elwir **grymoedd Van der Waals**, rhwng gronynnau sy'n dod yn agos at ei gilydd. Cymhlethdod arall yw na ddylem ddisgwyl mewn gwirionedd i gyfaint nwy fod yn sero ar sero absoliwt tymheredd, 0 K, fel y mae Deddf Charles yn ei ragfynegi. Mae gan y moleciwlau eu hunain gyfaint a hyd yn oed petaem yn gallu eu gwasgu i gyd gyda'i gilydd byddem yn gweld na allem wneud iddynt uno yn un diflanbwynt bychan.

Yr ateb i'r broblem yw anwybyddu'r cymhlethdodau ar y dechrau – tybio *bod* y nwy yn syml – ac yna gweld sut mae hyn yn gweithio er mwyn cynnig rhagfynegiadau dibynadwy. Os yw hyn yn gweithio'n dda am o leiaf rywfaint o'r amser yna mae'n ymarferiad gwerth chweil. Yr hyn a wnawn yw delfrydu. Rydym yn dychmygu **nwy delfrydol**.

Mae nwy delfrydol wedi'i wneud o ronynnau o gyfaint dibwys nad ydynt yn effeithio ar ei gilydd – nid yw'r moleciwlau yn rhoi grymoedd ar ei gilydd. Gallwn feddwl amdanynt fel gwrthrychau pwynt sy'n symud yn gyflym, sy'n gallu gwrthdaro â waliau eu cynwysyddion ond nid â'i gilydd. Pan fyddant yn gwrthdaro â waliau eu cynwysyddion maent yn rhoi grym ac yn ei brofi. Y grymoedd a roir gan niferoedd mawr o foleciwlau ar arwynebau sy'n gyfrifol am wasgedd nwy.

Y nwy delfrydol a hafaliad cyflwr

Mae'r deddfau nwy yn ddeddfau empirig – maent wedi'u seilio ar arbrawf. Fodd bynnag, mae mesuriadau trachywir yn dangos nad yw nwyon real yn eu bodloni'n union. Dim ond nwy delfrydol sy'n bodloni'r deddfau yn union. Maent yn rhoi disgrifiad o'r modd y mae nwyon delfrydol yn ymddwyn.

Ar gyfer nwy delfrydol gallwn ddod â'r tair deddf nwy at ei gilydd a nodi bod gwerth *PV/T* bob amser yr un fath ar gyfer màs penodol o nwy:

$$\frac{PV}{T} = \text{cysonyn ar gyfer màs sefydlog o nwy sydd â màs moleciwlaidd cymharol penodol}$$

Ond os ydym am gael deddf gyffredinol sy'n berthnasol i *unrhyw* nwy delfrydol, beth bynnag y bo ei fàs moleciwlaidd cymharol, yna rhaid cymryd i ystyriaeth swm y nwy. Defnyddiwn ar gyfer hyn gysyniad y môl:

$$\frac{PV}{Tn} = \text{cysonyn}$$

lle bo *n* yn dynodi nifer y molau yn y sampl nwy. Mae'r cysonyn hwn yn 'wir' gysonyn – gall newidiadau yn y newidynnau eraill yn yr hafaliad effeithio ar ei gilydd ond nid ydynt yn effeithio ar werth y cysonyn. Fe'i gelwir y cysonyn nwy cyffredinol, *R*, felly gallwn ysgrifennu:

$$\frac{PV}{Tn} = R$$

Gwerth *R* yw 8.31 J K^{-1} mol^{-1}.

Gellir aildrefnu'r hafaliad fel a ganlyn:

$$PV = nRT$$

ac yn y ffurf hon fe'i gelwir yn **hafaliad nwy delfrydol** neu **hafaliad cyflwr nwy delfrydol**.

Nodwch, ar gyfer un môl, fod *n* = 1, a

$$PV = RT$$

Fe welwn yn ddiweddarach sut y mae hyn yn wahanol ar gyfer nwy real.

---

12 Rhowch unedau pob un o'r mesurau ar ochr chwith y canlynol:

$$\frac{PV}{Tn} = R$$

Beth yw dimensiynau pob mesur?

13 Brasluniwch graff i ddangos y berthynas rhwng y gwasgedd a roir gan nwy delfrydol (ar gyfaint a thymheredd penodol) a swm y nwy mewn molau. Esboniwch pam y mae presenoldeb mwy o foleciwlau nwy yn cynhyrchu mwy o wasgedd.

Gwasgedd oherwydd un moleciwl o nwy delfrydol

Gallwn fynd ymhellach gyda'n nwy delfrydol. Gallwn ystyried faint o wasgedd y gall casgliad syml o foleciwlau pwynt ei roi ar ei gynhwysydd. Hefyd, gan ein bod yn delfrydu gallwn, am y tro, ei symleiddio gymaint ag y mynnwn a dechrau drwy feddwl am un moleciwl yn unig sy'n symud yn ôl ac ymlaen rhwng waliau blwch ciwboid sydd gyferbyn â'i gilydd (Ffigur 34.4a).

Mae gan y moleciwl fàs, m, a chyflymder, c, ac felly mae ganddo fomentwm, mc. Ar bob gwrthdrawiad â'r wal mae ei gyflymder a'i fomentwm yn newid. Mae'r gwrthdrawiad yn elastig, felly mae cyfeiriad y cyflymder a'r momentwm yn cael ei wrthdroi:

$$\text{newid yn y cyflymder yn ystod gwrthdrawiad} = \text{cyflymder terfynol} - \text{cyflymder cychwynnol}$$
$$= -c - c$$
$$= -2c$$

Felly mae'r

$$\text{newid mewn momentwm moleciwl yn ystod gwrthdrawiad} = -2mc$$

Er mwyn sicrhau cadwraeth momentwm, rhaid bod newid hafal a dirgroes ym momentwm y wal oherwydd y gwrthdrawiad. Galwn hyn yn Δp, sef ergyd, sy'n cael ei ddiffinio ym Mhennod 14. (Nodwch fod y llythyren fach p yn cael ei defnyddio yma i ddynodi momentwm er mwyn osgoi dryswch â gwasgedd sy'n cael ei ddynodi gan y briflythyren P.) Felly

$$\Delta p = 2mc \qquad (1)$$

Ffigur 34.4
Effaith un moleciwl nwy ar wal ei gynhwysydd.

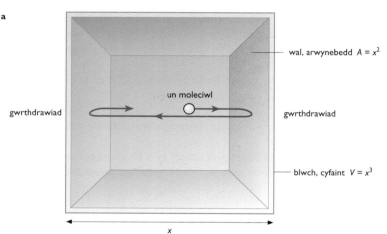

a

wal, arwynebedd $A = x^2$

un moleciwl

gwrthdrawiad | gwrthdrawiad

blwch, cyfaint $V = x^3$

x

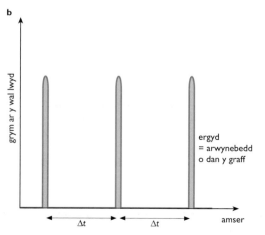

b

grym ar y wal lwyd

ergyd
= arwynebedd
o dan y graff

Δt Δt

amser

Δt = amser rhwng gwrthdrawiadau $= \frac{2x}{c}$

(y pellter rhwng dau wrthdrawiad â'r wal lwyd = $2x$)

c

grym cyfartalog ar y wal lwyd

ergyd gyfartalog am amser penodol
= arwynebedd o dan y graff

F

amser

Mae'r newid mewn momentwm yn golygu bod angen grym, F, i weithredu ar y wal. Nodwch, gan fod

$$F = ma = \frac{m\,\Delta c}{\Delta t} = \frac{\Delta(mc)}{\Delta t} = \frac{\Delta p}{\Delta t}$$

gallwn ddweud bod

ergyd, $\Delta p = F\,\Delta t$

Mae amser pob gwrthdrawiad yn fyr iawn, ond nid yw'r amser rhwng y naill wrthdrawiad a'r llall mor fyr. Gallwn ddweud:

Δp = grym cyfartalog yn gweithredu yn ystod gwrthdrawiad $\times$ amser y gwrthdrawiad

ond gallwn hefyd ddweud bod

Δp = grym cyfartalog, F, yn ystod yr amser sy'n mynd heibio rhwng y gwrthdrawiadau â'r wal $\times$ amser, Δt, i groesi'r blwch ac yn ôl

Os yw'r amser gwrthdaro yn ddibwys o'i gymharu â'r amser teithio, yna mae'r amser rhwng un gwrthdrawiad a'r un nesaf â'r un wal yn hafal i'r amser teithio yn unig, sydd â pherthynas â buanedd:

$$\text{buanedd} = \frac{\text{pellter}}{\text{amser}}$$

$$c = \frac{2x}{\Delta t}$$

lle saif x am led y blwch (gweler Ffigur 34.4b). Felly

$$\Delta t = \frac{2x}{c} \quad \text{(gweler Ffigur 34.4b)}$$

a

$$\Delta p = F\,\Delta t = \frac{2Fx}{c} \qquad (2)$$

lle saif F, cofiwch, am y grym a roir gan y moleciwl ar y wal, wedi'i gyfartaleddu dros amser di-dor (Ffigur 34.3c).

Gan gyfuno hafaliadau (1) a (2),

$$\frac{2Fx}{c} = 2mc$$

ac felly

$$F = \frac{mc^2}{x}$$

Y gwasgedd ar y wal yw grym/arwynebedd. Cyfanswm yr arwynebedd y mae ein moleciwl yn rhoi grym arno yw arwynebedd y wal sef, os yw'r blwch yn giwbig, x^2, felly

$$\text{gwasgedd} = \frac{mc^2}{x^3}$$

$$= \frac{mc^2}{V}$$

lle saif V am gyfaint y blwch. Cofiwch mai hwn yw'r gwasgedd, wedi'i gyfartaleddu dros amser, y mae un moleciwl yn ei roi ar un wal.

14 Esboniwch
a pam y mae'r newid ym momentwm moleciwl yn ystod gwrthdrawiad yn $-2mc$ ac nid $-mc$
b pam y mae'r newid ym momentwm y wal yn ystod yr un gwrthdrawiad yn $2mc$
c beth mae $F=ma$ yn ei ddweud wrthym am ergyd
d pam y mae'r amser rhwng gwrthdrawiadau ag arwynebedd A (Ffigur 34.4a) yn $2x/c$ ac nid yn x/c
e beth, yn union, y saif F amdano yn $F = mc^2/x$.

Ymddygiad N moleciwl o nwy delfrydol

Gwasgedd a roir gan N moleciwl yn symud mewn un dimensiwn

Gallwn yn awr feddwl am ateb ychydig mwy realistig lle nad yw ein moleciwl ar ei ben ei hun ond, yn hytrach, yn un o N moleciwl o nwy delfrydol, yn symud rhwng gwrthdrawiadau gyda'r un ddwy wal gyferbyn â'i gilydd. Tybiwch am y tro eu bod i gyd yn symud yn baralel i'r cyfeiriad x Cartesaidd. Cyfanswm y gwasgedd y mae'r N moleciwl yn ei roi yw swm y gwasgeddau unigol. Mae'n rhesymol tybio bod y moleciwlau o'r un math a bod ganddynt yr un màs. Nid yw'n rhesymol tybio, fodd bynnag, fod ganddynt oll yr un cyflymder.

Gellir dweud bod ein moleciwl rhif un yn rhoi gwasgedd, mc_1^2/V. Mae moleciwl rhif dau yn rhoi gwasgedd, mc_2^2/V, a moleciwl rhif N yn rhoi gwasgedd, mc_N^2/V. Felly rhoddir cyfanswm y gwasgedd ar un wal gan

$$P = \frac{mc_1^2}{V} + \frac{mc_2^2}{V} + \cdots + \frac{mc_N^2}{V}$$

sy'n cael ei symleiddio fel a ganlyn

$$P = \frac{m(c_1^2 + c_2^2 + \cdots c_N^2)}{V}$$

Mae angen ffordd symlach fyth o ysgrifennu hyn, felly dywedwn

$$\frac{(c_1^2 + c_2^2 + \cdots c_N^2)}{N} = \overline{c_x^2}$$

$\overline{c_x^2}$ yw cyfartaledd, neu gymedr, sgwâr pob un o'r cyflymderau ac fe'i gelwir yn **gyflymder sgwâr cymedrig** yn y cyfeiriad x. Caiff ei ysgrifennu'n aml hefyd fel $\langle c_x^2 \rangle$.

Noder

$$(c_1^2 + c_2^2 + \cdots c_N^2) = N\overline{c_x^2}$$

felly cyfanswm y gwasgedd ar un wal oherwydd N moleciwl yw

$$P = \frac{Nm\overline{c_x^2}}{V}$$

15 Mae gan dri moleciwl gyflymderau $c_1 = 200$ m s^{-1}, $c_2 = 220$ m s^{-1} ac $c_3 = 320$ m s^{-1}.

a Beth yw'r cyflymder cymedrig, $\overline{(c_1 + c_2 + c_3)}$?

b Beth yw sgwâr y cyflymder cymedrig, $\overline{(c_1 + c_2 + c_3)}^2$?

c Cyfrifwch sgwâr pob cyflymder, c_1^2, c_2^2 ac c_3^2.

d Beth yw cymedr sgwariau'r cyflymderau, $\overline{c_1^2 + c_2^2 + c_3^2}$?

e Gwnewch sylwadau yn nodi a yw'r canlynol yn wir ai peidio $(c_1 + c_2 + c_3)^2 = c_1^2 + c_2^2 + c_3^2$

Gwasgedd a roir gan N moleciwl yn symud mewn tri dimensiwn

Rydym yn dal i symleiddio a hyd yn hyn dim ond moleciwlau sy'n teithio i gyfeiriad x y buom yn eu hystyried. Bydd y blwch hefyd yn cynnwys moleciwlau yn teithio i gyfeiriadau y a z. Hefyd, wrth gwrs, gan fod mudiant y casgliad o ronynnau yn fudiant afreolus, ychydig a fydd yn teithio i gyfeiriadau x, y a z yn union. Fodd bynnag, mae unrhyw foleciwl yn debygol o fod â chydran x, cydran y a chydran z i'w fudiant. O holl fudiannau yr holl ronynnau, gallwn dybio bod traean o'r mudiant wedi'i wneud o gydrannau x, traean o gydrannau y a thraean o gydrannau z (Ffigur 34.5).

Ar gyfer pob moleciwl, gellir dod o hyd i'w gyflymder c o'i dair cydran gan ddefnyddio Theorem Pythagoras:

$$c^2 = c_x^2 + c_y^2 + c_z^2$$

a rhoddir cyflymder sgwâr cymedrig casgliad o foleciwlau gan

$$\overline{c^2} = \overline{c_x^2} + \overline{c_y^2} + \overline{c_z^2}$$

gan fod y mudiannau i'r tri chyfeiriad perpendicwlar yn annibynnol.

Gan fod nifer mawr o foleciwlau, i gyd mewn mudiant afreolus, gallwn dybio bod

$$\overline{c_x^2} = \overline{c_y^2} = \overline{c_z^2}$$

Ffigur 34.5
Ar gyfer pob moleciwl, mae gan gyflymder dair cydran. Ar gyfer llawer o foleciwlau yn symud i bob cyfeiriad, mae'r fathemateg yr un fath ag ar gyfer set o ronynnau y mae traean ohonynt yn symud i gyfeiriad x, traean i gyfeiriad y a thraean i gyfeiriad z.

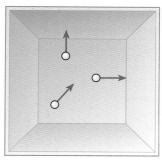

blwch yn cynnwys moleciwlau yn symud i bob cyfeiriad

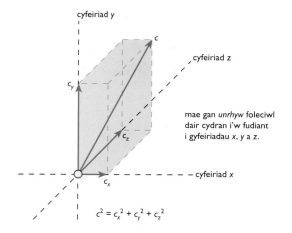

mae gan *unrhyw* foleciwl dair cydran i'w fudiant i gyfeiriadau x, y a z.

$$c^2 = c_x^2 + c_y^2 + c_z^2$$

Mae'n dilyn felly bod

$$\overline{c^2}/3 = \overline{c_x^2} = \overline{c_y^2} = \overline{c_z^2}$$

Mae'r gwasgedd ar un wal

$$P = \frac{Nm\overline{c_x^2}}{V} \quad \text{yn dod yn} \quad P = \frac{Nm\overline{c^2}}{3V}$$

ac mae yr un fath ar gyfer pob wal y blwch. Nodwch mai N yw cyfanswm nifer y gronynnau ac m yw màs pob un, felly Nm yw cyfanswm màs y nwy yn y blwch. V yw'r cyfaint ac felly Nm/V yw dwysedd y nwy, ρ. Mae'r hafaliad yn dechrau edrych yn fwy syml:

$$P = \tfrac{1}{3}d\rho\overline{c^2}$$

Ffigur 34.6
Mae gwasgedd y nwy yn dibynnu ar ddwysedd y nwy ac ar fuanedd ei foleciwlau.

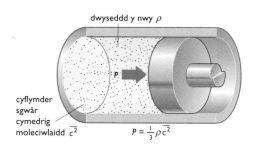

dwysedd y nwy ρ

cyflymder sgwâr cymedrig moleciwlaidd $\overline{c^2}$

$$P = \tfrac{1}{3}\rho\overline{c^2}$$

Mae'r gwasgedd a roir gan nwy yn dibynnu ar y canlynol:
- dwysedd – po uchaf y bo'r dwysedd, y mwyaf o foleciwlau sydd am bob uned o gyfaint ac felly y mwyaf o wrthdrawiadau sydd yn erbyn waliau'r cynhwysydd; ar gyfer gwahanol nwyon ar dymheredd arbennig, mae dwysedd yn cynyddu gyda chynnydd yn y màs moleciwlaidd ac felly y mwyaf y bo dylanwad (ergyd) pob gwrthdrawiad.
- cyflymder sgwâr cymedrig moleciwlaidd – y cyflymaf y bo'r moleciwlau, y mwyaf yw'r ergyd y maent yn ei rhoi ar y gwrthdrawiad; mae perthynas rhwng cyflymder sgwâr cymedrig moleciwlaidd a'r tymheredd a hefyd yr egni mewnol, fel y gwelwn yn fwy manwl yn y tudalennau canlynol.

Ffigur 34.7
Un dull o fesur buaneddau moleciwlau nwy. Dim ond moleciwlau sy'n mynd drwy'r ddwy ddisg sy'n troelli a fydd yn cyrraedd y targed i'w canfod.

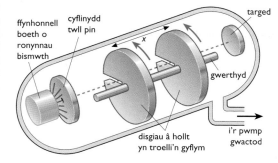

ffynhonnell boeth o ronynnau bismwth

cyflinydd twll pin

targed

x

gwerthyd

disgiau â hollt yn troelli'n gyflym

i'r pwmp gwactod

Os T yw cyfnod cylchdro'r disgiau, yna

$$\text{buanedd y gronynnau yn taro'r targed} = \frac{n \times x}{T}$$

lle bo n yn rhif cyfan.

Gan weithio gyda nwy delfrydol rydym wedi llunio perthynas sy'n cysylltu'r gwasgedd a roir gan nwy â'i ddwysedd a chyflymder sgwâr cymedrig ei foleciwlau (Ffigur 34.6). Y cwestiwn mawr yw a ellid cyfiawnhau'r delfrydu ac a oedd yn werth chweil – a yw'r hafaliad yn cynnig rhagfynegiadau defnyddiol ar gyfer ymddygiad nwyon real? Er mwyn ateb y cwestiynau hyn mae angen mesur buaneddau'r moleciwlau nwy.

Yn y trefniant a ddangosir yn Ffigur 34.7, yr unig ronynnau sy'n cyrraedd y targed yw'r rhai sy'n teithio pellter x yn yr amser a gymer i'r disgiau droelli nifer cyfan o weithiau. Mae hyn yn galluogi i ddosbarthiad eu buaneddau gael ei gofnodi, megis y rheiny yn Ffigur 34.8.

$\overline{c^2}$ yw'r cyflymder sgwâr cymedrig ac mae iddo unedau $m^2\ s^{-2}$. Da o beth fyddai i chi feddwl am y cyflymder isradd sgwâr cymedrig, neu'r **cyflymder isc** (*isradd sgwâr cymedrig*). Mae iddo unedau $m\ s^{-1}$ ac mae'n rhoi gwell syniad o'r hyn sy'n digwydd mewn nwy.

$$\text{cyflymder isc} = \sqrt{\text{cyflymder sgwâr cymedrig}} = \sqrt{\overline{c^2}}$$

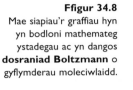

16 Esboniwch pam y mae'r gwasgedd a roir gan N moleciwl yn teithio i gyfeiriadau ar hap yr un fath â'r gwasgedd a roir gan N moleciwl, y mae traean ohonynt yn teithio i gyfeiriad x, traean ohonynt i gyfeiriad y a thraean ohonynt i gyfeiriad z. Byddai llunio braslun yn debyg o'ch helpu gyda'ch esboniad.

17 Beth yw dimensiynau P, ρ a $\overline{c^2}$? Beth yw dimensiynau dwy ochr yr hafaliad $P = \frac{1}{3}\rho\overline{c^2}$?

18 Beth yw'r berthynas rhwng cyflymder isc a gwasgedd ar gyfer nwy delfrydol o ddwysedd cyson?

Ffigur 34.8
Mae siapiau'r graffiau hyn yn bodloni mathemateg ystadegau ac yn dangos **dosraniad Boltzmann** o gyflymderau moleciwlaidd.

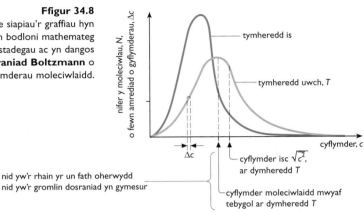

nid yw'r rhain yr un fath oherwydd nid yw'r gromlin dosraniad yn gymesur

Egni cinetig moleciwlaidd

Gallwn gyfuno'r hafaliad ar gyfer gwasgedd nwy delfrydol gyda'r hafaliad cyflwr, ac ar yr un pryd gallwn feddwl am egni cinetig moleciwlaidd. Mae'n werth cofio nad oes gan nwy delfrydol rymoedd rhyngfoleciwlaidd, sy'n golygu nad oes gan y moleciwlau egni potensial, dim ond egni cinetig. Egni mewnol nwy delfrydol, U, yn syml iawn yw swm yr egnïon cinetig moleciwlaidd. Fel rheol, rhaid pwyllo wrth ddyfynnu union werth egni mewnol, sy'n swm yr egni cinetig a'r egni potensial cymhleth, a chyfeiriwn at *newidiadau* yn yr egni mewnol, ΔU, yn unig. Ond ar gyfer y nwy delfrydol syml gallwn fentro dweud bod

$$U = \text{swm yr egnïon cinetig moleciwlaidd} = N \times \text{egni cinetig cymedrig}$$

$$= N \times \frac{(\frac{1}{2}smc_1^2 + \frac{1}{2}smc_2^2 + \frac{1}{2}smc_3^2 + \ldots \frac{1}{2}smc_N^2)}{N} = N \times \frac{1}{2}sm\overline{c^2}$$

Ar gyfer nwy delfrydol gallwn ddweud bod (tudalen 389)

$$PV = nRT$$

a hefyd fod (tudalen 393)

$$P = \frac{1}{3}d\rho\overline{c^2}$$

Gallwn gyfuno'r rhain:

$$\frac{1}{3}d\rho\overline{c^2}V = nRT$$

ρV yw màs y nwy, Nm, felly

$$\frac{1}{3}dNm\overline{c^2} = nRT$$

Gallwn luosi'r ddwy ochr â $\frac{3}{2}$ a rhannu ag N am resymau a ddaw yn amlwg cyn hir:

$$\frac{3}{2} \times \frac{1}{3}\frac{Nm\overline{c^2}}{N} = \frac{3}{2}\frac{nRT}{N}$$

sef, o'i symleiddio:

$$\frac{1}{2}m\overline{c^2} = \frac{3}{2}\frac{nRT}{N}$$

19 Pam y mae cysonyn Boltzmann yn rhif bach iawn?

20 Brasluniwch graff o egni moleciwlaidd cymedrig nwy delfrydol yn erbyn tymheredd thermodynamig. Beth yw arwyddocâd y graddiant?

21 a Beth yw egni cinetig moleciwlaidd cymedrig nwy delfrydol ar 290 K?
 b A oes gan ocsigen a nitrogen yr un egni cinetig moleciwlaidd cymedrig ar yr un tymheredd? Esboniwch.

22 Brasluniwch graff i ddangos y berthynas rhwng màs moleciwlaidd nwy ac egni cinetig moleciwlaidd cymedrig ar dymheredd cyson.

23 O wybod bod $N = nN_A$ a bod $k = R/N_A$, deilliwch berthynas rhwng U, R a T.

24 Egni cinetig cymedrig moleciwlau hydrogen yw 6×10^{-21} J ar 300 K.
 a Beth yw'r egni cinetig cymedrig ar
 i 150 K
 ii 400 K?
 b Os 2.0 u yw'r màs moleciwlaidd cymharol, beth yw cyflymder isc y moleciwlau hydrogen ar 300 K?
 c Brasluniwch graffiau i ddangos dosbarthiadau cyflymder moleciwlau hydrogen ar 300 K ac ar dymheredd o oddeutu 600 K.
 d Esboniwch pam y mae moleciwlau hydrogen yn gyflymach nag unrhyw foleciwlau eraill ar unrhyw dymheredd penodol.

25 Y cyflymder dianc o'r Ddaear yw 11 km s⁻¹; gall moleciwlau ar ben uchaf yr atmosffer ddianc os oes ganddynt gyflymderau o fwy na hyn i gyfeiriad ar i fyny.
 a Defnyddiwch eich atebion i gwestiwn 24 i'ch helpu chi i esbonio un rheswm pam mai ychydig o hydrogen sydd gan atmosfferau planedau tebyg i'r Ddaear ond bod ganddynt ddigon o nitrogen. (Rheswm arall yw bod hydrogen yn fwy actif yn gemegol na nitrogen.)
 b Dim ond 2.4 km s⁻¹ yw cyflymder dianc o'r Lleuad. Defnyddiwch eich gwybodaeth am nwyon i esbonio pam nad oes gan y Lleuad unrhyw atmosffer.

Ochr chwith yr hafaliad diwethaf yw'r egni cinetig moleciwlaidd cymedrig. Gan mai n yw nifer y molau ac N yw nifer y gronynnau, N/n yw nifer y gronynnau mewn un môl. Dyma gysonyn Avogadro, N_A. Felly n/N yw gwrthdro cysonyn Avogadro, $1/N_A$. Felly,

$$\tfrac{1}{2}m\overline{c^2} = \frac{3}{2}\frac{RT}{N_A}$$

Mae R ac N_A ill dau yn gysonion ac mae eu cymhareb yn gysonyn arall. Syniad da fydd rhoi i'r gymhareb ei henw ei hun, sef **cysonyn Boltzmann**, k. Gallwn felly ysgrifennu:

$$\tfrac{1}{2}m\overline{c^2} = \text{egni cinetig moleciwlaidd cymedrig}$$

$$= \tfrac{3}{2}kT$$

Gwerth k yw 1.38×10^{-23} J K⁻¹.

Nodwch fod *cyfanswm* yr egni cinetig mewn sampl o nwy delfrydol yn cael ei roi gan

$$\tfrac{1}{2}Nm\overline{c^2} = \tfrac{3}{2}NkT = \text{cyfanswm egni mewnol, } U$$

lle saif N eto am gyfanswm nifer y moleciwlau.

Y nwy real a'r nwy delfrydol

Gwelsom, ar gyfer nwy delfrydol, fod

$$PV = nRT$$

Os oes gennym ddim ond un môl o nwy yna $n = 1$ a

$$PV = RT$$

V yw'r cyfaint sy'n cael ei lenwi gan y nwy ac yn ôl yr hafaliad mae $V = 0$ pan fo $T = 0$. Mae hyn ond yn wir am nwy delfrydol sydd wedi'i wneud o foleciwlau pwynt. Ond os b yw cyfanswm cyfaint y moleciwlau eu hunain, yna ar sero absoliwt tymheredd cyfanswm cyfaint y nwy fydd b. Gallwn addasu'r hafaliad fel a ganlyn:

$$P(V - b) = RT$$

fel y bo ar 0 K, $(V - b) = 0$, a chyfaint y nwy yw $V = b$.

26 Beth yw dimensiynau, ac felly unedau, a yn hafaliad Van der Waals?

27 Os tybiwn fod $a = 0$, pa dybiaeth yr ydym yn ei gwneud am ymddygiad nwy?

28 Cyfaint nwy real ar 273 K yw 0.020 m³ y môl ar wasgedd penodol. Os gellir tybio bod a yn sero a bod $b = 3.2 \times 10^{-5}$ m³ mol⁻¹, beth yw cymhareb y gwasgedd a roir gan fôl o'r nwy i'r gwasgedd a gâi ei roi gan fôl o nwy delfrydol â'r un cyfaint a thymheredd?

Gallwn hefyd ei addasu i gynnwys y grymoedd rhyngfoleciwlaidd. Oherwydd y grymoedd hyn mae nwy real yn rhoi llai o wasgedd ar y waliau nag y byddai nwy delfrydol. Gwelir bod y gwasgedd a roir gan y nwy real yn cael ei leihau gan swm sydd mewn cyfrannedd gwrthdro â sgwâr y cyfaint. Ar gyfer ein môl o nwy gallwn ysgrifennu

$$\left(P + \frac{a}{V^2}\right)(V - b) = RT$$

Dyma hafaliad cyflwr ar gyfer môl o nwy real ac fe'i gelwir yn **hafaliad Van der Waals**. Mae a a b ill dau'n gysonion ac mae'r ddau yn fach.

Pan fo *V* yn fawr o'i gymharu â *b* (*V* ≫ *b*) yna (*V* − *b*) ≈ *V*. Mae hyn yn wir ar gyfer unrhyw nwy ar dymheredd sy'n sylweddol uwch na sero absoliwt (neu'n sylweddol uwch na'i ferwbwynt) oni bai bod y gwasgedd yn uchel iawn. Hefyd, pan fo *V* yn fawr yna mae *a*/*V²* yn fach iawn. Felly, i *frasamcan* rhesymol, gallwn ddweud ar gyfer un môl o nwy real, ac eithrio ar dymheredd isel iawn neu wasgedd uchel iawn, fod *PV* = *RT*.

Nwy yn ehangu ar wasgedd cyson

Yn y bennod flaenorol, buom yn edrych ar y berthynas rhwng newidiadau mewn egni mewnol nwy a'r egni a gyflenwir iddo gan brosesau thermol (hynny yw, drwy wres, sef Δ*Q*) a phrosesau mecanyddol (hynny yw drwy wneud gwaith ar y nwy, sef Δ*W*). Gwelsom hefyd fod yn rhaid i'r nwy wneud gwaith er mwyn ehangu. Nid oes gan nwy delfrydol rymoedd rhyngfoleciwlaidd ac felly yr unig waith y mae angen iddo ei wneud yw gwaith i wthio defnydd arall – fel arfer yr aer yn yr atmosffer – o'r ffordd. Yn yr achos hwn, gallwn ddweud bod

gwaith a wneir gan y nwy ar yr atmosffer = −Δ*W* = *P* Δ*V*   (gweler tudalen 373)

Ffigur 34.9
Mae graff y gwasgedd yn erbyn cyfaint yn dangos y gwaith a wneir gan y nwy.

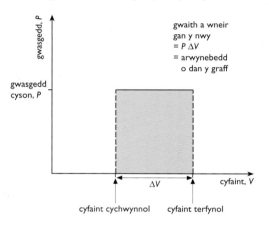

P yw'r gwasgedd allanol a Δ*V* yw'r newid yng nghyfaint y nwy. Mae'r arwydd minws yn ymddangos yma, gan ddefnyddio'r confensiwn arwyddion a fabwysiadwyd gennym, oherwydd mae gwaith yn cael ei wneud *gan* y nwy yn hytrach nag *ar* y nwy.

Os yw'r ehangiad yn digwydd yn araf yna mae'n bosibl y bydd gwasgedd y nwy bob amser yr un fath â'r gwasgedd y tu allan. Mae'r gwasgedd y tu allan yn gyson. Felly gallwn ddychmygu'r nwy yn ehangu ar wasgedd cyson, a elwir weithiau'n **ehangiad isobarig**. Mae'r graff ar gyfer gwasgedd a chyfaint yn gymharol syml (Ffigur 34.9). Yr arwynebedd o dan y graff yw'r gwaith a wneir.

Gwyddom o'r deddfau nwy ac o'r hafaliad nwy delfrydol na all y tymheredd aros yn gyson yn ystod ehangiad o'r fath:

Δ*U* = Δ*Q* + Δ*W*

Os yw *P*, yn ogystal ag *n* ac *R* yn aros yr un fath, ac os yw *V* yn newid, yna rhaid i'r tymheredd *T* newid. Yn ystod ehangiad isobarig nwy mae cynnydd yn y tymheredd a chynnydd yn yr egni mewnol, Δ*U*. Gwyddom, yn gyffredinol, mai'r cynnydd mewn egni mewnol yw swm yr egni a drosglwyddir yn thermol i'r nwy, Δ*Q*, a'r egni a drosglwyddir yn fecanyddol i'r nwy, Δ*W*:

Δ*U* = Δ*Q* + Δ*W*

Y gwaith a wneir *gan* y nwy yw −Δ*W* ac mewn ehangiad isobarig mae Δ*U* yn bositif, felly Δ*Q* > −Δ*W* (Ffigur 34.10).

Ffigur 34.10
Nwy yn ehangu ar wasgedd cyson.

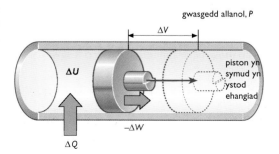

Δ*U* = Δ*Q* + Δ*W*

Yn ystod unrhyw ehangiad mae'r nwy yn gwneud gwaith ar ei amgylchedd.

Yn ystod ehangiad isobarig rhaid i'r tymheredd godi, felly mae gwerth positif i Δ*U*.

Rhaid i egni, Δ*Q*, gael ei gyflenwi i'r nwy er mwyn i hyn fod yn bosibl. Rhaid i'r swm hwn o egni fod yn fwy na'r gwaith a wneir gan y nwy: Δ*Q* > −Δ*W*.

Newidiadau isothermol

Ffigur 34.11
Ehangiad isothermol.

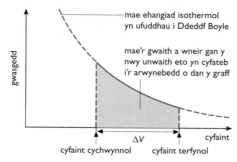

mae ehangiad isothermol yn ufuddhau i Ddeddf Boyle

mae'r gwaith a wneir gan y nwy unwaith eto yn cyfateb i'r arwynebedd o dan y graff

gwasgedd

ΔV

cyfaint

cyfaint cychwynnol   cyfaint terfynol

Gall ehangiad ddigwydd hefyd ar dymheredd cyson. Gelwir hyn yn **ehangiad isothermol**. Dywed y fformiwla $PV = nRT$ na fydd y gwasgedd yn gyson. Yn wir, bydd y nwy delfrydol yn ymddwyn fel y disgrifiwyd gan Ddeddf Boyle – yn dangos perthynas wrthdro rhwng gwasgedd a chyfaint. Mae'r graff gwasgedd yn erbyn cyfaint yn un cyfarwydd (Ffigur 34.11).

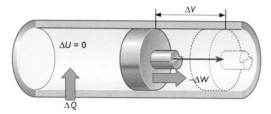

ΔV

ΔU = 0

−ΔW

ΔQ

Yn ystod ehangiad isothermol mae'r tymheredd yn gyson, felly

$\Delta U = 0$

Rhaid i'r gwaith a wneir gan y nwy fod yn hafal i'r egni a gyflenwir:

$\Delta Q = -\Delta W$

Unwaith eto, mae'r nwy yn gwneud gwaith yn ehangu yn erbyn gwrthiant yr atmosffer allanol. Unwaith eto, hefyd, yr arwynebedd o dan y graff sy'n dangos hyn. Ond os yw tymheredd y nwy delfrydol yn aros yr un fath yna dywedwn fod ei egni mewnol, U, yn aros yr un fath. Mae'r newid mewn egni mewnol, ΔU, yn sero. Gan fod

$$\Delta U = \Delta Q + \Delta W$$

gallwn ddweud, ar gyfer newid isothermol, fod

$$\Delta Q = -\Delta W$$

Hynny yw, mae'r gwaith a wneir gan y nwy ($-\Delta W$) yn hafal i'r egni a drosglwyddir iddo drwy wresogi.

Newidiadau adiabatig

Mae sefyllfa arall yn bosibl lle nad yw'r engi sydd ei angen i wneud gwaith yn ystod ehangiad yn dod o'r egni a gyflenwir o'r tu allan i'r nwy ond o'r egni mewnol. Yn yr achos hwn $\Delta Q = 0$ a

$$\Delta U = \Delta W$$

Gan fod gwerth negatif i ΔW, felly hefyd ΔU. Hynny yw, mae'r gwaith a wneir i ehangu yn bosibl oherwydd *gostyngiad* yn egni mewnol y nwy, a gostyngiad yn y tymheredd. Gelwir ehangiad o'r fath yn **ehangiad adiabatig**.

Mae ehangiad nwy yn ehangiad adiabatig perffaith ($\Delta Q = 0$) os yw'r nwy wedi'i amgáu mewn ynysydd perffaith. Mae ehangiad *bron â bod* yn ehangiad adiabatig perffaith os yw'r newid yn digwydd yn gyflym fel na all egni drosglwyddo iddo yn ddigon cyflym i wneud unrhyw gyfraniad o werth ($\Delta Q \approx 0$). Mae prosesau lle mae gwasgedd yn dianc yn sydyn yn ehangiadau adiabatig neu ehangiadau sydd bron yn adiabatig (Ffigur 34.12).

Ffigur 34.12
Mae anwedd yn dianc o gan aerosol bron â bod yn ehangiad adiabatig.

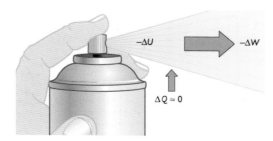

−ΔU   −ΔW

ΔQ ≈ 0

Gwaith a wneir gan y nwy yn ehangu = $-\Delta W$

Ceir gostyngiad cyfatebol mewn egni mewnol (ac felly gostyngiad yn y tymheredd):

$-\Delta U = -\Delta W$

Ffigur 34.13

Nid yw'r graff gwasgedd yn erbyn cyfaint ar gyfer newid adiabatig yn gromlin syml ar ffurf Deddf Boyle fel y mae ar gyfer newid isothermol.

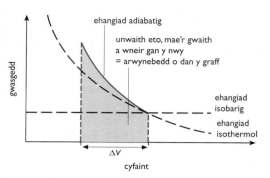

Mewn ehangiad adiabatig mae'r newid yn y gwasgedd, ar gyfer yr un newid mewn cyfaint, yn fwy nag yw mewn ehangiad isothermol. Y rheswm am hyn yw bod y gwasgedd, a roddir gan $P = \frac{1}{3}d\rho c^2$, yn cael ei effeithio gan:

- newid mewn cyfaint ac felly newid mewn dwysedd, ρ
- newid mewn tymheredd ac felly newid mewn cyflymder sgwâr cymedrig moleciwlaidd, $\overline{c^2}$.

Mewn ehangiad adiabatig mae'r nwy yn gwneud mwy o waith ar ei amgylchedd.

Mewn ehangiad adiabatig nwy delfrydol, mae'r hafaliad

$$PV = nRT$$

yn gymwys o hyd, ac

- mae V yn newid – mae'r nwy yn ehangu
- mae T yn newid – gan fod yn rhaid i egni mewnol weithredu fel ffynhonnell yr egni ar gyfer y gwaith a wnaed
- mae P yn newid – mae'r gostyngiad yn y tymheredd *a'r* cynnydd yn y cyfaint yn tueddu i ostwng y gwasgedd mae'r nwy yn ei roi.

Mae'r pwynt diwethaf yn bwynt pwysig. Mewn newid adiabatig nid yw'r nwy yn ufuddhau i Ddeddf Boyle oherwydd nid yw'r tymheredd yn gyson. Mae'r gostyngiad yn y tymheredd yn ystod yr ehangiad yn golygu bod y newid yn y gwasgedd yn fwy nag a fyddai ar dymheredd cyson (Ffigur 34.13).

29 a Beth yw'r berthynas rhwng cyfaint a thymheredd yn ystod ehangiad nwy delfrydol ar wasgedd cyson?
b I ba un o'r deddfau nwy y mae hyn yn cyfateb?
30 Defnyddiwch Ffigur 34.13 i esbonio'r symiau gwahanol o waith a wneir gan nwy yn ehangu yn adiabatig ac un yn ehangu'n isothermol, ar gyfer yr un newid mewn cyfaint.

Prosesau cylchol a pheiriannau gwres

Ystyriwch broses ddychmygol ac iddi bedwar cam yn cynnwys nwy delfrydol ...

1 yn cael ei ehangu'n isothermol
2 yn cael ei ehangu'n adiabatig
3 yn cael ei gywasgu'n isothermig
4 yn cael ei gywasgu'n adiabatig

... hyd nes y bo gennym yr un gwasgedd, cyfaint a thymheredd ag ar y dechrau. Dyma **gylchred Carnot**. Mae pedwar cam y broses, wedi'u plotio ar graff gwasgedd-cyfaint, yn amgáu arwynebedd (Ffigur 34.14). Dyma'r swm net o waith a wneir gan y nwy ar ei amgylchedd.

Ffigur 34.14
Cylchred Carnot.

Yn ystod y gylchred mae'r nwy yn gwneud swm net o waith ar ei amgylchedd. Cynrychiolir hwn gan y rhan sydd wedi'i lliwio ac wedi'i hamgáu.

Mae llai o waith yn cael ei wneud *ar* y nwy yn ystod cywasgiad nag a wneir *gan* y nwy yn ystod ehangiad. Mae'r nwy yn dychwelyd i'w gyflwr gwreiddiol yn barod i ddechrau eto ar y gylchred, ar ôl gwneud swm net o waith. Gwnaed hyn yn bosibl gan swm net o egni yn cael ei drosglwyddo iddo yn thermol (e.e. gan danwydd yn llosgi).

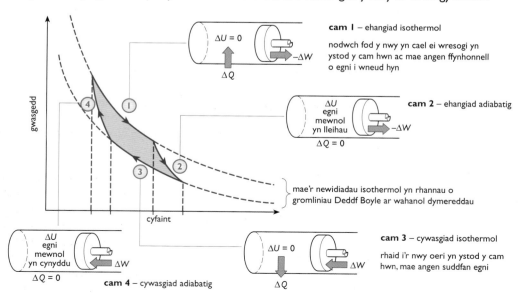

cam 1 – ehangiad isothermol

nodwch fod y nwy yn cael ei wresogi yn ystod y cam hwn ac mae angen ffynhonnell o egni i wneud hyn

cam 2 – ehangiad adiabatig

mae'r newidiadau isothermol yn rhannau o gromliniau Deddf Boyle ar wahanol dymereddau

cam 3 – cywasgiad isothermol

rhaid i'r nwy oeri yn ystod y cam hwn, mae angen suddfan egni

cam 4 – cywasgiad adiabatig

Mae cylchredau o'r fath yn ffordd ddefnyddiol iawn o astudio prosesau trosglwyddo egni sy'n cynnwys nwy – prosesau sy'n digwydd mewn **peiriannau gwres**. Mae trosglwyddiad thermol egni yn digwydd ym mhob peiriant gwres rhwng 'ffynhonnell' boeth a 'suddfan' oer, gyda gwaith yn cael ei wneud yn y broses (Ffigur 34.15).

Ffigur 34.15
Trosglwyddiadau egni mewn peiriant gwres, mewn perthynas â chamau cylchred Carnot.

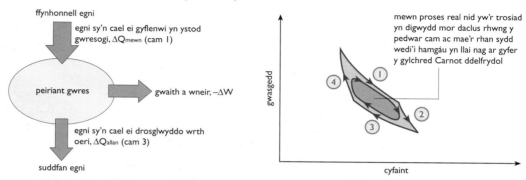

Nid yw ymddygiad real peiriant gwres mor syml â chylchred Carnot ddelfrydol, ond mae'r cysyniad delfrydol yn ddefnyddiol i astudio peiriannau gwres real. Mae'n dangos, er enghraifft, fod yna effeithlonedd macsimwm ar gyfer unrhyw beiriant gwres sy'n ddibynnol ar y gwahaniaeth yn y tymheredd rhwng y ffynhonnell boeth a'r suddfan oer.

$$\text{effeithlonedd} = \frac{\text{gwaith a wneir gan y peiriant}}{\text{egni a gyflenwir i'r peiriant}} \times 100\%$$

$$= \frac{\Delta W}{\Delta Q_{mewn}} \times 100\%$$

Ar gyfer peiriant gwres, uchafswm y gwaith y gall ei wneud yw'r gwahaniaeth rhwng ΔQ_{mewn} a ΔQ_{allan} (oherwydd mae ei egni mewnol yr un fath ar ddiwedd y gylchred ag yw ar y dechrau):

$$\Delta W_{macs} = \Delta Q_{mewn} - \Delta Q_{allan}$$

Felly

$$\text{effeithlonedd macsimwm} = \left(\frac{\Delta Q_{mewn} - \Delta Q_{allan}}{\Delta Q_{mewn}} \right) \times 100\%$$

$$= \left(1 - \frac{\Delta Q_{allan}}{\Delta Q_{mewn}} \right) \times 100\%$$

Mae cymhareb y trosglwyddiadau egni yn hafal i gymhareb tymereddau'r suddfan a'r ffynhonnell. (Mae'r fathemateg a fyddai'n ofynnol i ddangos hyn yn gymhleth.)

$$\frac{\Delta Q_{mewn}}{\Delta Q_{allan}} = \frac{T_1}{T_2}$$

lle saif T_1 am dymheredd (isaf) y suddfan a T_2 am dymheredd (uwch) y ffynhonnell.
Felly

$$\text{effeithlonedd macsimwm} = \left(1 - \frac{T_1}{T_2} \right) \times 100\%$$

Mae hyn wedi'i ddelfrydu wrth gwrs a bydd y gwir effeithlonedd yn llai na hyn. Mae effeithlonedd macsimwm peiriant gwres, fodd bynnag, yn ddibynnol ar y gymhareb ar gyfer tymereddau'r

Ffigur 34.16
Diagram o system gorsaf bŵer fel peiriant gwres.

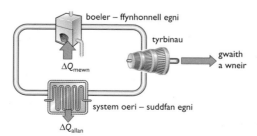

ffynhonnell o egni a'r suddfan egni yn unig. Felly mae gorsaf bŵer, er enghraifft, yn defnyddio ager ar dymheredd uchel iawn ac yna'n oeri'r ager, wrth iddo wneud gwaith yn troi'r tyrbinau, i dymheredd mor isel ag y gellir ei drefnu yn ymarferol. Mae angen ffynhonnell o egni poeth ar orsaf bŵer (Ffigurau 34.16 a 34.17) – sef y boeler – a suddfan egni oer. Mae tyrau oeri gorsaf bŵer yno felly i sicrhau bod y suddfan egni yn oer.

Mae gorsafoedd pŵer yn defnyddio tanwydd. Maent yn ddrud i'w rhedeg ac yn achosi llygredd. Po fwyaf effeithlon y maent, y lleiaf yw'r gost o'u rhedeg a'r lleiaf yw'r llygredd a gynhyrchir ganddynt. Nod peirianwyr wrth adeiladu gorsafoedd pŵer yw bod yn effeithlon, ond gwyddant fod y gymhareb ar gyfer tymereddau'r ffynhonnell egni thermol a'r suddfan egni thermol yn gosod uchafswm damcaniaethol na ellir byth ei gyrraedd. Rhan o'u gwaith felly yw gwneud y ffynhonnell yn boeth a'r suddfan yn oer.

Ffigur 34.17
Yr orsaf bŵer fel peiriant gwres.

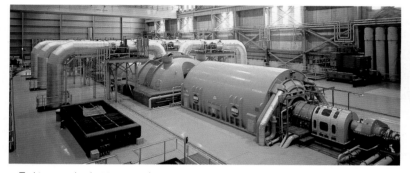

a Tyrbin-eneradur (peiriant gwres)

b Tanwydd ar gyfer y boeler (ffynhonnell boeth) gyda'r tyrau oeri yn y cefndir (suddfan oer)

31 Esboniwch pam y mae'r tymheredd yn gostwng yn ystod cam 2 cylchred Carnot.

32 Beth yw effeithlonedd macsimwm tyrbin sy'n cael ei yrru gan ager a fydd yn cyrraedd ar dymheredd o 220 °C ac yn gadael ar dymheredd o 50 °C? Pam y bydd yr union effeithlonedd yn sylweddol is na hyn?

33 Gwnewch sylwadau ar ddilysrwydd sefydlu peiriant gwres yn seiliedig ar y gylchred a ddangosir yn Ffigur 34.18.

34 Beth yw'r berthynas rhwng pedair strôc peiriant car (Ffigur 34.19) a phedwar cam cylchred Carnot, os oes perthynas o gwbl?

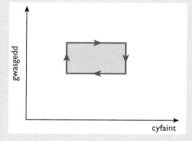

Ffigur 34.18

Ffigur 34.19
Pedair strôc peiriant car.

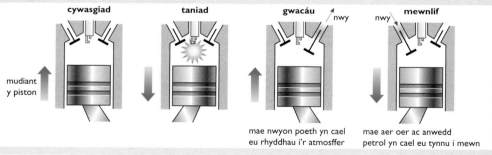

cywasgiad   taniad   gwacáu   mewnlif

mudiant y piston

mae nwyon poeth yn cael eu rhyddhau i'r atmosffer

mae aer oer ac anwedd petrol yn cael eu tynnu i mewn

Tasg sgiliau ychwanegol

Cymhwyso Rhif

Mae atomau a moleciwlau yn fach iawn. Mae'n bosibl amcangyfrif eu maint drwy wneud arbrawf syml. Cymerwch un diferyn bach o olew ac amcangyfrif ei gyfaint. Rhowch y diferyn olew ar arwyneb dŵr ar ôl i chi ysgeintio ychydig o bowdr mân arno. Dylai'r diferyn wasgaru i ffurfio haen a gwthio'r powdr i'r naill ochr. Gan dybio mai trwch yr haen yw un moleciwl, dylech fedru cyfrifo yn awr ddimensiynau moleciwl o olew. Bydd angen i chi ddefnyddio'r fformiwlâu safonol ar gyfer cyfaint sffêr (diferyn) a chyfaint silindr (haen). Cymharwch eich canlyniad â'r ffigurau sydd ar gael yn gyffredinol ar gyfer maint moleciwlau. Rhowch resymau dros y gwahaniaethau. Amcangyfrifwch nifer y moleciwlau yn y diferyn.

Cwestiynau arholiad

1 a Mynegwch dair tybiaeth sylfaenol ar gyfer damcaniaeth ginetig nwyon. (2)

b Gellir rhoi lluoswm pV gwasgedd a chyfaint nwy delfrydol gan naill ai

$$pV = \tfrac{1}{3}dNm\langle c^2\rangle$$

neu

$$pV = NkT$$

lle saif N am nifer y moleciwlau, m am fâs pob moleciwl, T am y tymheredd thermodynamig, ac $\langle c^2\rangle$ am fuanedd sgwâr cymedrig y moleciwlau. Defnyddiwch y mynegiadau hyn i ddangos bod egni cinetig trawsfudol cyfartalog E_c moleciwl nwy delfrydol mewn cyfrannedd â T. (4)

c Mae aer yn cynnwys ocsigen a nitrogen yn bennaf a gellir ystyried bod y ddau yn ymddwyn fel nwyon delfrydol ar dymheredd ystafell (290 K). Rhoddir egni cinetig trawsfudol cyfartalog moleciwlau pob un o'r nwyon hyn gan

$$E_c = \frac{3RT}{2N_A}$$

i Cyfrifwch E_c moleciwl nitrogen ar dymheredd o 290 K.

ii Mae gan foleciwlau ocsigen fwy o fâs na moleciwlau nitrogen. Esboniwch a fyddech yn disgwyl i werth E_c moleciwl ocsigen fod yn fwy ar 290 K na'r hyn a gyfrifwyd yn **i**. (3)

OCR, Gwyddoniaeth, Sylfaenol 2, Tachwedd 1999

2 a Hafaliad cyflwr nwy delfrydol yw

$$pV = nRT$$

Ar gyfer pob un o'r symbolau hyn, nodwch y mesur ffisegol a'r uned SI.

Symbol	Mesur ffisegol	Uned
p		
V		
n		
R		
T		

b Mae nwy delfrydol ac iddo gyfaint o 1.0×10^{-4} m³ wedi'i ddal gan biston mewn silindr fel y dangosir yn y diagram. Mae ffrithiant dibwys rhwng y piston a'r silindr. Ar y dechrau, 20 °C yw tymheredd y nwy a'r gwasgedd atmosfferig allanol sy'n gweithredu ar y piston yw 100 kPa.

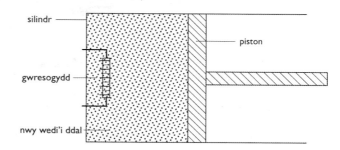

Mae'r nwy yn ehangu'n araf pan fo gwres yn cael ei gyflenwi gan wresogydd trydan y tu mewn i'r silindr.

i Cyfrifwch y gwaith a wneir gan y nwy pan fo cynnydd araf o 5.0×10^{-5} m³ yn ei gyfaint, ar wasgedd cyson, tra bo'n cael ei wresogi.

ii Beth yw tymheredd y nwy, mewn °C, yn dilyn ei ehangiad?

iii Disgrifiwch *ddau* newid sy'n digwydd ym mudiant moleciwl nodweddiadol o'r nwy yn ystod yr ehangiad. (8)

AQA (NEAB), Ffiseg Bellach, (PH03), Mawrth 1999

3 a Diffiniwch y term *dwysedd*. (1)

b Amlinellwch sut y mae symudiad moleciwlaidd yn achosi'r gwasgedd a roir gan nwy. (2)

c Mae gan un môl o ocsigen fâs o 32 g. Gan dybio bod ocsigen yn ymddwyn fel nwy delfrydol, cyfrifwch

i y cyfaint sy'n cael ei lenwi gan un môl o nwy ocsigen pan fo ar dymheredd o 273 K a gwasgedd o 1.01×10^5 Pa.

ii dwysedd nwy ocsigen ar y tymheredd hwn a'r gwasgedd hwn. (5)

d i Esboniwch beth a olygir wrth isradd sgwâr cymedrig cyflymder $\sqrt{\langle c^2\rangle}$ moleciwlau nwy.

ii Cyfrifwch isradd sgwâr cymedrig cyflymder pedwar moleciwl yn teithio ar gyflymderau 300 m s⁻¹, 400 m s⁻¹, 500 m s⁻¹, a 600 m s⁻¹. (4)

e Gan dybio ymddygiad nwy delfrydol, cyfrifwch ar gyfer ocsigen ar 273 K

i isradd sgwâr cymedrig cyflymder ei foleciwlau

ii egni cinetig cyfartalog moleciwl. (4)

f Mae gan ocsigen ferwbwynt o 90 K ac ymdoddbwynt o 55 K. Disgrifiwch yn ansoddol sut y bydd ocsigen ar 273 K ac ocsigen ar 27 K yn wahanol i'w gilydd o safbwynt

i dwysedd

ii y bwlch rhwng y moleciwlau

iii y drefn ym mhatrwm y moleciwlau

iv mudiant y moleciwlau. (4)

OCR, Ffiseg, Papur 3, Tachwedd 1999

4 a i Esboniwch beth a olygir wrth *gydbwysedd thermol*.

ii Esboniwch gydbwysedd thermol drwy gyfeirio at ymddygiad y moleciwlau pan fo sampl o nwy poeth yn cael ei gymysgu â sampl o nwy oerach ac y ceir cydbwysedd thermol. (3)

b Mae cynhwysydd wedi'i selio yn dal cymysgedd o foleciwlau nitrogen a moleciwlau heliwm ar dymheredd o 290 K. Cyfanswm y gwasgedd a roir gan y nwy ar y cynhwysydd yw 120 kPa.

màs molar heliwm $= 4.00 \times 10^{-3}$ kg mol^{-1}
cysonyn nwy molar $R = 8.31$ J K^{-1} mol^{-1}
cysonyn Avogadro $N_A = 6.02 \times 10^{23}$ mol^{-1}

i Cyfrifwch isradd sgwâr cymedrig cyflymder y moleciwlau heliwm.

ii Cyfrifwch egni cinetig cyfartalog un moleciwl o nitrogen.

iii Os oes dwywaith cymaint o foleciwlau heliwm ag o foleciwlau nitrogen yn y cynhwysydd, cyfrifwch y gwasgedd a roir ar y cynhwysydd gan y moleciwlau heliwm. (6)

AQA (NEAB), Ffiseg Bellach, (PH03), Mehefin 1999

5 a Diffiniwch:

i ehangiad *isothermal* (1)

ii cywasgiad *adiabatig*. (1)

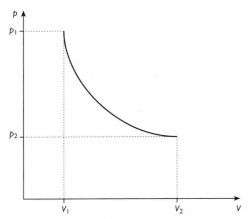

b Mae'r ffigur yn dangos amrywiad y gwasgedd *p* gyda chyfaint *V* màs penodol o nwy yn ehangu yn isothermol o werthoedd cychwynnol p_1, V_1 i'r gwerthoedd terfynol p_2, V_2.

i Ar y ffigur, brasluniwch y graff ar gyfer ehangiad adiabatig o V_1 i V_2 o'r un gwasgedd cychwynnol, p_1. Labelwch y gwasgedd terfynol yn p_3. (1)

ii Drwy gyfeirio at ddeddf gyntaf thermodynameg, esboniwch pam y mae'r gwasgedd terfynol p_3 ar gyfer yr ehangiad adiabatig yn wahanol i'r gwasgedd isothermol terfynol p_2. (3)

iii Awgrymwch beth y gellid ei wneud i adfer y nwy i'r gwasgedd p_2 ar gyfaint V_2. (1)

c Mynegwch ac esboniwch enghraifft bob dydd o newid adiabatig. (2)

OCR, Meysydd ac Effeithiau Thermol, Mawrth 1999

6 Darllenwch y darn canlynol.

Hylifau, anweddau a nwyon

Pan fo màs bychan o ddŵr yn cael ei roi mewn llestr mawr wedi'i wacáu, mae'r dŵr yn anweddu'n gyfan gwbl i ffurfio'r hyn a elwir yn anwedd annirlawn. Os yw'r anwedd annirlawn yn cael ei gywasgu'n araf, mae cyfaint yr anwedd yn lleihau. Yn ystod y newid hwn, mae'r tymheredd yn gyson. Gelwir y newid hwn yn newid isothermol ac fe'i dangosir gan y llinell AB yn y ffigur.

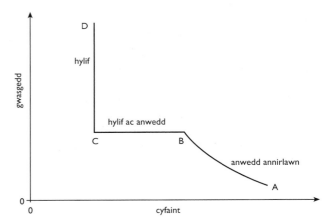

Ar ôl lleihau'r cyfaint eto ar dymheredd cyson, mae'r anwedd yn cyddwyso ac mae'r gwasgedd yn aros yn gyson. Yn y rhan BC, mae yno hylif ac anwedd a dywedir bod yr anwedd yn ddirlawn. Ar bwynt C, mae'r holl anwedd wedi'i gyddwyso a dim ond hylif sy'n bresennol. Dim ond o dan wasgeddau uchel iawn y gellir lleihau'r cyfaint ymhellach.

Pan geir gwerthoedd ar gyfer y cyfaint a'r gwasgedd cyfatebol ar nifer o wahanol dymereddau, gellir llunio cyfres o linellau a elwir yn isothermau fel y gwelir isod. Caiff pob isotherm ei lunio ar gyfer yr un màs o ddŵr.

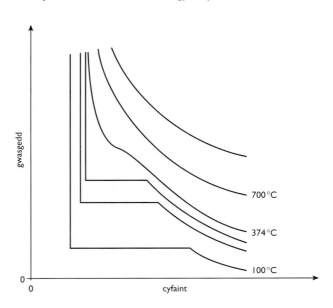

Atebwch y cwestiynau canlynol.

a Gan gyfeirio at y darn darllen:

  i Dywedwch beth y mae'r canlynol yn ei olygu

    1 'newid isothermol'

    2 'mae'r anwedd yn cyddwyso' (3)

  ii Nodwch y gwahaniaeth rhwng anwedd *annirlawn* ac anwedd *dirlawn*. (2)

  iii Nodwch y gwahaniaeth rhwng ymddygiad anwedd annirlawn ac anwedd dirlawn pan fo'r cyfaint yn cael ei leihau ar dymheredd cyson. (2)

b Nodwch nodwedd y llinell ar y ffigur cyntaf sy'n dangos bod angen newidiadau mawr mewn gwasgedd i gynhyrchu newidiadau bychan yng nghyfaint hylif. (1)

c Er mwyn cynhyrchu hylif drwy gynyddu'r gwasgedd yn unig, rhaid i'r anwedd fod islaw tymheredd arbennig sy'n wahanol ar gyfer sylweddau gwahanol. Gelwir y tymheredd hwn yn dymheredd critigol T_c y sylwedd. Mae'r tabl yn rhestru rhai sylweddau a'r tymereddau critigol cyfatebol, a fesurir mewn celfin.

Sylwedd	T_c/K
hydrogen	33
nitrogen	126
ocsigen	154
carbon deuocsid	304
amonia	406
sylffwr deuocsid	431
dŵr	

Defnyddiwch yr ail ffigur i gwblhau'r tabl ar gyfer dŵr. (1)

d Yn ystod arbrofion cynnar i geisio troi nwyon yn hylif, y cyfan a wnaed oedd cynyddu'r gwasgedd. Galwyd nwyon na ellid eu troi'n hylif ar dymheredd ystafell drwy wasgedd yn unig yn nwyon *parhaol*.

  i Rhestrwch y sylweddau yn y tabl a fyddai wedi cael eu galw'n nwyon parhaol.

  ii Awgrymwch, gan roi rheswm, pa sylwedd a restrwyd yn y tabl a fu fwyaf defnyddiol yn ystod yr arbrofion cynnar ar ymddygiad anwedd yn agos at ei dymheredd critigol. (4)

e Defnyddiodd gwyddonwyr a oedd yn ymchwilio i ymddygiad nwyon aer atmosfferig yn gyntaf oll. O ganlyniad i'w hymchwiliadau, datblygwyd y deddfau nwyon.

  i Mynegwch hafaliad nwy delfrydol.

  ii Drwy gyfeirio at y ffigurau a'r tabl, awgrymwch pam

    1 yr oedd ymchwilwyr cynnar y deddfau nwy yn ffodus bod aer atmosfferig wedi'i wneud yn bennaf o nitrogen ac ocsigen

    2 wrth wirio'r deddfau nwy mewn labordy ysgol, y dylai anwedd dŵr gael ei dynnu o'r sampl o aer. (5)

OCR, Ffiseg, Papur 2, Tachwedd 1999

7 Yn y cwestiwn hwn byddwn yn cyfeirio at falŵn plentyn wedi'i lenwi â nwy heliwm o dan amgylchiadau amrywiol.

Tybiwch mai siâp sffer sydd i'r balŵn a'i fod yn cael ei chwythu i fyny o silindr heliwm fel y bo'r tymheredd y tu mewn i'r balŵn yn cyrraedd 25 °C yn y pen draw a diamedr y balŵn yn cyrraedd 38.0 cm. Cymerwch mai tymheredd yr amgylchedd yw −5.0 °C ac mai'r gwasgedd atmosfferig yw 102.5 kPa.

Cofiwch fod cyfaint sffêr yn cael ei roi gan $\frac{4}{3}\pi R^3$ a'r arwynebedd arwyneb gan $4\pi R^2$.

a Mae cyfradd dargludiad gwres drwy wal y balŵn yn cael ei benderfynu fwy gan y ffilm aer denau sydd ynghlwm wrth y wal rwber na chan y rwber ei hun. Cymerwch mai *cyfanswm cyfradd* dargludo gwres drwy wal y balŵn yw 0.42 W m^{-2} K^{-1}.

Cyfrifwch gyfradd ddechreuol dargludo gwres o'r tu mewn i'r balŵn allan drwy'r wal i'r amgylchedd. (3)

b Ar echelinau tymheredd yn erbyn amser *brasluniwch* graff i ddangos sut y byddai tymheredd y nwy yn y balŵn yn newid gydag amser wrth iddo oeri.

Nid oes rhaid gwneud y cyfrifiadau ond nodwch y gwerthoedd rhifiadol lle bo modd. (2)

c Esboniwch pa broses trosglwyddo gwres sy'n bennaf gyfrifol am gael gwres o'r nwy *y tu mewn* i'r balŵn i'w arwyneb *mewnol*. (2)

d Wrth i'r balŵn oeri mae'r gwasgedd y tu mewn yn aros yn weddol gyson ar 5 kPa uwchlaw'r gwasgedd atmosfferig. Pan fo'r balŵn wedi oeri i 0 °C, amcangyfrifwch o ba ffactor y bydd ei gyfaint wedi newid. (3)

e Ar ôl ychydig, mae'r balŵn wedi cyrraedd cydbwysedd ar −5 °C. Caiff ei ryddhau ac mae'n codi i uchder lle mae'r gwasgedd atmosfferig yn ddwy ran o dair o'r hyn ydyw ar lefel y ddaear. Ystyriwch y tair ffordd ganlynol sy'n bosibl, wedi'u delfrydu, i egluro sut y gallai hyn ddigwydd:

A Tymheredd yr atmosffer yn aros yn gyson ar −5 °C a'r balŵn yn cymryd amser hir i godi.

B Tymheredd yr atmosffer yn aros yn gyson ar −5 °C a'r balŵn yn codi'n gyflym iawn.

C Wrth i'r balŵn godi ac wrth i'r gwasgedd leihau, mae'r tymheredd hefyd yn gostwng yr union faint sy'n ofynnol fel nad yw cyfaint y balŵn yn newid.

Atebwch y cwestiynau canlynol:

  i Dangoswch y tair proses hyn ar ddiagram *P-V* gan nodi'r gwasgedd cyson, tymheredd cyson, cyfaint cyson, adiabatig neu isothermol. (5)

  ii Ar gyfer pa un o'r rhain y byddai'r gwaith a wneir gan y nwy yn y balŵn fwyaf? Cyfiawnhewch eich ateb. (2)

  iii Ar gyfer pa un o'r rhain y byddai'r gwaith a wneir gan y nwy yn y balŵn leiaf? Cyfiawnhewch eich ateb. (1)

Y Fagloriaeth Ryngwladol, Ffiseg, Lefel Uwch, Mai 1998
(rhan o'r cwestiwn)

X
TRYDAN I
SAFON UWCH

35 Dargludiad trydanol

Y CWESTIWN MAWR

● Pa syniadau y mae'r ddamcaniaeth gronynnau yn eu cynnig am gerrynt trydanol mewn defnyddiau gwahanol?

GEIRFA ALLWEDDOL

band dargludiad   band falens   bond ïonig   bwlch egni   cyfansoddyn ïonig
cyfernod graddiant negatif   cyflymder drifft
delweddu cyseiniant magnetig (*magnetic resonance imaging* MRI)   electronau falens
fflwroleuedd   ffosffor   gwrthedd   hydoddiant ïonig   lampau dadwefru   niwron
plasma   potensial gweithrediad   twll   tymheredd critigol   uwchddargludedd
uwchlifedd

Y CEFNDIR

Yn y 1830au cynhaliodd Michael Faraday arbrofion ar ymddygiad trydanol gan ddamcaniaethu ynghylch y berthynas rhwng y ffenomenau hyn a natur sylfaenol mater:

'Although we know nothing of what an atom is, yet we cannot resist forming some idea of a small particle, which represents itself to the mind; and although we are ... unable to say whether it is a particular matter or matters, or mere motion of ordinary matter, or some third kind of power or agent, yet there is an immensity of facts which justify us in believing that the atoms of matter are in some way endowed or associated with electrical powers, to which they owe their most striking qualities, and amongst them their mutual chemical affinity.'

Roedd Faraday ar y trywydd iawn (o ran ein damcaniaeth ni heddiw) drwy awgrymu bod ymddygiad trydanol yn gysylltiedig â symudiad gronynnau mater a'i fod hefyd yn gysylltiedig â'r grymoedd sy'n creu strwythurau cemegol.

Gweithiai Faraday ar electrolysis ac electromagneteg ac ar y cysyniad o faes magnetig yn benodol. Electrolysis dŵr heli yw'r man cychwyn bellach ar gyfer nifer o ddefnyddiau sydd wedi'u gweithgynhyrchu ac mae technolegau electromagnetig hefyd yn sylfaen ar gyfer generaduron trydan yn ogystal â moduron trydan.

Ffigur 35.1
Symudedd electromagnetig – rydym oll yn elwa o effaith fagnetig gronynnau wedi'u gwefru yn symud y tu mewn i wifrau.

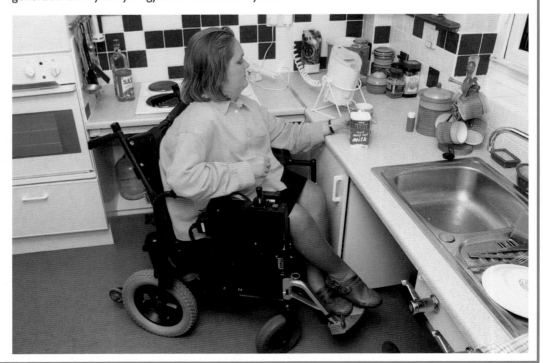

Pelydr gronynnau a cherrynt trydan mewn gwactod

Mae paladr o ronynnau, boed yn baladr o electronau mewn teledu neu'n baladr o brotonau mewn cyflymydd gronynnau enfawr, yn trosglwyddo gwefr ac felly gellir meddwl amdano fel petai'n cludo cerrynt. Yn y teledu a'r twnnel cyflymu mae'r cerrynt yn digwydd mewn gwactod. Byddai presenoldeb nwy yn arwain at ormod o wrthdrawiadau rhwng y paladr o ronynnau a'r moleciwlau nwy fel na fyddai'r paladr yn gallu teithio ymhell. Cyfradd llif gwefr yw unrhyw gerrynt trydan:

I cyfartalog = cyfradd llif gwefr = y wefr sy'n mynd heibio pwynt sefydlog mewn un eiliad

$$= \frac{Q}{t}$$

Mae'r fformiwla hon yn rhoi cerrynt cyfartalog pan fo'r cerrynt yn ddigyfnewid. Yn y rhan fwyaf o'r cylchedau cerrynt union gallwn dybio bod y cerrynt yn gyson, ond mewn sefyllfaoedd mwy cymhleth efallai y bydd yn rhaid i ni ddefnyddio'r fformiwla fwy cyffredinol:

$$I = \frac{dQ}{dt}$$

Mewn teledu, mae electronau yn teithio o'r gwn electron i'r sgrin. Y wefr ar bob electron yw 1.6×10^{-19}C. Mae'r catod yn allyrru tua 5×10^{17} electron bob eiliad. Felly y cerrynt yw

$$I = \frac{Q}{t}$$

(mae'r cerrynt yn gyson, ac felly'n hafal i'r cerrynt cyfartalog bob amser)

gyda $Q = 5 \times 10^{17} \times 1.6 \times 10^{-19}$ C a $t = 1$ s, felly

$$I = \frac{5 \times 10^{17} \times 1.6 \times 10^{19}}{1}$$

$$= 8 \times 10^{-2}\,\text{A}$$

$$= 80\ \text{mA}$$

1 Mewn teledu, beth yw'r cerrynt oherwydd un electron wrth iddo deithio o'r gwn electronau i'r sgrin?

2 Pa fàs o electronau sy'n taro sgrin teledu mewn un eiliad? Màs electron (pan fo ar ddisymudedd) yw 9.1×10^{-31}kg.

Dargludiad mewn nwyon

Ystyriwn fod aer yn ynysydd da. Ond gall aer ddargludo os yw'n cynnwys gronynnau rhydd sy'n cludo gwefr. Mae pob athro ffiseg yn gwybod am rwystredigaeth arbrofion electrostatig sy'n gweithio'n dda ar ddiwrnod pan fo'r aer yn gymharol sych ond nad ydynt yn gweithio pan fo'r aer yn fwy llaith. Mae defnynnau dŵr yn aml wedi'u gwefru felly os yw gwrthrych plastig wedi'i wefru gan ffrithiant bydd yn atynnu defnynnau dŵr â'r wefr ddirgroes, a bydd y plastig a'r defnynnau dŵr yn tueddu i niwtraleiddio ei gilydd. Mewn proses o'r fath mae gwefrau bach iawn yn symud yn araf iawn fel rheol ac mae'r ceryntau yn fach.

Gall aer gludo ceryntau mwy o lawer os yw'n cynnwys ïonau ac electronau rhydd. Gall hyn gael ei drefnu drwy ïoneiddio atomau ym moleciwlau nwyon yr aer, megis mewn gwreichionen. Gellir achosi ïoneiddiad hefyd drwy wresogi'r aer, fel mewn fflam. Mae'r cynnwrf thermol yn achosi gwrthdrawiadau sydd mor ddwys fel bod electronau yn cael eu rhyddhau o'r atomau.

Oherwydd bod y tymheredd yn yr Haul mor uchel, ni all electronau a niwclysau ffurfio atomau – **plasma** yw defnydd yr Haul, sef cymysgedd o ïonau positif ac electronau rhydd. Mae ymddygiad plasma yn wahanol i ymddygiad nwy sydd heb ei ïoneiddio, a gelwir y plasma weithiau yn bedwerydd cyflwr mater. Mae plasma, sydd wedi'i ffurfio o ronynnau wedi'u gwefru yn symud yn rhydd, yn ddargludydd trydanol da. Mae fflam hefyd yn gallu dargludo cerrynt trydan i ryw raddau oherwydd ïoneiddio ac felly bresenoldeb rhai electronau rhydd ac ïonau positif.

Dargludiad mewn hylifau – ïonau ac electrolysis

Mae proton yr un fath ag ïon hydrogen felly mae paladr o brotonau yn baladr o ïonau. Mae ïonau hydrogen hefyd yn symud yn ystod electrolysis asid megis hydoddiant asid sylffwrig. Mae asid sylffwrig yn **gyfansoddyn ïonig**. Mewn cyfansoddyn ïonig y grymoedd sy'n dal y ddellten risial solet ynghyd yw grymoedd rhwng ïonau ac iddynt wefr ddirgroes. Gelwir y grymoedd yn **fondiau ïonig**. Mewn hydoddiant o gyfansoddyn ïonig, **hydoddiant ïonig**, mae'r ïonau yn lledaenu drwy'r hylif. Nid ydynt wedi'u bondio mewn moleciwlau nac mewn dellten risial ond maent yn rhydd i symud drwy'r hylif – felly mae'r hydoddiant ïonig yn ddargludydd trydan (Ffigur 35.2).

Ffigur 35.2
Gan fod asid sylffwrig yn hydoddiant ïonig, mae'n dargludo trydan. Gwna hynny drwy symud yr ïonau yn yr hylif ac mae hyn yn arwain at yr electronau yn symud y tu mewn i'r electrodau metel. Mae cyfuno ïonau ac electronau yn creu atomau niwtral sy'n cael eu rhyddhau o'r hydoddiant.

Wrth yr anod, mae'r 'gystadleuaeth' rhwng yr ïonau yn arwain at yr ïonau sylffad, SO_4^{2-}, yn aros yn yr hydoddiant. Mae'r ïonau hydrocsil, OH^-, yn ildio electronau sydd dros ben i'r anod:

$$OH^- \rightarrow OH + e^-$$

Y canlyniad yw cynhyrchu dŵr ac ocsigen:

$$OH + OH \rightarrow H_2O + O$$

Mae'r atomau ocsigen yn ffurfio parau, neu foleciwlau ocsigen:

$$O + O \rightarrow O_2$$

Mae swigod o nwy ocsigen yn cael eu rhyddhau.

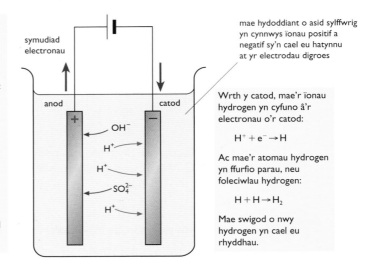

symudiad electronau

anod

catod

mae hydoddiant o asid sylffwrig yn cynnwys ïonau positif a negatif sy'n cael eu hatynnu at yr electrodau digroes

Wrth y catod, mae'r ïonau hydrogen yn cyfuno â'r electronau o'r catod:

$$H^+ + e^- \rightarrow H$$

Ac mae'r atomau hydrogen yn ffurfio parau, neu foleciwlau hydrogen:

$$H + H \rightarrow H_2$$

Mae swigod o nwy hydrogen yn cael eu rhyddhau.

Ffigur 35.3
Lle bo gwahaniaeth potensial rhwng pwyntiau mae grym ar ronynnau wedi'u gwefru. Mae gronynnau sydd wedi'u gwefru'n bositif yn profi grym o bwyntiau o botensial uwch i bwyntiau o botensial is. Mae gronynnau wedi'u gwefru'n negatif yn profi grym i'r cyfeiriad dirgroes.

Mae graddiant potensial rhwng yr electrodau. Mae gronynnau sydd wedi'u gwefru'n bositif yn symud *i lawr* graddiant potensial. Mae gronynnau sydd wedi'u gwefru'n negatif yn symud *i fyny* graddiant potensial.

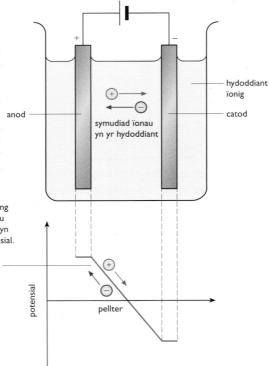

anod

catod

hydoddiant ïonig

symudiad ïonau yn yr hydoddiant

potensial

pellter

Mae graddiant potensial disgyrchiant ar fryn. Mae gwrthrychau â màs positif yn syrthio i lawr y rhiw. Petai gwrthrychau â màs negatif byddent yn syrthio i fyny'r rhiw.

Mae ïonau hydrogen yn cael eu dylanwadu gan wahaniaethau potensial yn yr un modd ag electronau, heblaw eu bod yn profi grym i'r cyfeiriad dirgroes. Cânt eu hatynnu gan yr electrod â'r potensial trydanol is – y catod. Mae ïonau negatif, yn union fel electronau, yn cael eu hatynnu gan yr electrod â'r potensial trydanol uwch – yr anod (Ffigur 35.3).

Yn union fel hydrogen, mae metelau yn tueddu i ffurfio ïonau positif. Mae gan atomau metel niferoedd bychan o **electronau falens** – electronau yn y lefelau egni allanol a gellir eu tynnu oddi yno yn gymharol hawdd. Mae atomau elfennau anfetel megis ocsigen a chlorin, ar y llaw arall, yn ennill electronau yn haws ac yn troi'n ïonau negatif.

3 A yw ïonau o'r elfennau canlynol yn fwy tebygol o gael eu hatynnu gan yr anod neu'r catod yn ystod electrolysis?
a clorin
b copr
c hydrogen
d sodiwm

4 a Yn ystod electrolysis heli (hydoddiant halen), Ffigur 35.4:
i ble mae'r electronau wedi'u cyfuno â'r ïonau positif i gynhyrchu atomau niwtral?
ii ble mae'r electronau'n cael eu rhyddhau o'r atomau?
b Mae dargludiad yng nghylched y cyflenwad pŵer yn digwydd drwy lif yr electronau. Beth yw'r gronynnau wedi'u gwefru sy'n cludo cerrynt drwy'r heli? I ba gyfeiriad y mae'r llif mewn perthynas â llif yr electronau?

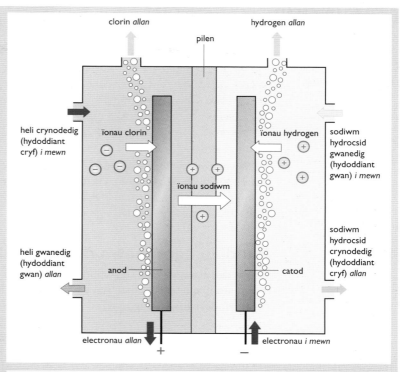

Ffigur 35.4
Mae halen, sodiwm clorid, yn ddefnydd crai hanfodol ar gyfer y diwydiant cemegau. Mae electrolysis heli ar raddfa fawr yn creu ffynhonnell o glorin, hydrogen a sodiwm hydrocsid.

Mae ïonau clorin yn cael eu hatynnu i'r anod lle maent yn colli electronau ac yn troi'n atomau clorin (sy'n casglu mewn parau i ffurfio moleciwlau o nwy clorin).

Mae ïonau sodiwm a hydrogen yn cael eu hatynnu i'r catod ond yr ïonau hydrogen sy'n cymryd yr electronau i'w troi'n atomau (ac yna moleciwlau nwy). Mae'r ïonau sodiwm yn aros yn yr hydoddiant i ffurfio sodiwm hydrocsid.

Dargludiad mewn metelau

Lefelau egni electronau ac electronau falens

Gallwch feddwl am fetel solet fel dellten o ïonau positif, gyda phob un ond yn gallu dirgrynu o amgylch safle cydbwysedd sefydlog, a'r ïonau hynny wedi'u hamgylchynu gan 'nwy' o electronau sy'n rhydd i symud o fewn y ddellten. Mae'r defnydd ar y cyfan yn niwtral.

Os yw'r metel yn cael ei anweddu (fel mewn lamp dadwefru megis lamp stryd sodiwm sy'n rhoi golau melyn) yna mae'r atomau yn annibynnol ar ei gilydd. Mae gan bob un set unfath o lefelau egni a gall electronau symud rhyngddynt drwy allyrru neu amsugno pelydriad electromagnetig. Fel peli mewn bwced, mae'r electronau yn llenwi yn gyntaf oll y lle gwag lle mae ganddynt yr egni potensial lleiaf. Mae niferoedd yr electronau yn cynyddu o'r lefelau egni is sy'n ddyfnach yn yr atom.

Pan yw atom yn ei gyflwr isaf mae lefelau egni isaf pob atom yn dal cynifer o electronau ag y gallant ac mae'r lefelau egni uwch yn hollol wag. Yr electronau ar y tu allan yw'r rhai sy'n cymryd rhan yn yr ïoneiddio ac mewn newidiadau cemegol. Fe'u gelwir yn **electronau falens**. Mewn lithiwm, y 'trydydd' electron yw ei electron falens (Ffigur 35.5).

Ffigur 35.5
Cynrychioliad *syml iawn* o un atom o lithiwm yn dangos sut y mae'r tri electron yn cael eu dosbarthu pan fo yn ei gyflwr isaf.

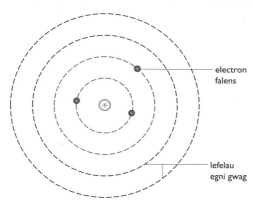

electron falens

lefelau egni gwag

Ffigur 35.6
Rhai o'r lefelau egni sydd ar gael i'r electron falens mewn atom lithiwm.

Yn y cyflwr isaf, mae dau electron arall yr atom ar lefelau egni lawer yn is (heb eu dangos). Nid oes gan yr electronau hyn unrhyw ran i'w chwarae yn y broses dargludo.

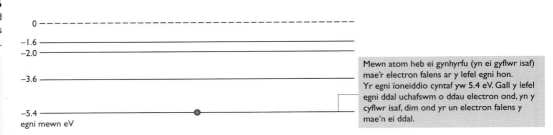

Mewn atom heb ei gynhyrfu (yn ei gyflwr isaf) mae'r electron falens ar y lefel egni hon. Yr egni ïoneiddio cyntaf yw 5.4 eV. Gall y lefel egni ddal uchafswm o ddau electron ond, yn y cyflwr isaf, dim ond yr un electron falens y mae'n ei ddal.

Mewn atom cynhyrfol yr electronau falens sydd fel rheol yn symud bellaf i ffwrdd o'r niwclews i lefel egni uwch (Ffigur 35.6). Electronau falens sydd 'hawsaf' i'w tynnu o atom er mwyn ei wneud yn ïon positif. Hynny yw, mae'n cymryd llai o egni i dynnu electronau falens oddi yno o'u cymharu ag electronau sydd yn lefelau egni is yr atom.

Bandiau egni mewn dellt grisial metel

Os yw dau atom yn cael eu gwthio'n agos iawn at ei gilydd yna, ar gyfer pob lefel unigol o egni mewn atom annibynnol, mae gan y pâr o atomau *lefelau egni sydd ychydig ar wahân*. Hynny yw, mae'n ymddangos bod agosrwydd yr atomau at ei gilydd yn 'hollti' y lefelau egni (Ffigur 35.7).

Ffigur 35.7
Pan fo nifer o atomau yn agos at ei gilydd mae'r lefelau egni yn cael eu hollti'n nifer o lefelau. Mae gan glwstwr o dri atom lithiwm, er enghraifft, dair lefel egni agos at ei gilydd ar gyfer y tri electron falens (un electron falens o bob atom).

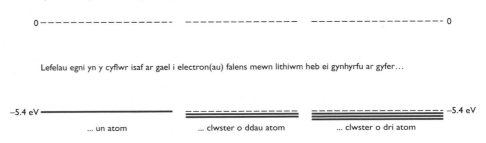

Ar gyfer niferoedd mawr o atomau mewn grisial mae'r hollti yn cynhyrchu bandiau o nifer fawr o lefelau egni agos (Ffigur 35.8). Mae un lefel egni ar gyfer pob atom, felly mae niferoedd enfawr o lefelau mewn band, ac mae'r gwahaniaeth yn yr egni rhwng dwy lefel yn fach iawn.

Ffigur 35.8
Mewn grisial, wrth i atomau ddod yn nes at ei gilydd mae'r lefelau egni'n hollti, gan greu band egni.

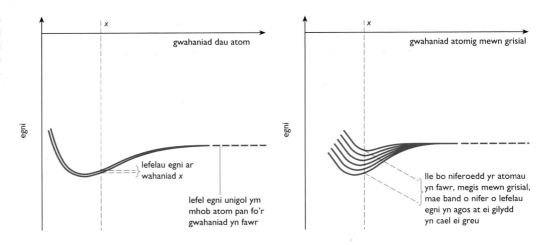

Os na fyddai yna lefelau egni gwag, ni fyddai gan electron unrhyw le i symud iddo, heblaw am newid lle ag electron arall: proses nad yw'n cynhyrchu unrhyw gerrynt net. Mae'r electronau falens mewn grisial metel yn bodoli mewn band nad yw'n hollol gyflawn. Mae lefelau egni gwag yn rhan uchaf y band. Gall electron symud pan fo lefelau egni gwag i symud iddynt (Ffigur 35.9).

Ffigur 35.9
Mewn metel mae digon o lefelau egni gwag ar gael ac felly mae electronau falens yn rhydd i symud pan fo maes trydanol yn gweithredu ar y metel.

lefelau egni sydd, ar y cyfan, yn wag

lefelau egni sydd, ar y cyfan, yn llawn

Mae'r gwahaniaethau egni rhwng un lefel a'r llall o fewn yr un band yn fach, felly gall electron symud o'r lefelau egni is, sy'n llawn, i'r lefelau uwch o fewn yr un band heb 'naid cwantwm' mawr o egni. Mae digon o lefelau yn rhan uchaf y band sydd heb eu llenwi felly mae electronau yn y lefelau uwch hyn yn rhydd i ennill neu golli egni o faes trydanol sy'n gweithredu ar y metel ac i symud drwy'r metel heb fod angen newid lle ag electronau eraill.

Electronau a dargludiad thermol

Yr electronau 'rhydd' hyn sy'n gyfrifol am drosglwyddiad sydyn egni drwy'r metel pan fo rhan ohono yn cael ei wresogi. Mae'r gwres yn codi'r electronau i lefelau egni uwch. Maent yn rhydd i symud drwy'r metel gan gymryd eu hegni gyda hwy. Mae metelau yn ddargludyddion thermol da, yn ogystal â dargludyddion trydanol da, oherwydd presenoldeb ac ymddygiad yr electronau rhydd.

Gwrthdrawiadau electron-ïon – effaith wresogi a gwrthiant

Mewn grisial metel, symudiad nifer o electronau gyda'i gilydd sy'n gwneud y cerrynt trydanol a gall y symudiad arwain at wrthdaro rhwng yr electronau a'r ïonau. Hynny yw, mae trosglwyddiad egni o'r electronau i'r ïonau, sy'n arwain at roi mwy o aflonyddiad thermol i'r ïonau. Mae cerrynt trydanol yn achosi gwresogi.

Wrth i'r tymheredd godi felly mae lefel dirgryniad yr ïonau mewn grisial metel yn cynyddu hefyd. Mae'r tebygolrwydd o wrthdrawiadau rhwng electronau ac ïonau rhydd yn cynyddu. Mae hyn yn lleihau'r pellter cyfartalog y mae pob electron yn ei deithio cyn trosglwyddo egni i'r ïonau a disgyn i lefel egni is lle nad yw'n rhydd i symud. Y mae felly yn cynyddu gwrthiant trydanol y sampl o fetel. (Gweler hefyd *Cyfernod tymheredd gwrthedd*, tudalen 413.)

Ynysyddion a lled-ddargludyddion

Fel y metelau, mae gan ynysyddion hefyd fandiau egni sydd wedi'u ffurfio o niferoedd mawr o egnïon sy'n debyg iawn ond nid yn unfath. Ond, yn wahanol i fetelau, nid oes ganddynt fandiau di-dor sy'n rhannol lawn ac yn rhannol wag. Yn lle hynny mae ganddynt fandiau sy'n hollol lawn a bandiau o lefelau egni uwch *ar wahân* sy'n hollol wag.

Gelwir y band llawn, is yn **fand falens** tra bo'r band gwag, uwch yn cael ei alw'n **fand dargludo**. Nid oes lefelau egni gwag yn y band falens. Dim ond drwy newid lle ag electronau eraill y gall electronau yn y band falens symud ond nid yw hynny'n cynhyrchu unrhyw gerrynt net. Yn y band dargludo, mae'r lefelau egni i gyd yn wag ond mae'r band falens a'r band dargludo yn cael eu gwahanu gan **fwlch egni** mawr (Ffigur 35.10). Mae'r bwlch yn rhy fawr i'r prosesau thermol neu faes trydanol cymedrol ddarparu digon o egni i godi niferoedd sylweddol o electronau i'r lefelau hynny, felly nid oes byth digon o electronau rhydd i gludo cerrynt drwy'r defnydd.

Ffigur 35.10
Mae ymddygiad trydanol defnydd yn dibynnu ar faint y bwlch egni.

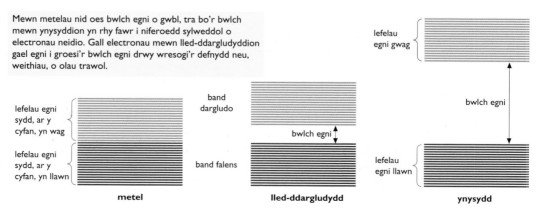

Mewn metelau nid oes bwlch egni o gwbl, tra bo'r bwlch mewn ynysyddion yn rhy fawr i niferoedd sylweddol o electronau neidio. Gall electronau mewn lled-ddargludyddion gael egni i groesi'r bwlch egni drwy wresogi'r defnydd neu, weithiau, o olau trawol.

lefelau egni sydd, ar y cyfan, yn wag

lefelau egni sydd, ar y cyfan, yn llawn

band dargludo

bwlch egni

band falens

lefelau egni gwag

bwlch egni

lefelau egni llawn

metel

lled-ddargludydd

ynysydd

Ffigur 35.11
Mewn lled-ddargludyddion mae'r dargludiad yn digwydd drwy electronau a thyllau positif.

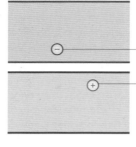

Mae gan electron yn y band dargludo ddigon o lefelau egni gwag wrth law – gall gael egni o faes sy'n gweithredu arno, a dod yn symudol

Gall electron yn y band falens newid ei egni drwy lenwi'r lle neu'r twll a adawyd gan electron sydd wedi symud i'r band dargludo. Mae'r twll yn symudol i bob pwrpas ac yn gweithredu fel cludydd gwefr bositif

lled-ddargludydd

Ffigur 35.12
Gwrthiant sampl o ddefnydd sy'n lled-ddargludydd (thermistor neu ddyfais CGN) a sampl o fetel o faint tebyg, wedi eu plotio yn erbyn y cynnydd yn y tymheredd.

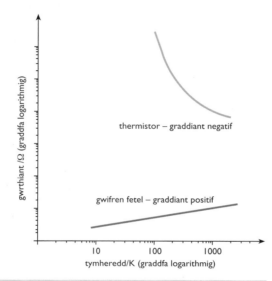

thermistor – graddiant negatif

gwifren fetel – graddiant positif

Mae angen y graddfeydd logarithmig oherwydd amrediad eang gwerthoedd y gwrthiant a'r tymheredd.

Mewn lled-ddargludyddion, megis silicon a germaniwm, mae bwlch egni rhwng y band falens a'r band dargludo, ond mae'n fach (gweler Ffigur 35.10). Mae cynhyrfiad thermol y defnydd yn ddigon i ganiatáu i niferoedd sylweddol o electronau groesi'r bwlch i'r band dargludo. Am y rheswm hwn, mae gallu'r lled-ddargludydd i ddargludo yn cynyddu'n gyflym wrth i'w dymheredd godi ac wrth i ragor o electronau fedru symud heb orfod newid lle.

Pan fo electron yn neidio'r bwlch egni i fand dargludo lled-ddargludydd mae'n gadael lle gwag ar ei ôl; hynny yw, lefel egni nad yw bellach yn llawn. Gall electron arall symud i'r lefel egni wag hon felly; effaith hyn yw bod y lle gwag yn symud. Felly gall y lle gwag, neu'r **twll**, symud o gwmpas y defnydd (Ffigur 35.11). Pan fydd yn gwneud hynny mae'n gweithredu fel petai'n wefr bositif yn symud yn rhydd – mae'n gludydd gwefr bositif.

Thermistor yw synhwyrydd tymheredd sy'n manteisio ar y cynnydd mewn dargludiad mewn lled-ddargludydd wrth i'r tymheredd godi. Darn syml o ddefnydd sy'n lled-ddargludydd yw'r thermistor ac mae ei wrthiant yn ddibynnol iawn ar dymheredd (gweler Ffigur 35.12). Fe'i gelwir weithiau yn ddyfais **cyfernod graddiant negatif** (CGN).

5 a Disgrifiwch y gwahaniaeth ym mhatrwm egnïon electronau mewn anwedd sodiwm (fel mewn lamp sodiwm) a sodiwm solet.
b Pan fo gwahaniaeth potensial mawr yn gweithredu ar anwedd sodiwm mae'r atomau yn cael eu cynhyrfu ac yna'n allyrru golau melyn llachar. Beth sy'n digwydd pan fo gwahaniaeth potensial yn gweithredu ar fetel sodiwm?
6 Esboniwch y rhan y mae electronau yn y lefelau egni is mewn darn o led-ddargludydd yn ei chwarae wrth gludo cerrynt.
7 Pam y mae gallu lled-ddargludydd i gludo cerrynt yn ddibynnol iawn ar dymheredd?

Gwrthedd

Mae gwrthiant yn briodwedd cydran arbennig mewn cylched drydanol – hyd gwifren, darn o graffit neu thermistor, er enghraifft. Mae gwrthiant yn ddibynnol ar ddimensiynau'r sampl o ddefnydd. Nid priodwedd sampl arbennig mo **gwrthedd** ond priodwedd y defnydd. Gwrthiant uned o arwynebedd trawstoriadol am bob uned o hyd ydyw. Hynny yw,

gwrthedd, ρ, defnydd = gwrthiant uned o arwynebedd trawstoriadol am bob uned o hyd

$$\rho = \frac{RA}{l}$$

Uned gwrthedd yw'r Ω m.

Mae gwrthiant unrhyw sampl yn dibynnu ar wrthedd y defnydd y mae wedi'i wneud ohono yn ogystal â'i ddimensiynau. Nodwch y rhoddir gwrthiant sampl o ddargludydd, o ad-drefnu'r uchod, gan

$$R = \frac{\rho l}{A}$$

Cyfernod tymheredd gwrthedd

Dros amrediad y tymereddau a geir fel arfer mewn labordy, mae'r newid yng ngwrthedd metel pur o ganlyniad i'r newid mewn tymheredd, yn fras, yn llinol. Hynny yw,

$$\Delta\rho = \alpha\,\Delta T$$

Y cysonyn cyfrannedd, α, yw **cyfernod tymheredd gwrthedd** y defnydd:

$$\alpha = \frac{\Delta\rho}{\Delta T}$$

Rhoddir gwrthedd a chyfernodau tymheredd gwrthedd rhai dargludyddion a lled-ddargludyddion yn Nhabl 35.1.

Tabl 35.1
Gwrthedd a chyfernod tymheredd gwrthedd rhai dargludyddion a lled-ddargludyddion.

Defnydd	Gwrthedd ar 293 K / Ωm	Cyfernod tymheredd gwrthedd ar 293 K / Ωm K^{-1}
alwminiwm	2.8×10^{-8}	3.9×10^{-3}
copr	1.7×10^{-8}	3.9×10^{-3}
haearn	9.7×10^{-8}	5.0×10^{-3}
twngsten	5.6×10^{-8}	4.5×10^{-3}
graffit	4.0×10^{-5}	-0.5×10^{-3}
silicon	640	-75×10^{-3}

8 Cyfrifwch wrthiant disgwyliedig gwifren gopr wedi'i hynysu, ei hyd yn 1 m a'i harwynebedd trawstoriadol yn 0.2 mm²
  a pan fo wedi'i throchi mewn iâ tawdd
  b pan fo wedi'i throchi mewn dŵr berw
  (ar wasgedd atmosfferig yn y ddau achos).
9 Mae gan wifren gopr benodol wrthiant o 1Ω. Beth yw gwrthiant gwifren dwngsten â'r un dimensiynau?
10 Brasluniwch graff y gwrthedd yn erbyn tymheredd ar gyfer copr yn yr amrediad tymheredd 250 K i 350 K, a rhowch werth y graddiant.
11 Beth yw dimensiynau cyfernod tymheredd gwrthedd?
12 **a** Gwnewch sylwadau ar y gwahaniaeth rhwng diffiniad cyfernod tymheredd gwrthedd a diffiniad cyfernod tymheredd *gwrthiant*, y gellir ei fynegi fel cyfernod

tymheredd gwrthiant $= \dfrac{\Delta R}{\Delta T}$

b Yn achos metel pur, os yw cyfernod tymheredd gwrthedd yn weddol gyson dros yr amrediad tymheredd 250 K i 350 K, a all yr un peth gael ei ddweud am gyfernod tymheredd gwrthiant gwifren a wnaed o'r metel pur hwn?

Nodwch fod gwrthedd metel yn ddibynnol iawn ar dymheredd, ond i raddau llai na lled-ddargludydd. Hefyd, mae'r ddibyniaeth yn ddirgroes. Mae gwrthedd metel yn cynyddu gyda'r tymheredd tra bo gwrthedd y lled-ddargludydd yn lleihau.

Uwchddargludedd

Mae defnyddiau yn newid eu hymddygiad mewn ffyrdd rhyfedd pan gânt eu hoeri i dymereddau isel iawn. Ar dymheredd o ryw 2 K, er enghraifft, gall heliwm (sy'n hylif ar y tymheredd hwnnw) gripian ar hyd arwynebau. Gall godi i fyny ochrau cynhwysydd a llifo allan ohono fel y bo'r cynhwysydd yn edrych fel petai'n gollwng. Mae ymddygiad o'r fath yn enghraifft o **uwchlifedd**.

Mae ymddygiad metelau hefyd yn newid yn sydyn ar dymereddau isel. Yn bwysicach na hynny, mae eu gwrthedd yn disgyn i sero ar dymheredd arbennig sy'n cael ei alw'n dymheredd trawsnewid neu **dymheredd critigol** (Ffigur 35.13). Gelwir y ffenomen hon yn **uwchddargludedd**. Gall gwifren sy'n uwchddargludydd gludo ceryntau heb wrthiant. Nid oes unrhyw effaith wresogi ac nid oes trosglwyddiad thermol egni yn digwydd i'r amgylchedd. P'un ai y bo'r cerrynt yn fawr neu'n fach, nid yw'r wifren yn poethi.

Ffigur 35.13
Mae gwrthedd metel (mercwri yn yr enghraifft hon) yn disgyn i sero ar dymheredd isel iawn.

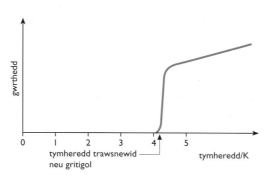

Mae angen ceryntau mawr iawn ar beiriannau sganio cyrff meddygol – dyfeisiau **delweddu cyseiniant magnetig** neu MRI (*magnetic resonance imaging*) – i gynhyrchu meysydd magnetig cryf. Byddai ceryntau o'r fath yn creu effeithiau gwresogi cryf a byddai egni'n cael ei afradloni petaent yn digwydd mewn gwifrau ar dymereddau 'normal'. Felly mae eu helectromagnetau yn cael eu hoeri, drwy eu trochi mewn heliwm hylif, i ychydig o gelfin er mwyn iddynt droi'n uwchddargludyddion.

Mae yna bosibiliadau o ddefnyddio uwchddargludedd mewn dyfeisiau eraill, megis cyfrifiaduron. Mae'r rheidrwydd i sicrhau tymereddau isel iawn yn cyfyngu ar eu datblygiad pellach. Rhaid eu hoeri, drwy ddefnyddio heliwm hylif er enghraifft, a fydd yn gorfod cael ei oeri ei hun yn gyntaf wrth gwrs, a bydd angen ei ynysu er mwyn cadw'r tymheredd yn isel. Mae hyn yn rhy ddrud i'w ddefnyddio'n ymarferol ar raddfa fawr. Mae technolegwyr yn gweithio yn awr ar ddatblygu defnyddiau a fydd yn troi'n uwchddargludyddion ar dymereddau uwch – defnyddiau â thymereddau critigol uchel. Y gorau a gafwyd hyd yn hyn yw tua 100 K, sy'n dal i fod yn dymheredd isel.

Cyflymder drifft electronau

Mae'r electronau rhydd mewn metel yn hapsymud ar fuaneddau sydd tua 10^5 m s^{-1}. Dyma fudiant thermol yr electronau – mae'n cyfrannu at egni mewnol y defnydd ac mae'n ddibynnol ar dymheredd. Nodwch fod 100 cilometr yr eiliad, sef buanedd nodweddiadol electronau, yn weddol gyflym.

Ffigur 35.14
Mae electronau yn symud i fyny'r graddiant potensial ac yn ennill egni cinetig.

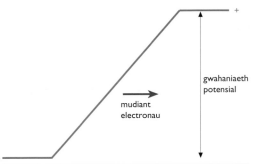

mudiant electronau

gwahaniaeth potensial

Mewn gwrthydd, mae egni cinetig yn cael ei drosglwyddo o'r electronau drwy ryngweithiadau â strwythur y grisial ïon, ac yna'n cael ei drosglwyddo drwy brosesau thermol i'r amgylchedd. Rhaid i egni gael ei gyflenwi'n barhaus (gan ffynhonnell y gwahaniaeth potensial) i gynnal y dargludiad. Mae'r electronau yn cyrraedd buanedd cytbwys neu gyson.

Pan fydd gwahaniaeth potensial yn gweithredu ar y metel, mae'n darparu egni ar gyfer symud niferoedd o electronau ar hyd y graddiant potensial. Mae'r symudiad hwn yn digwydd yn ychwanegol at hapfudiant yr electronau, sy'n parhau ond nad oes iddo unrhyw ran yn y cerrynt trydanol. Cofiwch fod electronau, yn naturiol, yn symud *i fyny* graddiant potensial (Ffigur 35.14), tra byddai gronynnau sydd wedi'u gwefru'n bositif yn disgyn i lawr y graddiant.

Mae symudiad niferoedd o electronau'n cyrraedd cyflymder cyfartalog lle bo cyfradd cyflenwi'r egni drwy'r gwahaniaeth potensial yn hafal i'r gyfradd y bydd yn rhaid i waith gael ei wneud i symud ymlaen. Mae'r cydraddoldeb hwn yn creu cydbwysedd – felly ar raddiant potensial penodol mae cerrynt penodol yn llifo mewn dargludydd arbennig. Mae hyn yn debyg i gyflymder terfynol gwrthrych megis dyn â pharasiwt yn symud mewn cyfrwng gwrthiannol. Yn yr achos hwnnw, mae cyfradd cyflenwi egni gan y maes disgyrchiant yn hafal i'r gyfradd y mae'n rhaid i waith gael ei wneud i oresgyn gwrthiant aer, fel nad yw'r dyn â'r parasiwt sydd ar gyflymder terfynol yn ennill nac yn colli egni cinetig.

Ar gyfer electronau yn symud drwy fetel, gelwir eu cyflymder cyfartalog ar hyd y graddiant potensial yn **gyflymder drifft**. Mae perthynas rhyngddo a'r cerrynt cyson, I:

$$I = \frac{Q}{t}$$

lle saif Q am y wefr sy'n mynd heibio i bwynt mewn cylched mewn amser, t. Mae'r wefr yn cael ei chludo gan yr electronau, pob un â gwefr e, sef -1.6×10^{-19}C. Nifer yr electronau yr eiliad sy'n mynd drwy bwynt mewn cylched yw nifer yr electronau mewn eiliad sy'n croesi trawstoriad arbennig, arwynebedd A, y dargludydd (Ffigur 35.15).

Ffigur 35.15
Cyflymder drifft cyson electronau yw v, sy'n hafal i x/t. Mae'n ddefnyddiol i ystyried beth sy'n digwydd pan fo $t = 1$ s. Mae cyfaint Ax o electronau yn mynd drwy arwynebedd A bob eiliad.

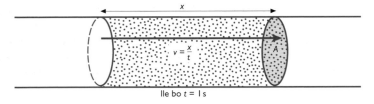

x

$v = \frac{x}{t}$

lle bo $t = 1$ s

Os tybiwn fod yr un cyflymder gan bob electron – y cyflymder drifft – yna gallwn weld bod pob un o'r electronau mewn cyfaint arbennig o'r dargludydd yn croesi drwy arwynebedd *A* mewn un eiliad. Arwynebedd trawstoriadol y cyfaint hwn yw *A* a gallwn ddweud mai ei hyd yw *x*. Tybiwch fod *n* electron rhydd mewn un uned o gyfaint. (Mae 'uned' cyfaint fel rheol yn fetr ciwbig, hyd yn oed os yw'n gyfaint dargludo mawr iawn.)

$$n = \text{nifer yr electronau mewn un uned o gyfaint}$$

$$= \frac{\text{nifer yr electronau yng nghyfaint } V}{\text{cyfaint } V}$$

Os *A x* yw *V*, yna

$$n = \frac{\text{nifer yr electronau yng nghyfaint } A x}{A x}$$

Felly

$$\text{nifer yr electronau yng nghyfaint } A x = n A x$$

Mae nifer yr electronau yng nghyfaint *A x* yr un fath â nifer yr electronau sy'n mynd drwy arwynebedd *A* bob eiliad. Ond nodwch y dylwn yn awr ychwanegu bod perthynas rhwng y cyflymder drifft ac *x* yn ôl $v = \frac{x}{t}$, lle bo *t* = 1 s. Felly

$$\text{nifer yr electronau sy'n croesi arwynebedd } A \text{ yr eiliad} = n A x = n A v$$

Y wefr sy'n cael ei chludo gan yr electronau sy'n croesi arwynebedd *A* mewn un eiliad yw'r cerrynt, *I*, felly

$$I = n A v e$$

Gallwn ysgrifennu hefyd

$$v = \frac{I}{n A e}$$

Mae copr yn cynnwys tua 1.0×10^{29} o electronau rhydd mewn un metr ciwbig. Pan fo cerrynt 1 A yn llifo mewn gwifren ag arwynebedd trawstoriadol o $7.5 \times 10^{-7} \, m^2$,

$$\text{cyflymder drifft} = \frac{I}{n A e}$$

$$= \frac{1}{1.0 \times 10^{29} \times 7.5 \times 10^{-7} \times 1.6 \times 10^{-19}}$$

$$= \frac{1}{1.2 \times 10^4}$$

$$= 8.3 \times 10^{-5} \, m \, s^{-1}$$

Mae'r cyflymder drifft yn syndod o fach, ond pan fo switsh cylched yn cael ei gau – fel y bydd yn digwydd pan fyddwch yn cynnau lamp drydan – mae'r effaith yn digwydd bron yn enydaidd drwy'r gylched. Y rheswm am hyn yw bod y maes trydanol yn lledaenu ar fuanedd golau. Felly, er enghraifft, pan fo tortsh syml yn cael ei chynnau, mae terfynell negatif y batri yn gwrthyrru electronau ac mae'r electronau sy'n symud yn gwrthyrru'r rheiny sydd ymhellach ar hyd y dargludydd. Mae electronau ar hyd y gylched yn dechrau symud bron ar yr un ennyd ond ddim yn hollol.

Wrth ymdrin â chyflymder drifft, tybiwyd bod y cerrynt yn gyson o ran ei faint a'i gyfeiriad. Os yw'r gwahaniaeth potensial a roir ar draws y dargludydd yn amrywio yn sinwsoidaidd, yna bydd yr electronau yn osgiliadu yn sinwsoidaidd a bydd patrwm sinwsoidaidd i'r cerrynt hefyd (Ffigur 35.16).

Ffigur 35.16
Mae patrymau gwahanol y gwahaniaeth potensial sy'n gweithredu yn creu patrymau gwahanol yn y cerrynt a chyflymder drifft yr electronau.

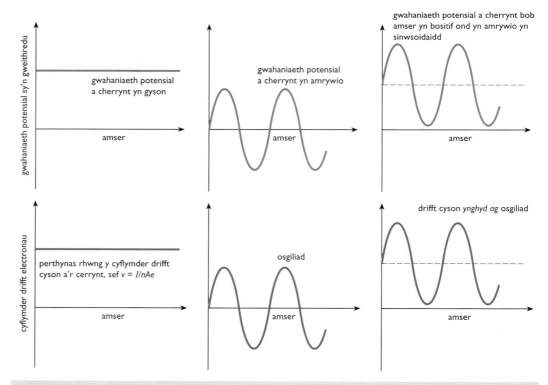

gwahaniaeth potensial sy'n gweithredu — gwahaniaeth potensial a cherrynt yn gyson — amser

gwahaniaeth potensial a cherrynt yn amrywio — amser

gwahaniaeth potensial a cherrynt bob amser yn bositif ond yn amrywio yn sinwsoidaidd — amser

cyflymder drifft electronau — perthynas rhwng y cyflymder drifft cyson a'r cerrynt, sef $v = I/nAe$ — amser

osgiliad — amser

drifft cyson *ynghyd ag* osgiliad — amser

13 Beth yw cymhareb buanedd nodweddiadol thermol electronau mewn metel i fuanedd nodweddiadol thermol (buanedd 'isc') moleciwlau yn yr ystafell rydych chi ynddi? (Gweler Pennod 34.)

14 Gan dybio bod gwrthedd haearn yn amrywio'n unffurf yn ôl y tymheredd, brasluniwch graff o'i wrthedd yn erbyn tymheredd ar gyfer yr amrediad 0 i 500 K.

15 Os yw'r cerrynt mewn gwifren fetel arbennig yn dyblu, pa rai o'r canlynol sydd hefyd yn dyblu?
 a nifer yr electronau rhydd mewn un uned cyfaint
 b cyflymder drifft

16 a Sut y gall *n*, sef nifer y cludyddion gwefr am bob un uned o gyfaint, mewn sampl o silicon pur gael ei newid?
 b Pam y mae'n haws newid *n* ar gyfer silicon nag ar gyfer copr?

17 Beth yw cyflymder drifft electronau mewn gwifren gopr â radiws 0.2 mm pan fo'r cerrynt yn 0.5 A?

18 Cymharwch fudiant electronau mewn ffilament lamp torsh ac mewn elfen tegell wedi'i gysylltu â'r prif gyflenwad.

19 Beth yw cymhareb nodweddiadol buanedd thermol electronau mewn gwifren i'w cyflymder drifft wrth iddi gludo cerrynt o ryw 1 A?

20 Brasluniwch graffiau dadleoliad-amser ar gyfer electronau mewn
 a cerrynt union cyson
 b cerrynt sinwsoidaidd positif
 c cerrynt eiledol.

21 Pam nad yw pob electron yn dechrau symud ar yr un ennyd yn *union* pan fo switsh cylched yn cael ei gau?

● **Deall a chymhwyso**

Ïonau metel ac ystyr bywyd

Mae ïonau metel yn cario gwefr bositif tra bo ïonau anfetel yn debygol o gael gwefr negatif. Mae ymddygiad trydanol gwahanol i fetelau gwahanol o ganlyniad i fanylion adeiledd electronol eu hatomau. Mae cemegwyr yn gwybod y gallant restru metelau yn nhrefn eu hadweithedd (eu tuedd i adweithio). Mae metelau fel lithiwm a sodiwm ar un pen o'r rhestr ac mae rhai anadweithiol fel twngsten ac aur ar y pen arall. Mae sodiwm metelig yn adweithio'n ffyrnig â dŵr, er enghraifft, tra nad yw aur yn cyrydu a gellir dod o hyd iddo yn y ddaear fel metel, heb ei gyfuno ag elfennau eraill.

Mae nifer o gymwysiadau defnyddiol i electrocemeg ond llwyddodd natur, fel arfer, i gyrraedd yno gyntaf. Mae ïonau metel yn hanfodol i gynnal cydbwysedd trydanol rhwng celloedd byw a'r hylif o'u hamgylch. Mae hyn yn rheoli llif defnyddiau i mewn ac allan o'r celloedd. Yn achos celloedd y nerfau (Ffigur 35.17) neu **niwronau**, symudiad ïonau i mewn ac allan sy'n gyfrifol am drosglwyddo ysgogiad, sy'n cael ei alw'n **botensial gweithrediad**. Wrth i chi ddarllen y geiriau hyn, mae ysgogiadau o'r fath yn teithio i'ch ymenydd a'r tu mewn i'ch ymennydd. Mae niwronau yn cysylltu â niwronau eraill drwy gyfnewid cemegion sy'n cael eu hysgogi gan y patrymau trydanol. Y casgliad cymhleth tu hwnt hwn o ysgogiadau a chysylltiadau niwron i niwron sy'n rhoi i chi eich gallu i weld, eich golwg, a'r gallu i roi ystyr i'r patrymau hyn o inc ar wyneb y papur. Ai ïonau'n symud a chemegion yn cyfnewid yn unig yw eich dirnadaeth o'ch hunan – eich ymwybyddiaeth? Dyna gwestiwn sydd heb ei ateb. Byddai nifer yn dadlau na all gwyddoniaeth byth ateb y cwestiwn hwnnw.

Ffigur 35.17
Gweithrediad nerfau.

Nid mewn diwydiant yn unig y gwelir gronynnau wedi'u gwefru yn cael eu trosglwyddo drwy 'bilen'. Mae'n broses sy'n bodoli yn y byd naturiol, er enghraifft drwy bilenni celloedd eich corff ac mae o ddidordeb ac o bwys er mwyn deall sut y mae nerfau yn gweithio. Nid ydynt fel gwifrau yn cario llif di-dor o roynnau wedi'u gwefru ond yn hytrach yn trawsyrru 'ton' o lif o ïonau sy'n teithio i mewn ac allan o ffibr y nerfau drwy'r bilen sydd o'i amgylch.

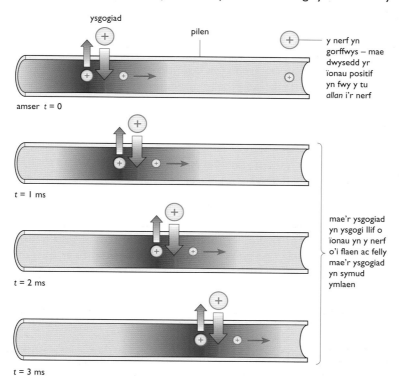

ysgogiad
pilen
y nerf yn gorffwys – mae dwysedd yr ïonau positif yn fwy y tu *allan* i'r nerf

amser $t = 0$

$t = 1$ ms

$t = 2$ ms

mae'r ysgogiad yn ysgogi llif o ïonau yn y nerf o'i flaen ac felly mae'r ysgogiad yn symud ymlaen

$t = 3$ ms

Yn y cyflwr gorffwys, mae mwy o ïonau positif yn yr hylif y tu allan i ffibr y nerf nag sydd y tu mewn. Mae gallu'r bilen ar ddiwedd ffibr nerf i ganiatáu i ïonau gwahanol fynd drwyddi yn cael ei newid gan ysgogiad. Yna mae symudiad net o ïonau positif tuag i mewn ac, i ddilyn, symudiad yn ôl allan i adfer y cyflwr gorffwys. Mae'r ysgogiad yn ysgogi llif o ïonau yn y rhan nesaf o'r nerf ac felly mae'r ysgogiad yn symud ymlaen.

22 **a** Pam y mae pobl ac anifeiliaid eraill yn cymryd amser i adweithio i ysgogiadau ond, pan fyddwch yn cynnau lamp, mae'r effaith yn ymddangos yn enydaidd?
b Pam nad yw'r cysyniad o gyflymder drifft electronau yn berthnasol wrth ystyried dargludiad mewn nerfau?

23 Y gwahaniaeth potensial ar draws pilen niwron sy'n gorffwys yw tua 70 mV ac mae ei thrwch tua 10^{-7} m. Cyfrifwch y graddiant potensial a gwnewch sylwadau ar wrthedd y bilen.

24 Drwy ystyried beth sy'n digwydd i lif gronynnau wedi'u gwefru wrth i ysgogiad (potensial gweithrediad) fynd ar hyd y nerf neu'r niwron, disgrifiwch beth sy'n digwydd i wrthedd y bilen ar bwynt ar ffibr nerf. Ym mha fodd y mae'r ymddygiad hwn lawer yn fwy cymhleth na llif electronau mewn gwifren?

25 Esboniwch pam nad yw nerf yn gallu rhoi ysgogiad di-dor i'r ymennydd ond, yn hytrach, gludo signalau arwahanol.

26 MEG (magnetoenceffalograffeg) yw dull newydd o ganfod gweithgaredd yr ymennydd yn seiliedig ar ganfod meysydd magnetig yn yr ymennydd.
a Esboniwch sut y mae meysydd magnetig yn deillio o weithgaredd yr ymennydd.
b Awgrymwch pam y mae'n rhaid bod yr offer canfod yn hynod o sensitif.

27 **TRAFODWCH**
A ydych chi'n credu
a na all gwyddoniaeth ddweud dim wrthym am yr ymwybyddiaeth ddynol
b y gall gwyddoniaeth roi i ni y cefndir perthnasol i feddwl am ein dirnadaeth o'n hunaniaeth
c y bydd gwyddoniaeth, ryw ddydd, yn cynnig esboniad ffisegol llawn am yr hunan ac ymwybyddiaeth?

● **Deall a chymhwyso**

Lampau dadwefru

Gall plasma gael ei gynhyrfu, ei ïoneiddio a'i greu nid yn unig drwy drosglwyddiad thermol egni i nwy, ond hefyd drwy ddarparu graddiant potensial mawr (hynny yw, gwahaniaeth potensial uchel am bob uned o bellter drwy'r nwy – gallai hyn gael ei ddisgrifio hefyd fel 'maes trydanol cryf'). Gall hyn wneud digon o waith ar electronau i'w rhwygo o atomau ac yna cyflymu'r parau ïonau ac electronau a ryddhawyd. Mae'r gronynnau cyflym yn gwrthdaro â'r atomau i gynhyrchu mwy o ïoneiddio a'r canlyniad yw effaith eirlithrad. Lle bo'r broses hon yn sydyn ac yn ddramatig gwelwn wreichionen.

Mewn lamp fflwroleuol, mae'r dargludiad gan y nwy yn cael ei gynnal ac mae'n gymharol sefydlog. Mae gwahanol fathau o lampau fflwroleuol ond maent i gyd yn dibynnu ar ïoneiddiad nwy a gwrthdrawiadau rhwng gronynnau'r plasma a gaiff ei ffurfio. Mae rhai lampau yn defnyddio allyriant thermïonig, ac yna mae gwrthdrawiadau'r electronau a allyrrwyd â gronynnau'r nwy yn y tiwb yn creu'r plasma. Mae rhai eraill yn defnyddio gwahaniaeth potensial yn unig ar gyfer hyn. Nid oes raid i'r gwahaniaeth potensial fod yn uchel iawn – gall fod yn 230 V y prif gyflenwad er enghraifft – os yw gwasgedd y nwy yn y tiwb yn addas. Gellir defnyddio mercwri mewn lampau o'r fath fel y nwy ar wasgedd isel yn y tiwb. Mae gwrthdrawiadau yn cynhyrfu ac ïoneiddio'r atomau. Mae trosiadau electronau yn digwydd ac mae ailgyfuno electronau ac ïonau mercwri hefyd yn digwydd. Y canlyniad yw allyriant ffotonau ag amleddau uwchfioled. Nid yw'r rhain, wrth gwrs, yn gwneud dim i'n helpu ni i weld ac mae dod i gysylltiad â hwy yn andwyol i'ch iechyd. Felly mae haen o **ffosffor** – defnydd sy'n amsugno'r golau uwchfioled ac yn ailallyrru'r egni ar amledd is – yn cael ei roi ar arwyneb mewnol y lamp. Mae ffosfforau gwahanol yn allyrru amleddau gwahanol, felly ar gyfer lamp fflwroleuol gallwn ddefnyddio cymysgedd o ffosfforau gwahanol er mwyn creu cymysgedd o amleddau y mae ein llygaid a'n hymennydd yn eu derbyn fel golau gwyn. Mae gwaith ffosffor yn amsugno golau o amledd uwch ac yn allyrru golau o amledd is yn cael ei alw'n **fflwroleuedd**.

Nid yw lampau neon a lampau stryd sodiwm yn defnyddio ffosffor ac nid ydynt yn dibynnu ar fflwroleuedd. Nid lampau fflwroleuol ydynt ond maent yn dibynnu ar yr un prosesau sef cynhyrfu, ïoneiddio ac ailgyfuno. Ynghyd â'r lampau fflwroleuol cânt eu galw'n **lampau dadwefru** – ac mae'r cyfan yn caniatáu i gerrynt lifo mewn nwy. Mae atomau ar wasgedd isel y tu mewn i lampau neon a sodiwm yn cael eu cynhyrfu gan wahaniaeth potensial ac yn allyrru eu hamleddau nodweddiadol o olau, gan gynhyrchu golau coch yn achos neon a golau melyn yn achos sodiwm.

Ffigur 35.18
Egwyddor tiwb dadwefru fflwroleuol.

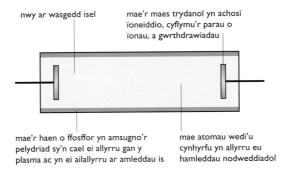

nwy ar wasgedd isel

mae'r maes trydanol yn achosi ïoneiddio, cyflymu'r parau o ïonau, a gwrthdrawiadau

mae'r haen o ffosffor yn amsugno'r pelydriad sy'n cael ei allyrru gan y plasma ac yn ei ailallyrru ar amleddau is

mae atomau wedi'u cynhyrfu yn allyrru eu hamleddau nodweddiadol

---

28 a Mae dargludydd mellt ar adeilad tal yn cario cerrynt cyfartalog, pan fydd mellt yn taro, o 10 kA. Os yw'n trosglwyddo gwefr o 10.0 C, faint o amser gymerodd hyn?
b Gall mellt fod yn ganlyniad i wahaniaeth potensial mawr rhwng y ddaear a chwmwl.
i Pa fecanweithiau gwahanol sy'n cludo cerrynt drwy'r aer a thrwy ddargludydd mellt sy'n fetel?
ii Beth yw effaith y fellten ar y gwahaniaeth potensial?
c Cymharwch fellten yn taro â'r prosesau sy'n digwydd mewn lamp dadwefru.

29 Sut y byddech yn disgwyl i wneuthuriad lamp uwchfioled fod yn wahanol i wneuthuriad lamp fflwroleuol gyffredin?

30 Esboniwch symudiadau'r gwefrau sydd ynghlwm wrth y prosesau canlynol:
a mae crib yn cael ei rhwbio ac yn ennill gwefr negatif net
b mae'r grib yn cael ei dal yn agos at ddarn bach o bapur ac yn ei atynnu
c mae'r grib yn cael ei dal uwchlaw fflam ysgafn ac yn colli ei gallu i atynnu'r papur
d gweithrediad lamp fercwri.

Tasg sgiliau ychwanegol

Technoleg Gwybodaeth a Chymhwyso Rhif

Ewch ati i greu cronfa ddata yn cynnwys y gwrthedd a'r cyfernod tymheredd gwrthedd ar gyfer defnyddiau gwahanol. Defnyddiwch raglen daenlen i ddangos y wybodaeth hon a'i defnyddio i gyfrifo gwrthiant samplau gwahanol o'r defnydd. Lle bo modd, gallwch estyn eich rhaglen i ragfynegi'r newidiadau yng ngwrthiant y samplau wrth i'r tymheredd amrywio.

Cwestiynau arholiad

1 Mae'r ffigur yn dangos sffêr dargludo mawr ar stand ynysu yn cael ei wefru drwy anwythiad â stribed polythen.

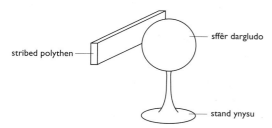

stribed polythen — sffêr dargludo

stand ynysu

a Enwch ddefnydd addas ar gyfer
  i y sffêr dargludo
  ii y stand ynysu. (2)
b Mae'r stribed polythen wedi'i wefru'n negatif ac nid yw'n cyffwrdd y sffêr. Mae'r sffêr yn cael ei wefru'n bositif pan fo wedi'i ddaearu am amser byr.

    Esboniwch pam y mae'r sffêr yn cael ei wefru'n bositif. (3)
c Mae'r stribed polythen yn cael ei symud oddi yno yn awr. Mae sffêr dargludo ysgafn bychan, ynghrog wrth edau ynysu, yn cael ei ddwyn yn agos at y sffêr mawr yn araf, fel y gwelir yn y ffigur isod.

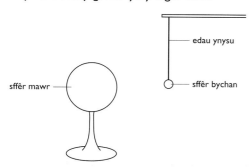

edau ynysu

sffêr mawr — sffêr bychan

Mae'r sffêr bychan yn cyffwrdd y sffêr mawr yn y pen draw.

    Disgrifiwch ac esboniwch, yn nhermau gwefr, symudiad a grymoedd trydanol, beth sy'n digwydd i'r sffêr bychan
i wrth iddo nesáu at y sffêr mawr (3)
ii ar ôl iddo gyffwrdd y sffêr mawr. (2)
OCR, Gwyddonieth, Ffiseg Bellach, Mawrth 1999

2 a Esboniwch, yn nhermau egni, yr hyn a olygir wrth *wahaniaeth potensial o 1 folt*. (1)
b Mae monitor cyfrifiadur yn defnyddio paladr electronau mewn tiwb gwactod. Y foltedd sy'n cyflymu'r paladr yw 15 kV.

    gwefr electron = 1.6×10^{-19} C
    màs electron = 9.1×10^{-31} kg

Cyfrifwch:
i yr egni a roddir i bob electron yn y paladr gan y foltedd cyflymu. (1)

ii y buanedd y mae electron yn ei ennill. Tybiwch fod yr holl egni a roddir i'r electron yn ymddangos fel egni cinetig a bod màs yr electron yn aros yn gyson. (2)
c Y cerrynt yn y paladr yn **b** yw 4.0 μA. Defnyddiwch eich ateb i **b ii** i gyfrifo nifer yr electronau *am bob metr* o'r paladr. (3)
d Cyflymder drifft electronau mewn gwifren gopr o'r un arwynebedd trawstoriadol â'r paladr, yn cario'r un cerrynt â'r paladr, yw 1.0×10^{-3} m s^{-1}. Heb gyfrifo ymhellach, nodwch ac esboniwch sut y byddech yn disgwyl i'ch ateb i **c** gymharu â nifer yr electronau rhydd am bob metr o'r wifren gopr. (2)
OCR, Mecaneg a Thrydan Elfennol, Mehefin 1999

3 a Mae lamp ffilament twngsten 100 W yn gweithio o'r prif gyflenwad 230 V. Cyfrifwch ei gwrthiant. (2)
b Mae buanedd drifft yr electronau yn y ffilament lawer yn uwch na buanedd drifft electronau yng ngweddill y gylched. Awgrymwch ac esboniwch reswm am hyn. (4)
Edexcel (Llundain), Ffiseg, PH1, Mehefin 1999

4 Mae coil gwresogi wedi ei wneud o wifren ag arwynebedd trawstoriadol o 1.8×10^{-7} m^2 a 3.0×10^{29} o electronau rhydd ym mhob m^3. Y cerrynt yn y wifren yw 7.2 A. Pan fo'r gwahaniaeth potensial ar draws y coil yn 12 V, mae tymheredd y wifren ar lefel sy'n achosi iddi dywynnu'n goch.
a Cyfrifwch gyflymder drifft cymedrig electronau yn y wifren.

    gwefr ar electron, e = -1.6×10^{-19} C (3)
b Mae'r cerrynt yn y wifren yn cael ei gynyddu er mwyn i dymheredd y wifren godi. Nodwch ac esboniwch unrhyw newidiadau y byddech yn disgwyl eu gweld yn ymddangosiad y wifren pan fo'r cerrynt yn cael ei gadw ar werth dipyn yn uwch. (4)
AQA (AEB), Ffiseg, Papur 1, Mehefin 1999

5 a i Esboniwch ystyr *cerrynt trydan*.
  ii Esboniwch pam y mae rhai solidau yn ddargludyddion trydanol a rhai yn ynysyddion.
  iii Disgrifiwch ddargludiad trydanol mewn metel. (3)
b Esboniwch pam y mae'n anodd dyfynnu gwerth ar gyfer gwrthiant lamp ffilament. (1)
c Mewn nwy, mae dargludiad yn digwydd o ganlyniad i ronynnau negatif yn llifo un ffordd a gronynnau positif yn llifo i'r cyfeiriad dirgroes, fel y gwelir isod.

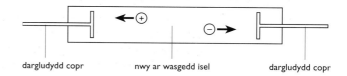

dargludydd copr   nwy ar wasgedd isel   dargludydd copr

Yn yr achos hwn, mae'r dargludyddion copr i'r nwy yn cludo cerrynt o 0.28 mA. Nifer y gronynnau negatif sy'n mynd heibio i unrhyw bwynt yn y nwy mewn un uned o amser yw 1.56×10^{15} s^{-1} a'r wefr ar bob gronyn negatif yw -1.60×10^{-19} C. Cyfrifwch

i y wefr negatif sy'n llifo heibio i unrhyw bwynt yn y nwy mewn un eiliad

ii y wefr bositif sy'n llifo heibio i unrhyw bwynt yn y nwy mewn un eiliad

iii nifer y gronynnau wedi'u gwefru'n bositif sy'n mynd heibio i unrhyw bwynt yn y nwy mewn un eiliad, o wybod mai'r wefr ar bob gronyn positif yw $+3.20 \times 10^{-19}$ C. (6)

d Drwy ystyried y ffigurau ystyrlon sydd ar gael, esboniwch pam y mae eich atebion i **c ii** a **iii** yn annibynadwy. (2)

e Mewn un enghraifft ymarferol o ddargludiad trydanol o ronynnau drwy nwy, mae maes magnetig yn cael ei roi ar draws y nwy. Yn hytrach na theithio mewn llinell syth ar hyd y tiwb mae'r gwefrau positif a negatif yn teithio ar hyd llwybrau gwahanol, fel y gwelir isod.

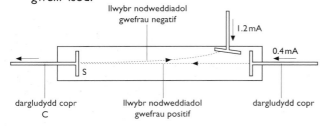

i Nodwch gyfeiriad y maes magnetig sy'n gweithredu. Esboniwch sut y cawsoch eich ateb.

ii Sut y mae'n bosibl i'r gronynnau positif barhau i deithio mewn llinell sy'n ymddangos yn syth?

iii Nodwch ddeddf gyntaf Kirchhoff a'i defnyddio i ddarganfod y cerrynt yn nargludydd C.

iv Awgrymwch beth sy'n digwydd i'r gronynnau ar arwyneb S y dargludydd copr C. (8)

OCR, Papur 3, Tachwedd 1999

6 a Nodwch fformiwla ar gyfer gwrthiant R sampl o ddefnydd yn nhermau'r gwrthedd ρ. Esboniwch unrhyw symbolau eraill yr ydych yn eu defnyddio. (2)

b Mae myfyriwr am ddarganfod trwch llinell bensil wedi'i thynnu ar ddalen o bapur. Hyd y llinell yw 9.0 cm a'i lled yw 0.12 cm. Mae gan graffit y llinell bensil wrthedd o 8.0×10^{-8} Ω m. Mae cysylltiadau trydanol yn cael eu rhoi wrth naill ben y llinell bensil a'r llall.

i Cwblhewch y gylched drydanol a ddangosir yn y ffigur drwy gynnwys foltmedr ac amedr fel y gall mesuriadau gael eu gwneud i ddarganfod gwrthiant y llinell bensil.

ii Mae'r foltmedr yn darllen 1.4 V a'r darlleniad cyfatebol ar yr amedr yw 4.9×10^{-3} A. Cyfrifwch, ar gyfer y llinell bensil,

1 y gwrthiant

2 y trwch. (6)

OCR, Gwyddoniaeth, Ffiseg, Sylfaenol, Mehefin 1999

7 a Disgrifiwch ac esboniwch, yn nhermau model bandiau egni syml, y gwahaniaethau sylfaenol rhwng ynysydd megis mica a dargludydd metelig megis copr. (4)

b Nodwch ac esboniwch, yn nhermau model bandiau egni syml, sut y mae dargludedd lled-ddargludydd yn newid pan fo ei dymheredd yn cynyddu. (3)

c Mae'r cebl a ddangosir yn y diagram yn cael ei ddefnyddio i drawsyrru trydan ac mae wedi'i wneud o edafedd o wifren ddur ac edafedd o wifren alwminiwm. Mae edafedd gwifren mewn cyswllt trydanol â'i gilydd ar hyd y cebl.

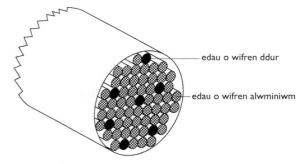

i Cyfrifwch wrthiant un edau o wifren alwminiwm â diamedr o 3.2 mm a hyd 1.0 km.

ii Gwrthiant un edau o wifren ddur mewn cebl 1.0 km o hyd yw 19.9 Ω. Cyfrifwch wrthiant 1.0 km o'r cebl a wnaed o saith edau o wifren ddur a phum deg pedwar edau o wifren alwminiwm. (5)

AQA (NEAB), Ffiseg Uwch, Papur 1, Adran B, Mehefin 1999

Cylchedau a mesurau

Y CWESTIYNAU MAWR

- Pa batrymau cyffredinol o ymddygiad y gallwn ni eu gweld yn y cerrynt a'r gwahaniaeth potensial ym mhob math o gylched?
- Beth y mae'r patrymau hyn yn ei ddweud wrthym am y cyfuniadau o wrthyddion mewn cyfres ac mewn paralel, a pha ddibenion sydd ar gyfer rhai o'r cyfuniadau hyn?
- A allwn ni fod yn hyderus bod darlleniad ar fesurydd yn ddangosydd dibynadwy o'r hyn sy'n digwydd mewn cylched?

GEIRFA ALLWEDDOL

Ail Ddeddf Kirchhoff   allwyriad   amserlin   cylched llwyth   Deddf Gyntaf Kirchhoff   foltedd allbwn   gwrthydd llwyth   maes magnetig radiysol   medrydd straen   platiau x platiau y pont Wheatstone   rhannydd potensial   suddfan   trawsddygiadur mewnbwn

Y CEFNDIR

Gallwn gyfathrebu drwy eiriau ac arwyddion eraill, ond gyda chymorth dyfeisiau trydanol mae gan y meddwl dynol y gallu i weld yr hyn sy'n digwydd ym meddwl person arall. Defnyddir yr electrodau ar ben y dyn (Ffigur 36.1) i ganfod amrywiadau mewn foltedd sy'n cael eu dangos fel patrymau gweledol ar y sgrin. Gelwir y broses yn electroenceffalograffeg (neu EEG) ac mae'n enghraifft o dechnoleg drydanol soffistigedig.

Ffigur 36.1
Electroenceffalograffeg.

Unedau cerrynt a gwefr

Diffinnir amper, fel a ganlyn:

> y cerrynt sy'n llifo ym mhob un o ddwy wifren denau baralel syth o hyd anfeidraidd wedi'u gosod un metr oddi wrth ei gilydd mewn gwactod pan fo'r grym magnetig rhwng pob hyd o un metr o'r gwifrau yn 2×10^{-7} N.

O'i gymharu â nifer o ddiffiniadau eraill, mae hwn yn un gweddol hir. Gallai fod yn haws diffinio'r amp fel y cerrynt sy'n cyfateb i symudiad un coulomb o wefr mewn un eiliad. (Hynny yw, symudiad 6.28×10^{18} electron mewn eiliad, gyda phob electron yn cludo gwefr o -1.6×10^{-19} C.) Ond y broblem gyda defnyddio'r coulomb fel man cychwyn i ddiffinio'r amp yw bod electronau yn rhy fach i'w cyfrif. Ni ellir canfod gwefr yn llifo mewn cylched o wifrau ond drwy ei heffaith wresogi a thrwy'r maes magnetig sy'n ei hamgylchynu wrth iddi lifo. Hynny yw, dim ond drwy wylio effeithiau'r cerrynt y gellir canfod gwefr. Rhaid dechrau felly gyda cherrynt a ffenomen y *gallwn* ei chanfod. Mesurwn effaith fagnetig cerrynt a dywedwn fod lefel arbennig o effaith mewn trefniant arbennig yn cyfateb i un uned o gerrynt, ac yna rhoddwn i'r uned hon yr enw amp. Yna diffiniwn y coulomb o'r amp. Diffinnir y coulomb fel y wefr sy'n symud pan fo cerrynt o un amp yn llifo am un eiliad.

Patrymau cerrynt

Mewn cylched c.u. syml o wifrau metel, lle mae'r electronau yn gludwyr gwefr, rhaid i'r gyfradd y mae electronau yn cyrraedd terfynell bositif y cyflenwad pŵer fod yr un fath â'r hyn yw pan fo'n gadael y derfynell negatif. Fel arall, byddai'n rhaid bod yna ffynhonnell neu **suddfan** (y gwrthwyneb i ffynhonnell) o electronau rywle yn y gylched allanol (y gylched y tu allan i'r batri) (Ffigur 36.2).

Ffigur 36.2
Ar gyfer y gylched allanol mae batri yn ffynhonnell ac yn suddfan electronau.

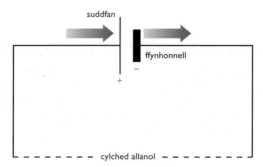

Nid oes yr un pwynt mewn cylched allanol yn gweithredu fel ffynhonnell neu suddfan net o ronynnau wedi'u gwefru. Felly os dewiswn unrhyw bwynt mewn cylched allanol, mae'r wefr sy'n cyrraedd ar unrhyw gyfnod penodol o amser yr un fath â'r wefr sy'n gadael. O'i roi mewn ffordd wahanol, mae'r cerrynt sy'n llifo i mewn i unrhyw bwynt mewn cylched yr un fath â'r cerrynt sy'n mynd allan. Dyma ddatganiad **Deddf Gyntaf Kirchhoff**. O gymhwyso hyn i bob pwynt mewn cylched gyfres syml, rhaid i'r cerrynt fod yr un fath ar *bob* pwynt yn y gylched (Ffigur 36.3).

Ffigur 36.3
Deddf Gyntaf Kirchhoff yn cael ei chymhwyso i gylched gyfres.

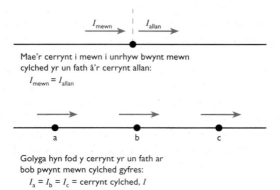

Mae'r cerrynt i mewn i unrhyw bwynt mewn cylched yr un fath â'r cerrynt allan:

$$I_{mewn} = I_{allan}$$

Golyga hyn fod y cerrynt yr un fath ar bob pwynt mewn cylched gyfres:

$$I_a = I_b = I_c = \text{cerrynt cylched, } I$$

Wrth gyffordd mewn cylched mae Deddf Gyntaf Kirchhoff yn dal i fod yn berthnasol. Gall y cerrynt wahanu i'r llwybrau gwahanol sydd ar gael neu gall y cerrynt o lwybrau gwahanol ailuno. Ond mae'r cerrynt sy'n gadael y gyffordd bob amser yr un fath â'r cerrynt sy'n cyrraedd (Ffigur 36.4).

Ffigur 36.4
Cymhwyso Deddf Gyntaf Kirchhoff i gyffordd rhwng canghennau paralel.

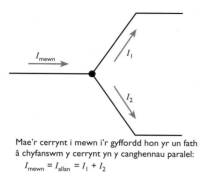

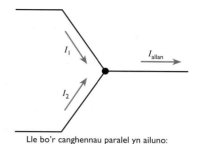

Mae'r cerrynt i mewn i'r gyffordd hon yr un fath â chyfanswm y cerrynt yn y canghennau paralel:
$$I_{mewn} = I_{allan} = I_1 + I_2$$

Lle bo'r canghennau paralel yn ailuno:
$$I_{mewn} = I_1 + I_2 = I_{allan}$$

1 Mae tair cangen baralel sy'n cludo ceryntau o 0.05 A, 0.23 A a 0.28 A yn cyfarfod wrth gyffordd ac mae'r cerrynt wedyn yn mynd ar hyd gwifren sengl. Beth yw gwerth y cerrynt sy'n llifo i ffwrdd o'r gyffordd yn y wifren sengl?

2 Esboniwch, yn nhermau electronau, pam y mae'n rhaid bod y cerrynt sy'n gadael cyffordd cylched yr un fath â'r cerrynt sy'n cyrraedd.

3 Os yw'r cerrynt mewn lamp dortsh yn 0.8 A sawl electron
 a sy'n mynd i mewn i'r lamp
 b sy'n gadael y lamp
 bob eiliad?

Gwahaniaeth potensial a chyfuniadau o wrthyddion

Nodwch ei bod hi'n ddiystyr i sôn am wahaniaeth potensial ar un pwynt. Mae'n rhaid bod yna ddau bwynt er mwyn i'r gwahaniaeth fodoli. Wrth ddilyn cylched gyflawn o unrhyw bwynt oddi mewn iddi ac yn ôl i'r un pwynt rydym yn sicr o ganfod mai cyfanswm y gwahaniaeth potensial yw sero faint bynnag o gydrannau gwahanol sy'n bodoli yn y gylched. Gallwn ddweud bod yn rhaid i swm y gwahaniaethau potensial o amgylch unrhyw gylched gaeedig fod yn sero. Dyma **Ail Ddeddf Kirchhoff**.

Mae gan fesur penodol o wefr fwy o egni potensial trydanol pan fo wrth un derfynell batri na phan fo wrth y llall. Wrth i'r wefr lifo drwy'r gylched o un derfynell i'r llall mae'n trosglwyddo'r egni hwn, yn gwresogi'r amgylchedd neu'n gwneud gwaith drwy effeithiau electromagnetig.

Yn y bennod hon edrychwn ar gylchedau sydd â gwrthiant yn unig ac nad ydynt yn trosglwyddo egni drwy wneud gwaith. Os yw gwrthiant y gylched yn unffurf o amgylch y gylched i gyd yna mae'r egni yn cael ei drosglwyddo'n unffurf i'w hamgylchedd. Mae graddiant potensial unffurf yn bodoli o amgylch y gylched i gyd. Fodd bynnag, os yw gwrthiant y wifren yn ddibwys o isel fel na fydd egni yn cael ei drosglwyddo yma, a dim ond mewn rhan benodol y mae gwrthiant mawr, bydd yr egni yn cael ei drosglwyddo yn y rhan hon o'r gylched – yn y gwrthydd. Mae gan y wefr lawer mwy o egni potensial pan fo ar un ochr o'r gwrthydd yn hytrach na'r llall. Mae gwahaniaeth potensial ar draws y gwrthydd. Mae hyn yn cyfateb i'r gwahaniaeth potensial ar draws terfynellau'r batri (Ffigur 36.5a, drosodd).

Lle bo dim ond dau wrthydd mewn cyfres, mae'r ddau yn trosglwyddo egni. Mae'r wefr yn profi gwahaniaeth egni potensial rhwng dau ben y ddau wrthydd. Mae gan bob gwrthydd wahaniaeth potensial rhwng ei ddau ben. Mae *cyfanswm* y gwahaniaeth potensial ar gyfer y ddau wrthydd yn cyfateb i'r gwahaniaeth potensial rhwng terfynellau'r batri (Ffigur 36.5b, drosodd).

Os yw'r ddau wrthydd yn baralel, mae'r ddau wedi'u cysylltu'n uniongyrchol i'r batri felly mae gan y ddau yr un gwahaniaeth potensial â'r batri (Ffigur 36.5c, drosodd). Rhaid i hyn fod yn wir, hyd yn oed os yw eu gwrthiant yn wahanol iawn.

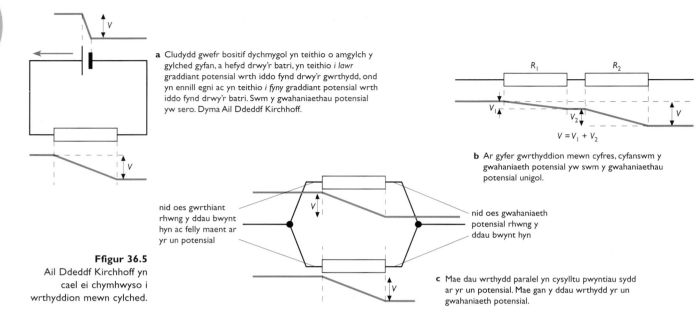

a Cludydd gwefr bositif dychmygol yn teithio o amgylch y gylched gyfan, a hefyd drwy'r batri, yn teithio *i lawr* graddiant potensial wrth iddo fynd drwy'r gwrthydd, ond yn ennill egni ac yn teithio *i fyny* graddiant potensial wrth iddo fynd drwy'r batri. Swm y gwahaniaethau potensial yw sero. Dyma Ail Ddeddf Kirchhoff.

$V = V_1 + V_2$

b Ar gyfer gwrthyddion mewn cyfres, cyfanswm y gwahaniaeth potensial yw swm y gwahaniaethau potensial unigol.

nid oes gwrthiant rhwng y ddau bwynt hyn ac felly maent ar yr un potensial

nid oes gwahaniaeth potensial rhwng y ddau bwynt hyn

Ffigur 36.5
Ail Ddeddf Kirchhoff yn cael ei chymhwyso i wrthyddion mewn cylched.

c Mae dau wrthydd paralel yn cysylltu pwyntiau sydd ar yr un potensial. Mae gan y ddau wrthydd yr un gwahaniaeth potensial.

Patrymau gwahaniaeth potensial ar gyfer gwrthyddion mewn cyfres

Mewn cylched syml gydag un batri ac un gwrthydd, mae'r gwahaniaeth potensial sy'n cael ei gyflenwi gan y batri yn cael ei roi i'r gwrthydd. Hynny yw, mae'r gwahaniaeth yn y potensial ar draws terfynellau'r batri o'r un maint â'r gwahaniaeth yn y potensial ar draws y gwrthydd.

Lle bo cylched allanol yn cynnwys sawl gwrthydd mewn cyfres, mae cyfanswm y gwahaniaeth potensial ar draws terfynellau'r batri yn cael ei roi ar draws dau ben grŵp o wrthyddion. Mae gan bob gwrthydd ei wahaniaeth potensial ei hun, a elwir weithiau yn 'gwymp' potensial, a'i raddiant potensial ei hun. Mae'r gwahaniaethau potensial unigol yn adio i swm sy'n hafal i'r cyfanswm, fel y bydd yn rhaid digwydd os ydynt i fodloni Ail Ddeddf Kirchhoff.

Cwestiwn allweddol yn awr yw – pa mor fawr yw'r cwymp potensial ar gyfer pob un o'r gwrthyddion mewn cyfres? Ni fydd hi'n syndod i chi wybod ei fod yn dibynnu ar ei wrthiant. Ystyriwch y tri gwrthydd yn Ffigur 36.6. Gallwn alw eu gwrthiannau yn R_1, R_2 ac R_3. Y gwahaniaethau potensial yw V_1, V_2 a V_3 a gall y gwahaniaeth potensial a gyflenwir gan y batri fod yn ddim ond V.

Ffigur 36.6
Yn union fel y bydd un gwrthydd mewn cylched syml yn cynhyrchu gwahaniaeth potensial a allai gael ei alw'n 'ris' neu 'gwymp', mae gan bob un o'r gwrthyddion mewn cyfres gwymp potensial. Mae swm pob cwymp unigol yn hafal i gyfanswm y gwahaniaeth potensial ar draws y batri.

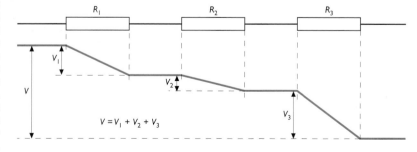

$V = V_1 + V_2 + V_3$

4 Mae gwrthydd 2 Ω a gwrthydd 4 Ω wedi'u cysylltu mewn cyfres, gyda chyfanswm gwahaniaeth potensial o 3 V. Mae gan bob gwrthydd wahaniaeth potensial ar ei draws. Pa un sydd â'r gwahaniaeth potensial mwyaf? Allwch chi ddweud pa mor fawr yw'r ddau wahaniaeth potensial?

Gwyddom, o ystyried y cwympiadau (neu'r gwahaniaethau) potensial, fod

$$V = V_1 + V_2 + V_3 \qquad (1)$$

Gwyddom hefyd fod pob un o'r tri gwrthydd yn cludo'r un cerrynt gan fod y cerrynt bob amser yr un fath ar bob pwynt mewn cylched gyfres. Felly gallwn ddweud bod

$$V_1 = IR_1 \qquad (2)$$
$$V_2 = IR_2 \qquad (3)$$
$$V_3 = IR_3 \qquad (4)$$

Cyfanswm gwrthiant neu wrthiant cyfunol gwrthyddion mewn cyfres

Tybiwch ein bod am newid y tri gwrthydd yn Ffigur 36.6 i fod yn un gwrthydd, R, â'r un effaith yn union ar y cerrynt cyflawn yn y gylched â'n tri gwrthydd. Gallwn alw R y gwrthiant 'cyfunol' a gallwn ddweud

$$R = \frac{V}{I} \quad \text{neu} \quad V = IR \tag{5}$$

R yw cyfanswm gwrthiant y gylched, V yw cyfanswm y gwahaniaeth potensial a roddir ac I yw'r cerrynt. Gan edrych yn ôl ar yr hafaliadau ar waelod y dudalen flaenorol, gallwn amnewid (2), (3), (4) a (5) yn (1) er mwyn rhoi:

$$IR = IR_1 + IR_2 + IR_3$$
$$= I(R_1 + R_2 + R_3)$$

Gan rannu'r ddwy ochr o'r hafalaid ag I,

$$R = R_1 + R_2 + R_3$$

Cyfanswm gwrthiant gwrthyddion mewn cyfres felly yw swm syml eu gwrthiannau unigol.

5 Yn y broses 'amnewid' hon, beth gafodd ei ddefnyddio yn lle V_2?

Cyfanswm gwrthiant neu wrthiant cyfunol gwrthyddion mewn paralel

Mae gan dri gwrthydd sydd mewn paralel gwympiadau neu wahaniaethau potensial hafal, V.

Os oes gan dri gwrthydd sydd mewn paralel werthoedd gwahanol, R_1, R_2 a R_3 (Ffigur 36.7) yna

Ffigur 36.7
Hyd yn oed os oes ganddynt wrthiannau gwahanol, R_1, R_2 a R_3, rhaid bod gan wrthyddion paralel yr un gwahaniaeth potensial ar eu traws oherwydd mae pob un wedi'i gysylltu â'r un ddau bwynt.

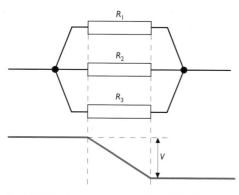

bydd iddynt geryntau gwahanol I_1, I_2 a I_3. A gan fod cerrynt sy'n gadael cyffordd bob amser yr un fath â'r cerrynt sy'n cyrraedd, gwyddom fod I_1, I_2 a I_3 yn adio i swm sy'n hafal i gyfanswm cerrynt y gylched, I.

Hynny yw

$$I = I_1 + I_2 + I_3$$

Gan fod $I = V/R$, $I_1 = V/R_1$, $I_2 = V/R_2$ a $I_3 = V/R_3$, gallwn ailysgrifennu'r hafaliad uchod fel

$$\frac{V}{R} = \frac{V}{R_1} + \frac{V}{R_2} + \frac{V}{R_3}$$
$$= V\left(\frac{1}{R_1} + \frac{1}{R_2} + \frac{1}{R_3}\right)$$

a gallwn symleiddio hyn yn:

$$\frac{1}{R} = \frac{1}{R_1} + \frac{1}{R_2} + \frac{1}{R_3}$$

6 Wrth ailysgrifennu $I = I_1 + I_2 + I_3$, beth a ddefnyddiwyd yn lle I_3?

Felly ar gyfer gwrthyddion mewn paralel mae'r berthynas rhwng y gwrthiant cyfunol, R, a'r gwrthyddion unigol yn fwy cymhleth na'r hyn ydyw i wrthyddion mewn cyfres.

Mesurydd cerrynt coil symudol a'i sensitifedd

Mae mesurydd coil symudol yn ymateb i effaith fagnetig cerrynt. Mae cerrynt yn y coil yn y mesurydd yn creu maes magnetig o'i amgylch a saif y coil hefyd mewn maes magnet parhaol bychan. Mae'r ddau faes yn rhyngweithio fel y bo grym yn bodoli rhwng y coil a'r magnet. Yn y rhan fwyaf o achosion mae'r magnet parhaol yn rhan o adeiledd y mesurydd tra bo'r coil ar golyn ac yn gallu troi.

Mae'r maes magnetig a ddarperir gan y magnet parhaol yn **radiysol**. Hynny yw, saif y llinellau maes yn ardal y coil ar hyd radiysau gyda'u canol wrth echelin y coil. Golyga hyn felly, wrth i'r coil droi, fod cryfder y maes y mae ynddo, oherwydd y magnet parhaol, yn aros yr un fath.

Yna mae'r moment a brofir gan y coil mewn cyfrannedd â'r cerrynt sy'n llifo. Ond os yw'r coil yn hongian yn rhydd wrth ei echelin yna bydd hyd yn oed cerrynt bach yn achosi iddo droi, felly ar ei ben ei hun ychydig o werth ymarferol sydd gan goil symudol i'w ddweud am faint y cerrynt. Mae sbring sbiral ynghlwm wrth y coil i'w atal rhag troi – hynny yw, i ddarparu moment adferol (Ffigur 36.8).

Os yw'r sbring yn ufuddhau i'r fersiwn o Ddeddf Hooke sy'n cyfeirio at estyn wrth gylchdroi – bod yr ongl y mae'r sbring yn troi drwyddi mewn cyfrannedd â'r moment a roddir iddo – yna mae cyfanswm yr ongl, θ, y mae'r coil yn troi drwyddi mewn cyfrannedd â'r cerrynt. Mae nodwydd ynghlwm wrth y coil ac mae'n profi **allwyriad** drwy ongl θ. Y cysonyn cyfrannedd yw sensitifedd, S, y mesurydd:

$$\theta \propto I$$
$$\theta = SI$$
$$S = \frac{\theta}{I}$$

Mae sensitifedd uchel yn cyfateb i werth mawr gan y gymhareb allwyriad, θ, i'r cerrynt, I (Ffigur 36.9). Uned y sensitifedd yw'r radian am bob amp.

Ffigur 36.8 (ochr chwith) Mae'r coil yn y safle lle mae'r moment oherwydd y grym magnetig mewn cydbwysedd â'r moment adferol oherwydd y sbring.

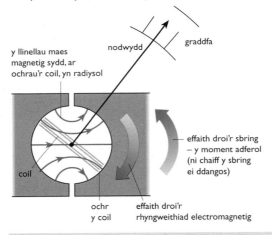

Ffigur 36.9 (ochr dde) Graff yn dangos sensitifedd mesurydd coil symudol.

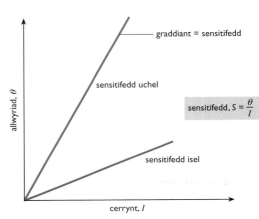

7 Pa amgylchiadau a allai achosi i'r graff yn Ffigur 36.9 fod yn gromlin?

8 Beth yw'r wefr ar 10^{20} electron? Beth yw'r cerrynt os yw 10^{20} electron yn llifo drwy goil mesurydd bob eiliad?

9 a Cyfrifwch sensitifedd offeryn, mewn radian A^{-1}, sy'n profi allwyriad o 0.18 radian ar gyfer cerrynt 20 mA.
   b Beth fydd gwahaniad onglog marciau 2 mA ar raddfa offeryn o'r fath?

10 Tybiwch fod coil mewn mesurydd yn profi moment 0.0 INm pan fo cerrynt 0.1 A yn llifo. Disgrifiwch beth fydd yn digwydd:
   a os na fydd sbring wedi'i gysylltu â'r coil
   b os bydd sbring wedi'i gysylltu â'r coil.

11 Mae cylched â gwrthiant 10 Ω yn cludo cerrynt 1.2 A. Pa gerrynt y bydd yn ei gludo pan fydd amedr â gwrthiant 2.8 Ω yn cael ei ychwanegu?

Effaith amedr ar y cerrynt y mae'n ei fesur

Er mwyn ymateb i effaith fagnetig y cerrynt, rhaid i'r coil gludo'r cerrynt sydd i'w fesur. O reidrwydd, nid oes gan y coil wrthiant sero. Y canlyniad yw bod gan yr amedr ddylanwad ar yr hyn mae'n ei fesur. Mae hyn yn debyg i riwl sydd â'r gallu hud i newid hyd gwrthrych wrth iddo gael ei ddwyn yn agos ato. Mae'r riwl, wrth gwrs, yn ddyfais fesur oddefol ac nid yw hyn yn digwydd. Yn anffodus, rhaid i ni dderbyn nad yw amedr yn gydran hollol oddefol o gylched.

Newid sensitifedd ac amrediad amedr – cyfrifo gwerthoedd siyntiau

Mae perthynas wrthdro rhwng sensitifedd mesurydd ac amrediad y gwerthoedd y gall eu mesur. Bydd mesurydd sensitif yn profi allwyriad mawr ar gyfer cerrynt bach ac felly bydd y nodwydd yn profi allwyriad graddfa gyfan ar gyfer cerrynt bach. Felly ni all mesurydd sensitif fesur ceryntau mawr iawn ac mae ganddo amrediad cymharol fach.

Ffigur 36.10
Cysylltu siynt.

Mae coil y mesurydd a'r siynt yn wrthyddion paralel ac mae ganddynt yr un gwahaniaeth potensial, V.

$$V = I_c R_c \qquad V = I_s R_s$$

felly

$$I_c R_c = I_s R_s$$

a

$$\frac{I_c}{I_s} = \frac{R_s}{R_c}$$

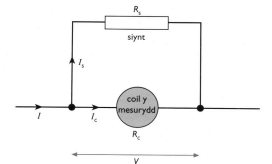

Ffigur 36.11
Microamedr gyda siyntiau i newid ei amrediad. Mae siynt yn cael ei gysylltu mewn paralel â choil y mesurydd, fel y gall y coil a'i siynt gludo cyfrannau penodol o'r cerrynt cyfan.

Gellir newid y sensitifedd a'r amrediad drwy newid priodweddau'r sbring sy'n darparu'r moment adferol. Mae sbring 'gwannach' yn cynhyrchu mwy o sensitifedd ac amrediad llai.

Ffordd arall o newid sensitifedd ac amrediad mesurydd yw trefnu mai dim ond cyfran benodol o gerrynt y gylched sy'n llifo drwy'r coil. Mae'r cerrynt sydd dros ben yn 'osgoi' y coil. Mae gwrthydd osgoi neu siynt yn cael ei gysylltu â'r amedr, yn baralel i'r coil, gyda gwrthiant sydd â'i gymhareb i wrthiant y coil ei hun yn hysbys (Ffigur 36.10 a 36.11).

Os R_c yw gwrthiant y coil a'i gysylltau a gwrthiant y siynt yw R_s, yna rhoddir cymarebau'r ceryntau sy'n mynd drwy'r ddau lwybr gan

$$\frac{I_c}{I_s} = \frac{R_s}{R_c} \quad \text{(cyfanswm cerrynt y gylched, } I = I_c + I_s)$$

Os yw $R_c \gg R_s$ yna mae $I_s \gg I_c$, a gan mai cyfran fach yn unig o gyfanswm cerrynt y gylched, I, sy'n mynd drwy'r coil, mae sensitifedd y mesurydd lawer yn is nag a fyddai heb y siynt ac mae cynnydd cyfatebol yn amrediad y mesurydd.

Er enghraifft, tybiwch fod gan fesurydd goil â gwrthiant o 2 Ω a'i fod yn darllen ceryntau hyd at 1 mA heb siynt. Mae'n ofynnol iddo gael mwy o amrediad i ddarllen ceryntau hyd at 1 A.

$I_c = 0.001$ A, $I_s = 1 - 0.001 = 0.999$ A. Felly, gan ddefnyddio'r fformiwla uchod,

$$\frac{0.001}{0.999} = \frac{R_s}{2}$$

gan roi $\quad R_s = 0.002\,\Omega$

Mae R_s yn wrthiant bach ac mae'n weddol anodd gwneud gwrthyddion â gwrthiant yn drachywir i dri lle degol. Noder: po fwyaf yw gwrthiant y coil, y mwyaf yw gwrthiant y siynt a'r hawsaf yw hi i roi gwrthiant addas. Felly mae gan goil â gwrthiant mawr, er bod ei effaith ar y cerrynt sy'n cael ei fesur yn fawr pan fo'r mesurydd yn cael ei ddefnyddio heb unrhyw siynt, y fantais o ganiatáu defnyddio siyntiau heb golli llawer o fanwl gywirdeb.

Mae'r amedr cyfan yn awr yn cynnwys y coil a'i siynt. Rhoddir cyfanswm gwrthiant y mesurydd, R, felly gan

$$\frac{1}{R} = \frac{1}{R_c} + \frac{1}{R_s}$$

Yn yr enghraifft uchod,

$$\frac{1}{R} = \frac{1}{2} + \frac{1}{0.002} = \frac{1}{2} + \frac{1000}{2} = \frac{1001}{2}$$

$$R = \frac{2}{1001} = 1.99 \times 10^{-3}\,\Omega$$

12 Beth yw cymhareb sensitifeddau'r mesurydd yn y ffigurau enghreifftiol a roddwyd yn y testun, cyn ac ar ôl i'r siynt gael ei osod?

13 a Ystyriwn ficroamedr 20 Ω ac iddo allwyriad graddfa lawn gyda cherrynt o 100μA. Er mwyn iddo gael ei ddefnyddio i roi allwyriad graddfa lawn mewn cylched sy'n cludo 5 A, siynt â pha werth ddylai gael ei osod?
b Gyda'r siynt wedi'i osod a'r mesurydd yn awr yn dangos darlleniad o 5 A, pa gerrynt sy'n llifo drwy'r coil mewn gwirionedd?

Mesurydd coil symudol fel foltmedr – cyfrifo gwerthoedd lluosyddion

Mae gwahaniaeth mawr rhwng egwyddor mesur cerrynt a mesur gwahaniaeth potensial, neu foltedd. Rhaid i amedr gael ei osod yn y gylched er mwyn i'r cerrynt, neu gyfran hysbys ohono, lifo drwy'r mesurydd. Mae foltmedr, ar y llaw arall, yn mesur y gwahaniaeth rhwng y potensialau ar ddau bwynt yn y gylched. Rhaid iddo felly gael ei gysylltu â'r ddau bwynt hyn – neu 'ar draws' y ddau bwynt.

Gall yr un mesurydd coil symudol ag sy'n cael ei ddefnyddio i fesur cerrynt gael ei ddefnyddio i fesur foltedd. Mae allwyriad y nodwydd yn arwydd o'r grym magnetig ac, felly, y cerrynt. Ond mae'r gwahaniaeth potensial ar draws y ddau bwynt a'r cerrynt mewn cyfrannedd â'i gilydd cyn belled ag y bo'r gwrthiant rhwng y ddau bwynt yn gyson. Mae defnyddio'r mesurydd coil symudol fel foltmedr yn manteisio ar y cyfrannedd hwn.

Mae'n bwysig bod y foltmedr yn effeithio cyn lleied â phosibl ar yr hyn sy'n digwydd yn y gylched. Rhaid bod y cerrynt yn parhau i lifo drwy'r gylched rhwng y pwyntiau y mae'r foltmedr wedi ei gysylltu â hwy ac nad yw'n cael ei wyro drwy'r foltmedr. (Mae hefyd yn bwysig nad yw'r cerrynt drwy goil y mesurydd mor fawr ei fod yn achosi gwyriad y tu hwnt i raddfa lawn, gan achosi i'r coil orwresogi ac ymdoddi.)

Er mwyn gweithredu fel foltmedr, mae gan fesurydd coil symudol wrthydd mawr, a elwir yn lluosydd, wedi'i gysylltu mewn cyfres ag ef (Ffigur 36.12). Mae hyn yn cyfyngu ar faint y cerrynt sy'n mynd drwy'r mesurydd.

Ffigur 36.12
Cysylltu lluosydd er mwyn creu foltmedr.

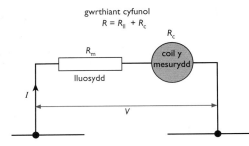

gwrthiant cyfunol
$R = R_{ll} + R_c$

R_m
lluosydd

R_c

coil y mesurydd

I

V

O'i ddefnyddio fel foltmedr, mae'r coil symudol yn rhoi darlleniad o'r foltedd gan ddangos allwyriad y nodwydd sy'n cyfateb i gerrynt yn y coil. Mae lluosydd gwrthiant uchel yn sicrhau mai dim ond cerrynt priodol o fach sy'n mynd drwy'r mesurydd.

Mae maint gwrthiant y lluosydd, o'i gymharu â gwrthiant y mesurydd coil symudol ei hun, yn pennu amrediad y foltmedr. Tybiwch fod i fesurydd coil symudol pan gaiff ei ddefnyddio heb siynt neu luosydd allwyriad graddfa lawn â cherrynt o 1 mA a bod i'r mesurydd (ei goil a'i gysylltau) wrthiant o 5 Ω. Er mwyn cael yr un allwyriad graddfa lawn pan fydd, gyda lluosydd wedi'i osod, wedi'i gysylltu â dau bwynt â gwahaniaeth potensial o 10 V, rhaid i *gyfanswm* gwrthiant y mesurydd a'r lluosydd gael ei roi gan

$$R = \frac{V}{I} = \frac{10}{0.001} = 10\,000\,\Omega$$

14 Lluosydd o ba werth y dylid ei osod ar fesurydd ac iddo wrthiant o 20 Ω ac allwyriad graddfa lawn ar 200 µA er mwyn iddo gael ei ddefnyddio fel foltmedr yn darllen hyd at 10 V?

15 Mae foltmedr yn cynnwys mesurydd ac iddo allwyriad graddfa lawn o 1 mA a gwrthiant coil o 12 Ω, ynghyd â lluosydd o 1000 Ω.
a Pa foltedd a fydd yn cynhyrchu allwyriad graddfa lawn?
b Mae rhywun yn datgysylltu'r foltmedr o'r gylched, yn tynnu'r lluosydd ac yn ailgysylltu'r foltmedr â'r un pwyntiau yn y gylched. Beth sy'n digwydd nesaf? Pam?

16 Mae gwrthydd 270 Ω yn cael ei gysylltu â chell sydd â'i g.e.m. yn 6.0 V a'i gwrthiant mewnol yn 30 Ω.
a Pa gerrynt sy'n llifo yn y gylched? (Defnyddiwch E = IR + Ir.)
b Beth yw'r gwahaniaeth potensial ar draws terfynellau'r gell?
c Cysylltir foltmedr 2430 Ω ar draws y gwrthydd. Beth yw cyfanswm gwrthiant y gylched allanol?
d Beth yw'r cerrynt newydd?
e Beth yw'r darlleniad ar y foltmedr?
f Gwnewch sylwadau ar y ddau wahaniaeth potensial yr ydych wedi'u cyfrifo.

Ond mae $R = R_c + R_{ll}$, lle saif R_c am wrthiant y coil a'i gysylltau ac R_{ll} am wrthiant y lluosydd. Felly

$$R_{ll} = R - R_c = 10\,000 - 5 = 9995\,\Omega$$

Yn y ffurf algebraidd gyffredinol, rhoddir gwrthiant lluosydd gan:

$$R_{ll} = \frac{V}{I} - R_c$$

lle saif *V* am y foltedd sy'n ofynnol i gynhyrchu allwyriad graddfa lawn ac *I* am y cerrynt yn y mesurydd ar allwyriad graddfa lawn.

Yr osgilosgop pelydrau catod ar gyfer mesur gwahaniaeth potensial

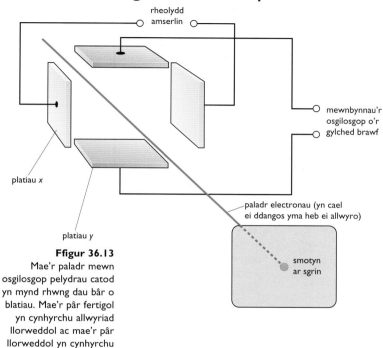

Ffigur 36.13
Mae'r paladr mewn osgilosgop pelydrau catod yn mynd rhwng dau bâr o blatiau. Mae'r pâr fertigol yn cynhyrchu allwyriad llorweddol ac mae'r pâr llorweddol yn cynhyrchu allwyriad fertigol.

Fel teledu, mae osgilosgop pelydrau catod yn defnyddio paladr o electronau i gynhyrchu smotyn ar sgrin. Yn wahanol i deledu, dau bâr o blatiau metel y mae gwahaniaethau potensial wedi'u rhoi iddynt (Ffigur 36.13) sy'n achosi plygu'r paladr ac allwyriad y smotyn, yn hytrach na meysydd magnetig coiliau.

Gall rhoi gwahaniaeth potensial i bâr o blatiau fertigol achosi allwyriad llorweddol i'r paladr. Hynny yw, mae'r allwyriad yn digwydd i'r cyfeiriad *x*, ac felly fe'u gelwir yn **blatiau x**. Hefyd, mae dau blât wedi'u gosod yn llorweddol ac mae rhoi gwahaniaeth potensial iddynt yn achosi allwyriad fertigol neu i gyfeiriad *y*. Fe'u gelwir yn **blatiau y**.

Gellir addasu'r rheolydd **amserlin** i reoli'r folteddau a roddir i'r platiau *x* er mwyn gwneud i'r smotyn ysgubo yn llorweddol ar draws y sgrin ar gyfradd sy'n hysbys a phan fydd y smotyn yn ysgubo yn ddigon cyflym bydd yn ymddangos fel llinell ddi-dor (Ffigur 36.14). Gall yr amserlin gael ei ddiffodd hefyd i ddiddymu'r mudiant llorweddol.

Ffigur 36.14
Mae dadleoliad fertigol y smotyn yn dibynnu ar y gwahaniaeth potensial a roddir ar y platiau *y*, tra bo'r smotyn yn ysgubo pellterau llorweddol hafal mewn cyfnodau hafal o amser.

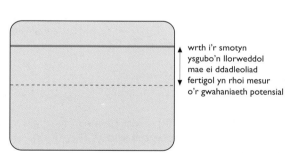

wrth i'r smotyn ysgubo'n llorweddol mae ei ddadleoliad fertigol yn rhoi mesur o'r gwahaniaeth potensial

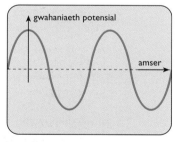

mae'r osgilosgop yn rhoi 'graff' o'r gwahaniaeth potensial yn erbyn amser

Mae dwy derfynell fewnbwn yr osgilosgop wedi'u cysylltu â'r platiau *y*. Y canlyniad yw bod allwyriad fertigol y smotyn yn ddibynnol ar y gwahaniaeth potensial a roddir i'r terfynellau hyn. Golyga hyn fod yr osgilosgop yn ddyfais i fesur gwahaniaeth potensial. Gyda'r amserlin wedi'i gynnau a dim gwahaniaeth potensial (neu wahaniaeth potensial cyson) yn cael ei roi i'r terfynellau mewnbwn mae'r sgrin yn dangos smotyn yn symud yn llorweddol neu linell syth ddi-dor. Os yw'r gwahaniaeth potensial mewnbwn yn amrywio, mae'r smotyn yn symud i fyny ac i lawr yn yr un modd, ac mae'r sgrin yn dangos graff foltedd-amser.

Er mwyn mesur gwahaniaeth potensial cyson nid oes unrhyw wahaniaeth a yw'r amserlin ynghyn ai peidio. Mae'n dibynnu ar yr hyn sydd orau gennych chi – smotyn neu linell. Gellir addasu sensitifedd yr osgilosgop, yn nhermau'r foltiau am bob centimetr o'r sgrin. Ar 2 V cm⁻¹, er enghraifft, mae allwyriad fertigol y paladr drwy 1 cm yn cynrychioli gwahaniaeth potensial mewnbwn o 2 V.

Nid oes raid i gerrynt lifo rhwng platiau y osgilosgop er mwyn i allwyriad electronau ddigwydd. Gellir ystyried gwrthiant yr osgilosgop yn anfeidraidd. Golyga hyn, yn wahanol i fesurydd coil symudol nad oes iddo wrthiant anfeidraidd, y gellir ei gysylltu ar draws terfynellau cell a gellir cymryd mai'r darlleniad y mae'n ei gynhyrchu yw g.e.m. y gell. Yn gyffredinol, mae osgilosgop yn effeithio llai ar y cerrynt mae'n ei fesur na mesurydd coil symudol.

Y rhannydd potensial

Pan fo dau wrthydd, R_1 a R_2, mewn cyfres mewn cylched, bydd gwahaniaeth potensial ar draws y naill a'r llall a bydd y ddau foltedd hyn yn adio gyda'i gilydd i roi gwahaniaeth potensial cyfunol neu gyflawn.

$$V = V_1 + V_2$$

Os yw'r ddau wrthydd yn cludo'r un cerrynt, I, yna

$$V_1 = IR_1 \qquad \text{a} \qquad V_2 = IR_2$$

fel bo

$$\frac{V_1}{V_2} = \frac{IR_1}{IR_2} = \frac{R_1}{R_2}$$

Ffigur 36.15
System rhannydd potensial gyda gwrthydd llwyth.

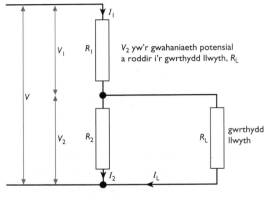

V_2 yw'r gwahaniaeth potensial a roddir i'r gwrthydd llwyth, R_L

gwrthydd llwyth

Pan fo $R_L \gg R_2$
yna $I_L \ll I_2$
ac felly $I_2 \approx I_1$
Yna

$$\frac{V_2}{R_2} \approx \frac{V_1}{R_1}$$

neu

$$\frac{R_1}{R_2} \approx \frac{V_1}{V_2}$$

Mae cymhareb y gwahaniaethau potensial yr un fath â chymhareb y gwrthiannau. Gallwn ddefnyddio dau wrthydd (neu ragor os mynnwch) mewn cyfres i rannu foltedd mewn cylched. Mae'r gwrthyddion yn gweithredu fel system **rhannydd potensial** (Ffigur 36.15).

Lle nad oes cyffordd rhwng y gwrthyddion gallwn bob amser ddweud bod $V_1/V_2 = R_1/R_2$. Fodd bynnag, pan fo cyffordd rhaid i ni fod yn fwy gofalus. Tybiwch fod rhannydd potensial yn cael ei ddefnyddio i roi cyfran o foltedd y cyflenwad pŵer i gydrannau sydd wedi'u cysylltu mewn paralel ag un o'r gwrthyddion, fel yn Ffigur 36.15. O'i roi yn syml, gallwn ddechrau drwy dybio bod y cydrannau hyn wedi'u gwneud o un gwrthydd, sy'n cael ei alw'n **wrthydd llwyth**, R_L. Mae yna yn awr dri cherrynt gwahanol i'w hystyried: y cerrynt drwy'r gwrthydd llwyth, I_L, a'r ceryntau I_1 a I_2, drwy ddau wrthydd y rhannydd potensial.

Mae'r cerrynt yn hollti ar y gyffordd fel bo

$$I_1 = I_2 + I_L$$

Os yw $I_L \ll I_2$ yna

$$I_1 \approx I_2$$

a gallwn ddefnyddio'r gymhareb rhannydd potensial syml, $V_1/V_2 = R_1/R_2$.

Os yw I_L, fodd bynnag, o faint mwy sylweddol yna rhaid i ni ystyried gwrthiant cyfunol R_2 a'r gwrthydd llwyth. Rhoddir gwrthiant y trefniant paralel hwn gan

$$\frac{1}{R} = \frac{1}{R_2} + \frac{1}{R_L}$$

Hynny yw

$$R = \frac{R_2 R_L}{R_2 + R_L}$$

ac mae'r potensial yn cael ei rannu yn unol â:

$$\frac{V_1}{V_2} = \frac{R_1}{R} = \frac{R_1}{[R_2 R_L/(R_2 + R_L)]} = \frac{R_1(R_2 + R_L)}{R_2 R_L}$$

Noder: pan fo R_L yn fawr iawn, yn y rhifiadur mae $R_1/R_L \gg R_1/R_2$, felly gall y fformiwla gael ei hysgrifennu eto fel $V_1/V_2 \approx R_1/R_2$. Mae'n bwysig cofio, fodd bynnag, mai dim ond pan fo'r gwrthiant llwyth lawer yn fwy na gwrthiant R_2 y gellir defnyddio'r gymhareb syml hon.

Y rhannydd potensial mewn cylchedau electronig

Gall un gwrthydd neu'r ddau wrthydd mewn trefniant rhannydd potensial fod yn newidiol. Gall gwrthydd gael ei newid â llaw neu gall fod yn ddyfais synhwyro a fydd yn ymateb i'r amgylchedd, megis thermistor (fel yn Ffigur 36.16), y bydd ei wrthiant yn gostwng wrth i'r tymheredd godi, neu LDR y bydd ei wrthiant yn amrywio yn ôl arddwysedd y golau.

Ffigur 36.16
Defnyddio system rhannydd potensial i reoli'r foltedd a roddir i gylched llwyth.

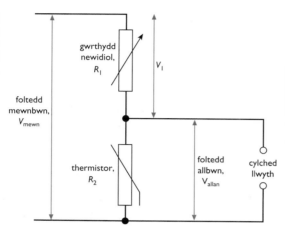

Mae'r foltedd a roddir i'r cylched llwyth, y foltedd allbwn, yn cael ei bennu gan werthoedd y gwrthyddion R_1 ac R_2. Os yw'r cerrynt yn y cylched llwyth yn fach yna gallwn ddweud bod

$$\frac{V_{allan}}{V_1} = \frac{R_2}{R_1}$$

$$V_{allan} = \frac{R_2 V_1}{R_1}$$

$$= \frac{R_2(V_{mewn} - V_{allan})}{R_1}$$

$$R_1 V_{allan} = R_2 V_{mewn} - R_2 V_{allan}$$

$$V_{allan}(R_1 + R_2) = R_2 V_{mewn}$$

$$V_{allan} = \frac{R_2}{R_1 + R_2} V_{mewn}$$

Os yw R_1 wedi'i osod ar werth penodol ac os yw R_2 yn lleihau (oherwydd bod y tymheredd yn codi) yna mae V_{allan} yn lleihau. Mae'r foltedd allbwn o'r gylched hon yn lleihau wrth i'r tymheredd godi.

19 Cyfrifwch y gwahaniaeth potensial ar draws y gwrthydd llwyth ym mhob un o'r cylchedau yn Ffigur 36.17.

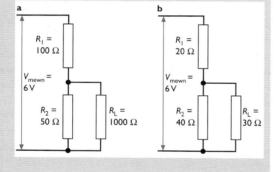

Ffigur 36.17

20 Esboniwch beth fydd yn digwydd i'r gwahaniaeth potensial a roddir i'r gwrthydd llwyth ym mhob un o'r cylchedau yn Ffigur 36.18 pan fo'r tymheredd yn codi.

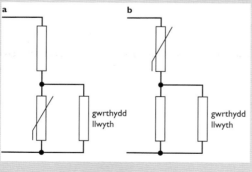

Ffigur 36.18

21 Bydd y lamp yn y gylched yn Ffigur 36.19 yn cynnau pan fo'r foltedd V_{allan} yn 0.6V. Beth fydd gwerth y gwrthydd R pan ddigwydd hyn?

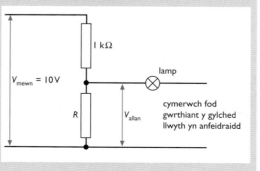

Ffigur 36.19

Y gwahaniaeth potensial allbwn neu'r **foltedd allbwn** o rannydd potensial o'r fath yw'r foltedd ar draws un o'r gwrthyddion. Gall y foltedd a roddir i'r gwrthydd llwyth neu gydrannau eraill mewn **cylched llwyth** gael ei wneud yn ddibynnol ar dymheredd neu arddwysedd golau. Mae'r rhannydd potensial â'i wrthydd(ion) synhwyro yn gweithredu fel **trawsddygiadur mewnbwn** i'r gylched llwyth.

Mewn cylchedau electronig gall y gylched llwyth gynnwys unedau rhesymeg ac yn y modd hwn gall y cylchedau roi allbynnau digidol sy'n ddibynnol ar amodau amgylcheddol megis tymheredd neu arddwysedd golau.

● **Deall a chymhwyso**

Pont Wheatstone a mesuriadau meddygol

Clefyd y galon sy'n gyfrifol am y nifer uchaf o farwolaethau yn y byd datblygedig. Mae'n rhaid i'r gwasanaethau meddygol neilltuo llawer o amser ac arian i'w drin a'i atal. Lle bo gan glaf galon sydd â nam arni, naill ai ar y tu mewn neu yn y pibellau gwaed ar yr arwyneb allanol sy'n cyflenwi bwyd ac ocsigen i gyhyr y galon ei hun, yna mae gwybod beth yw'r gwasgedd ar wahanol bwyntiau yn y system yn wybodaeth bwysig. Un ffordd o gymharu'r gwasgedd ar wahanol bwyntiau yn y system yw rhoi tiwb, neu gathetr, drwy'r pibellau gwaed yr holl ffordd i'r galon, fel arfer o doriad bychan yn y frest neu'r goes.

Ffigur 36.20
Mesur gwasgedd yn y corff gan ddefnyddio medryddion straen trydanol.

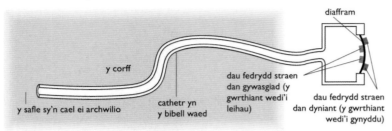

Mewn nifer o achosion mae'r cathetr yn cludo synhwyrydd gwasgedd i'r safle sy'n cael ei archwilio. Fel arall, gall pen allanol y cathetr gael ei gysylltu â silindr sy'n cynnwys diaffram sy'n newid siâp wrth i'r gwasgedd amrywio (Ffigur 36.20). Mae'r newid yn y siâp yn cael ei fesur drwy gysylltu **medrydd straen** â'r diaffram.

Gwrthydd yw pob medrydd straen ac mae'r gwrthiant yn dibynnu ar ei hyd a'i arwynebedd trawstoriadol. Gall siâp y medryddion straen ar y diaffram newid. Mae'r newid yn y gwrthiant yn caniatáu mesuriadau trydanol. Yn gyffredinol, rhoddir sensitifedd medrydd straen gan

$$S = \frac{\Delta R/R}{\Delta L/L}$$

lle saif R am ei wrthiant di-straen a ΔR am y newid yn ei wrthiant oherwydd straen; L yw ei hyd di-straen a ΔL yw'r newid yn ei hyd.

Yr hyn sydd ei angen yma yw cynyddu sensitifedd cyffredinol y broses o fesur gwasgedd. Hynny yw, sicrhau newid yn allbwn y system fesur, ΔX, sydd mor fawr â phosibl mewn perthynas â'r newid mewn gwasgedd, ΔP, yng nghorff y claf. Rydym am wneud $\Delta X/\Delta P$ mor fawr â phosibl. Er mwyn gwneud hyn, mae pedwar medrydd straen yn cael eu defnyddio gyda'i gilydd, pob un ohonynt ynghlwm wrth y diaffram, ac yn cael eu cysylltu â chylched **pont Wheatstone**.

Ffigur 36.21
Cylched pont Wheatstone.

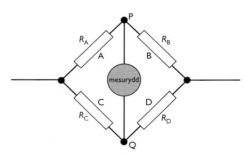

Mae gan y mesurydd ddarlleniad o sero pan fo pwyntiau P a Q ar yr un potensial. Gan gymryd $[R_A, R_B]$ a $[R_C, R_D]$ fel dau rannydd potensial mewn paralel, bydd hyn yn wir pan fo

$$\frac{R_A}{R_B} = \frac{R_C}{R_D}$$

Mae newidiadau yng ngwerthoedd y gwrthiannau yn arwain at ddarlleniad nad yw'n sero ar y mesurydd.

Mae gan bont Wheatstone ddau bâr o systemau rhannu potensial, pob un wedi'i wneud o ddau wrthydd. Mae mesurydd sensitif yn ffurfio pont rhwng y ddau rannydd potensial (Ffigur 36.21). Mae'r mesurydd yn darllen sero pan fo dau bwynt canol y rhanyddion potensial (P, Q) ar yr un potensial.

Pan nad ydynt o dan wasgedd mae gan y pedwar medrydd straen A–D wrthiant sydd bron yn hafal. Wrth i'r diaffram grymu, mae dau wrthiant yn cynyddu yn eu gwerth ac ac mae dau yn lleihau. Mae hyn yn newid y potensial ar bob un o bwyntiau canol y bont Wheatstone ac felly'n newid y gwahaniaeth potensial ar draws y mesurydd.

Tybiwch fod i bob gwrthydd, yn y cyflwr di-straen, yn Ffigur 36.21 wrthiant o 25 Ω a bod y darlleniad ar y mesurydd yn sero.

22 Beth yw'r gwahaniaeth potensial ar draws pob gwrthydd pan fo cyfanswm y gwahaniaeth potensial a roddir yn 3.0 V? Tybiwch, o dan straen, fod gwrthiannau A a D yn lleihau 0.2 Ω a bod gwrthiannau B a C yn cynyddu 0.2 Ω.

23 Beth yw'r gwahaniaeth potensial ar draws y gwrthydd B?

24 Beth yw'r gwahaniaeth potensial ar draws y gwrthydd D?

25 Beth yw'r gwahaniaeth potensial ar draws y mesurydd?

26 Os yw'r mesurydd yn fesurydd coil symudol ag allwyriad graddfa lawn o 5 mA a gwrthiant o 10 Ω, pa ffracsiwn o'r allwyriad graddfa lawn y mae'r mesurydd yn ei ddangos?

● **Tasg sgiliau ychwanegol**

Technoleg Gwybodaeth a Chymhwyso Rhif

Ewch ati i greu taenlen sy'n gallu cyfrifo cyfanswm gwrthiant cyfuniadau gwahanol o wrthyddion, gan gynnwys trefniannau sydd mewn cyfres ac mewn paralel. Dylai fedru ymdopi â threfniannau cymhleth gan gynnwys nifer o ganghennau paralel. Dylech ddatblygu'r hafaliadau sydd i'w defnyddio eich hun o'r egwyddorion cyntaf.

Cwestiynau arholiad

1 a Diffiniwch y *folt*. (1)

b i Nodwch un tebygrwydd rhwng gwahaniaeth potensial a grym electromotif.

ii Esboniwch un gwahaniaeth rhwng gwahaniaeth potensial a grym electromotif. (4)

c Mae'r ffigur yn dangos batri â g.e.m. *E* a gwrthiant mewnol *r* wedi'i gysylltu â gwrthydd allanol â gwrthiant *R*.

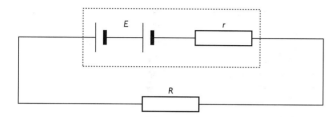

Esboniwch, o ran y trosglwyddiad egni o'r batri i'r gwrthydd allanol, sut y mae gwrthiant mewnol y batri yn effeithio ar y gwahaniaeth potensial ar draws y gwrthydd allanol. (4)

OCR, Gwyddoniaeth, Sylfaenol 1, Mawrth 1999

2 a Nodwch beth a olygir wrth gerrynt trydan. (1)

b Mae gan fatri car gynhwysedd o 40 amper-awr. Hynny yw, gall ddarparu cerrynt o 1.0 A am 40 awr. Wrth ddarparu'r cerrynt, y gwahaniaeth potensial ar draws terfynellau'r batri yw 12 V. Cyfrifwch yr egni trydanol sydd ar gael o'r batri. (3)

c Mae gwresogydd trydanol wedi'i raddio yn 1.0 kW, 240 V ond dim ond 230 V yw foltedd y cyflenwad.

i Cyfrifwch wrthiant y gwresogydd petai'n gweithio ar 240 V.

ii Gan dybio bod gwrthiant y gwresogydd yn gyson, cyfrifwch bŵer allbwn y gwresogydd pan fo'n cael ei ddefnyddio gyda'r cyflenwad 230 V. (3)

d Mae gennych nifer o wrthyddion, pob un ohonynt â gwrthiant o 100 Ω. Lluniwch drefniant o wrthyddion a fyddai'n rhoi cyfanswm gwrthiant o

i 50 Ω **ii** 150 Ω **iii** 67 Ω. (5)

OCR, Gwyddoniaeth, Ffiseg, Sylfaenol, Mawrth 1999

3 Darlleniad foltmedr â gwrthiant uchel iawn yw 20 V pan fo wedi'i gysylltu ar draws terfynellau cyflenwad pŵer c.u. Mae'r mesurydd gwrthiant uchel yn cael ei ddatgysylltu ac mae ail foltmetr â gwrthiant o 1.0 kΩ yn cael ei gysylltu ar draws y cyflenwad. Darlleniad yr ail fesurydd yw 16 V.

a Nodwch g.e.m. y cyflenwad pŵer.

b Cyfrifwch y cerrynt sy'n llifo drwy'r ail fesurydd.

c Cyfrifwch wrthiant mewnol y cyflenwad pŵer.

d Dangoswch fod y cerrynt yn hafal i 0.080 A pan fo'r cyflenwad mewn cylched fer. (5)

AQA (NEAB), Mecaneg a Thrydan, (PH01), Mawrth 1999

4 a Mae'r ffigurau yn dangos dwy gylched lle bo cyflenwad o g.e.m. o 6.0 V a gwrthiant mewnol o 5.0 Ω yn darparu pŵer i bâr o wrthyddion.

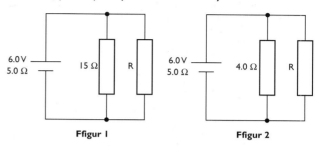

Ffigur 1   **Ffigur 2**

Pan fo'r pŵer macsimwm yn cael ei afradloni mewn cylched allanol, mae gwrthiant y gylched allanol yn hafal i wrthiant mewnol y cyflenwad.

i Ar gyfer y gylched yn Ffigur 1, nodwch werth R sy'n golygu bod y pŵer macsimwm yn cael ei ddarparu i'r gylched allanol. (3)

ii Cyfrifwch y gwahaniaeth potensial ar draws y terfynellau pan fo'r cyflenwad yn darparu'r pŵer macsimwm i'r gylched yn Ffigur 1. (1)

iii Cyfrifwch y pŵer a fydd yn cael ei afradloni gan y gwrthydd 15 Ω pan fo'r cyflenwad yn darparu pŵer macsimwm i'r gylched allanol. (2)

iv Ar gyfer y gylched yn Ffigur 2, esboniwch pam na all y cyflenwad ddarparu pŵer macsimwm yn y gylched hon ar gyfer unrhyw werth o wrthydd R. (2)

b i Mae'r gwrthydd 15 Ω wedi'i wneud o wifren o hyd 2.3 m. Mae diamedr o 3.0×10^{-4} m i'r wifren. Cyfrifwch wrthedd y defnydd y mae'r wifren wedi'i wneud ohono. (3)

ii Brasluniwch graff yn dangos sut y mae gwrthiant 2.3 m o wifren wedi'i wneud o'r defnydd hwn yn amrywio â diamedr y wifren. Mae'r gwerth ar gyfer gwifren â diamedr o 3.0×10^{-4} m wedi'i blotio ar eich cyfer isod. (2)

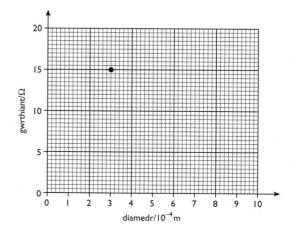

AQA (AEB), Ffiseg, Papur 1, Mehefin 1999 (rhan o'r cwestiwn)

5 Mae gwneuthurwr cynnyrch gwersylla am farchnata minidegell 'dau gwpan' all gael ei bweru gan fatri car 12 V ac mae'n gofyn i wyddonydd werthuso ei syniad.

Mae'r gwyddonydd yn rhannu ei waith yn ddwy ran:

Rhan 1: Mesur gwrthiant trydanol y wifren sydd i'w defnyddio i wneud yr elfennau gwresogi.

Rhan 2: Penderfynu ar y gofynion thermol ar gyfer y minidegell.

Rhan 1

I fesur gwrthiant trydanol y wifren, mae'r gwyddonydd yn cysylltu cylched er mwyn mesur y cerrynt drwy sampl o wifren wrth i'r foltedd ar ei draws gynyddu o 0 V i 14 V. Dangosir isod y gylched mae'n bwriadu ei defnyddio.

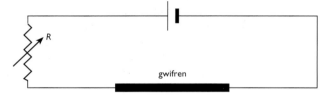

a Lluniwch amedr a foltmedr ar y gylched uchod gan ddangos sut y dylent gael eu cysylltu er mwyn mesur y cerrynt drwy'r wifren a'r gwahaniaeth potensial ar draws y wifren. (2)

b Beth yw pwrpas y gwrthydd R yn y gylched? (1)

c Er mwyn i'r mesuriadau fod yn gywir, *esboniwch yn gryno* a ddylai gwrthiannau'r amedr a'r foltmedr fod lawer yn uwch neu'n is na gwrthiant y sampl. (3)

Mae'r data sydd i'w weld ar y graff isod yn cael ei gasglu ar gyfer un o'r gwifrau sydd yn y sampl.

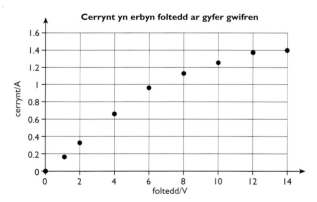

d Dros ba amrediad o gerrynt a foltedd y mae'r sampl o wifren yn ufuddhau i Ddeddf Ohm? (2)

e Esboniwch pam y mae goledd y graff yn newid ar folteddau uwch. (2)

f O'r data ar y graff cyfrifwch wrthiant y sampl o wifren ar gyfer ceryntau a folteddau *bach*. (2)

Rhan 2

Mae'r ffigur isod yn dangos prif nodweddion y minidegell sy'n cael ei gynllunio. Pan fo'n cael ei lenwi i 'lefel facsimwm y dŵr' mae'r tegell yn dal 400 ml o ddŵr. (Cymerwch mai 4190 J kg^{-1} °C^{-1} yw cynhwysedd gwres sbesiffig dŵr.)

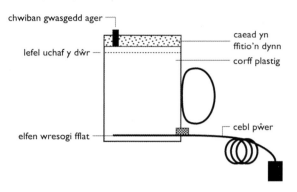

g Pam y mae elfen y gwresogydd wedi'i gosod mor agos at y gwaelod? (1)

h Rhowch *ddwy* fantais defnyddio plastig ar gyfer corff y tegell yn hytrach na metel. (2)

i Cyfrifwch yr egni trydanol sydd ei angen i ddod â minidegell llawn dŵr i'r berw. Nodwch yn glir *ddwy dybiaeth* ac *unrhyw amcangyfrifon* a wnaethoch yn rhan o'ch cyfrifiadau. (4)

j Esboniwch a yw'r egni trydanol sydd ei angen mewn gwirionedd yn debygol o fod yn fwy neu'n llai na'r hyn a amcangyfrifwyd uchod. (1)

k Os yw'r cerrynt macsimwm y gellir ei dynnu o fatri car yn cael ei gyfyngu, er diogelwch, i 8.0 A, beth yw'r pŵer trydanol macsimwm sydd ar gael ar gyfer y minidegell? (2)

l Faint o amser fyddai'n ei gymryd i ferwi tegell llawn dŵr? (2)

m Dychmygwch mai chi yw'r gwyddonydd sy'n cynghori'r gwneuthurwyr nwyddau gwersylla ac esboniwch yn gryno beth fyddech yn ei argymell ynglŷn â pha mor ymarferol yw'r minidegell 'dau gwpan'? (1)

Y Fagloriaeth Ryngwladol, Lefel Atodol/Safonol, Mai 1998

6 a Nodwch beth a olygir wrth
  i *gwrthiant* sampl o fetel
  ii *gwrthedd* y metel. (4)

b Mae medrydd straen yn cynnwys ffoil metel tenau sydd wedi'i lynu'n dynn wrth haen gefnu blastig hyblyg, fel y dangosir isod.

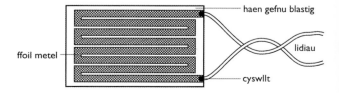

Mae gan y ffoil gyfanswm hyd l a chyfanswm gwrthiant R rhwng y cysylltau. Pan fo'r ffoil yn cael ei estyn i roi estyniad Δl, mae'r gwrthiant yn newid ΔR, fel bo

$$\Delta R/R = 0.485\ (\Delta l/l)$$

i Awgrymwch pam y mae'r ddyfais a ddangosir yn cael ei galw'n fedrydd *straen*.

ii Esboniwch, drwy gyfeirio at ddiffiniad gwrthedd, pam y mae gwrthiant ffoil metel yn newid pan fo'n cael ei estyn. (4)

c Mewn un cymhwysiad arbennig, mae'r medrydd straen S yn cael ei gysylltu mewn cyfres â gwrthydd penodol F â gwrthiant o 400 Ω a batri â g.e.m. o 4.50 V a gwrthiant mewnol dibwys, fel y dangosir.

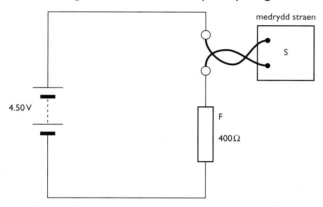

i Dangoswch fod gwahaniaeth potensial o 2.40 V ar draws y gwrthydd F pan fo gan y medrydd straen wrthiant o 350 Ω. Esboniwch eich gwaith yn ofalus. (3)

ii Rhoddir straen o 1.18% ar y medrydd. Gan ddefnyddio'r mynegiad a roddir yn **b**, cyfrifwch y *newid*

1 yng ngwrthiant y medrydd straen

2 yn y gwahaniaeth potensial ar draws y gwrthydd F. (5)

d Mae'r medrydd straen yn cael ei osod yn gadarn yn erbyn adeiladwaith er mwyn i'r straen, sy'n cael ei gyfrifo o'r newid yn y gwahaniaeth potensial, gael ei ddefnyddio i ddarganfod y straen ar yr adeiladwaith. Nodwch sut y gall y diriant ar yr adeiladwaith gael ei ddarganfod o'r straen a fesurwyd. (2)

e Yn ymarferol, mae'n bosibl na fydd y dull a amlinellwyd yn **b**, **c** a **d** yn rhoi canlyniad dibynadwy ar gyfer y diriant. Awgrymwch ddau ffactor, ar wahân i newid yn y straen, a allai arwain at newid yn y gwahaniaeth potensial ar draws y gwrthydd F. (2)

OCR, Ffiseg, Papur 3, Mehefin 1999

37 Natur data

GEIRFA ALLWEDDOL amlblecsio rhannu amledd   amlblecsio rhannu amser   beit   cyfathrebu mewn amser real   cyfradd samplu   cylched resymeg   data   deusad (fflip-fflop)   disg galed   gair (data digidol)   hyd gair   lliw ffug   llinell gweld   llygru (data)   mapio (data)   modyliad (ton radio)   modyliad cod pwls   RAM (cof hapgyrch)   ROM (cof darllen yn unig)   samplu (data)   ton gario   trawsddygiadur (mewnbwn ac allbwn)

Y CEFNDIR O'i chymharu â rhywogaethau eraill, mae gan y ddynol ryw nifer o fanteision i'w chynorthwyo i oroesi a byw yn gysurus. Gallwn ddefnyddio ein pennau, ein dwylo, ein synhwyrau sy'n ein helpu i ddeall y byd o'n cwmpas ac, yn bennaf oll, gallwn ddibynnu ar ein gilydd. Rydym yn cyfathrebu drwy drosglwyddo syniadau a sgiliau o'r naill i'r llall. Petai'n rhaid i bob un ohonom ddechrau ar ein pen ein hunain heb unrhyw help gan bobl eraill, ni fyddai'r un ohonom yn cyrraedd yn bell iawn. Mae cyfathrebu yn hollbwysig felly. Mae ein sgiliau iaith wedi'u trwytho mor gryf ynom mae'n amhosibl atal plant rhag dysgu i ddeall geiriau a'u siarad.

Ac mae ein hiaith yn mynd ymhellach na hynny. Gallwn ddysgu i dynnu gwybodaeth o symbolau gweledol. Yna gallwn sganio ar draws tudalen a dadgodio'r symbolau mor gyflym ag y gallwn siarad a gwrando. Wrth gwrs, mae'n rhaid eu bod yn symbolau rydym wedi'u dysgu. (Διμ ουδ υν σετ ο λψθρενυαυ σψ γαυ ψ ραυ νωψαν ο βοβλ.)

Mae iaith yn ein helpu i wneud synnwyr o'n harsylwadau. **Data** yw llinynnau o wybodaeth sy'n deillio o bobl neu beiriannau synhwyro yn gwneud arsylwadau neu'n synhwyro'r byd. Ond rhaid i'r data yn y pen draw gyrraedd ein hymennydd; dyna lle mae'r data yn troi'n ystyrlon ac yn werthfawr.

Ffigur 37.1
Rydym yn dod ar draws symbolau sy'n golygu llawer i ni, er nad ydym yn aml yn llawn sylweddoli beth yw eu hystyr. (Semioteg yw'r enw a roddir ar yr astudiaeth o symbolau a sut y maent yn dylanwadu arnom yn gyffredinol.)

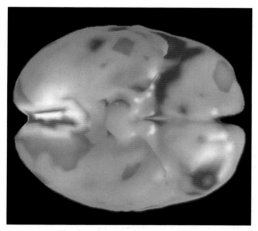

Mae niwrowyddonwyr yn gweithio i geisio deall y broses ffisegol sy'n digwydd yn ein hymennydd. Dyma sgan PET (gweler tudalen 312) a luniwyd gan gyfrifiadur o ddata a gafwyd o ymennydd. Yma, gwelir bod y rhan o'r ymennydd sy'n ymateb i ysgogiad gweledol yn weithredol.

Ffigur 37.2 (i'r chwith)
Pan fyddwch yn clywed neu'n darllen gair mae'n ysgogi ymateb yn eich meddwl. Mae'r un peth yn digwydd pan welwch lun. Mae geiriau a delweddau yn newid eich meddwl, yn llythrennol.

Ffigur 37.3 (i'r dde)
Dyma eicon arall – delwedd gyfarwydd ac ystyrlon. Dyma wyneb un o ddynion enwocaf y ganrif ddiwethaf. Gwnaeth perchennog yr wyneb nifer o ddatganiadau y gellir eu dyfynnu ond mae'r canlynol yn gweddu'n dda i'r bennod hon: '… mae ein holl wyddoniaeth, o'i mesur yn erbyn realiti, yn gyntefig ac yn blentynnaidd – ac eto dyma'r peth mwyaf gwerthfawr sydd gennym.'

Ychydig eiriau am rifau

 = 5 = 101

h	t	u		128	64	32	16	8	4	2	1

199 = 1 1 0 0 0 1 1 1

Mae manteision i'r system ddeuaidd – lle bo dim ond dau symbol gallant gael eu cynrychioli gan ddau werth penodol o foltedd neu arddwysedd golau. Mae iddi anfanteision hefyd – mae angen llawer o ddigidau i ysgrifennu rhifau deuaidd.

Gall rhifau fodoli ar ffurf symbolau. Ar gyfer pob rhif cyfan gallwn ddewis o ystod eang o symbolau gwahanol – o'r dotiau ar ddarn domino i god deuaidd (Ffigur 37.4), i'r deg rhifolyn Arabig cyfarwydd (0, 1, 2, 3, 4, 5, 6, 7, 8, 9) a chyfuniadau ohonynt.

Gall yr un rhifau gael eu hysgrifennu mewn ffyrdd gwahanol, sy'n golygu nad symbolau yn unig mo rhifau. Mae iddynt fwy na hynny. Mae iddynt fodolaeth ar wahân i'w bodolaeth fel symbolau.

Maent hefyd yn bodoli yn ein meddwl, fel cysyniadau. Gallwn ddefnyddio'r cysyniadau hyn mewn ffyrdd defnyddiol. Gallwn gymryd y cysyniad o 'dri' a'i gymhwyso i ddefaid, cadeiriau, geiriau, blynyddoedd, teithiau, ac yn y blaen. Maent yn gysyniadau defnyddiol.

Mae cysondeb ymddygiad rhifau yn ystod y gweithrediadau a alwn yn rhannu, lluosi, adio a thynnu yn rhyfeddol. Mae adio pump ac un arall bob amser yr un fath â dwy set o dri, er enghraifft. Mae naw wedi'i rannu â thri bob amser yr un fath â thri wedi'i rannu ag un. Rhyfedd ond gwir! Ac rydym mor gyfarwydd â'r cyfan, mae'n hawdd colli golwg ar ei ryfeddod.

---

1 Troswch yr isod yn rhifau deuaidd:
  a 3   d 32
  b 7   e 100
  c 11

2 Mynegwch y rhifau deuaidd isod yn rhifolion Arabig:
  a 101   c 1111
  b 1000   d 1000000

3 **TRAFODWCH**
  Beth yw dysgu? Beth sy'n digwydd i'ch ymennydd wrth ddysgu (yn gyffredinol)? Beth yw pwysigrwydd cymharol y canlynol yn eich prosesau dysgu?
  • ffrindiau a phobl eraill o'r un oed â chi   • llyfrau
  • pobl o grwpiau oedran gwahanol   • cylchgronau a phapurau newydd
  • y teledu a'r radio   • profiad ymarferol
  A gawsoch chi unrhyw brofiad o ddysgu a oedd yn annibynnol ar gyfraniad gan bobl eraill? Pryd ydych chi'n disgwyl i'ch prosesau dysgu ddod i ben?

Cynrychioliadau meintiol o realiti

Mae ffiseg yn broject uchelgeisiol i drawsnewid y byd y tu allan (a'r tu mewn) i'n hunain yn gysyniadau. Bydd cysyniadau yn cael eu 'derbyn' a'u hysgrifennu yn y gwerslyfrau ar ôl cryn ddadlau, arsylwi, mwy o ddadlau a mwy o arsylwi. Mae ffiseg yn llawer mwy na chatalog o wybodaeth – mae'n weithgaredd empirig, yn seiliedig ar y dybiaeth bod y cysyniadau yn ein meddyliau yn cael eu datblygu drwy ein synhwyrau. Mae gweithgaredd ymarferol mewn ffiseg yn deffro ein synhwyrau ac felly ein meddyliau i'r ffordd y mae'r byd yn ymddwyn. Defnyddiwn iaith, geiriau, lluniau a rhifau i wneud synnwyr yn ein meddyliau o'r holl fewnbynnau hyn. Ymddengys bod rhifau yn arbennig o ddefnyddiol. Gall y ffisegydd droi unrhyw beth – unrhyw wrthrych neu ddigwyddiad real – yn set o rifau a pherthnasoedd; neu fe obeithia wneud hynny. (Mewn gwirionedd mae'r byd yn gymhleth a rhaid yn aml felly symleiddio neu ddelfrydu.) Dywedwn fod y rhifau a'r perthnasoedd yn cynrychioli'r realiti (Ffigur 37.5).

Defnyddiwn ddulliau analog a digidol i gynrychioli un realiti gan un arall. Ar gyfer cynrychioliad analog rydym yn **mapio** un realiti ar un arall, a gwnawn hynny drwy ddefnyddio rhifau. Defnyddiwn raddfeydd, sy'n gymarebau. Er enghraifft, mewn system glywedol defnyddiwn ficroffon i fapio amrywiad y gwasgedd aer ar ffurf amrywiad mewn foltedd, gan greu signal trydanol. Mae yna gymhareb benodol o newid mewn gwasgedd i newid mewn foltedd, yn union fel y mae graddfa map yn gymhareb benodol.

Mae'r ddyfais sy'n gyfrifol am wneud y mapio – trosi'r amrywiad mewn un newidyn i amrywiad mewn newidyn arall – yn cael ei alw'n **drawsddygiadur**. Weithiau, mae'r term yn cael ei ddefnyddio'n unig ar gyfer dyfeisiau sy'n mapio'r amrywiad i signalau trydanol neu o signalau trydanol. Mae microffon yn mapio i signalau trydanol ac yn cael ei alw'n drawsddygiadur mewnbwn. Mae uchelseinydd yn mapio o amrywiadau trydanol i amrywiadau gwasgedd ac mae'n cael ei alw'n drawsddygiadur allbwn.

Gall dyfeisiau eraill sy'n trosi un amrywiad ffisegol i un arall gael eu galw'n drawsddygiaduron hefyd, fodd bynnag. Mae hyn yn cynnwys camera â ffilm sy'n mapio golau o fyd tri dimensiwn ar arwyneb dau ddimensiwn. Mae offer mesur megis manomedrau a thermomedrau hefyd yn cynrychioli un newidyn ffisegol ag un arall (Ffigur 37.6). Nodwch fod yr offer hyn yn seiliedig ar dybiaeth fod un newidyn – megis hyd colofn o hylif mewn tiwb – yn ymddwyn fel yr un sy'n cael ei fesur. Maent yn offer analog. Nid trawsddygiaduron trydanol mohonynt, ond ffurf symlach ar drawsddygiadur.

Ffigur 37.6
Mae manomedr yn trosi un realiti ffisegol, sef gwahaniaeth yn y gwasgedd, yn un y gallwn wneud synnwyr ohono yn uniongyrchol.

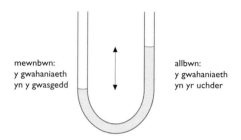

mewnbwn:
y gwahaniaeth
yn y gwasgedd

allbwn:
y gwahaniaeth
yn yr uchder

Mae cylchedau â thermistorau, gwrthyddion golau ddibynol (LDR) a medryddion straen i gyd yn enghreifftiau o gylchedau trawsddygiaduron trydanol. Maent yn ymateb i ymddygiad rhyw agwedd ar y byd ac yn mapio'r ymddygiad hwn ar ffurf lefel foltedd. Gall y ffurf newydd hon gael ei throsglwyddo fel llif o wybodaeth, wedi'i chyfuno, ei thrin a'i storio. Mae'r trawsddygiaduron trydanol hyn yn trosi ymddygiad yn ddata.

Yn y system glywedol, mae uchelseinydd yn gwrthdroi proses fapio'r microffon (Ffigur 37.7) er mwyn ail-greu patrymau o amrywiad yn y gwasgedd sy'n cyfateb i'r gwreiddiol. Gall cymhareb osgled yr amrywiadau newydd yn y gwasgedd, ar bellter penodol o'r uchelseinydd, i osgled yr amrywiadau gwreiddiol yn y gwasgedd, ar bellter penodol o ffynhonnell y sain, gyfateb i un. Yna bydd i'r sain a glywn yr un cryfder â'r sain gwreiddiol. Gallwn, wrth gwrs, gynyddu neu ostwng cymhareb yr osgled drwy ddefnyddio rheolydd sain ar y mwyhadur. Mae'r rheolydd sain yn gweithredu ar y signal pan yw yn y ffurf drydanol. Mae signalau trydanol yn haws i'w rheoli na signalau sain.

Ffigur 37.7
Mae microffon yn drawsddygiadur trydanol – mae'n mapio gwasgedd ar ffurf foltedd.

Ar gyfer y graffiau, mae'r gymhareb $\frac{P}{V}$ yn gyson.

Gellir rhoi osgilosgop pelydrau catod yn lle'r mwyhadur a'r uchelseinydd. Mae wedyn yn ailfapio'r signal trydanol, nid fel sain ond fel allwyriad paladr electronau, ac felly fel dadleoliad smotyn ar sgrin (Ffigur 37.8).

Ffigur 37.8
Gall osgilosgop fapio'r un realiti mewn gwahanol ffyrdd.

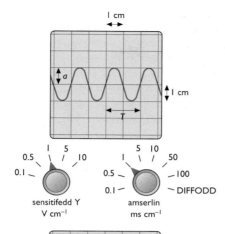

a = osgled ≡ 1.0 V

T = cyfnod ≡ 2 ms

amledd = $\dfrac{1}{T} = \dfrac{1}{2 \times 10^{-3}}$ = 500 Hz

a = osgled ≡ 1.0 V

T = cyfnod ≡ 2 ms

amledd = $\dfrac{1}{T} = \dfrac{1}{2 \times 10^{-3}}$ = 500 Hz

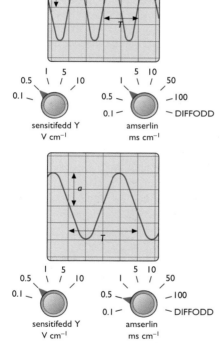

a = osgled ≡ 1.0 V

T = cyfnod ≡ 2 ms

amledd = $\dfrac{1}{T} = \dfrac{1}{2 \times 10^{-3}}$ = 500 Hz

4 Beth y mae'r gair Saesneg *analogy*, sef cydweddiad, yn ei olygu? Beth yw'r cysylltiad rhyngddo â'r gair 'analog'? Beth yw'r cysylltiad rhyngddo â'r gair 'model'?

5 a Gan gymryd bod mewnbwn microffon i'w fesur yn nhermau newidiadau mewn gwasgedd a'i allbwn yn nhermau newidiadau mewn foltedd, beth yw uned y gymhareb allbwn i fewnbwn?

b Mae graddfa map, megis '1 i bob 25 000' yn gymhareb all gael ei hysgrifennu fel

$$\frac{1}{25\,000}$$

Pam nad oes iddi uned?

6 Gellid dweud bod eich

a llygaid   **b** clustiau

yn drawsddygiaduron. Pa newidynnau ffisegol sy'n gweithredu fel mewnbwn ac allbwn ym mhob achos?

7 Beth yw effaith addasu amserlin osgilosgop pelydrau catod ar y ffordd y mae'n mapio un newidyn fel un arall?

8 Dimensiynau arwyneb darn o bapur A4 yw 0.297 m wrth 0.210 m, sy'n awgrymu arwynebedd o 0.0624 m². Mae'r awgrym hwn wedi'i seilio ar ddelfrydu natur yr arwyneb a dim ond yn fras y mae'n wir.

a Esboniwch y frawddeg olaf.

b Ar gyfer pa fath o arwyneb y mae'r ateb yn fesuriad mwy dibynadwy?

c Ar gyfer pa fath o arwyneb y mae'r ateb yn llai dibynadwy?

(Gall meddwl am y gwahaniaeth rhwng adlewyrchiad rheolaidd a thryledol fod o ryw help i chi.)

d Wrth ddweud bod yr arwynebedd yn 0.0624 m², rydym yn creu model rhifiadol o ddalen o bapur. A yw modelau rhifiadol yn cyfleu'r holl wirionedd?

Monitro di-dor a thoredig

Mae'n bosibl y byddwn am fesur newidyn sy'n newid dros amser ac felly arsylwi patrwm y newidiadau. Mewn rhai achosion gallwn fonitro'r newidyn yn ddi-dor ac arsylwi'r patrymau drwy gynrychioliadau neu fapio analog, fel y gwnawn pan ddangoswn batrymau newidiol gwahaniaeth potensial fel patrwm gweledol ar sgrin osgilosgop. Mewn achosion eraill dim ond ar gyfyngau penodol y byddwn yn gwneud darlleniadau a gelwir y broses o gymryd darlleniadau o'r fath yn **samplu**. Gellir cynrychioli signal trydanol ar graff foltedd yn erbyn amser. Ar gyfyngau cyfartal o amser gall y foltedd gael ei ganfod neu ei samplu. Yna gall pob foltedd gael ei gynrychioli fel rhif deuaidd (Ffigur 37.9).

Mae pob darlleniad yn rhoi sampl o'r newidyn rydym yn ei astudio. Gelwir amledd y darlleniadau yn **gyfradd samplu**. Po amlaf y digwydd y samplu, y mwyaf y gallwn ei gasglu am y newidyn (gweler Ffigur 37.10). Ar gyfer unrhyw broses samplu, os yw'r gyfradd samplu yn rhy isel, yna ni allwn ddod i gasgliadau dibynadwy.

Gall tymheredd claf mewn ysbyty gael ei gymryd ar gyfyngau penodol; gall y gyfradd samplu fod yn ddwywaith y dydd. Neu gall gael ei fonitro'n ddi-dor gan storio'r wybodaeth yn y fath fodd y gellir ei darllen yn gyflym, megis ar system peiriant plotio graff.

Ffigur 37.9
Egwyddor samplu.

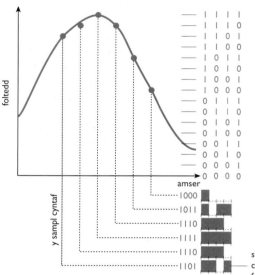

Yn yr enghraifft hon, mae pedwar 'digid' neu 'ddid' i'r codau deuaidd sy'n cynrychioli pob lefel o foltedd (gweler tudalen 26). Rhaid i bob lefel foltedd gael ei 'thalgrynu' i'r gwerth digidol cyfatebol agosaf.

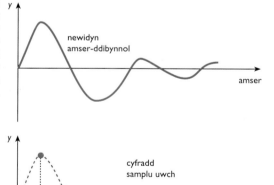

signal pedwar did, yn cyfateb i'r sampl foltedd cyntaf

Ffigur 37.10
Gwybodaeth ddigon amrwd a geir o fesur newidyn sy'n ddibynnol ar amser os yw'r gyfradd samplu'n isel; ceir gwybodaeth fanylach o gyfradd samplu uwch.

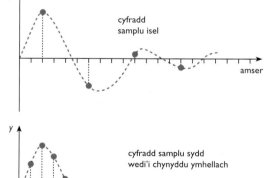

9 Lluniwch fraslun o'r ymddygiad di-dor posibl a ddangosir gan y mesuriadau sampl yn Ffigurau 37.11a a b.

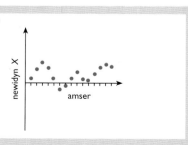

Ffigur 37.11

Trosglwyddo data

Gall llif o wybodaeth, neu ddata, gael ei drosglwyddo o fan i fan mewn sawl ffordd. Mae'r papur hwn yn cario gwybodaeth sydd wedi'i hamgodio mewn symbolau, ac mae sawl realiti wedi'i gynrychioli yn y llyfr hwn gan batrymau adlewyrchiadau golau o dudalennau. Mae'r llais dynol yn cario data wedi'i amgodio mewn patrymau o amrywiadau gwasgedd. Signalau trydanol, signalau golau a signalau radio yw'r sail i drosglwyddo data 'technoleg uchel'.

Rhaid i gyfathrebu o berson i berson ddefnyddio system o fewnbynnu data sy'n addas i bobl. Pobl fydd yn mewnbynnu'r wybodaeth. Rhaid i natur yr allbwn fod yn addas i bobl hefyd. Pobl a fydd yn cyrchu'r wybodaeth. Rhwng y mewnbwn a'r allbwn, gall y wybodaeth gael ei thrawsnewid o ffurf sy'n addas i bobl i ffurf sy'n addas i beiriannau er mwyn ei storio a'i galw'n ôl yn ddiweddarach, megis mewn cylchedwaith cyfrifiadurol neu ar gryno ddisg, neu er mwyn ei throsglwyddo, fel tonnau radio efallai yn teithio dros bellter hir neu fel signalau digidol golau ar hyd ffibrau optig. Caiff ei thrawsnewid yn ôl wedyn i ffurf sy'n addas i bobl wrth y pwynt allbwn.

Mae radio yn **cyfathrebu mewn amser real** tra bo cof cyfrifiadur, llyfrau, tapiau a chryno ddisgiau hefyd yn cyfathrebu, ond nid mewn amser real. Mae set radio yn derbyn y data ar ôl oediad penodol ar ôl ei drosglwyddo. Mae cyfnod penodol yr oedi yn fyr iawn, fodd bynnag, oherwydd mae'r data yn cael ei gario ar fuanedd golau. Mae Ffigur 37.12 yn dangos system gyfan cyfathrebu radio ar ffurf diagram. Gallwch ddarllen mwy am system gyfathrebu radio a lled band signalau ym Mhennod 3.

Ffigur 37.12
System gyfathrebu radio.

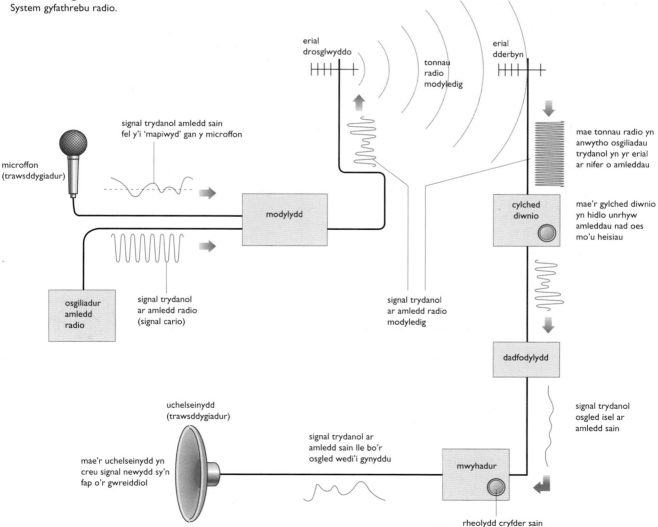

Trosglwyddiad analog

Mae'r signal trydanol sy'n cario'r data mewn system sain sy'n cynnwys microffon, mwyhadur ac uchelseinydd, yn signal analog syml. Mae mapio uniongyrchol yn digwydd o'r sain i'r signal i'r sain. Wrth i ddata gael ei drosglwyddo drwy radio AM ac FM, mae'r mapio yn fwy cymhleth. Mae'r patrymau ym mhriodweddau'r don radio, a elwir y **don gario**, yn cario'r signal ar ffurf wedi'i hamgodio. Gelwir y newidiadau i'r don gario sy'n cynrychioli'r signal yn **fodyliad** y don.

Mewn trosglwyddiad AM (modyliad osgled) nid yw'r signal wedi'i fapio'n syml ar y don gario ond ar ei osgled. Mae amrywiad yr osgled gydag amser ar gyfer y don fodyledig yn cyfateb i amrywiad y gwasgedd aer gydag amser sy'n digwydd yn y stiwdio radio (Ffigur 37.13).

Ffigur 37.13
Modyliad osgled.

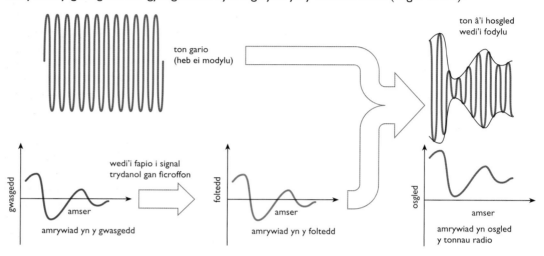

Ar gyfer trosglwyddiad FM (modyliad amledd) mae amledd y don gario yn amrywio gydag amser, gan gyfateb i'r amrywiadau yng ngwasgedd yr aer sy'n rhan o'r don sain wreiddiol, a'u mapio (Ffigur 37.14).

Ffigur 37.14
Modyliad amledd.

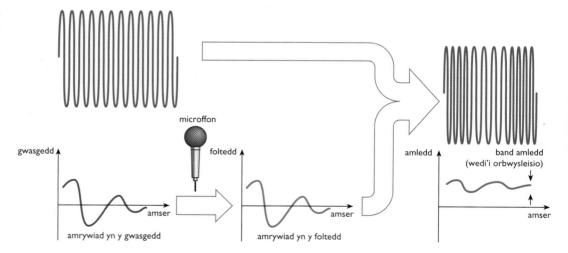

Trosglwyddiad digidol

Mae newidynnau yn y byd, megis tymheredd neu wasgedd aer, yn newid yn barhaus ac mae trawsddygiaduron yn cynhyrchu cynrychioliadau analog. Nid yw gwybodaeth ddigidol yn defnyddio'r un gymhareb fapio (neu raddfa) gyson syml, ond yn cynrychioli gwerthoedd newidynnau gan ddefnyddio rhifau deuaidd. Rhaid i samplu ddigwydd er mwyn trawsnewid data analog yn ddata digidol. Yna gall y data digidol gael ei drosglwyddo fel ffigurau 1 a 0 deuaidd drwy **fodyliad cod pwls** ton radio. Mae modyliad yn y cyswllt hwn yn cynnwys cynnau a diffodd y don gario er mwyn creu pylsiau (Ffigur 37.15). System ddeuaidd o rifo yw'r 'cod' fel rheol ond mae codau mwy cymhleth yn bod.

Ffigur 37.15
Modyliad cod pwls.
Nodwch fod maint cyfnod
y don radio wedi'i
orbwysleisio fan hyn o'i
gymharu â hyd y pwls.

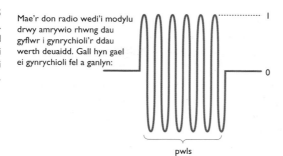

Mae'r don radio wedi'i modylu
drwy amrywio rhwng dau
gyflwr i gynrychioli'r ddau
werth deuaidd. Gall hyn gael
ei gynrychioli fel a ganlyn:

pwls

hyd pwls nodweddiadol = 1μs

cyfnod nodweddiadol y don radio = 0.01μs

Ffigur 37.16
Mae gair digidol yn
cynrychioli gwerth
mesuriad. Mae gair wyth
did yn cael ei ddangos yma.

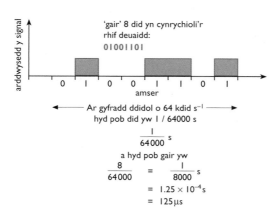

'gair' 8 did yn cynrychioli'r
rhif deuaidd:
01001101

0   1   0   0   1   1   0   1
amser

◄——— Ar gyfradd ddidol o 64 kdid s⁻¹ ———►
hyd pob did yw 1 / 64000 s

$$\frac{1}{64000} \text{ s}$$

a hyd pob gair yw

$$\frac{8}{64000} = \frac{1}{8000} \text{ s}$$
$$= 1.25 \times 10^{-4} \text{ s}$$
$$= 125 \mu\text{s}$$

Gall rhif deuaidd gael ei drosglwyddo fel cyfres o 'cynnau' neu ffigur 1, a 'diffodd' neu ffigur 0, ar gyfer foltedd neu lefel golau. Mae pob 1 neu 0 yn un did a **gair** yw'r enw a roir ar y gyfres o ddidau sy'n ffurfio'r gwerth i'w drosglwyddo. Felly mae angen llawer o ddidau ar bob gwerth i'w fesur, neu air, felly mae cyfradd trosglwyddo'r didau, y gyfradd ddidol, yn fwy na'r gyfradd samplu (Ffigur 37.16). Ar gyfer telathrebu, cyfradd samplu nodweddiadol fyddai 8 kHz neu 8000 o fesuriadau yr eiliad.

Er mwyn cyfyngu ar nifer y didau sy'n ofynnol ar gyfer pob gwerth foltedd, mae'r gwerthoedd hyn wedi'u rhannu'n lefelau foltedd ar wahân. Fel lefelau egni mewn atom ni chaniateir gwerthoedd rhyngol – os yw dwy lefel foltedd gyfagos yn 1.5 ac 1.6 V yna caiff gwerth 1.54 ei ddarllen fel 1.5. Mae pob mesuriad a samplwyd yn bodoli wedyn fel lefel o foltedd sy'n cael ei ddisgrifio gan god deuaidd wedi'i wneud o air â sawl did. Po fwyaf o ddidau sydd iddo, mwyaf agos y mae patrwm cyffredinol gwerthoedd y foltedd sy'n cael ei drosglwyddo yn adlewyrchu'r patrwm analog y mae wedi'i gynhyrchu ohono (Ffigur 37.17).

Ffigur 37.17
Po fwyaf o ddidau sydd
mewn gair, y gorau fydd
ansawdd y signal. Mae i'r
ddau signal hyn yr un
gyfradd samplu ond hyd
gwahanol i bob gair.

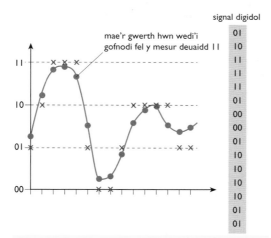

mae'r gwerth hwn wedi'i
gofnodi fel y mesur deuaidd 11

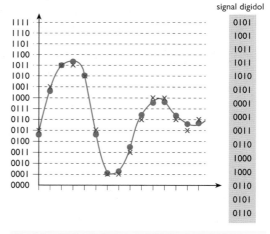

Mae defnyddio nifer bychan o lefelau foltedd a defnyddio geiriau byr – fan yma eu hyd yw dau ddid – yn caniatáu i wybodaeth amrwd gael ei hanfon ar fuanedd uchel.

Dangosir y signal digidol sy'n cynrychioli'r signal analog gan yr Xau.

Mae gair sy'n hirach yn caniatáu i 'siâp' y signal digidol, a ddangosir gan yr Xau, gyfateb yn well i siâp y signal analog.

Nodwch fod angen i ddata gael ei drosglwyddo ar gyfradd ddidol uwch.

Dyma'r berthynas rhwng y gyfradd ddidol a'r gyfradd samplu:

cyfradd ddidol = cyfradd samplu × nifer y didau mewn sampl

Nifer y didau mewn sampl yw **hyd gair**. Os 16 did y gair yw'r hyd gair a 8 kHz yw'r gyfradd samplu, yna

$$\text{cyfradd ddidol} = 8000 \times 16$$
$$= 128\,000 \text{ did s}^{-1}$$
$$= 128 \text{ kdid s}^{-1}$$

Ffigur 37.18
Gall proses drosglwyddo 'bylu' pwls ond gall signal digidol gael ei ddarllen o hyd o lif o fylsiau o'r fath, cyn belled nad ydynt yn uno'n ormodol. Byddai lefel debyg o aflunio ar signal analog yn lleihau'n fawr ansawdd y wybodaeth a dderbynnir.

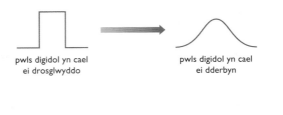

pwls digidol yn cael ei drosglwyddo

pwls digidol yn cael ei dderbyn

---

10 Pam nad oes angen 'ton gario' ar gyfer system sain syml gyda microffon, mwyhadur ac uchelseinydd?

11 Yn Ffigur 37.12, pa newidiadau i'r system fyddai eu hangen ar gyfer trosglwyddiad digidol?

12 Pryd y gallai'r gyfradd ddidol fod yn hafal i'r gyfradd samplu?

13 Cyfrifwch yr hyd gair ar gyfer cyfradd samplu o 16 kHz a chyfradd ddidol o 256 kdid s⁻¹. Pa un sy'n trosglwyddo'r wybodaeth fwyaf manwl – yr enghraifft hon neu'r un a roddir ar waelod tudalen 443?

14 Beth yw'r rhif deuaidd uchaf all gael ei gynrychioli gan hyd gair 16 did? Beth yw hyn mewn rhifolion Arabig?

15 **TRAFODWCH**

a A yw'r system ddeuaidd yn fwy o 'god' na'r system ddegol sy'n seiliedig ar rifolion Arabig? Neu, yn syml, ai ni sy'n fwy cyfarwydd â'r system ddegol? Pam nad ydym ni'n defnyddio'r system ddeuaidd i wneud ein cyfrifiadau bob dydd?

b Ym mha fodd y gellir dweud bod y system ddeuaidd yn seiliedig ar y rhif 2, tra bo'r system ddegol yn seiliedig ar y rhif 10? Byddai'n bosibl cael system gyfrif yn seiliedig ar y rhif 3. Sawl symbol gwahanol fyddai ei angen arni? Pam y byddai system o'r fath yn anodd ei defnyddio? A yw'n fwy anodd yn ei hanfod na system ddegol?

c Fe ddysgoch chi ddefnyddio'r system ddegol pan oeddech chi'n weddol ifanc. Allech chi ei dysgu yn awr?

Mae cynrychioliad digidol o realiti yn seiliedig ar samplu, tra bo cynrychioliad analog yn seiliedig ar fapio uniongyrchol. Mae ansawdd data digidol yn dibynnu i raddau helaeth ar y gyfradd samplu, fel y gwelsom (Ffigur 37.10). Gall ymddangos bod dulliau analog yn well. Ond mae gwybodaeth analog yn fwy tebygol o gael ei **llygru** – ei hanffurfio y tu hwnt i bob adnabyddiaeth – wrth ei storio neu ei throsglwyddo (Ffigur 37.18). Mae crafiad ar record blastig yn difetha'r gerddoriaeth. Gall radio analog fod yn aneglur a gall signalau ffôn analog bylu. Mantais fawr system ddigidol yw bod 1 yn wahanol iawn i 0, ac 1 a 0 yn unig sydd yn y neges gyfan. Gallant bylu, fel y gwelsom ym Mhennod 23, ac yn y pen draw gallant gael eu llygru, ond nid effeithir cymaint ar y wybodaeth y maent yn ei chario oherwydd y newidiadau hyn o'u cymharu â signalau analog. Hefyd, gall system ddigidol drosglwyddo mwy o ddata o fewn yr un amser, gan ddefnyddio'r un system ffisegol (megis trosglwyddiad radio ar amrediad amledd penodol).

Amblecsio

Mae'r aer o'ch amgylch yn llawn tonnau radio. Mae pob un ohonynt yn anwytho symudiad electronau mewn erial, ac eto gall set radio atgynhyrchu synau o ddim ond un stiwdio radio arbennig. Mae gan bob gorsaf radio ei hamledd neu ei hamrediad o amleddau ei hun ac felly gall gwybodaeth o un orsaf gael ei gwahanu oddi wrth y lleill gan 'hidlydd' y set radio neu'r cylchedau tiwnio. Gall proses debyg gael ei defnyddio gyda signalau analog sy'n cael eu trosglwyddo ar hyd ceblau. Gall signalau o wahanol ffonau, er enghraifft, gael eu trosglwyddo ar yr un pryd ar hyd yr un cebl ar amleddau neu fandiau amleddau gwahanol. Gelwir y broses hon yn **amblecsio rhannu amledd.**

Gyda signalau digidol yn unig y gall **amblecsio rhannu amser** gael ei ddefnyddio. Mae pob signal wedi'i amblecsio yn gyfres o ddidau all gael eu trosglwyddo â chyfyngau amser sylweddol rhwng pob un. Yna gall didau sy'n rhan o signalau eraill ffitio i mewn i'r bylchau amser. Mae didau o nifer o signalau wedi'u hamblecsio yn 'cymryd eu tro' i deithio ar hyd y cebl (Ffigur 37.19).

Ffigur 37.19
Amblecsio rhannu amser ar gyfer signalau digidol.

16 Pam na ellir defnyddio amblecsio rhannu amser gyda signalau analog?

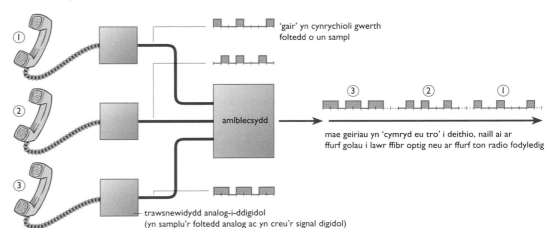

'gair' yn cynrychioli gwerth foltedd o un sampl

amblecsydd

mae geiriau yn 'cymryd eu tro' i deithio, naill ai ar ffurf golau i lawr ffibr optig neu ar ffurf ton radio fodyledig

trawsnewidydd analog-i-ddigidol (yn samplu'r foltedd analog ac yn creu'r signal digidol)

Trosglwyddo tonnau radio

Mae tonnau radio yn teithio drwy'r aer ac i'r gofod. O fewn yr atmosffer bydd rhywfaint o amsugniad ac adlewyrchiad yn digwydd ac mae'r graddau y bydd hyn yn digwydd yn ddibynnol ar yr amledd (Ffigur 37.20).

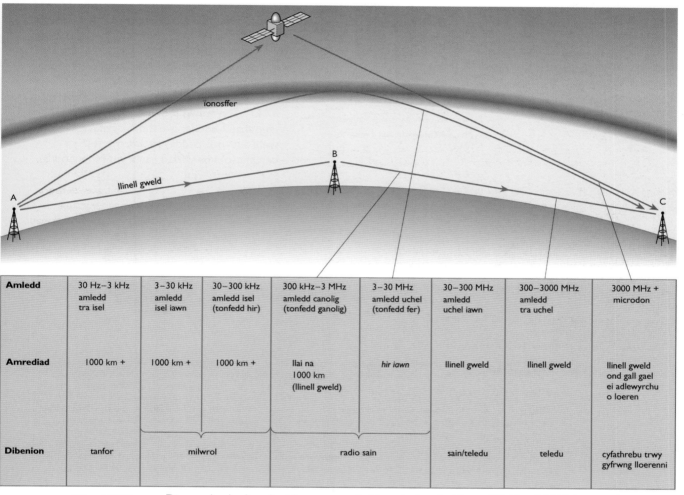

Amledd	30 Hz–3 kHz amledd tra isel	3–30 kHz amledd isel iawn	30–300 kHz amledd isel (tonfedd hir)	300 kHz–3 MHz amledd canolig (tonfedd ganolig)	3–30 MHz amledd uchel (tonfedd fer)	30–300 MHz amledd uchel iawn	300–3000 MHz amledd tra uchel	3000 MHz + microdon
Amrediad	1000 km +	1000 km +	1000 km +	llai na 1000 km (llinell gweld)	*hir iawn*	llinell gweld	llinell gweld	llinell gweld ond gall gael ei adlewyrchu o loeren
Dibenion	tanfor	milwrol		radio sain		sain/teledu	teledu	cyfathrebu trwy gyfrwng lloerenni

Ffigur 37.20
Bandiau tonnau radio a rhai o'u dulliau o deithio rhwng gorsafoedd.

Dim ond ychydig y bydd tonnau amledd tra isel ac isel iawn (30 Hz i 30 kHz) yn cael eu hamsugno a gallant deithio dros bellteroedd sylweddol mewn dŵr hyd yn oed. Mae hynny yn eu gwneud yn addas iawn ar gyfer cyfathrebu o dan ddŵr. Fodd bynnag, oherwydd yr amledd isel, dim ond gwybodaeth syml y gallant ei chario. Nid yw'r lled band o sawl kHz sydd ei angen i drosglwyddo gwybodaeth fwy cymhleth yn gyflym ar gael.

Gall tonnau amledd uchel (3 i 30 MHz), a elwir yn donnau byr, deithio dros bellteroedd hir hefyd oherwydd adlewyrchiad o'r ïonosffer – haen o'r atmosffer. Fe'u defnyddir felly i drosglwyddo gwybodaeth dros bellter hir ar draws y byd.

Mae tonnau amledd canolig yn profi amsugniad sylweddol ac nid oes ganddynt ond cyrhaeddiad o ychydig gilometrau yn yr atmosffer. Nid ydynt yn cael eu hadlewyrchu gan yr ïonosffer ac felly dim ond lle bo llinell syth ddirwystr – neu **llinell gweld** – rhwng y trosglwyddydd a'r derbynnydd y gellir eu derbyn. (Gall rhywfaint o ddiffreithiant o amgylch y derbynnydd ganiatáu i rywfaint o'r signal gyrraedd yr hyn a fyddai fel arall yn 'gysgodion'.) Mae'r tonnau hyn, fodd bynnag, yn ddigonol i ddarlledu radio.

Mae gan donnau amledd uchel iawn (VHF) y fantais bod lled band mawr yn bosibl ac felly gallant gario gwybodaeth gymhleth ar raddfa uchel, er bod eu cyraeddiadau yn gymharol fyr.

Nid yw tonnau radio sy'n teithio drwy'r gofod yn profi amsugniad. Ond oni bai eu bod yn teithio ar ffurf paladr paralel bydd eu hegni yn cael ei ledaenu dros ardal ehangach ac ehangach wrth iddynt deithio.

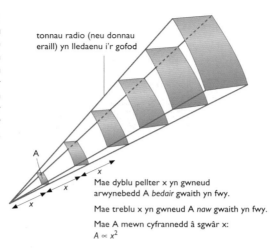

Ffigur 37.21

Mae arddwysedd y tonnau radio (neu donnau eraill) sy'n lledaenu i'r gofod yn mynd yn wannach ac yn wannach. Mae'r arddwysedd mewn cyfrannedd gwrthdro â'r arwynebedd y bydd y tonnau yn teithio drwyddo.

tonnau radio (neu donnau eraill) yn lledaenu i'r gofod

A

x
x
x
x

Mae dyblu pellter x yn gwneud arwynebedd A *bedair* gwaith yn fwy.

Mae treblu x yn gwneud A *naw* gwaith yn fwy.

Mae A mewn cyfrannedd â sgwâr x:
$A \propto x^2$

Ar gyfer tarddle pwynt sy'n trosglwyddo i bob cyfeiriad, mae'r arwynebedd ar siâp arwyneb sffêr. Mae maint yr arwynebedd mewn cyfrannedd â sgwâr y radiws (arwynebedd arwyneb y sffêr = $4\pi r^2$). Mae arddwysedd y don yn cael ei fesur fel cyfradd trosglwyddo egni am bob uned o arwynebedd, mewn $W\ m^{-2}$. Wrth i'r don ledaenu ac wrth i'r arwynebedd dyfu, mae ei harddwysedd yn lleihau. Mae'r arddwysedd mewn cyfrannedd gwrthdro â'r arwynebedd ac felly mewn cyfrannedd gwrthdro â sgwâr y radiws (Ffigur 37.21). Dywedwn fod yr arddwysedd yn ufuddhau i ddeddf gwrthdro sgwâr (gallwch weld sut mae deddf gwrthdro sgwâr yn berthnasol i belydriad gama ym Mhennod 8).

17 Gweler Ffigur 37.22 a'r testun oddi tano. Petai'r Ddaear wedi dod yn ffynhonnell radio yn 1910, a'r estroniaid yn ddim ond 19 o flynyddoedd golau i ffwrdd, pryd y byddent wedi ein cyrraedd ni petaent wedi dod ar fuanedd golau?

18 Sut y mae cyfathrebu radio dros bellter hir ar draws y byd yn bosibl heb ddefnyddio lloerenni?

19 Pam y mae tonnau amledd canolig yn addas ar gyfer radio lleol ond nid i gario galwadau ffôn rhwng cyfandiroedd?

20 Pam y mae angen lled band mwy ar ffôn fideo na ffôn llais cyffredin? (Gweler Pennod 3.)

21 Pam y mae'r ddeddf gwrthdro sgwâr yn bwysig wrth dderbyn signalau o deithiau i'r blaned Mawrth ond nid ar gyfer cyfathrebu VHF ar y Ddaear?

Ffigur 37.22

Tonnau radio gyda nifer o amleddau yn lledaenu i'r gofod o'n gorsafoedd radio.

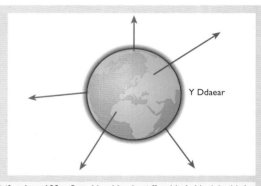

Y Ddaear

Petai estroniaid ag offer derbyn radio sensitif yn byw 100 o flynyddoedd golau i ffwrdd o'r Haul, byddai'r seren bellennig hon wedi ymddangos yn gyffredin iawn tan yn ddiweddar iawn. (Mae'n amhosibl i ni wybod sut y byddai 'estroniaid' o'r fath yn mesur amser ond defnyddiwn ein blwyddyn daear ni fel uned o amser a'r flwyddyn golau fel uned o bellter.) Yna, gydag arddwysedd cynyddol, dyma'r seren neu rywbeth agos ati yn dechrau anfon allan nifer o signalau radio gydag amrediad eang o amleddau. Gallai'r estroniaid fod wedi cyfrifo, gan fod y ffynhonnell radio newydd hon 100 o flynyddoedd golau oddi wrthynt hwy, y byddai'n rhaid bod y broses wedi cychwyn 100 o flynyddoedd yn ôl. Nid oes tystiolaeth bod yr estroniaid ar eu ffordd i ymchwilio – petaent yn cychwyn ar eu taith yn awr ac yn teithio ar fuanedd sy'n agos at fuanedd golau yna byddent yn cyrraedd mewn 100 mlynedd o'r eiliad hon!

● Storio data

Ychydig o wybodaeth y mae'r llythyren 'h' yn ei chyfleu, ond o'i chyfuno â nifer o lythrennau eraill gall ddweud llawer wrthym. Mae'r llyfr hwn yn cynnwys tua miliwn o symbolau o'r fath. Mae rhesi o lythrennau, o'u cyfuno mewn geiriau, brawddegau, paragraffau, penodau a llyfrau, yn cario gwybodaeth ystyrlon o berson i berson. Gallwch gau'r llyfr a'i ailagor yn ddiweddarach. Bydd y patrymau yno o hyd. Cânt eu storio ynddo.

Mae geiriau ar ddudalen yn storio gwybodaeth ar ffurf a fydd o fewn cyrraedd uniongyrchol i bobl drwy edrych arnynt. Ond nid yw mor bwysig bob amser bod data o fewn cyrraedd uniongyrchol i bobl. Gall rhywfaint o ddata, yn wir rhaid i rywfaint ohono, gael ei storio yn y lle cyntaf ar ffurf sy'n addas i beiriant. Gall data addas i beiriant fod yn syml iawn yn ffisegol o ran ei ffurf, er enghraifft siâp arwyneb record finyl (Ffigur 37.23a) neu draciau mân bantiau ar gryno ddisg (Ffigur 37.23b), neu gall fod yn fagnetig, fel y patrymau magnetig ar dâp (Ffigur 37.23c).

Gall data addas i beiriant hefyd fod ar ffurf lefelau foltedd. Mae lefel foltedd digyfnewid o fewn cylched, i bob pwrpas, yn 'cofio' ei gwerth ei hun. Mae'n ei 'gofio' cyn belled ag y bo'r foltedd hwnnw'n cael ei gynnal. Caiff hyn ei ddefnyddio fel cof 'electronig' mewn cyfrifiaduron, ynghyd â'r cof 'magnetig' a ddarperir gan ddisgiau magnetig a fydd yn storio gwybodaeth mewn dull tebyg i dâp magnetig.

Ffigur 37.23
Storio data.

a

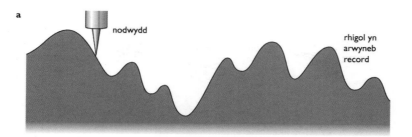

nodwydd

rhigol yn arwyneb record

b

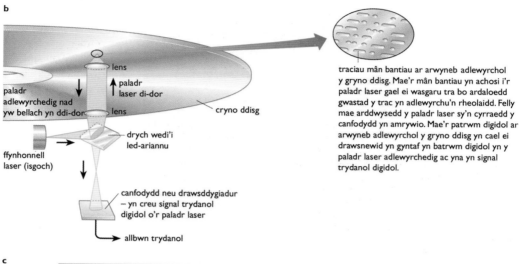

lens

↑ paladr laser di-dor

paladr adlewyrchedig nad yw bellach yn ddi-dor

lens

cryno ddisg

drych wedi'i led-ariannu

ffynhonnell laser (isgoch)

canfodydd neu drawsddygiadur – yn creu signal trydanol digidol o'r paladr laser

allbwn trydanol

traciau mân bantiau ar arwyneb adlewyrchol y gryno ddisg. Mae'r mân bantiau yn achosi i'r paladr laser gael ei wasgaru tra bo ardaloedd gwastad y trac yn adlewyrchu'n rheolaidd. Felly mae arddwysedd y paladr laser sy'n cyrraedd y canfodydd yn amrywio. Mae'r patrwm digidol ar arwyneb adlewyrchol y gryno ddisg yn cael ei drawsnewid yn gyntaf yn batrwm digidol yn y paladr laser adlewyrchedig ac yna yn signal trydanol digidol.

c

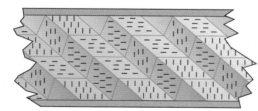

aliniadau magnetig ar ddarn o dâp recordio

22 Pa rai o'r systemau storio data hyn
  a record finyl
  b disg fagnetig
  c lefelau foltedd digidol
  sy'n golygu mapio analog uniongyrchol un newidyn gan un arall, fel y disgrifiwyd ar dudalennau 437-9?
23 Os defnyddir pob un o'r systemau yng nghwestiwn 22 i storio data sain, pa drawsddygiaduron a ddefnyddir i drawsnewid y data o'i ffurf pan oedd wedi'i storio i fod yn signal trydanol analog?
24 Esboniwch pam y mae data sy'n cael ei storio ar record finyl yn cael ei lygru'n hawdd.
25 **TRAFODWCH**
  'Nid pipell mo hon'. Fe welwch yn Ffigur 37.24 beintiad enwog René Magritte, 1929. Y mha fodd y mae'r llun yn ein helpu i'n hatgoffa am y dulliau a ddefnyddiwn i gynrychioli'r byd ym maes ffiseg?

Ffigur 37.24

Ceci n'est pas une pipe.

Data addas i bobl

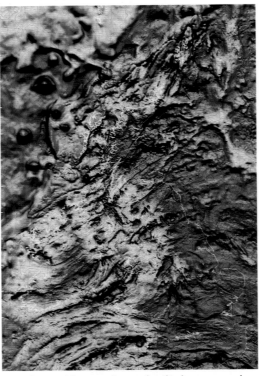

Mae delweddau'n cario gwybodaeth. Maent yn hynod ddefnyddiol oherwydd mae pobl yn dda iawn am gasglu gwybodaeth yn gyflym o olygfa neu ddelwedd weledol. Nid yw'n syndod felly ein bod wedi adeiladu ein cyfrifiaduron fel y bo llawer o'r cyfathrebu sy'n digwydd rhyngddynt hwy a ninnau ar ffurf delweddau (ac os ystyriwch fod llythrennau'r wyddor yn ddelweddau, mae bron yr holl gyfathrebu sy'n digwydd yn y ffurf hon). Rhyngwyneb rhwng y peiriant a'r unigolyn yw'r sgrin.

Yn y 1950au, anfonwyd nifer o fyfyrwyr ymchwil daeareg i gerdded y bryniau yn yr Alban gan gario offer a oedd yn cynnwys pwysau trwm. Roedd yr amrywiadau bychan yn y pwysau o fan i fan yn rhoi gwybodaeth am adeiledd y creigiau islaw. Ond roedd yno gymaint o ddata nad oedd modd ei ddadansoddi mewn ffordd ddefnyddiol – nid tan y 1980au pan fewnbynnwyd y data i gyfrifiaduron ac y rhaglennwyd y cyfrifiaduron i ddangos y data mewn ffurf weledol (Ffigur 37.25). Y canlyniad oedd math newydd o fap daearegol sy'n ddefnyddiol ar gyfer gweithgareddau megis ymchwiliadau mwynol a rhagfynegi daeargrynfeydd. Gallai'r cyfrifiaduron hyd yn oed ddangos yr amrywiadau ar ffurf lliwiau gwahanol drwy adio **lliw ffug** i'r delweddau. Nid yw'r lliw yn bodoli mewn gwirionedd yn y gwrthrych y crewyd y ddelwedd ohono ond caiff ei ychwanegu er mwyn gwneud y ddelwedd yn haws ei dadansoddi.

Gall cyfrifiaduron drin llawer o ddata. Gallwch chithau hefyd ond mae eich prosesau chi yn hollol wahanol. Un canlyniad yw eich bod yn gwneud mwy o gamgymeriadau wrth fynd drwy'r prosesau arferol, ond rydych yn fwy hyblyg ac yn gynt o lawer i ddysgu o sefyllfaoedd cymhleth.

Nid oes llawer o ddychymyg yn perthyn i gyfrifiaduron ond gallant helpu pobl i ddefnyddio eu dychymyg. Gallwn fwydo gwybodaeth i mewn i gyfrifiaduron er mwyn iddynt gynhyrchu modelau ar ein cyfer. Gall y modelau fod yn rhai gweledol, er enghraifft, modelau moleciwlau all gael eu defnyddio gan ymchwilydd meddygol i ymchwilio i ymddygiad moleciwlau neu adeileddau mawr a chymhleth ac i ddatblygu cyffuriau fel y bo'n briodol.

Fel arall, gall modelau cyfrifiadurol fod yn rhai mathemategol yn bennaf – casgliad o berthnasoedd mathemategol all gael eu defnyddio i ateb cwestiynau yn dechrau â'r geiriau 'beth os', er enghraifft, 'beth fydd yn digwydd i hinsawdd y byd os…' neu, yn y byd ariannol, 'beth fydd yn digwydd i bris X os…'. Rhaid i fodelau o'r fath ymdrin â llawer o newidynnau rhyngddibynnol. Mae angen cofau mawr iawn ar gyfrifiaduron a'r gallu i drin data yn gyflym.

Cofau cyfrifiaduron

Mae data cyfrifiadurol yn cael ei fesur mewn **beitiau**. Beit yw dilyniant o wyth did – gair â'i hyd yn wyth did. Hynny yw, dilyniant o wyth ffigur 0 neu 1 deuaidd ydyw sy'n cyfateb i rifau hyd at 255. Gall cof cyfrifiadur gael ei fesur mewn megabeitiau neu gigabeitiau. Fan yma, nid yw megabeit yn defnyddio'r confensiwn SI arferol – mae megabeit yn agos at filiwn o ddidiau ond nid yn hollol. Mae ein system gyfrif arferol yn seiliedig ar bwerau 10, ond mae'r system ddeuaidd yn seiliedig ar bwerau 2. Felly

$$1 \text{ filiwn} = 10^6 = 1\ 000\ 000$$

ond

$$1 \text{ megabeit} = 2^{20} \text{ beit} = 1\ 048\ 576 \text{ beit}$$

Gall gwybodaeth gael ei storio'n electronig ar ffurf foltedd ar draws cynwysyddion. Gall sglodyn silicon gynnwys cannoedd o filoedd o gynwysyddion a gall pob un ohonynt storio gwefr. Mae gan gynhwysydd sydd wedi'i wefru foltedd ar ei draws, sy'n dynodi gwerth deuaidd o 1. Mae cynhwysydd sydd i bob pwrpas heb ei wefru yn dynodi gwerth deuaidd o 0. Gall cof o'r fath gael ei 'ddarllen' drwy alluogi'r wefr i lifo oddi ar y platiau er bod proses o'r fath yn golygu colli'r wybodaeth a rhaid iddi gael ei hailysgrifennu ar gylchedau'r cynwysyddion. Mae'r system yn colli'r wybodaeth pan yw'r cyfrifiadur yn cael ei ddiffodd. Felly, cyn ei ddiffodd, rhaid i unrhyw wybodaeth sydd i'w storio am gyfnod pellach gael ei chadw drwy ei throsglwyddo i'r **ddisg galed** y tu mewn i'r cyfrifiadur neu i gryno ddisg, disg hyblyg neu ddisg *zip* all gael ei rhoi yn y cyfrifiadur gan y defnyddiwr. Nodwch fod rhoi gwybodaeth ar y ddisg galed neu gymryd gwybodaeth oddi arni yn cynnwys mudiant – proses fecanyddol ydyw ac mae felly yn araf o'i chymharu â chyfnewid gwybodaeth mewn proses sy'n gwbl electronig.

Mae uned disg galed cyfrifiadur personol yn cynnwys stac o blatiau'n troelli (Ffigur 37.26). Mae wynebau'r platiau wedi'u gorchuddio â defnydd all gael ei fagneteiddio'n lleol. Mae gwybodaeth yn cael ei rhoi ar y ddisg trwy gyfrwng pin 'ysgrifennu', sef electromagnet y gall ei bolaredd gael ei wrthdroi. Mae'r plât yn cylchdroi heibio'r pin ac mewn un polaredd mae'r pin yn alinio'r magnetedd i un cyfeiriad fel y bo'r wybodaeth yn cael ei storio fel 'cynnau' neu 1 deuaidd, ac i'r polaredd dirgroes mae'r wybodaeth yn gweithredu fel 'diffodd' neu 0 deuaidd. Er mwyn darllen y data mae'r plât neu'r ddisg yn sbinio heibio'r pin ac mae cerrynt yn cael ei anwytho yn y pin.

Ffigur 37.26
Y platiau sy'n sbinio yn uned disg galed cyfrifiadur personol.

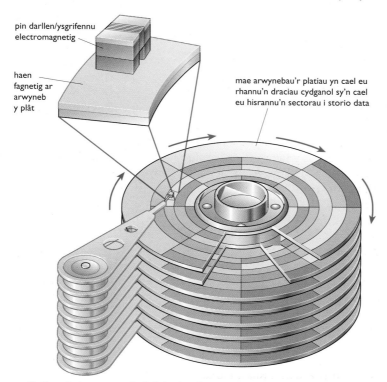

pin darllen/ysgrifennu electromagnetig

haen fagnetig ar arwyneb y plât

mae arwynebau'r platiau yn cael eu rhannu'n draciau cydganol sy'n cael eu hisrannu'n sectorau i storio data

Gall cof electronig fodoli hefyd fel gwahaniaethau potensial mewn cylchedau **deusad** neu **fflip-fflop**. Mae dau gyflwr posibl i'r rhain a dau foltedd allbwn, felly maent yn ddelfrydol i gynrychioli dau gyflwr posibl system wybodaeth ddeuaidd. Gall cylched ddeusad fynd 'fflip' neu 'fflop' rhwng y ddau gyflwr. Pan wna hynny mae ei chyflyrau yn cildroi felly mae'n cario gwybodaeth am ei chyflwr blaenorol yn ogystal â'i chyflwr presennol.

Gall y cofau electronig a magnetig fod o fath ROM neu RAM. Mae **ROM** (*read only memory*) yn gof 'darllen yn unig' ac ni ellir ychwanegu ato. Mae'n storio gwybodaeth y gall y cyfrifiadur ei chyrchu ond ni ellir ei newid mewn unrhyw fodd. Mae llawer o'r wybodaeth hon yn cael ei hadeiladu'n rhan o'r cyfrifiadur wrth iddo gael ei weithgynhyrchu neu gellir ei chael drwy ddefnyddio meddalwedd. Mae CD-ROM gyffredin yn ddisg sy'n cario data all gael ei ddefnyddio heb ei newid – disg 'darllen yn unig' ydyw. Mae **RAM** (*random access memory*) yn gof y gellir ychwanegu gwybodaeth newydd ato, drwy ddefnyddio meddalwedd neu drwy ei mewnbynnu o fysellfwrdd neu lygoden. Gellir cael gwybodaeth o'r cof RAM hefyd. Gall RAM gael ei storio neu ei gadw ar ddisg galed ond o ran cyrchu'r wybodaeth honno yn gyflym mae dulliau eraill yn well.

27 Pam y mae cyrchu gwybodaeth sydd wedi'i storio'n electronig yn gynt na darllen disg?

28 A yw disg hyblyg wag yn darparu RAM neu ROM?

Synhwyro awtomatig – data peiriant-i-beiriant

Mae peiriannau all ymateb i'w hamgylchedd yn amlwg yn werthfawr iawn. Gallwn roi baban mewn crud cynnal, er enghraifft, a gadael i'r peiriant nid yn unig fonitro newidynnau megis y tymheredd a lefel yr ocsigen, ond hefyd adael i'r cyfrifiadur ymateb fel y bo'n briodol er mwyn cynnal y lefelau priodol. Mewn sefyllfa lle mae bywyd person yn y fantol rhaid cael dyfeisiau rhybuddio eraill, megis cyfarpar monitro annibynnol gyda larymau clywadwy er mwyn i rywun ymyrryd os bydd y cyfrifiadur yn methu am ba reswm bynnag. Mae mecanweithiau wrth gefn o'r fath yn rhan bwysig o unrhyw system gyfrifiadurol a hebddynt gall fod yna broblemau difrifol iawn.

Mae angen synwyryddion ar beiriannau sy'n ymateb i'w hamgylchedd. Dyma drawsddygiaduron mewnbwn sy'n trawsnewid gwybodaeth o'r amgylchedd yn lefelau foltedd. O feddwl am y trawsddygiadur fel 'peiriant', mae'n cynhyrchu data yn benodol er mwyn i beiriant arall weithredu arno neu ei drin.

Thermistorau a gwrthyddion dibynnol ar olau yw sylfaen rhai cylchedau synhwyro. Maent wedi'u cysylltu mewn cyfres â gwrthydd arall er mwyn creu system rhannydd potensial. Y foltedd allbwn yw'r foltedd ar draws un o'r ddau wrthydd yn y rhannydd potensial (Ffigur 37.27).

Ffigur 37.27
Cylched synhwyro golau y gall ei hallbwn fod yn uchel neu'n isel.

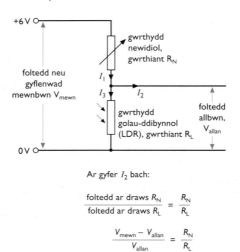

Ar gyfer I_2 bach:

$$\frac{\text{foltedd ar draws } R_N}{\text{foltedd ar draws } R_L} = \frac{R_N}{R_L}$$

$$\frac{V_{\text{mewn}} - V_{\text{allan}}}{V_{\text{allan}}} = \frac{R_N}{R_L}$$

Nodwch mai lefel foltedd yw'r allbwn y mae ei angen o'r gylched hon. Nid oes angen i'r gylched ddarparu pŵer oherwydd gall yr allbwn a'r cerrynt I_2 fod yn fach.

Os yw $I_2 \ll I_1$, yna $I_1 \approx I_3$ a gallwn yn syml ystyried y ddau wrthydd fel petaent mewn cyfres. Mae dau wrthydd mewn cyfres yn rhannu'r foltedd yn yr un gymhareb â'u gwrthiannau, felly

pan fo $R_N = 0$, $V_{\text{allan}} = 6$ V

a phan fo $R_N \gg R_L$, $V_{\text{allan}} \approx 0$

Gall y foltedd allbwn o gylched synhwyro gael ei fwydo i mewn i **gylched resymeg** (Ffigur 37.28), sy'n creu allbwn digidol, 0 neu 1, yn dibynnu a yw ei foltedd mewnbwn yn fwy neu'n llai na gwerth penodol (fel arfer tua 1.2 V). Felly mae'r tymheredd neu lefel y golau yn y byd real yn troi'n signal digidol.

Ffigur 37.28
Creu signal digidol o gylched synhwyro. Mae'r gylched resymeg yn gweithredu fel trawsnewidydd analog-i-ddigidol.

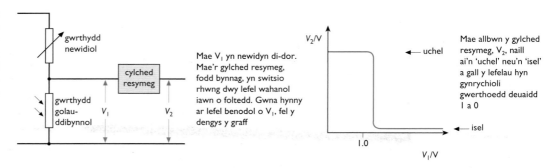

Mae V_1 yn newidyn di-dor. Mae'r gylched resymeg, fodd bynnag, yn switsio rhwng dwy lefel wahanol iawn o foltedd. Gwna hynny ar lefel benodol o V_1, fel y dengys y graff

Mae allbwn y gylched resymeg, V_2, naill ai'n 'uchel' neu'n 'isel' a gall y lefelau hyn gynrychioli gwerthoedd deuaidd 1 a 0

29 Yn Ffigur 37.27, esboniwch a yw'r datganiad pan fo $R_N = 0$ yna mae $V_{\text{allan}} = 6$ V yn gyson â'r hafaliad

$$\frac{V_{\text{mewn}} - V_{\text{allan}}}{V_{\text{allan}}} = \frac{R_N}{R_L}$$

30 Beth yw foltedd allbwn y gylched synhwyro yn Ffigur 37.27 pan fo'r foltedd mewnbwn yn 6 V, gwerth y gwrthydd newidiol yn 1 kΩ a gwerth y gwrthydd golau-ddibynnol yn 2 kΩ?

31 a Ar gyfer foltedd mewnbwn o 6 V, beth yw cymhareb gwrthiannau rhannydd potensial ar gyfer foltedd allbwn o 1.2 V?
b Pam y mae gwerth y foltedd allbwn yn arbennig o arwyddocaol ar gyfer cylched synhwyro electronig?

Casglu data er mwyn datblygu cysyniadau gwyddonol

Ffigur 37.29
Mae'r Telesgop Gofod Hubble yn dderbynnydd goddefol o olau.

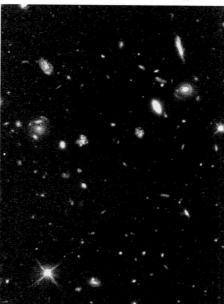

Nodwch fod Telesgop Gofod Hubble, er mwyn cael chwyddhad sylweddol, yn casglu golau o 'arwynebedd' bychan o'r gofod – cyfran fach o'r sffêr y mae yn ganol iddo. Mae ganddo felly faes gweld bychan. Mae'r darlun hwn yn ddelwedd sy'n dangos y gwir liw ac sy'n dangos galaethau glas aneglur ymhell iawn i ffwrdd. Oherwydd yr amser sydd ei angen i olau deithio pellterau mor fawr, fe'u gwelir fel yr oeddent biliynau o flynyddoedd yn ôl.

Cafodd ymestyn y canfyddiad gweledol arferol drwy ddefnyddio offer optegol ddylanwad mawr ar bobl yn y 1600au. Fe'u gorfodwyd i weld pethau, yn llythrennol ac yn gysyniadol, mewn ffyrdd newydd. Fe'u hanogwyd i newid eu syniadau – i newid eu meddyliau.

Nawr, pan edrychwn ar leuadau lau neu alaeth y tu hwnt i'n galaeth ni, rydym yn dal i fod yn arsylwyr goddefol. Mae gwybodaeth yn cael ei chario gan olau ac yn llifo tuag atom. Ymatebwn drwy wneud ein hunain mor sensitif â phosibl i'r golau. Er mwyn gwneud hyn defnyddiwn delesgopau mawr gan gynnwys Telesgop Gofod Hubble sy'n cael ei gario ar loeren ac yn gallu rhoi i ni wybodaeth gyffrous newydd am wrthrychau yn y gofod (Ffigur 37.29), yn union fel y gwnaeth telesgopau optegol ar y ddaear gannoedd o flynyddoedd yn ôl. Gallwn hefyd ddiffreithio golau fel y bo'n cael ei ledaenu yn ôl ei donfedd. Ar sail hyn gallwn ddarllen gwybodaeth am yr elfennau sy'n ffurfio seren bellennig.

Ffigur 37.30
Mae radiotelesgop yn dderbynnydd goddefol o ddata o'r awyr.

Mae gan y radiotelesgop Arecibo yn Puerto Rico arwynebedd mawr. Y rheswm am hyn yw sicrhau bod ganddo'r sensitifedd mwyaf i'r tonnau radio gwan o ffynonellau pell yn ogystal â chael y cydraniad mwyaf. Dengys maen prawf Rayleigh (gweler Pennod 24) ar gyfer agorfa gron, sef yn yr achos hwn ddiamedr y ddysgl,

$$\theta = \frac{1.22\lambda}{d}$$

lle saif θ am wahaniad onglog dau bwynt yn y gofod y mae'r telesgop yn eu gweld fel dau bwynt ar wahân (yn eu cydrannu), λ am y donfedd radio, a d am ddiamedr yr agorfa (neu'r ddysgl). Ar gyfer cydraniad da (gwerth bychan θ), dywed y fformiwla wrthym y dylai d fod mor fawr â phosibl.

Gallwn gamu y tu hwnt i derfynau ein llygaid, gan ganfod tonnau radio (Ffigur 37.30), isgoch, uwchfioled a phelydrau X o'r sêr. Ond rydym yn dal i dderbyn y wybodaeth yn oddefol. Ni allwn fynd at y sêr er mwyn gweld yn union beth sy'n digwydd.

32 Dewiswch arbrawf rydych eisoes wedi'i wneud neu ddarllen amdano a nodwch
  a y rhagdybiaeth
  b unrhyw drawsddygiaduron a ddefnyddiwyd
  c sut y cafodd y data ei ddarllen.
  A oedd y broses o ddarllen data yn addas i bobl neu'n addas i beiriannau?

Mae casglu data mewn modd goddefol tebyg yn digwydd hefyd pan fydd canfodydd seismig yn derbyn gwybodaeth o ddaeargryn pell (Ffigur 37.31). Mae'r wybodaeth yn cyrraedd fel dirgryniad ffisegol sy'n cael ei fwyhau er mwyn olrhain y newidiadau sy'n digwydd dros amser. Ni chafodd y daeargryn ei ddechrau gan wyddonwyr er mwyn profi eu syniadau. Mae'r gwyddonwyr unwaith eto yn dderbynyddion goddefol. Gellir archwilio llif o ddata o'r fath sy'n cyrraedd yn naturiol er mwyn edrych am dystiolaeth i gefnogi neu wrthbrofi rhagdybiaeth. Gallwn fynd ymhellach a throi'n weithredol yn hytrach na bod yn oddefol – gallwn newid sefyllfa yn fwriadol er mwyn gweld a yw natur yn ymateb i her neu'n cytuno â'r rhagdybiaeth. Arbrawf yw gweithgaredd o'r fath. Gwir arbrawf yw rhoi prawf ar ragdybiaeth. Nid rhoi prawf ar ragdybiaeth yw gwneud mesuriad neu roi yn eu lle y trefniadau ymarferol i arsylwi deddf gydnabyddedig. Nid yw hynny'n wir arbrawf.

Ffigur 37.31
Bod yn weithredol wrth wneud mesuriadau seismig – ond dim ond os yw'n rhoi prawf ar ragdybiaeth y mae'n wir arbrawf.

Casglu data er mwyn gwneud diagnosis

Nid oes raid i ni dderbyn gwybodaeth seismig ar ffurf oddefol yn unig. Gallwn greu ein digwyddiadau seismig ein hunain a'u rheoli at ein dibenion ein hunain. Mae'n bosibl na chaiff hyn ei wneud i roi prawf ar ragdybiaeth am ymddygiad sylfaenol ond i gael gwybodaeth benodol am y strwythur sydd ynghudd. Mae'n ddiagnostig felly. Yn ystod arolwg seismig gall y syrfewyr greu ffrwydradau. Y rhain sy'n darparu'r mewnbwn i'r sefyllfa i weld beth y mae natur yn ei wneud â'r mewnbwn arbennig hwn.

Mae tirfesur seismig yn enghraifft o chwilota i bwrpas neu chwilota diagnostig – ymgais i gael gwybodaeth am gyflwr ardal sydd ynghudd, gan weithio o fewn fframwaith egwyddorion gwyddonol sydd eisoes wedi'u derbyn.

Mae chwilota diagnostig hefyd yn cael ei ddefnyddio gryn dipyn mewn meddygaeth (Ffigurau 37.32 a 37.33). Gall signal mewnbwn a signal allbwn gymryd arno sawl ffurf. Er mwyn rhoi prawf ar glyw baban, er enghraifft, mae'r signal mewnbwn yn signal sain a'r signal allbwn yw patrwm y folteddau trydanol sy'n cael eu cynhyrchu gan actifedd yr ymennydd. Os ceir actifedd yn yr

Ffigur 37.32
Mae paladr o belydrau X yn cael ei anfon i mewn i'r corff dynol ond ni fydd y cyfan yn dod allan. Mae llawer o'r egni yn cael ei amsugno neu ei wasgaru, gan yr asgwrn yn bennaf. Felly mae gan y paladr o belydrau X sy'n dod allan bartrymau y gallwn gasglu gwybodaeth ohonynt am yr adeiledd mewnol.

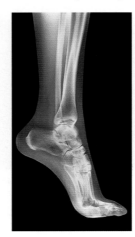

Ffigur 37.33
Mae paladr o sain amledd uchel (uwchsain) yn cael ei anfon i gorff y fam ac mae patrwm yr adlewyrchiadau yn cael ei greu yn ddelwedd o'r baban yn y groth. Nid yw amledd y sain yn newid ond, fel gyda phelydrau X, effeithir ar y dosbarthiad.

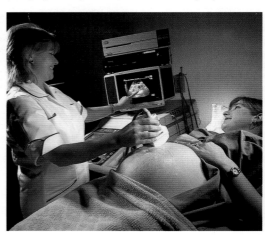

Ffigur 37.34
Gellir hefyd ddefnyddio signalau uwchsain adlewyrchedig i fonitro cyflymder llif y gwaed. Pan gânt eu hadlewyrchu mae newid yn yr amledd. Po gyflymaf y bo llif y gwaed, y mwyaf yw'r newid yn yr amledd.

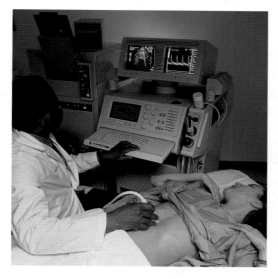

ymennydd sy'n cyfateb i sain y mewnbwn yna mae'r clyw yn foddhaol.

Gellir defnyddio signalau uwchsain i fesur cyflymder llif gwaed (Ffigur 37.34). Mae adlewyrchiad y signalau o fewn y gwaed sy'n symud yn achosi newid amledd yn yr uwchsain sy'n dibynnu ar gyflymder y gwaed. Dyma enghraifft o'r effaith Doppler, a eglurir yn Ffigur 37.35 (gweler Pennod 27 hefyd).

Ffigur 37.35
Effaith Doppler ar adlewyrchiad o arwyneb symudol.

Ystyriwch y tair blaendon, 1, 2 a 3, sy'n cael eu hadlewyrchu. Ar gyfer arwyneb adlewyrchol disymud mae'r sefyllfa, **A**, yn ddigon syml. Mae tonfeddi tonnau trawol ac adlewyrchedig yr un fath, λ_1. Eu hamledd yw f_1.

Os yw'r arwyneb yn symud tuag at y tonnau trawol, fel yn **B**, yna mae adlewyrchiad blaendon 2 yn digwydd mewn amser byrrach ar ôl adlewyrchiad blaendon 1. Y canlyniad yw bod gan y don adlewyrchedig donfedd lai, λ_2, ac amledd uwch f_2.

$$\frac{(f_2 - f_1)}{f_1} = \frac{2v}{c}$$

lle saif c am fuanedd y tonnau, ac sy'n gyson.

$(f_2 - f_1)$ yw'r syfliad Doppler yn yr amledd. Petai'r arwyneb yn symud i'r cyfeiriad dirgroes, h.y. i'r un cyfeiriad â'r tonnau'n dod i mewn, byddai'r syfliad hwn yn negatif; byddai f_2 yn llai na f_1.

Nodwch y gall syfliad Doppler hefyd ddigwydd nid drwy adlewyrchiad ond drwy symudiad cymharol ffynhonnell y tonnau a'r arsylwr/canfodydd.

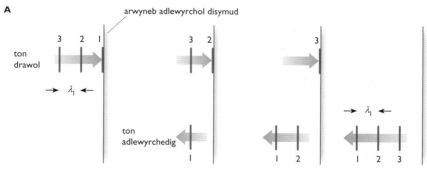

A · arwyneb adlewyrchol disymud

ton drawol

λ_1

ton adlewyrchedig

(dangosir y don drawol a'r don adlewyrchedig ochr yn ochr er eglurder)

33 a Ym mesuriad Doppler ar gyfer llif gwaed, pam y mae gostyngiad yn nhonfedd y tonnau adlewyrchedig yn dangos cynnydd anochel yn eu hamledd?
b Beth fyddai'r syfliad yn yr amledd ar gyfer adlewyrchiad tonnau radio oddi ar ben blaen car sy'n symud 40 ms⁻¹, gan ddefnyddio tonnau ag amledd cychwynnol o 300 MHz?
Buanedd golau yw 3×10^8 ms⁻¹.

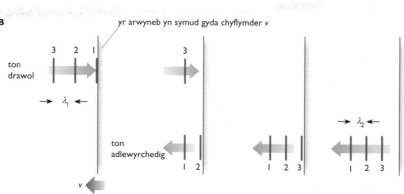

B · yr arwyneb yn symud gyda chyflymder v

ton drawol

λ_1

ton adlewyrchedig

λ_2

v

Gwaith craff

Ffigur 37.36
Jane Croucher – cyn hir Dr Jane Croucher – yn ei labordy yng Ngholeg King's.

Mae Jane Croucher (Ffigur 37.36) yn ymchwilydd sy'n gweithio yng Ngholeg King's, Llundain. Ei harbenigedd yw ffibrau optig ac mae'n gwneud ymchwil ar sut i'w defnyddio yn rhan o adeiladweithiau awyrennau ac adeiladau. Dyma Jane yn esbonio:

'Dychmygwch fyd lle mae awyrennau yn ystumio eu hunain i'r siapiau gorau i hedfan, adeiladau yn diogelu eu hunain rhag craciau a phibau dŵr yn darganfod unrhyw fannau lle maen nhw'n gollwng ac yna'n rhoi gwybod lle maen nhw. Mae fy holl waith ymchwil yn ymwneud â defnyddio ffibrau optig i ganfod newidiadau mewn gwasgedd, tymheredd a symudiadau mewn adeiladweithiau sy'n 'graff' – gwrthrychau all 'deimlo' – ac yna ymateb i'r newidiadau hynny.

'Defnyddir ffibrau optig yn bennaf wrth gyfathrebu. Gall yr edafedd hynod fain hyn o wydr pur iawn, sy'n feinach na lein bysgota hyd yn oed ac yn gryfach na dur, gario symiau anferth o ddata – dros filiwn o alwadau ffôn ar yr un pryd. Yn wir, cyfyngir ar led band ffibr optig, neu ei allu i gludo gwybodaeth, gan yr electroneg sydd ei hangen i ddadgodio data yn ddigon cyflym.

'Yn ogystal â bod â lled band uwch o lawer na cheblau copr, mae ffibrau optig yn llai ac yn ysgafnach. Mae hynny'n bwysig wrth ddylunio awyrennau. Drwy newid o geblau copr i ffibrau optig gall awyren fod hyd at 400 kg yn ysgafnach. Ac oherwydd bod y ffibrau yn cario golau ac nid cerrynt trydan sy'n cynhyrchu maes magnetig, nid oes ymyriant rhwng un system ffibrau optig ac un arall.

'Yn ein labordy ymchwil yng Ngholeg King's, Llundain, rydym yn gweithio ar system o synwyryddion yn seiliedig ar dechnoleg ffibrau optig. Rydym wrthi yn datblygu 'system nerfol' all gael ei hadeiladu'n rhan o adeiladwaith awyren lle gall ganfod mân graciau na all llygad dynol eu gweld. Mae cracio o ganlyniad i gyrydiad yn broblem fawr rydym yn ceisio ei datrys, un nad yw gwyddonwyr defnyddiau yn ei deall yn iawn, a gall achosi trychinebau yn yr awyr.

'Mae'r synwyryddion yn seiliedig ar rwydwaith o ffibrau optig sydd wedi'u gosod mewn defnyddiau cyfansawdd o garbon. Mae defnyddiau cyfansawdd wedi'u gwneud o fwy nag un defnydd, gan gyfuno manteision y sylweddau gwahanol. Gall corff awyren gael ei wneud o ddefnyddiau cyfansawdd o garbon yn lle metel. Yna, gall y ffibrau optig sydd wedi'u gosod ynddynt ganfod newidiadau yn y gwasgedd, y tymheredd a'r symudiadau – oherwydd mae'r newidiadau hyn yn effeithio ar donfedd y golau sy'n cael ei gario gan y ffibr.

'Wrth wraidd y systemau synhwyro hyn mae gratinau Bragg. Gellir ffurfio'r rhain mewn ffibr optig modd-unigol drwy ddisgleirio patrwm eiledol o olau uwchfioled arno, sy'n newid ei indecs plygiant yn barhaol. Yna mae gan y ffibr stribedi neu haenau o un indecs plygiant ac yna un arall (Ffigur 37.37). Wrth ffiniau'r haenau hyn, lle mae un indecs plygiant yn cyfarfod un arall, adlewyrchir golau sy'n teithio ar hyd y ffibr. Mae'r golau adlewyrchedig yn ymyrryd â'r golau trawol. Os yw golau gwyn yn teithio i'r ffibr yna wrth y gratin Bragg mae rhai tonfeddi yn profi ymyriant dinistriol ac mae rhai yn profi ymyriant adeiladol. Y canlyniad yw mai dim ond amrediad cul o donfeddi sy'n cael ei drosglwyddo i ben draw y ffibr.

Ffigur 37.37
Egwyddor gratin Bragg mewn ffibr optig.

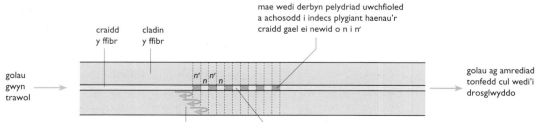

'Y pwynt pwysig yw bod newidiadau i indecsau plygiant yr haenau yn y gratin Bragg yn newid gwerth y donfedd a drawsyrrir. Mae indecsau plygiant y gratin Bragg yn cael eu newid gan y tymheredd a chan estyniad neu gywasgiad y gwydr. Felly mae'r gratin Bragg yn gallu synhwyro'n anhrydanol o bell newidiadau mewn tymheredd a straen. Mae tonfedd y golau a drawsyrrir yn gweithredu fel y newidyn sy'n mapio gwerthoedd tymheredd neu straen.

'Un ffordd o ganfod y newid yn nhonfedd y golau sy'n dod o'r ffibr optig fyddai diffreithio'r golau a chanfod y newid yn safle un o'r macsima diffreithiant. Bydd angen gratin diffreithiant bychan iawn wrth ben y ffibr ar gyfer hyn, fodd bynnag. Mae'n haws canfod newid yn arddwysedd tonfedd benodol golau sy'n dod allan. Nid oes raid bod i'r donfedd sy'n dod allan werth absoliwt, pendant, ond mae gan y golau amrediad cul o donfeddi â brig arddwysedd sydyn (Ffigur 37.38). Mae newidiadau yn y gratin Bragg yn achosi i'r brig hwn 'symud' i'r chwith neu i'r dde ar hyd y sbectrwm arddwysedd-tonfedd. Felly mae arddwysedd un donfedd yn cynyddu ac yn gostwng. Y newid hwn yn yr arddwysedd sy'n cael ei ganfod.

Ffigur 37.38
Mae'r system synhwyro yn canfod newid yn arddwysedd y golau a drawsyrrir ar donfedd arbennig.

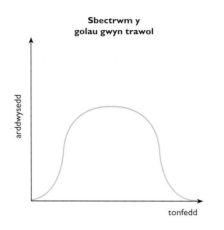

Sbectrwm y golau gwyn trawol

arddwysedd — tonfedd

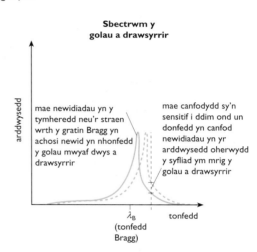

Sbectrwm y golau a drawsyrrir

arddwysedd

mae newidiadau yn y tymheredd neu'r straen wrth y gratin Bragg yn achosi newid yn nhonfedd y golau mwyaf dwys a drawsyrrir

mae canfodydd sy'n sensitif i ddim ond un donfedd yn canfod newidiadau yn yr arddwysedd oherwydd y syfliad ym mrig y golau a drawsyrrir

λ_B (tonfedd Bragg) — tonfedd

34 Esboniwch a yw gratin Bragg yn drawsddygiadur ai peidio.

35 Beth yw 'ffibr modd-unigol'?

36 Sut y gallai systemau synhwyro â ffibrau optig wedi'u gosod ynddynt gael eu defnyddio mewn adeiladweithiau concrit mawr megis argae?

37 Mae synhwyrydd ffibr optig yn ddyfais analog.
 a Esboniwch yn llawn sut y gellid trawsnewid allbwn synhwyrydd ffibr optig yn ddata digidol.
 b Mewn cymhwysiad megis synhwyro craciau mewn adeiladwaith awyren, a oes unrhyw fantais mewn naill ai data analog neu ddigidol?

38 Amlinellwch y gwahaniaethau rhwng defnyddio ffibrau optig at ddibenion synhwyro a'u defnyddio at ddibenion cyfathrebu.

39 Ym mha fodd y mae'r synwyryddion ffibr optig yn fwy defnyddiol na synwyryddion trydanol megis thermistorau a medryddion straen?

40 Esboniwch pam mai'r electroneg ac nid y ffibrau optig eu hunain sy'n cyfyngu ar led band system gyfathrebu.

'Gelwir adeiladweithiau sydd â synwyryddion ffibr optig wedi'u gosod ynddynt yn adeiladweithiau craff 'goddefol'. Yn y dyfodol, gall y wybodaeth a ddarperir gan y synwyryddion gael ei defnyddio i 'roi adborth' i'r adeiladwaith er mwyn newid ei anhyblygedd, ei siâp neu ei safle. Dyma adeiladweithiau craff 'ymaddasol'. Mae llafnau rotor hofrenyddion eisoes yn defnyddio cysyniad y Rotor Dirdroi Gweithredol (ATR Active Twist Rotor) i reoli symudiad dirdroi'r llafnau. Yn y pen draw, efallai y bydd adeiladweithiau craff yn gallu dysgu. Un diwrnod, efallai y bydd modd adeiladu awyren fel corff dynol – â 'system nerfol', 'cyhyrau' ac 'ymennydd'.

• • • • • • • • •

● **Tasg sgiliau ychwanegol**

Cymhwyso Rhif

Mae dadansoddi 'cyfeiliornadau' neu ansicrwydd bob amser yn bwysig mewn ffiseg. Yn gyffredinol, ni ddylech byth roi eich ateb i fwy o ffigurau ystyrlon na'r mesuriadau y mae wedi'i seilio arnynt. Dylai'r darlleniadau gael eu nodi fel $x \pm e$. Mae hefyd yn bwysig cael rhyw ymdeimlad ar gyfer canran y cyfeiliornad yn eich ateb. Gall hyn gael ei ddefnyddio i amcangyfrif canran y cyfeiliornad ar gyfer pob math o fesuriad.

Edrychwch eto ar un o'ch arbrofion. Amcangyfrifwch ganran y cyfeiliornad ym mhob un o'r mesurau rydych wedi'u mesur. Gall y canrannau cyfeiliornad hyn gael eu trawsnewid yn werthoedd absoliwt ar gyfer pob pwynt a blotiwyd ar y graff a'u dangos fel barrau cyfeiliornad. Yn awr tynnwch eich llinell ffit orau. Dylai eich llinell ffit orau fod o fewn y barrau cyfeiliornad hyn bob amser.

● Cwestiynau arholiad

1 a Rhowch enghraifft o'r defnydd a wneir o'r canlynol ym myd telathrebu:
   i microdonnau
   ii signalau amledd tra uchel (UHF)   (2)
b Rhowch donfedd fras bob un o'r canlynol:
   i signal microdon
   ii signal amledd tra uchel (UHF)   (2)
OCR, Cyfathrebu, Mawrth 1999

2 Mae'r diagram yn dangos olin ar sgrin osgilosgop. Mae sensitifedd Y yr osgilosgop wedi'i osod ar 5.0 V am bob rhaniad ac mae'r amserlin wedi'i osod ar 0.50 ms am bob rhaniad.

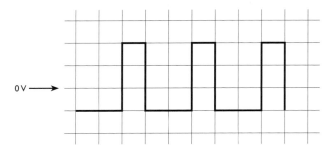

Ar gyfer yr olin, cyfrifwch y canlynol:
a gwerth positif macsimwm y gwahaniaeth potensial
b gwerth negatif macsimwm y gwahaniaeth potensial
c amledd y signal.   (4)
AQA (NEAB), Mecaneg a Thrydan, (PH01), Mawrth 1999 (rhan o'r cwestiwn)

3 a Esboniwch pam y mae angen cyfradd samplu uchel ar atgynhyrchiad sain o ansawdd uchel sy'n defnyddio technegau digidol.   (3)
b i Beth a olygir wrth *led band*?   (1)
   ii Mae'r ffigur yn dangos y band amledd sydd gan signal modyliad osgled (AM).

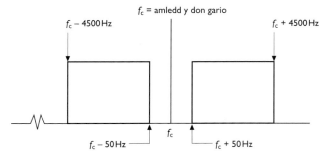

Defnyddiwch y wybodaeth yn y ffigur i gyfrifo:
  1 lled band y signal modyliad osgled (AM)
  2 amledd macsimwm y signal modylu.   (2)
c Awgrymwch reswm pam mai nifer cyfyngedig o ddarllediadau sy'n cael eu trosglwyddo yn y band tonfedd hir (LW) ac yn y band tonfedd ganolig (MW).   (2)
OCR, Cyfathrebu, Mawrth 1999

4 Mae'r graff yn dangos signal modyliad osgled a dderbynnir gan radio.

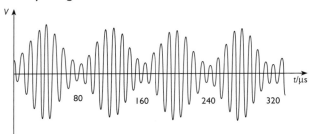

a Pa amleddau a ddangosir ar y don radio hon?

Mae diagramau A a B yn dangos dau signal radio.

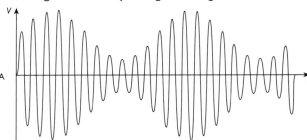

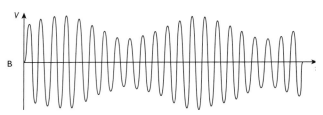

b Esboniwch un tebygrwydd rhwng y tonnau sain y maent yn eu cario ac un gwahaniaeth.   (4)
Edexcel (Llundain), Ffiseg, PH3, Mehefin 1999 (rhan o'r cwestiwn)

5 Mae cryno ddisg (CD) nodweddiadol yn storio awr o gerddoriaeth wedi'i recordio a'i ddigido. Mae'r gerddoriaeth yn cael ei samplu ar amledd o 44.1 kHz. Mae pob sampl yn cynnwys dau air 16 did sy'n cyfateb i'r sianelau stereo ar y chwith a'r dde.
a Cyfrifwch gyfanswm y didau sy'n cael eu storio ar y gryno ddisg hon.   (2)
b Mae'n amhosibl clywed amledd o 44.1 kHz. Esboniwch pam y defnyddir amledd samplu mor uchel.   (1)
c Esboniwch un fantais ac un anfantais storio a throsglwyddo gwybodaeth gerddorol ar ffurf ddigidol yn hytrach nag analog.   (2)
d Mae systemau cyfathrebu modern yn storio ac yn trosglwyddo gwybodaeth ysgrifenedig gan ddefnyddio codau ASCII. Yn y system hon mae pob nod alffaniwmerig (h.y. llythyren neu rif) yn cael ei gynrychioli gan air 8 did. Mae saith o'r wyth did hyn yn cynrychioli'r nod ei hun ac mae'r wythfed did yn ddid prawf paredd neu wall.

i Cyfrifwch nifer mwyaf y nodau alffaniwmerig all gael eu cynrychioli gan god ASCII.

ii Amcangyfrifwch gyfanswm y didau sydd eu hangen i storio tudalen o destun mewn nofel. Esboniwch sut y cawsoch eich ateb.

iii CD-ROM yw cryno ddisg sy'n storio testun yn hytrach na data cerddorol. Defnyddiwch eich atebion i **a** a **d ii** i amcangyfrif cyfanswm y tudalennau o destun allai gael eu storio gan y didau sydd ar gael ar y gryno ddisg sain. (4)

e Defnyddiai systemau cyfathrebu cynnar god Morse i gynrychioli llythrennau'r wyddor. Roedd y cod yn seiliedig ar bylsiau byr (dotiau ·) neu bylsiau hir (cysylltnodau —). Dyma'r wyddor ar ffurf cod Morse.

A ·—	G ——·	M ——	S ···
B —···	H ····	N —·	T —
C —·—·	I ··	O ———	U ··—
D —··	J ·———	P ·——·	V ···—
E ·	K —·—	Q ——·—	W ·——
F ··—·	L ·—··	R ·—·	X —··—
			Y —·——
			Z ——··

i Nodwch un ffordd mae cod ASCII yn debyg i god Morse.

ii Awgrymwch ddau reswm pam y cafodd cod Morse ei danseilio gan systemau cyfathrebu modern ac y datblygwyd cod ASCII yn ei le. (3)

OCR, Gwyddoniaeth, Telathrebu, Tachwedd 1999

Atebion i gwestiynau rhifiadol

Pennod 1

Cwestiynau sylfaenol

7 20°

Pennod 2

Cwestiynau sylfaenol

6 $0.30\,\text{m s}^{-1}$
7 $2.0\,\text{Hz}$
8 **a** m^2, $[\text{L}]^2$ **b** m^3, $[\text{L}]^3$
9 $6 \times 10^{14}\,\text{Hz}$

Pennod 3

Cwestiynau sylfaenol

1 **b** $7 \times 10^{14}\,\text{Hz}$, $4 \times 10^{14}\,\text{Hz}$
2 golau glas
3 golau fioled
4 **a** tua 2000 **b** 2×10^{10} **c** 3×10^{13} **d** 3×10^{-14}
12 3000 i 0.3 m
13 1.7×10^{-4} neu 17 rhan mewn 100 000

Pennod 4

Cwestiynau sylfaenol

4 501.5
5 $[\text{M}][\text{L}]^{-3}$
6 1×10^{44}
7 **a** 9 **b** 9×10^{30}
8 10^9
9 **a** 100 m **b** 10 mm **c** 100 mm **d** 10 µm
10 $2.70\,\text{g cm}^{-3}$
11 $10^{-30}\,\text{g cm}^{-3}$
12 **a** 1 g **b** 20 g **c** 2 kg

Deall a chymhwyso
16 **a i** $17.1\,\text{m}^3$ **ii** $14.2\,\text{m}^3$ **c** $13\,900\,\text{m}^3$

Tasg sgiliau ychwanegol
1 46.7, 57.3, 58.6, 60.2, 62.7, 66.1, 68.5, 70.4 %
2 **a** 0.155% **b** 0.155%

Pennod 5

Cwestiynau sylfaenol

4 **b** 2.4

5 $\Delta l = \dfrac{F}{k}$

6 $k = 50\,\text{N m}^{-1}$
7 $k = 5 \times 10^3\,\text{N m}^{-1}$
8 $[\text{L}]$
9 **a** $60\,\text{N mm}^{-1}$ **b** $6 \times 10^4\,\text{N m}^{-1}$

12 Modwlws Young, $E = \dfrac{Fl}{A\Delta l}$ felly $A = \dfrac{Fl}{E\Delta l}$

    a $1.5 \times 10^{-7}\,\text{m}^2$ **b** $0.15\,\text{mm}^2$

14 **a** 0.19 **b** gwifren gopr   **c** 5.4

17 $\Delta l = \dfrac{Fl}{AE} = 1.8 \times 10^8 \times \dfrac{2}{1.3 \times 10^{11}} = 2.8 \times 10^{-3}\,\text{m} \ (2.8\,\text{mm})$

Pennod 6

Cwestiynau sylfaenol
9 **a** tua $2 \times 10^5\,\text{N}$ (gan dybio bod arwynebedd y croen $= 2\,\text{m}^2$)

Pennod 7

Cwestiynau sylfaenol
1 gwyrdd

Tasg sgiliau ychwanegol
$K = 30.8$ (dimensiynau $[\text{T}]^{-1}$)

Pennod 9

Cwestiynau sylfaenol
3 $[\text{T}]^{-1}$

10 **a** 235, 92; 238, 92; 239, 92   **b** 143, 146, 147

13 **a** $^{234}_{92}\text{U} \rightarrow \,^{230}_{90}\text{Th} + \,^{4}_{2}\alpha$

    b $^{234}_{90}\text{Th}$: 234, 90, 144

       $^{230}_{90}\text{Th}$: 230, 90, 140

Deall a chymhwyso
15 **a** $4.3 \times 10^{17}\,\text{Bq}$ **b** $4.3 \times 10^{14}\,\text{Bq}$

16 $7 \times 10^6\,\text{km}^2$

17 **a** $8 \times 10^{-4}\,\text{kg}$ **b** $3 \times 10^{11}\,\text{Bq}$ **c** $8 \times 10^{-10}\,\text{kg}$, $3 \times 10^5\,\text{Bq}$

Pennod 10

Cwestiynau sylfaenol
2 $120\,\text{km}\,\text{awr}^{-1}$, $30\,\text{km}\,\text{awr}^{-1}$

3 **a** $18.8\,\text{m}\,\text{s}^{-1}$

8 **b** $2\,\text{s}$, $5\,\text{m}$ **c** $2.5\,\text{m}\,\text{s}^{-1}$

Pennod 11

Cwestiynau sylfaenol
6 **a** $2.5\,\text{m}\,\text{s}^{-2}$ **b** $-2\,\text{m}\,\text{s}^{-2}$

7 F fector, m sgalar, a fector

9 $[\text{M}][\text{L}][\text{T}]^{-2}$

10 $240\,\text{N}$

11 $a = \dfrac{F}{m} = \dfrac{27\,\text{N}}{4.5\,\text{kg}} = 6.0\,\text{m}\,\text{s}^{-2}$

Deall a chymhwyso
20 **a** $1.7\,\text{m}\,\text{s}^{-2}$

Pennod 12

Cwestiynau sylfaenol
1 sgalar, sgalar, fector, fector

4 $1\,\text{m}\,\text{s}^{-1}$ i fyny'r grisiau symudol

5 **a** $18\,\text{N}$ **b** $2\,\text{N}$

6 a $1.6\,\text{m}\,\text{s}^{-1}$ **b** $270\,\text{N}$

7 grym cydeffaith $F = ma = 2 \times 10^6\,\text{N} = 2000\,\text{kN}$
ychwanegwch y grym i ganslo'r pwysau $(1000\,\text{kN})$
cyfanswm y grym ar i fyny $= 3000\,\text{kN}$

9 $10.2\,\text{m}\,\text{s}^{-1}$ ar $11°$ i'r fector $10\,\text{m}\,\text{s}^{-1}$

10 $5\,\text{N}$ ar $37°$ i'r normal

12 $69\,\text{m}\,\text{s}^{-1}$, $12\,\text{m}\,\text{s}^{-1}$

13 $188\,\text{N}$, $68\,\text{N}$

14 $7.88\,\text{m}\,\text{s}^{-1}$, $1.39\,\text{m}\,\text{s}^{-1}$

15 a $4.3\,\text{N}$ **b** $24.6\,\text{N}$ ($25\,\text{N}$ i 2 ffigur ystyrlon)

16 cydran $3\,\text{m}\,\text{s}^{-1}$ i'r dde $= (3\cos 40°)\,\text{m}\,\text{s}^{-1} = 2.30\,\text{m}\,\text{s}^{-1}$
swm y cyflymderau i'r dde $= 4.80\,\text{m}\,\text{s}^{-1}$
cydran $3\,\text{m}\,\text{s}^{-1}$ i lawr y dudalen $= (3\sin 40°)\,\text{m}\,\text{s}^{-1}$
$\qquad\qquad\qquad\qquad\qquad\qquad\quad = 1.93\,\text{m}\,\text{s}^{-1}$
defnyddiwch theorem Pythagoras yn awr:
cyflymder cydeffaith $= \sqrt{4.80^2 + 1.93^2}\,\text{m}\,\text{s}^{-1}$
$\qquad\qquad\qquad\qquad = 5.2\,\text{m}\,\text{s}^{-1}$
ongl (i lawr y dudalen) i'r cyflymder $2.5\,\text{m}\,\text{s}^{-1}$

$$= \tan^{-1}\left(\frac{1.93}{4.80}\right)$$

$$= 22°$$

Deall a chymhwyso

20 a 300 cylchdro y funud $= 5$ cylchdro yr eiliad
felly $t = 0.2\,\text{s}$

b buanedd $= \dfrac{2\pi r}{t} = 140\,\text{m}\,\text{s}^{-1}$ tuag yn ôl

c $360\,\text{km}\,\text{awr}^{-1} = 100\,\text{m}\,\text{s}^{-1}$ tuag ymlaen
buanedd pen llafn y rotor sy'n symud tuag yn ôl $= 40\,\text{m}\,\text{s}^{-1}$ tuag yn ôl, mewn perthynas â'r llawr

d $240\,\text{m}\,\text{s}^{-1}$ tuag ymlaen, mewn perthynas â'r llawr

22 $\dfrac{\text{gwthiad}}{25\,\text{kN}} = \tan 5°$

gwthiad $= 2.2\,\text{kN}$

● Pennod 13

Cwestiynau sylfaenol

8 fector

9 a $[M]$ **b** $[L]$ **c** $[T]$ **d** $[L][T]^{-1}$ **e** $[L][T]^{-2}$ **f** $[M][L][T]^{-2}$ **g** $[L][T]^{-2}$

10 $1.6\,\text{N}\,\text{kg}^{-1}$

● Pennod 14

Cwestiynau sylfaenol

5 momentwm cyn $= (90 \times 8) + (50 \times 6) = 1020\,\text{kg}\,\text{m}\,\text{s}^{-1}$
momentwm ar ôl $(90 + 50)v = 1020\,\text{kg}\,\text{m}\,\text{s}^{-1}$
felly $v = 7.3\,\text{m}\,\text{s}^{-1}$

9 d $3.0\,\text{m}\,\text{s}^{-1}$

11 $\Delta(mv) = (-0.02 \times 2) - (0.02 \times 20)$
$\qquad\quad = -0.44\,\text{kg}\,\text{m}\,\text{s}^{-1}$

Deall a chymhwyso

14 a $5 \times 10^{11}\,\text{m}$, $3.2 \times 10^{11}\,\text{m}$ **b** $3.2 \times 10^4\,\text{m}\,\text{s}^{-1}$ **c** $1.9 \times 10^{29}\,\text{kg}\,\text{m}\,\text{s}^{-1}$, $-1.9 \times 10^{29}\,\text{kg}\,\text{m}\,\text{s}^{-1}$
d $5.2 \times 10^{11}\,\text{m}^3$, $1.3 \times 10^{15}\,\text{kg}$

16 a $-4.2 \times 10^{19}\,\text{kg}\,\text{m}\,\text{s}^{-1}$ **b** $1.9 \times 10^{29}\,\text{kg}\,\text{m}\,\text{s}^{-1}$ **c** $-2.2 \times 10^{-8}\%$

● Pennod 15

Cwestiynau sylfaenol

2 $W_A = 2800\,kJ$
  $W_B = 1200\,kJ$

5 a $W = $ arwynebedd o dan y graff
    $= (F$ cyfartalog$) \times x$
    $\approx (1.2\,N) \times 10^{-3}\,m$
    $\approx 10^{-3}\,J$

 b $W \approx (0.15\,N) \times 10^{-3}\,m$
    $\approx 1.5 \times 10^{-4}\,J$

 c $W \approx (0.2\,N) \times 0.01 \times 10^{-3}\,m$
    $\approx 2 \times 10^{-6}\,J$

6 $1\,kJ$

7 a $3 \times 10^{-18}\,J$ i $2.65 \times 10^{33}\,J$

 b $0.038\,MJ$
    $0.000\,15\,MJ$
    $2.65 \times 10^{27}\,MJ$
    $3 \times 10^{-24}\,MJ$

 c $38\,MJ$

 d $\dfrac{150}{3 \times 10^{-18}} = 5 \times 10^{19}$

 e $\dfrac{2.65 \times 10^{33}}{150} = 1.8 \times 10^{31}$

   ffactor $= 1.8 \times 10^{21}$ (h.y. eiliadau am 10^{10} i oroesi)
   hyd yr amser $= 1.8 \times 10^{21}\,s$

     $= \dfrac{1.8 \times 10^{21}}{365 \times 24 \times 3600}$ o flynyddoedd

     $\approx 6 \times 10^{13}$ o flynyddoedd

8 $0.03\,J$

10 a $17\,MJ$ **c** $23\,km$

14 $P = \frac{1}{2}F\dfrac{x}{t} = 0.73\,W$

15 a $1700\,MW$

16 a $\dfrac{P_2}{P_1} = 0.35,\ P_1 = 290\,MW$

  c $3.6 \times 10^5\,MJ$
  d $1.0 \times 10^6\,MJ$

17 a $9 \times 10^{16}\,J$
  b $1.5 \times 10^{-10}\,J$

Tasg sgiliau ychwanegol
$350\,MJ$, $1.2 \times 10^4\,MJ$

● Pennod 16

Cwestiynau sylfaenol

1 a $800\,N$, er enghraifft
  b i $2.16\,kJ$ **ii** $17.28\,kJ$

  c $\dfrac{\Delta E_2}{\Delta E_1} = 8$

3 $\Delta E = 10^{11}\,J$, negatif, gan fod 'i fyny' yn bositif

4 $\dfrac{g_a}{g_o} = \dfrac{r_o^2}{r_a^2} = 1.10$

5 a 2×10^5 J

   b i $+1.1 \times 10^5$ J   ii -2×10^5 J

7 $E_T = \frac{1}{2} \times 3 \times 10^3 \times 10^2 = 1.5 \times 10^5$ J

   $E_C = \frac{1}{2} \times 10^3 \times 30^2 = 4.5 \times 10^5$ J

   mae gan y tryc fwy o egni cinetig

8 a E_P a gollwyd $= mgh = 500 \times 10 \times 1.2 = 6000$ J $= E_c$ a enillwyd

   b $F_{av} = \dfrac{w}{x} = \dfrac{6000 \text{ J}}{0.07 \text{ m}} = 86$ kN

Deall a chymhwyso

12 $r = 4.4 \times 10^9$ km

    $\Delta r = 2.9 \times 10^9$ km

13 $\Delta E_p = \dfrac{2.0 \times 10^{42} \times 2.9 \times 10^{12}}{4.4 \times 10^{12} \times 7.3 \times 10^{12}} = 1.8 \times 10^{29}$ J

    o'r pellaf i'r agosaf, collir 1.8×10^{29} J

    o'r agosaf i'r pellaf, enillir 1.8×10^{29} J

14 o'r pellaf i'r agosaf, $\Delta E_c = +1.8 \times 10^{29}$ J

    o'r agosaf i'r pellaf, $\Delta E_c = -1.8 \times 10^{29}$ J

15 ar gyfartaledd $r = 5.85 \times 10^9$ km

    $c = 2\pi r$ lle mae r yn cynrychioli'r cyfartaledd

       $= 3.7 \times 10^{13}$ m

    mae'r buanedd cyfartalog yn hafal i $\dfrac{c}{\text{cyfnod orbit}}$

       $= \dfrac{3.7 \times 10^{13}}{247.7 \times 365 \times 24 \times 3600}$

    $= 4700$ m s^{-1}

    egni cinetig cyfartalog $= \frac{1}{2} \times 1.5 \times 10^{22} = 4700^2 = 1.7 \times 10^{29}$ J

    egni cinetig macsimwm $= 1.7 \times 10^{29} + \frac{1}{2}(1.8 \times 10^{29}) = 2.6 \times 10^{29}$ J

    egni cinetig minimwm $= 1.7 \times 10^{29} - \frac{1}{2}(1.8 \times 10^{29}) = 0.8 \times 10^{29}$ J

    buanedd macsimwm $= 5900$ m s^{-1}

    buanedd minimwm $= 3300$ m s^{-1}

● Pennod 17

Cwestiynau sylfaenol

6 6.25×10^{18}

7 10^{14}

   gwefr $= -1.6 \times 10^{-5}$ C

8 -1.7×10^{11} C

10 a $F_g = mg = 8.9 \times 10^{-30}$ N

     $a_1 = 9.81$ m s^{-2}

     $F_E = qE = 1.6 \times 10^{-16}$ N

     $a_2 = \dfrac{F_E}{m} = 1.8 \times 10^{14}$ m s^{-2}

     $F_B = Bqv = 6.4 \times 10^{-15}$ N

     $a_3 = 7.0 \times 10^{15}$ m s^{-2}

15 a 16 C

● Pennod 18

Cwestiynau sylfaenol

4 $V = 5$ V

5 $q = \dfrac{W}{V} = 4$ C

7 a negatif **b** $W = -2\,\text{J}$ **c** $V = 20\,\text{V}$
9 p.d. $= 25\,\text{V}$
10 $W = +0.2\,\text{J}$
11 a $0.0125\,\text{J}$ **b** $2.0 \times 10^{-19}\,\text{J}$
12 folt
13 $0.3\,\text{V}$

● **Pennod 19**

Cwestiynau sylfaenol
1 a $24\,\text{C}$ **b** 1.5×10^{20}
4 $1.7 \times 10^4\,\text{J}$
5 $4\,\text{awr}\ 16\,\text{munud}$

Deall a chymhwyso
16 a i $W = IVt = 4.8 \times 10^4\,\text{J}$ **ii** $2.9 \times 10^6\,\text{J}$
  b $0.23\,\text{J}$

● **Pennod 20**

Cwestiynau sylfaenol
3 $30\,\Omega$
4 $4.0\,\text{V}$
5 a $192\,\text{J}$ **b** $1.2 \times 10^4\,\text{J}$
6 a $30\,\Omega$

  b $P = \dfrac{V^2}{R} = 19\,\text{W}$

7 a $W = I^2Rt = 2300\,\text{J}$ **b** $9200\,\text{J}$

8 a $t = \dfrac{W}{I^2R} = 5\,\text{s}$ **b** $28\,\text{munud}$ **c** $8\,\text{awr}\ 20\,\text{munud}$

9 a $W = \dfrac{V^2t}{R}$ **b** $160\,\text{kJ}$

11 $I = \dfrac{P}{V} = 10\,\text{A}$

21 $V = IR$ felly $\varepsilon = IR + Ir$ **a** $r = \dfrac{\varepsilon - IR}{I} = 4.0\,\Omega$

23 a graddiant $= -0.3\,\Omega$
   b i sero **ii** $8\,\text{A}$

Deall a chymhwyso
28 a tua 80

● **Pennod 22**

Cwestiynau sylfaenol
11 $25.5 - x = 14.5 + x$
  $25.5 - x + x = 14.5 + x + x$
  $25.5 = 14.5 - 14.5 + 2x$
  $11 = 2x$
  $\dfrac{11}{2} = \dfrac{2x}{2}$
  $x = 5.5$

12 a $a = \dfrac{b-c}{2}$ **b** $a = 2p - q$ **c** $a = \dfrac{5y-z}{x}$ **d** $a = 3vw$ **e** $a = \dfrac{3e}{4c+d}$

  f $a = p - \dfrac{4q}{3}$ **g** $a = \dfrac{d}{6c} + b$ **h** $a = 15c - \dfrac{3b}{4}$ **i** $a = \dfrac{xy}{x-y}$ **j** $a = \dfrac{mnr}{np+mq}$

18 a $[M][L]^2[T]^{-3}[I]^{-2}$

19 a 1.1 pm   **b** 10^5

20 a 6×10^{10} **b** 3.2×10^{10} blwyddyn

     c 1 Gs (tua 32 o flynyddoedd)

22 (1.8 ± 0.3)

23 a i 3   **ii** 3

     b i 1300 N   **ii** 0.000 57 m

24 a i (39 ± 2) mm   **ii** (0.050 ± 0.003) mm

     b i (38.8 ± 0.4) mm   **ii** (0.0500 ± 0.0005) mm

Pennod 23

Cwestiynau sylfaenol

1 a i 1.49   **ii** 0.663

     b iii 40.0°   **iv** 60.0°

     c v 56.5°   **vi** 39.3°

3 a 0.885   **b** 50.0°

4 1.48, 1.46

6 a i 30°   **ii** 30.0°   **iii** 29.99°   **iv** 29.990°

7 a 47.8°   **b** 24.0°

12 40.5°

16 a $v = \dfrac{3.00 \times 10^8}{1.38} = 2.17 \times 10^8 \, \text{m s}^{-1}$

     b $\lambda = \dfrac{6.00 \times 10^{-7}}{1.38} = 4.35 \times 10^{-7} \, \text{m}$

     c $f = \dfrac{v}{\lambda} = 5.00 \times 10^{14} \, \text{Hz}$

17 $\lambda = \dfrac{3.7 \times 10^{-7}}{1.33} = 2.8 \times 10^{-7} \, \text{m}$

Deall a chymhwyso

21 a 5.03×10^{-5} s, 5.10×10^{-5} s

22 c $1.41x$

     d 14.1 km

     e 7.23×10^{-5} s

     f 5.13×10^{-5} s

Cwestiynau arholiad

1 c i $2.26 \times 10^8 \, \text{m s}^{-1}$

     ii $5.0 \times 10^{14} \, \text{Hz}$

     iii $\lambda_{\text{aer}} = 6.0 \times 10^{-7} \, \text{m}$

        $\lambda_{\text{dŵr}} = 4.5 \times 10^{-7} \, \text{m}$

     iv 48.8°

2 b i ongl gritigol $= \sin^{-1}\dfrac{1}{1.60} = 39°$

        mae'r ongl drawiad yn llai na'r ongl gritigol

3 c i 0.898 (n = cymhareb buaneddau)   **ii** 63.9° (ongl gritigol)

4 b i $D_{\text{m}} = (37.2 \pm 0.1)°$

        $\theta = (49 \pm 1)°$

     ii $n = 1.50$

     c i $D = (n - 1)A$

        ii gweithiwch mewn graddau: defnyddiwch darddbwynt ffug a graddfa fawr

5 b 10 µs

     c i $2.0 \times 10^8 \, \text{m s}^{-1}$ **ii** 1.5 (cymhareb buaneddau)

● Pennod 24

Cwestiynau sylfaenol

7 **a** rhith ddelwedd, wedi'i chwyddo, pen i fyny
   b real, wedi'i chwyddo, pen i lawr
   c real, wedi'i lleihau, pen i lawr
8 **a** -33.3 cm   **b** 175 cm   **c** 85.7 cm
9 -8.6 cm
10 0.75
   180, 360, 57
   2π
11 **a** -1.67, -8.35 cm
   b 2.50, 12.5 cm
   c 0.714, 3.57 cm
12 **a** 0.080 rad
   b 0.24 cm
   c 0.60 rad, 1.8 cm
   d 7.5
13 **a** 18
   b 0.16, 0.00087, 18; yn hafal
   c 28 mm
15 **a** $5x$ rad   **b** 120 cm

Deall a chymhwyso

23 **a** **i** 3 cm
   b **ii** 2.6 cm
24 **a** 13.4 cm   **b** ar bellter o 47 cm
27 **a** 2×10^{-4} rad
29 12.5 cm, -12.5 cm
32 **c** $u = f$
34 1 cyfrifwch v ar gyfer y gwrthrychiadur (4.67 cm)

   chwyddhad llinol ar gyfer y gwrthrychiadur $m_g = \dfrac{v}{u} = 8.34$

   2 cyfrifwch u ar gyfer y sylladur (4.93 cm)
   3 cyfrifwch v ar gyfer y sylladur (-23.34 cm)

   4 chwyddhad llinol ar gyfer y sylladur $m_s = \dfrac{v}{u} = -4.73$

   5 $M = m_s m_g = -39$

Cwestiynau arholiad

2 **a** **ii** 6.25×10^{-3} rad

3 **b** $m = \dfrac{v}{u} = -5$

   $v = -5u$ (rhith ddelwedd)

   $\dfrac{1}{f} = \dfrac{1}{u} + \dfrac{1}{v}$

   $\dfrac{1}{100} = \dfrac{1}{u} + \dfrac{1}{-5u}$

   $u = 80$ mm

4 **a** **ii** -60 mm
   b mae delwedd lens cydgyfeirio yn real, â'i phen i lawr, wedi'i chwyddo ac i'r dde o'r lens; mae delwedd lens dargyfeirio yn rhith ddelwedd, â'i phen i fyny, wedi'i lleihau, i'r chwith o'r lens.
5 **c** **i** cydgyfeirio   **iii** 33 cm ($v = -100$ cm)

Pennod 25

Cwestiynau sylfaenol

3 2

7 1, 0, −1, 0, 1, 0, 0

8 a 10π rad **b** $1800°$

9 2 rad

10 a $90°, 360°, 720°, 900°, 1080°, 57.3°, 114.6°$

   b $\frac{1}{4}$, 1, 2, $2\frac{1}{2}$, 3, 0.159, 0.318

11 a $\pi/3$ neu 1.05 rad, π neu 3.14 rad

   $3\pi/2$ neu 4.71 rad, 4π neu 12.57 rad

   b $\frac{1}{6}$, $\frac{1}{2}$, $\frac{3}{4}$, 2 gylchdro

16 a $40°$ neu 0.7 rad **b** 1 m (felly nid oes pumed macsimwm gan fod $1 > 0.8$) **c** 2 m

20 $\delta x = \dfrac{\lambda D}{d} = 0.3$ mm

22 a $0.04°$

   b $\delta\theta = 7 \times 10^{-4}$ rad

   $\delta x = 0.2\delta\theta$ m $= 0.1$ mm

23 $\sin\theta_1 = \dfrac{\lambda}{d}$

   $\sin\theta_g = \dfrac{3.9 \times 10^{-7}}{1/500\,000}$

   $\theta_g = 11.2°$, $\theta_r = 20.5°$

   cyfanswm yr ongl $= 20.5 - 11.2 = 9.3°$

24 $n\lambda = d\sin\theta_n$

   $\theta_2 = 28.1°$

Cwestiynau arholiad

1 d Mae B $\pi/2$ rad ar y blaen i A

2 b ii $n = \dfrac{\sin\theta}{\sin r}$

   $= \dfrac{\sin\theta}{\sin(90° - \theta)}$

   $= \dfrac{\sin\theta}{\cos\theta}$

   $= \tan\theta$

   $\theta = \tan^{-1} 1.33 = 53°$

6 b defnyddiwch faen prawf Rayleigh, $\theta = \dfrac{1.22\lambda}{d}$

mae θ yn llai ar gyfer λ byrrach

7 a ii $78.6°$

   c ii $f = \dfrac{\omega}{2\pi} = \dfrac{4100}{2\pi} = 653$ Hz

   iii $kx = 2\pi$ pan fo $x = \lambda$ (newid gwedd o 2π rad mewn un gylchred)

   $\lambda = \dfrac{2\pi}{k}$

   $= 0.483$ m

   $v = f\lambda$

   $= 653 \times 0.483$

   $= 315$ m s^{-1}

iv ton gyntaf $y_1 = A \sin(\omega t + kx)$

ail don $y_2 = A \sin(\omega t - kx)$ (teithio'n ddirgroes)

v $y = y_1 + y_2$

$= A \sin(\omega t - kx) + A \sin(\omega t + kx)$

$= 2A (\cos kx)(\sin \omega t)$

vi pellter rhwng nodau dilynol $= \dfrac{\lambda}{2} = 0.242 \, \text{m}$

Pennod 26

Cwestiynau sylfaenol

4 a $-1.8 \times 10^{11} \, \text{C}$ **b** $1.6 \times 10^{-19} \, \text{C}$

10 a $4.4 \times 10^{14} \, \text{Hz}$ **b** $1.8 \, \text{eV}$

15 a $\dfrac{1}{2000}$

b $\theta = \dfrac{1.22\lambda}{d}$

$\dfrac{\theta_n}{\theta_e} = \dfrac{\lambda_n}{\lambda_e} = \dfrac{1}{2000}$

Deall a chymhwyso

16 a i $1.3 \times 10^{-22} \, \text{kg m s}^{-1}$ **ii** $1.3 \times 10^{-27} \, \text{kg m s}^{-1}$

b i $4.0 \times 10^{-19} \, \text{J}$ **ii** $2.5 \, \text{eV}$

18 $1.3 \times 10^{-27} \, \text{kg m s}^{-1}$ (gweler **16 a ii**)

$p = mv$

$v \approx 10^4 \, \text{m s}^{-1}$

Cwestiynau arholiad

1 c i $1.66 \times 10^{-27} \, \text{kg m s}^{-1}$ **ii** $4.97 \times 10^{-19} \, \text{J}$

2 a $4.86 \times 10^6 \, \text{m s}^{-1}$ $\left(\lambda = \dfrac{h}{mv}, \text{ felly } v = \dfrac{h}{m\lambda} \right)$

3 b $\lambda = \dfrac{d \, \delta x}{D}$

$\delta x = \dfrac{\lambda D}{d}$

$= 8.3 \times 10^{-4} \, \text{m}$

c i $5.2 \times 10^{-10} \, \text{m}$ **ii** $\delta x = 7.8 \times 10^{-7} \, \text{m}$

Pennod 27

Cwestiynau sylfaenol

2 a $1.0 \times 10^6 \, \text{Hz}$ **b** $6.6 \times 10^{-28} \, \text{J}$ **c** 9.7×10^8

5 a $6.6 \times 10^{-18} \, \text{J}$ **b** $1.5 \times 10^{13} \, \text{Hz}$ **c** $41 \, \text{eV}, 0.063 \, \text{eV}$

6 a $10.2 \, \text{eV}$ **b** $2.5 \times 10^{15} \, \text{Hz}$

7 $1.9 \, \text{eV}$: C i B

11 $2.9 \times 10^{15} \, \text{Hz}$

Deall a chymhwyso

18 a $2.90 \times 10^{-7} \, \text{m}, 3.32 \times 10^{-7} \, \text{m}, 5.66 \times 10^{-7} \, \text{m}$

20 a $+2.5 \times 10^{12} \, \text{Hz}$ ar gyfer B i A

b $-2.5 \times 10^{14} \, \text{Hz}$

22 a $4.7 \times 10^{14} \, \text{Hz}$ **b** $640 \, \text{nm}$: coch

Cwestiynau arholiad

1 a $2.1 \times 10^6 \, \text{m s}^{-1}$

  b i $E_2 - E_0 = 1.94 \times 10^{-18} \, \text{J}$

      felly mae $2.0 \times 10^{-18} \, \text{J}$ yn fwy na digon

    ii $E_2 - E_1 = 3.06 \times 10^{-19} \, \text{J}$

$$= h\nu = \frac{hc}{\lambda}$$

$$\lambda = \frac{hc}{E_2 - E_1} = 650 \, \text{nm (yn weladwy: coch)}$$

  c $13.6 \, \text{V}$

2 b $E = \dfrac{hc}{\lambda}$

$$= 4.1 \times 10^{-19} \, \text{J}$$

3 a i $2810 \, \text{eV}$

    ii $\lambda = \dfrac{hc}{E} = 4.4 \times 10^{-10} \, \text{m}$

    iii ffin pelydrau uwchfioled a phelydrau X

  b $\dfrac{h}{mv} = 1.1 \times 10^{-13} \, \text{m}$

5 b i $2.6 \times 10^{-18} \, \text{J}$

    ii $1.0 \, \text{eV}$

    iii $E_3 - E_2 = h\nu = \dfrac{hc}{\lambda}$

$$= 5.6 \times 10^{-7} \, \text{m}$$

    iv yn weladwy: melyn

Pennod 28

Cwestiynau sylfaenol

3 $^{234}_{90}\text{Th}$, thoriwm-234 (gweler y tabl cyfnodol)

4 sero

6 $^{14}_{6}\text{C} \rightarrow {}^{14}_{7}\text{N} + {}^{0}_{-1}\text{e} + \bar{\nu} + Q$

9 $^{15}_{8}\text{O}$, $^{120}_{42}\text{Mo}$, $^{113}_{50}\text{Sn}$

14 $^{216}_{84}\text{Po} \rightarrow {}^{212}_{82}\text{Pb} + {}^{4}_{2}\alpha$

    $^{13}_{8}\text{O} \rightarrow {}^{13}_{7}\text{N} + {}^{0}_{1}\text{e} + \nu$

    $^{131}_{53}\text{I} \rightarrow {}^{131}_{54}\text{Xe} + {}^{0}_{-1}\text{e} + \bar{\nu}$

16 a lleihau   **b** cynyddu   **c** cynyddu   **d** cynyddu

20 $3.84 \times 10^{-12} \, \text{s}^{-1}$

    $0.29 \, \text{s}^{-1}$

    $80 \, \text{s}^{-1}$

    $5.61 \times 10^{-3} \, \text{s}^{-1}$

    $0.026 \, \text{s}^{-1}$

    $1.7 \times 10^{-17} \, \text{s}^{-1}$

    $8.5 \times 10^{-9} \, \text{s}^{-1}$

    $4.4 \times 10^{-3} \, \text{s}^{-1}$

    $2.3 \times 10^{6} \, \text{s}^{-1}$

    $46.2 \, \text{s}^{-1}$

    $1.2 \times 10^{-8} \, \text{s}^{-1}$

    $1.4 \times 10^{-13} \, \text{s}^{-1}$

    $4.9 \times 10^{-18} \, \text{s}^{-1}$

22 a $\frac{1}{2}$

  b yn llai

23 b 0.693

Deall a chymhwyso

24 **a** $8.7 \times 10^{19}\,u$

   b $1.4 \times 10^{-7}\,kg$

25 **a** 38

   b 85

   c 50

   d Mae gan Sr un proton yn fwy

27 **a** $^{90}_{36}Kr \rightarrow\ ^{90}_{37}Rb + ^{\ 0}_{-1}e + \bar{\nu} + Q$

   b **i** 9.5×10^{-7}

   ii 47

35 **a** **i** $1.28 \times 10^{-5}\,s^{-1}$

   ii $N = \dfrac{\text{actifedd } (A)}{\lambda} = \dfrac{10^{14}}{1.28 \times 10^{-5}}$

   $= 7.8 \times 10^{18}\,\text{atom}$

   $\text{màs} = 7.8 \times 10^{18} \times 24.0 \times 1.66 \times 10^{-27}$

   $= 3.1 \times 10^{-7}\,kg$

   b $A = A_0 e^{-\lambda t}$

   $= 10^{14} \times e^{-1.28 \times 10^{-5} \times 10 \times 3600}$

   $= 6.3 \times 10^{13}\,Bq$

   c $\text{màs} = 3.1 \times 10^{-7}\,kg \times \dfrac{10^8}{10^{14}}$

   $= 3.1 \times 10^{-13}\,kg$

Cwestiynau arholiad

1 **a** **i** 82, 214

   ii plwm $^{214}_{82}Pb$

   b **i** egni cinetig

   ii $9.6 \times 10^{-30}\,kg$ (defnyddiwch $E = mc^2$)

2 **c** **i** $^{215}_{84}Po \rightarrow\ ^{211}_{82}Pb + ^{4}_{2}\alpha$

   $^{215}_{84}Po \rightarrow\ ^{215}_{85}At + ^{\ 0}_{-1}e + \bar{\nu}$

   ii egni ïoneiddio nodweddiadol $\sim 1\,eV \sim 1.6 \times 10^{-19}\,J$

   ar gyfer miliwn o atomau, egni $\sim 2 \times 10^{13}\,J$

4 **b** **i** $^{14}_{6}C$

   ii $^{10}_{6}C$ ($^{11}_{6}C$ yw'r allyrrydd positron arall)

   c egni cinetig $\quad E_1 = 2.2\,MeV = 3.52 \times 10^{-13}\,J$

   egni màs $\quad E_2 = 2m_e c^2 = 1.64 \times 10^{-13}\,J$

   $E_{\text{cyfanswm}} = 5.16 \times 10^{-13}\,J$

   $E_\gamma = \tfrac{1}{2} E_{\text{cyfanswm}}$

   $= 2.6 \times 10^{-13}\,J$

6 **b** **i** $^{40}_{19}K \rightarrow\ ^{40}_{18}Ar + ^{0}_{1}X$

   ii positron (neu beta$^+$)

   c **i** $\dfrac{N}{N_0} = e^{-\lambda t}, \ \lambda = \dfrac{0.693}{T_{\frac{1}{2}}}$

   $\dfrac{N}{N_0} = \tfrac{1}{8}, \ \lambda = \dfrac{0.693}{1.4 \times 10^9} = 4.95 \times 10^{-10}\ \text{blwyddyn}^{-1}$

   $\ln \tfrac{1}{8} = -4.95 \times 10^{-10} t$

   $t = 4.2 \times 10^9\ \text{blwyddyn}$

Pennod 29

Cwestiynau sylfaenol

6 a 1.6×10^{-12} J   **b** 1.6×10^{-10} J
7 a i 5×10^{20} eV   **ii** 80 J
   b 80 W
12 a nac ydynt   **b** nac ydynt   **c** ydynt
13 a rhif baryon; hynodrwydd
   b rhif gwefr
   c rhif baryon
14 a i nac ydynt   **ii** ydynt

Deall a chymhwyso

24 a 1.6×10^{-8} J

Cwestiynau arholiad

1 a mae d yn newid i u ($n \rightarrow p + \beta^+$)
   b ni fydd yn newid (mae leptonau sydd heb adeiledd cwarc yn cael eu difodi)
2 a 7, 14
   b gwrthniwtrino
   c niwtron (i broton), electron, gwrthniwtrino
   d i i fyny, i lawr, i lawr (udd)
       i fyny, i fyny, i lawr (uud)
     ii mae cwarc d niwtron yn newid i gwarc u proton
3 a cadwraeth rhif gwefr
   b cadwraeth rhif lepton
   c rhifau lepton: $-1 = -1 + 1 - 1$
4 b π^+: oes hirach (hyd y trac)
   ïoneiddio (mae iddo wefr; bydd yn rhyngweithio)
5 a $\pi^+ \rightarrow \Lambda^0 + K^0 + 2\pi^+$

Pennod 30

Cwestiynau sylfaenol

7 1.82 m
13 20 N m
14 a Fx
   b Fx

Deall a chymhwyso

16 a 900 N   **b** 900 N
   c 171 N   **d** 171 N
   e 178 N, 16° uwchben y llorwedd
   f 178 N, 16° o dan y llorwedd
   g 890 N m
   h 890 N m

Cwestiynau arholiad

2 a i 6.9×10^9 Pa   **ii** 2.3×10^8 Pa   **iii** 0.044
3 b i 350 N   **ii** 550 N
4 b iii 1 10 N cm
      2 70 N cm
      3 300 N cm
   iv 38 N
5 b i 120 N   **ii** 280 N
   c 300 N m

● Pennod 31

Cwestiynau sylfaenol

2 a dim
b $2v$

3 a $\dfrac{ds}{dt} = 0$

b nac ydyw
c cyflymder cyfartalog
5 $1.67\,\text{m s}^{-2}$
6 $1.33\,\text{m s}^{-2}$
11 a $22\,\text{m s}^{-1}$
12 $11\,\text{s}$
13 a mae'r grym ar i lawr
b $-7\,\text{m s}^{-1}$
15 $4.4\,\text{m}$
16 a $3.9\,\text{m s}^{-2}$
17 a negatif
b $12\,\text{m s}^{-1}$
18 $5\,\text{s}$
19 a $1.4\,\text{s}$
b $2.2\,\text{s}$
20 a $v^2 = u^2 + 2as$, $s = 1.65\,\text{m}$
b $s = ut + \frac{1}{2}at^2$, $t = 1.13\,\text{s}$

Deall a chymhwyso

22 a stopiodd yn Keaton am $50\,\text{s}$
24 a $0.77\,\text{s}$
b $6.5\,\text{m s}^{-1}$
25 rhaid i'r trên stopio mewn llai na $(80 - 23 \times 0.7)\,\text{m} = 64\,\text{m}$
$v^2 = u^2 + 2as$, $s = 59\,\text{m}$
29 a lluniwch graffiau o v yn erbyn t am y ddau: $34\,\text{s}$
b ar y Lleuad $920\,\text{m}$, ar y Ddaear $1650\,\text{m}$
30 ar y Ddaear

Cwestiynau arholiad

1 b i anelastig; $6.0 \times 10^7\,\text{m s}^{-1}$ **ii** $4.0 \times 10^6\,\text{m s}^{-1}$
2 a ystyriwch fudiant fertigol a llorweddol ar wahân
b $v = 29.4\,\text{m s}^{-1}$
c $7.00\,\text{m s}^{-1}$
d $29.4\,\text{m s}^{-1}$
e $13.4°$
f cynyddu
3 b i $0.42\,\text{s}$ **ii** $0.84\,\text{s}$ **iii** $3.4\,\text{m}$
4 c i $7.00\,\text{m s}^{-1}$
ii $0.017\,\text{s}$
5 a

A	B
104	113
152	173
176	186 (i gyd mewn km awr^{-1})

b

13.8	12.7
9.47	8.32
8.18	7.74 (i gyd mewn eiliadau)

c B
e i B **ii** A

● Pennod 32

Cwestiynau sylfaenol

1 a $-0.2\,\text{m s}^{-2}$
b $+0.3\,\text{m s}^{-2}$
d $34.5°$

3 a $400\,\text{N}$
b $6.0\,\text{kN}$
c $-6.0\,\text{kN}$

4 a $23\,\text{m s}^{-1}$
b $1.4 \times 10^4\,\text{kg m s}^{-1}$
c $2.7 \times 10^5\,\text{J}$

7 a $3.0\,\text{m s}^{-2}$
b $7.3\,\text{s}$
c $81\,\text{m}$

8 a $28\,\text{kJ}$
b $111\,\text{kJ}$

9 a $980\,\text{kJ}$
b $20\,\text{m s}^{-1}$
d $8\,\text{m}$

12 a 4

Deall a chymhwyso

15 $3.2 \times 10^4\,\text{kg m s}^{-1}$, $3.2 \times 10^5\,\text{J}$

16 a $1.6 \times 10^4\,\text{N}$
b $1.4 \times 10^4\,\text{N}$
c $1.8 \times 10^4\,\text{N}$
d $700\,\text{N}$
f $2.6\,\text{m}$

Cwestiynau arholiad

1 b i $8.4\,\text{N}$
  ii $600\,\text{W}$
c i mae grym llusgiad gwasgedd yn cynyddu gyda buanedd, mae grym ffrithiant gwrthiant yn gyson
  ii 1 $2.8\,\text{N}$
    2 $200\,\text{W}$

2 a i $160\,\text{N}$
  ii 0.17
b $3200\,\text{W}$
c 4

3 a i 1 $0.020\,\text{s}$
    2 $14.4\,\text{m}$
b i $u = 39\,\text{m s}^{-1}$
  ii $2250\,\text{N}$

4 a ii momentwm ($\text{N s} = \text{kg m s}^{-1}$)
b $mv = 0.80\,\text{kg m s}^{-1}$
  $v = 1.6\,\text{m s}^{-1}$
c i $0.40\,\text{m s}^{-1}$
  ii $0.16\,\text{J}$
  iii anelastig (E_c cyn $= 0.64\,\text{J}$)

5 c $30\,\text{kW}$
d $55\,\text{kW}$

6 b defnyddiwch gadwraeth momentwm i ddarganfod v
yna defnyddiwch $v = u + at$
$a = 55\,\text{m s}^{-2}$

● Pennod 33

Cwestiynau sylfaenol

10 a $310.15\,K$

   b i $63\,°C$

   ii 63 gradd canradd

   iii $63\,K$

11 a i -273.15 gradd canradd, $-273.15\,°C$, $0\,K$

   ii 0 gradd canradd, $0\,°C$, $273.15\,K$

   iii 0.01 gradd canradd, $0.01\,°C$, $273.16\,K$

   iv 100 gradd canradd, $100\,°C$, $373.15\,K$

12 a $-59.1\,°X$ **b** $19.2\,°X$ **c** $35.1\,°X$

15 a positif, positif, sero

   b positif, sero, positif

   c positif, sero, positif

   d positif, positif, negatif

   e sero, sero (gwres o'r bwyd = gwres i'r amgylchedd), sero

   f positif, positif, negatif

16 a $41\,700\,J$ **b** $41\,700\,J$

19 $0.24\,K$

20 a ail   **b** cyntaf

   d i cyntaf, ennill $(T - 200)$

      ail, colli $(300 - T)$

   ii $4170 \times 0.6(300 - T)\,J$

   iii $387 \times 0.4(T - 200)\,J$

   e $294\,K$

Deall a chymhwyso

27 b $11\,J$

Cwestiynau arholiad

1 d $770\,J$

3 b i $38.4\,kW$

   ii $90\,000\,kg$

   iii $1.0 \times 10^{-4}\,K\,s^{-1}$

   iv $3.0 \times 10^{4}\,s$

4 a i $1840\,W$

   ii $2.3 \times 10^{6}\,J\,kg^{-1}$

5 a i $22\,J$ **ii** $0.13\,K$

   b i $3.0 \times 10^{-10}\,m^3$ **ii** $9.7\,mm$

6 a $1.7 \times 10^{8}\,J$

   b $1.8 \times 10^{4}\,s$ neu 5.1 awr

● Pennod 34

Cwestiynau sylfaenol

8 a 6.02×10^{23}

   b 3.01×10^{23}

10 a $0.012\,kg$, $7.22 \times 10^{24}\,u$

   b $0.0168\,kg$, $1.01 \times 10^{25}\,u$

   c $0.0896\,kg$, $5.39 \times 10^{25}\,u$

   d $0.185\,kg$, $1.11 \times 10^{26}\,u$

11 a $1.00\,m^3$

   b $870\,m^3$

   c $27.8\,m^3$

   d $27.8\,m^3$

   e $4.62 \times 10^{-23}\,m^3$

12 P : Pa neu $N\,m^{-2}$: $[M][L]^{-1}[T]^{-2}$
V : m^3 $\qquad$: $[L]^3$
T : K $\qquad\qquad$: $[\theta]$
n : mol $\qquad\quad$: $[mol]$

15 a $247\,m\,s^{-1}$
b $6.1 \times 10^4\,m^2\,s^{-2}$
c 4.00×10^4, 4.84×10^4, $10.24 \times 10^4\,m^2\,s^{-2}$
d $6.4 \times 10^4\,m^2\,s^{-2}$

17 $[P] \qquad\quad = [M][L]^{-1}[T]^{-2}$
$\rho \qquad\qquad\; = [M][L]^{-3}$
$[c^2] \qquad\quad = [L]^2[T]^{-2}$
Ochr chwith $= [M][L]^{-1}[T]^{-2}$
Ochr dde $\quad\; = [M][L]^{-1}[T]^{-2}$

18 cyflymder isc $\propto \sqrt{P}$

21 a $6.00 \times 10^{-21}\,J$

23 $U = \dfrac{3}{2}nRT$

24 a i $3 \times 10^{-21}\,J$
$\qquad$ **ii** $8 \times 10^{-21}\,J$

$\qquad$ **b** $\frac{1}{2}m\overline{c^2} = 6 \times 10^{-21}\,J$, lle bo $m = \dfrac{0.002}{6.02 \times 10^{23}}\,kg$

$\qquad$ buanedd isc $= 1900\,m\,s^{-1}$

26 $\dfrac{a}{V^2} = P$

$\qquad$ $[a] = [M][L]^5[T]^{-2}$, $kg\,m^5\,s^{-2}$

28 $P_R(V - b) = RT = PV$

$\qquad$ $\dfrac{P_R}{P} = \dfrac{V}{V - b} = 1.0016$

32 34%

Cwestiynau arholiad

1 b $\dfrac{3}{2}\dfrac{pV}{N} = \frac{1}{2}mc^2 = E_c$

$\qquad$ $pV = NkT$

$\qquad$ $E_c = \dfrac{3}{2}kT$

$\quad$ **c i** $6.00 \times 10^{-21}\,J$

2 a gwasgedd $\qquad\qquad$ Pa
$\quad$ cyfaint $\qquad\qquad\quad$ m^3
$\quad$ nifer y molau $\qquad\;\,$ mol
$\quad$ cysonyn nwy molar $\;$ $J\,mol^{-1}\,K^{-1}$
$\quad$ tymheredd $\qquad\qquad$ K

$\quad$ **b i** $5.0\,J$
$\qquad$ **ii** $V \propto T$ ar wasgedd cyson; tymheredd $= 167\,°C$

3 c i $0.0225\,m^3$
$\qquad$ **ii** $1.42\,kg\,m^{-3}$
$\quad$ **d ii** $464\,m\,s^{-1}$
$\quad$ **e i** $\langle c^2 \rangle = 3P/\rho$
$\qquad\quad$ $c_{isc} = 462\,m\,s^{-1}$

$\qquad$ **ii** $5.67 \times 10^{-21}\,J\left(m = \dfrac{0.032}{N}\right)$

4 b i $1340\,\mathrm{m\,s^{-1}}$
      ii yn hafal i E_c cyfartalog He $= 6.00 \times 10^{-21}\,\mathrm{J}$
      iii $80\,\mathrm{kPa}$
6 c $647\,\mathrm{K}$ ($347\,°\mathrm{C}$)
   d i   hydrogen, nitrogen, ocsigen
      ii carbon deuocsid (tymheredd critigol yn agos at dymheredd ystafell)
7 a $5.7\,\mathrm{W}$

   d ffactor $= \dfrac{T_1}{T_2} = \dfrac{273}{298} = 0.92$

● Pennod 35

Cwestiynau sylfaenol

1   $1.6 \times 10^{-19}\,\mathrm{A}$
2   $4.6 \times 10^{-13}\,\mathrm{kg}$
8 a $0.078\,\Omega$
   b $0.11\,\Omega$

9   cymhareb $\dfrac{R_w}{R_{Cu}} = \dfrac{5.6}{1.7}$, $R_w = 3.3\,\Omega$

11 $[\mathrm{M}][\mathrm{L}]^3[\mathrm{T}]^{-3}[\mathrm{I}]^{-2}[\theta]^{-1}$

13 cymhareb $\approx \dfrac{10^5}{500} \approx 200$

15 cyflymder drifft
17 $2.5 \times 10^{-4}\,\mathrm{m\,s^{-1}}$

19 cymhareb $\approx \dfrac{10^5}{5 \times 10^{-4}} \approx 2 \times 10^8$

Deall a chymhwyso

23 tua $7 \times 10^5\,\mathrm{V\,m^{-1}}$
28 a $1\,\mathrm{ms}$

Cwestiynau arholiad

2 b i $2.4 \times 10^{-15}\,\mathrm{J}$
      ii $7.3 \times 10^7\,\mathrm{m\,s^{-1}}$
   c 3.4×10^5
   d bydd lawer yn fwy mewn gwifren gopr (o ffactor 7.3×10^{10})
3 a $530\,\Omega$
4 a $8.3 \times 10^{-4}\,\mathrm{m\,s^{-1}}$
5 c i $2.5 \times 10^{-4}\,\mathrm{C\,s^{-1}}$ ($0.25\,\mathrm{mA}$)
      ii $3.0 \times 10^{-5}\,\mathrm{C\,s^{-1}}$ ($0.03\,\mathrm{mA}$)
      iii $9.4 \times 10^{13}\,\mathrm{s^{-1}}$

6 a $R = \rho \dfrac{l}{A}$

   b ii 1 $290\,\mathrm{V}$
         2 $2.1 \times 10^{-8}\,\mathrm{m}$
7 c i $3.5\,\Omega$

      ii defnyddio $\dfrac{1}{R} = \dfrac{1}{R_1} + \dfrac{1}{R_2} + \dfrac{1}{R_3} \ldots$ ar gyfer gwrthyddion mewn paralel

      $R = 0.063\,\Omega$

● Pennod 36

Cwestiynau sylfaenol

1 0.56 A

3 a 5×10^{18}

   b 5×10^{18}

4 gwrthydd 4 Ω; 1 V, 2 V

8 16 C, 16 A

9 a 9.0 rad A^{-1}

   b 0.018 rad

11 0.94 A

12 $\dfrac{S_1}{S_2} = 1000$

13 a $4.00 \times 10^{-4}\,\Omega$

   b 100 µA

14 49 980 Ω

15 a 1.0 V

16 a 0.020 A

   b 5.4 V

   c 240 Ω

   d 0.022 A

   e 5.3 V

18 12.3 V

19 a 2.0 V (defnyddio fformiwla fras)

   b 2.8 V (defnyddio fformiwla gyfan)

21 64 Ω

Deall a chymhwyso

22 1.50 V

23 1.51 V

24 1.49 V

25 0.02 V

26 $\frac{2}{5}$ o'r allwyriad graddfa lawn

Cwestiynau arholiad

2 b 1.7×10^6 J

   c i 58 Ω

     ii 920 W

3 a 20 V

   b 16 mA

   c 250 Ω

   d cerrynt cylched fer $= \dfrac{20}{250}$ A

4 a i 7.5 Ω

    ii 3.0 V

    iii 0.6 W

   b i $4.6 \times 10^{-7}\,\Omega$ m

5 i dŵr ar 20°C i ddechrau, dim gwres yn cael ei golli; tua 1.3×10^5 J

   k 96 W

   l tua 1400 s (23 munud)

6 c i $\dfrac{V_F}{V_S + V_F} = \dfrac{R_F}{R_S + R_F}$

    ii 1 2.00 Ω

       2 0.01 V

● Pennod 37

Cwestiynau sylfaenol

1 a 11
  b 111
  c 1011
  d 100000
  e 1100100

2 a 5
  b 8
  c 15
  d 64

5 a $V Pa^{-1}$

13 16

14 1111111111111111; 65535

17 1948

28 cof hapgyrch (RAM)

30 4 V

31 a 4

33 b 80 Hz

Cwestiynau arholiad

2 a 10.0 V
  b −5.0 V
  c 670 Hz

3 b ii 1 9000 Hz
      2 4500 Hz

4 a 100 kHz, 4500 Hz

5 a 5.1×10^9 did
  d i 127
    ii gan dybio bod gan un dudalen 33 o linellau a 60 o nodau (llythrennau a symbolau ac ati) ym mhob llinell, cyfanswm y nodau ar bob tudalen ≈ 2000
      nifer y didau ≈ 2000 × 8 ≈ 16 000

    iii nifer y tudalennau ≈ $\dfrac{5.1 \times 10^9}{16\,000}$ ≈ 320 000

Mynegai